復刻版

記録映画作家協会会報

第2巻

不二出版

〈復刻にあたって〉

一、復刻にあたっては、日本記録映画作家協会にご協力いただきました。
また、底本は左記の所蔵原本を使用しました。記して深く感謝申し上げます。
日本記録映画作家協会、川崎市市民ミュージアム、
コロンビア大学C・V・スター東亜図書館、阪本裕文氏、佐藤洋氏

一、本復刻版は、より鮮明な印刷となるよう努めましたが、原本自体の不良によって、印字が不鮮明あるいは判読不可能な箇所があります。

一、資料の中には、人権の視点から見て不適切な語句・表現・論もありますが、歴史的資料の復刻という性質上、そのまま収録しました。

（不二出版）

〈第2巻　目次〉

『教育映画作家協会会報』

『記録映画作家協会会報』

定例総会

1959. 12. 1 発行

教育映画作家協会々報

NO51

教育映画作家協会
東京都中央区銀座西八～五　日吉ビル四階　TEL (57) 5418

今年の総会は十二月二十七日（日）　新聞会館

十二時より自主製作発表と―
―作家の諸権利、記録映画運動について

―十一月十八日運営委員会―

十一月十八日、運営委員会にて総会対策を開きました。

一、映画会について〃忘れられた人々〃については討議の結果、一月二五日過ぎに開く事となった。

二、〃アジア、アフリカ連帯強化昂揚のための国際映画製作〃について討議され、運動に参加する事を決めた。具体的運動については大島辰雄氏と話し合い、日本AA連帯委員会に持ちこむ事となった。

三、安保批判の会より運動を起す資金運動について提案され作協としては安保反対署名と共にカンパ運動をおこす事を決めました。又事業収入があればカンパする事も決めました。

四、総会対策について

㋑ 総会は十二月二七日十二時に開会する。会場は松屋の裏の新聞会館に決定。

㋺ 総会報告原稿〆切は十二月十日、次回総会最終運営委員会を十二月五日（土）そこで、来年度の方針討議、役員候補について。

㋩ 式次才を次のようにする。

一、開会　十二時

二、映画会〃悪法〃〃日本の政治〃
〃安保条約〃〃失業〃
（一時三〇分）

三、議長選出　矢部正男

四、一般報告―

五、各研究会報告

六、機関誌報告

㈠ 経営報告―　杉山正美

㈡ 編集報告―　岩佐氏寿

七、事務局報告―　富沢幸男

八、財政報告―　〃

九、会計監査報告

十、質議と採択

十一、来年度の方針に関する提案―　矢部正男

十二、討議と採沢

十三、役員改選

十四、閉会

以上

一般報告として審議された点は

㈠ 映画製作（日本の政治・安保失業）及記録映画運動（記録映画を見る会、機関誌、研究会活動）その他（安保反対〃〃国民文化会議〃

作家の諸権利と記録映画運動との結合が問題になってくる。

交換／

何故記録映画の自主製作が出来ないのでしょう。この点を深く考えて何とかよりよいスポンサーを見つけて、世に問題を起す、記録映画をベテランの方々に作って下さい

能登節雄

A・A連帯強化、国際映画製作に協力と
〃安保批判の会〃へ参加決定
−十一月七日常任運営経営委員会−

十一月七日常任運営経営委員会が開かれ決定されたことは次のごとし

一、〃**世界の河**〃の日本語版製作に作家協会が協力することを決定。

二、〃**失業**〃炭鉱合理化の斗いは完成、十日の夜八時デリバリーで十二日后三時日比谷図書館にて試写会が開かれる。作家協会員に呼びかけた。

三、**A・A連帯強化**・昂揚のための国際映画製作に対し、日本AA連帯委員会及び大島辰雄氏（ヴエトナム友好協会員）より提案され作協として協力する事を決定。具体的には日本AA連帯委員会と連絡とる事となった。

（別紙印刷物参照）

四、**安保批判の会** 総会が十一月九日に開かれるので代表を送る事を決定。京極高英氏に出席して戴く。又〃**安保批判の講演と映画の夕べ**〃を十二月十五日日比谷図書館ホールで開くが、作協も日美、平和展と共催で開く。

五、作協総会について**十二月二七日（日）**后に開く、総会の為に十一月十八日オ一回運営委員会を開く事となった。

六、〃忘れられた人々〃〃二十四時間の情事〃二本立の映画会を十二月に開く計画をたてましたがこれはあくまでも雑誌〃記録映画〃の資金運動の一端なので、現在迄に、資金も出来たので一時中止となり研究会に変りました。

十一月二六日（木）后六時、岩波映画製作所試写室で〃二十四時間の情事〃をうつし研究会を開く事となった。

七、〃記録映画〃経営面では助監督事業収入作協事業活動、広告等により、この昭和三五年一月までの運転資金がとゝのったことの報告と、十二月号より東販を通してながすので書店にも多く出るようになり売行もよくなります。その為にポスターを作り、書店にはり出すことになっています。

＊　＊

安保批判の会の27日
統一行動へ参加と
大衆カンパ及映画会活動へ協力しよう!!
−動き−(1)

「安保批判の会」が発足し50余団体、百四〇名が参加。

日本美術会、東京YWCA、シナリオ作家協会、ジャーナリスト会議などの団体、青野季吉、中島健蔵、海野普吉氏等が参加。学者、文化人、宗教、演劇、映画、関係者が九日午后五時から東京虎の門の霞山会館で総会が開かれた。石川達三氏を座長にえらび「安保批判の会」とすることを満場一致できめ、松岡洋子氏が運動方針を提案、二六日后一時半神田共立講堂での講演会を決定、会の財政は参加団体と大衆カンパでまかなう事を決定。「世界の緊張緩和に逆行し、中国を仮想敵として日米軍事同盟を強める安保改定に反対する」と総会声明を発表した。

ひきつづいて大衆カンパのことについて映画関係は映画関係でカンパ運動の為の会合を二四日（火）后三時より新世紀にて、

又二六日の共立講堂の大講演会、二七日の統一行動が行われます。そこで作協としては、一、安保条約反対の講演と映画会へ、映画〃安保条約〃の持こみ。二、大衆カンパへの協力を呼びかけます。

△〃世界の河〃を第二回自主上映運動作品に
−自主上映促進会−

十一月十三日、自主上映促進会東京委員会が雑誌会館で開かれた。

一、〃世界の河〃をオ二回の自主上映作品とする。これは移動映写事業連合と共同で上映運動を起す事となり、自主上映側より三名連合側より三名の委員を出して今後の上映の為の任務にあたることゝなった。自主上映側よりの三名は山田和夫（世界映画資料）山之内重己（作協）森（国鉄）

二、組織問題について、組織強化をはかることが東京の場合のぞまれています。そこでどの様にして行くか準備委員を出してその為のプランをねる事となった。

三、映画観客団体全国会議の最終日二三日の夜〃世界の河〃を上映その後に自主上映の会議を開く、

そこで(1)〃世界の河〃上映運動について、(2)来年の総会について話し合う。

ひきつゞき十一月十九日〃世界の河〃オ一回実行委員会が開かれ、上映運動の持ち方、宣伝について話し合い、十一月末オ二回を十二月初に宣伝会議を開き具体化する事となった。

動静

ヤシカをやめまして、新潮映画社専属となりました。新らしい行き方をしたいと色々企画をねっております。只今　カラー五巻

最新タイヤの使用法

石油

十月十四日赤坊が生れました。私にも春が来たという意味で藤村の若菜集より**若菜**という名をつけました。

島谷陽一郎

「マリン・スノー」（東京シネマ作品）演出

野田真吉

日映新社にて「黒部川オ四発電所建設記録」演出中

山添哲

只今三井プロ「僕の兄ちゃん」で柳沢さんについています。

久保田義久

研究会および映画会のおしらせ

○十二月例会

記録映画を見る夕

△今回は官公庁映サ協が参加し、四団体になりました。今までの例会を生かして映写後に座談会を開く事としました。

十二月十八日（金）后六時

日比谷図書館地下ホール

内容(イ)　映画　二時間

一、〃ウイスキーのふるさと〃（岩波映画製作、寿屋企画）ワイドカラー二巻　か

〃チエツコのスキー映画〃

二〃**われらのスキー**〃二巻（全日本スキー連盟監修、指導製作、ベースボールマガジン社）

三〃**隣人**〃一巻

カナダの前衛的実験映画作家マクラレン作品

休憩

(ロ)お話　十分

〃**安保条約**〃（総評企画、松本俊夫監督関根弘詩人コメンタリー）

〃なかよし港〃五巻（東映教育映画部製作、岩佐氏寿監督）

(ハ)**座談会**　三〇分

松本俊夫　岩佐氏寿両氏等を囲んで映画を中心に話し合います。

主催・教育映画作家協会　中部映画友の会　機関紙映画クラブ　官公庁映サ協

△世界の子供たち特集映画会

とき・毎週土曜　十二時三〇分　二時

ところ・**西武デパート八階リーデングルーム**

五日　亀の子スタニー（児童劇映画）とんぼ教授の夢（マンガ）そり（児童劇映画）

『ポーランド、ハンガリー』

十二日　子供の四季、野を越え山を越え（記録映画）

『日本』

十九日　森のフランソワ（色）（猛獣映画）エツフエル塔征服（登山映画）

『フランス』

二十日（日）前十時ー十一時　后四時三〇分ー五時三〇分

二つの霜（人形劇映画）ミイチャアは何処へ（マンガ）二等兵シュベーク（人形劇映画）

『チエツコ』

主催・城北映画サークル協議会

○安保批判の講演と映画の夕べ!!

とき・十二月十五日（火）后六

ところ・日比谷図書館地下ホール

内容(1)映画〃太陽を独占するもの〃一巻（チエツコマンガ）

(2)講演　林克也（軍事評論家）

(3)映画〃世界は一つの歌をうたう〃九巻

会費一人五〇円

主催・日本美術会

平和展実行委員会

教育映画作家協会

△「日本映画ペンクラブ」の創立総会

ー動き(2)ー

日本映画ペンクラブ準備会は十四日国立近代美術館で創立総会を開き(1)規約の審議(2)幹事の選出を行い会員九十二名から次の十氏がオ一期幹事として選出された。岩崎昶　萩昌弘　佐藤忠男　品田雄吉　清水晶　登川直樹　淀川長治　津川溶々　草壁久四郎

事務局よりお知らせ

機関誌〃記録映画〃の固定読者を

(イ)同封しているもう一部の機関紙〃記録映画〃の読者を取って下さい。固定読者を取られ住所、氏名を紹介下されば直接、読者の方にお送りします。

(ロ)その都度売って載く場合は七〇円を会費と共に載くようになります。

(ハ)固定読者の方々には毎月の短篇試写会の招待状を直接おくっています。

(ニ)固定読者へアンケートと継続のお願いを発送しましたので協力方、お願いします。

会費滞納されている方々へ

十二月ですので会費をぜひおゝさめ下さい

今回あらためて会費三ケ月以上滞納者を調査しました所、三七名いました。特に昨年より会費をおさめていない方は十名もいます。現在非常に会が活動していますので資金が必要になっています。又十二月で今年のおわりですので少し無理をしてでも会費をおゝさめ下さい。

お心あたりの方はぜひとも会費を納入下さい。　事務局より

安保条約批判の会へのカンパ運動に協力下さい

協会として「安保条約批判の会」に参加安保反対の運動に立上りました。講演会への参加及び映画〃安保条約〃の活用等の他に大衆カンパ運動をきめましたので十二月一パイ運動をおこしていますから事務局まで振替又は会費納入の時におとゞけ下さい。カンパ帳をおいておきます。又二七日その後にある統一行動には積極的に参加下さい至急お知らせします。

総会は十二月二七日（日）十二時から、新聞会館

今回の総会は十二月二七日の日曜日一日がかりで開きます。

とき・十二月二七日(日)十二時

ところ・新聞会館（銀座四丁目松屋裏）

どうか協会員の参加を待ちします。会費総会後、忘年会を開きます。会費三〇〇円予定です。

資家陳彦さんよりお手紙がとゞきました。

カンパ誠に有難うございました。手術後は、癌研でのコバルト照射も終え、軽い編集などもやれるようになりました。皆々様には諸兄からも宣しく御伝え下さい。

丸尾定

協会財政報告　十月分

収入の部

会費	七四、三〇五円
雑費（映画会、その他）	二二、五五五
合計	九六、八九〇円

支出の部

事務費	五、〇〇〇円
通信費	四、〇〇一円
用品文具費	四六〇
交通費	四、三五七円
会合費	一、五五〇
電話料	二、一三三
人件費	三三、五〇〇
九月分赤字	九、三七八円
合計	八七、二五四
差引残高	九、六〇六円

記録映画財政報告　十月分

収入の部

固定読者	一〇、七一〇円
売上	七、八六三円
広告代	四四、〇〇〇円
繰越金	四三七
合計	六三、〇一〇

支出の部

通信費	一、七〇六
交通費	一、九五三
会合費	二〇〇
原稿料	三、〇〇〇
文具品	四三〇
座談会費	二、九〇〇
電話料	二、一三四
合計	二八、一四一円
差引残高	三四、八六九円

△映画観客団体全国会議　十一月二二、二三日　宝塚にて

映画サークルの全国会議が、割引停止後の中で、自主上映運動へふみきった中で、映画サークルの基本的性格をきめる事となっています。

〃記録映画〃三五年一月号予告

記録映画の方向

対談　劇映画とドキュメンタリー　村山新治　大島渚(予定)

奄美大島撮影記　西尾善介

オキナワ(2)　間宮則夫

「月の輪古墳」から(2)　杉山正美

「失業」撮影記　京極高英

社会教育映画論　岩堀喜久男

ドキュメンタリー方法論　高島一男

ドキュメンタリーの悩み　黒木和雄

作品評・「火山の驚異」

「ヒロシマの声」　西江孝之

「人類の境界」　長野千秋

「オキナワ」　野田真吉

現場通信・富沢幸男　丹生正

吉田六郎、その他

1959 12. 15 発行

教育映画作家協会々報

教育映画作家協会
東京都中央区銀座西八～五　日吉ビル四階　TEL (57) 5418

号外

12月研究会のおしらせ!!

（注）どなたさまも参加下さい。

記録映画研究会 お知らせ!!

今年最後の記録映画の研究会を開きますから参加下さい、〃記録映画〃製作運動と共に発展して来ています。

とき○十二月二二日（水）后五時三〇分
ところ○　映教会館三階試写室

内容上映作品
1. 〃失業〃四巻（総評）京極高英作品
2. 〃Nの記録〃二巻　日大映研作品
3. 〃世界のすべての記憶〃アラン　レネ作品
（フランス国立図書館）

上映後研究会を開きますのでその方面の仕事をされている作家、その他の方々の参加をお待ちしています。

主催　記録映画研究会
野田真吉
松本俊夫
大沼鉄郎

社会教育映画研究会 お知らせ!!

今回岩堀喜久男、荒井英郎、豊田敬太諸氏のおはねをり により才一回社会教育映画研究会を開きますから参加下さい。

とき○十二月二五日（金）后五時三〇分
ところ○　映教会館三階試写室

内容上映作品
1. 〃うわさはひろがる〃二巻岩堀喜久男作品
2. 〃ある主婦たちの記録〃　三巻
豊田敬太作品
3. 〃うわさ〃　三巻　岩佐氏寿作品

上映後研究会を開きますのでその方面の仕事をされている作家の方々は参加下さい。

主催　社会教育映画研究会
岩堀喜久男
荒井英郎
豊田敬太

き 動

労働組合視聴覚研究 全国集会開催要領案

一、大会日時ー一九六〇年二月九・十日
一、会　場ー伊東市西小学校
一、費　用　①資料費一人三〇〇円
　　　　　②宿泊費一人一〇〇〇円(一泊四食)
一、参加人員ー四七七名他団体(二五〇名)サークル。専門家
一、会議内容
①自主製作8ミリ、論文、スライドコンクール
②記念上映(記念作品、労働作品)
③分科会、才一分科会(労組の視聴覚活動)才二分科会(労組視聴覚の組織化才三分科会戦前、戦後、現代の映画製作運動、
一、実行委員、各労組、国民文化会議、勤視連独立プロ協組、作家、自映連、映愛連、
一、事務局、事務局長(総評山中)事務局員若林(総評)中村、星(勤視連)
以上の案が出されています。作協としての協力対策を作って下さい。

アジア・アフリカ映画製作準備 準備委員決定、活動を進める

AA連帯国民運動をドキュメンタリー・フィルムを合作することが、カイロ常任書記局会議で日本側から提案されることと承認された。二月に開かれる、ギニアの首府コナクリーにて才二回AA連帯国民会議にかけられることゝなつた。作協としてはこの製作運動に対し準備委員会をもうけ、日本AA連帯委員会と懇談することゝなつた。準備委員として、厚木たか、京極高英、岩崎太郎、高島一男、富沢幸男の諸氏とそれに記録映画研究会の役員が参加することゝなった。

〃安保批判の会〃資金運動 一口百円、カンパニヤへ協力下さい

先にお知らせした「安保批判の会」に参加安保反対の運動に立上りました。大衆カンパ運動をおこしています。〃安保反対資金として作協に一万円の配分が来ました。現在一口一〇〇円のカンパを行っています。事務局へ又は総会当日持参下さい。カンパ帳がそなえてあります。節に協力をおねがいします。

ー総会と会費納入についてー 事務局よりの お願いとお知らせ

(註) 次の項よくおよみ下さい。

◇本十二月二七日総会にあたり、当日やむをえず欠席される方々は別のはがきに何々氏に委任するむね書きこんで二五日后五時まで事務局にとどくようおくり下さい。総会当日役員選挙を行いますので協力下さい。

◇十二月二七日総会後忘年会を開きます。別におくりしたはがきに出、欠のお知らせ二五日までに下さい。準備の都合がありますから。会費は一人、三〇〇円当日、受付で戴きます。

◇会費納入について別に請求書を同封しましたが、今月は十二月でおわりでもあり、協会財政確立と事務局員人件費等の点からもおそくとも総会当日二七日までに十二月分まで納入下さいますことをおねがいします。総会当日受付にてあつかいます。

〇…………〇

協会財政 十一月分

収入の部	
会費	四七、〇八八円
雑費	四九、九二五
合計	九七、〇一三

支出の部	
通信費	三、九四〇円
交通費	二、五九五
事務局費	五、〇〇〇
会合費	一九〇
雑費	六、三〇〇
用品文具費	二八五
電話代	二、六三二
人件費	三三、五〇〇
印刷費	五、〇〇〇
合計	五九、四四二
差引残高	三七、五〇六円

記録映画財政 十一月分

収入の部	
売上	一二、七六二円
予約	一一、〇四〇
広告	二九、五〇〇
繰越	七九、一七九
合計	一三三、四八一円

支出の部	
通信費	三、六一一円
交通費	三、七九〇
用品文具費	二九五
雑費	一、〇六五
原稿料	三、〇〇〇
印刷費	五五、〇〇〇
電話代	二、六三二
会合費	四、九七〇
合計	七四、三六三
差引残高	五九、一一八円

1960 1 20 発行

教育映画作家協会々報

教育映画作家協会　　号外

東京都中央区銀座西八〜五　日吉ビル四階　TEL (57) 5418

一九六〇年度教育映画作家協会 新役員一覧表

運営委員長　岩堀喜久男
事務局長　富沢幸男
常任運営委員　矢部正男（研究会担当）
八幡省三（事業担当）
松本俊夫（機関誌担当）
河野啓二（対内公報担当）
杉原せつ（財政担当）
運営委員　荒井英郎（研究会）、かんけまり（財政担当）羽田澄子（対内公報担当）、間宮則夫（機関誌担当）、京極高英（研究会担当）、藤原智子（事業担当）、大沼鉄郎（事業担当）、野田真吉、長野千秋、西本祥子・
編集委員長　岩佐氏寿
編集委員　野田真吉、吉見泰、長野千秋、西本祥子、渡辺正己、
会計監査　菅家陳彦、山口淳子

年賀状が協会に来ました 皆さんに紹介します！

東宝プロダクションつむら秀哉 近代映画株式会社鳥羽和一・新潮映画社島谷陽一郎・三木映画社村上雅英、山本升良、小島義央・日映科学映画製作所・シエル石油株式会社東京営業所・農山漁村文化協会・モーション・タイムズ株式会社・豊富靖・日経映画社・東京映画社・株式会社三栄社、奈良要・全神戸映画サークル協議会・共同映画社・新理研映画株式会社企画調査部第二部・日本映画教育協会・日本共産党中央地区委員会ニッポンシネマ株式会社・財団法人都民劇場・日本ライト社・大方弘男・日本教職員組合・自由映画人連合会・株式会社森市商店・教材映画製作協同組合加納竜一・近代映画協会・株式会社社会教育映画社・株式会社文化映画研究所・株式会社新世界プロダクション・東京映画愛好会連合・映画美術共同社・芸術映画プロダクション・在日本朝鮮人総連合会中央本部・新東宝株式会社撮影所教育宣伝映画課蛭間直宏・人形劇団プーク・オートスライドプロダクション・官公庁映画サークル協議会・日本アニメーション映画社、平田繁次大口和夫・日本ドキュメント・フィルム・関西教育映画作家協会・草月アートセンター・東急文化会館・朝日録音株式会社・マキ・プロダクション月井正幸・深江正彦綜合建築家集団・城北映画サークル協議会・映画日本社小林プロダクション・大内田圭弥・関西映画株式会社・

〃記録映画〃研究会のお知らせ！

一九六〇年初の〃記録映画〃研究会をルポルタージユとドキユメンタリーという題材で開くこととなりました・

当日はまにあいませんが、イタリーの記録映画〃オリーブに生きる人々〃（東和映画提供）を二五日〜三〇日頃に東和の試写室で見れるようにしたいと思つています・二月にはポーランドの実験映画〃タンスと二人の男〃と〃ドーム〃又は〃シユパイデル将軍〃を上映して計画する予定でいます・

と　き　一九六〇年一月二六日（火）
　　後六時〜

ところ　岩波映画製作所二階試写室

内　容　一、〃オキナワ〃　四巻（日経映画作品）　間宮則夫演出
　　　　二、一九五九年度集録朝日ニユース　一巻

会　ヒ　一人五〇円（当日の運営資金として）

上映後座談会を会議室をかりて開きますからおのこりになつて下さい・

各　位　様

記録映画研究会幹事
野　田　真　吉
松　本　俊　夫
大　沼　鉄　郎

〃社会教育映画〃研究会のお知らせ！

第二回の社会教育映画研究会を一九六〇年の一月に開くこととなりました・先の時には大変な反響を呼びましたし、今後共に社会教育映画が作家自身の問題になるように研究会をすゝめて行きますので皆様の研究会への参加と協力を切におねがいします・

と　き　一九六〇年一月二九日（金）
　　後五時三〇分〜

ところ　日本映画教育協会三階試写室
　（都電・地下鉄虎の門下車三分）

内　容　一、おかあさんの生産学級　二巻
　　　　原田勉脚本森田実演出農文協製作
　　　　二、おばあちやん学級　三巻
　　　　柳沢寿夫演出三木映画社製作
　　　　三、婦人会日記　四巻
　　　　杉原せつ脚本小林千種演出
　　　　共同映画社製作

上映後座談会を開きますのでおのこり下さい・

各　位　様

社会教育映画研究会世話人
岩　堀　喜久男
荒　井　英　郎

映画会その他諸団体会合

をお知らせします

◇日教組教育研集会一月二六日〜二九日まで千葉県で開かれます・

◇短編映画会、一月二四日（日）後一時・マンガ〃太陽を独占するもの（チエツコ）実験映画〃タンスと二人の男（ポーランド）〃ドーム〃（ポーランド）
桑沢服飾研究所　主催・会場

◇〃世界の河は一つの歌をうたう〃特別鑑賞会、二月一日〜五日（毎夕五・三〇開場二回上映）、
会場、虎の門共済会館、会員券六〇円、
東京自主上映促進会・

◇〃一九五九年ベスト・テン記念映画祭・〃世界の河〃〃忘れられた人々〃二月六日（土）後五時三〇分、会場豊島公会堂
会ヒ、六〇円、城北映画サークル協議会

◇労働組合視聴覚全国集会、二月九、十日
伊東市　主催、総評・

協会の皆さんへ

〃総会の結果〃については一月二六日の会報（八頁）に発表いたします・細部はそこでお読になつて下さい・この号外には新役員と、研究会通知、それに別紙で機関誌〃記録映画〃の運転資金借用のアツピールを同封しましたのでご了承下さい・

教育映画作家協会事務局

1960. 2. 1. 発行

教育映画作家協会々報

教育映画作家協会　No 52

東京都中央区銀座西八〜五　日吉ビル四階　TEL (57) 5418

A・A映画製作への方向と労視研への参加
―財政組変について―

第一回常任運営委員会報告

一月十九日初の常任運営委員会で岩堀、富沢、松本、杉原、河野、の諸氏出席、八幡（電話で欠席のむね連絡あり）矢部の諸氏、で開かれた。

一、A・A映画製作について

ギニアのコナクリで開かれるA・A会議が四月十一日〜十五日に開かれ日本代表十名程度が出席そこで映画製作の提案をすることとなった。そこで作家協会としては基本的テーマーの問題等について協会内の準備委を作り、運営委員会にかけることとなった。今まで準備活動を具体化することがきめられた。準備委として、厚木たか、京極高英、矢部正男、野田真吉、松本俊夫、大沼鉄郎、それに運営委員長と事務局長があたる。一月二五日に会を開きテーマを具体化することゝなった。

二、労視研への参加について

第三分科会（自主映画製作）の方へは助言者として二名の代表をおくるほかに第一分科会（マス・コミの中における視聴覚活動）第二分科会（自主上映運動）の方へも代表をおくることをきめ、代表候補者として、〃記録映画〃運動の資料をまとめた作家をふくめ岩佐氏寿、野田真吉、京極高英、菅家陳彦、河野哲二、杉山正美、杉原せつ、の諸氏をきめた。

三、協会及機関誌の財政について六〇年の予算をたて検討中二月上旬の常任運営委で再討議することゝなっている。

四、以上の他に、生活対策、見る会の運動等については次回に充分検討した上発表することゝなった。

総会決定事項の確認と常任及編集委員を選出・その他

第一回運営委員会報告

一月十二日初の運営委員会で次のことがきまりました。出席者は、岩堀、富沢、八幡、杉原、荒井、かんけ、長野、野田、羽田、西本、京極、藤原、大沼、河野、の諸氏で、欠席は門宮（出席出来ぬむね電話があった）、矢部の両氏。

総会で出された意見を役員が統一しておくことの必要性がのべられ、一、生活権確立の為の実態調査を行う。二、各ジャンル及団体との連絡強化をはかる。三、協会内の公報活動をよくして行く。四、機関誌〃記録映画〃の編集方針の今までの行き方を確認すると共に既定の方針を強めて行く。五、研究会活動を拡め作家活動への問題を提起して行く。六、見る会の運動を昨年の運動経験を生し作家の問題として取りあげて行くようにして行く。

以上にのとって、運営委員会の指導性を強めることが出された。昨年は日常活動がなかった、又積極性と、組織性にかけていたむねの自己批判が出された。

特に生活権の問題については別に実体調査の為の特別調査会を作る必要がとかれ常任運営委員会にまかされた。

（２）今年は指導性と日常活動を強める為に常任ならびに運営委が活動担当をきめて行動することを決定し次の人が選ばれた。

イ常任運営委　五名

矢部正男（研究会担当）
河野哲二（協会内公報担当）
八幡省三（事業活動担当）
松本俊夫（機関誌担当）
杉原せつ（財政担当）

運運営委員（　）内は担当

大沼鉄郎（事業）藤原智子（事業）荒井英郎（研究会）京極高英（研究会）間宮則夫（機関誌）羽田澄子（会報）かんけ・まり（財政）

つゞいて機関誌編集委の選出にうつり、今まで常任と編集委とわかれ十二名いたが、六名（編集委員長ふくめ）の編集委で推進することが確認された。

ロ編集委員長　岩佐氏寿

編集委

野田真吉、吉見泰、長野千秋、西本祥子、渡辺正己

ハ機関誌〝記録映画〟運転資金について、

二〇日までにアツピールを作り協会員におくり一万の会ヒと共に納入するように、事務局及財政担当と共に別に会合できめ呼びかける。

ニ労視研全国会議への方向

一つは労視研へ〝記録映画〟運動の今までの報告を出すこと、二つめに代表二名をおくること。細部については一月十六日に会合を開いてきめる。

ホＡ・Ａ映画製作について

すでに準備会が開かれており、その報告がなされ二月のギニアでの総会が四月に伸びたことや、財政面（代表おくる場合七五万円かゝる）を考えること、草案を作り、具体的製作委を作る。

等が出され、先づ、協会内のＡ・Ａ映画製作についての統一をはかり、外部の動きを見、協会内に準備会をつくる、一月十九日のＡ・Ａ会議準備会の前、十八日に打合せ会を開き協会内の方向をきめることとなった。

雑誌取扱いのおしらせ

〇戦後映画第二号　アランレネエ特集。

〝二四時間の情事〟コンテ全訳
〝二四時間の情事〟論、数名、
単価一部百円の予定。

〇世界映画資料　二三号　〝アジア・アフリカの映画特集
単価　一部百円

二四号〝ソヴエト映画四十周年特別号、グラビア掲載単価一部百円いずれも協会事務局で扱います。

動静

農文協で「牛のしつけ」（二巻）脚本と演出、三五年二月完成予定。
大内田圭弥

「マリン・スノー」（東京シネマ作品）演出
野田　真吉

「結婚の条件」という映画の演出中です。（今年中には完成の予定です）
河野　哲二

「東北のこけし・京都の西陣織」それぞれ編集おわり、目下「日本の版画」の編集中
大野　孝悦

英映画で仕事をしています。
谷川　義雄

とうとう病気で倒れてしまいました。しばらく入院加療いたします。
深江　正彦

東京フィルムで引続き「農業気象」に着手一年間かゝる見込みです。
上野　大梧

「正しい寸法をつくる人々」三巻（日経映画）演出。今年一杯、準備、来年早々撮影に入る予定です。
間宮　則夫

主人は只今漁連の仕事で仙台の方へ行っておりますが二、三日うちに帰京の予定で御座います。
道林　一郎

新映画実業にて「日本みたまゝ」準備中
日高　昭

〇　明治大学「八十周年記念」記録映画シナリオ〇亀々公社「電話のエチケット」シナリオ〇日本触媒化学工業のシナリオ脱稿、その他企画調査をつゞけています。
肥田　侃

〝記録映画〟へ意見！

このところ誌面も充実してきたので、次号がたのしみなほどです。私たちのような現場の人間は、やはり現場通信の中に、時々「ハッ」と思い当る節などが見出されます。親睦を増す意味からも、この欄の充実を望みます。
肥田　侃

現在に於て作品をノオと云い、作品に於て現在をノオと云う、これを高次で統一するのが批評の仕事であります。これは決して単なる言葉のアヤではないのであります。現在に於て作品をノオと云うだけでは弁証法が成立しません。
渡辺　正己

作家の生活問題と
機関誌〃記録映画〃の方向について

才六回教育映画作家協会総会　議事録

（一九五九年十二月二十七日後二時〜七時、新聞会館で開かれたものです。祝電、メッセージ、役員改選は続けてのせました）

この議事録は、総会当日の速記の中から抜萃したものです。実際の内容の10分の1にちぢめてあります。発言内容は可能なかぎり正確をきしたつもりですが、要約してありますから、細部に於ては相違している事を御了承下さい。

⑴一般年次報告（報告者　矢部正男）

現在、我々作家は、安保体制をめぐる政治的対立の中におかれている。教育問題をとってみても、民主的教育とは反対の中央集権化が行われ、それが映画の製作方針に強く影響している。又、安保体制の強化の中で製作条件が悪化し、労働強化がしいられている。こうした創作上、経済上、作家活動を阻害する現実とどう取りくんで来たか。このことを考えにおきながら協会の活動をみたい。

(A)　作家活動の前進について（詳細は総会議案書参照）

①雑誌〃記録映画〃を中軸にして、我々自身の理論をうちたてる努力が始められた。

②創作活動では、総評企画の三本の映画製作が大きな意義をもった。

③作家活動をより発展させるため、外部団体や観客と手をにぎってきた。

④研究会は今年度の活動方針の基本であったが、記録映画研究会が活潑だったことをのぞけば、他の研究会は低調だった。

(B)　生活の擁護について（議案書参照）

生活と権利を守るたゝかいについては、みるべき動きをしなかった。

以上を結論として述べれば、作家活動の面で一応の前進を示したが、研究会活動、及び生活と権利を守る面に於て反省すべき点があった。

⑵研究会報告

(A)　記録映画研究会（報告者・野田真吉）（議案書参照）

グループ活動をさかんにすることによって協会の運動の基本にしようという今年度の方針に従い、大体月一回の割合で行った。

現実を作家としてどのようにとらえて表現していくか。という問題から始まって、過去や現在の作品をみて討議し、その結果は〃記録映画〃に反映した。その反映がはねかえってきて研究会を豊かにした。今後も研究会をつづけ、我々が当面している作家の問題を解決していきたい。

(B)　社会教育映画研究会（報告者　岩堀喜久夫）

社会教育映画とはどんな映画で、今どんなものが作られているだろうか。我々はどんな態度で作ったらいいだろうか。こんなことを念頭におきながら、才一回を十二日にやりました。

来年も、月一回づつやっていこうと考えています。

⑶雑誌〃記録映画〃報告（議案書参照）

(A)　経営について（報告者　杉山正美）

雑誌のための経営委員会をもうけ、協会が自主発行する体制を作ってきた。特に固定読者の拡大と記録映画をみる会を実施してきた。

しかし、十月にベースボールマガジン社から印刷費の援助打切りの通告があったため、発行費用は月々七四、五〇〇円とな

（４）

り、（収入は六三、〇〇〇円）月々一、五〇〇円不足することになった。

そこで広告収入の増大と東販へ販売委託を行うことにした。但し、東販からの販売収入は三ケ月先でないと入らないので、当面、発行のための運転資金が必要となり（主として印刷費）その基金募集をしたい。

(B)　編集について（報告者・岩佐氏寿）

この雑誌は、記録映画ばかりでなく、教育映画・ＰＲ映画など協会員が作っている作品全般について取りあげていくが、どの分野に於てもドキュメンタリイの方法は大切だと考え、一貫して創作方法としてのドキュメンタリイの問題を追求してきた。たゞ記録映画研究会の活潑な活動が反映して記録映画に関する論文が多くなったが、他の研究会が盛んになれば、その結果が次才に反映してくるだろうし、問題の本質を発展させる反論も期待出来ると考えている。

創作理論の面では、他の芸術ジャンルと共通に語りうる点まで達したと確信するが、作品の実際研究に欠ける点が多かった。又、現場通信などナマの報告も少なかった。これは雑誌の方針に欠陥があったのか、会員の方に欠陥があったのか、将来の課題として考えてみたい。

(4)　事務局報告

（報告者　富沢幸男）

協会の年間活動と協会々員数及び総評企画三本について報告（議案書参照）

(5)　会計報告

（報告者　富沢幸男）

協会基本才政と雑誌経営才政とにわけて報告（議案書参照）

(6)　会計監査報告

（報告者　八幡省三）

異状ない旨報告（議案書参照）

(7)　今年度の諸報告についての質疑討論

(A)　一般年次報告について

吉見「報告の最後のところで〃作家活動は一応の前進を示した〃と述べているが、何をもって一応の前進と分析されたか。いかなる方法で前進したのか。補足説明をしていたゞきたい」

矢部「雑誌〃記録映画〃がいろいろな問題を提起し、充分とは云えないが論争が起り、本格的な方向へ動き出した。

次に、創作活動の面で、総評映画に単に協力するということでなく、作家が作品の中で自分の叫びをあげた。

又、外部への仂きかけが記録映画運動の一かんとして行われ、観客と作家の結びつきが今迄より強くなった。これらの点が前進です。

たゞ、記録映画研究会をのぞけば研究会活動は前進したとはいえないので、一応の前進と結んだわけです。」

吉見「確かにその通りだが、企業の中で創作活動をしている人たちと総評映画とどう結びつくのか。それがはっきりされないと、一部の運動ではないかという見方が協会の中に生れてくる危惧を感ずる。」

矢部「総評映画に参加しうる機会は企業、フリーをとわず限られた人数です。従って参加不参加という考え方でなく、作家活動のあり方や方向を追求していくと民主的なテーマをもった映画製作には協会全体として参加しなければならない必要性が生れてくる。即ち、作家の理論追求がすぐ明日の活動に生かしえなくてもいろんな問題に目を開かせてくれる。それが、総評映画のような作品を足場としてあらわれてくる。こうした見解に立っているわけです。」

野田「壁につきあたってあがいている教材映画やＰＲ映画と総評映画の製作とは、互に影響しあって進んでいくのではないか。戦後の映画の歴史をみるとわかるが、いい自主映画ができれば企業の中でもいい映画ができる。こうした相互に影響を及ぼす関係だという理解の上にたたないといけないと思う。」

吉見「総評映画を作る意味を作家の創作の自由、表現の自由を拡大する一つの運動と考えた方がいい。創作上、経済上、作家活動を阻害する現実を作家は創作活動を通じて破らなければ、いくら主体論争を展開しても具体性を失ってしまう。総評映画を三本やれたから一応の前進だというのではなくて、作家活動の自由を拡大する運動の芽の一つだと価値ずけ、今後どう芽をのばすかとした方がはっきりする」

八幡「教育行政の圧迫で作家の主体がゆがめられているという問題は、今年に限らずくりかえされてきたことだと思う。研究会活動についても記録映画研究会が活潑だったという形だけでなく教材映画なら教材映画を作っ

ている場での苦しみや社会的動きを汲取るという角度で教材映画研究会がもてなかったということがあると思う。生活問題も成果がなかったとしているが、日常的に我々の仕事の面でやはり汲取りきれなかったものがある点を確認する必要がある」

岩佐「文教政策の逆行に対する作家主体の諸問題、テレビなどマスコミの猛威の中での記録映画教育映画、ＰＲ映画のあり方、大資本の強圧、映画界のトラスト化による小企業プロダクションの経営困難から起る作家へのシワヨセ、それら全体をつらぬく政治状況―それが総評映画のテーマとなるものだと思う」

(B)　雑誌〃記録映画〃について

加藤「雑誌が最近左翼に偏向してきたという人がいる。協会死の通信の中にもそうした不満が語られていたと思う・編集方針として不満をもっている人たちにも執筆してもらうようにしてきたかどうか」

野田「編集委員会は御意見をお出し下さいと必ずしていたと思う。不充分だということはあったかもしれない」

（５）

豊富「記録映画という雑誌が思想的な問題を論じているので或スポンサーが最近左翼的傾向をおびてきたといったことから加藤さんは、雑誌のそうした傾向を問題にしているのだと思うし、丹生さんなども、思想的な問題より記録映画自体についてもっと語ってほしい。主体性論も結構だが、映画自体の話が殆んどされていないのではないか、といっている。私も今の雑誌は映画について余り論じていない気がする」

加藤「製作者は来年度に対して危機説すら唱えている。こうした時、教育映画やＰＲ映画で生活している我々が、高踏的な理論ばかり吐いていないで、教育映画全般、教材映画のあり方、８ミリ映画、或はテレビに対して、作家として発言する責任がある。又、〃記録映画〃に今年の教育映画祭は非常に文部省的匂いが強いとかいた。これに対して映教は不満で、話合いをしたいと申し込まれた」

野田「加藤さんは雑誌に出ている論文が我々と無縁のようにいわれるが、無縁だとは思わない。

映教との話合いは大いにやるべきだ。協会も教育映画祭の構成団体なんだが、会合に出席していなかったのではないか」

松本「加藤さんがいわれたような映画界の危機を突破するために作家はどういう責任や目をもたなければいけないか。それを語ることは思想です。しかし思想が思想として或は、政治論や空論が雑誌の上で語られたことはないし、そうした編集もしていない。あくまで作家の問題意識作品の問題、創作運動として出ている」

能登「今やっていることを毎月の編集委員会でやっていたゞけば雑誌の内容に表われてくるのではないか。それには編集委員の構成や選出に問題がある。

又、雑誌の経営がスポンサーに気がねしなければならないのだったら次才にスポンサーに頼らないようにすべきだ」

苗田「編集委員会は総会で選出された運営委員会の委嘱で構成されているので協会員の声は運営委員を通じて雑誌に反映できる筈だ」

諸岡「丸山さんと松本君の論争を面白く読んだが、十月号ではいくら論争であってもロ汚くのゝしりあう印象をうけた。又、思想的内容が紙面のスペースでウエイトをもつと、一般に左翼的な印象を与えると思う。経営上広告に頼っている現在、私も加藤さんと同じように心配しているわけです」

西江「論争の仕方に誤解や不満を招く点があったにしても〃記録映画〃は一貫して現代芸術の主要な課題であるドキュメンタリイの問題について論じてきた貴重な雑誌だといえる。そこで、加藤さんのいうように、協会の隅々にあるいろいろな意見、豊富さんのいうようにＰＲ映画であろうが、映画のもっている現代的な本質的な問題はどしどし雑誌に集中して行くことで多様性が出てくる。広告も自主性さえ失なわなければ沢山とった方がいい」

岩佐「論文を書く人は、左翼的だといわれて手加減を加えて書く訳にはいかない。みんな作家のぎりぎりの考えで精いっぱい書いている。もし正しくないならそれに反対する論文が出て来て模索し乍らジグザクな発展の道を歩くのではないか。又、経営上は次才にスポンサーや広告に頼らない方向に向って来ていると思う」

吉見「今迄出た一番大きな問題は思想性の問題だが、創作活動や生活をしていく上で思想性をぬきにして考えることは不可能ではないか。従って編集方針でも思想性を貫くべきで貫きつゝ、

（6）

テクニツクその他の方法論などを取りあげていくべきだ」

加藤「思想性をもつことを僕はいけないといっていない。経営上他人の世話になっているのだから世間の批判を考慮して編集しなければ損ではないかといってる訳だ」

小津「思想性の問題は編集部に問題があると思う。自分の周囲の人々の意見を多く取り上げてしまい、いろんな意見を引出す努力が足りなかったのではないか。その為、野田君や松本君の論文が強い比重で出て来た。我々の生活が教材映画やPR映画に依存している現状の中で、我々はどう生き、どう思想的に対処していくかという問題は、雑誌にもっと反映されていい。教育映画祭にしても映画祭の問題もだが一人一人が映画をつくる時ぶつかってる問題、それが重要なんだと思う」

能登「広告についての僕の意見は、いきなり広告はやめろというのではない。広告をなくしていく方向へ動いているならそれでいいと思う。僕たちの雑誌は僕たちで作るという点を強調したかったんだ」

矢部「小津さんのいわれたPR映画にどう対処していくかという問題に力点をおくことは誠に同感です。雑誌の上にどしどし問題が反映され、グループ活動を起して、そこで討論されていくことが望ましい」

＋　＋

(8) 来年度の方針提案

（提案者・矢部正男）

（総会議案書参照）

今迄いろいろ論議された様に、来年度作家に対する圧迫は増々強いと思う。

それをどうつき破って進むかが中心的なテーマである。記録映画運動が中軸にならなければならないが具体的な明瞭な方途は私達にもない。たゞ側面的には主体性を堅持するための理論的探究と共に、研究会活動を進めなければならない。創作活動では総評映画があり、アジア、アフリカ合作映画の話もある。同時に教育映画やPR映画の問題に対決する方法も考えなければならない。観客や他のジャンルの人たちとの交流も進めなければならない。教育映画祭についても無関心ではいられない。生活問題にも力をそそぎたい。

これらすべての活動の拠点となるのは、雑誌〃記録映画〃と〃研究会活動〃だと考える。

＋

(9) 来年度の方針に関する討論

樺島「日常の作家活動をどう方向づけていくかがもっと問題とされなければいけない」

小津「それは生活問題とからんでくるが、僕などこういう作品は作っちゃいけないと思っても、生活を考えるとやらざるをえない。　年度はこんな問題がもっと多くなると思う。そこで協会は、こうした問題を討論出来る場を作るべきだ」

岩佐「研究会活動ではだめか」

小津「研究会では生活問題をぬきにして論議する傾向があるのでまずいと思う。来年度、業界が非常に窮屈な状態におかれることは明瞭なのだから、生活問題を作家全体の問題として運営委員会が統一しないと作家は作品を作っていけなくなると思う」

岩佐「研究会で作品を批判すると当然製作条件が問題になる。作品という具体的なものゝ中で生活問題が討論出来るだろう」

吉見「個人々々がぶつかっている〃こういう作品はやりたくない〃という作家の良心と〃生活上やむをえない〃という経済上の問題とを組織することは、研究会以外では出来ないものか」

荒井「オ一回の社会教育映画研究会をやった訳だが、創作方法の研究も勿論だが、どんなものを作ればいいかという企画の話にもいくわけで、単なる研究会でなくもっと先へ進めるものを含んでると考える」

八幡「研究会は協会にとって大変大事なものなので運営委員会では担当を決めて研究会を組織していく必要がある。そうすれば研究会ででた創作上や生活上の問題が運営委員会に反映されるのではないか」

苗田「八幡さんの意見に賛成。運営委員を選ぶ時、そうした考えで選出すべきだ」

野田「運営委員会が研究会を指導するのは良くない。研究会は自主運営であるべきだ」

菅家「総評映画が記録映画運動を前進させる足掛りだということと同時に、我々の日常生活や創作活動をどう解決するかという問題がある。我々の日常生活や創作活動は各プロダクションで一人一人の作家がばらばらの状態に置かれて行われているため、総評映画となかなか連がらないと思う。それを連がらせるのは研究会活動なんだという事をはっきり認識すべきだと思う」

渡辺「僕など顕微鏡映画ばかりと

ってるが、それと総評映画が結びつかないといけないと思っても、なかなか結びつかない。研究会だけでなく、会員に対するインホーメーションが不充分だと考える」

菅家「記録映画研究会が割と実蹟が上り研究会活動の中から三本の映画が生れた成果をはっきり認めないと、他の研究会ものびないんじゃないか。研究会活動を中心にして職場々々で一人一人が生きていかなければならないのだが、研究会なり雑誌なりが一人一人の孤立感を救っていくという方向に来年度の方針が発展していくべきだ」

京極「総評の映画は記録映画研究会の中で僕達が作ったもので、研究会が盛んであった為に創作方法もずい分変ってきている。又〃失業〃をやる時、岩波の人達が僕を援助してあの仕事に送り出してくれた。だから決して少数の人だけで作ったのではないという現実があるんだ」

菅家「研究会は映画をみて批判するだけでなく、自分達自身でもっと広がりのある研究会にしていく様にしたい」

吉見「教育映画祭の構成団体に協会も入っているのだからもっと会合に出ていくべきだ」

加藤「会合に出ないで、教育映画祭はなってない、反動的だ、文部省的だというのでは何んの為に構成団体に入っているのかわからないわけだ」

以上出たいろいろな意見を議長がまとめて来て来年度の方針を採択。そのあと雑誌〃記録映画〃の経営上、一口五百円の基金募集をする事を討論して採択。

役員改選を行って、才六回定例総会の議事を終了した。

役員改選について

役員改選に入り総会出席数を確認、半数以上で成立する。出席者数四三名。委任三九名（半数以上は七五名です）合計八二名で成立した。

運営委員長選挙（単記）

（決定）岩堀喜久男　五一票
京極　高英　九票
厚木　たか　五票
野田　真吉　四票
赤佐　政治　一票

事務局長選出（単記）

（決定）富沢　幸男　四四票
河野　哲二　一五票
大沼　鉄郎　一〇票
杉山　せつ　一票

運営委員選挙（十五名連記）

矢部正男六三票　八幡省三五二票　松本俊夫五一票　杉原せつ四三票　荒井英郎四〇票　かんけ・まり三九票　長野千秋三九票　野田真吉三九票　羽田澄子三七票　間宮則夫三六票　西本祥子三五票　京極高英三五票　藤原智子三二票　大沼鉄郎二九票　河野哲二二九票

次点。渡辺正己二八票　諸岡青人二六票

ー第六回総会祝電及メッセージー

総会を祝す　国民文化会議

人間の居る所には教育がある。進歩する幸せな生活をきづく為教育映画運動の発展を期待し声援を送る。　日本子供を守る会

御盛会を祝し今後の御発展を祈る。　児童文学者協会

城北映画サークル協議会

教育映画作家協会の前進を期待しています。

京都記録映画を見る会

総会の成果と今後の御活躍に期待いたします。　近代映画協会

教育映画作家協会の御活動には小誌としましてはかねがね敬意を表わしておる次才であります。映画に於ける記録映画の地位があらためて認識されつゝある時、教育映画作家の諸権利の確立、記録映画の製作ならびに上映運動を積極的に進められて来た教育映画作家協会が、本日盛会裡に才六回定例総会を迎えられた事は同慶にたえません。

十分論議をつくされ来るべき六〇年に飛躍的発展をなされん事を心から祈っております。

キネマ旬報社社長
大橋重勇

その他、機関紙映画クラブ、日大映研、共同映画社、大島辰雄（評論家）が来賓として出席されました。

交換〃ノート〃

最近、近代美術館の「映画講座」でソ連映画を幾つか見ました。皆様は既に御覧のものと思いますが、感銘深いものがあります。協会でも研究試写会をやっていますが、劇記録ともに、古典的名画の研究会をもってもらいたいと考えます。

肥田　侃

"安保批判の会"より お礼と募金のお願い!!

動き

十一月九日に発足した安保批判の会は日を追うごとに文化人各界の多数の賛同者を得、昨年中各ジャンルからの募金を戴き、又岸首相調印の前一月十一日"沈黙のデモ"へ多数参加下されその反響は大きなものがありました。

調印後においても、安保条約阻止の活動をつづけて行く為の資金を向う六ケ月間つづけ、活動を強化して行くこととなり再度募金募集を毎月千円の口と百円の口との二つにわけ進めることとなりましたので各界の御協力をおねがいする次才であります。

安保批判の会事務局

（註）

一月二十五日後二時三〇分より、アラスカにて実行委員会を開き、今後の運動の方向をきめることとなりました。

才二回アジア・アフリカ諸国民連帯会議（コナクリーギニアの首都名ー会議）日本準備会活動方針

動き

一、最近のAA情勢とコナクリ会議の意義

(1)最近のAA情勢

植民地体制の崩壊は急速に進んでいる。とくにブラック・アフリカ（白領コンゴ、ニヤサランド、ケニヤ、カメルーン、南ア）が中心。アルジエリアの解放も迫っている。一方中ソ等社会主義諸国の建設は進み、とくにフルシチョフ訪米後、ソ連の平和共存政策と全面軍備撤廃案はAA地域の大きな共感を生んでいる。

だがこれに対し、帝国主義国は民族運動を抑圧（アフリカその他で）したり、国際紛争を造出（ラオス）したり、AA諸国間の国際問題（中印国境問題など）を挑発しようとしている。

この帝国主義の陰謀は、とくに中ソを他のAA諸国から離間しようとすることに焦点を合せている。（チベット問題、中印国境問題「二つの中国」安保改定、ラオス問題等）

また、最近、米国の対AA政策は、一面では経済政策に重点をおき、とくにUAR、インドへの経済援助を強化しようとしている。これは中立主義、平和五原則の動揺をねらうものである。（アイクのモロッコ、チユニジア、インド、アフガニスタン、パキスタン、イラン訪問もそのあらわれ）

他方、アメリカ帝国主義は、AA連帯運動の内部に滲透し、AとA、アラブとアフリカ、社会主義国と非社会主義国の各国の運動を対立、分裂させようとしている。この陰謀はすでに昨年のアックラのアフリカ諸国民会議の際にも見られたが、来る一月のチユニスの才二回アフリカ諸国民会議やコナクリ会議にもしつこく行われるだろう。すでに国際的にもこれに呼応するような分裂工作が行われている。

(2)コナクリ会議の意義

したがって、コナクリ会議では、AA諸国民は一致団結してこのような陰謀を紛砕し、AAの団結を強化しなければならぬ（本年二月のAA理事会もこの点を強調）

帝国主義、植民主義に反対し崩壊せまる植民地体制の完全な一掃を実現し、またフルシチヨフ訪米で一段と促進された平和共存を強化し、とくに、軍備全廃と、それによる後進国の開発を急速に実現するためにも、その推進力となるAAの団結を強化せねばならない。

事務局お知らせ（続）

＜住所変更及動静＞

大方弘男＝品川区小山町七ノ五〇八に移転

小高美秋＝二月より日本産業映画社にて仕事

村上雅英

山本升良＝二月より三木映画社をやめてフリーになる

仲原湧作

川本博康＝一月から助監督より演出家になる

〇富士テレビ編成局映画部（美輪明男）から作家協会へテレビ映画のスタッフ申入れあり希望者は協会まで。

〇団体観劇御案内

劇団民芸創立十周年記念公演。

M・ゴーリキイー作・村山知義 演出

「どん底」（四幕）

日時・三月六日より二十六日迄

ところ・東横ホール

時間・毎夕五時四十五分開場 六時十五分開演

A席三六〇円を三〇〇円

B席三〇〇円を二五〇円の予定

事務局まで申し込み下さい。

才二回アジア・アフリカ諸国民連帯会議（コナクリ会議）についてのよびかけ（案）

来る四月十一日から十五日までギニアの首都コナクリで、第二回アジア・アフリカ諸国民連帯会議が開かれます。アジア・アフリカ諸国民連帯会議カイロ常設書記局は、この会議にわが国民が積極的に参加するようよびかけています。

一九五七年末エジプト（現在のアラブ連合共和国）のカイロで開かれた第一回会議は、アジア・アフリカにおける反帝国主義・反植民地主義運動に巨大な成果をもたらしましたが、われわれはこの会議に五十名の代表を送り、原水爆禁止などわが国民の運動を、アジア・アフリカ十七億人民との共同のたたかいに発展させることができました。

カイロ会議以来二年余の年月がたちましたが、この間に植民地体制の崩壊は、さらに一層急速に進んでいます。本年一月カメルーンは独立し、さらにトーゴ、ナイジエリア、ソマリア等の独立が予定され、アルジエリアをはじめベルギー領コンゴ、ニヤサランド、ケニア等においても民族解放のたたかいは激しくもえ上っています。暗黒大陸といわれ、世界植民地主義の最後の牙城と目されたこの地域における民族解放斗争の発展は、いまこそ植民地主義をこの地上から一掃し、諸民族の自由と独立をかちとるべきときが迫りつつあることを告げています。長年にわたるフランスの植民地支配を打破し、一昨年独立をかちとったばかりの新興国ギニアの首都で今回の会議が開催されるということ自体、アフリカ人民の天をつくような意気込みを示すものといわねばなりません。

しかし、帝国主義者の策謀は、なお執拗につづけられています。特に社会主義諸国の建設が進み、フルシチヨフの訪米後平和共存政策と完全軍縮案がアジア・アフリカ諸国民の大きな共感をよんでいるとき、彼らの目はますますアジア・アフリカに向けられています。彼らは依然として武力によって民族運動を抑圧しているばかりでなく、故意に国際紛争を造り出し、アジア・アフリカ諸国間の国際問題を挑発し、特に社会主義諸国をアジア・アフリカ諸国から離間させるために全力をあげています。岸政府の安保条約改定、南ベトナム賠償、支払、中国に対する敵視政策等も明らかにその一環をなすものといわねばなりません。

きたるべきコナクリ会議は、このような帝国主義の陰謀を打破し、アジア・アフリカ諸国民の団結を一層強化すべき重大な意義をもっています。植民地体制の完全な一掃を実現し、平和共存を強め、特に軍備全廃とそれによる新興国の開発を急速に実現するために、その推進力となるアジア・アフリカ諸国民の一致団結を強化せねばなりません。

日本国民はいま、全力をあげて安保条約改定阻止を争っています。アジア・アフリカの兄弟は、このたたかいを熱烈に支持し、最近カイロの常設書記局はわれわれのたたかいを激励する声明を発表しました。われわれは来るべきコナクリ会議に対して、安保条約の改定阻止、米軍基地の撤廃、沖縄の返還、原水爆実験及び核武装反対、南ベトナム賠償反対、中国、朝鮮、ベトナム、モンゴール等近隣諸国との国交正常化、日ソ平和条約の締結および完全軍縮の実現等、日本国民の当面する斗争を反映し、また学術文化の交流と経済の提携を強化して、アジア・アフリカ諸国民の団結に寄与する義務を負っています。

去る十二月二十一日、日本アジア・アフリカ連帯委員会の提唱に基いて、第二回アジア・アフリカ諸国民連帯会議（コナクリ会議）日本準備会が結成されました。準備会はコナクリ会議を全面的に支持し、以上のような方針で国内における準備を進め、この会議の成功のために奮斗するものであります。ここに広く各方面の方々に本準備会への参加を願い、並コナクリ会議の成功に協力せられんことを訴えます。

アジア・アフリカ諸国民の平和への協力と連帯の強化万才！

一九六〇年一月十九日

第二回アジア・アフリカ
諸国民連帯会議日本準備会
東京都港区芝新橋七ノ十二
産別記念会内
電話（43）三〇〇五
三二〇五
番

〃記録映画〃三月号予告

巻頭論文・ドキュメンタリー方法論　柾木恭介

連　載・カリガリからヒットラーまで（3）
ルットマンの章
クラカウア　二木宏二

座談会・プロキノ運動の再検討（3）
上村修吉、上野耕三、岩崎昶、高倉光夫、野田眞吉

特　集・社会教育映画について
荒井英郎
矢部、岩堀論文をめぐって。
豊田敬太
その壁
道林一郎
しくみのメカニズムの中の問題点　近藤（日経）その他。

論　文・現実と戦後体験の二重構造。　長野千秋
諸論文に対する評価
大沼鉄郎
戦後映画をめぐって
西本祥子
新しいサークル造りとドキメンタリー論
木崎敬一郎

作品評・「三〇〇トントレーラー」
藤原智子
「沖縄」　佐々木守

レポート・労仂組合視聴覚研究全国集会

その他・現場通信、ガヤガヤ欄
記録映画見る会等ガイド。

事務局より　お知らせ

△新入会紹介

〇高瀬昭治（日映新社、企業所属助監督）三鷹市新川四六一公団住宅四ー四〇三、一月入会

〇中村重夫（理研科学、企業所属）品川区五反田二ノ三一四、一月入会

△機関紙〃記録映画〃運転資金募集について

先に会報号外にて運転資金募集のおねがいを発送しましたが、どうか一口五〇〇円ですが何口でもよろしいから借用下さる様、又一月分会費と共に事務局まで申し入下さいますよう節におねがいします。

△二月例会〃記録映画を見る会〃お知らせ

一月毎土曜十二時三十分、二時、西武デパート八階リーデングルームテーマーは〃お母さんに見せたい教育映画〃

六日たくましき母親たち（桜映画）チーズ物語（日映科学）

十三日ネンネコおんぶ（日経映画）
デザインの勉強（新世界プロ）

二〇日百人の陽気な女房たち（桜映画）
牛乳の神秘（日映科学）

二七日親と子の谷間（日映新社）
醤油（岩波映画）

〃若い世代〃特集

〇二月二八日（日）十時三十分、十二時、一時三十分、四時三十分。

〇西武デパートリーデングルーム
内容　美しくなるために（資生堂）
ウイスキーのふるさと（寿屋）
オランダ、国際オートレース（シエル石油）
いずれも無料ですから入場下さい。

所属及住所変更のお知らせ

豊富　靖ー電話(369)一五八八番（電話新設）

島谷陽一郎ー新宿区四ツ谷一丁目九番地
電話(35)三五六七番
新潮映画社に所属

協会財政報告　十二月分

収入の部	
会費	八一、七〇〇円
雑収入	二〇、九〇八
繰越	三五、六〇四
合計	一三七、五一二
支出の部	
通信費	一、八五八円
交通費	三、二五五
文具費	一、三一〇
事務所費	五、〇〇〇
電話料	二、五五〇
人件費	六〇、〇〇〇
会合費	六五〇
印刷代	三〇、〇〇〇
合計	一二五、〇八三
差額	一二、四二九（一月分へ繰越）

記録映画財政報告　十二月分

収入の部	
予約	一〇、九二〇円
売上	一〇、五〇〇
雑費	五〇〇
広告代	七一、〇〇〇
繰越分	五九、一一八
合計	一五二、〇三八
支出の部	
通信費	二、二一四円
交通費	五、六八九
文具費	一五五
印刷代	一三二、〇七〇
会合費	四、二〇〇
原稿料	三、〇〇〇
電話料	二、五五二
合計	一五〇、八九五
差額	一、一四三（一月分へ繰越）

1960. 3. 1. 発行

教育映画作家協会々報

No 53

教育映画作家協会
東京都中央区銀座西八〜五　日吉ビル四階　TEL (57) 5418

協会員増加と記録映画読者の倍化 ―予算案を中心―

＝二月十九日運営委報告＝

(一) 常任運営委報告があつた（別項を参照のこと）

(二) 労視研全国集会の報告が八幡氏よりあつた。（細部は五頁別項を参照のこと）

(三) 総評企画映画の批判会の報告があつた。（二頁別項を参照のこと）

(四) 予算案審議

（常任運営委報告のそばの予算案参照しながら審議内容をお読み下さい）

㋑協会員拡大をはかること。

㋺固定読者を倍化すること。

以上のことを会報に発表して呼びかけること。

㋩事業活動をふやすこと、〃映画会〃又は〃講演と映画の会〃等の計画をたてることなぞが出され計画に入ることゝなつた。

(五) ＡＡ映画製作についての審議、渡辺正己氏の構成案が出来、岡倉古志郎さん等のＡＡ連帯委の方々の意見をきゝ二三日頃に再検討し、運営委としてはその案をＡＡ連帯委に提出することゝなつた。

又代表をおくることについては審議の結果公式には出さないむねつたえることゝなつた。（五頁細部は別に報告します）

生活と権利を守る小委員会発足とＡＡ映画製作について

＝二月八日常任運営委＝

一、中国地方へ講師派遣について

中国地方の県視聴覚センターより演出とキヤメラの講習会を開くので講師の派遣についての申入があり、候補として菅家陳彦岩崎太郎、荒井英郎の諸氏が選ばれ交渉することゝなつた日時は四月上旬の予定、又キヤメラマンは自映連の方の方々をおねがいする。

二、安保批判の会の六ケ月カンパについて、（前会報にのつている）作協としては財政的余裕もない点から総会の時のように、カンパを協会員に呼びかけて六ケ月つゞけることゝなつた。

三、映教の宮森氏との話し合について、

総会の時に出された、教育映画祭のことについて宮森氏（映教の役員）より出されている外から意見をのべるのでなくもつと話し合つてほしいといわれていることに対し作協として宮森氏と話し合う機会を持つことゝなつた。

四、〃記録映画〃の運転資金について

生活と権利を守る小委員会

苗田、諸岡の諸氏と事務局長出席の上で開かれ、ギヤラ基準の問題が出され、三月上旬にもう一度小委員会を開き、協会として新しくギヤラ基準をきめなおすことが、出され運営委員会にかけることとなつた。

現在二五、〇〇〇円程度、三〇名が運転資金に協力してくれました・まだ五分の一程度ですので、二月一パイ呼びかけることゝなりました。目標は五〇、〇〇〇円ですのでまだ半分しか集まつていません。

五、〃記録映画〃を見る会及読者グループについて、

(イ)〃見る会〃について今までの見る会の調査は充分やられていない、作家との話し合をふかめて行きたい。又パンフレットの発行をする。次回は三月十一日、日比谷図書館地下ホールで開く、プログラムは才一案はマクラレンの〃椅子の話〃〃沖縄〃〃お父さんは働いている〃〃失業〃才二案は〃沖縄〃のかわりに〃タンスと二人の男〃(ポーランド実験映画)今回は西本、京極の両氏が出席した懇談会を持つことゝなつた。

(ロ)西武デパートリーデングルームの件についてももつと計画的にする方向が出された。

(ハ)〃友の会〃については読者の中から協力者を見つけ出して行く活動からはじめ、きながに考えて行く。

六、研究会について、

〃記録映画〃研究会を二月二一日、ポーランド実験映画を、〃社会教育映画〃研究会を二月二五日、新作を上映し、それぞれ、懇談会を開く。

教材映画研究会のことが話題になつた。

七、AA映画製作について

製作準備委をあらためて強化し渡辺正己、高島一男氏を加え京極、厚木、野田、大沼、松本諸氏が参加する。

十日までに渡辺正己氏が構成案を作り、AA連帯委の人々と話し合い講成案を作りあげ、一つは全協会員に構成案を発表し、協力をもとめ、二つ目には能登糸屋、米山の諸氏のプロジュウサーをふくめた製作委をもうける案が出された。

八、生活と権利を守る会について

作家の生活の問題、ギャラ基準の問題等について調査活動をおこすことゝなり、事務局長、運営委員長の他に苗田、諸岡、豊富の諸氏が委員に選ばれ二月十七日に才一回の会合を開き調査及ギャラ基準のことを討議する。

十、財政の問題

二月から新しい予算が組まれ、その予算で執行することをきめた。(別表のごとし)

(イ)会費の再調整ー今まで助監督の人々が監督になられた方々の会費の調整

(ロ)長期滞納者について

五名の長期滞納者の方々に手紙を出す。昭和三三年十一月から滞納しています。

(ハ)〃記録映画〃の倍化について

アッピールを出し二部づつおくること、自由倍化の方向をとる。今まで二部おくっていたが一年たつて一部になつたこと又つづけて取る方々等調査もかねる。

以上は予算案の中の事業収入及予算執行の実現化させる為のものです。

運営委会を二月十九日に開く。

総評映画の批判懇談会

二月十六日銀座ホテル総評企画映画の批判と三井三池の斗争の映画製作の為の懇談会が自映連及共同映画社の方々も参加して開かれた。

こゝでは〃安保〃〃失業〃等の批判が出され、今後製作委員会制度をもうけることや、三井三池斗争の映画化への協力等の問題が出され、すでに三井三池の地元では映画製作が具体化されているので、その結果を持つて製作委員会を持つことが出されている。

〃記録映画〃四月号予告

特集、モンタージュの再検討

アヴァンギャルドとドキュメンタリー　安部公房
モンタージュと思想　関根弘
モンタージュは変つたか　神田貞三
カメラ万年筆とモンタージュ　羽仁進
モンタージュについて　樺島清一
モンタージュとプロパガンダ　亀井文夫
モンタージュの今日的課題　高島一男
モンタージュ　山田和夫
エイゼンシュテインの
殺人者を逮捕する　渡辺正己
PR映画論　大島正明
座談会、プロキノ運動の再検討　つゞき
現場通信、前田庸吉、中島日出夫　諸橋一、
ジュークボックス
書評「映画の理論」　大島辰雄

昭和三十五年度予算

＝″記録映画″予算＝

	昭和34年度決算（平均）	項目	金額
収入の部	40,000	広告収入	40,000
	8,000	市場販場 東販 8000 他 2000	10,000
	10,000	固定読者	10,000
		会員分	7,500
		事業収入	→15,500
	58,000	合計	82,500
	40,000	印刷費	60,000
	今までの分	人件費	7,500
	2,500	通信費	2,500
	3,500	交通費	3,000
	3,000	原稿料	3,000
	1,000	文具費（印刷費）	2,000
	1,000	会合費	1,500
	3,000	電話料	3,000
	54,000	合計	82,500
備考	4,000黒字は協会財政にまわつた。		1,500部で発行1部原価55円

＝協会一般財政予算＝

	昭和34年度決算（平均）	項目	金額
収入の部	56,000	500×70＝35,000 300×65＝19,500 250×10＝ 2,500 200×20＝ 4,000 合計61,000 ″記録映画″財政へ 165×45＝ 7,500	61,000－ 7,500＝5 3,500円 95％で
	56,000	合計	52,000円
	5,000	家賃	5,000
	3,000	電話料	3,000
	4,000	交通費	4,000
	3,000	通信費	3,000
	5,000	印刷費	5,000
	300	用品文具費	500
	200	会合費	500
	39,100	人件費（手当ふくむ）	30,500
	59,600	合計	51,500
備考	不足金3,600円は寄附金その他でまかなう。		

年間事業計画

2回分名刺広告1.6月分	54,000円
広告1月1ッ増5×12	60,000円
固定読者60名分	48,000円
事業活動 { 映画会 / その他	24,000円
合計	186,000円

＝雑誌販売案内＝

(註)いずれも事務局であつかつている

○映画教育通信（労映研機関誌）
一部三〇円、半年一六〇円
一年三〇〇円、毎月発行

○国民文化（国民文化会議機関誌）
七号、国民文化全国集会報告集
八号、サークル特集、一部三〇円

○アジア・アフリカの窓
一部二十円（月刊）一年個人三〇〇円、団体五〇〇円
アジア書房発行

○″戦後映画″才二号　百円

アラン・レネ特集申込中

○″世界映画資料一部　百円

二曲号″新しい波″特集

二号″ソヴエット四〇周年　百五拾円

○労視研全国集会資料（総評）一部百円（予定）申込み下さい。

＝協会の皆さんへ呼びかけ＝

(一)協会員をふやしましよう！

運営委では協会財政の確立と、協会の運動の発展の為に協会員をふやす運動をおこすことを決めました。そこで協会員の近くにまだ協会のことを知らずにおられる記録映画作家に呼びかけて加入をさそつて下さい。規約、案内をおおくりしますので今年は協会員拡大の年です。

(二)″機関誌″記録映画″固定倍化の再度のおねがい！

先の協会員拡大と並行して再度″記録映画の倍化をおねがいします。昨年中二冊づつ十二月までおおくりし読者を取つて戴いたものをなんらの連絡もせず事務局で一方的に打ち切つてしまつた点については運営委員会の名をもつておわびする次才であります。その上での再度のおねがいは出来たものではありませんが、こんどは自由な立場で読者を取つて戴くことをおわび万々おねがいする次才であります。同じようなおわびとおねがいを″記録映画″誌上にも同封させて戴きます。

(三)安保批判の会にカンパのおねがい！

総会の時に協会員の皆さんに多大のカンパを呼びかけ集めて戴きましたが今回又六ケ月間の期間一口一〇〇円のカンパの呼びかけをします協会として安保に対し反対の立場を取つていきますので協会と[illegible]

記録映画を見る会
―三月例会その他―

◇実験映画特集
ところ○西武デパート八階
　リーデングルーム
とき○十二時三〇分、二時
五日(土)ファンタジー(マクラレン)
　釘と靴下の対談（日大映研）
十二日(土)つぐみ（マクラレン）
　東京一九五八（シネマ60）
十九日(土)数のリズム(マクラレン)
ホゼイ・トレス（草月会館）
二六日(土)つかの間の組曲(マクラレン)
同じ空のもとで（ポーランド）

◇現世代と実験映画特集
ところ○西武デパート八階
　リーデングルーム
とき○三月二十七日(日)
　十時三〇分、十二時、一時三〇分
三時、四時三〇分
内容〃椅子の話〃隣人〃(マクラレン)
〃Ｎの記録〃（日大映研）
〃蝶々は飛ばない〃(チエコ大使館)

◇実験映画と
　社会教育映画特集
とき○三月十一日(金)后六時
ところ○日比谷図書館地下ホール
内　容一、〃椅子の話〃一巻(マクラレン)
　二、〃タンスと二人の男〃一巻
　（ポーランド）
　休　憩
三、〃お父さんは働いている〃
三巻、三木映画社、奥商会、
西本祥子監督、
四、〃失業〃　四巻
　総評企画、京極高英監督、
五、〃記録映画作家との懇談会
西本祥子、京極高英（予定）
をまねいて開く。

◇〃記録映画〃二周年
　記念映画会
とき○四月五日～十五日の中一日
ところ○虎の門共済会館ホール
内　容〃二十四時間の情事〃九巻
　アラン・レネ作品
〃忘れられた人々〃　八巻
ルイス・ブニュエル作品
二十世紀の映画革命といわれるもの、実行委をもうけ大運動をおこします。申込下さい。

◇自主上映春の映画祭
朝鮮民主主義人民共和国〃春香伝〃上映、城北映サ協で作家協会の協力をえて〃世界の河〃〃忘れられた人々〃の二月の映画会につづき、朝鮮の劇映画〃春香伝〃を上映
とき○四月八日(金)后六時
ところ○豊島公会堂
内　容一、短篇映画
〃赤い風船〃四巻（仏総天然色、アルベール・ラモリス東和映画提供）か〃双生児学級〃四巻（日羽進、岩波映画）又はオラン・ウータンの知恵四巻（藤原智子・日映新社）の中から一作
二、芸術映画（カラー）
〃春香伝〃朝鮮民主主義人民共和国、国立芸術映画撮影所製作、演出功勲俳優尹龍奎、配役　春香―禹仁姫、夢龍―申昌奎、この物語は、いまから約二百年前に小説として流布したもの。

◇〃どん底〃民芸公演
　〆切せまる！
三月六日～二四日、東横ホール
Ａ三六〇円処三〇〇円、Ｂ三〇〇円の処二五〇円に至急申込みませんと席がありません。

‖記録映画運転資金
　協力者と金額‖
一口、西本祥子、山添　哲、樋口源一郎、京極高英、大島正明、西江孝之、菅家陳彦、かんけまり、松本俊夫、山口淳子、中島日出夫、苗田康夫、豊田敬太、高島一男、杉山正美、矢部正男、大峰　晴、西尾善介、大野孝悦、深江正彦、二瓶直樹、藤原智子、間宮則夫、岩崎太郎、河野哲二、加藤松三郎、
二口、竹内信次、大沼鉄郎、杉原せつ、岡田桑三、中村敏郎、八幡省三、日高　昭、能登節雄、丸山章治、井内　久、
三口、入江一章　申込者
六口、記録映画社
合計　弐萬七千円
（註）三月上旬まで申込中でありますのでまだの方々は事務局まで申し入下さい。一口五百円です。
目標は五萬円です。

「記録映画」御意見

企業に属していると、なかなか映画論をきいたり話し合ったりする仲間にめぐまれません。その点機関誌は仕事をすゝめていく唯一の友達だといえます。

　大野孝悦

いくら予定原稿が集らなかつたといつて、「失業」などという特殊な映画のシナリオで堂々七ページも貴重な誌面を占預する編集方針はどうかと思います。

　永富映次郎

論文中のあまり難しい言い廻しは、もつと平易に表現してはどうか。個人攻芸も度が過ぎると、気持として、やつゝけられている側に同情したくなる。記録映画は、コワイなと思いました。

　豊田敬太

ＡＡ映画製作運動の経過と協力について！

ＡＡ連帯委の一つの運動として取り上げた映画製作運動は準備委の協力により（渡辺正己、高島一男、厚木たか、京極高英諸氏とその他記録映画研究会役員）構成案までたどりつきました。そこで岡倉古志郎、坂本、の両氏（ＡＡ連帯役員）に来て戴いて構成案を中心に審議しました。そこで出されたことは四月五日からギニアのコナクリで開かれる中心議題は一、独立、統一、平和、二、経済交流、三、文化交流、四平和統一行動で、ギニアの首相も云つているように六〇年はアフリカの年である。というものであること。又、映画製作の問題をどういう形で提案するかという点で国際的専門委会を作り、その中に事務局をおき、各国の資料をまとめることや共同プロダクションを作り、その中のイニシヤチーブを、中国、ソ連、日本が中心的にまとめて行くようにするとよいという意見が出された。

又この映画製作にあたり日本の中での運動が現在全々なされていない。シノップスだけでは意味がなくなつている。

以上の他に代表を製作側から二名おくり出すことや、その他のことが出されていたのであるが、審議の結果、

公式には代表はおくらない。構成案は岡倉氏等をまじえての参考意見をふくめ渡辺正己氏が二三日頃までに再構成し、製作委会をプロジユウサーまでふくめて広めることゝ、協会内には再構成案を印刷して配布し、協会員全員にアツピールする。又ＡＡ連帯委の内容についても知つてもらうこととなつた。

又ＡＡ連帯運動を支持し代表派遣への援助もして行く。

視聴覚センターを各地方に
労視研全国集会に出席して

二月九、十日の両日、伊東市の観光ホテルにおいて、労仂者視聴覚研究全国集会が開かれた。全国各地方の労組教宣部長、サークル活動家、文化人等約五百人が参加し、第一日目の午前、先ず全国会議から始り、大田総評議長の挨拶があり、マス・コミ攻勢の中における人間変革の重要性がとかれていた。続いて山中教宣部長より基調報告が一時間に亘りのべられ、各地方、県の視聴覚センターの設置及び〃山宣〃〃松川事件〃の映画製作の促進、五〇台の撮影機と一、〇〇〇台の映写機をそなえつける運動が呼びかけられた。続いて8ミリ及び幻灯、論文の入選者の発表がありお昼より各分科会にわかれて話し合った。

第一分科会はマス・コミの思想攻勢と資本家側の会社内でのPR・HR活動と組合の教宣活動について話しあわれた。こゝは、各組合の教宣部長級及び助言者として山形雄策、山田和夫氏が参加し二つの分科会に別れて会がもたれた。

先ず機関紙の問題から話がすゝめられ、合理化の問題、マス・コミの問題にまで話がおよび視聴覚運動の活用が重要になって来ている。マスコミが労仂者の手によってつかわれうることとの報告がなされていたが教宣活動の枠の中でマス・コミ攻勢を防ぐことよりマス・コミの実態がつかめていないのが実状である点が出された。

第二分科会は助言者として坂斉小一郎、岩淵正嘉、宮島義夫、能登節夫、爪生忠夫他を招き、二つの分散会に分れて行った。ここでは視聴覚をどのように活用し、運動化しているかというテーマで作協からは杉原せつさんが出席、各地域、職場、社宅等における家族ぐるみの視聴覚の活動が行なわれているがテレビが普及して組合主催の映画会に集らないとか、埼玉県の基地問題のあった百里ケ原では他労組員の製作した斗争記録八ミリ映画の活用がされて基地反対斗争に有効に役立った。とくにポチョムキンの上映運動からソ連の労仂者が何故あの様に斗争に立上れたのかという疑問が湧き、そこから発展して勉強会が生れたことなどの活動報告のあと組合又は地方組織としてのフイルムライブラリのセンターの問題がせつじつな問題として出されていた。

第三分科会は、視聴覚の活用と、映画製作の問題がテーマで二つの分散会に助言者として作家協会側から吉見泰、八幡省三の二名が出席した。こゝでは〃安保〃〃失業〃の製作に続いて労農ニュースの問題から、作家との協力の問題に迄及び8ミリ映画の製作、組合映画製作にあたっての作家の立場が問題になっていた。8ミリ作品の審査にあたった野田真吉氏より尼ケ崎鉄工の斗争記録の8ミリが大変に労仂者の鋭い感覚で撮られている点で入選した事が報告された（文責杉原・山内）

動静

英映画で長期もの三本かゝつています。イコスエ法（四巻）地下鉄（六巻）御母衣ダム才一部（四巻）才二部（六巻）

谷川　義雄

伸びゆく農村シリーズ
カラー一巻「稲の敵」一月完成、
黒白三巻「江州平野」三月録音
〃　二巻「愛妻田」四月クランクイン

川崎　健史

一月二十八日から〃家出〃（三巻社会映画、岩佐氏寿脚本）渋川ロケに出発、帰京後都内ロケ、二月十四日クランク・アップの予定でやります。

豊田敬太

日映科学で〃資本の世界〃二巻クランクアップ。
NTVのリビング・イングリッシュ才十六リーグ撮影開始

村田　達治

「日本のエレクトロニクス」英、EK 35m/m 四巻録音準備中
「東パキスタン」才一部中間編集中、「印刷インキの謎」EK 35m/m 三巻編集中

入江　一章

①朝連の委託で朝鮮人の　国記録映画を準備中
②炭労三池のロックアウト斗争を撮影中、十五日の炭労大会から本格的に記録してゆきます。「安保」「失業」につゞく総評作品に発展する可能性あり。御協力をお願いします。

徳永　瑞夫

昨年夏からの企画だった「落合さんの卵つくり」が台風、其他の事故で今だにクランクインにならずほとほと弱つています。他に二、三企画中ですが、何とも目鼻がつきません。こまつたことです。

永富映次郎

久保田鉄工企画、劇TV映画、少年パトロール完成
清水建設記録映画ビル建設撮影中、

山下　為男

昨年暮「日本の版画」「東北のこけし」「京都の西陣織」各一巻半を完成し、現在、岩手の農村の調査資料を漁つております。スポンサーの成り手がないのが口惜しいです。

大野　孝悦

三木映画で高島一夫氏演出「液体の働き」クランクアップ一月末現在初号待ち、

西田真偖雄

東京シネマ「マリン・スノー」の仕事中（演補

西江　孝之

事務局だより

◇住所及その他変更のお知らせ

松本　俊夫－渋谷区羽沢町二八ノ六公団住宅鶴沢団地二二三号

長野　千秋－渋谷区羽沢町二八ノ六公団住宅鶴沢団地四五四号

深江　正彦－渋谷区宮代町日赤中央病院三十七ノ八
（病院療養中）

大野　孝悦－（所属不明）とありましたが「新映画実業」所属です。

豊富　靖－先にTEL（369）一五八八は一五八七の誤りです。

◇新東宝株式会社撮影所
教育宣伝映画課－
東京都世田谷区　町一六五
TEL（416）〇一六一～九

◇協会財政報告　一月分

収入の部

会費	四二、五〇五円
雑費	一〇、三九一
繰越	一二、四二九
合計	六五、三二五

支出の部

通信費	一、四〇六円
交通費	三、八六〇
文具費	九九〇
事務所費	五、〇〇〇
電話料	二、八九七
人件費	三三、五〇〇
雑費	五、六五五
合計	五二、八〇八
差額	(十)一二、五一七

一月分（二月へ繰越）

◇記録映画財政報告　一月分

収入の部

予約	一五、四五〇円
売上	四、五四〇
雑費	四〇〇
広告代	二三、五〇〇
繰越	一四三
合計	四四、六七三

支出の部

通信費	二、九三六円
交通費	二、七三五
文具費	一八〇
印刷代	三八、〇〇〇
会合費	八五〇
原稿料	三、〇〇〇
電話料	二、八九七
雑費	一、八七五
座談会	三、〇八〇
合計	五五、五五三
差額	(一)一〇、八七〇

（不足金は運転資金を活用）

1960. 4 1. 発行

教育映画作家協会々報

教育映画作家協会　No 54

東京都中央区銀座西八〜五　日吉ビル四階　TEL (57) 5418

AA連帯会議へ映画製作の提案
「安保批判の会」へのカンパ運動

＝三月十二日　運営委報告＝

一、AA映画製作について

各運営委に配布した（別紙のもの参照下さい）構想案を中心に審議になり一時間以上時間をかけて方向をうち出した。

自己批判としては協会の機関として積極的に取りあげて行こうとしていなかった。そこで協会自体としてハツキリさせた上で、AA連帯委として取りあつかうように進めて行くことの必要が計られた。

その中で代表的意見として、

(イ)協会内の意見の統一を計ること。

(ロ)AA連帯委と協会の関係をはっきりさせる。以上の立場から、

構想案として出せるようにし、分部的修正（〃平和の敵〃の項について）を行い、日本連帯委の問題として取り上げてもらい、AA各国の映画制作委を作る方向で提案、又カイロ会議の時の提案を具体化する方向を取る。その為に、

◎日本連帯委の代表団の方々と話し合い構想案を作り、それを提案してもらう。

◎協会全員に対しては以上決められた構想案を会報と共にながし検討してもらうことゝなった。

二、三井三池映画の問題について

才二回の話し合いの後総評では資金が出ず共同映画社でも製作しないという事から中央では、作らない事になった。三池では二〇万円の資金が出され徳永氏が記録を取っていることで終っている。

製作委員会の話が出されているのであるから作協として積極的に製作委の問題を取り上げるべきであるという意見が出されていた。

三、安保批判の会について

先にも出されているように、カンパ活動することゝ作協の代表を出す問題が討議された。

すでに批判の会では色紙展によるカンパ運動と平行して社会党との懇談会、又パンフレットの発行等行なわれているが、映画関係としての運動がなされていない処から独立プロ協、等から意見が出され映画関係としての会合を開く事。

作協として代表をきめ運営委の間宮則夫氏を選んだ。又カンパ運動を永く続けて行く為にカンパ帳を作協として作り、協会員に送ることを決めた。

四、二周年映画について

この映画会は財政確立の為のものと割きって行う。作品内容につりいろいろと討議の結果〃世界の実験映画特集〃ときまった。作品として〃タンスと二人の男〃〃水玉の幻想〃〃時計〃〃点と線の想狂詩〃等。映画会実行委は、八幡省三、藤原智子、西本祥子の諸氏。

五、女子職員退職と採用について

今まで事務局員として勤務してくれた加藤せつ子さんが一身上の都合で退社しました。至急女子職員採用の事を取り上げ募集運動をお

（2）

こすことゝなり二〇日頃までに新しい人とかわる。

六、〃記録映画〃財政について

予算をたてましたが記録映画の中での市場販売の中の東販販売が、予定の二〇〇部まで行かなかった点での収入減、と事業収入が余りうまく行かず、少ない事による事業活動による取組方についての問題が出され、この六月までに金ぐりをしなくてはならない必要にせまられている。

七、文部省選定映画制度について

報告でおわったけれど、大変に重要な問題なので雑誌〃記録映画〃誌上及〃社会教育映画研究会〃等で取り上げて行くことなど出されていた。

又、会報にも別頁に解説する。

××

映画製作委員会への方向と 三周年映画会の決定

――三月四日常任運営委報告――

一、研究会について

会報に研究会の報告を発表し協会員の参加を呼びかけると共に、協会のグループ活動としてもっと力をそゝぐこと、特に新しく今年になって誕生した〃社会教育映画研究会〃には参加者をふやして行く活動が述べられている。

二、安保批判の会について

安保批判の会ではすでに安保条約の呼びかけのパンフレット、及安保反対の資金カンパの運動を続け、特に映画部会では松山善三（シナリオライター）が責任者となられ映画人への大口の資金カンパを呼びかけている。運動は今国会への反対運動として続けられるものであり、作協としても加盟団体であるので、皆さんに資金カンパを強力に呼びかけている。

三、三井三池の映画製作について

二回もの会合が開かれているが共同映画社の高林、自映連の守谷の両氏が総評、炭労にあたる。

炭労で製作資金として出してもいいという六〇万円と総評のハッキリしていない点については共同映画社で製作出来るかどうかのデーターを出す為の準備をしている。その中で出されていることは映画製作協議会又は製作委員会のような積極的、恒久的な委員会を作る話や、勤視連として入ってくる準備会を持つ話などが出され才三回の会合を開くことになっている。

四、AA映画製作について

現在までの処、協会内それも役員と一部の人々にしかつたわっていない状態であるのでもっと広めて行くことの必要性と、日本のAA連帯委の実体はどうか、特にAAの歴史的意義を広く伝えることが重要である。

小委員会が開かれないので構想案を印刷し運営委全員に配布し、運営委員会で審議した上でAA連帯委員会に提案すべきかどうかをきめるべきであるという決定がなされた。

五、事業活動としての映画会

〃忘れられた人々〃のフイルムがだめになりいろいろとあたったが高いか、変るべき作品がなくどうするかということになったが事業活動として行うことを再度確認しフイルムをあたることとなった。

六、生活と権利を守る小委員会

については事務局長が東京にもどってから開くこととした。

××

動静

三月一日からRKB映画社に入りました。職場自体が出来たばかりで、仕事もこれからです。
藤田　幸平

東宝プロ二月で契約が終り三月から全農映におります。当分いる予定です。
青野　春雄

ファースト教育映画社で「鶏に生きる」がやっと七ケ月ぶりにクランク・インになり、三重県四日市附近で目下せっせと演出中です。
永富映次郎

全農映で精薄学級の記録映画にかかります。四月一杯かかる予定です。
荒井　英郎

「日本のエレクトロニクス」EK（英語版）35m/m 4巻完成
新映画実業にて「日本みたまま」（カラー二巻）の脚・演ー完成
日高　昭

病気療養中
深江　正彦

英映画で仕事をしています。
谷川　義雄

「空の高速道路」（英）EK 35m/m 2巻準備中。
「トランジスタ」（英）EK 35m/m 2巻脚本、以上読売二六
入江　一彰

「乳牛のしつけ」を大内田さんと共にやって現在編集中。次は「青果市場」を岩堀さんとともにやりたいと思って準備中。
原田　勉

解説

ＡＡ諸国民連帯映画製作構想案について

先の運営委員会の決定にもとずき富沢事務局長及八幡事業部責任者とでＡＡ連帯日本委の文化担当代表として決定された**古川　原**さん（国民教育研究所、子供を守る会、専修大学教授、学習院大学講師、お茶の水大学講師、日本女子大学講師）とお合し作協の構想案なるものをお知らせし種々話し合った結果、文化部門の提案の一つとして、すでに三年前カイロ会議で合作記録映画製作の具体化であること、ＡＡ日本委員会の文化部門の提案とし、ＡＡ日本委員会の種々の提案事項の中にくみ入れてもらうこととなりました。文章の訳は古川先生に一任その写を二六日に戴く。内容については作協の構想案を生かしてもらう。

日本代表団としては

岡倉古志郎（日本ＡＡ連帯委員会常任理事）
加藤　万吉（総評組織部長）
坂本　徳松（日本ベトナム友好協会理事長）
田村　茂（日本ＡＡ連帯委員会員・写真家）
畑中　政春（原水協常任理事・日朝協会・理事長）
古川　原（国民教育研究所・子供を守る会）
守谷　吉男（日農常任委員）

の以上です。

又三月二十六日には日本代表団の結団と歓送会が行われます。

この資料の他に同封で「コナクリ会議のしおり」パンフレットをお送りしました。

ＡＡ諸国民連帯映画構想案

１　民族の季節

時は四月、アフリカにいつもと同じ太陽が昇るだろう。そして人間も、いつものしきたりで、朝の仕事から始めるのだ。けれど、この日、ギニアのコナクリでは、様子がちがう。町はやがて顔でうずまるのだ。しかも、黒い顔、黄色い顔、白い顔、赤い顔、までがくり出して町をかざるのだ。それは花嫁を、花でかざるように、この未来にみちた日を、祝福するいっぱいの顔なのだ。アジア、アフリカの全域から、七〇ケ国から、集った代表達の顔なのだ。一九六〇年四月、このコナクリで、アジア、アフリカの諸国民会議が開催されている。この日は、植民地制度の破廉恥を隠閉すべく試たイギリス帝国主義の斯瞞を粉砕して、住民投票によって一挙に独立を勝ち得た日だ。そして今、村ぐるみ、町ぐるみの建設が急速に進んでいるところだ。エンクルマ・ガーナ首相の、一九六〇年こそは、アフリカ解放の年にしよう、というアッピールにこたえて、今アジア、アフリカの全人民が力強く行動を起すのだ。

２　植民地支配

実際、白人だからといって掠奪してよい理由などなにもないのだ。有色人種から掠奪してよい理由は更にない。掠奪者はその理由ずけに人種差別をもってした。西欧の資本主義列強の三百年にわたるアフリカ支配の基礎である。現に今、アフリカのある国では、黒人は、土地の所有権を奪われて特定の地域に住まわされ、白人の経営する農場や鉱山で仂かされ、疲れて死ぬように法律的に定められている。南ア連邦がそれだ。ニアサランドでは、人種差別に反対する黒人は投獄され拷問をうける。これはただ単にアフリカのある国の出来事ではない。アジア、アフリカの大部分の国が、同様の植民地支配を苦しんできた。例えば日本帝国主義のアジアに於ける行為など。反植民地デーはイギリスの植民地主義に対するインドの民族解放運動の先峰の記念として広く受けつがれている。その中で民族解放斗争は胎動し、今日多くの独立を勝ち得たように、今アフリカの最後の国で、解放斗争が血で斗われてゆくのだ。

３　民族解放斗争

西欧の資本主義列強の三百年にわたるアフリカ支配の体制が今、音をたてて崩壊している。時計の針をむりやり逆廻させようとするわるあがき。

アフリカのある国では強力な軍事力が動員されている。ケニアの解放斗争の弾圧がそれだ。南ローデシアでは非常事態を宣言して、解放斗争を弾圧する。民族解放戦線の指導者に対する弾圧、拷問は言語を絶する。アルヂエリアの厚い壁の中でもそれは行なわれている。けれども隠閉しようとしても内側はあばかれる。証人がいるのだ。解放斗争を斗い抜いた民族は、かれらの拷問を知っている。例えば日本帝国主義の憲兵のアジアでの

（4）行為は、生身に証拠のあとを残している。拷問に屈さず、アジアの未来に目をかたむけていた人々が証言する。アジア、アフリカは共通な経験を戦いぬいて、今ここに強い連帯を持っている。アジア、アフリカ諸国民会議がそれだ。

4 バンドン精神

一九五八年カイロで開かれた諸国民会議には、当時解放斗争を推し進めていた十三ケ国を含む、四十四ケ国が代表を派遣している。反植民地主義反帝国主義・独立を尊重しあい、建設を推し進め、平和を確立する。これが、アジア、アフリカの諸国民の共通の課題として確認された。そしてそれを解決していくために、アジア、アフリカの連帯委員会が組織され、それぞれの国で活動が開始された。コナクリ会議には、その成果を反映して七〇カ国の代表が参加できる程、アジア、アフリカは成長している。そして今ここでは、最後の植民地に対する斗争に支援をおくることが決議されることになる。そして独立を獲得した国々の間の建設を協力しあう体制がさらに検討されよう。

5 独立と建設

民族解放斗争を戦いぬいて、勝利した独立国は帝国主義の何であるかを身をもって知っている。だからかれらは、自らの国を弱肉強食の資本主義の体制でやっていくことを拒絶した。社会主義国として大きく成長した国家群がある。又、国家資本主義として急速に建設を進めている国家群がある。アジア、アフリカの連帯は、後進独立国の援助を惜しまない。有力な社会主義国の経済技術が建設を急ぐ国に向けられる。エヂプトのアスアンハイ・ダム建設。インドの重工業開発、等々貿易の面でもこの連帯は、大きく実を結んでいる。戦争経済によらずに仲良くやってゆける体制が、アジア、アフリカにはできているのだ。中国の獲り入れ、エジプトの解放州の収獲、各国の収獲を祝うまつり、それぞれの国で古い伝統を持つ労仂のうたが、平和のうたが、民族文化がふたゞび花を開く。それはアジアアフリカの諸国民が、お互いを知り合うのに、大きな力になるであろう。

6 平和の敵

戦争経済によって成立ってきた帝国主義列強にとってアジア、アフリカの連帯と独立の動きは不都合なものとなってきた。しかし、かれらはかつての植民地主義的搾取の体制を簡単に放棄したのではない。かれらは後進国の開発という名のもとに、技術の導入をはじめ割のよい原料の買つけ、利潤率の高い商品市場として、新らしい収奪の経済的支配体制をきずき直そうとしている。支配体制の確立はむろん、政治的にも、軍事的にも急速に進められている。かれらは戦争の危機をあおりたてることによって、アジア、アフリカの連帯を撹乱し、ここに新しい軍事体制による支配を敷こうとしている。かれらは朝鮮を二分しベトナムを二分し、イスラエルを煽動し、軍事条約を強化し、軍事基地を核兵器によって強化しつつある。かつてアジアの各国に対し、帝国主義の侵略を敢行した日本はこの際ふたたび大きな危機を抱いて胎動している。日本の自民党政府は、アメリカとの軍事条約を強化し、平和憲法を改定し日本にふたたび軍隊制度を復活させようとしている。あくない日本の少数の資本家どもは高い利潤を追求し、民族の希望をよそに戦争経済へ突入しつつあるのだ。けれども労仂者階級を中心とする日本の民族民主統一戦線はアジアに対する大東亜戦争の責任を忘れない。砂川の基地拡張に彼らは素手でたちむかい多くの犠牲者を出しながら拡張を阻止した。沖縄は日本の領土であるにかかわらず、アメリカ軍の軍政下におかれたまま、土地の強制接収が行なわれ、全島基地反対斗争と日本復帰の要求が高まっている。

7 統一行動

アジア、アフリカの全域には、地球の全人類の七割にあたる十七億の人間が生活している。そしてこの十七億の人間は、アジア、アフリカが平和五原則とバンドン精神にのっとって、平和に仲良くやっていけると確信している。その為に戦争の危機をもたらす一切のものに断固戦っているのだ。アジアのある国ではアメリカの軍事同盟を破棄する斗いが進められている。例えばフイリツピン、アフリカのある国では、民族解放斗争は基地徹廃のかたちで斗われている。例えばモロツコ、アジア、アフリカの連帯委員会はこれらの斗争を積極的に支援する。ソヴイエトの軍縮提案は仂く十七億の人間違によって力強くうけつがれる。そして四月のある日、アジア、アフリカの全地域から一つの呼び声が起る。核兵器に反対し、原水爆の実験禁止を呼びかける声が地球をつつむ。そしてそれは全世界の労仂者の連帯の中に受けつがれ、世界史を大きく変えてゆくのだ。

映画会及研究会おしらせ！

(5)

△世界の実験映画を見る会

雑誌〃記録映画〃二周年を記念して開きます。協会員外にサークル、日美、新日文、学校等にも呼びかけていますが、協会内にも積極的に呼びかけますので協力下さい。

と　き・四月十九日(火)后六時

ところ・虎の門共済ホール

内容・

一、東京一九五八(予定)(日本)

二、水玉の幻想(チエコ)

三、タンスと二人の男　(ポーランド)

四、水　鏡　(オランダ)

五、時　計　(イギリス)

六、隣　人　(カナダ)

七、ゲルニカ　(フランス)

　休

八、二十四時間の情事

　アラン・レネ作劇映画

　「ひろしま、わが恋」

会費一人七〇円です。

ポスター、チラシ、等作りました。おもち下さい。

×××

△西武記録映画を見る会

四月例会

(1)〃日本めぐり〃特集

旅行シーズンです。

と　き・毎週土、十二時三〇分二時

ところ・西武デパート八階リーデングルーム

二日(土)北の巻〃サツポロ物語〃〃東北の農村〃

九日(土)まつりの巻〃花のまつり〃〃日本のまつり〃春・夏・

十六日(土)風土記の巻〃新風土記ー北陸〃〃最上川風土記〃

二三日(土)南の巻〃瀬戸内海〃〃花のジプシー〃

三〇日(土)東海の巻〃伸びゆく中部日本〃〃東海道の今昔〃〃黒潮あらう地方〃

(2)人形劇映画特集

◎四月二四(日)前十時三〇分

◎西武デパート、八階リーデングルーム

内容・

ルルとキキ(日本)

二等兵シュベーク

小さなボールちゃん(チエコ)

△△〃春香伝〃映画会

と　き・四月八日(金)后六時

ところ・豊島公会堂(池袋東口)

内容・一、チャップリンの百万長者

二、〃春香伝〃朝鮮天然色ロマンス劇映画

会費一人六〇円

主催・教育映画作家協会

城北映画サークル協議会

後援・在日朝鮮人総連合

△国立近代美術会館

ライブラリー

(1)〃白鳥の死〃10巻・仏シナトランテイカ一九三七監督ブノアリレヴイ、原作、ボオル・モオラン。四月一日〜一四日毎水、日后二時より、

(2)〃前衛映画〃一日〜十二日、十四日〜二三日、七日間ずつ、水、日、月ぬかした后二時より、予定作品。

〃ドーム〃〃タンスと二人の男〃(ポーランド)

〃針と靴下の対話〃(日大)等々

(3)〃超現実絵画の展覧会を開催中

会費一人五〇円、学生は三〇円取られます。

△新作試写会　教育映画製作者連盟主催で才二、才四金曜日、山葉ホールで午后一時より開く作協員はぜひ参加下さい、無料です。

四月は、八日。二二日に開かれます。

協会財政報告　二月分

収入の部	
会費	五一、一〇〇
雑費	七、五七〇
繰越	一二、五一七
計	七一、一八七
支出の部	
用品文具	一、三二三
交通	三、四八〇
通信	一、七四六
雑費	七、五七〇
事務所	五、〇〇〇
印刷	一一、五〇〇
会合	七〇〇
人件	三三、五〇〇
電話	二、〇二六
計	六六、八四五
差額(+)	四、三四二

〃記録映画〃財政報告　二月分

収入の部	
予約	一七、六〇〇
売上	八、二六二
広告代	六六、〇〇〇
雑費	一六、一三〇
計	一〇七、九九二
支出の部	
用品文具	二、一三二
交通	一、六二五
通信	四八九
雑費	一、〇九〇
印刷	六六、〇七七
会合	二、六〇〇
電話	二、〇二六
原稿	三、〇〇〇
計	七九、〇三九
差額(+)	二八、九五三

解説

文部省選定映画制度について

すでに社会教育映画は〃指導要項〃にのっとって製作された作品でないと文部省の選定がもらえないという事は作家の方々はすでに各プロダクションで仕事されてぶつかっておられると思います。処がこんど文部省の視聴覚課から日本映画教育協会へ、文部省の映画における図書の検定制度と同じものが案としてこの三月上旬におろされてきました。その内容は今まで視聴覚課として社会教育、教材映画に使われていた費用一年間八、〇〇〇万円の費用の半数四、〇〇〇万円が教育テレビ映画の方にまわされるという事と平行して、今まで一、三〇〇万円の費用をつかって社会教育、教材映画を各プロダクションから各学校及公民館等のライブラリーに売る為の市場が開かれ、各プロダクションで作った作品を提出していました。各ライブラリーからの希望も出されると共に又、各プロダクションは作った作品を市場に出していたわけであります。処が、その費用が一、二〇〇万円になって一〇〇万円減らされると共に文部省選定作品以外のものは各プロダクションは提出する事が許されず又各ライブラリーは教育委員会を通して文部省選定の作品の中からしか選ぶことが出来ないという図書の検定制度と同じものになるわけであります。以上の他にまだいろ〳〵とあると思いますが基本はこゝにあります。

それらの中で配給協議会では一早くから反対の立場を持って、映教を通じて文部省にあたっています。配給社の中で消極的なのは、大資本とつながり文部省とつながっている東映教育映画部と学研映画部であります。今までの作品を見て載いてもわかると思います。処が、各プロダクションの製作者及作家が非常にこの問題に対し消極的であるという批判が教配、皮勤視連の方から出ているわけです。作家協会の中で社会教育映画、及教材映画を作っている人々が多い時にどうしてもこの文部省の選定制度に対して、積極的な活動をおこすこそ重要なのではないかと思い、さゝやかなる現状をお知らせしました。

××

映画研究会報告

社会教育映画研究会

岩堀・豊田・荒井を世話人として、社会教育研究会が発足したのは、昨年の十二月である。それから、予定通り毎月一回の研究会が続けられている。今までの上映作品は次の通り。

十二月「ある主婦たちの記録」「うわさ」「うわさはひろがる」（出席者十五名）

一月「かあちゃんの生産学級」「おばあちゃん学級」「婦人会日記」（出席十名）

二月「おやじ」「結婚の条件」「嫁・夫・姑」（出席十一名）

三月「らくがき黒板」「スランプ」「お父さんは働いている」（出席十九名）

三回目までは、主として作家のフリーな討論。話題はどうしても上映作品評となったり、これらの作品には『社会意識がなくなっている。無抵抗である』『〃発見〃がない』『助け合い運動そのものを描くのではなくて、助け合い運動を通じて、作者は何を訴えようとしているのか、を描かなければならない』（オ一回の時の発言）『テーマがはっきりしていない』『図式的である』（オ二回の時の発言）と言った断片的名言集となったりした。会の後で一会員は世話人に「こう話が先へ行ってしまったのでは、あとやる事が無くなるのではないか」と心配してくれたりした。

しかし、この三回の研究会にはちゃんと一貫した問題が流れていた。――選定というヒモがあってしかもどうしても視聴覚ライブラリーに買ってもらわねばならぬという、いわゆる社会教育映画のワクを、われわれはどう受けとめるか、という問題である。これは三回目の「嫁・夫・姑」（豊田敬太郎作品）の結末についての具体的討論、社会教育映画は必ずしもハッピーエンドである必要はない。否定的な結末でも、その方が効果があれば、社会教育映画として成立たないか。ライブラリーや地域の良心を強めてゆく斗いとならないかと言った話に実って行ったと思う。そして、それは更にオ四回の「われ〳〵の作る作品は、見る側にどう受け入れられているか。配給業者と語る」研究会に発展したわけであった。

この会には、教配から鈴木幹人氏、共同から荒木敬二郎氏、それに近代映協の能登氏・大島辰雄氏などが出席してくれた。短かい時間の中で、配給業者は、作品をそつくりライブラリーに受け入れてもらうという消極的態度でなく、ライブラリーを支える地域諸団体に仂きかけて行き、大衆を基盤に配給網を発展させて行かねばならないこと。製作者や作家はそれに値する作品を打ち出して行かねばならないこと、などが自然な結論として生れた。

「らくがき黒板」による、新しい教組番線運動の報告は、特に注目に値した。始めてわずか四回だがこの研究会が一番実もあり、意義も大きかったようだ。これはどういう事だろう。もっと創作方法に突っこむのなら、別に特定の集りが生まれなくては駄目だと言うのだろうか。

次回四月は、今までの問題を更に展開させるために、非選定映画研究会を、岩堀・河野が準備している。文部省が非選定映画を、ライブラリーから閉め出そうとしている時、この企画は時宜を得ていると思う。

「社会教育映画の歴史をふりかえる」研究会も、是非やってゆきたい。しかし之には充分な準備がいる。前もってよく調べ、問題をよく整理しておくことが大切だ。その準備に何人かの人が積極的に加わってくれなければ……

今、研究会が突き当っているのは、もっと強力な世話人グループの確立ということである。奮って参加をのぞみたい。

（勉強会なのだから、能動的態度でより余計摂取した方が、トクである）

×× 荒井

記録映画研究会の報告

今年になってから、研究会は二回ひらかれました。毎日に追われながらも、月一回ひらくという原則を守っていこうと考えています。

一月は、岩波映画の試写室を会場にして集まりました。作品は、間宮君の「沖縄…」を中心に組んだものです。この作品は、いわば間宮君の本格的に取り組んだ処女作なのですが、これの批評と話し合いを通して、ドキュメンタリーとルポタージュの問題を考えてみたかったからでした。近年の映画ジャーナリズムの中でさわがれている、記録映画ブームというものは、イタリアで作られた諸作品にしろ日本のものにしろ、いずれも紀行映画によるものでした。日本の側からも見知らぬ国への撮影隊が多く送られたし、アメリカ、フランスやイタリア、スイスといった西欧諸国からのロケ隊も、未開野蛮の天地に向っていました。地上でだめならば海の中、火山の底、正に水火も辞せぬ勢いでした。これらの中には、実に見応えのある面白いものもあると同時に、全く絵葉書的な風景の羅列といった愚作もあるようです。こういった紀行映画は、これからも吾々の週国で作られていくでしょうし、それはそれでいいことなのですが、この中から、吾々の採るべきもの、すてるべきものを明らかにしようと意図したのでした。

さて、研究会には十数名の出席があったのですが、この意図は意図として、具体的に作品に即した批評からはじまりました。間宮君がこの日出席できなかったのは大へん残念でしたが、この作品は後半の部分に、二〇〇尺をこす軍用道路の移動カットがあって、これが全篇の中でどう生きているか。どういう意図で撮影されたか、論点としては面白いところでした。みながいいといったのは、痩った魚を漁師達が切りきざむところです。たとえば、長い軍用道路とか、魚の血で赤く染った海とか、そういったイメージを中心に、人の言う沖縄というものを、間宮君なりにとらえなおすこと、それをもっと突込んでほしかったという意見もありました。民俗の紹介か、現在的な沖縄の記録か、という割り切り方のどっちつかずに対する不満もこういった点と関係がありそうでした。単に目に見えるものを探しまわる事だけでは捉えられない日常性のウラを描きだせるような方法が、今后の我々の課題といえそうです。

司会の不手際もあって、ドキュメンタリーとルポルタージュ、という問題をまとめることは、とてもできなかったのですが、間宮君に対する讃辞をしめくゝりにしてこの会は終りました。

ォ二回は、近代美術館を会場に日曜日ながら五十人をこす人々を集めて開かれました。ポーランドの実験映画を上映し、協会の外の人々の参加を多勢得ることができました。評論家の佐藤忠男氏・針生一郎氏・詩人の関根弘氏・画家の池田竜雄氏外、映サなどからもたくさん出てくれました。討論の内容は、実験映画の意味と、これを日本の現実の中でどう受けとめるかという点にしぼられ、実に活溌な討論がくり広げられました。新しい芸術の創造を考える場合、実験映画は多くの問題を提起しているに違いありません。今后も、

折にふれてとりあげ、深めていきたいと考えています。
三月は二十七日にひらかれますが、四月からの研究会にも、皆さんの積極的な参加をお願いいたします。（大沼）

事務局だより

△住所変更及その他の変更

田中　学ー岩崎鉄也氏は三月二一日より本名に変りました。
北多摩郡狛江六六東二七〇
若葉荘一四号室

山元敏之ー新宿区上落合二の六一七
清美荘に住所が変りました。

長野千秋ー四月より日映科学を退社フリー作家になりました。

泉水　剛ー四月より新理研を退社フリー助監督になりました。

小泉　堯ー練馬区豊玉北町五の四
大石豊美　電(991)三三一七
方へ変更

△運転資金の追加報告

一口ー長野千秋・平田繁治・山岸静馬・荒井英郎・奥山大六郎・渡辺大手・厚木たか・渡辺正己

二口ー石田　修・本間賢二

合　計　六千円

総合計　参万参千円

(註)運転資金は大変に有効に使われています。又まだの方々は一口五百円です。申し入下さい。目標は五万円。

△ポールローサー著・厚木たか訳「ドキメンタリー映画論」六〇〇円は四月上旬に発行されます。特に厚木たかさんの骨折りで、一割引になります。六〇〇円の処五四〇円になります。協会事務局へ申込下さい。

△新入会者紹介

安東　斉ー名古屋市中区新栄町四ノ一五中部日本放送内CBCテレビ映画内（企業所属）演出・脚本で三月二六日より。

平野克己ー品川区大崎二の七
助監督。

小川増生《マスオ》ー鎌倉市津五〇六
フリー助監督

△新事務局員の紹介

加藤せつ子さんが一身上の都合で三月十二日退社しました。新事務局員武井登美江(とみえ)さんが三月二五日より、入社しました今までと同じ様によろしくお指導、御鞭撻下さい。

△「日本デザインセンター」が誕生しました。その目的の中に広告宣伝を主とする各種映画の企画製作ならびに配給、昭和三五年九月より就業がはじまる。作協にも就業がはじまったらお願いにきますと次の方がおいでになりました。

映画部　三木浩

中央区銀座三丁目四番地文成ビルTEL(541)二九七四番

××

△健康保険金家族分　値上について
（健保に入られている方々へ）

今まで一人家族一二〇円の処が一五〇円となり三〇〇円の値上となります。四月より保険証が新しくなるのと共に値上になりますのでお知らせしておきます。

「協会の皆さんへ呼かけ」

(一)協会員をふやしましょう！

運営委では協会財政の確立と、協会の運動をおこすことを決めました。そこで協会員の近くにまだ協会のことを知らずにおられる記録映画作家に呼びかけて加入をさそって下さい。契約、案内をおくりしますので今年は協会員拡大の年です。

(二)機関紙″記録映画″固定倍化の再度のお願い！

先の協会員拡大と並行して再度″記録映画の倍化をおねがいします。昨年中二冊づつ十二月までおおくりし読者を取つて戴いたものをなんら連絡もせず事務局で一方的に打ち切つてしまつた点については運営委員会の名をもつておわびする次ヤであります。その上での再度のおねがは出来たものではありませんが、こんどは自由な立場で読者を取つて戴くことをおわび方々おねがいする次ヤであります。

(三)「安保批判の会」安保条約反対署名とカンパ！

すでに何回となく会報にカンパの呼びかけを出しましたが今回カンパ帳を作り同封して署名とカンパを呼びかけることとなりました。なにとぞ協力下さい。事務局までおくり下さい。

又四月四日(月)后一時より～日比谷公会堂において″安保批准反対請願大会を開きます。一人二〇円カンパです、ぜひとも参加下さい。

「記録映画」へ御意見

社会教育映画についての岩堀、河野、羽田、道林、各氏の論文興味深く読みました。社教映研でもこうしたことを討論していただきたいと思います。　原田　勉

いつも雑誌編集員諸兄の苦労は十分判りながら不満ばかりもらしてすみませんが、二月号は会員の執筆も多く、見直しました。だがまだ「プロキノ」を取上げるのはもう沢山だという感じです。　永富映次郎

乗物の中でサーッと目を通したばかりですがだいぶ柔くなったと喜んでいます。一般に普及させるにはもう少し柔みほぐして頂きたいと考えます。　藤田　幸平

1960.5.1 発行

教育映画作家協会々報

教育映画作家協会　No 55

東京都中央区銀座西八〜五　日吉ビル四階　TEL (571) 5418

新予算案の承認と二周年記念パーティなどで

＝四月二十一日運営委員会＝

一、〃実験映画を見る会〃の総括報告

四月十九日に開かれた映画会は作協及各専門団体、映サ、学校等の協力があつて大成功で終りました。現在までにわかつた処では、見にこられた方々は八九二名、招待者六二名、あとの八三二名は各団体で協力して下さつた方々によります。支出の合計は約二三、〇〇〇円、収入は約五六、〇〇〇円、協会財政へは約三三、〇〇〇円入ることになるわけです、がまだ未精算の処があり四月三〇日を〆切日とし、決算書を発表すること、映画会への成功の為に事務局へ金一封をおくることをきめ、又今年中に事業活動を行うことや映画会に参加した人々のカード（名前を書きこんでくれた人々）の調査をし今後の資料として読者拡大にあてる。二周年記念としてのパーテーを編集部と共同で六月に開くなどが出された。

二、新入会について

㋑中村久亥（フリー助監）㋺星合達郎（新理研）の両氏をみとめる。

三、中国合作映画製作について、先の常任運営委員より報告があつた。日中文化交流協会から芸術映画社に話があり、京極さんが選ばれて日本代表者として中国合作映画の打合せに出発した。そこでスタッフの候補のことが出され、その中に富沢氏、大沼氏、松本氏の名前が出された。そのことと協会として協力すべきではないかと話され本日の運営委員会にかけることゝなつた。種々討論がされて結果、として。

㋑日中友好の立場から作協としてオーエンして行くこと。

㋺役員として上つている人ばかりであることと特に富沢氏は事務局長である点から、行くことが決定したら緊急の運営委員会を開いて事務局長代理及その他の役員のことについての対策をたてること。

㋩映画の内容、規模、参加人員等決定したら至急協会員に知らせるようにすること。

四、メーデー参加について

今回も映演総連の一番うしろの短編連合につくこと、朝八時に集合する。総指揮は事務局長、ハガキで協会員に呼びかける。プラカードを作る。それらにかゝる費用は協会から出すことになりました。

五、安保批判の会について

四月二五日安保批判の会として国会に請願を行うことを決定、その連絡。二六日の第十九次国民会議統一行動デーにも参加しようと話されそれぞれハガキで連絡することとなつた。

六、メーデー映画の問題について

勤視連（共同映画、東京映画、東宝商事）としてメーデー映画製作の話が出されいろいろと討議されているが今回は今までの〃失業〃までのつゞきとしてのものではなく先の三井三池の労農ニュースにつゞき第二号としてメーデー映画のことが出され作協に協力方がきている。そのことゝ、〃失業〃につゞく製作委員会との関係等が出され四月二十五日后六新聞労連で製作懇談会が開かれる。

七、新予算案について

別表のように決定いたしました。

第一表の協会財政では、協会員の七名の入会と、会費の調整によつて、四、〇〇〇円の増収をはかり山之内重己一九、五〇〇円に、佐々木守一一、〇〇〇円で二、〇〇

(2)

○円づつの値上が、一月以降の懸案どうり決定、四月分より支給される。

第二表の記録映画財政では、維持会員制をもうけそれによる収入を一ヶ月五、○○○円（その為には毎月五○○円、又は一、○○○円の記録映画を維持して下さる協力者を作ることです）すでに岩波映画、自然科学映画、産経八ミリセンター、春秋映画社、等の中に協力者がいますので運営委員の方々にあたつて戴き新予算にそつて五月より実行する。

又それと共に事業収入として一ヶ月一〇、○○○円とし、年間十二万円の予算を組む。

（映画会による収入の他に、講習会の計画など出された。）

以上のことを維持会員に知らせ協力してもらう。

八、二周年記念懇談会について

〃記録映画〃編集部と運営委員会で六月頃に読者と作家〃記録映画〃へ協力して下さつている評論家の方々をまねいてのパーティーを開く。

(1ヶ月)　　協会財政新予算案　　(第1表)

	項目	金額
収入	会費の額　人員　額 500円×　70　35000 300円×　81　24300 250円×　10　2500 200円×　20　4,000 合計　181　65700 ○〃記録映画〃代金 181 × 45 ＝ 8,065 ○65700 － 8065 ＝ 57635 変つた処、300円の会員の方を81名にする為には7名の方を増加しなくてはなりません。	会費納入100% 67,585円 〃　95% 55,100円 55,100円
支出	家　　賃	5,000
	電　話　料	3,000
	交　通　費	4,000
	通　信　費	3,000
	印　刷　費	5,000
	用品文具費	500
	会　合　費	500
	人　件　費	34,035 変つた処、諸手当及値上分4000円もふくむ。 山之内重己19,500｝値上分 佐々木　守11,000 武井登美江　6,000）そのまま
	合　計	55,035円

記録映画財政新予算案
（一ケ月）　　第二表の二

	項目	金額
収入	広告収入	40000
	市場販売、東販 8,000 他 2,000	10000
	固定読者	10000
	会員分	8,065
	維持会員｝変つた処	5,000
	事業収入	10,000
	合計	83,065
支出	印刷費	60,000
	人件費	8,065
	通信費	2,500
	交通費	3,000
	原稿料	3,000
	文具費	2,000
	会合費	1,500
	電話料	3,000
	合計	82,965
事業収入の内容	項目	金額
	○年2回の名刺広告 1月、6月に取る	54,000
	○映画会、その他 (年2回)	40,000
	○固定読者33名分 増加。	26,000
	合計	120,000

（註）○事業収入は年間にすると一二〇、〇〇〇円となる。
○維持会員五〇〇円の方だと一〇名、一、〇〇〇円の方だと五名です。

中国合作映画製作など

四月十日 常任運営委員会

◇常任運営委員会報告、四月十日。

一、広島の中国地区視聴覚ライブラリーの講習への講師の派遣については他に人がみつからず河野哲二氏に出席してもらうこととなつた。

二、AA連帯委の報告、日本委の提案事項の写し、英語版が事務局へとゞきそれが発表された。

三、一九六〇年教育映画祭企画委員会へ、岩堀運営委員長と矢部常任運営委員の出席を決定。

五、国民文化会議映画部会報告がなされた。㋑松川事件映画製作に対し宣伝担当を受持つこととなりましたが、新聞労連等に国民文化会議として担当してもらうことをきめた。㋺紺碧の空遠く〃の映画抗議について、松竹の劇映画〃紺碧の空遠く〃について防衛庁よりカツトせよとの干渉があり、各観客団体より抗議がおき、国民文化会議としても、抗議を防衛庁に出すと共に松竹KKへ申入れをおこなつた。国会においても社民党代議士の質問への応援をすることを

決定、動員をはかる。

六、新しい予算案編成
事務局員の給与値上と"記録映画"の財政確立の立場からの維持会員制の問題等も出され、一おう運営委員会に提出する案が報告された。

七、中国合作映画について
京極氏はすでに中国へ出発されたが日中文化交流協会から芸術映映社へ持ちこまれている日中合作画について作協としての協力する話が種々出され運営委員会で討議する事になっているがとりあえず製作するとなるとスタッフの候補として富沢事務局長、大沼鉄郎松本俊夫の諸氏の三名が上っている点などについての態度及作協としての協力体勢等について話された。

八、高島一男氏急死に対し追悼文を会報に出す事となり桑野茂　斉藤久亥大沼鉄郎　背野春雄　岩堀運営委員長の諸氏にお願いする事となった。

故高島一男への追悼の言葉

高島一男君が四月三日朝七時、自殺された。このことは作協にとって大きなショックでした。お通夜が杉並の自宅で行なわれました。又有志によって四月十三日夜六時より、中央会館（築地）の大集会室で家族の方々をまじえ、作家協会、東俳協、その他の方々をまねいて、追悼の会が開かれました。ちかしい人々が立って追悼の言葉をのべられた。"魚屋作家高島一男"という言葉も"腹立しさを感じた……"といわれた方々も、彼への言葉をおくりました。表面に置かれた彼の写真は長髪を前にたらしたものでこの写真一枚しかのこっていなかったというものです。途中で彼の才一作"液体のはたらき"を上映しました。そして后八時三〇分頃終りました。家族の方より彼が生前読み、勉強した本を協会に贈呈すると言われました。

こゝに二人の方の高島一男君への追悼の言葉をのせ協会の皆さんに彼を忍んで戴くことにしました。

高島君がいなくなつて残念だ

大沼鉄郎

お通夜にいって、祭壇の前に僕が座ったとき、そこにかざってあった写真は、彼の、長髪を前にたらして、うつむきかげんに本を読んでいるバストショットでした。それをみると、どうしても、濃い感傷におそわれてきました。誰にしろ。ひよっこり死んでしまった者については、今の世の中の事ゆえ、あれやこれや死ぬだけの理由が思いだされてくるものですが、彼の場合も、強い日射しの中に立っている像のように、影もまた色濃いものであったのだろうと思われてきました。何年かのつきあいの中だけでも、彼のきまじめさはよくわかっていました。それだけに、彼が、真の人間的な連帯と統一を求めていたからこそ、人間同志の断絶の深さもまた、きびしく感じたのだろうと思います。そしてこれは、いわば、のうのうと生き続けているものの、他愛のない繰り言と高島君には受けとられるでしょうが、やっぱり、断絶が深ければ深いほど、それゆえに連帯と統一のために斗い続けてほしかったと言いたくてなりません。

同じ協会にいて、同じ研究会で一緒に仕事をしていた僕にとって、彼が死んでしまったことは、痛恨事です。世界をあきらめて、ましてその微小な一部であるわれわれを見捨てゝ、彼はいなくなってしまったのですが、このことから、僕は逆に、僕の中に何か生みださなくてはならないと、今思っています。

彼に対する腹立しさと。。。

桑野茂

最初知った時、何とも言えずむしように腹が立った。人間と人間との関係の価値をまるで屑フィルムのように無視してかゝった彼に対して、まず腹が立った。

次に自分。四月三日午前七時、知らなかったとは言えノウノウと春眠をむさぼっていた自分の呑気さに腹が立った。

そして、彼をとりまいていた仲間たち。最初この知らせを私のところに持って来てくれた斉藤久さんにも毒づいた。"偉そうなことを言いながら、一体、あんた方の組織というのは友人ひとりの生命さえ救えないのか！"

翌日、わざわざ追悼会の知らせをもって来てくれた松本俊夫君にも、うらみがましい皮肉を放った。"人間誰でも弱味や矛盾をもっている。それを押しかくして、乙にすました顔をしているうちは、今度のような事件は救えるはずがないのだ"と

その後、私は心の中でいろいろ、高島君と向き合って見た。私と彼とのつき合は短かい。

私や私の一家のものには得難い誠実な友であったが、その彼に対して、私がよい友人であったかど

うかは疑わしい。その後、彼は何んとなく私から遠去かつてしまつた。しかし、今から思い返してみると、その彼の行動の一つ一つが私にはすべてもつともなことに感じられる。すべて彼らしい。その彼らしさの延長線の上に、当然今度のような出来事があつても私には彼の気持ちがわかるような気がする。

人間には誰にも矛盾や悩みや煩悶がある。そして、私の皮肉に対してあの時松本君が沈痛な顔で抗弁してくれた通り、それは、全く本人の力によつてしか解決出来ないものだ。

高島君は、かつて私が彼に対してした如く乞食のように自分の弱味や矛盾をさらけ出し、それをエサに乞食のように他人から支持や同情を物乞いするようなやり方ーそれにいささかも迷わされることなく、あくまで自分の問題は自分の力だけで解決しようとし、そして解決した。見事だと思う。

又、彼は共産党員であつた。当然それから引き出し得る口実〃何はともあれ、しかし、自分は社会的に有用な人間なのだ〃そのような誘惑的な口実にすがることもなく、自分の問題を自分で処理し、醜悪的な生を自分に許さなかつた。その点も見事だと思う。

私は今の処、死にたいとは思わない。しかし、高島君が示してくれた〃生き方〃だけは心の隅にとめておきたい。

又斉藤君や松本君に向けた腹立しさは間違つていたように思う。この機会にあやまつておきたい。

しかし、追悼会の夜、彼の唯一つの遺作「液体の働き」を見た時、又何とも押えようのない怒りがこみ上げて来た。

高島君！あれは作品などというものではない。何処に君らしさが出ているのだ。あんな作品一本だけで、君は死んでも死に切れないと思わないのか、俺だつてあんな作品は作らないぞ、もう一度、死ぬ直前に彼に会つて、彼の才一作を思切りやつつけてやれば良かつたのだ。

そうすれば、少くとも彼は必ず、死をひとまず延期してでも猛然と才二作に立ち向かつたに相違ないのだ。

彼に対する腹立しさと、私に対する腹立しさが、再び私の中にボコボコ沸騰している。

（一九六〇、四、一九）

高島君

岩堀喜久男

高島君というと、まず魚の講釈のことが浮かぶ。家が魚屋さんなので魚のことに明るく、ロケ先の食膳に出た魚をスタッフの誰かが話材にすると、待つてましたとばかり高い羽左エ門鼻を突き出し、彼のクセである入浴后の手拭を巻きつけた頭をふりふり、魚の講義が披露される。おしまいには、もう誰も知つたかぶりもせず質問もせず、高島君の顔を見てニヤニヤしながら黙つて魚を突つつくだけとなつていた。

もう一つは、寝ゾウの悪い話。中でも北海道砂川の宿で、隣りにねていた通産省のお役人と夜通し蹴飛ばしつこをして、朝気が付いたときは、二人とも布団の外で飛んでもない方角にねていた、というのが有名である。早く結婚しなけりやネと飛躍した論理でヒヤかされたが、以来彼は大部屋で一緒にねることを避けていたようである。

私は三本ほど一緒にして、北海道から新潟、長野、岡崎、大阪、広島、宇部と各地を巡り、車中で、旅館で、喫茶店で、映画論を斗わせたことも少なくない。やりたい企画の二三を彼から聞いたこともあつた。そんな折、私は彼が俳優出身ときいて、真山青果の元禄忠臣蔵シリーズの一つ「最后の日の大石」から例をとり、初一念を貫くことが大切でござる。なんてお説教をした記憶がある。困苦に堪えて初一念を貫け、という内蔵之助のセリフは、いつてみれば明治から大正へ資本主義勃興期の立身出世主義の観念だろうが、作家として立つにもそんな気概が必要なのではないか、さもないと広告映画に流されて、せつかく志した一念が作品活動の上で貫けなくなるだろうと、いう説教である。

今にして思えば、高島君は、どのような一念を貫いたのであろうか。最初にして最后の作品となつたものは誰が見ても一と山いくらの広告映画でしかなく、記録映画に志した彼の初一念がそんなものにあろうとは思えない。日頃語つていた大きな抱負と現実の才一作との余りな違いが彼を絶望させたのだ、という意見がある。鼻の高い二枚目型の風貌には、魚学の講義の時に感じられないでもなかつた強い自負の匂いがあつた。しかも、どこか美少年風の線の弱さもひそんでいた。機関誌にのつた論文も、漢語の多い　訳体で、爪先立つて背伸びした無理な姿勢が映つていた。その足もとをさらつたのは、あるいは恋愛問題の破綻かも知れないが、それだけではないようだ。

悲報をきいて、そんなバカなこ

とが、と信じられなかつた、と同時に、ヤツパリそうだつたのか、という感慨もあつた。早く彼と語り合つていたら、打開の道もあつただろうが、二年近く行き違つて顔を見ることも少なくなつていた。死を求めて名古屋へ立つ午前、協会の事務所へ現われたときいて、私は、何ともやり切れない気持である。誰かが其処にいたら、ポイントが変えられたかも知れない。高島君は友だちを作らない人だから、という以前のスタッフの一人のコトバが事実としても、絶望した彼の心に何かの灯をともすことが、誰にもできなたつたというのはどういうことだろう。

協会も、記録映画運動も、疎外の理論も、彼自身の疎外を食い止めることができなかつたのだ。冷めたい理論。冷めたい組織。

私は暗然としながら、寝床の外に転つていた姿と、レールの上の最后の姿とを、オーバーラップさせるのである。

高島君よ、ごめんよ

動き

◇三五年度教育映画祭について

本年度教育映画祭執行委員会が開かれ次のことが決定しました。

一、主催日本映画教育協会
二、後援文部省と、東京都教育委員会
　朝日新聞社、日本放送協会
三、時期
　（東京）十月三・四・五・六・七日
　（地方）十月〜十二月
四、行事
(1)教育映画振興会議
(2)中央大会（優秀教育映画の選賞並びに発表、優秀技能者の選賞並びに発表・功労者の表彰
(3)国際短篇映画祭
(4)地方教育映画祭

作協より委員として岩堀喜久男富沢幸男両氏が選出され、岩堀氏は振興会議委員を、富沢氏は国際短篇映画祭委員を担当することとなった。

◇中国地区映画製作講習会に作協より講師派遣

作家協会として中国地区十六耗映画製作講習会に講師として〝河野哲二氏〟を派遣しました。主催は中国地区視聴覚教育委員会、教材補給部で、昭和三五年四月十八日より三日間広島県視聴覚ライブラリーにて、参加者は中国五県教育委員会事務局職員で、講習の内容は十八日企画から完成まで（講義）ーシナリオ。コンテ。撮影、十九日企画から完成まで（複習と実技）二十日は作品検討ということで行なわれました。

◇文部省の選定制度に対し新作教育映画研究協議会の動き

学校教材及社会教育映画選定している「新作教育映画研究協議会の昭和三五年度の方針が大変選定制度の復活だということで問題になっていたが、主催者であった文部省が後援になったり、開催方法は従来通り年四回で一回出品数約五〇巻で進められるが、本年は東西日本二ブロックによるフイルム巡回であったのを四ブロックによって巡回、文部省では毎回四〇巻前後を買上げて巡回に協力することになった。以上によって選定制度の問題がどこかにきえたようであるが、これは表面だけであることを作家の方々はみのがしてはならない。

◇二周年記念映画会の成功と実行委員会報告

(イ)四月十日、八幡、藤原両氏それに常任運営委も出席

会員券は一、一〇〇枚でとめること、又当日くる人々の対策としては〝記録映画〟をわたす。

内容について〝東京一九五八〟がない場合は他のものを用意すること、当日の役員をきめ受付五名渉外、進行、場内、等をきめ当日解説書を作ることもきめました。

（注）〝ゲルニカ〟が当日までに行方不明のまゝになってしまい〝つぐみ〟（カナダ・マクラレン）と〝家〟（ポーランド）をかわりに上映して会場でお詫びしました

(ロ)四月十九日当日は大変な動員で一、〇〇〇名をこす動員を見る結果になりました。

当日は東映動画部の方々の参加が多く、その他では日大映研、児童文学、映サ等で〝実験映画〟に対する関心が深くもう一度やってほしいという意見が非常に多かった。又当日出した〝二十四時間の情事〟のコンテは五六冊も出ており〝記録映画〟は三二冊出ていた又当日入った人が一二〇名もおり今後の会の持ち方についての問題としては、当日こられた人々への方法、フイルムに対する点検、今後の雑誌〝記録映画〟のあり方等について学ぶ処が多かった。又本日の為に蔭ながら協力下さった官公庁映サの役員、北辰商事の十六ミリの効果等も大きなプラスをしていた事をものがたっている。

記録映画を見る会
映サ協の動き

(イ)松江市に〃松江記録映画をみる会〃が誕生しました。オ一回例会を四月二十五日后六松江市公会堂で〃世界の河〃と〃新しい製鉄所〃上映する。

(ロ)長野県の大町市に大町映サ協が発足、記念名画祭を五月一日后一六の二四大町市民会館で〃世界の河〃と〃大いなる幻影〃で上映、期待されます。

(ハ)全神戸映サ協では〃泉〃機関誌一〇〇号記念号として野田真吉氏の〃生産的映画サークルについて〃と高倉光夫氏の〃危機意識を重層化しよう〃の論文が掲載されている。

(ニ)東京映愛連傘下の各地域映サ協では新年度の総会が開かれ新運動方針の下で役員の改選がされている。

○四月二二日中部映画友の会総会
○四月二三日官公庁映サ協総会
○五月二二日(日)后一時豊島振興会館　城北映サ協総会(評論家、記録映画作家助言者として出席)
○五月下旬山之手映画友の会、新宿映サ協総会

(ホ)京都の記録映画を見る会では五月中旬に若い記録映画作家の作品を生活と結びつけて研究会を計画中。

社会教育映画研究会

予報した選定問題は非選定の理由や作品目録の調査が不十分なためしばらく延期、四月例会は産業。地域別研究の一つとして漁村の生活を主題として二二日夜共同映画社試写室で開催。上映作品は

一、社会科教材
1.漁村のくらし　(三木映画)
2.漁村の生活　(東　映)
二、社会教育用(短篇劇)
3.漁り火　(日　映)
4.さよ達の願い　(自然科学)

農文協の原田さんのお世話で漁村文化協会の宮崎雄太郎氏、水産事情調査所の松田茂久氏が参加、専門の立場から漁村の現実と上映作品の内容や表現の食い違いについて、いろいろと指摘された。

主な点を拾うと―

漁村は農村と違って家も集まっており屋内も比較的明るい。軒を連ねるところから生活感情なども都市生活者に似て浪費性がある(しかし映画のように一本釣りの漁民が一升ビンを買いはしない。せいぜい二合ぐらいである。現金も持ちすぎる、家も大きすぎる)農民ほどに独立の生産者ではなく舟子などは単なる雇用労働者であり不安定な生活に食いこむ封建的な支配は農村より強い。船主が同時に魚を売る商業資本家でもある二重の構造を適確に掴まないと、映画のように単に水揚げの貫目のゴマカシという描き方に終ってしまう。生活改善を描くならその前提となる現実の生活の暗さ(子供の弁当が作れないでも祝い酒を三日も続けるという矛盾)がシッカリ描かれないと、宣伝パンフレットのきれいごとに終る。全漁連なども中央にいる人達は現実の細部には暗いから筋や表現の誤りに気付かないらしい、スポンサーに頼らないで、実際に漁村に暮してみてその中から正しく材料をつかむことを望みたい。元来漁民の生産場は海上である。陸上を見ていて酒ばかりくらっているようだが、実際は教育でさえ生産点できびしく行われている。九九里の浜でさえ、舟が皈ってくると女たちがハンテンを捨てて裸で冬の海にかけこみ舟を引く。赤ん坊が乳を欲しがると凍えた乳房をぐりぐりもみほぐして与える、そんな生産のきびしさを、どうして映画は描いてくれないのだろうか。生産の本当のきびしさに裏打ちされないでは生活改善も迷信打破も訴える力をもたないのだろう。

(岩堀記)

〃記録映画〃六月号予告
創刊二周年記念特集

○アヴァンギャルドとドキュメンタリー　安部公房
○総合主義芸術論。2　柾木恭介
○座談会。ドキュメンタリーとは何か。
佐々木基一　関根弘　柾木恭介　長谷川竜生　武井昭夫　針生一郎
○現実と映像の間　松本俊夫
○前衛映画の系譜と今日　大島辰雄
○ドキュメンタリー映画の系譜と今日　厚木たか
○戦後映画のヴイジョン　野田真吉
○創造の場からの発言　松川八洲雄
○映画音楽の前衛性と実験性　湯川譲二
○新しい世代のカメラの眼　草壁久四郎
○私の記録映画論　吉田喜重
○現代児童漫画私論。2　佐野美津男
○カリガリからヒットラーまで6。クラカウア　二木宏二訳

以上

(7)

声明

衆議員の安保特別委員会における政府、与党の態度は、安保新条約についての国民の数数の疑問に答えようとせず、たゞ、しやにむに批准にもつてゆこうとしています。これは民主主義による国会の審議の仕方として、国民の権利をないがしろにし、自ら国会の権威を失墜させるものであります。

「極東の範囲」「事前協議」「条約期限」「集団的自営権」などどれ一つとつても、問題は提起されただけで納得できる結論に達したわけではありません。重要な行政協定に至つては、まだ審議を始めてさえいないのです。

国民の期待を裏切つて、これほどのことをしなければならぬのは安保条約に大きい無理がある証拠であり、このような非民主的態度を強行せざるを得ない岸内閣を、われわれはもはや信任することができません。われわれは、すみやかに岸内閣が退陣することを要求します。

一九六〇年四月二十一日

安保批判の会 拡大世話人会

＝映画会及研究会のお知らせ＝

◇西武記録映画を見る会五月例会

毎週土十二時三〇分、二時

西武デパート八階文化ホール

＝わすれられている社会教育映画特集＝

七日ひとりの母の記録（岩波映画）四巻お話大島辰雄（評論家）

十四日うわさ（東映）三巻、お父さんは働いている（奥商会）二巻

二一日町の政治（岩波映画）二巻、月の輪古ふん（作協）三巻

二八日荒海に生きる（日本ドキメント）三巻、漁村のくらし（三木映画）二巻

二二日（日）前十時三〇分、十二時

長崎の子（共同映画）五巻

主催、城北映サ協、教育映画作協

「記録映画」へ意見

毎度小生が苦言を提している、劇映画のスチール掲載がな[illegible]とこともあろうに遂に表紙（有馬稲子）に堂々と現れました。もう何おかいわんといったところです。全くおそれ入りました。プロ・キノ問題もまた同じです。　永富映次郎

○記録映画の表紙にどうして劇映画の有馬稲子の顔が出てくるのか？　諒解に苦しむ　豊田敬太

◇日越友好親善の夕

ヴェトナム新作試写会

とき　五月十七日（火）后六時

ところ　国労会館地下ホール

(イ)　上映作品

内容　一、ハロン湾（ベトナム・チエコ共同製作）カラー四巻

二、ホー主席のインドネシヤ訪問（白黒三巻）

三、勝利と独立への道（白黒四巻）

(ロ)　あいさつ

会費　一人三〇円

主催　ベトナム友好協会、国際貿易促進協会等

◇記録映画を見る会

五月例会

とき　五月十八日（水）后六時（予定）

ところ　都民ホール（都庁舎中二階）

(イ)　上映作品

内容　一〝いのちの詩〟四巻　電通映画社

二、〝らくがき黒板〟五巻　近代映協

三、〝あさかぜ〟二巻　日映科学

(ロ)　作家との懇談会

近代映協の方々を囲み（予定）

主催　中部映画友の会

後援　教育映画作家協会

◇国民文化会議映画部会映画研究会

国民文化会議映画部会では現映画界の情勢下における分析をすることとなりました。

とき　五月十三日（金）后六

ところ　新聞労連会議室（京橋交叉点田ロビル四階）

内容　日本映画の情勢と展望

講師　瓜生忠夫（評論家）

主催　国民文化会議映画部会

◇都民劇場文化映画の会

毎日一回共立講堂で開く、会費は三ケ月をとおし百円

第一回美術編で二五日夜に終り第二回は日本のふるさとの旅

とき　五月二五日（夜）「紀勢線全通」「阿蘇」他二編

第三回芸能編（六月二十四日）「雅楽」「パントマイム」他二編

申込先は都民劇場、映画サークルまで。

〃動　静〃

〃路地裏の灯〃（五巻児童劇）プロデューサー栗山吉郎、脚本片山薫、藤祝ーに四月早々からかゝる予定です。　豊田敬太

○アラビア石油、企画イーストマンカラー全二巻、第三部堀削編〃ひらかれた宝庫〃完成す。

○日本タイプライター企画　自動モノタイプ完成す。

○呉造船企画、新らしい溶接　イーストマンカラー映画全二巻完成す。　松岡新也

東京都映画協会の仕事をしています●都民ニュース消える牛車がおわり、東京の春二巻カラーの撮影に入ります。　田中　学

「レンズの眼はいつわらないか」（アカハタ三月二十五日号）「生産的映画サークル運動について」（全神戸映サ協議会機関紙「泉」第百号）をかきました。　野田真吉

四月上旬より五月下旬まで北海道ロケ（白い森）地球大系「海にひらく日本（西九州）の準備も進めています。　西沢　豪

佐賀県教組〃路傍の灯〃完成教育劇映画
東洋楽器企画ピアノと継準備中テレビ劇映画　山下為吉

昨年七月から準備中のファースト教育映画作品「鶏に生きる」をやっとのことで今年四月中旬完成。こんなことでは生活がなりたちません。困ったことです。　永富映次郎

〃事務局よりお知らせ〃

△「安保批判の会」安保条約反対署名とカンパについて

安保条約も大詰にきました。四月二五日の請願にひきつゞき、皆様におゝくりした反対署名帳とカンパがまだほんの一部しか集つていません。至急五月十日までに事務局までおとゞけ下さい。

△運動資金の追加報告
一口工藤充、羽田澄子、西沢豪
合計　壱千五百円
総合計　参萬四千五百円
（註）運転資金は〃記録映画〃印刷費の方へ活用しています。まだの方は一口五〇〇円です。会費と共に納入下さい。目標は五万円です。

△新入会者紹介
谷山浩郎（康浩郎）ー練馬区小竹町二七三一望月方、フリー助監督
三月より入会
中村久亥ー新宿区下落合二の九一四　青雲荘、フリー助監督
三月より入会
星合達郎ー太田区久ケ原一〇五二〇緑荘　TEL（七五一）六四一一新理研科学の助監として三月より入会。

住所およびその他のお知らせ
谷川義雄ー練馬仲町五ノ四七八四
富士荘に移転
前田庸言ー府中市小久保園九六四〇ノ三府中団地二十一号館ノ一〇二に移転
岸　光男ー新理研を三日でやめ、四日よりフリー作家になりました。

協会の皆さんへ呼かけ

一、協会員をふやしましよう！

運営委員会では協会財政の確立と協会の運動をおこすことを決めました。そこで協会員の近くにまだ協会のことを知らずにおられる記録映画作家に呼びかけて加入をさそつて下さい。規約、案内をおおくりします、今年は協会員拡大の年です。

二、〃機関紙〃記録映画〃予約倍化の再度のお願い

先の協会員拡大と並行して再度〃記録映画の倍化をおねがいいたします。こんどは自由な立場で読者を取つて載くことをお願いする次第であります。

△「ドキュメンタリー映画論」発売●ポールワーサー著「ドキュメンタリー映画論」七〇〇円は五月上旬にいよいよ発行されます。

協会財政報告　三月分

収入の部	
会費	五三、一〇〇円
雑費	六、八〇二
繰越	四、三四二
計	六四、二四四
支出の部	
用品文具	一、五八五
交通	六、〇〇一
通信	三、二一二
雑費	一〇、七七〇
事務所	五、〇〇〇
印刷	八、三〇〇
会合	二、五九〇
人件	三三、〇〇〇
電話	二、三三七
計	七二、七九五
差額（一）	九、五五一

〃記録映画〃財政報告　三月分

収入の部	
予約	一三、〇一〇円
売上	九、八〇一
広告代	三一、〇〇〇
雑費	
計	五三、八一一
支出の部	
用品文具	四七〇円
交通	二、四八〇
通信	三、三六八
雑費	八二五
印刷	四九、九九〇
会合	二、六〇〇
電話	三、三三六
計	六三、〇六九
差額（一）	九、二五八

1960. 6. 1 発行

教育映画作家協会々報

教育映画作家協会　No 56

東京都中央区銀座西八〜五　日吉ビル四階　TEL（571）5418

役員問題で事務局代理に大沼氏を
桑野茂氏へ病気見舞等
—五月六日緊急運営委員会—

五月六日緊急運営委員会が開かれ次の報告と共に決定をしました。

一、新入会の吉田厳、石田厳、堀貞雄、遠藤完七、飯村隆彦の五名を承認。

二、綴方ファイルを製作について

二周年記念をかねて一五〇部・一部一〇〇円で綴方ファイルを作ることを決定、運転資金として、〃記録映画〃事業収入のあった資金を一時廻すこととなった。五月三一日には出来あがる事となった。

三、雑誌〃記録映画〃二周年記念懇談会について、小委員会を、編集部、事業部、事務局の三者で講成して具体化する事となった。

四、賛助会員について

雑誌〃記録映画〃を推持する為に協力して下さる方々を運営委員にあたって載き十名近くの方が協力して載けるようになり、そこで賛助会員として統一して呼びかけ、又協力して載く事となった。

五、〃記録映画の作り方〃という、単行本発行への協力について

前運営委のひきつぎとして事業活動の一つとして医師薬出版社より〃記録映画の作り方〃の単行本が現在になるも原稿がまとまらず発行されずにいる。そこで種々討論されましたが、運営委として責任を持つ必要があり、厚木たかさんを加えて吉見氏と事務局が話合い発行に対し責任を持つ事となった。

六、安保批判の会について

安保批判の会が安保阻止の斗争を五月十七日（火）に請願デモでもりあげることを決めた、作協として会員全員に手紙を発足動員をはかることをきめた。

七、〃実験映画を見る会〃の決算報告があった。

みにこられた方は九六七名、七一、八三五となり、経費として三五、二七〇円かかり、三六、五六五円が雑誌〃記録映画〃財政に入った。

八、桑野茂氏病気見舞とその他。

岩波映画社にて長期契約されていた、桑野茂氏が肺結核にかかられ、柏国立療養所に入院された。細部について運営委の矢部氏より報告があり、協会として、有志による見舞カンパを行う事と、会費の免除を行う点をきめた。今後については、運営委で話合ってきめる。

九、役員問題について

富沢事務局長及松本俊夫常任運営委より、日中合作映画製作で日本をはなれ中華人民共和国へ四ヶ月近い長期出張したいむねの要請が出された。運営委員会としては要請に対し、富沢、松本両氏の役員についてはそのままにし、代理をおくことで審議になり、事務局長代理に大沼鉄郎氏を、間宮則夫氏を雑誌〃記録映画〃編集担当の常任運営委に。

又、そのこととあわせて長期出張及役員欠員をおぎなう為に、事業部関係に、河野哲二、羽田澄子の両氏が協力してもらうこと、編集委の補充についての問題が出され、人員強化することを決定した。

〃雑誌〃記録映画〃二周年記念懇談会を友の会へ

ー五月十九日懇談会打合せ会ー

五月十九日雑誌〃記録映画〃二周年記念懇談会の打合せ会を開き次のことを決定

㈠名称は雑誌〃記録映画〃二周年記念懇談会とする。

㈡招待者を二〇名ぐらいとし、執筆者を中心とし、案内状を出す。

㈢内容については〃普段見られない記録映画〃を上映しそのあと委員長のあいさつ、懇談風に読者及執筆者より質問を受け、編集部より答えるようにし、話が深まれば〃友の会〃の問題にまでふれるようにする。

㈣司会は八幡又は、大沼の諸氏のどちらかにしてもらうよう事業部に申入れる。

㈤場所は集りやすい処として新宿方面をえらぶ

㈥特に熱心な人には別に印刷物を〃記録映画〃誌上に同封する。又招待者も同じ、雑誌〃記録映画〃のガイド欄にものせる。会費は一人五〇円ぐらいとし五〇名近く集るようにする。

又、話のすすみ方によっては〃友の会〃への方向も打出されている。

動静

5月13日頃から〃露路裏の灯〃（5巻）企画・栗山言郎、脚本・片岡薫、瀬藤祝の児童劇のクランクイン予定、下町の三人姉妹の話です。

豊田　敬太

日本ドキュメントフイルムにて助監についた部落問題を扱った「人間みな兄弟」（亀井文夫監督）が完成し、今後岩波映画で富沢氏のバトンタッチをうけて三菱造船の造船記録〃海のモンスター〃の演出をすることになりました。

楠木　徳男

英映画社で「イコス工法」（カラー四巻）完成。「地下鉄」撮影中。

谷川　義雄

三木映画社で「黙っていてはいけない」と題する社会教育映画にとりかかっています。六月中旬まてかかるでしょう。

丸山　章治

新世映画社で仕事をしています。

河野　哲二

社会教育映画「母子センターが生れて」（仮題）2巻、編集中です。

間宮　則夫

四月十日をもって新潮映画を退社しました。現在三和科学映画と万年社の専属となっています。新潮映画、石油（カラー2巻）脚本演出（大協石油PR映画、五月後半にクランクイン）TV映画 The Tinmt of Aut-omo blle（十三本）脚本・演出三和映画にて五月十四日よりクランクイン。プラスチック・アルミ教材映画準備中

島谷陽一郎

日中合作映画の演出団の一員として五月の終り頃中国に行きます。モチーフは黄河をとうしてみた中国の社会主義建設。期間約半年。現状勢下での作品の意義を考え大きな責任を感じています。一同ベストを尽してきます。

松本　俊夫

病気療養中（日赤中央病院三八の五）

深江　正彦

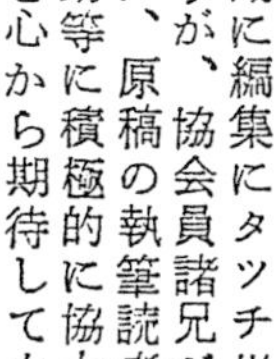

〃記録映画〃へ意見

PRを〃止むなく〃撮っていながら或はお手伝いをしながらPRを撮る悲哀だの、アグラをかいてるダラカンだの、広告映画などと云うものは、などと年中口の端に出していないと気の済まない小児病的文章はいいかげんに消えて貰い度い。映画の外の人が見ればお笑いでしかないだろう〃記録映画〃に就いて読み度いので〃作家の本心はこうじゃないのだなどと云うグチを開く為にページを開いたんじゃありませんとね。

丹生　正

いよいよ二周年を迎え、どうやらこの雑誌もなかなか読みごたえる魅力的なものになってきた様です。読者の漸増、内外における支持と協力の高まり、他ジャンルの関心と援助等は、多くの困難と斗いながら頑張っている編集スタッフをどれほど勇気づけてきたかわかりません。今後私は約半年程中国へロケするため、この大事な時期に編集にタッチ出来なくなりますが、協会員諸兄がこれまで以上に、原稿の執筆読者拡大、資金援助等に積極的に協力して下さる事を心から期待して止みません。

松本　俊夫

研究会のお知らせ

西武記録映画を見る会
六月例会

○特集・ドキュメンタリーの歩み
ところ・西武デパート八階文化ホール
とき・各日十二時三〇分、午后二時

四日（土）戦前（日本）
雪国（石本統吉演出）四巻
十一日（土）戦前（外国）
小林一茶（亀井文雄演出）二巻
砂漠の人々（イギリス）六巻
十八日（土）戦後（日本）
忘れられた土地　三巻
五四年日本のうたごえ　二巻
（野田真吉演出）
二五日（土）戦後（外国）
生命の起源（ソヴエット）二巻
国立図書館（アラン・レネ）二巻
二〇世紀の壁掛（フランス）二巻
○特集・つゞき
二六日（日）十時三十分、十二時の二回上映
現在（日本）
地底の凱歌（西尾善介）六巻

「わかもの会」第一回
自主製作懇談会

「週刊わかもの」の読者の会が生れ自主製作の為の懇談会を近代映協の協力のもとに開かれる。自主作品の仮題は〃手をつないで〃
とき・六月五日（日）后一時
ところ・自治労会館（都電青山四丁目、地下鉄外苑前）
内容。一、自主製作の為の懇談
二、実験映画上映
(イ)隣人　(ロ)ファンタジー　マクラレン演出（カナダ）

ソヴエト名画鑑賞会

日ソ協会東京都連合会では才三回総会記念の映画会を開く
とき・六月五日（日）
后六時三十分
ところ・豊島公会堂（池袋駅東口）
内容。一、劇映画「虹」十一巻
演出　マルク・ドンスコイ
二、総天然色
人間から人間への贈物
日本映画技術陣も驚嘆した移動マット法による実験映画、内容はモスクワ、フエスチバルに参改した各国芸術代表の歌や踊り等をみせる。

国立近代美術館ライブラリー

ところ。国立近代美術館
（都電、地下鉄京橋下車）
とき・六月十一日〜七月十七日
。毎水、日曜日后二時〜
劇映画〃白鳥の死〃フランス
。その他の曜日后二時〜
世界のアニメーション（動画）
日本、チエコ、ソ連、アメリカ、カナダ
。入場のさい。展覧会、入場料として大人五〇円。学生三〇円とられます。

・自主上映全国促進会にて
〃アジアの嵐〃
上映をきめる
五月十四、五日、東京、下落合の山楽会館にて全国会議が持たれ、才三回目として〃アジアの嵐〃ソ連映画、プドフキン演出を促進会として三〇〇万円で買い取って自主上映を全国的に六月より公開することとなった。

・松川劇映画自主製作を決定
運動をおこすと共に製作日程は六月下旬シナリオ決定、八月一日撮影開始、十月終了、十一月一日封切の予定ですすめられる。又映愛連傘下の各地域映サ協では六月に入り、羽仁進演出になる「フイルムによる証言」を上映してカンパ活動をおこす。すでに中部映画友の会では五月十八日の〃優秀映画を見る夕べ〃でアッピールした。又、城北映サ協では六月中旬に総会記念の映画会でアッピールすることをきめている。

○新作教育映画試写会お知らせ！
毎月才二、才四金曜后一時山葉ホールで新作の教育映画の試写会を教育映画製作者連盟主催で開いています。

六月は十日、二四日の二回です。

○研究会のお知らせ
六月例会

(イ)社会教育映画研究会
五月はつごうにより中止いたしました。六月は充分に検討した結果、テーマーとして〃若い人々のグループ〃という事で開く事となりました。
とき・六月十四日（火）后六時
ところ・銀座館ビル地下貸室
松の間（都電銀座二丁目下車より昭和通りへ向い三分）
内容。①〃若いやつ〃記録映画社　二巻
菅家陳彦演出
②〃生産と学習〃
共同映画社　二巻
森園　忠演出
③〃職場の中の個人〃
日映新社　三・五巻
道林一郎演出
④〃グループ〃才一映画
岩堀喜久男演出
会費一人三〇円（室代）

世話人・岩堀喜久男、荒井英郎
㊐記録映画研究会
野田真吉氏の〃マリン・スノー〃
ー〃松本俊夫氏の〃白い長い線の記録〃の二本を中心に開きます。
とき・六月中旬
ところ・岩波映画社又は映倫試写室にて（交渉中）

岸内閣打倒、新安保破棄の安保阻止斗争は高まる!!

安保条約を政府は強行に五月二〇日にとうそうと警察力を国会内に入れた。国民の怒りは頂点に達した。作協としても、安保批判の会及安保阻止国民会議と共に斗いの指示をハガキをもって何回となく呼びかけた。五月に入り
◎五月十七日（火）后一時　社会事業会館への請願をはじめ、
◎岸内閣打倒、新安保破棄要求、学者、文化人集会として五月二四日（火）后一　教育会館講堂集会後の国会デモ、
◎五月二六日（木）后六時の国会周辺の安保阻止国民会議の統一行動がなされ、
　ひき続いて六月四日のゼネストをふくめて統一行動の斗争に岸内閣打倒、新安保破棄まで斗う為に参加する事になっている。

松川事件劇映画製作
運動方針きまる!!

すでにシナリオにかゝっていた松川事件の劇映画のシナリオの才一稿が新藤兼人氏によって作られ各方面で検討され六月末までに完成されるように進められている。

　それと共に
一、地域の実行委員会結成の方向がうち出され
　中央ー千代田ー中央
　東部ー台東、足立、荒川、江東、墨田、江戸川、葛飾
　南部ー港、品川、大田、目黒
　西部ー世田谷、新宿、渋谷、中野、杉並
　北部ー北、豊島、練馬、板橋、文京
　三多摩ー武蔵野、三鷹、立川、府中、西多摩、八南、田無、清瀬、調布
の六ツにわけ地区労、松対協、地域の映サ、労音、合唱サークルの他にその地区に居住する文化人特に映画人は実行委員会に参加することが要請されている。
二、製作上映カンパについて
　中央の製作委では製作資金カンパとして一人一〇〇円とし会員証を発行することとなった。金額は一一、〇〇〇万円集める。その他に小口カンパ五〇万円、文化人、有名人には一口五〇〇円の特別カンパを一、〇〇〇名で五〇万を目標に決めた。
三、資金カンパの方策としては
△労働者を中心に地評、区労協等によびかけて五〇〇万円
△映サ、民主団体、地域等によびかけて六〇〇万円集める。
四、上映については
　映画館をかりてやる方法と公会堂等をかりてやる方法の二つをかねあわせて資金協力者には見て戴くと共に一般の人々にもよびかけることとなっている。
五、製作日程は撮影開始、八月一日・完成、十月末・上映十一月上旬を基本に進められている。
　以上ですが作協の会員は各地域の実行委員会に積極的に参加し、専門人として協力されるよう、松川事件劇映画の中央委より要請があったことをつたえます。

第三一回メーデーに
多数が参加した

今回のメーデーは日曜日と重なった事もありましたが、今までになく作家協会として多数参加し、赤旗二本とプラカード三本を持って行われ〃安保反対〃の体制下におけるものだけに国会前、土橋でのジグザグデモの力の入れようは前後の短篇連合をしのぐものでありました。初めてメーデーに参加した武井事務局員もおり、佐野美男、関根弘等の〃記録映画〃執筆者も参加した事は特殊すべきことであった。

作家協会・東京シネマに快勝
ー親善野球大会ー

五月五日、幡ケ谷の東京教育大学教育大学グランドで作家協会（へ有志）と東京シネマとの親善野球大会が開かれた。

　試合は東京シネマ先攻で后一時より開始され、8Aー7で作家協会が快勝した。作家協会は今迄、岩波映画社など親善野球大会を行ってきたが、常に大敗していたので今度の勝利は協会始まって以来のことである。尚協会の応援に子供ずれの方もあり楽しい一日であった。

「安保批判の会」
安保条約反対署名と
資金カンパ!

　すでに何回となく会報にカンパの呼びかけを出しました。署名と資金カンパを再度呼びかけます。

　岸内閣打倒と新安保破棄にむかって六月四日のゼネストへの統一行動にむかい運動を広めて行きますので資金カンパを強めましょう!　事務局にカンパ帳をそなえておきます。

事務局だより

△事務局長代理に大沼鉄郎氏をきめました

今回富沢事務局長、松本常任運営委の方の申出があり、日中合作映画で中華人民共和国に長期出張する事となり及そこで運営委員会としてはその間協会運営に支障をきたさぬよう次のことを決定しましたので協会員全員に知らせ協力方をお願いした。

△事務局長代理に大沼鉄郎氏を
△常任運営委に間宮則夫氏を（雑誌〃記録映画〃編集担当）
・事業部担当に河野哲二、羽田澄子の両運営委が補足された。

△雑誌〃記録映画〃綴込ファイル出来上る

創刊二周年を迎え合本ファイル（十二冊綴り）が出来上りました。

一部・一一〇円（送料共）

申込先　東京都中央区銀座西八ノ五　日吉ビル内
教育映画作家協会事務局

申込方法・代金一部一一〇円をそえ申込下さい。

△記録映画二周年記念懇談会！

雑誌〃記録映画〃も二周年を迎えました。やっと歩いてきたという処です。ここまで来たのには執筆下さったドキュメンタリスト及雑誌〃記録映画〃を維持下さった方々の協力によります。そこで二周年の懇談会を普段見ることの出来ない記録映画を写し開きます。

と　き。六月十八日（土）
　　后五時三〇分開始～
ところ。渋谷労政会館
　　（新宿駅南口新宿才一劇場はすむかい）
内容。　才一部
　記録映画上映（ふだん見ることの出来ないもの）予定作品として、チエコ記録映画〃リディイーツエは滅びない〃〃一九三五、三、十五〃
　　才二部
・岩堀運営委員長挨拶
・雑誌〃記録映画〃執
　執筆者も参加下さいます。編集部も出席しますのでいろいろ意見をお出し下さい。
会費・一人五〇円（茶菓子代）
主催・教育映画作家協会

△桑野茂さん病気見舞カンパのおねがい！

岩波映画製作所にて長期契約でお仕事をされていました桑野茂さんが肺結核にかかられ五月六日に左記の処へ入院されました。

柏市花野井柏国立療養所五病棟二八号

病状は右肺空胴、左肺に蔭があるそうです。療養は一年はかゝるそうです。そこで協会有志としてお見舞カンパを行うこととなりました。協会員の御協力をお願いします。

五月六日
各位様
作協有志・岩堀喜久男、富沢幸男、矢部正男、斉藤久、樋口源一郎、菅家陳彦、野田真吉、吉見泰、柳沢寿男

以上のハガキを会員全員におくりました。事務局にカンパ帳をおいておきますからカンパ下さい。

又事務局として五月下旬にお見舞に行き元気づけて来ます。

又同じ病気で日赤中央病院に入院されている、深江正彦さんよりはげましの手紙がきていますのでのせます。

『桑野生聟！　頑張って下さい。私も同病で斗病中ですがつくづく我々の仕事の「無理」が思い知らされます。どうか病気に負けず再びご立派な作品をお作りになられるよう祈っています』

長い療養生活をされることになるわけですから激励の手紙及、長期にわたっての援助等についてのことも話されています。運営委員会で決り次才お知らせしますので、その節は皆様方の御協力をおねがいします。

△故稲村喜一郎氏を悼みます

略歴をそえて！

賛助会員であられた稲村喜一郎氏が五月七日に急死されました。五月十四日后一時に太田区馬込の自宅で告別式が行なわれました。作協として、岩堀運営委員長、富沢事務局長、大沼運営委の三名が出席、御焼香してまいりました。つゝしんで会報を通じ皆様にお知らせする次才であります。

稲村喜一郎氏は本年五五才で、

略　歴

昭和　八　年　早稲田大学文学部
　　　　　　　仏文科卒業
　　　　　　　日活営業部・市川

事務局だより

昭和十三年暮　彩氏主宰の国際映画通信編集部
株式会社芸術映画社入社、営業部長となる。
記録映画を商業興業館に上映の機会をつくる草分けの仕事をした。
昭和十八年　芸術映画社と朝日映画製作所と合併、朝日映画社を創立し、営業副部長となる。
昭和二十一年戦後　新世界映画に転ず
二十四年　北星映画ＫＫの創立に参加。
二十六年　北星映画ＫＫ社長となる。
二十九年　七月北星解散し、その仕事を独立映画ＫＫに引きわたす。
三十　年　人形映画製作所（持永只仁と共に）を作り、社長となってアニメーションの仕事を始めた。
三十一年暮　同時に併行し芸術映画社の復活に参加し取締役になり今日にいたった。

協会の皆さんへ呼かけ

(一)協会員をふやしましょう！

運営委では協会財政の確立と、協会の運動をおこすことを決めました。そこで協会のことを知らずにおられる記録映画作家に呼びかけて加入をさそって下さい。契約案内をおおくりしますので今年は協会員拡大の年です。

〈〉

(二)機関誌〝記録映画〟固定倍化の再度のお願い！

さきの協会員拡大と並行して再度〝記録映画〟の倍化をおねがいします。昨年中二冊づつ十二月までおおくりし読者を取って戴いたものをなんら連絡もせず、事務局で一方的に打ち切ってしまった点については運営委員会の名をもっておわびする次才であります。その上での再度のおねがいは出来たものではありませんが、こんどは自由な立場で読者を取って載くことを、おわび方々おねがいする次才であります。

〈〉

事務局だより

△新入会者紹介

吉田　厳ー世田谷区弦巻町一ノ七松江方。フリー助監督　五月より入会

石田　厳ー葛飾区亀有町六ノ一四五。フリー助監督　五月より入会

堀　貞雄ー中野区野方町一ノ六三四。フリー助監督、五月より入会

遠藤完七ー板橋区上板橋町四ノ八一。岩波映画社　企業所属

飯村隆彦ー中野区大和町二五二　日映新社　助監督

△住所変更及その他お知らせ

池上吏郎ー新宿区諏訪町一六〇　大橋アパート

谷山浩郎ー渋谷区常盤松一ノ二四　佐藤正行方

泉水　剛ー新宿区柏木四ノ六四六　浦上方

田部純正ー品川区平塚六ノ八政島方

協会・財政報告　四月分

収入の部

会費	四四、五〇〇
雑費	八三、二二四
繰越	㈠一〇、〇一五
計	一一七、六七三

支出の部

用品文具	一、四一〇
交通	五、八一一
通信	二、〇一二
雑費	三六、五三三
事務所	五、〇〇〇
印刷	〇、〇〇〇
人件	三八、五〇〇
電話	二、八七九
計	一〇二、一四五
差額	一六、〇二八

△記録映画・財政報告　四月分

収入の部

予約	一一、二八〇
売上	一九、一八九
広告	五六、五〇〇
雑費	一八、九五〇
計	一〇五、九一九

支出の部

用品文具	五〇〇
交通	一、八一〇
通信	六五五
雑費	一、七五〇
印刷	六九、八七五
原稿	三、〇〇〇
電話	三、〇七九
計	八〇、六六九
差額	二五、二五〇

1960，7．1 発行

教育映画作家協会々報

教育映画作家協会　No 57

東京都中央区銀座西八ー五　日吉ビル四階　ＴＥＬ（571）5418

安保反対統一行動と映画製作について

＝常任運営委＝

六月二日常任運営委員会が開かれ次のことが報告され運営委員会に提出することとなりました。

㈠桑野茂氏病気見舞カンパと、今後どのように救援するか等の話が出されましたが結論は出なかつた。

㈡ＡＡ会議について経過報告もされておらず、至急にまとめること。日本ＡＡ会議としては映画製作のことは政治的問題が多く提出されなかったと報告されている。

㈢松川事件劇映画への協力について実行委より申込みがあったがシナリオの問題及実行委の趣意をながすこと、その他、実行委としての地方的、地域的会合に出る要請があれば協力する体制を組む事などについて話された。

四 (イ)安保反対の統一行動について作協としては批判の会と行動を一つにし、行動表をハガキ又はＴＥＬを通して連絡する体制を組み、事務局が連絡にあたる。総責任者は事務局長があたる。

(ロ)安保斗争の映画製作については〃安保反対映画製作委員会準備会を作り作協として杉山、大沼、野田、斉藤の四名の他に事務局長が入り撮影にあたることとなった。〃三井三池の斗い〃の利益金二〇万円にて製作。勤視連、自映連、作協、労組、個人が入る。今後の問題については運営委員会承認と、行動の中できめて行く。

㈤生活権と著作権の問題について小委員会を開くよう運営委員会に呼びかけることとなっている。

㈥その他として二周年記念の懇談会の報告と「記録映画」の財政問題特に広告について又事業活動について取り組むよう呼びかけがあった。（注）：安保斗争下でもあり運営委員会が流会になりこの六月二七日に開く、そこで決定事項はありません：

安保阻止記録映画 完成近し!!

安保阻止映画製作委員会準備会では富沢事務局長、野田真吉氏等の作協会員と自映連のカメラマン中尾駿一郎等の方々の参加で、今までの統一行動を記録し、六月二四日の樺美智子さんの国民葬を撮りおえて、安保斗争の記録映画を編集することとなっている。国民的な安保阻止のたかまりと、岸内閣のファッショ化のあらわれをバクロし、国民の中にめばえている民主主義を守る統一戦線を拡大強化する方向をうちだしていこうとしている。

「記録映画」へ 御意見

○ワイド化によるＰＲ映画の観光性についてあるいは風景への埋没について検付して下さい。
○「作家の発言」というタイトルはよくない、又コラムとして扱うのも好ましくない。
○作品批評を活溌にやって下さい。

飯村 隆彦

〃忘れられた人々〃〃アンダルシアの犬〃（？）の上映はどうしてものぞめませんか。

大野 孝悦

時々すぐれたシナリオを別冊で配布して頂ければと思います。

星合 達郎

安保阻止岸内閣打倒の統一行動は強まる

＝安保批判の会＝

◎六月四日ゼネスト支持の呼びかけと行動の方針が安保批判の会より出され、それにそつて作家協会として事務局長名でアッピールを出した。三日夕には新橋駅にてゼネスト支持のチラシを都民の方々に配布、一部は品川駅の支援に出かけました。又安保反対映画製作の班に作協として十名近い人々がスタッフに入り撮影に入つた。翌四日は后一時、批判の会は二、〇〇〇名近くその中で作協は二〇名、これには日本教育映画協会の方々も参加、后五時には三〇名、日経映画社の有志の方々が加わつた。后五時の会は単独で国会からアメリカ大使館へ抗議し土橋解散をした。

◎六月十一日の第二メーデー といわれる大集会は芝公会堂に集会を持ち、そこから国会に出、アメリカ大使館をへて土橋解散になつた。当日は新人監督協会に所属する劇映画の助監督及俳優さんをまじえた映画グループが参加、作協として、今までにない大動員をし五〇名近い人々が集つた。今までの人々の他に記録映画社フリ作家、個人等が参集、安保阻止岸内閣打倒のスローガンで安保批判の会としても五、〇〇〇名に近い大動員をしました。

◎六月十五日の第二回ゼネスト 支持の国会デモは雨あがりの日比谷音楽堂に参集、二、〇〇〇名近くが人事院から国会正門をとおり国会裏の参議院近くにかゝつた時、五〇名近い暴力団がなぐりこみをかけ、新演劇人会中及一般都民の中に三〇名近い重傷をおわせた。行進は国会をまわりアメリカ大使館に抗議し、すかさず警視庁へ抗議の為のデモにきりかえ、警視庁前に坐りこみ、集会を日比谷音楽堂にうつし、そこで抗議集会を開き、負傷された方々の報告等をきいた。その頃国会では警察官による暴挙がおこなわれ樺美智子さんが殺されたことも報告され代表団を組み、警視庁へ再度抗議のデモにむかつた。当日の作協の参加者は若い人々が十名程度でした。

〇翌十六日にも抗議がつづけられた。それと共にアイク訪日中止の発表が出された。

◎十七日に北京に行かれた。京極、松本の両氏より激電が作協にとゞいた。「アイク訪日阻止萬才！更に岸打倒の戦いに！、協会の奮斗感謝！頑張れ！」と

〇六月十八日安保を自民党は自然成立の方向ですゝめようとした。国民の怒りは頂天にたつし、三三万名もの労働者、学生都民が国会をかこんだ、安保批判の会は、社会事業会館に后四時に集合、二、〇〇〇名近くが国会をまわり人事院より警視庁に出、八重州口で解散、又若い人々だけが集団を組み、再度国会へむかつた。十九日まで坐りこんだ組もある。作協はフリー作家の出席が多かつた。

◎六月二二日ゼネストで立上つた 国民会議と行動を安保批判の会は共にし、后二時と后六時の二回国会デモに参加、銀座四丁目から八重州口で大デモをおこし解散した。六月二一日后六〜九時渋谷駅ハチ公前でゼネスト支持の都民への呼びかけの集会に参加

◎六月二四日樺美智子さんの国民葬を国民会議では各数団体と共催で后一時日比谷公会堂、弔旗をかゝげて、怒りをこめて、参加。

◎六月二五日、六、一五眞相発表会 后一、九段館で行われた。六。一五に参加されなかつた方々の参加が多かつた。

× ×

今回の安保阻止、岸内閣打倒の統一行動は警職法の斗争以上に怒をこめた統一戦線がくまれたといえましよう。作協の会員で企業の中で長期の契約者はその中の組合と共に行動し、安保阻止に立上つている。又映画関係では、新人監督協会、俳優、監督協会、シナリオ作家協会、映画ペンクラブ等の動きがありこの六月末には映画の安保反対、民主主義を守る統一戦線が出来る可能性がうまれている。以上私達は新安保はみとめず岸内閣を打倒し、国会を解散し、労働者と学生、文化人が手をくんだ統一戦線をつくり安保紛砕まで斗つて行こうではありませんか。

動静

本年大学卒日映新社に三月より嘱託"白い森"（ロパル）春期ロケ終り、現在"ホームパワー"（関電）ロケハン中七月末クランクアップその後は未定

飯村　隆彦

長い間ニュース映画とそれに付図する仕事に明け暮れしていましたが、先ごろから記録映画製作に専念しはじめました。このほどすゝめて下さる方があつて入会しました。よろしくお願いします。

大国　和夫

協会の小泉君と一緒の仕事をしています。七月一杯はかゝる予定です。

松本　公雄

「日本みたまゝ」を日高昭氏に協力して完成し（五月）すぐ九州佐伯港に船の特殊荷役の記録ロケに参加。新映画実業

大野　孝悦

映画"黒い太陽"製作委員会準備中、映画協会「消える牛車」ダビングがおわり次回作品「東京の春」四月初クランクイン予定

田中　学

読売映画にて「アミ・酸」についております。十月一杯まで

星合　達郎

日本短篇映画社にて「日本のエレクトロニクス」(EKカラー一巻の脚。演

日高　昭

見る会 その他催し

◇西武記録映画を見る会　七月例会

西武デパート八階文化ホールでは七月は"山と海"特集で十二時三〇分、二時の二回、毎土曜日に開くことゝなりました。

○"山と海"特集

二日—生物—"魚の愛情""ニホンザルの自然社会""魚の泳ぎ方"

九日—生活—"舟を動す人々""国有林才一部"

十六日—エネルギー—"エネルギー""誇りたかき船""有峰。跡津計画"

二三日—スポーツ—"富士山""ヨット""才三回アジア競技大会聖火リレー"

三〇日—観光—"浅間山""城ケ島大橋"

◇"アジアの嵐"自主上映に参加しよう

自主上映促進会では才三回作品として反植民地、反帝戦争をあつかつたソ連映画のブトフキン監督になる"アジアの嵐"を上映することを決定しました。

とき	ところ
七月十三日	虎の門共済ホール
〃十四日	〃
〃十五日	虎の門日消ホール
〃十六日	〃共済ホール
〃十八日	豊島公会堂
〃十九日	杉並公会堂
〃二十日	〃
〃二十一日	品川公会堂

同時上映には"人間みな兄弟""ブイルムによる証言"のとちらかを上映します。

会員証は共通で一人一〇〇円カンパで行います。映画サークル事務局、作協事務局、に会員証があります。

◇"松川事件"劇映画実行委員会　カンパ活動

"松川事件"のさしもどしの裁判も初まり、この八月には劇映画製作に入ることゝなります。ついては次のことが決定しましたので協力下さい。

六月末日シナリオ決定稿

八月初日撮影開始

十月末日撮影完成

十一月初日上映

東京の中に製作上映の地域委員会を作り一、一〇〇万円のカンパ運動を行います。一人一〇〇円になります。会員証が出来ますからカンパに協力下さい。

記録映画研究会 五月例会報告

五月三〇日、岩波映画試写室にて「労農ニュース」「三池の斗い」「統一への大行進」とヴエトナム人民共和国の「記録映画、バックンハイ水利工事」を上映しました。参会者は協会員、読者など約三十名。試写後、批判討論会をしました。

「三池の斗い」はアラツポイがまあ、まあまとまつている。しかし、「統一への大行進」にもみられるのであるが、キャメラが素朴に対象によりかゝつていることが指摘されました。「三池の斗い」では企画の時、テーマを才二組合ということにしようと思つていたと撮影、編集者の徳永氏より話がありましたが、そらした方がよかつたのではないかというのが多くの意見でした。つまり、複雑な状況のもとにある三池の斗いの本質をあきらかにするためにはこの映画は平面的なとらえ方でもり、まつたく、ニュース映画的であるという意見でした。「統一への大行進」は旧態依然で、いままでのメーデー映画のつみかさねと批判の上にたつてつくられたと見えない、もつと慎重につくられるべきだという意見もありました。「バックンハイ水利工事」は水利工事に参加した人々のエネルギーを生々としたうこと表情をとらえ、カツテイングもあざやかであり、中国映画と同様な人海戦術による水利工事の記録映画より、はるかに芸術的であり、感動的でありました。

新賛助会員の紹介

このたび「記録映画」をよりよいものにそだてゝ行く為に各方面の方々に作家協会の賛助会員になって載き協力して載くことゝなり、次の十三名の方々が賛助会員になって載きお礼申あげます。

福田寅次郎（自然科学映画）
小口禎三（岩波映画）
吉野　治（〃　　）
榊原六郎（春秋映画）
吉田長治（産経8ミリセンタし
堀田幸一（才一映画社）
加納竜一（教材映画製作協同組合）
小倉太助（アジア映画）
小山誠治（新理研）
多胡　隆（オート・スライド）
大島辰雄（評論家）
春日千春（三井芸術プロ）
吉中　晃（製作　）

ついてはお心あたりの方々に広く宣伝して賛助会員をふやし、作家協会の活動をほおふにすると共に「記録映画」を質的にも高め、広めて行きたいと思います。

ー教育映画作家協会事務局ー

桑野　茂氏　病気見舞と礼状

先に桑野茂氏の病気見舞とカンパを行い多数の方々の協力を得ました。事務局としましては富沢事務局長と共に柏市の国立病院へ見舞い大変元気なことを知り、安心して帰ってきました。現在までカンパ一五、一〇〇円集りました。

桑野氏よりお礼の手紙がとどきましたのでお伝えします。

「前略、昨三十日、富沢幸男君遠い処をわざ／＼お見舞に来られ皆様方のカンパによる貴重なるお見舞金、頂載いたしました。病気中、何のお応えも出来ませんがここに厚く御礼を申上げます。御厚情、有難とうございました。

まず化学療法開始いらい微熱も下がり経過は順調の模様です。また、岩波映画の好意により入院中経済的には何んとかゆける見透しです、どうか今後御放念下さいますよう、終りに皆様の御健斗祈り上げます。

千葉県柏市花野井国立柏病院
才二病棟二八号　桑野　茂

交換〃ノート〃

仕事にも次才に慣れ空気もだん／＼分ってきたところですが、記録映画の助監督の仕事は不明確で他の会社の場合なども知りたく、その様な企画があれば、出席したいと思います。

飯村　隆彦

△新入会者紹介

宮崎　明子～目黒区　町九九
新理研

大口　和夫～杉並区成宗三ノ三四八　新理研

春日　千春～渋谷区幡ヶ谷本町三ノ六一七
落合方

曽我　孝～杉並区高円寺一ノ四九五　東瀬戸方
フリー助監督

金田一信幸～世田谷区玉川奥沢町一ノ二〇八　管間方　TEL（721）四〇四六

蛯尾　厚～埼玉県浦和市領家大東四六三
フリー助監督

川田　一郎～世田谷区松原町一ノ二　山主方
フリー助監督

△住所変更及その他お知らせ

松本　公雄～台東区上根岸一一九有楽荘十号　TEL（841）六五三七

森田　実～西多摩郡日の出村玉の内　TEL五日市八七ノ二

遠藤　完七～板橋区南常盤台二ノ十七

間宮　則夫～杉並区成原一ノ一〇七

△協会財政報告　五月号

収入の部

会費	六六、九五〇
雑費	六一、六一四
繰越	八、七〇三
計	一三七、二六七

支出の部

用品文具	二、二六〇
交通	三、九六五
通信	四、五八二
雑費	六八、一一一
事務所	五、〇〇〇
印刷費	一二、〇〇〇
会合費	三四〇〇
人件費	三七、五〇〇
電話	三、七〇九
計	一三七、二六七

△記録映画の財政報告　五月号

収入の部

予約	一三、九五〇
売上	五、四〇六
広告	二三、五〇〇
繰越	二八、六三二
計	七一、四八八

支出の部

交通	三、三〇五
通信	二、三四一
雑費	一五〇
電話	三、七〇九
用品文具	二一〇
印刷	三〇、〇〇〇
会合	二、二六〇
原稿	六、五〇〇
計	四八、三五七
差額	二三、一一三

1960　7. 1. 発行

教育映画作家協会々報

号外

教　育　映　画　作　家　協　会

東京都中央区銀座西八〜五　日吉ビル四階　TEL (571) 5418

新安保不承認と映画製作

雑誌「記録映画」財政確立へ

ー六月二七日運営委員会ー

六月二七日運営委員会（出席者河野、長野、西本、八幡、矢部、富沢、杉原、大沼、野田、九名）が開かれ、まず雑件から入り報告の承認ならびに決定をした。

一、新入会員その他のおしらせ

㋑新入会者、曾我孝、全田一信幸妹尾厚、川田一郎のフリ助監督、大田和夫、持田裕生、宮崎明子の新理研所属、春日千春の賛助会員熊谷光之の脚本の九名が承認された。

㋺賛助会員一二名が運営委その他の協力で親しく加盟した報告がなされた。

㋩会費滞納者二〇名に対しては調査の上手紙を出して会費納入を勧告する。

㊁雑誌〃記録映画〃長期滞納者一九名は調査の上、発送をとめる。

二、生活を守る小委員会について

委員長、事務局長の他は役員でないことと、集りがわるく、現在著作権及ギャラ基準なぞの問題が出てきており生活を守る小委員会を強化して行くよう委員長の方からも要請が出されており委員を補充し至急委員会を持つこととなった。委員として補充者をふくめ、次の方々がきめられた。

岩堀運営委員長、富沢事務局長かんけ・まり、西本祥子、苗田康夫、諸岡青人、豊富靖　七名

三、安保対策委員会設置と今後の活動について

安保反対斗争に作協として参加し反対声明を出して、安保批判の会に加盟活動を続け、今までにない人々が企業の中や、批判の会として反対のデモ行進に加はった。又、新人監督協会を中心とした映画人グループの呼びかけがあり〃映画人安保問題をかたる会〃を開き映画の統一戦線を作りあげて行く芽がうまれてきている。新人監督協会からの呼びかけ　発表され、

共同宣言（案）が読まれた、「新安保条約は岸内閣とそれにつながる自民党一派によって強引に成立しました。この成立過程はあきらかに憲法に違反し、民主々義を破壊しファッシズムへつながるものであり、この暴挙を許すことは、映画界において言論、創作の自由を失うことになることになると考えます。私たちは、ここに新安保条約の不承認を宣言し、今後ファッシズムに反対し、民主々義を守るために努力して行きたいと思います。　一九六〇年　月　日」この宣言を日本映画監督協会、シナリオ作家協会、日本映画製作者協会、映画技術協会、映画撮影者クラブ、日本映画照明新人協会、日本映画宣伝マン協会、日本映画スチールマン協会、映画俳優協会映画六社俳優クラブ、喜劇人協会にんじんクラブ、麦グループ、まどかぐるーぷ、かかしぐるーぷ。労働視聴覚教育センター、教育映画製作者連盟、東京映画愛好会連合、機関紙映画クラブ、独立プロ協同組合、自由映画人連合等の他に教育映画作家協会に出し、「映画人安保問題を語る会」を提唱している。以上より、宣言の承認と「語る会」参加を決め、又対策委をもうけることで意見の一致を見

次の方々を選んだ。

委員長間宮則夫、委員矢部正男
(2)長野千秋、大沼鉄郎、川本昌、西田真佐男、小泉堯、の七名。

ひきつゞき安保問題について討議になり㋑新安保不承認の声明を内外に発表する。内部に対しては今までの活動の報告を出す(会報五七号を参照のこと)㋺映画グループの統一戦線へ参加協力する。㋩対策委会を早急に開き今後の行動と、安保問題研究を深めて行く。

四、安保反対映画製作について

五月二二日に第一回準備会が開かれ自映連、作協、勤視連、独立プロ協組、総評、労働者代表個人の参加で安保反対映画製作委員会が作られた。初めは国会解散、岸内閣打倒でニュース的に取る予定であったが上映組織が弱く実現されないことがわかり記録映画としてまとめる。資金としては勤視連より三五万円を借用し返却する。演出、及技術、機材はカンパで行う。作協として約二十名の人々がその他の人々をふくめ二〇〇名が参加、樺美智子さんの国民葬でクランクアップ、六月二五日製作委員会を開き作協は幹事団体に選ばれた。名称を安保反対映画製作委員会とすることや、フイルムは二巻にまとめるなぞの報告があり運営委員会で承認、製作スタツフとして作協より富沢事務局長、野田、大沼、杉山の四名をおくっていることも承認された。

普及委員会をもうけ勤視連のマーケットよりも広め共斗の線を通じて流し、一〇〇万円近いプール資金を作り、今後の企画等を出すようにして行く。

協会員に対しては試写会又は研究会において普及して行く。

五、雑誌「記録映画」財政について

〇東販だけをとおし販売していたが七月号より日販よりの申込がありそこえも二〇〇部流す。

〇九月が〃記録映画〃の財政の逼迫する頃でもあり、九月下旬の事業活動としての映画会計画。

〇再度の賛助会員増加その他により財政の組なおしをする。

〇広告については協会員の協力をおねがいする。

安保体制反対の斗いの新しい段階にあたつて

声明

岸自民党政府は、民主々義をふみにじり、平和憲法に違反して、ついに新安保条約の批准を強行しました。

連日国会周辺を埋めつくすかってなかった国会の請願デモ、日本の歴史にかってなかった労働組合の政治的なストライキ、このような国民多数の声に岸政府の応えたものは何であったでしようか。

六月十五日、国会請願デモ中の安保批判の会に対する右翼暴力団の暴行、国会南通用門での学生や教授団に加えられた官憲の兇暴な弾圧、その中での殺人行為など、国民に対する挑戦に終始しました。

それのみか、国民の各階層を含んだ新安保条約の反対の声を、国際共産主義の破壊活動であると強弁し、次の弾圧政策の足がかりにしようとしています。

すでに始まっているファッシズムの暴力をひしひしとこの体で感じます。

私たちは衆議院での新安保条約の採決はもとより、参議院に於ける自然成立をも認めることはできません。私たちは深い憤りをこめて次の通り政府自民党に要求します。

1、岸内閣は即時退陣せよ。
2、岸亜流政権の成立は認めない。
3、国会は直ちに解散せよ。

私たちは今日までの広く深い国民の統一行動の中で得た力と確信の上に立って更に勇気をふるいおこし全映画関係者や国民の各階層と固く結び、安保体制の打破と、平和と自由のために斗うことを宣言します。

一九六〇年六月二十一日

教育映画作家協会
運営委員会

1960. 7. 6　第1号

安保問題特集

―会報号外―

発行・教育映画作家協会
編集・安保対策委員会
東京都中央区銀座西8―5　日吉ビル4階TEL (571) 5418

安保斗争の現状

新安保条約は警官の国会介入による無法きわまる会期延長に引きつゞき、六月二十日参議院で単独採決され、岸内閣は、新安保は自然成立したと称して、極秘裡の内に批准書を交換した。

この無謀なやり方に新安保反対斗争の急激な高まりは岸内閣に退陣を声明させる迄に追いつめた。

だが、国内治安体制の整備、確立を当面の政策として打出した岸内閣は、その実質に於ては少しも変らない後継内閣を成立させ、新安保体制を押し進め、反動立法・弾圧立法・警察や自衛隊の強化などの弾圧体制を強化しようとしている。

このような事態に、新安保反対斗争も新たなる行動を起す段階に入ったものと考えられる。

だが、このような戦いも新安保条約の批准を阻止することができなかった。

このことは、私達の行動が政治に参与し、変えていく力を持っているという、自覚と自信を得ると同時に、新安保という大きな壁が破られなかったことを痛せつに感じさせる。

作家協会は、新安保反対斗争を「安保批判の会」に加盟して統一行動を行ってきた。今迄にない多数の人々がデモに参加し、お互の連帯意識を強め、斗争の意義を念じてきた。しかし、デモが行なわれた全期間を通してはっきりした現状分析がなされず、行動内容の不明瞭さは、六月十八日の決定的の夜、戦後最大と言われるデモのエネルギーが、座りこみ、国会を包囲し、圧力をかけることなく流れ解散してしまった例一つとってもそうであり、この強力な自然発生的なエネルギーを組織し、拡大し、具体的な斗いの形態と展望を示して、新安保条約阻止の突破口を開く迄に至らなかった点には大きな問題があるものと考える。

然し、この一年半にも及ぶ、新安保反対斗争は、この一ケ月を頂点として、国民会議を中心とした巾広い統一行動を組み、国会請願デモに、署名運動に、又日本の歴史にかつてなかった、労仂組合の政治ストに、あらゆるエネルギーを結集してきた。

この今迄かつてなかった運動の高まりは、アイゼンハワーの訪日を阻止し、岸内閣を退陣の瀬戸際迄追いつめ、遠くない将来に新安保条約を破棄できる条件をつくりだし、日本の人民は自分の力で国の政治を動かし、政治の方向をきめることができるという確信をもつようになったといいうるし、新しい段階を切りひらいたといえよう。又この一時的な共斗組織は人民の統一戦線の土台でもある。

一方この斗争の過程で、岸内閣は右翼暴力団の暴力を用い、又武装した警官を使って、デモ隊を弾圧し、殺人行為を犯し、ファシズムの性格を明らかにした。そして新安保条約を批准した現状の中で反対斗争に従事した人々に対し弾圧を加えてきている。この安保体制確立と強化の動きは当然、自衛隊の強化、警職法の復活に迄進み、言論の自由、表現の自由を圧迫す

るファシズムの勢力を台頭させることになる。

このような状況の中で、安保阻止映画製作委員会では、作協会員有志の積極的な参加により、安保斗争の記録映画を製作し、安保阻止のたかまりと、岸内閣のファシズム的性格を明らかにし、私達の中に芽生えてきた政治意識を拡大強化する方向を打出している。更に運営委員会は、新安保体制打破の「声明」を出し、私達の態度を明らかにした。そして長期間に亘る反対斗争を戦い抜く為に「安保問題対策委員会」をつくった。

そして今後の反対斗争は、ばく大なエネルギーを費した運動が、未だに国会を解散させることも、新安保の批准を阻止する事が出きなかったこの現実から出発して、これ迄の運動の欠かんを明らかにし、新しい運動をいかに推進していくかのプログラムを明確にしてゆきたいと考えている。

そして、今後私達の斗争を勝利に導く為には、これ迄高められてきた各層の多様なエネルギーをどこ迄持続させ、発展させ、これを、いっさいの反岸勢力を大同団結させて、解散後の総選挙も、その過程の一つとして把え、そこに全てのエネルギーを解消されるのではなく、永続的な組織化の一つの基盤として考え、行動していく事が必要だと考える。

そして作家協会としては当面、監督新人協会の呼びかけによる、新安保反対斗争を中心にした「民主々義を守る映画人グループ」結成に積極的に参加し、新安保体制のもたらす問題を明確にすると共に、この新安保条約を破棄する方向に統一運動を発展させて行きたいと考える。

そして、この映画人グループが加盟している「安保批判の会」の決議を当面の指針としてゆきたい。

その決議は大体次の通りである。

一、何等正当な手続が取られず批准されたこの条約の不承認を宣言すると共に、直ちに不承認運動を起す。

一、新安保体制の確立を目指す、岸内閣の後継者が政権をにぎることを許さない。

一、自民党の党内事情によって、岸内閣の総辞職、国会即時解散が一刻も引き伸ばされてはならない。

一、安保反対斗争に対する弾圧を粉砕する。

このように、私達は、

安保不承認
岸亜流内閣成立阻止
国会解散
不当弾圧粉砕

のスローガンのもとに積極的に行動したい。それは私達の生命を戦争の危機から救い、新しい社会をつくり出す体制を持つ斗いなのだから。

（長野千秋記）

(2)

安保反対斗争に参加した人々の声

作家協会では「安保批判の会」に加盟して、新安保条約と斗い続けて来ました。

またこの度の統一行動及びデモには、私達協会員の他に良識ある友人、肉親を協会員と共に多数動員出来ました事は、今後新安保条約不承認並びに、民主々義擁護運動を続けて行く為にも大変喜ばしい事と考えます。こゝにその人達の声を二、三記載させて頂きます。

ある映画会社のK君は、

「世論が戦後最大と云われるほど湧き立った今度の安保反対、岸内閣退陣のデモ、毎日の新聞紙上を眺めては大いにその主張に共鳴しつゝも、実際のデモに単独で参加することに何となく面映ゆさを感じて躊躇していたぼくら一でもこうゆう控え目な政治への関心がふとした発端から大きな力への結合に発展した。

誰云うとなく、デモに参加しようと云いだした、そこにはお互を既に超越した大きな主張がいつの間にか集合していた。そしてそれは国会請願という形となって動きはじめ、更に大きな政治への発言力となった。

二十万を超える人々が少くともひとつの主張のもとに連日集まったという事実、プラカードを手にして、昨日までの他人が隣人同様に微笑みを取交わすあのなごやかさ一ぼくはこれが何よりも今度のデモの収穫だったと思う。デモの行動に行き過ぎも少なかった、

だが原因はデモ以前の政治の貧困にあったのだから、将来の政治という巨視的見地よりすれば、その害はとるに足りない。

政治とは本来、それほどセンセーショナルなものではないのだ。お互が人間として幸福に住める世の中を築くこと、言葉で云えばこんなにも素朴で簡単なことなのだ。

しかも現在、民主々義は少くとも形の上では立派に存在しており、ぼくらが投ずる一票は必ず国を良くするはずなのだ。だが実際は、アベコベなのだ！　政治の組織が宙に浮いて全然、内容を伴っていないのだ。

与えられた民主々義であっても、結局その肉づけはぼくらひとりひとりがする以外にはないのだ。ぼくは国会周辺にこだまする靴の音の中に、そして叫びつゞけた一声一声の中に今までに味わったことのない「政治の主権者としての自分」をより具体的に意識した。

ぼくらの主張は、尋常なことでは為政者にはうけいれられまい。何度も絶望することもあろう。だが結局日本人であるぼくらがこの日本を良くしていく以外に何の方法もないのだ。

労多くして効果の目立たない極めて地味な政治運動―しかしこの積み重ねこそがやがては住みよい世の中を作り上げるのだ。

平凡な日常生活の中に、ぼくは更に一層、政治というものを自分のものに感じとりたいと思う」。

日経映画社撮影助手の花谷晃至君は、

「何はともあれ個人的には安保条約には賛成出来ない。岸信介は退陣した方が良いとゆう意見が私の周囲でも圧倒的です。

しかしながら、それはコーヒーをすゝりながら、酒を飲みながらの個人的な話題であって、それがどの様に進展しようが、どんなに弾圧されようがそれは世の流れであり、我はその流れには無関心であると云うような、いわゆる傍観無味な人間がいることはいます。

歯がゆいほどの無関心さは「無能」からなのか、「不勉強」からなのか、「不感症」からなのか、私には、はっきりつかめませんが、しかし街頭署名をしたから反民主々義への抵抗が終ったのだと思うのは大きなあやまりでしょう。

私は個人的な意志で協会の請願行動に参加しました。

参加の顔ぶれは大がいきまっていた様です。私は物事をこむずかしくこねまわすのは不得手なので気持をかり立てた動機も非常に一般的です。「民主的な平和への希求」そのものです。

この本能に近い願いを折るものが今回は安保改定であり、それの単独審議だったのです。この様な極めて平凡な願いを権力で弾圧するものに対しては、それを消去するため一時的にどんな手段を使おうとそれが何処の誰にも扇動されない自分自身のオリジナルな願いならばそれは当然許されてしかるべきです。

私達と常日頃仕事をし、語り合っている人達、又何時までたっても生活上のために自分の意志外でスポンサー映画の創作活動を続けていると嘆いている人達。一日間だけでもいゝ、二日間ならなおよろしい、総けっ起しましょう。そうすれば何も破かいされない平和な革命がキット達成されるでしょう。」と。

私と一緒に編集作業をしているフリーの一女性は、

「私達の様なフリーの者は、参加したくとも、所属する団体も組合もありません。

協会の人達と一緒に行動し何んらかのお役に立った事をうれしく思っています。

それにしても、協会の様な一団体だけでなく、私達映画人が一つにまとまって行動が出来る組織が出来ないものかと思っています。

日本に外国の基地など絶対に作らせたくありません。二度と戦争にはまき込まれたくありません。その為にも新安保には絶対に反対すべきだと思っています。正しい事も云えず、自由に映画を作る事も出来ぬ時代が来てからでは遅いのです。どんな事をしても、民主々義を守り、明るい平和な日が一日も早く来る事を望んでいます。」と話してくれました。

また、デモの日国会前で偶然私と腕を組んで行進した主婦は、

「私は今日始めてデモに参加しました。六・一五のニュースをテレビで見て家にじっとして居られず国会前に出て来ました。もう政府のする事をだまって見ている事が出来なくなったんです。

私は安保条約がどんなものであるか良くはわかりませんが、もう戦争なんか嫌です。子供達にも、あんな思いはさせたくありません。岸さんもこんなに数多くの人達が反対するものを何もあんな無理をし、警官まで使って批准しなくても良いんじゃないですか。」

雨の降る国会前に、レンコートに雨靴で傘もさゝず、ずぶぬれの主婦が。

(3)

今日の様な混乱した社会でなければ、夕飯の卓の前で主人の帰りを待つ平凡な家庭の主婦であり、幼い子供達のやさしい母なのであろう。

（川本昌文責）

安保批判の会
七月二日に声明

〃安保批判の会〃では次の趣旨の声明書を発表各方面に呼びかけた。

「安保批判の会」は大きな希望と確信をもって、平和と独立と民主々義をめざす国民の大事業の一翼として、さらに前進しようと考えています。とのべ、国民的力を高く評価すると共に、政府自民党の暴挙をつき、国会解散を要求し、弾圧政策に反対し、陣列をとゝのえ、斗いつゞけることを声明した」

安保反対映画製作
委員会の報告

安保反対運動の、ものすごい波の中でさる五月二〇日、学者文化人の集会がひらかれました。私たち作家協会も安保批判の会の一員としてでかけていったのですが、そのとき集った映画人の間で話しが始まりました。

とにも、かくにも、この歴史的な大衆運動を、映画に記録しておこうではないか。映画として、まとめるかどうかはこれからの問題として、何とか撮影だけでもしておこう、というのです。勤労者視聴覚事業連合会（共同映画、東宝商事、東京映画等の製作、配給者が集って勤労者の視聴覚運動を推進しようとする組織）でフイルムを拠出し、自映連を中心とした技術者と作家協会の有志が、労力を出し合って撮影をはじめました。

それが五月二六日の大統一行動日でした。実際に始めてみると、数十人の作家技術者が参加してきて、一本の作品に完成しようという声が当然高まってきました。これにこたえるために、五月末から六月にかけて、製作委員会準備会がもたれ、作家協会も組織的に加入することになったのです。（六月二七日の運営委員会の議事を参照下さい）この製作委員会は、勤視連、自映連と作家協会の三者によって構成されていますが、最近になって、総評から協力の申し出があり、私たちとしても喜んでうけることにしました。たゞし、その位置や関係については、まだ未解決のもんだいがのこっています。今のところ作家協会側は、野田氏が中心になって、あと体のあいた有志が加わって仕事を進めています。現在は編集中で、十月すぎ頃に録音、十五日頃完成したいと考えていますが、各方面からすでに相当数のプリント注文や、大きな期待が、かけられていることゆえ、大いに慎重にもならざるをえません。

特に製作委員会の問題については、参加している各団体でも検討を加えているのですが、今までのように、その場限りのものでなく、プリント販売、その他による利益金を確保した、継続的な組織を今後に残さなくてはならないと考えられます。そして、私たち自身が(2)その中に大きな権利を持つこの組織が将来も、民主的な記録映画を作り出していけるように存続させ、運営していくべきではないでしょうか。近いうちに製作委員会をもって、この点も確実にしていきたいと思います。例によって大へんおくれましたが、とりいそぎ現状を報告いたします。

（大沼記）

民主々義を
守る映画人の夕べ

時　七月二十二日（金）午后六時

所　ガスホール（銀座六丁目）又は平和相互ホール（呉服橋）の予定。

内容　第一部　経過報告

第二部　来賓挨拶

第三部　記録映画上映〃安保えの怒り。〃

第四部　松岡洋子（評論家）予定

第五部　映画人挨拶（批評家プロジューサー、俳優、監督）

第六部　共同宣言

主催団体　監督新人協会、教育映画作家協会、東京映画愛好会連合、自映連、勤視連、独立プロ協、機関紙映画クラブ、にんじんくらぶ、監督協会、シナリオ作家協会、俳優協会有志参加。協会員は多数参加下さい。

民主々義を守る映画人の夕べへのもり上り

この会の発端を監督新人協会（劇映画六社の助監督の集りで、今回の主唱団体）の経過報告から紹介すると、次のようである。

十数回に及ぶ安保反対、国会解散要求のデモと統一行動に参加して、この運動が今までになく、広い分野と数多くの人々が集まっていることに、力強さと喜びを感じた。そして、他の組織労仂者の整然としたデモをみるにつけ、ふだんは顔も見知らない人たちを自分たちと同じ映画人として腕を組むにつけ、我々も一つの紐に結び合はされていなければならないと考え、思いつく限りの団体に呼びかけたのである。

この夜集った組織は十三団体である。監督新人協会、教育映画作家協会、シナリオ作家協会、機関紙映画クラブ、映画ペンクラブ、東京映画愛好会連合、自由映画人連合会、独立プロ映画協会、日本映画俳優協会、プロデューサー協会、民芸映画社、日本映画監督協会、勤労者視聴覚連合会、そして安保批判の会事務局からオブザーバーとして参加している。

これらのうち、組織として参加決定をまだみていないので、個人として出席したところは、監督協会、シナリオ作家協会、プロデューサー協会であった。

議事については、各団体の報告にはじまり、次の各項が審議された。

(A) 映画と講演の夕べを開くについて、その名称、時期、場所、内容に何をもるか。また全国美術家協会から共催が申し込まれているが、これをどうするか。

(B) その席上決議、発表される共同宣言の案文。

(C) 財政の確立について。

(D) この統一組織を今後も発展させ、強固にするかどうか。

作家協会は、この会合に望む態度として、(1)勉強会や講演会のようなものを度々開けるようにしたい。(2)こうした組織を今後もつゞけて行きたい。の二点を第一回の安保対策委員会できめたが、当夜はそこまで至らなかった。

報告によれば、政治と思想について考え方の違う人々の集まりは当然のことゝして、三つの層にわけられる。

その一つは安保不承認、国会即時解散、岸の首のすげかえ反対、民主的な選挙管理内閣樹立を要求する層、その二つは安保の成立は認め難い。六月十五日の暴力は許せない。国会の民主的ルールの確立、その三つとして、安保の単独採決や六月十五日の暴力をみるとやはり悪い条約と思われるが、安保そのものを知らないので、その内容を知りたい、ということである。

そこで準備会としては、これらのあらゆる層を含めたものとして映画と講演の夕べをもちたいので、名称は、「民主々義を守る映画人の夕べ」とすることに決定、全国美術家協会の組織は相当進んでいて、映画人とは開きがあるので共催は見合わせ、今後の協力を約束した。その他の細目や準備は次の五団体で構成する小委会にまかせることになり、財政問題と恒常的な組織についても、九月の小委員会、それにつゞいてまた拡大世話人会を開いて討議することになった。

また、報告と討議を基礎にして、共同宣言案が作られたが、その基礎は暴力政治に反対し、安保条約を承認しないことである。これを各団体内で検討して、小委員会で最終的な草案をまとめることになった。

小委員会の構成、映愛連、作家協会、独立プロ協組、新人監督協会、機関紙映画クラブの五団体に加えて、安保批判の会事務局がオブザーバーとして出席。

共同宣言（案）

五月十九日、新安保条約は岸内閣と自民党一派によって単独採決され、その自然成立がうたわれています。

この成立過程は、憲法の精神に違反し、民主々義を破壊し、ファシズムへつながるものであり、この暴挙を許すことは、映画界においては言論、創作の自由を失うことになると考えます。

私たちは、このような反民主的な手続きによる、新安保条約の不承認を宣言し、今後ファシズムに反対し、民主々義を守るために努力してゆきたいと思います。

月　日

組織名連署

（西田真佐雄記）

新安保推進首謀者をあばく

国民会議

二日昼夜二回の安保改定阻止国民会議の中央国民大会で新安保推進首謀者十九名の罪状が発表された。

岸　信介—独裁者、三悪追放の代わりに「新安保」を実行、東条内閣時代の商工大臣で軍国主義者。

佐藤栄作—蔵相として岸内閣の支柱、新安保衆院採決強行の暴挙の張本人。

川島正次郎　—政財界のヤミ取引には必ず顔を出し、安保の右翼動員をはかった男。

藤山愛一郎　—安保、ヴェトナム賠償で国会答弁で国民をだましつゞけた岸の共犯者。

池田勇人—「貧乏人は麦を食え」と放言した安保強行の最大のカゲの役者。

推名悦三郎　—岸の忠実な弟子。

赤城宗徳—封建時代の悪代官にもにた岸の片腕。

賀屋興宣—東条内閣の蔵相として第一級戦犯、日米軍事同盟を激励推進した。

船田　中—安保改定の作成共犯者。

福永健司—強行採決の第一線司令官、国会対策委員長。

松野頼三—労相に就任、弾圧政策を忠実に実行。

小沢佐重喜　—衆院安保特別委員長。安保戦犯のうちで直接下手人。

推熊三郎—副議長、安保委理事、五月二十日の採決強行謀議に参加。

南条徳男—岸の腹心で五月二十日の強行採決に〃安保督戦隊長〃として行動。

清瀬一郎—五月二十日の衆院本会議、警官導入の直接責任者。

松野鶴平—参院安保特別委、本会議を抜き打ち的に開かせ、一党独裁の道を開く。

草葉隆円—僧職の出身であるが参院特別委員長として新安保条約を推進した。

安井　謙—参院自民党幹事長。

木村篤太郎　—右翼団体と関係、参院において安保推進の積極分子。

第二十一次統一行動を

国民会議

安保改定阻止国民会議は五日幹事会を開き十日から十五日まで第二十一次統一行動として新安保不承認、岸亜流政権反対、不当処分反対の運動を組むことゝなった。

十四日には内閣首班指名が行われる見通しもあり、次の行動を組、

○十日後一時米軍厚木基地のある神奈川県大和市大和中学校庭で五万人を動員して「U2型」ジェット機追放、米軍撤退要求国民大会を開く。

○十四日総評の全単産は勤務時間に三十分くいこむ職場大会を開いて不当処分と岸亜流政権に反対する意思表示をする。東京では午後五時から国会周辺に全国から二十万人を動員して国民大会を開く。

○六．四、六．二二、斗争の処分が行なわれたときは中央、地方の共斗組織が大衆動員して関係当局に連続的な抗議行動をする。

○安保不承認、国会即時解散要求の署名運動を全国的に行なう。

安保反対　講演と映画の夕べ

全国美術家協会では安保不承認の「講演と映画の夕」を具体的に開くことを決定次のようになった。教育映画作家協会、その他へ呼びかけて来ているので参加しよう！

とき○七月二六日（火）

ところ○虎の門共済ホール

内容　第一部

講演　松岡洋子　（評論家）

第二部

映画

㈠一九六〇年六月の記録　二巻（安保反対映画製作委員会作品）

㈡ダンスと二人の男　二巻

㈢家　一巻（ポーランド完成映画）

㈣〃沖縄〃（大映配給）又は〃法隆寺〃（岩波映画）

当日安保反対資金カンパ五〇円こぞって参加下さい。

安保対策資金一口百円カンパに協会員一人一人が参加しよう。

作家協会では「日本人民の承認しない新条約は、日本人民の手で破棄すべきである」という立場の声明を発表長期の斗いにそなえ、安保対策委員会が設けられました。

対策委員会では安保に関する情報の集収、状況の分折、統一行動の動員の連絡、民主々義を守る映画人の集等の集会その他の連絡等の活動を積極的に行うことを決定いたしました。そのために運動資金が必要になってまいりました。各位への手紙の通信費及動員の為の交通費にあてますので一人百円のカンパを決定しました。会費納入の時に一口百円のカンパをそえて納入下さるよう協力をお願いします。

協会員へ

動員参加の通知

㈠七月十四日不当処分、岸亜流政権に反対し新安保不承認の国民大会が後五時より国会周辺で開かれる。後五時に作協事務局へ集り下さい。指揮は小泉堯氏

㈡民主々義を守る映画人の夕べ七月二十二日、後六時、ガスホールか相互ホールの予定。

講演は松岡洋子等を予定しています。映画として安保斗争のニュースと、記録映画仮題〃一九六〇年六月の記録—新安保斗争—を上映します。映画人の戦線の統一の結成大会にもなりますので、こちらには五〇名以上の協会員の参加を要望します。

㈢安保斗争の記録映画仮題〃一九六〇年八月の記録〃の完成試写会を七月十五日〜十九日の間に開きます。まだ場所、日時がきまっていませんので事務局へ連絡下さい。

1960. 8. 1 発行

教育映画作家協会々報

No 58

教育映画作家協会

東京都中央区銀座西八ー五　日吉ビル四階　TEL (571) 5418

安保斗争六月十五日に於ける岸内閣の手先暴力団の暴行の報告書

6月15日（水）

○午後五時十分頃、国会は請願デモ、一一万人国会周辺を埋めるその頃維新行動隊のノボリを持った右翼一二〇人が国会第二通用門付近で、デモ隊になぐりこむ。

○午後5時10分頃、右翼の暴力によって「安保批判の会」のデモに参加していた新劇人会議、一般参加者計七五名重軽傷、（重傷二九名、軽傷四六名、傷口の大部分は肉をえぐられている。劇団関係四六名、一般参加者二九名、この中女性二六名）

○午後5時15分、右翼のトラック全学連（法政大学）デモ隊に突入。

○午後5時25分、国会南通用門付近に集まっていた全学連のデモ隊は右翼の暴力行為を知り怒る。

○午後5時30分、全学連のデモ隊七〇〇〇人は南通用門を押しあけようとする。

○午後5時45分頃、南通用門がデモ隊によって開かれる。

○午後6時2分、麹町警察署長はデモ隊が行動を続ければ放水すると警告。

○午後6時10分、警察側放水を始める。

○午後6時55分、デモ隊は通用門入口の警察側トラックを引き出す。

○午後7時〜午後7時30分、警官隊が後退したので、国会内にデモ隊約七〇〇人が入り、警官隊に襲われ、負傷者数百名、この時樺美智子さんが殺された。

云々

そこで六・一五傷害対策委員会事務局では次のことを呼びかけてきている。

暴力団の暴行によって、私たちの隊伍から七五人の怪我人を出しました。その二時間後に、警官によって樺美智子さんが殺されました。岸内閣は十五日の暴行によって与論をひっくりかえし、大衆行動を弾圧しようとしました。そしてアイクを何とかして迎え入れようとしたのです。しかし、彼らのたくらみは粉砕されたのです。私たち国民の意志をふみにじることはできまん。安保打破、弾圧反対、し田政権にこんな真似をさせることはできません。私たちは、芸術家らしく、私たちの芸術で私たちの行動で、労働者を中心に斗いを進めて行くことを訴う。と結んでいる。

記録映画　〃一九六〇・六月〃　二二日完成!!

五月十九日の自民党のファッショ的単独強行採決からはじまるこの映画は、六月四、十五、二二日の安保阻止の労働者の政治ゼネスト、労働者、国民のデモストレーション、ハガチー事件、六月十五日の全学連に対する警官の目にあまる暴行、そして長期斗争への高まりをもつて終っている作品が完成。今までにない作協としての協力体制でのぞんだものである。

うごき

「世界の一日」記録映画を ソ連より呼びかけ

ソ連の平和擁護委員会から「世界の一日」と題して、各国の青年たちの生活や理想や平和のためのたゝかいを主題とした映画を、国際的合作として実現しようというアッピールが日本平和委員会、にとゞき日本シナリオ作家協会、日本監督協会、監督新人協会、教育映画作家協会、独立プロ協同組合、勤視連、映演総連、自映連の各映画関係団体へ協力を申し入れて来ている。

「世界の一日」は、多くの国々の青年を描くもので、その長さは五〇〇〇ー六五〇〇フイート、各国の短編を集め「世界の一日」とする。物語は一九六〇年九月一日の出来事にしたいと思うとその他とし、映画は編集して、モスクワのソ連平和擁護委員会の映画部に送る。

そしてソ連の映画人はこぞってこの映画に参加するでしょう。

というもので会合を七月二〇日に、持ち日本として資金を五〇万円集め「世界の一日」製作実行委員会を作り準備をすることとなり、第一回実行委員会を七月二六日后六時より開くことゝなった。

シナリオ委員会を、菊島隆三、松山善三、岩崎昶氏等に作協より二名（候補として岩佐氏寿、吉見泰、野田真吉、厚木たか）を出すことと、シナリオ募集を八月二〇日〆切でつのることとなった。

〇安保反対、総選挙斗争の為の視聴覚活動の会議開く！

総評教宣部では労視研全国集会の成果の上にたって八月十、十一日の二日間鬼怒川にて県評、単産の選対及教宣部責任者を集めて安保反対総選挙斗争の為の視聴覚活動の会議を開く。映画人講師として山形雄策氏を呼ぶこととなっている。

又年間四〇〇万円の予算で年六本の労農ニュースを作る為の労農ニュース製作普及委員会を作ることとなった。

〇国民文化会議運営委で全国集会のこと

国民文化会議では、この九月二三日～二五日の三日間、東京で全国集会を開くこととなり、テーマは安保と文化〃ときまった。その中で〃国民文化〃機関誌の強化国民文化賞（仮称）の設定等の問題が出されている。

今回安保斗争の中で高まった組合の視聴覚活動、ならびに安保批判の会に集った各文化人、文化団体等から〃安保と文化〃に対しあらゆる方面から意見が集中して出されることがきたいされている。

〇民主主義を守る映画人の夕べ、映画人の会に発足。

七月二二日（金）后六時、東京銀座のガスホールで〃民主主義を守る映画人の夕べ〃が日本映画監督新人協会の提唱で各映画関係方面に呼びかけられて開かれました。当日映画俳優の多々良純さんの司会ですゝめられた。監督新人協会の経過報告後、来賓として新演劇人協会、安保批判の会、ジャーナリスト会議、国民文化会議のあいさつがあり、祝電として、新東宝労組、全国美術家協議会、民主々義を守る音楽家の会、戦後映画研究会、新聞労連等が発表された。

ひきつゞいて丸山真男東大教授の〃新安保と民主主義〃の講義を四〇分近く聞き、安保反対映画製作になる十六ミリ記録映画「一九六〇年六月」を熱心に観賞後、各映画人より五分間アッピールが行なわれた。木下恵介氏のアッピールを川津祐介さんが代読、鶴田浩二氏のメッセージを中村雅子さんが代読、ひきつゞき東映で〃弾丸大将〃富士の裾野ロケ中の家城己代治監督よりのメッセージが南風洋子さんから読まれた。女優吉行和子、北沢典子さんの決意がのべられゝば、植草圭之助、宮正典より「私達も今日より共にやって行く一むねの決意をのべられれば、宮島義男、岩崎昶両氏は会となって進むことを訴えた。当日こられた五百人の参集者の中には松山善三、白坂依志夫、沢村貞子、若杉光夫根岸明美、宝田明、芳村真理、東恵美子その他、作協、勤視連、自映連、監督、シナリオ作家でうまった。最後に共同宣言が朗読され満場一致で可決された。

動静

無理をしないように、観光映画の演出をさせて頂いてます。題名は仮題で「神奈川への招待」

深江　正彦

「一九六〇年六月」安保反対記録映画を大沼氏富沢氏杉山氏の諸君と編集中

野田　真吉

「不良少年」ロケ中です

羽仁　進

今までぶっつけ本番又はそれに近いものばかりにたずさわって来ましたが今度はじめていわゆる「PR映画」を手がけました。「はっこうの神秘」　大口　和夫

伊丹万作氏の著書の抄録でもいいから「記録映画」の貴重な一頁をさいて連載していたゞけませんか。

現在「ある離島」の記録のシナリオ第一稿かき終えたところで資料だけに頼る記録のシナリオに疑問を持ち考慮しています。　大野　孝悦

仕事があればどんな仕事にでもたづさわって見たく未経験同様の私にとって早く仕事になれたく思います。現在何も仕事を致しておりません。　石田　厳

七月十二日夜メキシコからヴアンクーバー経由で帰国しました。　岩佐　氏寿

◎ガイド◎お知らせ！

△西部記録映画を見る会　八月例会

西部デパート八階文化ホールにて日曜、土曜に〃記録映画作家特集〃を開きます。無料ですから参加下さい。

〇七日（日）前十時三〇分、十二時の二回

〃新進作家特集〃　大坂繁盛記（川本博康）印画紙の話（松川八洲雄）液体のはたらき（3）故・高島一男）

〇一四日（日）前十一時、十二時三〇分の二回。

〃女流作家特集〃　スランプ（中村麟子）水族館（西本祥子）醤油（時枝とし江）

〇二〇日（土）前十一時、十二時三〇分

〃中堅作家特集(1)〃ガン細胞（渡辺正己）北陸トンネル（島内利男）

〇二七日（土）前十二時三〇分、后二時の二回。

〃続中堅作家特集(2)〃マリン・スノー（野田真吉）日本の舞踊（羽仁進）

九月から城北映サ協と共同で豊島振興館にて月一回開くこととなりました。九月例会は、〃現在の日本〃特集で〃一九六〇年六月安保斗争の記録〃〃日本の子供たち〃等を計画中。

◇夏の産業文化映画祭

時、一時開映（日曜および第一土曜を除く）

所、東宝演芸場（東京宝塚五階）

八月八日（月）～十三日（土）

やんの欧州かけある記、東洋の旅第一、第一部、靴下の花園、甜菜、符号の世界、テイジンアルバム〃テトロン〃

〇八月十五日（月）～二〇日（土）

アイソトープの利用、御母衣ダム・第一、セメント、たくましき前進、富士コルゲートの・パイプ、明日の鉄道。

〇八月二二日（月）～二七日（土）

生れかわる商店街、三菱日本重工、エクスラン、美と健康をあなたに、花のジプシー、日本鋼管。

〇八月二十九日（月）～九月二日（金）

オーケストラの楽器、新しい鉄の時代、資本の世界、東芝、新しい織物の科学、モダン・シツプビルデング、北海道の秋。

〇九月五日（日）～九月十日（土）

日本の原子力、メタルフォーム・第二部、神戸っ子、クリちゃんと十円玉、名作のふるさと、三〇〇トン・トレーラー。

◇京都記録映画を見る会八月例会

八月中旬　祇園会館（予定）

テーマー「フイルムによる八・六アピール」

◇第二回世界の実験映画を見る会九月中旬に（予告）

第一回の世界の実験映画を見る会の好評の上にさらにプランを重ねて計画中です。いずれも予定。

とき　九月中旬　后六時

ところ　虎の門共済ホール又は日消ホール

内容　一、〃メトロポリタン〃又は〃アポリネルの旅人〃（仏）

二、〃マリン・スノー〃（野田真）又は白い長い線〃（松本俊夫）

三、〃運動と時間〃〃管と炎〃又は透明なモデル（チエコ科学映画）

四、〃プープー〃又は〃釘と靴下の対話〃（日大映研）

五、〃つかの間の組曲〃又はファンタジー（カナダ）

六、〃忘れられた人々〃（メキシコ・ルイス・ブニユエル演出）又は〃人間から人間へ〃（移動マット法、カラーソ連）

◇〃ドキユメンタリイ映画〃ポール・ローサー著、厚木たか訳、定価八〇〇円

一九三六年に発表されて映画理論の歴史にかゞやかしい一頁を加えたローサーの名著、希望者は作協に申込下さい。

◇綴り込み合本ファイル申込受付中「記録映画」も三巻目を迎え三〇冊になりましたそこで合本ファイル（十二冊一年分綴り）／一部百二十円（送共）／申込先作家協会事務局（振替・東京九〇七〇九）

中華人民共和国よりお便り

前略、安保斗争で協会も大へんだったでしよう、大沼さんから手紙をもらったり、日本からの新聞や雑誌を読んでは四六時中、この大衆的な斗いのことを考えています、それこそ翅があったら飛んで帰りたいとはこういう気持だとつくづく思いました。協会の様々な運営、特に「記録映画」のこと、研究会のことなど、どうなっているかと心配です。今度芸術映画社への寄贈として、記録映画「チベット解放」第三部「喜びのチベット」4巻と劇映画「聶耳」13巻を持って帰ります。大村さん人形、切紙、マンガ映画各一本計9巻と劇映画にも頼んで協会の事業試写会とか研究会とか研究会試写会に借りようと思っていますが中国映画の最高レベルを示すものばかりですから期待していて下さい。

私たち北京を11日出発、上海撮影所をまわって羽田に29日頃到着の予定です。

諸氏によろしく。

中華人民共和国
北京市新僑ホテル三七六号
京極・松本

事務局だより

◇プロダクション移転お知らせ!!

○株式会社英映画社
中央区八重洲五丁目五番地
（幸田ビルデング4階）
TEL（二八一）三四一四
四六八〇

○株式会社桜映画社
新宿区角筈二ノ八四スタンダードビル五階、TEL（三七一）八二四一〜五、

○有限会社映画美術共同社
新宿区東大久保一の三三五
車庫前ビル内（大久保車庫前）TEL(351)二三八六〜五二四八、

◇暑中見舞のお手紙が来ています!!

新映画実業KK有限会社映画美術共同社、近代映画協会、東京出版販売KK、東急文化会館宣伝課、東映動画スタジオ、株式会社三栄社。現代日本映画社。

◇新スタヂオ紹介

番町録音興業株式会社、通称番町スタヂオ、千代田区二番町十二番地、TEL(331)三五一六、九五四〇、

◇安保対策資金カンパ協力のおねがい!!

作家協会では「日本人民の承認しない新安保条約は日本人民の手で破棄すべきである」という立場の声明を発表長期の斗いにそなえ安保対策委員会が設けられました。対策委員会では安保に関する情報の集収、状況の分析統一行動の動員の連絡、民主々義を守る映画人の集等の集会その他の連絡等の活動を積極的に行うことを決定いたしました。そのために運動資金が必要になってまいりました。各位への手紙の通信費及動員のための交通費にあてますので一人百円のカンパを決定しました。会費納入の時に一口百円のカンパをそえて納入下さるよう協力をお願いします。

昭和三五年七月十日づけをもって各位及企業関係にはその係の方々にカンパ帳を又事務局にカンパ帳をおきましたので八月十日頃までに第一回分を集めたいと思います。

○岩波映画ー矢部正男、小泉堯
○日経映画ー間宮則夫、川本昌
○日映新社ー長野千秋、山口淳子
○東京シネマー大沼鉄郎
○日映科学、新理研等は各会費を集て下さる方々に協力して載くことになりました。

◇住所変更及その他お知らせ

西本祥子ー豊島区目白四の六三
大黒荘内
吉見　泰ー港区赤坂一ッ木町六六
吉村営三郎方。
渡辺正己ー豊島区長崎三の二〇
西尾方
深江正彦ー世田谷区代田二の九三
七
山本升良ー目黒区下目黒三の六四
五、根岸方
杉山正美ー渋谷区神山町四三武富方TEL(461)〇八一一
小泉　堯ー小金井市貫井北町五の六七八壁山荘
北条美樹ー世田谷区　巻町一の一三六、鈴木方岩波映画
特田祐生ー世田谷区世田谷一の一〇二八　新理研
牧野　昭ー葛飾区柴又町三の一三七七　岩波映画

ポール・ローサー著厚木たか訳「ドキュメンタリイ映画」発行記念ポール・ローサー記録映画研究会

今回ポール、ローサー著になる「ドキュメンタリー映画」の再版が七月二五日に出ました。厚木たかさんの訳になるものであります。そこでみすゞ書房と共催で発行記念の記録映画研究会を左記で開きます。

とき〇八月十六日（火）后六〜九時
ところ〇ダイヤモンドホール
（地下鉄虎の門・都電南佐久間町下車すぐ）
内容〇一厚木たかさんあいさつ。
二、映画上映　作品を選定中
三懇談会

主催　みすゞ書房、教育映画作家協会

△協会財政報告　六月分

収入の部	
会費	五四、二〇〇円
雑費	四、三一三
計	五八、五一三
支出の部	
文具品	一、三二五
交通	四、三九〇
通信	四、二〇六
雑費	五、二八三
事務費	五、〇〇〇
印刷費	一〇、〇〇〇
会合費	二〇〇
人件費	三七、五〇〇
電話	三、一二三
計	七一、〇二七
差額	(－)一二、五一四

△記録映画・財政報告六月分

収入の部	
予約	七、八〇〇
売上	九、三三三
広告	五七、五〇〇
雑費	五、一一〇
繰越	二三、一一三
計	一〇二、八五六
支出の部	
交通	三、〇六五
通信	二、一一六
雑費	一、五八〇
電話	三、一二三
文具品	三二〇
印刷	二八、〇〇〇
会合費	二、八〇〇
原稿	五、〇〇〇
計	四六、〇〇四
差額	(＋)五六、八五二

1960. 8. 5　第２号

安保問題特集

ー会報号外ー

発行・教育映画作家協会
編集・安保対策委員会
東京都中央区銀座西８ー５　日吉ビル４階 TEL(571) ５４１８

下からの民主々義を呼びかける「民主々義を守る映画人の夕べ」!!

「民主主義を守る映画人の夕べ」は、七月二十二日銀座ガスホールで開かれた。

講演や挨拶など、誰に出てもらうか、当夜出席者の中から頼みこむという危ない芸当も多かったが、ともあれ、会場を埋めた参加者の拍手がその都度湧き起ったことは、この会合が成功したといえるだろう。

夕べは、まず、北沢さん指揮で、民主主義を守る音楽家有志のコーラスで幕が開さ、俳優多々良純氏司会で開会した。

映画監督新人協会恩地事務局次長の経過報告、新劇人会議から俳優の滝沢修氏の挨拶があり、続いて各友好諸団体からのメッセージが披露された。その主なものは、全国美術家協議会、民主主義を守る音楽家会議など、安保批判の会加盟の諸団体と、映演総連、新聞労連、日放労、民放労、出版労連の労働界からも寄せられた。安保批判の会を代表して、吉野源三郎氏の祝辞があり、国民文化会議は南博氏が挨拶にかけつけて頂いた。

「新安保と民主々義」の講義にうなずく

続いて東大教授丸山直男氏が「新安保と日本の民主主義」という題で講演したのち、休憩に入る前にカンパを訴えかけた。その総計は八千八百円、個人カンパとして多々良純氏一万円、俳優沢村貞子さんが千円を下さった。

そのあと記録映画「一九六〇年六月ー安保への怒りー」が上映されたが、これは仕上り予定がのびて、当夜七時にやっと初号が上がったという、スタッフ試写を兼ねたものだった。これからの修正が予告されての上映だったが、会場の参加者に怒りを新たにさせた。ここにスタッフ諸氏に、その努力に敬意を表し、総評、勤視連、教育映画作家協会の三団体に、感謝の意を表したいと思う。

新たなる気持で会に参加

映画各界に求めたアピールは、シナリオライターの植草圭之助氏、監督筧正典氏、俳優の吉行和子さん、キャメラマン宮島義男氏、しめくくりに評論家の岩崎昶氏が、ユーモアたっぷりに訴えかけられたが、他に撮影その他の所用で参加されなかった、木下恵介氏ほか多くのかた達からのメッセージが中村雅子、南風洋子さんら、女優さんによって代読された。

最後に新人協会の勝俣事務局長が、共同宣言を読み上げ、あゆる映画人を含めた統一組織を作ろうと呼びかけ、ともに相手をもって迎えられて幕を閉じた。

二十二日に至るまでに、小委員会は四度開かれたが（オ一号所載の総会は別）出席者の顔ぶれが違っている場合もあり、参加諸団体が望んでいた統一組織は、具体的な討議も出来ないまま↓夕べのプログラム作製に努力が集中された。

創立総会へ今一歩!!

今後組織をどのように作って行くかは、各団体で検討したのち、近日中に創立総会にこぎつけることになるが、まだ参加していない団体、個人への呼びかけと、新安保についての各界の意見を新聞にして、討論を活溌にしていくべきだと、二十五日の安保対策小委員会で決め、その旨映画人の会に提案する事になった。

なお、共同宣言はその後諸団体

からの意見で、一部字句が修正され、参加団体もふえて十団体となり、有志参加が五団体となった。

共　同　宣　言

五月十九日　新安保条約は岸内閣と自由民主党によって単独採決され、その自然成立がうたわれています。

この成立は、憲法の精神に違反し、民主主義を破壊し、ファシズムへつながるものであります。この暴挙を許すことは、映画界においては言論、創作の自由を失なう道につながるものであると考えます。

私たちはこのような反民主的な手続きによる新安保条約の不承認を宣言し、今後、映画界のあらゆる人たちと、手をたずさえていきたいと思います。

一九六〇年七月二十二日

（西田　真佐雄　記）

「一九六〇年六月」完成 安保反対映画製作委員会が発足しました

安保反対映画は、題名も「一九六〇年六月」と決まり、六月二二日に完成しました。製作スタッフの一人として、これまで色々バックアップして下さった協会の方々に感謝いたします。

撮影や編集の段階では、各方面の意見を聞きながら、自分達自身の考え方をかためていったのですが、特に今度のように、歴史的にも初めてな大衆運動の場合、それぞれの事件や行動を、どう評価するか、難しい点が多々ありました。この安保斗争を積極的に進めていこうとする各政治勢力の間にも、勿論完全な意見の一致があったわけではなく、そして一個の作品にする点から考えれば、当然作家自身の、運動に対する見方が、この問題の最終的な結論になるものです。「一九六〇年六月」というタイトルが、その気持の現われなのですが、安保反対斗争という歴史の一時期に立ち会った、作家の証言として、フイルムを人々に提出したつもりです。勿論欠点も多く作家自身も不満が残っていますが、そんな事にかかわりなく、どしどし批判を出して頂きたいと思っています。

今回は、録音という最終段階に於てさえ、四名の演出部員がいたくらいに、相当数の作家が集団的に創造活動をやったのですが、各個人の能力を生かしながら、中心作家の個性が支配的に生きるように、という試みとしては、割合いにうまくいったようです。たゞし他の技術部門と、このような関係ができていない点は、これから解決していかなくてはならないでしょう。

作品の完成とほゞシンクロして、製作委員会も、準備会の段階からぬけだし、正式に発足しました。構成は、勤視連、自映連、作家協会の三者。（「一九六〇年六月」については、安保阻止国民会議と総評が後援になりました）当協会からは事務局長を正式の代表者として送りだしました。ですから今後の運営はすべて三者協議によるわけですが、その中でも、対外的な代表者を一人立てる必要があると考えられます。

作品は十六ミリ四三分、売価三万円で、普及販売は製作委員会の中の勤視連が担当し、実費、雑費をおとしたあとの純利益は製作委員会の積立になります。この額がいくらになるかは、とらぬ狸の皮算用しても始まらないのですが、ある程度の資金は確保できそうです。

したがって、製作委員会のこれからの仕事は、この資金の管理と、運用方法になりますが、そのためにも、記録映画の製作普及運動の見通しと戦術について意志を統一する必要があり、それに伴って製作委員会の発展的な性格規定、と運営がのぞまれます。さし当って発足したこの製作委員会の前途について、協会の皆さんの関心と、積極的な意見提出をおねがいいたします。

（七月二五日　大沼　記）

自民、民社、総評で安保記録映画製作!!

新安保をめぐる記録映画が、自民、民社及総評の三者で競作されている。

自民党では「議会政治の危機、許されない集団暴力」で議会政治擁護連盟が製作したもの。各支部で上映させている。ほかに「このまゝでは日本は亡びる・デモ隊国会へ乱入」「伸びゆく日本」を製作した。民社党は新理研映画に委嘱して「安保問題と民主社会党」を作っている。製作のニュース映画のフイルムから編集、来月初旬完成の予定で選挙運動に活用する方針で進めている。それに我々が作った安保反対映画製作委員会製作になる「一九六〇年六月」がある。

1960. 9. 1 発行

教育映画作家協会々報

No 59

教育映画作家協会

東京都中央区銀座西八ノ五　日吉ビル四階　TEL (571) 5418.

安保反対映画製作委のその後
教育映画祭振興会へ作家の意見を
―八月十八日運営委員会の報告―

八月十八日運営委員会で次のことをきめた。

(一)新入会六名の承認がされました。

(二)長期滞納者に対しては再度の調査の結果十六名に最終の手紙を出すことをきめた。

(三)生活を守る小委員会について作家の生活権については小委員会で取りあげられるように働きかけることと、著作権の問題で調査することが話された。

(四)教育映画祭の委員会の問題は教育映画の審査について運営委員長が出席してその任にあたることが話された。教育映画祭の協会の役員については運営委員長、事務局長の他に河野哲二氏を推薦した。

(五)安保問題について

(イ)安保批判の会の総会についての報告があり。安保批判の会はつゞけて残る。個人参加、団体参加等の細部については世話人会できめる。今後の方針は安保不承認のせんで進む、専門人の他に母親の会、声なき声の会、地域的な批判の会等の問題についてどうするか等が話されたと、

(ロ)安保反対映画製作委について

現在四二本まで普及、勤視連では九〇本売ればよいといっている。

以上のことからも基本的にきめた。

資金のプールは、変えずこの二、三ケ月を普及の時期と見、製作委会を持ち、作協、自映連、勤視連より各二名とし六名にて講成される。作協としての委員には富沢事務局長、間宮則夫があたることをきめた。資金が集ったら安保反対製作委は解散し、新しい型のものが生れてくる。

総評の労農ニュース製作との関係は、製作委へ問題がくる場合、討議されるものである。

又製作委に一本フイルムが寄贈されることを決定しているので要請する、このフイルムは研究用に活用出来る。

(ハ)安保対策委員会について

〃民主主義を守る映画人の夕べ〃の才一回準備会流会となり、監督新人協会からの連絡を待つこととなった。

(六)実験映画を見る会について

才二回の実験映画の会は〃忘れられた人々〃がかりられることから急速に具体化し、ポスター、チラシ、会員証の申込をたのむと共に、実験映画の調査を進め〃白い長い線の記録〃〃キネカリグラフ〃等のかりられることからいよいよ確信を待った。実行委として八幡省三、松本俊夫、西本祥子、杉原せつの四名をきめ八月三一日に開く。

又十一月には中国映画祭を計画する準備を進めている。最後に藤原智子さんに才一男子誕生され、運営委としてカンパしお祝ものをさしあげることになった。

〃松川事件劇映画〃
九月十九日より
撮影開始!!

松川事件劇映画全国代表者会議が八月十五、十六日の現地調査後開かれた。そこでシナリオは新藤兼人氏が再度山本管督とあたり、八月末までに決定稿とし、九月十五日より撮影開始、それまでにキャストを決定、ストリーを印刷、各方面に流し、宣伝にあたる。十一月十五日クランクアップ、十二月十日頃封切とする。又現地調査の記録映画、一巻を劇映画促進の普及の為に各方面の映画会に活用すると共に資金カンパを十一月一パイを目標に一人一〇〇円を集める活動に力を入れることを実行委できめている。

作協へも資金カンパの協力方の申入が、実行委よりある。

安保問題と教育映画祭
才二回実験映画会計画きまる
ー八月十一日常任運営委ー

八月十一日常任運営委会が開かれ次のことが話された。

㈠会費長期滞納者二〇名に対しすでに手紙を出して納入を呼びかけ、返事のあったものもあったがないものが多く、再度財政担当者より手紙を出し呼びかける。

㈡教育映画祭内容及役員について話され、協会としても責任をもって映教及教育映画祭の会合に出席することの重要性がとかれ、教材映画、社会教育映画のことを知っている人ということで運営委員長、事務局長の他に河野哲二氏を選んだ。

㈢安保問題について

㋑安保反対映画製作の問題についての報告がなされ、製作委の今後のあり方について話され、細部については富沢事務局長が出席出来る次会の運営委員会で討議することとなった。総評では今回の大会で四〇〇万円の資金をきめ労農ニユースを年六本つくることなどとどういう関係になるか等が出されている。

㋺安保対策委について、十二日安保批判の会総会に矢部正男氏出席

民主主義映画人の夕べについては監督新人協会の方の呼びかけがあるまで待つこととなった。

㈣実験映画を見る会について、才二回目の計画であることと、雑誌〃記録映画〃の資金運動として行う。

日時は九月二八日～三〇日の間一回。所、虎の門共済ホール。上映作品、〃白い長い線〃（日本）〃色と線の即興詩〃（カナダ）その他、長篇として〃忘れられた人々〃（メキシコ）が上げられ費用として専伝ポスター、チラシ、会員券に二七、〇〇〇円、会場費一二、〇〇〇円、フイルム代一五、、〇〇〇円、雑五、〇〇〇円、で計五九、〇〇〇円。

収入として雑誌〃記録映画〃資金一口百円で九〇〇名で九〇、〇〇〇円、ポスター、チラシ、会員証は広告を取るので約五八、〇〇〇円収入の予算で行う。八月末までに体制を組、九月上旬より活動をはじめる。

◇◇……………◇◇

1960年 教育映画祭

主催は財団法人日本映画教育協会で、今年で才七回をむかえ、映画教育の振興を目指した総合会議、教育映画功労者の表彰、教育映画のコンクール、国際短篇映画祭を開く。時期は東京～十月三日～七日。地方～十月二三日から十二月一二日まで。

△教育映画総合振興会議

十月七日。東京都中央区泰明小学校講堂で開催、教育映画歩みを討議する。

△中央大会。十月六日、銀座・山葉ホールで優秀教育映画選賞の発表上映、映画教育功労者表彰式。

△国際短篇映画祭、才七回国際短篇映画祭を十月三日から五日まで銀座、山葉ホールで開催。

△教育映画総合振興会議の議題「教育映画の利用と振興」ときまり議長に三名製作者側より田口氏か石本氏、利用者側より鈴木（虎）氏関野氏とする。

映画祭予算として映連から二四万円の寄附と「映画の日」の連盟の五万円の寄附を映画祭にまわし二九万円でまかなう。文部省からの補助金審議中。

八月二日、教育映画祭振興会が十二時より開かれ、配給社連盟、ライブラリー、学視連、全視連の諸先生の出席と共に作協より、大沼氏が出ました。

〇振興会議の内容についての説明があり、十月七日開かれる。それまでに各団体で決議してくる。時間表は九時三〇分～功労者賞、十時三〇分問題提起、一時～討議、各団体の問題提起で五分、九月中に代表者会議、全体会議のことをきめる。議長団に石本、その他の諸氏があたる。

〇討議に入り、現状はあくの資料を作ること、目で見る資料も必要、等出され映教調査室で出している資料を生かせばよい。教育映画の中には教材映画、社会教育映画、の他に産業映画もふくむ点も出された。

〇会場は泰明小学校で一五〇名の代表が集って開く。各方面より十名～十五名出席の要請があった。

〇教育映画祭振興会のスローガンとして「〇〇〇ライブラリーの設置案が出されている。

以上に出席して言える事は、教育映画界の動きをつかむことが大切である事を知らされました。

ガイド　お知らせ

△第二回実験映画を見る会

とき・一九六〇、十月四日（火）　后六、〇〇上映

ところ・虎の門共済会館ホール（都電・地下鉄・虎の門下車二分）

内容・一、〃メトロポリタン（フランス）ランボーの詩と動く抽象画のコントラスト

二、**同じ空の下に**（ポーランド）ヴイエルニツクポーランド版〃夜と霧〃とまでいわれている。

三、**キネカリグラフ**（日本）グラフイツク集団・五年　グラフイツク集団で製作、大辻　清等

四、**線と色の即興詩**（カナダ）マクラレン・カメラを使用しない映画芸術の革命

五、**白い長い線の記録**（日本）松本俊夫。PR映画に新しい表現を試みた実験映画

六、**珍説・宇宙放送局の巻**（イギリス）テイルパー（予定）感星に住む少年の超空想的冒険談

休　憩

七、**忘れられた人々**（メキシコ）ルイス・ブニユエル作品。シーユレアリズムの主法をもつて画く、アイチヤルになげすてられた芸術が政治へくいこんで行く作品

注、本映画会は雑誌〃記録映画〃へ一口百円の寄附された方々を招待する会であります。

・協会員はぜひとも雑誌〃記録映画〃資金の為に協力者をつのつて下さい。

△記録映画を見る会　九月例会

〃現代の日本〃特集

今回より城北映サ協と共同で池袋で開くこととなりました。

とき・九月二〇日（火）后六時

ところ・豊島振興会館（国電、地下鉄池袋下車　豊島公会堂隣）

内容・(一)ペンギン坊やルルとキキ　二巻　人形映画製作・人形劇映画

(二)一九六〇年六月安保の怒り　四巻　安保反対映画製作委員会、野田真吉　構成

(三)光を（三巻）　日教組企画、新世界プロ製作　野田真吉　演出　めくら、おしなどの子供たちの生態を画く。

(四)日本の子供たち（五巻）　共同映画社製作・青山通春　演出　大村収容所の韓国の子供達と日本の子供達の友情

会費一人、三〇円とります。

△西武記録映画を見る会　九月例会

記録映画〃欧州の旅〃特集

○西武デパート八階文化ホール

○毎土曜十二時三〇分・二時

三日ーイギリス篇　時計、二人の少年と河

十日ーフランス篇　セーヌの流、白い馬

十七日ーポーランド篇　羊の放牧、おしやべりあひる

二四日ーチエコ篇　ガラスの雲、運動と時間

関西の労働者の手によつて　〃武器なき斗い〃完成!!

山宣映画化実行委員会では〃武器なき斗い〃と題名を決定、関西の労仂者の資金カンパにより三三万枚、一人一〇〇円のカンパ製作資金三三〇〇万円で宣伝、製作資金にあててこの九月三日に完成、大阪の朝日会館で完成祝の試写会を開き、関西全域の上映にあたる。この運動の成果は労仂者の視聴覚活動への認識の高まりといえよう。スタツフには依田義賢、山形雄策脚本・山本薩夫監督・キャストには山宣に下元勉、妻千代に渡辺美佐子があたり、組合書記に新人、谷育子があたる。

東京でも総評、松川劇映画東京実行委、上映促進会、映愛連で山宣上映委員会を九月十日頃に試写会をかねて開き、十月上旬、会館ホールでの有料試写会を開き十月中旬に座館を会場とした封切を行うよう準備中です。

「安保批判の会のその後について」

安保批判の会は、元来新安保条約を批判研究することを目約として、去年の秋結成されたがその後の研究勉強の積み重ねの中で、新安保条約の批判阻止を当面の目的とする運動体に発展した。わが教育映画作家協会もこれに参加し、批判の会の一員として活動して来たことは改めて云うまでもないが、わが国の歴史上未曾有の規模に拡大して行つた安保斗争の中で、批判の会を通じての斗争参加者の数も、予想外に大きなものとなつたのである。

結成当初の方針としては、政府が安保条約を批准しようと謀つていた六月にねらいをつけて、それまでを一応この会の存続期限としていたのであつたが、その後、いわゆる自然承認を迎えた現段階を考えた時、当然、この運動をこゝで終らせることなく、「文化各界の力を結集し、安保体制を切り崩すための国民的統一戦線の一環となるために」今後ともこの会を続け、一層積極的に運動を前進させることになつた。この新方針に基いて、今後の問題を討議する会が去る八月十二日に開かれた。

会は、吉野源三郎氏の経過報告、松山善三氏の財政報告に続いて、松岡洋子氏の今後の方針についての提案があり、その後で質疑応答と討議が行われた。

こゝで一番問題になつたのは、組織をどうするかである。この会の前（七月二十七日）に拡大世話人会が開かれたが、そこで出された結論は、後に掲げるような案で、要するに個人加盟

と団体加盟の二重構造を考えたものである。これに対して、強力な文化戦線の統一を目指して、一元的に団体加盟にせよという意見が出たが、それに就ては世話人の方から疑義が出された。その云うところによると、本来、この会の発足は、文化各界の個人がより合つて生れたものであり、そこにこの会の特徴もある。若し、これを今に至つて一律に団体加盟にすることは、批判の会の性格を根本的に変えるものであり、運営についても自信がもてない。又、ある団体の一部有志だけが会の主旨に賛成であるという場合も現実に多いので、団体加盟を強制することは実際的でない、と云う訳である。結局、この日の会で結論は出せないから、九月に改めて個人加盟の世話人と団体加盟の代表者の間で話合う会を作つて、そこで討議を進めようということになつた。安保批判の会のその後の経過は以上の通りであるが、これについて本協会としての意見はまだまとめる機会を得ていない。

以上報告まで。

（矢部記）

動静

六月に新理研映画を退社し現在日映科学で仂いています。

田部　純正

日本短篇映画社にて「日本のエレクトロニクス」EKカラー（二巻）の脚演中。

日高　昭

「オートリフト」（一巻）富士映画で演出中です。

谷川　義雄

「青果市場」を岩堀さんと一緒にやつて完成、現在社教自主作品「変りゆく農村の中で」の企画調査中、農業教材映画も続けてやりたいと二、三準備中。

原田　勉

このたび日本視覚教材KKを離れ日本デザインセンター映画部の一員としてあらたな仕事にあらたな抱負で出発しました。

中央区銀座四の五　明裕ビル　日本デザインセンター　TEL (535) 三三三一〜五

岡本　昌雄

事務局だより

◇暑中見舞きました

塚原孝一、大方弘男、全国農村映画協会、三映フイルムKK、新世界プロダクション、たくみ工房

◇新協会その他の紹介

㋑社団法人日本雑誌協会、芸能記者クラブ、千代田区神田駿河台一ノ七
TEL (291) 〇七七五　一八五九

㋺日本映画撮影者協会
新宿区三光町一番地　富士ビル二階
TEL (341) 五三九六　に移転

◇単行本及雑誌の紹介

㋑みすゞ書房発刊、いずれも一割引

・ドキュメンタリイ映画　ポール・ローサー
厚木たか訳、四六版三九六頁
写真三二頁　八〇〇円

・芸術としての映画　ルドルフ・アルンハイム／志賀信夫訳　B六版二三〇頁
写真十二頁　四〇〇円

・映画言語　マルセル・マルタン／金子敏夫訳　二八〇円

・映画の心理学　ヴォルフエンスタイン／加藤秀俊訳　三五〇円

㋺世界映画資料　オ二六号
日本の映画特集　一部一〇〇円

◇映愛連会員の募集をします

全都の映画館が学割で見られます。

今回作協としましても、劇映画の利用度が多くなり、映画サークルの会員募集をします。

特典①全都の邦画封切館が学割で見られ、ロードショウは前売割引あつかいます。

②毎月一回スケジュール期待作品ののつた機関紙無料配布

③自主上映及座談会等に安い料金又は無料で参加出来ます。

会費一ケ月二〇円　三ケ月六〇円前納の方に学割に活用出来る会員証を配布します。会員証には名前と年令を記入しないと無効になります。九、十、十一月三ケ月分。

申込は作協事務局まで

◇綴り込み合本ファイル申込受付中

「記録映画」（十二冊一年分綴り）一部百二十円（送共）／事務局まで、まだ多数あります。

◇新入会者紹介

川田郁雄〜目黒区下目黒三ノ七〇七　フリー助監督、学校名、立正大学経済学部卒

石井清二〜神奈川県鎌倉市材木座六九一
日映新社

泉田昌慶〜新宿区戸山町四三ノ三　岩波映画社、学校名、法政大学日本文学科中退

諏訪　淳〜杉並区下高井戸一ノ二三三　岩波映画社、学校名、成城大学経済学部経済学科卒

△住所変更及その他お知らせ

吉見　泰〜港区赤坂一ツ木町六六
TEL (481) 〇七一四

日高　昭〜渋谷区羽沢町二八ノ六　住宅公団　鶴沢アパート五二三号室

徳永瑞夫〜新宿区戸塚町四ノ七七九
TEL　三六一ノ二四三六

川本　昌〜埼玉県入間郡福岡村、公団住宅
上野台団地七八五棟　三〇二号

◇協会財政報告　七月分

収入之部

項目	金額
会費	五四、八五〇
雑費	五三、二一八
繰越	（一）一二、五一四
計	九五、五五四

支出之部

項目	金額
文具品	二、三二五
交通	三、三一三
通信	六、三一二
雑費	四、七六五
印刷費	七、〇〇〇
人件費	六五、〇〇〇
電話料	一、八三九
事務所	五、〇〇〇
計	九五、五五四

◇記録映画・財政報告　七月分

収入之部

項目	金額
予約	九、一七〇
売上	五、六〇四
広告	六九、〇〇〇
雑費	二、四八〇
繰越	五六、八五二
計	一四三、一〇六

支出之部

交通	二、七九〇
通信	二、五一三
雑費	四八、九七六
電話料	二、八四〇
文具品	一四〇
印刷費	五〇、四九一
原稿料	五、〇〇〇
計	一一二、七五〇
差額	三〇、三五六

1960. 10. 1 発行

教育映画作家協会々報

No 60

教育映画作家協会

東京都中央区銀座西八ノ五　日吉ビル四階　TEL (571) 5418.

労農映画製作を促進

協会、記録映画財政

ピンチ、滞納一掃に全力を

ー九月十日運営委員会報告ー

九月十日運営委員会を開き、次の方々が出席しました。富沢、西本、野田、松本、杉原、長野、かんけ、八幡、間宮、河野、荒井、の十一名。

一、入会者の紹介と承認されました。新理研所属の宮口、かまたの両氏です。

二、〃安保の怒り〃映画の件

製作委員会の報告が間宮、富沢両氏よりなされました。

一応勤視連で借出した、六五万円については返却を了承し、プール分についてはそれを作協、自映連で二等分した金額の相当額を勤視連が出し製作委で管理する。製作委事務局を自映連の新海さんにおねがいする。

以上の報告にのっとって討論、基本的には三団体がおたがいに出資し合い現時点で新しい製作運動の精神をつらぬくようにすること、総括を十月製作委員会とスタッフの合同会議で開くと共に、正文化するように申し入れることをきめた。

三、〃労農ニュース〃について

総評大会で決定され、三二〇万円で年間四本を作る。勤視連が製作を担当する。

以上のことが労視研実行委で出され製作普及委員会を作ることをきめた。

今回のスタッフは作協より徳永　夫氏があたることとなった。

今後の製作のこともあるので、討議をくりかえし深めることとなった。

四、財政問題について

協会財政をみると、一ケ月の会費収入の平均（一月より八月まで）が六一、二五五円となり、予算額の八五％の六四、一一一円にたっせず、七五％になります。滞納分を調査しました処、八四、〇〇〇円にもなります。支出をみますと、七〇、〇〇〇円近くとなり一三、〇〇〇万円近い赤子。

又記録映画財政の方は、一ケ月の収入の平均（一月より八月まで）は七一、七七一円で予算より四、〇〇〇円の不足。

合計しますと、一七、〇〇〇円近い赤字となり八ケ月間合計、一三六、二〇八円。未払金の合計（〃記録映画〃の印刷費、原稿料等）一四〇、〇〇〇円に。

そこで運営委員会として次の対策を立て実行にうつしました。

㋑協会財政に対しては、滞納会費八万円近くを、運営委及事務局で滞納者の方々にあたり九月一杯で滞納を整理するよう努力する。

㋺記録映画財政に対しては、予約申込者の中で代金未納分に代金納入のお願いを調査の上送る、未納分は三八、〇〇〇円ある、それと共に事業活動を年間で今まで以上に組むこと。これらをおのおの実行した上で、九月末再度運営委員会で検討します。

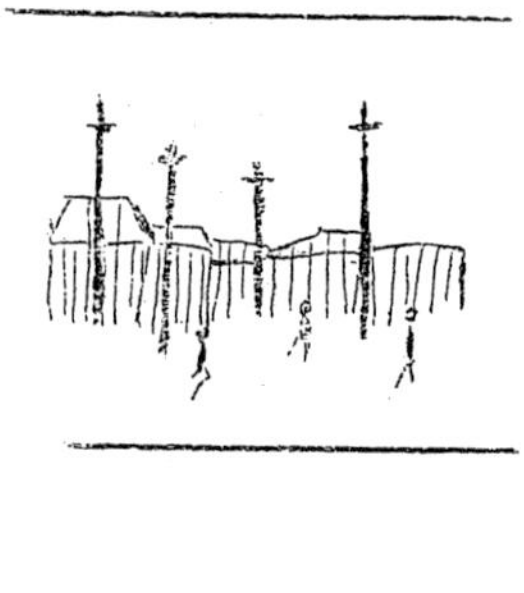

一九六〇年六月 製作費

精算書

規格白黒十六ミリ版五〇二m
　一九六〇、七、三〇作
完成日時一九六〇年七月二二日
製作期間一九六〇年五月二四日
　～七月二四日、二ケ月
スタッフ編集責任者　野田真吉
　製作責任者　高林公毅
　他五六名（スタヂオ準
　備を含まず）
製作費目録
フイルム費　二一一、八七四円
（現像料込）N　TRI—X28
　　FNG—　42
　S　FNS　九八、三一六—
　R　7.000f　一五、五〇〇—
　（含五%目減）
　　五二、五五〇—
　P　初号分
　（リールケース込）
　　一二、七〇〇—
　D.N.MS分
　　一四、八〇八—
　　一五、二〇〇—
　その他（白　味　他　スヌケ）
　　二、八〇〇—

デュープ費（共同TV分）
　二五、〇〇〇円
音楽費（演奏実費）
　二五、〇〇〇円
ロケ費　一一四、六八五円
三池撮影分　三、八九〇円
新潟撮影分　七、七九五円
都内ロケ分一〇三、一〇〇円
準備費（共同映画間接雑費）
　一三、三〇〇円
機材費撮影、照明機材
　五二、八七〇円
レンタル費　九一、五〇〇円
目黒スタジオ二一、五〇〇円
アオイ　〃　七〇、〇〇〇円
ダビング料　編集・録音雑費
　一〇六、六六六円
（含テープ代、宿泊費）
　九四、二五六円
効果費　一二、四一〇円
タイトル費　原稿タイプ写植代
アニメーション協力雑費
　九、〇〇〇円
合計　六四九、八九五円

「一九六〇年六月」プリント報告書
　昭和三十五年八月二〇日
一九六〇年七月二二日より八月二〇日まで

日本社会党一本、東宝商事三本、長野映研二本、東京映画社三本、九州共同四本、関西共同五本、日朝協会一本、北星商事一本、国鉄労組三本、静岡共同一本、炭労本部二本、東京映画一本、全逓労組二本、鉄鋼労連一本、総評青対部一本、東ドイツ労組一本、勤視連三本、共同映画一本、自治労一本、名古屋共同一本、富山共同二本、日本ベトナム友好協会一本、地銀連一本、北海道共同一本、全電通本部十本、

合計　五四本

一九六〇年教育映画祭

中央大会日程決定

十月三、四、五日　后一時、四時七時、三回　国際短篇
〃　六日　前九時半、入選作品上映〔学校教育部門〕「機械工業ー自動車。鉄の加工」「たのしい紙工作」「えんそく」「いなかねずみとまちねずみ」〔社会教育部門〕「生きている日本列島」〔産業教育部門〕「機械文明の騎士たち」
〃　六日　后一時　中央大会一時上映〔学校教育部門〕「いねの成長」〔社会教育部門〕「故郷のたより」二時ー表彰式、三時上映〔学校教育部門〕「君たちはどう生きる」〔社会教育部門〕「マリンスノー」〔産業教育部門〕「黒潮丸」以上会場ヤマハホール
〃　六日　后五時パーテー、ガスホール「レストランACB」
〃　六日　后六時半　国際短篇セレクト
〃　七日　前九時半　発表会〔社会・産業教育部門〕后〇時半　発表会〔学校教育部門〕后三時半　発表会〔社会・産業教育部門〕后六時半　発表会〔学校教育部門〕ヤマハホール
〃　七日　前九時半　振興会議〔視聴覚教育賞表彰式四名〕泰明小学校

以上のことで九月二〇日に会合が持たれ一、功労賞について関西の視聴覚関係で三〇年以上仕事された方四名を決定、二、中央大会の持ち方については挨拶田口副委員長祝辞文部大臣、表彰の言葉、金指副委員長、記念品及賞品贈呈、有光委員長、審査経過報告・落合審査委員長等を承認、三、近畿方面の映画教育振興会議の開催についての報告がなされ、二府四県の視聴覚関係から三〇名づつで三〇〇名出席し、分科会方式で開き「教育映画について「普及について」十月下旬に一日かけて開く計画。

一九六〇年 教育映画祭
総合振興会議へ出席を

とき。十月七日(金)前九時三〇分
ところ。泰明小学校講堂
（地下鉄、都電スキヤ橋そば）
内容・一、各部門より提案事項
前九時三〇分～十二時
二、視聴覚教育賞表彰式と視聴覚教育映画関係者追悼
三、討議
一時～五時
（注）ぜひとも教育映画界の白書ともいうべきものが当日審議されると思いますので、ぜひとも作協といゝ、出席下さい。当日討議資料は受付で配布されます。
〃 〃

ガイド お知らせ

記録映画を見る会 十月例会

ー松川事件劇映画製作促進ー
○十月六日(木)后六時 豊島振興会館（国電、地下鉄池袋下車）
1.「真実の証言」二巻山本薩夫監督（現表調査の記録）
2.「フイルムによる証言」六巻 羽仁進監督
主催 東京松川事件劇映画実行委東北ブロック会議

ー現代の眼ー
○十月二十一日(木)后六時 豊島振興会館（国電、地下鉄池袋下車）
1. アグファカラー サルバチ・ヨメ 二巻
（ランタン・ヒマール遠征隊記録、中日ニュース）
2. マスコミと私たちの生活 二二巻（共同映画社）
3.「しずむ」又は「霧の地点」（国学院映研又は前衛映画作家集団の作品）
4. 海をわたる友情 五巻 望月優子監督（朝鮮送還を題材に）
主催 城北映サ協、教育映画作家協会（会費三〇円）

ー自主上映画祭 十月例会ー
時間は后六、七時半二回又は一回

十七日(月)②戦艦ポチョムキン 虎の門共済ホール
十八(火)②世界の河は一つの歌をうたう 虎の門日消ホール
十九(水)②アジアの嵐 虎の門日消ホール
二〇(木)②勝利と独立への道 ハロン湾の光と幸 虎の門日消ホール
二一(金)②チャパーエフ 虎の門共済ホール
二二(土)②建設者(コミニスト) 虎の門共済ホール
二四(月)①青春の歌 虎の門共済ホール
二五(火)②虹(ソ連) 虎の門日消ホール
二六(水)②祝福 虎の門日消ホール
二七(木)①春香伝・金剛山 虎の門共済ホール
二八(金)②阿片戦争 虎の門日活ホール
二九(土)②アジアの嵐 両国・両国公会堂
三一(月)②アジアの嵐 三河島荒川区民会館
会費 一〇〇円（二回以上の方は追加会費五〇円納める）
主催・東京自主上映促進会

△教育映画祭中央大会△
とき・十月五、六、七日
ところ・東京・銀座山葉ホール
五日ー国際短篇映画上映
六、七日ー入賞作品上映表彰式
○優秀作品賞
△学校教育部門
「いねの成長」「たのしい紙工作」「いなかねずみとまちねずみ」「えんそく」（学習研究社）
「機械工業ー自動車・鉄の加工」（日経映画）「君たちはどう生きるか」（東映教育映画部）
△社会教育部門
「故郷のたより」（東映教育映画部）「生きている日本列島」（理研映画テレビ）「マリン・スノ」（東京シネマ）
△産業教育部門「機械文明の騎士たち」（日経映画）「黒潮丸」（岩波映画）
○特別賞
「神経のはたらき」（日映科学映画製作所）「海を渡る友情」（東映教育映画部）「黙っていてはいけない」（三木映画社）
「刈干切り唄」（記録映画社）
主催 日本教育映画協会

◇西武記録映画を見る会 十月例会

ー一九六〇教育映画祭入賞作品集 西武デパート八階ホール、前十時三〇分・十二時
二日(日)◎黙っていてはいけない（丸山章治、三木映画）◎たのしい紙工作◎いねの成長（学研）一日中上映
十六日(日)◎機械工業ー自動車（杉山正美、日経映画）（鉄の加工）◎機械文明の騎士たち（間宮則夫、日経映画）
三〇日(日)◎刈干切り唄（記録映画）◎神経のはたらき（日映科学）

動静

東宝シネプロ「日本の絹」撮影中です。 石田 厳
考える機械、脚本演出で撮影中です。十月中旬完成の予定（三井芸術プロ） 頓宮 慶蔵

東京シネマの「生化学産業の将来」についての手伝いと「農村共同化」のシナリオ作成のためプランを作り始めています。　熊谷　光三

記録映画への意見

他の雑誌にない独特を形式での劇映画・短篇・ニュース映画・テレメンタリイテレビドラマの作品評を行う頁がほしいと思います。恒常的な頁です。　熊谷　光三

◇協会員へお願い◇

秋の頃となり、しのぎやすい季節となりました。

皆様方に余りうれしくない事をお伝えしなくてはなりませんがぜひとも教育映画作家協会の会並びに運動の発展の為に協力下さる事を節にお願いする次才であります。

一、協会の会費の納入が非常に悪くなり七五%以下になってきています。協会財政は八五%以上なくては運営は困難です。滞納分を合計しました処なんと八五〇〇〇円近くになっています。各運営委員及事務局のものがお伺いしますので滞納されている方々は至急納入され協会財政を健全にして下さい。尚滞納が多額にわたる方は分割でも結構ですので運営委員又は事務局に御連絡下さい。

二、雑誌「記録映画」の予約者の滞納の合計が三八〇〇〇円近くあります。別に誌代納入のお願いを当人に送りましたが、紹介された協会員の方々は蔭ながら代金を納入していいるかどうかを聞きたゞして載ければさいわいです。

各位様

教育映画作家協会
事務局長　富沢幸男

事務局だより

◇単行本及雑誌の紹介

㋑みすゞ書房発刊、いずれも一割引

・ドキュメンタリー映画ポールローサー
厚木たか訳。四六版三九六頁
写真三二頁　八〇〇円

・芸術としての映画　ルドルフ・アルンハイム／志賀信夫訳　B六版二三〇頁
写真十二頁　四〇〇円

・映画言語　マルセル・マルタン／金子敏矢訳　二八〇円

・映画の心理学　ヴオルフエンスタイン／加藤秀俊訳　三五〇円

㋺世界映画資料　オ二六号
日本の映画特集　一部　一〇〇円

◇映愛連会員の募集をします

全都の映画館が学割で見られます。

今回作協としましても、劇映画の利用度が多くなり、映画サークルの会員募集をします。特典①全都の邦画封切館が学割で見られ、ロードショウは前売割引あつかいます。

②毎月一回スケジュール期待作品ののった機械紙無料配布

③自主上映及座談会等に安い料金又は無料で参加出来ます。

会費一ケ月二〇円　三ケ月六〇月前納の方に学割に活用出来る会員証を配布します。会員証には名前と年令を記入しないと無効になります。九十、十一月　三ケ月分。

申込は作協事務局まで。

◇綴り込み合本ファイル申込受付中

「記録映画」（十二冊一年分綴り）一部百二十円（送共）／事務局まで、まだ多数あります。

◇住所変更及びその他お知らせ

工藤　充～港区麻布今井町三五の一九
藤プロダクション

久保田義久～TEL（三八五）二七二七

高井達人～千葉県松戸市日暮六四一
公団住宅二ノ三ノ二〇四

河野哲二～中野区沼袋三二七　平山方
TEL（三八六）〇二九二（呼）

◇新入会者紹介

宮内　研～世田谷区北沢四の五四二　尾島方
所属　新理研助監督

中川すみ子～相模原市上鶴間公団アパート十六棟　一〇二号
所属　新理研助監督

成島義夫～渋谷区千駄ケ谷二の十七　原方
フリー助監督

協会財政報告　八月分

収入の部

会費	五八、八〇九
雑費	四、九〇〇
計	六三、七〇九

支出の部

文具品	五〇四
交通	五、七七五
通信	八五九
雑費	四、〇一五
人件費	三七、五〇〇
電話	二、七五五
事務所	七、〇〇〇
計	五六、四〇八
差額	七、三〇一

記録映画・財政報告　八月分

収入の部

予約	一〇、二〇〇
売上	九、二〇〇
広告	三七、〇〇〇
雑費	二、三一〇
繰越	三〇、九四一
計	八九、五五一

支出の部

交通	三、〇九三
通信	二、七五一
雑費	一二、〇二〇
電話	二、七五四
文具品	一六〇
印刷	一、〇〇〇
計	一、七七八
差額	一七、七七三

1960. 11. 1 発行

教育映画作家協会々報

教育映画作家協会　　NO 61

東京都中央区銀座西八ノ五　日吉ビル四階　ＴＥＬ（571）5418.

十二月二八日定例総会決定と雑誌「記録映画」の内容と形式

ー十月二〇日運営委報告ー

十月二〇日に総会のことその他で運営委員会を開いた。

一、新入会については神奈川ニュースの方の紹介になる成島義夫氏、新理研企業所属になる村松氏の二名が承認された。

二、長期会費滞納会員について、九名の方々の名前があげられその中で、水上修行、池上吏郎の両氏は一年以上の会費滞納でありなんらの返事のないことから最終的手紙を出す。

その他の方々で何回となく呼びかけても納入されてない人には各役員があたることゝなり、強力に話すなり手紙を出す。又今年の一月より八月までの会費滞納分が八万円にもなりこの点については財政の方で方針をきめ各役員にあたつてもらう。

三、事業活動について、実験映画を見る会は予想外の成果を上げることが出来ました。これは実験映画が一つのブームに乗つていることゝ、各協会員の協力によるもので記録映画財政に入る。

又、その他の計画として小さなものでは①〃記録芸術の会〃との共催による「記録映画研究会」を十一月十五日開き、〃キューバ革命の記録映画〃を上映、会費一人五〇円で行う。②大島渚の問題作〃日本の夜と霧〃を読書新聞、戦後映画研究会、その他主催で上映運動をおこす。③シナリオの合作、④編集の手伝等による事業活動が報告された。

四、総会について

日時を十二月二八日（水）とする。場所は新聞会館、当日の集りをいくらかでも良くする為に〃世界の問題になつている記録映画〃を総会前に上映、又企業の作家が集りよいように各会社にお願いする。

◎総会の議案書原稿を十二月十日〆切で集め、十二月十九日に各作家に発送する。報告内容ー事務局報告（財政報告ふくむ）運営委員長報告、編集委員会報告、各種研究会（記録映画、社会教育映画）各種委員会（安保対策委、生活を守る小委）その他、運動方針案、を作る為に、◎十一月、二回以上の運営委会を開きそこで総括と方針をきめ十二月十日までに各報告書を原稿にまとめる。

◎オ一回を十一月四日（金）后四時より開く。

五、編集委員会よりの提案事項「記録映画」の形式をＢ５版からＡ５版にし、三二頁を六四頁にし、今までより売上を増す。又、内容についてはそれだけ記事がふえるので今まで以上に論文、座談会、シナリオ等が掲載される、それにより内容的にも売れ行でも伸びなやんでいるものを改善したいむね話されたが、種々討議の中で、技術的にすぐ出来ないこと等から話し合いだけになつた。その中で、大きさは今までと同じで、写真口絵をなくし十六頁ふやし表紙を二色にすることなどが出され、又内容的には討論は深まらなかつた。総会でも審議し、次期運営委に申しおくりする。

△教育映画総合振興会議について

教育映画祭の中の重要な役割を持つている、教育映画綜合振興会議が、十月七日の一日をかけて泰明小学校講堂で「教育映画の製作と利用を振興するために、どんな問題があるか、それを打開するために、今後の活動の重点をどこにおくか」と対して開かれた。当日作協からは富沢事務局長と八幡運営委員が出席しましたが、ライブラリーの問題は多く出ていたが、作品の評価及その他にはふれられず、作家として問題にする点がなかつたとのことです。

△国際短編映画祭の中で、問題作はドイツの「スティール・ヴエリエーション」で製鉄所の中にカメラをむけ実験性をこころみている。チエコの「ボンボマニイ」トル：カの作品で原爆を強烈に風刺した漫画、デンマークの「コペンハーゲンという都市」の実験映画、フランスの「野性の馬の夢」高速度撮影による特殊な映画等です。

記録映画へ意見

少し原稿が盛り沢山の様な気がします。原稿が集まらないので編集部が沢山口をかけていたのが思いのほか集り過ぎたといつた現象かもしれませんが一寸読みずらい感がします。盛り沢山で七十円じゃ安いといつた読者は少ないのではないでしょうか。　京極　高英

この頃見出しのLアウトは些か抵抗を感ずるそれは何十年か前の前衛詩人の著書を想わせる古さを感じさせるのだ。猛省を促したい。

肥田　侃

第七回定例総会予告

今年は歴史的に記録さるべき国民的斗争がおきた時であります。安保反対斗争がそれです。飛躍の年ともいえましよう。作家協会でもその斗争に参加すると共に一やく飛躍の方向にむかつていると云えましよう。それらのことをふくめ左記に総会を開きますので出席の準備をしておいて下さい。

◎◎◎

とき。十二月二八日（水）
　後一時～八時
ところ。新聞会館（銀座松屋裏）
内容・一、世界で問題になつている記録映画上映。
　後一時～二時
二、総会式次才
㋑挨拶、㋺議長選出、㋩各委員会報告、㋥総括報告、㋭事務局報告（財政報告）㋬運動方針案提案及審議、㋣役員改選
三、亡年会

第二回労視研全国集会要領

総評主催になる労視研実行委では二回の会合で、労視研全国集会を次の様に決めた。会合には作協より八幡省三、間宮則夫の両氏出席。

とき・一九六一、二、十七日～十九日
ところ・伊東、修善寺、その他の中一ケ所
費用・資料費　一〇〇円　参加費二〇〇円
　宿泊費二、〇〇〇円
オ一日目・全体会議、十三時～十八時
　・記念上映　十八時～十九時
オ二日目・問題別分科会　九時～十五時
　・分野別分科会　十五時三〇分～十八時
　・技術講習　十九時～二一時
オ三日目・分野別分科会　九時～十一時
　・産業別交流会　十一時～十三時三〇分
　・全体会議　十三時三〇分～十六時
註・問題別分科会は五ツにわかれて行われ、分野別分科会は七ツにわかれます。特に〃労農記録映画の製作上映の会には作家協会の会員の出席が要請されている。

―動静―

富士映画〃オートリフト〃完成し、いま電通映画社で仕事しています。　谷川　義雄

日本のエレクトロニクスEK四巻改訂日本語版完成、マイクロウエーブEK三巻英語版クランクイン（読売）、日本の原子炉三巻脚本（新理研）　入江　一彰

七月三十日中国から四ケ月振りで帰国しました。今度日映新社で撮ることになり準備中です。　京極　高英

映画日本社にて「東京の科学」脚・演中。　日高　昭

「明治大学」八十周年記録映画の追込み中。十一月三日にクランク・アップして十二月初め完成の予定。セキスイ化学全懇映画のシナリオオ二稿を作成。ブラジルのミナス製鉄所建設記録のシナリオオ二稿作成。　肥田　侃

教育映画ガイド

△記録映画を見る会

十一月例会

テーマ−教育映画祭入賞外特集

とき・十一月三〇日(水)
后六時予定

ところ・豊島振興会館二階会議室

一、〃天平美術〃 二巻 製作三井芸術プロ、脚本演出・水木荘也

二、〃プレミアムマラソン〃二巻 カラー製作理研科学、脚本演出 野田真吉

三、〃手術〃三巻、カラー製作シユウタグチプロ、脚本演出渥見輝男

四、〃歩みはおそくとも〃三巻 製作全農映、演出 荒井英郎

五、〃書くべえ、読むべえ、考えべえ〃三巻 製作三木映画社、演出 柳江寿男

主催 教育映画作家協会、城北映画サークル協議会

現代生活とPR映画特集

ところ・西武八階文化ホール

六日(月)十時三〇分、十二時
一時三〇分

◎〃高速道路〃樋口源一郎 二巻 日本道路公団企画、製作

◎〃いのちの詩〃カラー四巻 演出・亀井文夫、日本生命企画電通映画社製作。

十三日(日)一時、二時三〇分
四時

◎〃現代生活と肝臓〃カラー二巻 演出、西本祥子、理研科学

◎〃一号炉の建設記録〃二巻 日本原子力研究所企画

◎〃シリコーン〃三巻 演出、間宮則夫、信越科学工業企画、日経映画社

主催 教育映画作家協会

優秀映画の会
(中部映画友の会)

とき・十一月十八日(金)后六時

ところ・生保会館(有楽町・毎日新聞横隣り)

内容一、刊千切り唄(記録映画)

二、黙っていてはいけない。(三木映画)

三、海を渡る友情(東映教育映画部)

会費 三〇円

△記録映画研究会

とき・十一月十五日(火)后六時

ところ・国立競技場講堂(地下鉄外苑前、国電千駄ケ谷下車代々木門より入る)

内容一、実験映画〃白い長い線の記録〃松本俊夫

二、実験映画〃ヒコーキ〃

三、キューバ革命の記録 東松照明

会費 五〇円

主催 記録芸術の会・教育映画作家協会

△「武器なき斗い」独立座館で上映!!

関西の労働者が中心になって作った〃山宣の伝記映画〃自主製作作品「武器なき斗い」は関西地方では十月五日から、関東地方では十一月より上映される。上映劇場は、関西−4日前オリオン座(大阪)美松大劇場、宇治東映(京都)彦根大劇(滋賀)尾花座(奈良)経済センター(和歌山)京町映劇、尼ケ崎南堂(兵庫)
関東−川崎スカラ座十月二八日より、蒲田国際−十一月五日より、銀座ニュー文化十一月五日より、新宿京王十一月二六日より上映、ひきつゞき池袋日勝、渋谷全戦、その他を交渉中。

△日ソ協会記念映画会

とき・十一月十七日(木)后六

ところ・豊島公会堂(国電、地下鉄池袋下車)

内容・〃十月のレーニン〃上映

会費 一人 六〇円

主催 日ソ協会

◇日大江古田芸術学部祭

とき・十一月二〇日〜十一月二三日まで

ところ・日大芸術学部講堂(西武線江古田駅そば)

内容・記録映画「白い長い線」松本俊夫演出「春を呼ぶ子等」「マリン・スノー」「忘れられた土地」「光を」野田真吉演出

劇映画「愛と希望の街」大島渚演出

「盗まれた欲情」今村昌平演出

◇法政大学祭

とき・十月三一日(月)

内容・記録映画「安保の怒り」等 野田真吉構成

とき・十一月一日(火)

内容・劇映画「忘れられた人々」(メキシコ)ルイス・ブニュエル作品

ところ・法政大学八三五番教室(国電飯田橋下車)

◇芸術祭主催

①日本映画戦後代表作映画祭

とき・十一月一日〜三十日まで

ところ・池袋人世座(国電、都電地下鉄、池袋駅下車)

内容・〃〃酔いどれ天使〃〃羅生門〃〃七人の侍〃〃晩春〃〃雨月物語〃〃楢山節考〃〃炎上〃等を年代順

料金 一般八〇円前売、割引券六〇円を発行

◇②映画の歴史を見る会

とき・十一月二九、三十日

ところ・山葉ホール

◇③記録映画鑑賞会

とき・十一月二一、二三日

ところ・山葉ホール

〜〜

△協会員へお願い△

総会もあと一ケ月で開かれる頃となりました。

皆様方に余りうれしくない事をお伝えしなくてはなりませんがぜひとも教育映画作家協会の会並びに運動の発展の為に協力下さる事を節にお願いする次才であります。

一、協会の会費の納入が非常に悪くなり七五%以下になつてきています。協会財政は八五%以上なくては運営は困難です。滞納分を合計しました処なんと八五、〇〇〇円近くになつています。各運営委員及事務局のものがお伺いしますので滞納されている方々は至急納入され協会財政を健全にして下さい。尚滞納が多額にわたる方は分割でも結構ですので、運営委員又は事務局に御連絡下さい。

二、雑誌「記録映画」の予約者の滞納の合計が三八、〇〇〇円近くあります。別に誌代納入のお願いを当人に送りましたが、紹介された協会員の方々は蔭ながら代金を納入しているかどうかを聞きたゞして戴ければさいわいです。

各位様

教育映画作家協会
事務局長　富沢幸男

事務局だより

△単行本及雑誌の紹介

(イ)みすゞ書房発刊、いずれも一割引

・ドキュメンタリー映画ポール・ローサー
厚木たか訳、四六版三九六頁
写真三二頁　八〇〇円

・芸術としての映画　ルドルフ・アルンハイム／志賀信夫訳　B六版二三〇頁
写真十一頁　四〇〇円

・映画言語　マルセル・マルタン／金子敏夫訳　二八〇円

・映画の心理学　ヴオルフエンスタイン／加藤秀俊訳　三五〇円

(ロ)世界映画資料　オ二六号
日本の映画特集　一部　一〇〇円

△映愛連会員の募集をします

全都の映画館が学割で見られます。

今回作協としましても、劇映画の利用度が多くなり、映画サークルの会員募集をします。

特典①全都の邦画封切館が学割で見られ、ロードシヨウは前売割引あつかいます。

②毎月一回スケジユール期待作品ののつた機関紙無料配布

③自主上映及座談会等に安い料金又は無料で参加出来ます。

会費一ケ月二〇円　三ケ月六〇円前納の方に学割に活用出来る会員証を配布します。

会員証には名前と年令を記入しないと無効になります。九十、十一月　三ケ月分申込は作協事務局まで。

△綴り込合本ファイル　申込受付中

「記録映画」（十二冊一年分綴り）一部、百二十円（送共）／事務局まで、まだ多数あります。

△住所変更及びその他お知らせ

水木荘也～江東区南砂町四ノ一ノ八
谷川義雄～川崎市高石百合ケ丘公団住宅二六の二〇二
田中　実～練馬区上石神井二の一七〇八の一　石神井公団住宅二一号の二
大島正明～品川区小山五の六三

△新入会者紹介

村松隆一～荒川区日暮里町三ノ九六七
加藤方　所属　新理研
二口信一～世田谷区世田谷五の二九七八
電話（414）三五五五
フリー助監督

協会財政報告　九月分

収入の部

会費	七〇、四五〇
入会費	一、八〇〇
映画会	九〇
雑収入	二、三七八
繰越金	七、〇六一
合計	八一、七七九

支出の部

人件費	三八、二五〇
文具	七八五
交通	三、八六三
通信	六、七〇九
事務所	五、〇〇〇
映画会	一、五〇〇
手数料	二八五
雑費	七二五
返却	二、〇〇〇
合計	五九、一一七
差額	二二、六六二

記録映画・財政報告　九月分

収入の部

予約	五、〇五〇
売上	一六、五六〇
広告	三〇、〇〇〇
映画会	一三、六四〇
ファイル	九二〇
借入金	一三、〇〇〇
繰越	一四、七六九
合計	九三、九三九

支出の部

印刷費	六五、四八二
通信	五、五三六
交通費	二、八一一
文具費	一八〇
原稿料	三、〇〇〇
映画会	九、七五〇
合計	八九、三五九
差額	四、五八〇

1960 12 28発行

教育映画作家協会々報

教育映画作家協会　号外

東京都中央区銀座西八ノ五　日吉ビル四階　TEL (571) 5418

作家と読者を結ぶ 記録映画劇映画 ガイド

◇西武記録映画を見る会一月例会
ー日本文化シリーズー
とき。一九六一年一月十五日（日）一時、二時三〇分、四時
ところ。西武八階文化ホール
内容。御神輿師　二巻
黒島のおどり　二巻
伝統に生きる町二巻
（いずれも岩波映画）

ー社会教育映画ー
とき。一月二九日（日）一一時、一時、三時、四時三〇分
ところ。先と同じ
内容。露路裏の灯　五巻
東映教育映画部
演出豊田敬太

◇高知自主上映の会　一月例会
とき。一月二四日、二五日后六時
ところ。高知市中央公民会館
内容。一、キュバ革命四篇
二、その他〃レジスタンス映画〃
主催。高知自主上映の会
高知市丸の内四、中央公民会館内

◇国立近代美術館
〇一月番組
①世界のアニメーション映画会
一月五日〜十五日、十六日〜二六日、二七日、二月五日三段階で。
内容。くじら線（カナダ）ボンボマニイ（チェコ）猫とねずみ、酒はのむべし、二等兵シュベーク（ポーランド）雪の女王（ソ連）白蛇伝、マリンスノー（日本）その他を組合せる。
②アニメーション芸術と現代写真展
アニメーション芸術はデズニーと東映動画を、現代写真展は今年の秀作を展示
〇各日午後二時から京橋同館四階
〇会費五〇円、学生四〇円展覧会も同時に見られます。

◇記録映画研究会　一月初会合
一九六一年の新春に実験映画、それも大学映研、シナリオ研究会、又実験室ジエヌの作品をテーマに
とき。一九六一年一月十八日
后五時〜九時
内容。プープー（日大映研）
一、〇五二（早大シナ研）
ヘソと原爆（実験室ジエヌ）細江英公作。
猫学（実験室ジエヌ）
寺山修司作
ところ。日本鉱業会館六階会議室（並木通日映新社はす前）
主催。教育映画作家協会。
記録映画研究会

◇国民文化会議全国集会お知らせ。
テーマー。新安保体制と文化活動。
とき。一九六一年一月
二一日（土）前十時〜十二時。
全体会議
木下順二記念講演
二一日（土）后一時〜五時専門別部会（八つ）
二二日（日）前十時〜五時問題別部会（九つ）
二三日（日）前十時〜十二時問題別部会
二三日（日）后一時〜五時
全体会議

(2)

記録映画又は劇映画

〃松川事件〃上映予定

ところ。日本青年館(外苑そば)

(註)専門別部会は映画、演劇、美術、音楽、学習、文学等、問題別部会で特に問題になるのは〃マス、コミとどう取り組か〃〃サークル活動における問題点〃〃青年の問題〃〃学校教育〃〃余暇活動〃等の他に特別問題別部会として学者、芸術家、文化活動家の〃政治とどう対処すべきか〃がもうけられた。多くの参加をのぞんでいる。

会　費。一五〇円(資料代をふくむ)

主　催。国民文化会議

千代田区富士見町二ノ三TEL(301)一三四三

◇都民劇場映画サークル文化映画シリーズ。

と　き。一月二四日(火)后六時。

ところ。共　立　講　堂

テーマー〃世界の旅〃

一、ハワイの旅

二、今日のモスクワ

三、うるわしのカリブ海

四、欧州浜歩き

・二月二四日(金)上より高く

・三月二四日(金)リズムの流れ。

会　費。三回連続二〇〇円(一回一〇〇円)

主　催。都民劇場映画サークル

中央区銀座西五ノ四数寄屋橋ビル内TEL(571)九三五六番(代)

◇「日本の夜と霧」再上映促進の再度の呼びかけに

オ五回全日本学生映画祭を十一月二五日に大阪で開いた。全国の大学映研は「日本の夜と霧」の再上映を最後まで請願する意志のあることを、こゝに声明致します。と十一月二五日づけで松竹株式会社社長、大谷博あてに再度声明文を発表、全国的に各種団体に呼びかけ行動をおこしセンターをもうけた。

◇劇映画「松川事件」一月完成!

労仂者の一人一〇〇円カンパになる自主製作になる。劇映画「松川事件」は山本薩夫監督で赤問には新人小沢弘治が大塚弁護人には宇津井健が、本間刑事には西村、晃司検事には多々良純があたり一月二〇日完成、全国会議の規模で試写会が開かれ、一月三一日から全国の座館で上映されることゝなつた。

製作資金カンパがいまだに二〇%しか集まらず十二月いつぱい一口一〇〇円の会員証を募集中協力下さい。

主　催。松川事件劇映画製作委員会。東京都港区新橋六ノ五二、TEL(431)二六三八二六六三

事務局だより

◇単行本及雑誌の紹介(一割引になります。)

(イ)〃ドキユメンタリー映画〃(本誌掲載)

ポール・ローサー、厚木たか訳

四六版三九六頁写真三二頁

八〇〇円を七二〇円に

・〃芸術としての映画〃

ルドルフ・アルンハイム

志賀信夫訳B六版二三〇頁

写真十二頁、四〇〇円を三六〇円

・映画言語マルセル・マルタン

金子敏夫訳

二八〇円を二五二円に

・映画の心理学ヴオルフエンスタイン

加藤秀俊訳

三五〇円を三一五円

以上みすず書房

(ロ)〃芸術運動の未来像〃武井昭夫著四六版三〇〇頁

四〇〇円を三六〇円に

・〃カリガリからヒツトラーまで〃(本誌掲載)ジークフリード。クラカウア

各務　宏訳　予価四五〇円

・大島渚「シナリオ集」

(〃日本の夜と霧〃他)

二五〇円

・世界現代芸術レポート

中原・松本・利根山他一七〇円

以上現代思潮社、一割引となる。

(ハ)現代子ども気質、阿部進著

予価三〇〇円を二七〇円(記録映画十二月号〃子供と映画〃執著社)　新評論社発行

◇年末年初の休日と仕事初について。一九六〇年十二月二九日(木)　后一時まで。

一九六〇年十二月三〇日から一九六一年一月四日まで休みます。

一九六一年一月五日前十一時仕事初め。

◇映画サークル会員募集中

東京映愛連では会員募集中です。会の特典は

①会員証をおわたしゝます。会員証で全都の推薦館が学割で見られます。三ケ月切換になります。十二月、三月、六月、九月の四期にわかれます。

②月一回の機関紙ミリオン・パール八頁(スケジユール三頁つき)を無料配布

③毎月に観賞映画を取りあげ観賞し座談会を各地区ごとで開きます。

1961・1・1 発行

記録映画作家協会々報

No. 63

記録映画作家協会

東京都中央区銀座西八ノ五　日吉ビル四階　TEL （571） 5418

"総会のまとめ"と今年の財政方針について

―第一回常任運営委報告―

オ一回常任運営委一月二四日
出席者―大沼、丸山、八幡、河野、宮沢

㈠各団体との関係について

㋑映画観客団体全国会議、一月十一、十二日の二日間、大塚仲町開拓会館で開かれる。宮沢氏の出席予定

㋺労視研全国集会、二月十三日、十四、十五日鬼怒川で開かれる作協として資料を提出することゝなつた。出席予定者として徳永（助言者）野田、杉山等を上げ事務局より山之内が出る重点を労視研におく。

㋩日本映画復興会議二月十七日八日中央労政会館
二月上旬の運営委員会で出席人員はきめることとなつた。

㈡総会のまとめ

事務局長より総会のまとめが発表された（本会報総会報告を参照のこと）その中で生活権の問題及団体の性格等にふれ、今年一年の運動等について、運営委員会で総会決定から深めてひき出し、専門委の問題がそこで必要とされゝばということになつた。

㈢財政問題について

㋑協会関係では未収会費を集め会員の%を上げること㋺"記録映画"関係では広告収入についてはプロダクションをもう一度あたること、映画会の事業を年（三月、六月、九月）三回とし一回の映画会を一日だけではなく二日間やる。㋩単行本及他の雑誌のあつせん等
以上より㋩対策としてⒶ未収会費については滞納者のリストをつくり各企業の中に担当者をきめその方々に協力してもらう。Ⓑ広告については今まで掲載された各プロダクションのリストをつくり役員が交渉すること等が出された。

㊁事務局員の人件費値上については以上の対策の上で一、〇〇〇円づつの値上を一月より承認された。武井登美江七、〇〇〇円に佐々木守一二、〇〇〇円に山之内重己二〇、五〇〇円に、又佐々木守氏が三月までゝ事務局をやめるので後任のことゝ、佐々木氏の退職金については、一ケ月分出すことが話された。

㈣マンガ大会については二七日の編集委員会での話し合の後、八幡、宮沢、野田の諸氏と共に計画書を作ることゝなつた。

次回の運営委員会は二月八日(水)午后五時三〇分協会事務局です。

◇住所変更　その他お知らせ

片桐　直樹～渋谷区代々木大山町一〇四七
泉水　剛～世田谷区玉川等々力町三の三八　フリー助より企業三「東京シネマ」
二瓶　直樹～練馬区南大泉六六五
斉藤　久～神奈川県三浦郡葉山町堀内一五〇一

◇新入会者紹介

長浜　明～文京区指ケ谷町五九　フリー助

新人事の決定とマンガ映画会三月に行う!!

—第一回運営委報告—

六一年度才一回運営委員会報告
出席者　京極、大沼、丸山、松本、西本、河野、八幡、宮沢、荒井、野田の諸氏
欠席の連絡のあつた方　間宮、藤原、杉山の諸氏

一、新入会者　長浜　明さんフリー助監督が入会しました。

二、新機構案が事務局長より発表になり、前年度のように事務的にわけるわけではなく運動面を考えあわせて、

(イ)企画財政—今までの財政と事業とを考合せ協会、記録映画の財政の企画にあたる。
(ロ)機関誌—今までと同じ
(ハ)研究会—　〃
(ニ)製作運動—「安保の怒り」又総評企画の映画、その他の製作運動については事務局長直轄であつたものを協力対策を運動化する立場で別にした。
(ホ)観客運動—昨年は事業として組れていたが今年は記録映画読者、映サ、労視研、国民文化会議等との交流及作家の派遣等のことに力を入れる。

以上の他に作家の権利の問題では別に特別委員会を運営委員会の責任で持つ。

(ヘ)人事を次のように決定しました。

・企画財政担当責任者八幡省三
　〃　担当　西本祥子
　〃　　　　菅家陳彦
・機関誌　担当責任者丸山章治
　〃　担当　松本俊夫
・研究会担当責任者岩堀喜久男
　〃　担当　荒井英郎
・製作運動担当責任者河野哲二
　〃　〃　杉山正美
　〃　〃　間宮則夫
・観客運動担当責任者富沢幸男
　〃　担当　苗田康夫
　〃　〃　岩佐氏寿
（註矢部正男氏は一身上の都合で六ケ月間運営委を休みます）
・編集委員長　野田真吉
　委員　松本俊夫、熊谷光之、長野千秋、黒木和雄、徳永瑞夫、西江孝三
（註）まだ連絡していない方には連絡承認してもらう。
・常　運営委員　八幡省三、丸山章治、岩堀喜久男、河野哲二、宮沢幸男の他に運営委員長、事務局長が入る。
・企業の中から連絡員をおき運営委と常につながりを持つようにする。三名以上の協会員のいるプロダクションから出す（岩波映画、日映科学、日映新社、日経映画、新理研、日本アニメーション、全農映、東京シネマ、等）

三、総会議事録については事務局長がまとめ次回常任運営委員会に提出討議の末会報に発表する。

四、協会名変更及新役員の紹介状を出す。文案は事務局長に一任唯し、記録映画作家協会と名称がなぜかわつたか、又その立場でPR、教材映画を撮つて行くことも書き加えて行く。

五、記録映画、協会の財政問題については次回常任運営委員会で審議し今後一年の方向をきめるのであるが、とりあえず〃記録映画〃の広告については各プロダクション及スポンサー等から積極的に広告を取るよう働きかけることなぞが話された。

六、事務局員の問題について、
・佐々木守君は今まで〃記録映画〃の編集にたずさわり、事務局員として二年近く働いて、ついましたがこの三月で記録映画の助監督として働くことゝなり事務局を退めることを承認ひきつゞき新しい人を事務局員として迎える為に候補者三名が上つており銓衡を早めにすることゝなつた。

七、〃記録映画〃財政確立の事業活動として『才三回世界実験マンガ映画大会』をこの三月中旬虎の門共済ホールでやることを決定した。

次回常任運営委員会を一月二四日后五時三〇分（今後作協の会合はこの時間とすることをきめた）協会事務局で開く。

〃記録映画〃に対する意見（アンケートより）

或る主張が、その主張者の立場を考慮しつつ取り上げられる可能性が強く、従つて論文は力作である程に、のせてもらえる仕組になつているのは、他誌にみられぬスバラシサだ。反面全体としての誌の視野が狭くなる危険もあるが、これは全く投稿主体の我々の努力と才能の問題にすぎないと思つている。

平野克己

一九六〇年度総会報告

オ七回定期総会が六〇年十二月二八日、新聞会館で后一時より開かれた。初めに〃チベット解放〃〃アルシジア〃の記録映画を上映後総会に入った。議長団には丸山、大島、二瓶諸氏の三名をえらび、書記二名をきめ、報告より入った。祝電が議長団より発表され、次の処からきていました。「中部映画友の会、城北映サ協、新日本文学会、機関紙映画クラブ、若松映演協、共同映画社、戦後映画研究会、京都記録映画を見る会、現代子供研究集団」

ひきつゞき総会出席人員成立の報告がなされ出席者三五名、委員五〇名計八五名で成立

・協会名及役員の投票の発表がされた。

(イ)協会名では総数八五票、変更賛成六九票、反対八票、棄権八票で決定しました。

(ロ)委員長選は、京極高英四四票
矢部正男一八票
その他　二〇票
棄　権　三票
で京極高英に決定。

(ハ)事務局長選は大沼鉄郎三七票富沢幸男二五票、その他二〇票棄権二票で過半数とならず決選投票となり
大沼鉄郎六五票
富沢幸男一二票

総会は、一般年次報告、各責門部からの報告(議案書参照)のあとをうけて、年次報告をめぐる討論からはじめられた。討論は、ジグザグのコースをたどりながら、決して十分とは言えないまでも、一応の問題点は出されたと思われる。ここで、細かい発言をもすべて列記することはさけ、討論の主旨をあげて、できるだけ問題を整理してみると、次のようになるのではないか。

一、一般年次報告をめぐって

ここでは次のような意見がでた。企業にいる作家では、協会に消極的な会員が多く、高い会費を出して雑誌を一冊もらうだけでは割があわないという声がある、企業内会員に返ってくる利益は何か(日映科学・松川の発言)

岩波映画のような企業でも研究会が活潑に開かれているが、作家協会員も別に協会員としてでなく、撮影部など技術部の人々と組んでスタッフとしてやられていて、そこに協会との接点があるとは意識していない。企業の中では、労働組合としてのまとまり方があるし、また一方、会社とすれば、作家を抱えるときは、作家協会のことなど考えるわけではなく、個々の作家は、協会との間に密接なつながりを感じられないでいる(岩波映画・蔵松)

この、会員に返ってくる利益は何か、ということにかんたんに今すぐ答えるということは難しい。それはフリーの会員にも同じことが言える(フリー・富沢)

また、雑誌「記録映画」の安保問題のとりあげにしても、他の綜合雑誌などをよめばたりることが書かれていて、映画作家としての独自の追及が弱い。(蔵松)

生活権の問題も、運動論のかげにかくれてしまって、後まわしになっている(フリー・本間)

これらの意見を通していえることは、協会と会員を結びつけるものが何か、会員が協会の活動に積極的になれない何らかの壁があるのではないか、ということだろう、そして、この点をめぐっての討論の中では、

企業内の研究会にフリー作家が参加していくことによって、企業内の研究活動、作家活動を協会全体にひろげていく(日映科学・二瓶)ことの必要性。「記録映画」執筆者をよびだしての研究、討論会をもつこと(フリー・野田)。全く消極的な会員に頭を下げて会費だけ貰ってくるのは無意味で、会員の質を整理することも考えられるのではないか(蔵松)。等の具体案がだされた。

年次報告そのものについても、まとめ方に反対であり、総評や労組との合作映画、教育映画祭なども企業会員とは縁がうすいものになっているから、こういった会員を誘い込んでくるような方針がほしいし、更に作家協会の性格自身についても、もっと考えるべきであろうと(本間、蔵松)いわれた。

二、六一年度の方針にうつって、委員長報告(総会資料参照)のあと討論に入った。

ここでは、方針が、作家個々の心がけの問題に解消されていて、協会としての重点的な方針になっていないのではないか、この案には反対である(蔵松)とし、協会の指導性が強く要請されたが、一

方具体的な提案、ないし、原案にかかわる実践的なものをださずに、傍観的に批判するだけではだめだ、更に、作家一人一人の主体的な確立をぬきにして、協会の指導性に頼るというのはいけない（長の）ともいわれた。

安保反対映画製作委員会の発展をめぐつて、また「日本の夜と霧」の上映中止、新東宝問題を発端とした映画復興会議など、具体的にとりあげるべきだ（賛。大島）とだされたが、これは深まらなかつた。しかし、こうした論議を通して、作家協会というものを、いつたん一九六一年の現実ないし、芸術状勢内に対象化して置き、そこでの役割は何か、というかたちで、我々自身の任務を見定める必要（フリー・西江）。自然発生的に入会してくる会員が多いのだから、会員がみな目的意識を持つような方針（蔵松）。昨年の現実にてらして協会の仕事を整理し、六一年の情況に即した方針を立てる必要（賛・大島）が強調された。

作家協会の方針という場合、当然協会をめぐる外的な情況の分析ということが問題になるだろうし、協会内部の情勢分析も必須である。この判断の難しさは、個々人の場合はともかく、協会という大衆団体の機関がやろうとするとき、例えば運営委員会の内部だけでも意見の相違がでてくる、その最大公約数的な共通意見がこの方針になつている苦しさ（フリー・松本）がある。規約にも不備な点があり、方針案も、年次報告も不十分ではあるが新たに総会をもつて討議してからにしよう（蔵松）という理想論が、現実の問題としては殆んど不可能であるし、作家協会の現在の力量を無視した方針なり、運営なりというものはありえないだろう（松本）だが指摘された不十分さは認めるものであつて、これらの意見を入れて、新運営委員会と旧運営委員会の一部で、方針案、規約を更に検討する機関をつくり、ねりあげていくことを条件にして、年次報告と方針案は、採択承認された。

今后この機関は、

われわれ作家のおかれている現状（政治、経済、芸術など、また映画危機といわれる外的な情勢。その中で作家は何を考え、何を要求しているか、という内部の問題。要求をはゞむ具体的なカベは何か）これら現状の中での作家協会の位置と役割。（作家個々の要求から出発して、組織体としての協会の意志は何か、[illegible]であるべきか）

作家協会の目標。（現在の力量を高めつゝ、その力にふさわしい組織と、活動の内容は何か）

といつたことを中心に、構造的、重点的な方針をねりあげていかなくてはならないだろう。

三、更に協会名変更の件について

は、年次報告と方針案を討議する中で、協会の性格、方針が出され、それによつて決まるものとして話しがすゝめられたが、方針案の承認にともなつて、票決の結果、「記録映画作家協会」が承認された。われわれは、新しい名称であらためて才一歩を踏み出したのである。

移転のおしらせ

東京フイルム株式会社
移転先
東京都中央区京橋三ノ五
竹河岸・ビル四階
電話　二五三八
代表者　村上喜久男

新作十六ミリ教育映画試写会御案内

二月十日（金）一時開映
ところ　銀座山葉ホール
内容　″武士のおこり″″秋まつり″″漁業簿記をつける村″″智恵の発達″″野島丸船団

で大沼鉄郎に決定

(ニ)運営委員選票数順で十五名を決定、松本俊夫四八、野田真吉四六、菅家陳彦四七、苗田康夫四〇、間宮則夫四〇、岩堀喜久男三七、丸山章治三六、富沢幸男三五、八幡省三三三、河野哲二三二、矢部正男二一、西本祥子二七、岩佐氏寿二五、荒井英郎二五、杉山正美二五、

(ホ)会計監査、二名を決定

藤原智子六九、岩崎太本六五、

記録映画に対する意見（アンケートより）

十二月号の岩佐さんの一文よかつたと思います。原則論もゆるがせに出来ないでしようが、大多数の会員が大半の時間当面している問題の糾明に誌面を割き帰納的に原則へ到達する道を『大衆的に』探し出すことが大切ではないかと思います。どんなつまらぬスポンサード映画にも協同の仕事に終る『生き甲斐』を見出せるようにすることこそ作協を組織する意義だと存じます。会員の中で批評の労をいとわぬ人々で委員会をつくり、新作の相互批評で右の趣旨の効果をたかめ、ものによつては『作協推薦』を権威あるものとして、マスコミをまきこむようにしては如何でしようか。

浅野辰雄

〝読者と作家を結ぶ〟ガイド

◎一九六〇年度ベスト・テン発表

◇「キネマ旬報」。作品賞邦画〝おとうと〟洋画〝チャップリン独裁者〟。監督賞邦画〝市川崑〟洋画〝チャリーチャップリン〟。男優賞〝小林正樹〟。女優賞〝山本富士子〟。脚本賞〝橋本忍〟

一月三〇日（月）后五時より東京みゆき座にて発表会を行った。

◇「ブルーリボン賞」。作品賞邦画〝おとうと〟洋画〝　にて〟。企画賞〝裸の島〟の新藤兼人等。大衆賞　小林桂樹。新人賞大島渚。特別賞「武器なき斗い」スタッフ一同、。ニュース特別賞朝日ニュース〝血ぬられた安保条約〟特集。監督賞市川崑。男優賞三国連太郎。女優賞岸恵子等、二月三日六時、東京ガスホールで発表会開く、

◇「NHK」。邦画ベスト・テン「一、おとうと、二、黒い画集、三、豚と軍艦、四、悪い奴ほどよく眠る五、笛吹川、六、大いなる旅路、七、裸の島、八、ぼんち、九、太陽の墓場、十、女経、。監督賞市川崑、。新人賞大島渚、。女優賞山本富士子、。男優賞三国連太郎。脚本賞橋本忍、一月十一日NHKで発表会が持たれた。

◇「ホワイト・ブロンズ賞」。製作、配給賞ー東宝、東和、。男優賞ー三国連太郎。●女優賞ー岡田茉莉子、。特別賞ー「おとうと」の市川崑監督と製作スタッフ、「青春残酷物語」などの大島　監督、。ベストー邦画「おとうと」洋画「甘い生活」一月二一日后六時銀座山葉ホール発表会があった。

◇「映画の友」邦画ー一、おとうと二、黒い画集、三、悪い奴ほど……四、秋日和、五、笛吹川、六、太陽の墓場、七、裸の島、八、ぼんち、九、大いなる旅路、十、武器なき斗い洋画ー一、太陽がいっぱい、二、甘い生活、三、独裁者、四、黒いオルフエ、五、大人はわかってくれない、六、ロベレ将軍、七、人間の運命、八、ベン・ハー、九、スリ、十、アパートの鍵貸ます。

◇「ミリオン・パール賞」東京映愛連ベスト・テン。洋画一、独裁者、二、黒いオルフエ、三、太陽がいっぱい、四、刑事、五、にて、六、ロベレ将軍、七、ベン・ハー、八、五つの銅貨、九、人間の運命、十、十三階段への道、。邦画一悪い奴……二武器なき斗い　三おとうと、四女が階段を…、五娘。妻・母、六青春残酷物語、七親、八笛吹川、九大いなる旅路、十秋日和、。監督賞大島渚、。男優賞下元勉、。女優賞高峰秀子。特別賞(一)〝武器なき斗い〟スタッフ・キャスト　(二)朝日ニュース編集スタッフ、激動の一九六〇年と血ぬられた新安保条約

二月上旬虎の門共済ホール発表会

◇一部「大学映連」。邦画「一、裸の島、二、日本の夜と霧、三、血は渇いている、四、黒い画集、五、おとうと、六、太陽の墓場、七、青春残酷物語、八、ろくでなし、九、武器なき斗い、十、狂熱の季節、。洋画一、大人は判ってくれない、二、甘い生活、三、スリ、四、独裁者、五、勝手にしやがれ、六、十三階段への道、七、ロベレ将軍、八、太陽がいっぱい、九、橋、十、黒いオルフエ

◇「映画評論」ベスト・テン。邦画一、豚と軍艦、二、おとうと三、不良少年、四、日本の夜と霧、五、太陽の墓場、六、武器なき斗い七、裸の島、八、黒い画集、九、青春残酷物語、十、悪い奴ほど……。洋画一、甘い生活、二、勝手にしやがれ、三、独裁者、四、太陽がいっぱい、五、真夏の夜のジャズ、六、若者のすべて、七、大人は判ってくれない、八、黒いオルフエ、九、人間の運命、十、ロベル将軍、。日本映画一九六〇年の殊勲者、大島　、岸恵子、羽仁進、川又昂、新藤兼人、

◎労働組合視聴覚研究全国集会

とき。二月十三、十四、十五日（月、火、水）

ところ。栃木県鬼怒川

☆才一日（十三日）

・全体会議ー（十三時〜十七時）

(イ)基調報告(ロ)問題提起としての報告

・記念上映と技術講習（十九時〜二十一時）

☆才二日（十四日）

・分散会ー（九時〜十七時）

・記念上映と技術講習

☆才三日（十五日）

・問題別分科会（九時〜十三時）

・全体会議（十四時〜十六時）

問題別分科会内容の中で才三の〝劇映画、労農記録映画分科会〟は(イ)企業内の独占の問題、(ロ)自主映画製作、上映の問題、(ハ)労農記録映画の問題、の三ツの柱を中心に討議する。才一の地評、地区労代表分科会では県単位の視聴覚センターの問題が大きくとりあげられている。

○費用は参加費一人二、三〇〇円（資料二〇〇円、参加費一〇〇円、宿泊費二、〇〇〇円）

○主催、申込先、日本労働組合総評議会、東京都港区芝公園八号地二TEL(431)八一一九（代）

◎映画観客団体全国会議

とき。二月十一日（土）十二日（日）

ところ。東京都文京区大塚仲町中央開拓会館 TEL(941)〇〇二五番

☆才一日（十一日）后一時〜

。基調報告と討議

☆才二日（十二日）前九時〜

。自主上映運動について

。労働組合との提携について

当日は関西、中部、関東、北陸、北海道各地方の映サ協活動家が集ります。

。主催、関西、関東、中部地方、九州映画観客団体連絡会議、東京都新宿区新大久保一ノ四六二 TEL(369)三六二六

◇日本映画復興会議

とき。二月十七日(金)十八日(土)

ところ。中央労政会館（国電飯田橋下車）

内容　一九六一年の日本映画界を模索し、製作、観客運動の方向性を見出だす。

主催　映演総連、全映演、

◇劇映画「松川事件」自主上映二月二日より決定、

松対協及総評の主催になる劇映画「松川事件」は実行委員会をもうけて一人一〇〇円資金カンパにより、三、二〇〇万円の製作資金を集め一月二〇日完成、二月八日より全国一斉に新東宝との協同配給によって上映されることゝなつた。スタッフは脚本新藤兼人。山形雄策、監督山本薩夫等で「山宣映画化実行委のメンバーが中心になつている。労働者が作つた自主製作上映の才二弾です。細部については

劇映画「松川事件」全国実行委員会、港区芝新橋六の五二こみやビルTEL(431)二六六三

◇「豚と軍艦」「人間の条件」を取り上げ討論会

東京映愛連傘下城北映サ協では一九六一年一月上映の話題劇映画「豚と軍艦」「人間の条件」「名もなく……」を取り上げ討論会を左記のごとく開く。

とき。二月十八日（土）后六時

ところ。城北映サ協事務局内会議室（国電池袋東口三越裏）TEL(982)五九六五

主催　東京城北映画サークル協議会　豊島区池袋東一ノ十七

◇西武記録映画を見る会二月例会

ところ。西武デパート八階文化ホール

時間。十一時、十二時三〇分の二回

テーマ—六〇年度キネ旬記録映画ベスト・テン受賞作品

とき。五日〃君たちはどう生きるか〃（東映教育映画部作品五巻）

とき。十九日〃横山大観〃カラー　三巻

〃ガンと斗う〃カラー　四巻（新理研映画社作品）

◇予告

才三回　世界実験マンガ映画大会

とき。一九六一年三月中旬

ところ。虎の門共済ホール

内容　世界、日本のマンガがこの処多数輸入、製作されています。そこでそれらを集めて開きます。

主催・申込先記録映画作家協会　中央区銀座西八ノ五　日吉ビル　TEL(571)五四一八

◎〃記録映画〃に対する意見（アンケートより）

諸外国の動画映画界の近況など本誌をつうじて紹介くだされば幸です、中でも中国の現状なども

諸橋　一

良好なり、前進を望む、赤佐政治ますます面白くなつてきました。更に討論がかみあつてくると良いと思います。

長野　千秋

グラビヤを扉に二頁として、本文を八頁ほど増してはどうでしょうか。ジューク・ボックスのような軽いもの復活してほしいです。

谷川　義雄

自称作家先生が時折痛快極まりないことを書いて悲しませて下さるほかはおおむね喜ばせ、貰つています。ともかくスミからスミまで読む事だと思つてます。

持田　裕生

一、増員　二、協会員活動ニュース（製作ニュース）三、試写その他の会合の日取りがおくれがちなのは困ります。

三上　章

昭和三十三年八月に才一号を発行して以来通算二十九号、途中いろいろな困難な問題にぶつかりつつも本誌をここまで育てて来た編集にたずさわつた人々協会内外の協力して来て下さつた方々に感謝します。そろそろ「記録映画」も円

容的にも対外的にもここらあたりで更に（段階発展すべきではないでしょうか。その対策として次の提案を行います。一、内容についてーむづかしい論文もそれなりに必要なのですが、それだけでなくもつと一般の記録映画に関心を持つ人々にも親しめるようなものに出来ないでしょうか。例えば取材の範囲を広め、読者にも投稿のチャンスを与えいろいろな機会で見た悲劇映画の批判をのせるとか学校の先生方の教材映画に対する註文PR映画の担当者の製作者側への意見広く中国、ソ連のみならず北欧、欧米各国の記録映画界の動きや主要論文の掲載等思うようにいかない点もあると思いますが一考までに、一、対外宣伝についてーあらゆる機会を得て広く本誌のPRをすること、各大学の映研劇映画作家PR映画担当者、視覚教材担当の先生等へのタイレクトメールは如何ですか。

楠木　徳男

十二月号の岩佐氏のように楽屋ォチじみた姿勢は疑問です、なにも「顔面蒼白」論文を観迎する訳ではありませんがー「作家の姿勢と根性」「思想性」を言及するよりも「状況把握」の発見の視点の方がより意味があるのではないかと考えています。

山元　敏之

。同人、部的なものから抜け出して来つゝある事はよい。
・外部執筆者の固定化は出来るだけ避けたい。
・同人的要素から抜け出す事は出来ない点を整理して映画界の時々的な資料も乗せる様にしたい。

杉山　正美

最近の充実ぶりに敬意を表します。

岡本　昌雄

現在の編集方針を断固貫き、更に強力に発展させよ。

松本　俊夫

今の編集方針でよいと思う。短篇映画作家だけでなく、劇映画作家達の意見も続けて載せてほしい。

諸岡　青人

本誌記録映画における作家活動の中心的存在となっているといってもいいすぎではないと思います。今年度の編集方針を基盤に更に発展させていたゞきたいと思います。

間宮　則夫

一九六〇年度の成果をさらに積重ねてゆくことー理論と実践との統一をふまえ、問題の一つひとつを一層具体的に展開する運動の視点を確立すること。（理論的には一層微視的に実践的には一層臣視的に）

万人のためにパンを
万人のためにバラを
われわれは臣人の足
どこへ進む
道は遠くはない。
（ポオル・エリニアール）
壁に穴をあけるネズミであるより
は壁をまたぎこえる巨人となろう
ー日本記録映画作家協会バンザイ

作創的にはーたとえば
①作品日評ページを設けることー毎号一ー二頁（短篇、劇映画にわたりドキュメンタリー精神を基底としたものー担当者もしくは合評による）②外国作家との交流（手紙交換等の形式による）③読者（組織、活動家）のページ創設（一頁位）

大島　辰雄

問題の焦点が次前の主体論から表現論に合つてきたのは嬉しいことです。表現が全てだということは当然のことですから。その場合表現の原理論で作品を規定してゆく安易なやり方はやめて、一貫して理論を追求されることを観迎します。

飯村　隆彦

国際的にも国内的にも思想の世界はコントンとしてうずまいている時代ですからそのうずまきがよく表現されている今のままでいいと思います。コマカイことはあまり気をつかわないでこのまゝのばしてゆけば云い分ありませんね。

丸山　章治

。若い作家達のシンポジウム的な座談会を記事にして載きたいもの

黒木　和雄

いさゝか同じ歌を違う楽屋でくり返す点が気になるとはいえ歯ごたえのする内容をもつていると思います。その点編集委員の方々の御努力に敬意を表します。しかし時々緊張感をこわす様な無責任な原稿がないでもありません、いかにタダ原稿じみたものと読むと他人事！でなくハツとします。さてこの壁をのりこえて更にォリチナルな発想を持つたユニークな雑誌にしてゆく事こそ本年のテーマであると思います。

松川　八洲雄

こゝ一年特集方針に切換えてから性格ができてきました。今後もこの路線で一層の充実を期待します。

飯田　勢一郎

諸兄の御意見、私なりに大変得る所ありました。しかしいつまでたつても具体的に理論が発展せず面白くなくなりました。どんな考えでそうやつたのか速進にお聞かせ願いたい。一層発展するでしよう、それをお聞きしたいし、又私もお知らせするよう創作に専念します。

京極高英

各方面の投稿及新しい記録映画の理論闘争が活溌に行われた事はこの記録映画の大きな発展と思い大変喜んで居ります。

小谷田　亘

「西陣」記録映画製作に入る!

西陣は古い町である!西陣は伝統がある!西陣は勝負師である!「西陣」の記録映画はそこに働く人びとの生活ー伝統化されている暗い織手さんの生活を描くことだけでもなく、日本の現実に絶えず関心をもつていて、京都を知れば西陣に関心をもたざるを得ない、テーマは西陣を通して、日本の深部を描くことである。西陣を通じてとりだすのである。これは大胆な実験精神と思想をもつた作家にしか描けない。又この試みを支持する広汎な観客の積極的な協力がなくては出来ない。

1.製作団体とスタッフ、西陣製作実行委員会は京都記録映画を見る会(京都市上京区寺島町四条労働会館労映内TEL(35)六〇五三)製作プロダクションは芸術映画社(東京都中央区銀座東三ノ九TEL(541)七〇九四、九一五五)

・脚本・関根弘、松本俊夫
監督・松本俊夫、撮影・上村龍音楽・三善晃、美術・宇野薫之製作・浅井栄一、大村英之助
・映画は三巻(約二五分)白黒である。

2.製作スケジュール
一月中旬ロケ・ハン、一月下旬クランク・イン、二月下旬編集・録音、三月中旬完成

3.資金カンパについて
全体で二百万円はかゝります。そこで八〇〇円の協力券を発行しています。協力者には映画完成後、試写会へ招待します。

事務局よりお知らせ

◇単行本及雑誌の紹介
(一割引になります)事務局へ申込下さい。現金引換とします。

(イ)"ドキユメンタリー映画"(本誌掲載)
ポールローサ、厚木たか訳
四六版三九六頁写真三二頁
八〇〇円を七二〇円に

・"芸術としての映画"
ルドルフ・アルンハイム
志賀信夫訳B六版二三〇頁
写真十二頁、四〇〇円を三六〇円

・映画言語マルセル・マルタン 金子敏夫訳
一八〇円を一五〇二円に

・映画の心理学"ウオルフエンスタイン
加藤秀俊訳
三五〇円を三一五円
以上みすず書房

(ロ)"芸術運動の未来像" 武井昭夫著
四六版 三〇〇頁
四〇〇円を三六〇円に

・"カリガリからヒツトラーまで"(本誌掲載)ジークフリード。クラカウア
各務 宏訳 予価四五〇円

・大島渚作品集(内容)日本の夜と霧、青春残酷物語、太陽の墓場、深海魚群(未発表)
定価三六〇円 以上現代思潮社、
一割引となる。

(ハ)現代の子ども気質 阿部進著 予価三〇〇円を二七〇円(記録映画十二月号"子供と映画"執着社)
新評論社発行

◇映画サークル会員募集中
東京映愛連では会員募集中です。会の特典は
① 会員証をおわたしします。会員証で全都の推薦館が学割で見られます。三ケ月切換になつてます。三月、六月、九月、十二月の四期にわかれます。
② 月一回の機関紙ミリオン・パール八頁(スケジュール三頁つき)を無料配布
③ 毎月に鑑賞映画を取りあげ鑑賞し座談会を各地区ごとで開きます。
④ 会費は三ケ月で六〇円、入会金二〇円です。

◇協会財政 十二月分

収入の部

会費	九四、四〇〇
映画研究	三二〇
雑収入	七、二五四
貸付返済収入	五、〇〇〇
繰越	七九、八五八
計	一八六、八三二

支出の部

人件費	八七、〇〇〇
印刷費	一五、〇〇〇
映画研究	五、〇〇〇
家賃	五、〇〇〇
通信費	八、九四五
交通費	三、九〇五
文具費	一、一六〇
手数料	四九五
会合費	五、〇六〇
加盟費	二、一六〇
未払金	五、〇〇〇
借入返済	二三、〇六六
雑費	二、七五五
計	一二五、二四六

◇記録映画財政 十二月分

収入の部

予約	八、三五〇
売上	二九、七五四
広告	四七、〇〇〇
ファイル	一、一〇〇
貸付返済	二一、九四六
繰越	一一、八九六
計	一二〇、〇四六

支出の部

印刷費	一六、一七七
通信費	八、一六一
交通費	三、九八五
未払費用	六四、〇〇〇
借入返済	一、〇〇〇
雑費	五〇
計	九三、三七三

1961．3．1 発行

記録映画作家協会々報

No. 64

記録映画作家協会

東京都中央区銀座西八ノ五　日吉ビル四階　TEL (571) 5418

会費滞納と雑誌〝記録映画〟広告対策と協会員のPRを

ー二月八日運営委員会報告ー

二月八日運営委員会が開かれました。

㈠〝記録映画〟編集事務（作協事務局員）二名の候補について、事務局長、編集委員長、常任運営委の方々で話し合つてきめることゝなつた。

㈡実験マンガ大会について

先の実行委員会の報告後、㋑二日間開く、日時は三月三〇日、四月五日とする、㋺六時上映とする。㋩大きな組織へ会員証を出すので調査する。

㈢二月中の会合に役員の出席について

㋑映画観客団体全国会議に長野千秋、富沢幸男の両氏、㋺労視研全国会議に長野千秋、杉山正美両氏としてその他に八幡省三、かけ・まりの両氏を候補とし、徳永瑞夫氏が助言者として出席する。㋩日本映画復興会議には長野千秋氏とする。

㈣研究会世話人として記録映画研究会ー長野千秋、西本祥子の両氏雑誌の研究会ー松本俊夫、佐々木守の両氏。

㈤〝記録映画〟誌上の今後の方向について、㋑外国の文献をのせる中国、フランス、ドイツ等、㋺ルポルタージューをのせて行く。㋩講座をもうけるシナリオ、撮影、技術関係㋥劇、短篇の作品評をグループを作り発表して行きます。㋭各々の作家の記録映画論をのせて行く。又グラビアをなくして八頁本文を増頁する。等です。

㈥会費滞納についての対策

事務局より調査された資料にもとづき滞納者に対し各役員があたることゝなり二月一パイあたることゝなつた。その数三六名にたつしました。その他八名に最終勧告を出し二月末までに返事のないものは会を退めたものとし事務手続きをする。そのほか三名以上いる各プロダクションの中に責任者をおき、その方々との話し合を二月末に持つことをきめ次の方々を上げました。

日映新社ー苗田康夫、日映科学ー飯田勢一郎、岩波映画ー黒木和雄、新理研ー三上章、東京シネマー大沼鉄郎、日経映画ー間宮則夫、全農映ー不明　アニメーションー長井泰治、三井芸術プロー不明、桜映画ー杉山正美、

㈦〝記録映画〟誌上広告対策

今まで広告に協力してくれた処又は新しい処に対し、運営委員長事務局長と共にあいさつ廻りをする。

㈧運動方針については常任運営委員会で審議し、打ち出して行く。

㈨協会員のPRをすることがとりきめた。各作家の作品歴その他を調査し各プロダクションに知らせること六月にそれを作る、四月中旬に往復ハガキで返事をもらうようにする。

六三号の会報の正誤表

◎一頁上段一九六一・一◎・一◎発行は一◎・一◎発行に。

◎一頁二段、その他の宮◎沢◎は富◎沢◎の名前に。

◎一九六〇年度総会報告の蔵◎松◎は花◎◎松◎の名前に。

◎〝記録映画〟に対する意見の中大島辰雄氏の「巨◎人◎万◎に対◎人のために云々……の詩は「巨◎人◎万◎人のために云々……に。

訂正します。

三つの映画関係の会議がもたらしたもの！

二月上旬から中旬にかけて三つの映画関係の会議が開かれました。

二月十一・十二日の二日間才六回映画観客団体全国会議が東京大塚の開拓会館で開かれました。才一日目は映画界の現状分析から初まり、映画サークルの歴史にふれられ、単位ザークルの問題点について提起されたが討論は深められず。夜の交流会の中で今後の映画観客団体の展望と批評活動の二つにわかれて持たれ、その中で展望については、独占化してきている映画資本との対決についての問題にふれ、若い活動家の交流と組織化、団体の機構の刷新等にふれた。又、批評の問題では、批評眼が唯たんなる感情から認識に深まり、高まるようにし、作品の内容が人間変革への提起までになること等にふれられていた。

二日目には自主製作、上映の映サの位置づけについて討議され、①映画サークル独自の自主上映会の件と、㊁労働組合が中心となつての自主製作、上映の運動体を作る討議にふれられ、映画サークルは積極的に取り組むべきだと問題にされた。

以上の二日間の討議の中で云えることは、東京の映画サークル運動が労働者階級的立場を持えない、せくと的割引主義にとどまつていること、

活動家の意識の浅さがバクロされると共に活動の展望のない点が見ぬかれていた。

二月十三・四・五の三日間鬼怒川にて才二回労視研全国集会が総評の教宣部主催で開かれたもので各単産、単位組合の教宣部責任者、県、地区の自主上映及センターの責任者、映サ協、労映の活動家が参加した。

この会議の中で三つの問題点をつかみ取ることが出来た。

その一つに、各県、地区の中のセンターで活動している人々の中に将来の問題点を見い出すことが出来る。東京、長岡、富山、福岡、静岡、京都、北海道等の活動の中に特徴点をひろつて見ると、京都では「武器なき斗い」の中間の総括が報告され、その中での問題点が、製作中に、又資金活動で、上映運動の中で作品の評価の中で、出されてきている。長岡、静岡における処の地方の自主上映運動の細部にわたる報告書、東京の〃松川事件〃の製作上映の中に出ている中央、千代田区内の中で特に三井本館の中での資金運動と上映運動が独占資本のどまん中で大きくくりひろげられている点はなによりも地域運動の重要性をしめしている。

その二に労働者と文化サークルと、映画作家との断層の深さを知ることが出来、労農記録映画及自主製作の中における、作品の質の問題にようやくふれることが出来たことは今までにないことであり、企業の中で作られている映画の上映中止に対し言論の自由という立場から促進を支持することや、映画作家及文化サークル活動家と労働組合との断層をうめて行く為の、テーマーの設定、見せる対象等をはつきりし話し合い、製作は専門家にまかすという委員会の設置等の問題にふれられた。作品の評価については問題点がひき出された程度でおわり、残念であつた。

その三として、単産の中にある大企業意識のようなものが支配していた。国鉄のライブラリーについても、あくまでも、単産の教宣活動の中だけにとゞまつており、十六ミリ映写活動が、地域的のものへの発展をもちえないばかりか自主製作、上映との関係がそこではぶつきれてしまつている。それは日教組の中にある子供を守る中にも現われており、このねずよい意識をつぶさないかぎり視聴覚センターの問題は運動体となつてこないことが出されていた。

二月十六日（金）東京の中央労政会館で開かれた日本映画復興会議が、全映演、映演総連、日活労組の主催で開かれた。午前中は映画界の情勢報告がされ、各方面の話の後、午后から製作、企画、配給、興行の二つの分科会にわかれて開かれました。その後全体会議が開かれ、そこで今後の会議をやくして終つた。興行の問題では入場料金の値上のこと、入場税テツパイ運動とそれを観客に還元することがきめられた。

日活労組の出席がなかつたが、こゝで感じたことは、いかに企業意識の強いかがうかがわれた。松竹の人は松竹のこと以外には全々話が出ないばかりか大島渚氏の「日本の夜と霧」についての質問に対し、「あのように入らない作品を作られたのでは」ということで全々作品の質の問題にふれられなかつた。然し東宝の撮影所の人から、「エセ芸術家がいて会社側かららいわれたとおりに作品をつくつ

ている、そういうやつは日本映画を良くしようなぞ考えていない、こういうやつこそおいはらうべきである」と、又量産競争が企業をつぶし、労働強化と質を下げているといわれ、なんとその中から適量は年間二〇〇〜二五〇本だといわれ、現在五〇〇本ではどおにもならないと云われましたが、この二〇〇本の数は、外国の例と、労働条件からいわれ、一本立上映が基礎だといわれたあと、現実はそうはいかないのだと云われた。

最後にこのように企業のみの中でとどまるのでなく、全映画労働者の意識を持つことがまず重要であり、そこから運動の意識が変つて行くなど問題が出され、今後の日本映画復興会議を各職場の中で開くことが確認された。

〃記録映画〃に対する意見

記録映画作家達の映画化されたもの又、未発表のシナリオを出来るだけ機関紙を利用して発表して戴きたく思います。　遠藤　完七

編集の基本的一貫性に信頼をふかめると同時に、一層の発展が期待できる。特集では吉見氏と野田氏との両エッセーの平和的共存（?）がおもしろいし意味があると思う。こうした行きかたに賛成。「ゲシゲシ」はどうもみみずみたいな想いしかしない。次にいささか文句

①二月号ではまたぞろカリグラフィーの真似事のような見出しをやつている。こんな陳腐なことはやめにしてもらいたい。くどくどしくて視覚的いやつたらしいさが肉体的不快さにまでなる。もつとすつきりした空白感に新しい造形性を見出せ。日常性の否定がこんな小手先のアクロバットで達せられるわけがない。こんなのこそ皮相なモダニズムだ起現実主義の[illegible]を学べ。

②クラカウアの訳には、とくに作品名、作家名であまりにも見つともない個所が散見される。例えば「ベルリン偉大な都市の交響楽」（大都会交響楽でいいじゃないか）カルヴアル・カンテイ（カヴアルカンテイ）ドジガ・フエアトフ（ジガ・ヴエルトフ）など。これは訳者をとがめるよりは編集部の配慮のなさを指摘される性質のものだ。「記録映画」の名誉にかんする。「エリート意識」とか「教養主義」とかを口にする前に、こうした素朴な注意力をはたらかせるべきだ。

（訳者への親切のいみでも）

読者と作家を結ぶ
──記録、劇映画ガイド──

○記録映画「西陣」製作への協力要請!

このテーマは西陣を通して、日本の深部を描くことにある。

◇脚本—関根弘、松本俊夫
監督—松本俊夫
撮影—上村龍一
音楽—三善　晃
美術—宇野薫之
製作—浅井栄一、大村英之助

◇西陣製作実行委員会、記録映画を見る会
京都市下京区寺町四条下ル労働会館内　TEL（5）六〇五二

◇製作三月下旬完成、三巻（二五分）

◇協力券一人八〇円（完成後の試写会に御招待します）を発行中
記録映画作家協会事務局にカンパ帳があります。協力者は申込下さい。

○二二ケ国で「世界の一日」を共同製作

ウイーンの世界平和評議会の呼びかけで世界二十二ケ国の平和評議会が、映画「世界の一日」を共同製作する。

総編集はソ連のユトケービッチ、ゲラシーモフ両監督、日本では近代映協の新藤兼人が脚本、監督を担当「恋人」と題する七分の短篇で原爆と安保斗争を主題にしたもの。二月二七日に試写会が開かれた。

○第十二回文化映画の会

テーマ　リズムの流れ
とき　三月二四日（金）后六時
ところ　共立講堂
1. ピアノへの招待　二巻
2. オーケストラの楽器　一巻
3. セーヌの詩　四巻
4. サツチモ世界を廻る　五巻
主催　財団法人都民劇場
入場料三回共通券　二〇〇円、一回券　一〇〇円

○西武記録映画を見る会（三月）

テーマ　一九六〇年度毎日映画

コンクール受賞作品

ところ　西武デパート八階文化ホール

時間　前十一時、后一時

○五日（日）北白川こども風土記

（共同映画社）

○十八日（土）人間みな兄弟

（日本ドキュメント）

○記録映画を見る会三月例会

とき　三月二三日（木）后六時

ところ　豊島振興会館会議室

内容一、〃新島〃（原水協、岩波映画労組）

二、〃北白川こども風土記〃（共同映画社）

三、〃ツフ・ツフ〃（日仏学院）その他上映

主催　東京映愛連、城北映サ協 TEL(982)五九六五映画サークル会員になつて下さい。

○第一回映画講座

期間　三月十七日、二〇日、二四日、二八日、四月四日、七日（計六回）

会費　六回通し三〇〇円（一回七〇円）

内容　(イ)戦後史と戦後映画　(ロ)政経、文化の現代的構造とマスコミ・映画産業　(ハ)映画と大衆　(ニ)大衆批評の方法　(ホ)映像文化の未来　(ヘ)映画ジャーナリズム批判

講師　和田勉（テレビ演出家）

加藤秀俊（マスコミ評論家）外

多田道太郎（評論家）滝村完二（映画批評家）滝沢一（映画批評家）

主催　全神戸映画サークル協議会

神戸市生田区三宮町一ノ八八TEL(3)八五三八番

○PR映画センター設置

○毎週（日・祭日を除く）后一時、三時の二回無料上映

○東宝演芸場（有楽町東京宝塚劇場五階）

○番組は一週間ごとで変る。すでに五月までの番組がきまつている。

主催　日本証券投資協会

東京中央区日本橋兜町一ノ六TEL(661)八二〇七番

○第三回実験、前衛マンガ大会

所　東京虎の門共済ホール（地下鉄・都電虎の門下車）

（予定）

Aプログラム

時　三月三〇日（水）后六時

○前座　テレビコマーシャル

○一、太陽を独占するもの（チエコ）一巻

二、珍説映画百年史（英国）一巻

三、二匹のさんま（日本）二巻

四、交通発達珍史（カナダ）一巻

五、のど自慢狂時代（中国）四巻（予定）

休憩

六、やぶにらみの暴君（フランス）六巻

◇　◇

Bプログラム

時　四月五日（水）后六時

○前座　テレビコマーシャル

○一、ムルジルク宇宙へゆく（ソ連）二巻

二、メロデー（アメリカ）一巻

三、切手の幻想（日本）二巻

四、ボンボマニイ（チエコ）二巻

五、猿亀合戦（中国）一巻（予定）

休憩

六、悪魔の発明（チエコ）八巻

主催　世界の実験映画を見る会実行委員会

連絡先　中央区銀座西八ノ五日吉ビルTEL(571)五四一八

細部については事務局へ申込下さい。

▽-----△

○東ドイツ記録映画「汝、多くの戦友たち」三月下旬に公開

総評では東ドイツの記録映画「汝、多くの戦友たち」（十一巻）を大々的に日本の労働者向きに編集しなおし一千万人の労働者大衆に三月下旬ごろから公開する。〃二十世紀に起こつた二つの世界大戦を歴史的にえがいて行く冒頭エンゲルスが登場、戦争の政治、経済の原因を語る。現代ヨーロッパの歴史をマルクス・レーニン主義的に解明してゆく、貴重な教科書ともいえよう。「わが斗争」は、実のところこの映画から多くの材料をとつているといわれている。自主上映運動として視聴覚センターを作る基礎にもなつている。

動静

日映新社にて荏原製作所PR映画製作スタッフの演出助手として仕事中。　平野　克己

昨年四月より今年の八月迄大阪に出来上るガラスビルの記録演出樋口源一郎氏についてます。　遠藤　完七

事務局より お知らせ

◇単行本及雑誌の紹介

（一割引になります）事務局へ申込下さい。現金引換とします。

(イ)〃ドキュメンタリー映画〃（本誌掲載）ポール・ローサ、厚木たか訳
　四六版三九六頁写真三二頁
　　八〇〇円を七二〇円に

◎〃芸術としての映画〃ルドルフ・アルンハイム
志賀信夫訳B六版二三〇頁
写真十二頁四〇〇円を三六〇円

◎映画言語マルセル・マルタン
　　　　　金子敏夫訳
　二八〇円を二五〇円に

◎映画の心理学ヴォルフエンスタイン　　　加藤秀俊訳
　三五〇円を三一五円に
　　　　以上みすず書房

(ロ)〃芸術運動の未来像〃
　武井昭夫著四六版　三〇〇頁
　四〇〇円を三六〇円に

◎〃カリガリからヒットラーまで〃（本誌掲載）ジーグフリード・クラカウア　一部、二部
　各務　宏訳　予価三五〇円

◎大島渚作品集（内容）日本の夜と霧、青春残酷物語、太陽の墓場、深海魚群（未発表）
定価三六〇円～三三〇円に
　　　以上現代思潮社

(ハ)現代の子ども気質　阿部　進著
予価三〇〇円を二七〇円（記録映画十二月号〃子供と映画〃執著社）
　　　新評論社発行

◇映画サークル会員募集中

東京映愛連では会員募集中です。会の特典は

①　会員証をおわたしします。会員証で全都の推薦館が学割で見られます。三ケ月切換になつてます。三月、六月、九月、十二月の四期にわかれてます。

②　月一回の機関紙ミリオン・パール八頁（スケジュール三頁つき）を無料配布

③　毎月に観賞映画を取りあげ観賞し座談会を各地区ごとで開きます。

④　会費は三ケ月で六〇円、入会金二〇円です。

住所変更その他お知らせ

◎村田達二～横浜市戸塚区上倉田
　公団住宅十七号　三〇三

記録映画研究会一月例会報告

去る一月十八日、日本鉱業会館にて、早稲田大学稲門シナリオ研究会製作の「一・〇五二」と日本大学芸術学部映画研究会製作の「ブーブー」（いずれも一九六〇年度作品）の二本を上映・合評会を行つた。製作者側を含めて数十名が集る。

(1)　作品の背景

①「一・〇五二」……稲門シナリオ研究会としては、「九十九里浜」以来の力作。

「……確かに僕等は、直接的に叫び得ない何かを持つているし、そういう時代でもある。

だが、自主製作運動が反体制運動であるからには僕等のサークルの独自性は必然的にアジテーションにある。〃九十九里〃の素朴な記録主義からも、画一的な政治意識による政治活動と政治的活動の混同からも解き放たれ、ラセン状に発展して行く中で、そういうものを乗り越えた地点での政治と芸術の一元的把握、映画の機能の認識の後に、つまりそれは〃一・〇五二〃においてもアジテーションを勇気をもつて行うということであるけれども、それを成し得てこそ、そしてそれに対応した集団製作という方法を得てこそ、初めて僕等の反体制的視点は作品の上に定着されたであろう……」（葛城氏）

「……僕等は今、ドキュメンタリーという具体的な方法を手がかりとして自主映画製作という唯一の手段を持つている。状況の記録、特に風景の中から意識的、無意識的に掴み取つた鋭い認識を意識の中で再構成し、画へとひきついで行く方法を知つている。が、それは方法を知つているという事であつて、現実の状況の把握ということになると、己の主体性の無原則性という点にひどく気付くわけである……」（三木氏）等々

同会機関誌「カチンコ」（一九六年十一月二十一日発行号）より

②「ブーブー」……日大芸術学部映画研究会としては、「釘と靴下の対話」、「Nの記録」に次ぐオ三作。

「……テーマは一ショットに細分され、それを積み重ねる過程で、僕等はテーマそのものを確認して行く。僕等の創作活動に共同演出という大前提がある以上、テーマの確認方法は、当然様々な形となつて現われる。しかしそれは安全

(6)

な芸術作品を仕上げるといった立場より、むしろ実験活動という方向に立脚している以上、それはむしろ当然なのであり、前者の観点からの批判には断固として立ち向う必要がある……」(安藤氏)、「テーマは誤解されている。テーマは誤解のパスポートである。誤解はテーマに通じる。作家はその点で弾劾され、作家は自己欺瞞し、観客のステレオ化は固化され、批評は断絶され、そしてテーマは一つのせきとなる……」(城之内氏)等々——同会機関誌「こみゆにかしおん」才四号より。

(2) 問題点

合評の報告に代えて私見を述べさせていただく。

(1)に引用した文章は、製作者側の主張の一部に過ぎないだろうし、作品を或程度反映させるために取り上げたのも事実だが、——そこにうかがえる文意の或種の曖昧さは、「真の主張は全て作品の上に」という彼等の決意を逆説的に意味してもいる。確かに、自主制作一般に「口実」が多過ぎるのは事実であるし、私はそういった資格を採りつつ作品を理解したい。

「ライムライト」の中でチャップリンは、「血は見るのも恐いが私の体内にある」と云ったが、「一・〇五二」の作者達は、それに似た血の観念を現象の中から再発見しようとしたようだ。そして、血の記録という発想の仕方そのものの中に、何か民族的な一つの連帯のモメントを模索しようとする意慾が認められたが、必ずしもその発想が生かし抜かれたと云い難い。丁度、日大の「プープー」の前作「Nの記録」がそうであったように、断片的には鋭い表現がありながら、全体的には記録された対象と作手との間に一種の道徳的な関係が先行しているような感が強い。その限りで、イメージはいじけてしまう。

こちらの表現が求心的なのに比べて、「プープー」の表現は極めて遠心的だ。血とか台風といった記録の「拠り所」をきれいさっぱり放棄してしまっているのでイメージは自由に走り出す。つまりこの作品は、「ありのままの自分達から流出するイメージ」を信用することによって成り立っている。従って、そのイメージは、先天的である度合に応じて白痴的であり、後天的である度合に応じて雄弁でもある。「子供の残酷さ」というテーマらしきものが極めてメタフイジックに表現されているのもそのような理由によっている。唯、結果的にこの作品は、現代の批評的なバベルの塔を打ち建てることはできなかったようだ。イメージの分析が不充分であり、従ってその射程が曖昧であったからである。——題名をもじって私の主張を云わしてもらうなら、「一・〇五二」はやはり「六・一五」であるべきであり、「プープー」は「プープー」である必要があった。

これ等の作品は、当然のことのように難解さと曖昧さと粗雑さと決意とに満ちている。つまり、企業内的製作に馴らされた眼にとって、「面白い」要素をことごとく含んでいる。しかし作者達はこの「面白い」という評価に自己満足しては決していけないだろう。実は、この評価が受手の口実となつたとき、それは、自主製作一般に対する最大の慇懃無礼となる。——最後に、難解さのクワズギライの人達には一見をすゝめる。何故なら、難解さを全面的に軽薄なものとして黙殺するのが得意な人達は、往々にしてそれの含む観念とその観念の現れる内的モメントとに注目しないで、最低のコミュニケーションを自ら拒否しているからである。せめてそういう人達は、「朴訥仁に近しと」いうような顔付さえしていれば、早速保守派からちやほやされるような国に住んでいるのでは、否でも私は軽薄さというものに心をひかれないわけにはいかない」(花田清輝)という心境にでもなつてもらいたいものである。(平野記)

◇協会財政報告 (一月分)

収入の部

会費	二四、〇〇〇円
入会費	三〇〇
雑収入	六四四
借入金	一五、〇〇〇
繰越	二六、五八六
計	六六、五三〇

支出の部

人件費	四一、二五〇円
研究会	一、一五〇
家賃	五、〇〇〇
通信費	五、六八二
交通費	三、九二一
文具費	一、四一五
手数料	五七五
会合費	一、二四〇
雑費	三、八八〇
計	六四、一一三円

◇記録映画財政報告（一月分）

収入の部	
予約	八、九六〇円
売上	三二、五六四
広告	三一、五〇〇
雑収入	一三〇
繰越	二六、六七三
計	九九、八二七円
支出の部	
印刷費	五一、〇〇〇円
通信費	五、一〇四
交通費	二、七四三
文具費	一、一九五
会合費	三、四〇〇
貸付金	一五、〇〇〇
借入返済	五〇〇
計	七八、九四二円

実験マンガ大会実行委員会
日時を三月下旬二回開く！

一、二日間別のプログラムを組み、日時も一週間ぐらいおいて開くようにする。三月の末日にする。

二、候補作品は、前座としてテレビコマーシャルを入れる。

○ボンボマニイ（チエコ）○のど自慢狂時代、龍門、猿亀合戦（中国）○交通発展史（カナダ）

○二匹のさんま、くじら、切手の幻想（日本）

○火星とその彼方、ブカドン交響楽（アメリカ）

○原子狂時代（イギリス）

○悪魔の発明（チエコ）

○真夏の夜の夢（チエコ）

○ふくすけ（日本）

○太陽を独占するもの（チエコ）

○天地創造（チエコ）があげられた。

三、ポスター一二万円かけるスポンサーを見つける。チラシ一五、〇〇〇枚、券ー二種類色わけでつくる。一、五〇〇枚づつ

四、費用は昨年と同じ

五、雑誌七月号にアニメーション特集をつくるようにする。又、観客とのむすびつき

六、特に今回はデザイン、美術関係、アニメーション関係に宣伝すること。

＝研究会お知らせ＝

ドキユメンタリー理論研究会

○時　三月十五日(水)午後六時

○所　フルーツパーラー・ビルサイド（新宿・歌舞伎町・ミラノ座右端）

○テーマ／自然主義リアリズムとモダニズム

○テキスト／「記録映画」三月号

○報告者／松本俊夫

○ゲスト／関根弘・石堂淑朗（予定）

○会費／五〇円（コーヒー代）

○今月から毎月右の形で継続的な研究会を行ないます。作家協会員、執筆者、読者共に交流と、ドキユメンタリー理論の追求をその目的とします。ふるつて御参加ください。

三月定例記録映画研究会

テーマー世界の動きドキユメンタリー

○時、三月二十日(月)后五時三〇分

○所、KRテレビ試写室（受付で聞いて下さい。判るようにしてあります。地下鉄・赤坂見付、都電山王下下車五分）

○上映作品

(1)「新島」日本ー岩波、

(2)「アルジエリア血の六年」フランス

(3)「テレビルポルタージユ、〃動乱の世界・二ツの焦点〃」アメリカータムス・ライフ社、イギリスースービス・ニユース社

○記録映画研究会世話人

1961・4・1 発行

記録映画作家協会々報

No. 65

記録映画作家協会

東京都中央区銀座西八ノ五　日吉ビル四階　TEL (571) 5418

事務局体制強化と「西陣」記録映画へ協力

＝三月二四日常任運営委員会報告＝

㈠ 新事務局員紹介、この十六日より新事務局員高橋秀昌君二四才が佐々木君の後をついで入つたことを事務局長より紹介された。

㈡ 事務局体制を強化する。ギヤラ調査、企業内責任者会議、その他について四月七日に事務局会議を開く、今後定期的に持ち、体制強化をはかる。

㈢ 運動方針について事務局長案が出来ず案提出後となつた。

㈣ 対外的問題について

㋑ AA作家会議について、厚木たかさん等が出席されるので、作協として委任する。

㋺ 民主主義を守る映画人の会がつゞいており今後のあり方については様子を見る。

㈤ 新入会の申込、岩佐寿彌氏は岩波映画所属なので承認された。

㈥ 実験マンガ大会について、当日の役員及費用等について話され、運営委及編集委等は全員出席を要請する。

㈦ 「西陣」製作資金協力について作協として東京の「西陣」製作資金協力委員会に委員を出して協力する。委員会では一人八〇円の協力券の要請、完成試写会の計画等を四月上旬より計画五月下旬の完成までにまとめることとなつた。

対外的活動への体制と「記録映画」財政について

＝三月十日運営委員会報告＝

㈠ マンガ映画大会実行委員会を三月二四日に開きプログラムの内容、券の出ぐわいその他当日のことについてきめる、その為に企画財政、観客運動、機関誌の係員に出席してもらう。

㈡ 新事務局員について、先に佐々木守氏が退社するにあたり新事務局員について詮衡委員会より報告があつたが、十五日の再度の詮衡委員会によつて決定するまで保留することゝなつた。

㈢ 「記録映画」の内容と財政について、口絵がなくなつたことによつてその分だけ増頁したり、その他について話されたが細部については編集委員会で審議する。又広告が不安定になつているがその点についてはその月ごとに財政委員会を開いて広告のことをきめて行くようにするなどが話された。

㈣ 会費長期滞納者の中より返事のないものにつき審議の結果次の方々が退会しました。衣笠十四三、山下為男、村上雅英、八木進、四名

㈤ 新入会員紹介　（フリー作家）広木正幹氏と（企業助監）佐々木守氏が入会します。又佐々木氏は編集委員に推選されました。

㈥ 対外的のものについて

㋑〃コツナギ〃の農民斗争を画く為の動きがある。〃コツナギを守る会〃等の動きなどの報告が

された。

もう少し様子を見る。

㈣ 右翼テロ反対斗争に対し、協会としての意志をしめす。犯罪防止法案等が国会に出ている時、雑誌〃記録映画〃四月号の時評に表現の自由を守る立場からのせるようにする。

㈦ 運動方針については事務局案をつくり常任運営委員会で討議してから提出する。

A・A作家会議緊急東京大会の開催にあたつて

(一)

この三月二十八日から三日間アジア・アフリカ作家会議の緊急大会が東京でひらかれ、すでに各国の代表が到着している。

アジア・アフリカ作家会議は、一九五七年末にカイロでひらかれた才一回アジア・アフリカ諸国民連帯会議の文化問題にかんする決議にもとづいてつくられたもので、翌五八年にその才一回大会がウズベック社会主義共和国のタシケントでもたれた。これは帝国主義と植民地主義に反対し、民族の独立と平和をねがうアジア・アフリカ諸国の作家・文筆家たちの連帯のための会議である。

こんどの東京大会は、アジア・アフリカ作家会議日本協議会の要請により、タシケント会議が決定したつぎのカイロ大会を前にしてもたれる緊急大会であつて、コンゴ、アルジェリア、ラオスなどにおける緊迫した情勢のなかで、作家をふくむ日本の人民が二年にわたつて日米安保条約に反対してたたかつてきた東京で開催されるところに、特別の意義をもつている。

(二)

アジア・アフリカ諸国の作家、知識人をふくむすべての先進的な人びともまた、アメリカ帝国主義と日本の反動にたいする日本人民の闘争、とりわけ作家、知識人をふくむ安保反対の闘争、日本における独立、平和、民主主義、ヒューマニズムの精神につらぬかれた文学と文化についての理解を深めたいとねがつている。

われわれは、このアジア・アフリカ作家会議東京大会が、アジア・アフリカ諸国民のたたかいとその文[illegible]文化にたいする相互の理解をふかめ、その発展と交流を促進するうえで大きな成果をおさめ、それを通じて反帝、反植民地主義の闘争におけるアジア・アフリカ諸国民の団結をいつそう強固なものにするために役立つことを期待します。

「言論、表現の自由とテロリズムについて」

(「記録映画」誌上より)

「島中事件」後、すでに、二ケ月をへた。各方面で「言論、表現の自由」「右翼テロリズムによる言論、表現の圧迫反対」の声明がだされた。われわれの記録映画作家協会も同じような声明を発表した。

「言論、表現の自由と右翼テロリズム」の問題は、たんに民主主義一般の問題として、解消する向きがあるが、そうあつてはならないのはもちろんである。

三池ストや安保斗争をへて、日本独占資本が、ハツキリとしめしだした、言論機関への攻撃、統制、再編成のあらわれとして、その問題はとらえねばならないと思う。

ところで、そうした意味をもつ「言論、表現の自由」の問題はひろく大衆的にたたかわねばならないものである。だが、その意味が、われわれ作家の側にも、また、労組や民主団体にも、たたかいの中心的部隊に浸透しているかというと、そうではない。このことの原因をここでは、われわれ作家の立場でみてみる。

才一に、われわれ作家が、つねに(映画についていうならば)文教統制の[illegible]検閲、また、作品にたいする種々な外部的な妨害や圧迫、歪曲にたいして、たたかいをつみかさね、たたかいをつづけねばならない点が、よわかつたのではないかと思う。この際、われわれはただ映画ということの範囲のみでなく、芸術諸ジャンル、さらに連関するマスコミ関係のなかにおきた「言論、表現の自由」の外部からくる圧迫にたいして関心をもち、ともにたたかわねばならない。

と同時に、才二点として、反体制側といわれる諸組織、われわれの組織内部において、つねに、言論表現の自由が民主主義的におこなわれねばならないと思う。つまり、われわれの組織内部においても、官僚的な統制や圧迫とたたかい、その自由をかちとられなければならない点である。この点は才一点よりも今日的に大切である。なぜならその自由こそ外部からの圧迫とたたかわしめる力であるからである。

才一と才二の点はうらはらの関係でありわれわれ作家が、そのたたかいの主体側として、それらの内と外よりの言論、表現の圧迫、統制とのたたかいを、同時に有効にすすめ、組織することこそ「言論、表現の自由」「右翼テロリズムによる言論、表現の自由への圧迫」にたいするカンパニヤを、真に強力に推進しうるものであると思う。

ドキュメンタリー通信

○西武記録映画を見る会
四月例会

テーマ・世界のアニメーション特集
所・西武デパート文化ホール
時・二日（日）前十時より五回
・交通今昔物語（カナダ）
・夢見童子　（日本）
・ツフ、ツフ（汽車ポッポッ）
（フランス）
・ヤギとライオン（チエコ）
時・三〇日（日）前十一時、后一時
・国のおいたち（カナダ）
・ちびくろさんぼの虎退治
（日本）
・セミとアリ（フランス）
・もぐらちやんのズボン(チエコ)

○一九六一年
モダンアート展

会期・四月一日－十九日
会場・東京上野公園都美術館
◎地方展は五月上旬より京都、大阪美術館で開催します。
◎事務所川崎市渡田町三ノ二六
中井　幸一方
電　川崎（2）三〇一二

○記録映画「西陣」製作カンパと完成試写会のお願い

(3)◎スタッフ／演出・松本俊夫、脚本・関根　弘、松本俊男、撮影宮島義雄、製作・浅井栄一、大村栄之助
◎テーマ／西陣を主題に描く日本の深部、別の面で新しいPR映画
◎製作　四月上旬よりかゝり五月上旬完成
◎完成試写会に御招待／京都、東京と同じ番組で五月中旬虎の門共済ホール（予定）内容・「西陣」の他に「ルポルタージユ炎」監督・黒木和雄「日本の舞踊」監督・羽仁進「離れ島の生活」監督・苗田康夫「カラー・イン・ライフ」監督・京極高英「潤滑油」監督・竹内信次等の作家が新しいこゝろみをしている作品等上映。
◎協力券／一人八〇円、協力券が作家協会事務局においてありますから申込下さい。又京都記録映画を見る会へ。

○PR映画センター映画会
（四月例会）

所・東宝演芸場（有楽町東宝宝塚劇場六階）
時・前十一時、后一時、三時
三日－八日　東海の民謡オ二部、板ガラス、虹の馬車、シリコーン
十日－十五日　大空のうた、青い炎、ニチ[illegible]・ナイロン、熱にいどむ、CMフイルム特集オ三号。
十七日－二二日　君たちはどう生きるか、電子の技術、モダンシツプビルディング、花のとも。
二四日－二八日　佐久間ダム総集編、花のとも、CMフイルム特集三号
入場無料
主催　財団法人
日本証券投資協会

○東ドイツ記録映画「汝多くの戦友よ」
自主上映

このほど総評では東ドイツ記録映画「汝多くの戦友よ」の日本語版が出来五月上旬より各地方ブロツクごとで自主上映することを決定、視聴覚センターの設置と春斗及メーデー前夜祭を促進する為に開くことゝなった。この映画は戦争屋どもをあばき平和を願う方向で作られている。
主催・「汝多くの戦友よ」上映実行委
東京、港区芝浜松町三ノ三
TEL　(431)　五六四五

○新東宝を激励する夕べを東京で「胎動記」完成試写とかねて

東京映愛連では新東宝が新しい機構となり「かあちやん」「不良少年」（岩波映画、演出・羽仁進）「胎動記」のように意欲的作品の製作上映を期に多くの民主団体映画人によびかけて〃新東宝を激励する夕べ〃を四月上旬、虎の門共済ホールで、岩崎昶（評論家）大島渚（監督）等をまねき、新東宝側からの訴えの言葉と映愛連より激励の言葉をおくり「胎動記」の試写を行う計画がすゝめられている。

○国立近代美術館ライブラリー

◎四月一日より一週間おきで劇映画の希望作品が上映される。
◎四月一日－六日　赤西蠣太九巻
それ以後は〃人情紙風船〃〃生れてはみたけれど〃〃戦国群盗伝〃〃若い人〃等が上映される予定
◎新しいライブラリー紹介
〃母〃プトフキン〃大地〃トプチエンコ〃三文オペラ〃ドイツ映画が入り近く上映される。
所・国立近代美術館四階試写室
（京橋交叉点そば）
会費・一人五〇円（学生四〇円）

六ヶ月会員三〇〇円（会員証を発行いつでも入場出来ます。）

申込先　国立近代美術館
中央区京橋三ノ十一
TEL (561) 〇八二三－五

○ライブラリー紹介

1.太陽は必らず照る
◎キューバ革命　四巻　十六ミリ
2.燃え上がるアルジエリア　二巻十六ミリ
3.アフリカの誇りルムンバ　一巻　十六ミリ
－ルムンバの死－

申込先　東京映画社
東京中央区銀座東一ノ八
広中ビル内
TEL (561) 二七九〇・四七一六

1.カラー、ヴエトナム我が祖国　六巻　十六ミリ
2.バックンハイの水利工事　四巻　三五ミリ

申込先　日本ヴエトナム友好協会
千代田区神田三崎町二ノ二
竹尾ビル
TEL (331) 二二六四

英語版が新しく日本語版にされたものであります。御申込下さい。

○京都記録映画を見る会

四月例会

◎四月下旬　PM五時三〇分、七時三〇分
◎祇園会館
テーマ－・チエコアニメーション特集
1.太陽を独占するもの
2.ボンボマニイ
その他上映

主催　京都下京区寺町四条下ル労仂会館労映内記録映画を見る会。TEL (35) 六〇五二

事務局より　お知らせ

◇単行本及雑誌の紹介

（一割引になります）事務局へ申込下さい。現金引換とします。

(イ)〃ドキュメンタリー映画〃（本誌掲載）ポール・ローサ、厚木たか訳
四六版三九六頁写真三二頁
八〇〇円を七二〇円に

◎〃芸術としての映画〃
ルドルフ・アルンハイム
志賀信夫訳B六版二三〇頁
写真十二頁四〇〇円を三六〇円

◎映画言語マルセル・マルタン
金子敏夫訳
二八〇円を二五〇円に

◎映画の心理学ヴオルフエンスタ
加藤秀俊訳
三五〇円を三一五円に
以上みすず書房

(ロ)〃芸術運動の未来像〃
武井昭夫著四六版　三〇〇頁
四〇〇円を三六〇円に

◎〃カリガリからヒツトラーまで〃（本誌掲載）ジーグフリード・クラカウア　一部、二部
各務　宏訳　予価三五〇円

◎大島渚作品集（内容）日本の夜と霧、青春残酷物語、太陽の墓場、深海魚群（未発表）
定価三六〇円－三三〇円に
以上現代思潮社

(ハ)現代の子ども気質　阿部　進著
予価三〇〇円を二七〇円（記録映画十二月号〃子供と映画〃執著社）
新評論社発行

◇映画サークル会員募集中

東京映愛連では会員募集中です。会の特典は

① 会員証をおわたしします。会員証で全都の推薦館が学割で見られます。三ケ月切換になってます。
三月、六月、九月、十二月の四期にわかれてます。

② 月一回の機関紙ミリオン・バール八頁（スケジュール三頁つき）を無料配布

③ 毎月に観賞映画をとりあげ観賞し座談会を各地区ごとで開きます。

④ 会費は三ケ月で六〇円、入会金二〇円です。

◇新入会者紹介

広木正幹　新宿区戸塚町四戸山アパート二三ノ五二六
電話 (368) 一三九一
（演出・脚本）

岩佐寿弥　新宿区柏木一ノ一五七杉山方（岩波映画所属助監督）

佐々木守　世田谷区世田谷三ノ二四二四　景山方（東京シネマ所属助監督）

◇住所変更その他お知らせ

神馬亥佐雄　千葉県松戸市金ケ作常盤平団地E六－三〇三

大野孝悦　千葉県松戸市常盤平台地才一ノ二八号館一〇四号室

◇退会者氏名

衣笠十四三・山下　為男
村上　雅夫・八木　進

○ドキュメンタリー 理論研究会

四月例会のお知らせ

◎時／四月十五日（土）午后六時

◎所／新宿・歌舞伎町、ミラノ座右端、フルーツパーラー

◎テーマ／日常性とその破壊の論理

◎テキスト／「記録映画」四月号

◎報告者／西江孝文

◎ゲスト／玉井五一氏（予定）

◎会費／五〇円（会場費）

○才一回の三月例会は五〇名近い読者、会員の参加がありました。そのため会場準備に不備があり大変御迷惑をおかけしましたが今回は更に突込んだ討論が展開されるよう、諸氏の御参加をおまちいたします。

○記録映画研究会 四月例会

◎時／四月二十日（木）午后五時三〇分開映

◎所／日本テレビ試写室 TEL (301) 二一二一 国電市ケ谷下車 三分

◎内容、テーマ—動画映画論 実験マンガ映画大会より 上映作品—"デズニーランド"

世話人 長野 千秋 西本 祥子

新事務局員の紹介

今回佐々木守君が東京シネマに入社し、その後任として、京大卒業、京都記録映画を見る会役員等の任にあたつた。本年二四才の高橋秀昌君がこの三月十六日より新事務局員として主に雑誌「記録映画」の編集にあたることゝなりました。佐々木君におとらず活躍してくれると思います。会員一同に紹介します。

☆ ☆ ☆

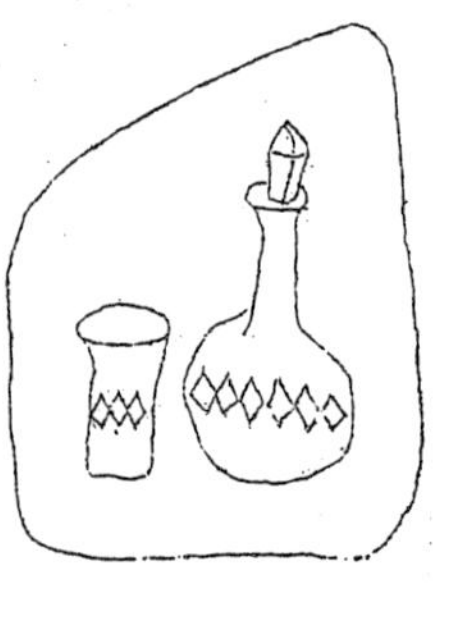

◇協会財政報告（二月分）

収入の部

会費	六六、九五〇
入会金	六〇〇
雑収入	六三三
借入金	三、〇〇〇
繰越	二、四一七
計	七三、六〇〇

支出の部

人件費	四一、二五〇
研究会	六〇〇
家賃	五、〇〇〇
通信費	五、〇七六
交通費	四、一五五
文具費	一一〇
手数料	五四五
会合費	三、一五〇
雑費	八三五
計	六〇、七二一

◇記録映画財政報告（二月分）

収入の部

予約	一二、八八〇
売上	一三、一六九
広告	五六、五〇〇
繰越	二〇、八八五
計	一〇三、四三四

支出の部

印刷費	六一、〇〇〇
通信費	六、四三八
交通費	四、八七三
文具費	四六〇
会合費	三、二五〇
雑費	七五〇
貸付金	三、〇〇〇
計	七九、七七一

動静

昨年七月末からの田口プロでの「新三菱重工の全貌」国内版・国外版ともに、二月初旬終了し、目下は記録映画社作品PR「正しい言葉の使い方」の仕上げを手伝つてます。三月末日終了の予定です。 吉田 巌

"考える農民たち"準備中 深江 正彦

＜記録映画＞

「汝多くの戦友たち」の上映とその運動の強化について

日本労働組合総評議会

去る九日総評は幹事会をひらき、東ドイツより輸入されたＤＥＦＡ製作、記録映画「汝多くの戦友たち」全十一巻の配給及上映に関する具体的な方針を次のように決定した。

決定に当つて、とくに強調された点は、今日の世界の情勢から、わが国における平和斗争が一段と重要性をもつてきている点でありしたがつて、このことを考えあわせて、本映画の上映を展開していかなければならない。このことがこんご本映画にとりくむ総評の一貫した方針となるものである。

一、記録映画「汝多くの戦友たち」の内容と映画のもたらす意義について

この映画は、二十世紀におこつた二つの世界大戦の歴史を画く真実の記録である。二つの戦争はどうして起つたか、戦争はどうしてつくられ、組立てられたか、戦争で利益を得たものは誰であつたかを明らかにし、その歴史から教訓をひきだして、再び戦争をくり返してはならないことを世界の人々に訴えている。

二つの世界大戦がドイツ帝国主義者たちによつて計画され、ドイツ国民ならびに世界の諸国民は不幸のどん底につきおとされたがこの映画はこれらの戦争の映画を編集した上映時間一時間四十分の長編ものである。

この二つの戦争の記録が編集されるに当つては歴史の一コマ一コマを後世にあやまり伝えることとなく、平和を守り戦争に強く反対する立場において製作に努力が集中された。戦後十五年にしてふたたび国民のなかに戦争への危険思想が、台頭しつつあるとき本映画を全国民の前に広く上映することはこれからの平和斗争を大きく発展させることに大きく役立つであろうこと、そして戦争の罪悪をつたえ、平和を守ることのいかに尊いものかをこの映画は理解させてくれる。

一、映画上映にとりくむ総評の基本方針

ここに総評が組織の全力をあげて上映にとりくもうとしている記録映画「汝多くの戦友たち」は、戦争の原因となつた政治的、経済的背景を鋭く追及し帝国主義者の正体を暴露し、世界の人々に戦争の罪悪と反戦、平和の必要を強く訴えた重要な内容と意義をもつ映画である。

したがつて、本映画の上映に当つては、

① 平和と民主主義を守る斗いが総評の活動の中心をなすものであり、この映画の上映もこのような活動の一環としてとりくむことが必要である。

② 平和と民主主義を守るこの映画の上映運動は労働者を中心に全民主勢力並に農市民等広く国民各層と協力して発展させていくことが大切である。

③ この映画を単なる観賞としてみるのでなく、戦争の主要原因である帝国主義とファシストの正体を知ることにつとめなければならない。とくに戦争による被害者と利益をうるものの階級的観点、そして平和を守ることの如何に大切かについて教訓をひき出していかねばならない。

④ 本映画の上映による平和と民主主義を守る斗いは労働者の思想と組織を強める斗いにつながつており単なる映画運動としてでなくしていかねばならない。

⑤ 本映画の上映時期は四月から五月にかけて精力的に展開されるが、この時期はメーデーと原爆記念を前にした極めて重要な時期であり、したがつてその斗いの前段斗争として本映画の上映を発展させていかなければならない。

A 以上のような観点にたち総評は直ちに中央、地方、地区に労働者を中心とする広範な国民各層を結集する実行委員会の組織に努力する。

B 本映画の上映は才二回労視研集会においても決定されたが、この集会における討論の成果の上にたつて本映画上映を成功させていかなければならない。

（以下実行委員会の項略す）

（機関紙文化通信より）

1961. 5. 1 発行

記録映画作家協会々報

記録映画作家協会　No. No. 66
東京都中央区銀座西八ノ五日吉ビル四階　TEL　(571)　5418

「記録映画」三周年記念の──計画と映画関係の動き──

四月十九日運営委員会

(1)報告事項

㋑五月研究会のお知らせ

・ドキュメンタリー理論研究会を十五日、厚生年金会館で開く、テーマは〃リアリズムについて〃

・記録映画研究会を十九日、日映新社で〃ニュース〃及〃日本の素顔〃を上映して開く、

㋺実験マンガ映画大会の成果について、記録映画の予約五名売上二十名ありました。アニメーション関係の人々が半数以上参加、三十日、五日とも六百名近くが集つた。昨年の実験映画会の一日分と同じでした。七万円近くの寄附がありました。

㋩事務局盗難について

四月十日の朝早く、協会事務局にて協会財政の内単行本関係の代金一〇、二八四円がカバンと共に持ちさられました。すぐ交番につたえ盗難とどけを出しました。すぐ事務局長とそのむねを話し合うと共に、対策として一、〇〇〇円以上のお金は預金すること、カバン等のつゝみは事務局内にだれもいない時は外におかぬこと等、運営委員会では一〇、二八四円を臨時支出とみとめ責任をもつて収入方法を考える。今後はそのようのないよう充分な注意をはらうよう事務局に申し入れた。

㋥事務局について（はぶく）

㋭三二回メーデー参加について

映演総連の中に入り、行動はその統制に服す。今回はプラカードはやめ、赤旗のもとに集ることゝなつた。新しい大きな旗を作る。責任者は大沼事務局長があたる。集合時間朝八時三〇分、集合場所は神宮外苑絵画館前、九時すぎ場内に入る。

(2)議　題

㋑日本映画人会議準備会の呼びかけがあつた、個人参加なので、協会は斡旋する。〃呼びかけ〃のチラシを会報と共におくる。

ギモンとして出されたことは

・〃民主主義を守る映画人の夕べ〃の繰越金一万五千円は各団体として寄附しつかつた資金であるものをひきつゞいて支出することのギモン

・発起人の名前が出ていないがその点はつきりさせる必要がある。

㋺労農ニュースについて

総評では年間六本の労農ニュースを製作しているが、一号は賃金問題、二号は労農提携で徳永瑞夫氏が演出した。オ三号についてプロジューサーの川添氏より演出の申し入れがあり田中徹氏があたる。

㋩〃コツナギ〃の映画化について、自映連の菊地、宮森の両氏の方から〃コツナギ〃の映画化についての話し合がこの四月中に二回ありましたが作協よりは出席出来なかつた。〃コツナギ〃の映画化について又〃安保の怒り〃後の映画化としてはもつと充分検討する必要がある。今後自主映画製作運動については河野、杉山、間宮の三氏がその任にあたることを再確認した。

㋥作協の作品歴をのせた住所録作成について

今回各作家の作品歴をのせた住所録を作り、各プロダクション等におくり作家及作協のＰＲをする。その為の調査用紙を会報と共に同封のハガキに書きこんでもらう。

㋭記録映画三周年記念号発行と読者倍化と催し物の発表

・読者倍化について大学映研、各地映サ協、公民館、生協、文学学校、労働学園、映画会へ販売計画をつくり倍化する、その為の宣伝物を五、〇〇〇部発行する。

・三周年号を八頁増頁し、書店売を九〇円とする（予約はそのまゝ）又広告の取り方も今までの方法と変えてアイデアを持つて行く積極的方法を取る。それを六月号より行う。具体案を作つてスポンサーにあたる。

◎三周年の催しについて

(A)〃エッセイ〃の募集運動

一年間を目標にし、良い論文を雑誌にそのつど掲載し一年目に審査して優秀作には賞金を出す。

(B)〃シナリオ〃の募集運動

十月頃を〆切とし、誌上に一月頃発表、テーマは記録映画、社会教育映画、児童劇映画、動画映画とし、入選作には賞金をおくる。

以上の(A)(B)はいづれも記録映画の読者であると共に専門家でないこと。

(C)八ミリ実験映画大会

この一、二年に八ミリの普及は甚だしく、国際コンクールに賞をもらつたものもあり、実験的優秀作品を選びこの秋に大会を開く。

㋬安保一周年映画大会をこの六月上旬に計画、日本を初め各アジア、アフリカ、中南米の民族解放斗争の記録映画を上映する。

ドキュメンタリー通信

◇オ四回毎日産業教育映画教室

・期間五月一日〜七月二五日の二ケ月間

・左記にのせる選定されたフィルム三本を一組として無料提供します。

・映写設備（十六ミリ）があり無料上映のこと。

・申込先は教配各支社へ（関東、関西、九州、中部、北海道、東北、北陸）

・主な作品名、日本の絹、私の手帖から、あなたは見られている、黒潮丸、魅惑の真珠、それは森からやつてきた、板硝子、ペガサスへの招待、製鉄所の一日、新しい水の恵み、大いなる歩み、水中翼船、符号の世界、ひろがりゆくオートメーション、電子の目、科学の目、シリコーン、雨の日も晴れの日も、東海の民芸を訪ねて等　六八本

・申込期間は終つていますが、希望される団体は至急申込下さい。

・主催、毎日新聞社

・申込先教育映画配給社、東京都中央区銀座西六の三朝日ビル内他各支社（本誌上二頁広告欄を参照のこと）

◇ＰＲ映画センター五月番組

○所／東宝演芸場（日比谷、東京宝塚劇場六階）

○時／毎日后一時、三時の二回

○内容◇八日〜十三日／鉄から鉄へ／オートメーション／いすゞ自動車／花の友／ＣＭシリーズ四号◇十五日〜二〇日／三つの知恵／赤ちゃん／横河電機◇二二日〜二七日／東京都ニュース明日を働くために／クロレラの神秘／赤ちゃん／美しい環◇二九日〜六月二日／日本の舞踊／都営地下鉄／マイク　ツェーヴ／映画の出来るまで／阿蘇、

○入場無料

○主催／日本証券投資協会／ＴＥＬ(661)八二〇七

◇都民劇場映画サークル定期観賞会（内外名作を上映）

○オ一回フェリーニ名作篇「道」「崖」二本上映

○所／共立講堂（都電一ッ橋下車）

○時／五月二四日后六時

○会費／三ケ月　三〇〇円前納制

主催／財団法人都民劇場映画サークル、東京都中央区銀座西五ー四ー一数寄屋橋ビル内

ＴＥＬ(571)九三五六代

新作教育映画
試写会、五月例会

○時／十二日、二十六日（共に金曜）后一時上映

○所／山葉ホール（都電銀座六丁目）

○入場無料

○試写券が五日前に協会事務局にきます。作品内容もわかります。又直接会場に行かれて申込下さい。

○主催／教育映画製作者連盟、港区芝琴平町二六ＴＥＬ(591)一八九八

◇教育映画会五月番組

○時／中旬（四月二〇日にきめる）

〇所／白木屋ホール
〇入場無料
〇主催／日本映画教育協会
港区芝西久保桜川町二六
TEL(591)二一八六

◇自主上映五月例会
〇時、所／二二日(月)才一生命ホール／二四日(水)杉並公会堂
六時・七時三〇分二回上映
〇内容「理性は狂気に勝つ」「皆さんこんにちは」「世界切手めぐり」　ソ連記録映画
〇会費／二ケ月分　一〇〇円
〇特別試写会三〇日(水)麻布公会堂
六時・七時三〇分二回、「北白川風土記」「太陽は必ず照る」
〇主催／東京自主上映促進会、千代田区神田司町一の二一、大和会館TEL(231)二四二〇

◇京都記録映画を見る会五月例会
〇時／二九日(月)后六時
〇／祇園会館
〇内容アニメーション特集／CMコマーシャル(東映商事)／ボンボマニイ(チエコ)／やぶにらみの暴君(フランス)
〇会費／三ケ月分　一五〇円前納
〇主催／記録映画を見る会
京都市下京区寺町四条下ル労働会館労映内TEL(35)六〇五二

◇チエコスロバキヤ建国記念週間
〇□、九日～十五日
〇白木屋七階絵廊にて
〇内容／チエコの人形／工芸品／十六ミリ映画上映
〇主催／チエコスロバキヤ大使館

◇西武記録映画を見る会五月例会
〇テーマ／PR映画の実験特集
〇所／池袋、西武八階文化ホール
〇Ⓐ三日(水、祭)前十時、三回
内容／潤滑油(竹内信次作品)／電子の技術(大沼鉄郎作品)
東京シネマ提供
〇Ⓑ二一日(日)前十時、三回／内容／カラー・イン・ライフ(京極高英作品、日映新社)／ルポルタージュ炎(黒木和雄作品、岩波映画)

◇国立近代美術館ライブラリー
〇五月より美術館拡大工事の為に朝日ホールか一ツ橋講堂で新しいライブラリーの上映の予定
予定作品**三文オペラ**(ドイツ)**ルイジアナ物語**(アメリカ)母、大地は都合でおくれています。
〇六月予告として会場を日仏会館で一ケ月フランス映画回顧シリーズを共催で次の作品が上映される。
テユーブ博士の愚行／スペインの祭／狂熱／ほゝえ　マダム・ブーデ／三面記事／機械的バレエ／間／純粋映画の五分間／エマック・バキア／地帯／塔／アンダルシアの犬／イタリア麦の帽子／小さな百合／アッシャー家の末裔
〇問い合せ、申込先／国立近代美術館、東京中央区京橋三ノ十一／TEL(561)〇八二三～五

◇記録映画「西陣」製作カンパと完成試写会のお知らせ
〇製作／京都記録映画を見る会／「西陣」製作委員会
〇スタッフ／演出、松本俊夫／脚本・関根弘・松本俊夫／撮影・宮島義雄／音楽・三善晃／製作・浅井栄一・大村栄之助
〇テーマ／西陣を主題に描く日本の深部
〇製作日定／四月上旬撮影、六月上旬完成
〇協力券／八〇円／完成試写会に御招待
〇完成試写会／六月中旬東京虎の門共済ホール、神戸電通会館、京都祇園会館
〇内容／記録映画の新しい軌跡／世界のヒューマンドキュメンタリ／アジア・アフリカ生活ドキユメンタリの中から選ぶ(「西陣」の他に三本近く同時上映するテーマです)
〇申込先／記録映画作家協会事務局／京都記録映画を見る会／全神戸映画サークル協議会

◇記録映画研究会五月例会
〇時／五月十九日(金)后六時
〇所／日映新社試写室(試写のみ)
TEL(571)五六五一～二
日本鉱業会館(階日本間(座談会を行う)
TEL(571)九七二一
(国電新橋より並木通りに出てすぐ)
〇テーマ／記録映画とリアリズム
〇上映作品／喜びにわくチベット(中国)／アカハタ、労農ニュース最新号(日本)〃日本の素顔〃より優秀作
〇この為に東ドイツの「汝多くの戦友」又は「声なきバリケート」の特別試写会に先に招待しますので見て下さい。
〇会費／六〇円(コーヒー代)

◇ドキユメンタリー理論研究会
〇時／五月十五日(月)后六時
〇所／厚生年金会館六階
〇テキスト記録映画五月号
〇テーマー／リアリズムについて
〇[redacted]
〇ゲスト／真鍋呉夫氏
〇会費／五〇円

動静

変りゆく農村の中で、ある酪農組合の記録ー撮影中企画原田脚本演出大内田撮影瀬川のスタッフです。新しい農民像を集団的にとらえようと昨夏から準備してようやくロケに入りました。五月上旬には完成予定。最近農村ものがまたクローズアップされてきました。特集号か研究会をやりたいものですね。　原田　勉

佐々木守～今度東京シネマ演出部へ入りました。事務局在職中いろいろとお世話になりました。今後も未熟者ゆえ、いろいろと御迷惑をかけると思いますが、よろしく御指導御鞭撻いたゞきますようお願い申しあげます。

事務局よりお知らせ

◇単行本及雑誌の紹介

（一割引になります）事務局へ申込下さい。現金引換とします。

(イ)"ドキユメンタリー映画"（本誌掲載）ポールローサ、厚木たか訳
四六版三九六頁写真三二頁
八〇〇円を七二〇円に

◎"芸術としての映画"ルドルフ・アルンハイム
志賀信夫訳Ｂ六版二三〇頁写真十二頁四〇〇円を三六〇円

◎映画言語マルセル・マルタン
金子敏夫訳
二八〇円を二五〇円に

◎映画の心理学ヴォルフエンスタイン
加藤秀俊訳
三五〇円を三一五円に
以上みすず書房

(ロ)"芸術運動の未来像"
武井昭夫著四六版　三〇〇頁
四〇〇円を三六〇円に

◎"カリガリからヒツトラーまで"（本誌掲載）ジーグフリード・クラカウア　一部、二部
各務　宏訳　予価三五〇円

◎大島渚作品集（内容）日本の夜と霧、青春残酷物語、太陽の墓場、深海魚群（未発表）
定価三六〇円ー三三〇円に
以上現代思潮社

(ハ)現代の子ども気質、阿部　進著
定価三三〇円を三〇〇円（記録映画十二月号"子供と映画"執筆者）新評論社発行、発刊されました。

◇映画サークル会員募集中

東京映愛連では会員募集中です。会の特典は

① 会員証をおわたしします。
会員証で全都の推薦館が学割で見られます。三ケ月切換になつてます。三月、六月、九月、十二月の四期にわかれてます。

② 月一回の機関紙ミリオン・パール八頁（スケジユール三頁つき）を無料配布

③ 毎月に観賞映画を取りあげ観賞し座談会を各地区ごとで開きます。

④ 会費は三ケ月で六〇円、入会金二〇円です。

◇事務局の休みについて

五月一日はメーデー、五月三日は憲法記念日、五月五日はこどもの日ですので事務局はお休みです。

◇新入会者紹介

佐々木守～世田ケ谷区世田谷三の二四二四景山方企業所属東京シネマ

黒沢　章～調布市小島町八四三。フリー助監督

◇住所変更、その他お知らせ

楠木　徳男～新宿区西落合二の五三八

羽仁　進～練馬区中村町南三の二二ＴＥＬ(991)九八六九

赤佐　政治～電話が変りましたのでお知らせします。旧(411)二〇五二　◎新(408)六六五九

加藤松三郎～電話がつきました。(461)三三四一

◇協会財政報告　三月分

収入の部

科目	金額
会費	五八、五五〇
入会金	三〇〇
寄附金	二、〇〇〇
雑収入	一、四五七
借入金	一〇、〇〇〇
繰越金	一二、八七九
計	八五、一八六

支出の部

科目	金額
人件費	四一、四五〇
印刷費	一〇、〇〇〇
家賃	五、〇〇〇
通信費	四、六七八
交通費	五、三〇五
手数料	七四五
雑費	九七〇
貸付金	二、〇〇〇
返済	三、七〇〇
計	七三、八四八

◇記録映画財政報告（三月分）

収入の部

科目	金額
予約	九、四八〇
売上	一九、五一二
広告	五九、〇〇〇
映画会	五六、七〇〇
繰越	二三、六六三
計	一六八、三五五

支出の部

科目	金額
印刷費	四九、五二五
映画会	七〇、八一四
通信費	五、六〇二
交通費	五、七五〇
文具費	六六〇
貸付金	一〇、〇〇〇
計	一四二、三五一

1961. 6 1 発行

記録映画作家協会々報

記録映画作家協会　No. 67

東京都中央区銀座西八ノ五日吉ビル四階　TEL (571) 5418

作家の作品歴と住所録作成の再度のおねがい！

今回作家の作品歴をのせた住所録を作り、作家及作協のＰＲをする為に調査用紙を五月号会報と共におゝくりし、同封のハガキに書きこみ返事を載くように連絡をしたのですが現在までに会員の半数しか集まっていません。

まだ、同封のハガキを出しておられない方々は至急、書きこみの上事務局あておゝくり下さい。りっぱな住所録を作ろうとしても仲々出来ません、六月中旬には作りたいので皆様の協力を節におねがいします。

〃交換ノート〃

フリー古川良範氏が肺結核のため倒れ現在国立東二病院に入院加療中です、作家協会としても全会員に発表して何らかの形で（勿論各自の自由意志）御見舞したいと思いますが如何。　宮内　研

作家協会の組織体制についてー。職能組合への方向をはっきり準備する時期だと思います。組織的には記録映画運動体とハッキリ区別すべきだと思うのです。　吉見　泰

岩波映画でフリー契約者が集って共通の問題を提起し合う契約者懇談会が生れました。これからは各社にこのような契約者の組織が生れ、それがつながりあって将来はフランスのように全映画人の職能組合が生れることを希望します。　楠木徳男

昨今つくづく思うことに各プロダクションの経営方法が漸次大きな変動期にあるようで自由契約者に対する考え方も随分変って来たようです。幾つかのプロダクションにそれぞれ働く仲間と個々に話し合ってみてその感を強くしました。ですから一度統一した自由契約者のこの点に関する意見の交換なり方針を考える機会が欲しいと思ってます。　頓宮慶蔵

ドキユメンタリー理論研究会・六月例会

○時／六月十七日（土）後六時
○所／中央神社集会所日本間（国電、都電新宿下車、新宿区役所ワキ入り五分）
TEL（369）三八七二
映画サークル集会とたずねて下さい。
○テーマ／芸術に於る今日的課題
○テキスト／「記録映画」六月号
○報告者／広田広
○ゲスト／関根弘
○会員／五〇円（茶菓子代）

社会教育映画研究会・六月例会

○時／六月二〇日（火）后六時
○所／全農映試写室（国電、飯田橋駅市ケ谷ヨリ下車三分家の光旧館二階）
TEL（331）二四六六
○内容（イ）〃農村は変る〃（教配）二巻
（ロ）〃農協ニュース〃（農業基本法特集）ワイド（全農映）一巻
（ハ）〃おとうちゃんがんばる〃〃五巻　カラーワイド（全農映）菅家陳彦演出
（ニ）〃農村に生きる〃三巻（農協）大内田圭弥演出
（注）当日は各作品プロジユーサ

動静

今度、脚本を兼ねて東京シネマのアソシエーテット・プロデューサーになりました。スタフ諸君と新しいタイプを生みたいと思ってます。
吉見　泰

テレビの雑音防止啓もう映画「あなたのテレビ」二巻を仕上げて次の待期をしています。日経映画です。

間宮則夫

日本デザインセンター映画部を離れ五月よりフリーになりました。

岡本昌雄

四月から東京カラーにて、川本氏のもとで助監を致して居ります。十月頃までかゝる予定「原子炉」

中村久亥

目下、東芝タンガロイ・芝浦共同工業その他二、三本の脚本執筆中社会問題をテーマーとした作品をやりたいと思っています。
宮内　研

去る二月いっぱいで新理研映画から退現在は版画作家、彫師、摺師ナショナル・フイルムズのスタッフと共に「日本の木版画」（カラー二巻）を製作中です。大口和夫性教育シリーズその1「小女の衛生」製作理研科学映画、性の問題を掘り下げれば、人間解放の忘れられている巨大な課題に通ずる。この方面は特に因襲的抵抗が大きく表現は制約されている。広木正幹

1マンモス高　、　カラー三巻編集中、2.　設備、カラー三巻クランクアップ。3.　設備、カラー三巻、下雲ロケ中、4.ラーメンブレース実験、カラー東大ロケ中。
松岡新也

「西陣」の仕上げ作業中。次回作品は琉球映画芸術協会で「大琉球」（仮題）三部作、カラーシネスコ各四巻の脚・演を予定しています。

松本俊夫

東京シネマにてナショナルのPR「音響」撮影中
大沼鉄郎

東京シネマ「エレクトロニクス」が終り、次作品を準備中
竹内信次

農村の共同化の問題を取りあげたもの、五月中に撮影完了予定です。

深江正彦

「臣船ネスサブリン」（九万ドンタンカーの建造記録）がやっと完成し、次回作を岩波映画で準備中。

楠木徳男

農文協で「農村に生きる」（社教三巻）を完成。五月末「乳牛のエサ」二巻）クランク・インの予定。

大内田圭弥

三井プロにて京極氏演出「伸びゆく神鋼」ワイド版を昨年十一月より手伝い、この五月ようやく終りました。次回作品は未定。頓宮慶蔵MOMプロダクションに専属となりましたのでよろしくお願いします。

村田達治

全農映の「近代養蚕」（仮題）に着手　す。

上野大梧

※　各作品プロデューサーの方々演出家も出席します。久しぶりの会です。
世話人　荒井英郎・岩堀喜久男

◇記録映画研究会　六月例会

○時／六月二四日（土）后六時
○所／日本デザインセンター映画部（地下鉄銀座、都電銀座四丁目下車、三原橋そば明裕国際会館六階
TEL（585）三二三一一五
○内容テーマーエモーション特集
・〃さすらい〃〃石っころ〃
8ミリ　高林陽一作品
・〃人と鉄〃16ミリ〃スエーデン〃PR映画・〃野性の馬の夢〃フランス
世話人　長野千秋、西本祥子　間宮則夫、羽田澄子

新人シナリオ・エッセイ作品募集

才一回応募規定

○応募資格／〃記録映画〃読者及記録映画作家志願者
○作品／シナリオ部門、記録映画、児童映画、社会教育映画、アニメーション映画、学校教材映画いずれも可
四〇〇字詰原稿用紙二〇枚から六〇枚程度四〇〇字詰一枚で概要添付のこと。
○作品／エッセイ部門、映画、芸術一般に関するもの四〇〇字詰原稿用紙三〇枚まで
○締切／昭和三六年十月末日、原稿返却はしない。
○発表／昭和三七年一月号記録映画誌上
○当選作品／シナリオは映画化されます。作品の版権は作家協会に帰属します。
○各部門、各項ごとに当選作一篇、佳作数篇
○賞金／当選作品金壱万円、佳作記録映画一年分
○協賛団体／日映科学映画製作岩波映画製作所・日本映画新社・新理研映画・東京シネマ電通映画社・桜映画社・東映教育映画部・奥商会・共同映画社・教育映画配給社
○選考委員
委員長　京極　高英
・シナリオ部門選考委員
野田真吉・吉見　泰・岩佐氏寿・黒木和雄・真鍋　博・長谷川竜生・協賛団体参加
・エッセイ部門選考委員
丸山章治・羽仁　進・柾木恭介・大島
○送り先／記録映画作家協会
東京都中央区銀座西八の五　日吉ビル
TEL（571）五四一一八

広がる政防法反対斗争

(一)

「政治的暴力行為防止法案」(略称「政暴法」)をめぐる国会のうごきはひじょうに重大になつてきている。

この法案を、自民、民社両党の共同提案として衆、参両院で並行して審議されている。したがって、衆議院で決議されれば、参議院でも強行通過させられるおそれは十分にある。

池田内閣、自民党は、野党の反対を押しきって、五月二十四日で終了する国会の会期を十五日間延長することをごういんに議決し、この期間に防衛二法案、農業基本法などとともに「政暴法」もこの国会で成立させようとして新たな策謀をおこなっている。自民、民社両党は「政暴法」の本質的でない部分をいくらか修正して、社会党にも同調をもとめる工作をはじめた。これは、この法案にたいする国民の反対運動の急速なもりあがりに水をさし、同時に、反対意見をとりいれたという口実で今国会でごういんにおし通そうとするものである。

「政暴法」のファッショ的本質があきらかになるにつれて、労働組合、学生、青年、婦人、知識人、文化人などのあいだに反対の機運がつよまり、大衆的な反対運動として発展しはじめている。

去る十九日と二十日に安保反対国民会議の提唱でおこなわれた中央と地方の大衆集会でも、「政暴法」反対が決議された。安保闘争に参加した知識人の集会でも反対が決議され、護憲弁護団は社会党に「政治テロ処罰法案」を撤回し、「政暴法」粉砕のためにたたかうよう申入れた。

東京では二十五日の労働者の大衆集会デモ、三十一日の青年学生の統一行動、さらに六月三日を頂点とする「政暴法」粉砕安保共闘第二次統一行動が全国的におこなわれることになり、急速な大衆運動のもりあがりが予定されている。

職場や地域で「政暴法」反対と抗議の大小集会、デモを急速に組織し、それを大きな統一行動に発展させたい。

「政暴法」撤回の請願署名をおこない、国会に対する請願行動が無数におころうとしている。

すべての民主団体や共闘組織が国会に代表を送り、自民、民社両党議員にたいして「政暴法」の撤回を要求し、社会党、共産党議員団にたいして「政暴法」粉砕のために断固としてたたかうよう激励すべきではないだろうか。

(二)

東京共闘では六月三日の「政治的暴力行為防止法案粉砕、安保反対第二次統一行動」を中心に三十日の政暴法粉砕東京総決起大会がひきつづいて国会期ぎれの六月八日までの連日の行動をつぎのように決定している。

三十日は中部、東部(中央区坂本公園)南部(港区芝児童遊園地)西部、三多摩(千代田区東郷公園)北部(千代田区西神田公園)の四ケ所から各ブロックごとに日谷野外音楽堂に向つて行進をおこし、午後三時半から政暴法粉砕東京総決起大会をひらいたのち、代表による国会と都議会への請願を行なつた。

三十一日から六月二日までは労働組合員による国会請願と各地域での署名運動、街頭演説会、地域集会が開かれた。

六月三日、第二次統一行動に最大限参加を行つた。

六月五日六日は北部、東部、中部と西部、南部、三多摩の二班にわかれてそれぞれブロック別の国会請願。

六月七日、八日は全都的な規模で国会請願をおこなう。

なお、各加盟団体は機関紙や研究会などで政暴法の内容を暴露宣伝する活動にただちにとりくむことになつている。

岩波映画製作所契約者懇談会が結成され会則その他を決定

このほど岩波映画製作所契約者懇談会発行になる会報が事務局にとどきました。その中に経過と会則などをのせ結束を固めていますのでその結果をお知らせし、皆様方の参考にして戴きたいと思います。

× ×

岩波映画製作所契約者懇談会運営委員会報告によりますと、「去る三月二五日、フリー契約者が一堂に会して懇談会を結成しました。ある人は作業中に再起不能の負傷をし、ある人は過労から病に倒れました。その人達と同じような事態になる不安を実は私たちも常に持っていたのです。それらの共通の問題から懇談会が生れたのです。各会表を矢部さんに御願いして、各職場から運営委員を送出して実質的な活動を開始したのです。次の四項目について会社に要望を出しました。

申入れ事項

一、個々の契約金のアップ
一、労災保険の実施
一、会社、被契約者相互が納得のいく契約書の制定

省略

川上重役といろいろ懇談しました。その結果についても細部について書れており「早急に各職場毎の意見を担当委員がまとめ、総合的な懇談会案を作つて会社に要望を出したいと思います。」と呼びかけています。その他契約書、組合が会社と取交した覚書、就業規定、その他、他社契約書、のいくつかをあげ関係法規、それにフランス映画製作者技術者労働組合規約及団体協約抜萃、され最後に会則がのせられていました。

会則（写）

一、名称並びに所在
○本会は岩波映画製作所契約者懇談会という。
○本会は東京都千代田区三崎町二ニ岩波映画製作所に置く。

一、目的並びに事業
○本会は契約者相互の交流をはかり、且つ技術の向上その他契約者に関する全ての問題の解決に努力する。
○本会は、本目的に沿ったあらゆる事業を行う。

一、会員
○岩波映画製作所と契約せる全ての契約者は本会の会員となることが出来る。
○会員はこの会則を守り、会費をおさめ、かつ総会の決議を守るようにしなければならない。

一、機関
○本会は次の機関を置く。
(イ)総会
○総会は会最高の決議機関として、全会員により、構成される。
○総会は運営委員が必要と認めた場合これを招集する。
○総会は会員の過半数の出席によつて成立をする。
○総会の議長は、その都度総会に於て選出する。
○決議は委任により、これを代行することができる。
○定期総会は年二回とし、三月、九月に行う。
(ロ)運営委員会
○委員会は各職場から選出される委員によつて構　これる。
○委員会は必要に応じ、集合、この会の運営並びに執行に当る。
○委員の任期は六ヶ月とする。
(ハ)会長
○会長は総会で選出される。
○会長の任期は六ヶ月とする。

一、会計
○契約者懇談会の費用は会費によつてまかなわれる。
○会費は月額一〇〇円とする。
○会計の事務は会計担当者があたる。
○会計担当者は各職場から一名ずつ選出され担当者は互選により責任者一名を選出する。
○会計担当者の任期は六ヶ月とし、重任をさける。
○会計は決算報告書を担当者交換期に行ない、総会の承認を得なければならない。
○会費は毎月末迄に各会計担当者に納める。

一、附則
○この会則を変更する場合には総会の決議によつてきめる。

一、内則
○本会則は昭和三六年三月二五日をもつて発効する。

会員は四八名です。

ドキュメンタリー通信

◇西武記録映画を見る会六月例会
テーマー　世界の地理と風俗シリーズ
ところ　西武デパート八階　文化ホール
時　十一時、十二時三〇分二回。
四日（日）アフリカ編
1. 独立国コンゴ・ガーナー　二巻
2. 歴史の国アラブ連合　二巻
3. 東アフリカ・ケニア　二巻
（東映教育映画部提供）
岩佐氏寿演出
二四日（土）アジア編
1. インド（教配）　二巻
2. 東洋の旅（完）日映科学　五巻
（無料）どなたさんも入場出来る。

◇ＰＲ映画センター六月番組
ところ・東宝演芸場（日比谷、東京宝塚劇場五階）
時　・毎日午后一、三時二回。
〇六月五日ー十日　いなかねずみとまちねずみ／機械文明の騎士たち／あにいもうと／板硝子／劇場ＣＭシリーズ才五号
〇十二日ー十七日　東京都ニュース監視員街を行く／クロレラの神秘／喜びの白旗／資本の世界南極捕鯨船団
〇十九日ー二四日（十六ミリ版）カラーテレビジョン／科学の眼ー一九六一年版ー／駐車場の機械化／新聞の出来る迄／明電舎
〇二六日ー三〇日　法隆寺／地下鉄才二部／川崎航空機／若さの泉／　びゆく鉄道
主催・日本証券投資協会

◇世界を激動させた記録映画会
ー安保斗争から一年を迎えー
とき・一九六一　六月十日（土）后六ー九
ところ・日比谷図書館地下ホール
（都電・内幸町、地下鉄・霞ケ関）
内容・一、安保の怒り　ー一九六〇年六月ー（日本）
二、喜びにわくチベット（中国）
三、燃えあがるアルジエリア（アルジエリア）
四、血のメーデー　ー一九五二年ー（日本）
五、韓国四月革命　ー朝鮮統一の叫びー（朝鮮）
（注）記録映画六月号（定価九〇円）を買いもとめられた方々を招待します。
主催・記録映画作家協会
中央区銀座西八ノ五
ＴＥＬ(591)五四一八
後援・東京映画愛好会連合・国民文化会議

◇〃日本の夜と霧〃五幕
劇団新演　六・十五記念公演
とき・六月十五日ー二七日
（毎夕六時土・日マチネー一時開演）
ところ・新宿厚生年金会館ホール
自由席ー二六〇円（会　が、作
協事務局へ）
原作　大島、石堂淑郎、劇化　速水一郎、演出　吉沢京夫
安保斗争につながる戦後青年の精神の軌跡を描く。
〇劇団事務局・葛飾区金町三ノ二〇〇六
ＴＥＬ(691)二三四四

◇新作教育映画試写会六月例会
〇時／九日、二三日　后一時
〇所／山葉ホール
〇入場料
〇内容／五日前に協会事務局に連絡下されば内容及会員券が来ています。
〇主催／教育映画製作者連盟
ＴＥＬ(591)一八九八

◇自主上映六月例会
〇時・所／三〇日（金）公会堂／七月一日（土）両国公会堂／三日（月）中野公会堂／四日（火）千代田公会堂／五日（水）才一生命ホール后六時三〇分
〇内容／〃松川事件〃
〇会費／二ケ月一〇〇円
◎試写会／七月七日（木）麻布公会堂　六時　七時三〇分
内容　ゴルキーの生活　ルムンバの死
◎主催／東京自主上映促進会／千代田区神田司町一ノ二一
大和会館
ＴＥＬ(231)二四二〇

◇フランス回顧映画祭
時・六月下旬（五月下旬に決定）　六月下旬上映
所・日仏会館（国電お茶の水）
内容・上映予定作品
アンダルシアの犬／幕間／三面記事／イタリア愛の帽子　等
（注）同じ映画を四回しか上映出来ません。そこで人員に制限があります。
〇問合せ・国立近代美術館
ＴＥＬ(561)〇八二三　か、日仏会館へ。
〇国立近代美術館に新らしく入ったライブラリー試写については七月から大会場（未定）で月一回上映予定で開かれます。

◇記録映画「西陣」
完成試写会のお知らせ
〇製作／記録映画を見る会／西陣製作委員会
〇スタッフ／演出・松本俊夫・脚本・関根弘・松本俊夫／撮影・宮島義勇
〇完成／六月上旬
〇製作協力券／八〇円／完成試写会に御招待（至急協力券を買もとめ下さい）
〇完成試写会
東京／六月二七日（火）后六時
虎の門共済ホール／世界のヒューマン・ドキュメンタリー特集
①ユーゴーの実験マンガ②オリーブに生きる人々（伊）③ロンドンの夜明け前（英）④完成試写「西陣」
京都、祇園会館／神戸、電通会館はおって決定します。
申込先ー記録映画作家協会／東京映画愛好会連合／神戸映画サークル協議会／記録映画を見る会
京都市下京区寺町四条下ル
労仂会館内ＴＥＬ(351)六〇五二

◇一九六〇年度日本映画監督新人協会賞

一、作品賞(一本)豚と軍艦(日活、今村昌平)

二、特別賞(四本)

(A)青春残酷物語、太陽の墓場、日本の夜と霧の三本を発表した大島 (松竹大船)の作品活動に対して、

( )白い粉の恐怖(東映村山新治)

(C)千両(大船京都田中徳三)

(D)日本の子供たち(独乙プロ青山通春)

授賞式は七月中旬に開かれる全国大会で行われます。

日本映画監督新人協会
本部委員会

◇世界山岳映画の夕べ

とき 六月十九日(月)后六〜

ところ 虎の門共済ホール

内容 一、七つの 征服 二巻(ソ 連)
二、尾 瀬 二 巻(日 本)
三、孤独の岩壁 二巻(仏)
四、登山ロープとスキー (夏)四巻(オーストリア)
五、その他スイスヌは日本のもの

会費 一人六〇円

主催 中部映画友の会、官公庁映サ協

後援 東京映愛連、記録映画作協 中映易、映配、

事務局より お知らせ

◇単行本及雑誌の紹介

(一割引になります)事務局へ申込下さい。現金引換とします。

〃ドキュメンタリー映画〃(本誌誌掲載)ポールローサ、厚木たか訳
四六版三九六頁写真三二頁
八〇〇円を七二〇円に

◎〃芸術としての映画〃ルドルフ・アルンハイム
志賀信夫訳B六版二三〇頁写真十二頁四〇〇円を三六〇円

◎映画言語マルセル・マルタン
金子敏夫訳
二八〇円を二五〇円

◎映画の真理学ヴォルフコンスタイン
加藤秀俊訳
三五〇円を三一五円に
以上みすず書房

ロ〃芸術運動の未来像〃
武井昭夫著四六版 三〇〇頁
四〇〇円を三六〇円に

◎〃カリカリからヒットラーまで〃(本誌掲載)ジークフリード。クラカウア 一部、二部
各務 宏訳 予価三五〇円
以上現代思潮社

ヘ現代の子ども気質、阿部 進著
定価三三〇円を三〇〇円(記録映画十二月号〃子供と映画〃執著者)新評論社発行、発刊されました。

(チ)現代芸術論双書

○悪麗祓いの芸術論飯島耕一著
四三〇円が三八〇円に

○見者の美学 江原順著
四〇〇円が三六〇円に

○サイド復活 渋沢竜彦著
四〇〇円が三六〇円に

○美学的空間 中井正一著
四八〇円が四三〇円に

○芸術の前衛 針生一郎著
四五〇円が四〇〇円に

その他アテネ文庫、アテネ新書講座近代思想央、現代日本資本主義大系等いづれも一割引、細部は事務局まで以上弘文堂

◇住所変更その他お知らせ

浅野辰雄〜世田谷区世田谷五の二
八二二TEL(414)七五五四

岩佐寿彌〜杉並区永福町二一八永
次荘

北条美樹〜神奈川県藤沢市辻堂字
高砂六四二二

泰 康夫〜市川市宮久保一二一二

大野孝之〜千葉県松戸市常盤平台
地第一の二八号館一〇
四号室

〃赤佐政治氏の電話変更と会報NO六六にのせましたが赤佐氏と石田修氏のまちがいですのでお詫びします。赤佐氏のTELは前と同じです。(411)二〇五二二です。

石田 修〜TEL(408)六六五九に変りましたのでよろしく。

加藤松三郎氏の先会報電話番号の中局番(461)は(416)三三[illegible]一のあやまりでしたあ[illegible]らず。

協会財政報告 四月分

収入の部	
会費	四六、一三〇
入会費	六〇〇
雑収入	六一七
借入金	三〇、〇〇〇
貸付返済	二、〇〇〇
繰越	一一、三三八
計	九〇、六八五

支出の部	
人件費	五〇、二五〇
印刷費	[illegible]〇、〇〇〇
研究会	二、〇〇〇
家賃	五、〇〇〇
通信費	六、一三〇
交通費	三、一九〇
文具費	一〇〇
手数料	二一〇
雑費	三、〇〇〇
加盟費	二〇〇
計	八〇、〇八〇

記録映画財政報告 四月分

収入の部	
予約	九、六〇〇
売上	二三、〇四二
広告	三五、〇〇〇
映画会	九三、五八〇
雑収入	一二〇
繰越	二六〇〇四
計	一八七三四六

支出の部	
印刷費	六三、〇〇〇
映画会	一二三、五五〇
通信費	五、八八二
交通費	二、八五五
文具費	二五五
原稿料	三、〇〇〇
貸付金	三〇、〇〇〇
計	[illegible]一七、三四七

記録映画
作家協会々報

号外（一九六一・六・一）
記録映画作家協会
東京都中央区銀座西八ノ五
TEL(57)五四一八

◇古川良範さんが急病で国立病院に入院されました。

四月下旬吐血されて古川さんが左記の病院で療養中です。経過は良い方にむかっていますが、六ヶ月は入院されていますので協会員の方々は見舞に行きましよう。役員会としても行きます。

☆目黒区大原一二二四
国立病院東京オ二病院
北上一〇七号室
TEL(411)〇一一一

◇作家の作品歴と住所録作成にぜひ協力下さい。

オ六七号の会報でものせたのですが、よい住所録を作りますので、同封したハガキの調査用紙を出されていない方々が半分以上おられます。特に役員の方はまだ出ていない方が多いようです。

この号外つき次オ至急、事務局へおゝくり下さい。

事務局に協力をかさねておねがいします。

◇機関誌〝記録映画〟に協会員の協力とお願い

(イ)六月号で三周年を迎えました。六月号より表紙を二色にしてデザインも変えました、粟津きよし氏の協力によるものです。

(ロ)六月号は五〇頁として定価九〇円で市販しました、記念号としましたのでぜひとももう一度読者拡大に協力下さい。その為のパンフレットを作りましたので〝記録映画〟誌の中に同封しますのでよろしくおねがいします。七月号からは今までどおり七〇円です。

(ハ)三周年記念として〝新人シナリオ・エッセイコンクール作品募集〟を行いました。新人の養成に協力下さい。

・シナリオ部門ー記録映画、児童映画、社会教育映画、アニメーション映画、学校教材映画いずれでも可。

。エッセイ部門ー映画、芸術一般に関するもの。

各部門、各項ごとに当選作一篇、佳作数篇
賞金／当選作品金壱萬円、佳作記録映画一年分

1961. 7 1 発行

記録映画作家協会々報

記録映画作家協会　№ 68

東京都中央区銀座西八ノ五日吉ビル四階　TEL (571) 5418

政暴法案をほうむろう

暗闇の中に突然ふりかざされた白刃のおもむきをもって、政治的暴力取締法案は才三八回国会に提出されました。それは遂にふりおろされることなくすぎたとはいえ、依然としてふりかぎされたまゝであり、このストツプモーションの次に何がくるかは、秋の国会まで持ちこまれることになっているので、現在のありさまです。

刑法、破防法、暴力行為等処罰法、公案条例など、すでにありあまるほどの既成法によって、優に右翼テロなどを防止、処罰できるにもかかわらず、安保デモでの新劇人会議の被害、浅沼暗殺等の事態をひきおこしたものは、決して法の不備のためではなく、法の執行者に、やる気があるのかないのかという問題だと考えざるをえません。

敢えて新しい法案の姿をとって現われてきた政暴法が、「政治上の主義若しくは施策又は思想的信条を推進し、支持し、又はこれに反対する目的をもってする暴力行為を……」といっているように「思想的信条」という、さきにあげた諸法律にない言葉を挿入している点「予備、陰謀、教唆、せん動、未遂」までが対象になる点などについて、われわれ映画作家は注目するものです。ここからしてこの法案の真の目的が、右翼テロの防止にあるというよりは、時の政府にとって都合のいいように運用されることによって、思想的信条の、精神における民主主義の根本的破壊にあるといわざをるえないのです。これが市民としてのわれわれの基本的権利を侵害するのは勿論、映画作家としての創作活動をいかに阻害するかは目にみえています。

この法案をめぐる各方面の動きについてはすでに会報六七号で述べてありますが、さきの国会の会期中に、作家協会としては、個々の会員が反対デモに参加してはいたにせよ、協会として組織的に運動することは大へん立ちおくれました。作家の基本的な創作活動をおかす政暴法について認識がよわく、積極的、組織的な反対運動ができなかった点について、われわれは反省し、同時にこの政暴法を廃案にするために、今後の運動を活潑にすすめることを決意するものです。

一九六一年六月十三日

記録映画作家協会運営委員会

事務局より お知らせ

◇古川良範さんの病気見舞カンパを運営委員会として行うことゝなりました。協会員でお知り合の方々はぜせとも見舞カンパに協力下さい。見舞金は事務局へおゝくり下さるか、おとどけ下されゝばおあずかりし役員がおとどけします。

入院されている病院は
目黒区大原一、二二四、国立病院東京才二病院北上一〇七号室TEL (411) 〇一一一

◇〃動静〃についてのお願い
いつも会報と共におゝくりしているハガキの中に①「記録映画」御意見及質問。②動静について。③交換〃ノート〃等についてかならず書きこんで事務局へおゝくり下さい。〃動静〃は協会員同志の連絡になりますので協力下さい。

雑誌「記録映画」九〇円値上と〃職能組合案〃について討議中

―六月十三日運営委員会―

六月十三日運営委員会できめられたこと。

(1)古川良範さんが急病でたおれ、目黒の東京国立病院に入院中ですので協会として有志による見舞カンパを行います。事務局にカンパ帳をおき協会員に呼びかけることとしました、才一次〆切を六月末日としました。

(2)政防法斗争について

今回の政防法斗争については協会として声明又は統一行動に参加しなかった点についての自己批判がなされ秋の国会再会と共におきる斗争に対し呼びかけのアッピールと、そのつど行動出来る委員会を緊急に開くようにし、事態が急変すれば専門委員会をもうけることとなりました。

(3)記録映画「西陣」協力について

いろいろと協力方の申し入れがあり資金面等については〃安保の怒り〃製作委の方へ問題点が出されていましたが、はっきりしていないので経過だけが話された。協力については全面的にすることゝなりました。

(4)記録映画「コツナギ」製作運動についても充分な資料がないので討議にはならず、要請があれば出席することを確認しました。

(5)事務局員の夏期手当と一部給与の値上について

例年にならって事務局員の夏期手当を一ヶ月分を支給します。その総合計三九、五〇〇円、総額を運営委員会で決定、配分方法について次のように決め承認しました。

○ボーナス分について、山之内重己二一、〇〇〇円、武井登美江八、〇〇〇円、高橋秀昌三、〇〇〇円（高橋君は二ヶ月なので金一封ということとなった）支給日は七月上旬とする。あとの残額分を七月から十二月までの給与分一部値上とする。

山之内重己　二一、〇〇〇円（今まで二〇、五〇〇円）武井登美江　八、〇〇〇円（今まで七、〇〇〇円）高橋秀昌は今まで通り一三、〇〇〇円

(6)雑誌「記録映画」について

雑誌「記録映画」の内容及代金についてふれられ、いろいろな批判も出されました。その中で「記録映画」誌代を九〇円―一〇〇円に値上することについて現段階にいたり、すべきではないか等につき編集委員会において討議してほしいむね出された。

(7)契約者懇談会等のことについて

岩波映画で契約者の懇談会が生れ会社側と交渉した経過の報告や、日映科学に出ている職能組合の問題等についても話されました。又、自映連が出ている職能組合案についてのことなどについて討議されましたが、細部については種々資料を集め七月初旬の運営委員会で討議すると共に各企業の方々とも懇談会を持つことなどが出されている。

(8)映画人会議について

再度の討議になり、個人加入方式なので希望者は加入されたい。作協の団体としての加盟は考えられない、内容が作協と同じようなものである点等から同じような団体に二重に入ることはありえない。あくまでも個人加入としてあつかうべきものである。

作家の作品と住所録作成の再度のおねがい！

今回作家の作品歴をのせた住所録を作り、作家及作協のＰＲをする為に調査用紙を五月号会報と共におゝくりし、同封のハガキに書きこみ返事を載くように連絡をしたのですが六、七月現在までに、会員の半数しか集まっていません。まだ、同封のハガキを出しておられない方々は至急、書きこみの上事務局あておゝくり下さい、又取りに行きますから連絡下さい。りっぱな住所録を作ろうとしても仲々出来ません、七月中には作りたいので皆様の協力を節におねがいします。

自由映画技術者労働組合規約（草案）

前文

○自由映画技術者労仂組合は映画（テレビ）製作事業主と自由契約で仂く映画労仂者、技術者、芸術家を広く結集をめざして組織する職能労仂組合で組合員の生活と権利を守り、技術の向上、芸術の創造活動の自由な発展。映画事業の健全な発展と民主的運営を期し、あわせて日本文化の向上をはかる。又、仂くものの連帯を強めるため、全労仂者の統一と団結に努力する。

才一章　名称と構成

才一条　この組合は、自由映画技術者労仂組合と称し、略称を自映労とする。

才二条　自映組は（映画）テレビ）製作に従事する自由契約者によって組織する。

才三条　自映組は職種別による各々の支部によって構成される。

才四条　自映組は労仂組合法人とする。

才五条　自映組の事務局を東京都　　区　　番地に置く。

才二章　目的と活動

（3）

才六条　自映組は自由契約者の団結を強め契約上の利益を擁護し、且つ映画事業の民主化とその健全な発展を計る。

才七条　自映組は前条の目的を遂行するために使用者との間に労仂協約を締結する。

才八条　自映組は前文にもとづく一切の活動を行う。

才三章　組合員

才九条　自映組組合員は身分、人種、宗教、信条によって差別されるものでない。

才十条　自映組の組合員は映画（テレビ）製作に従事し、その賃金、給料その他これに準ずる収入によって生活を維持している自由契約者である。

才十一条　組合員の加入は規約を認め、関係する執行部に推薦者二名の支持を得て加入の申請をなし各支部内規にもとづいて承認か否かが決定される。

才十二条　組合員は当規約及び支部内規にもとづいて組合費を納めなければならない。

才十三条　組合員の資格が失われるのは

㈠　映画の仕事を離れる時、但し、この場合前納した組合費は返却されない。

㈡　組合の規律を乱すこと。組合の円滑な運営あるいは、その威信を害するような言動について規律委員会の申し出にもとづき組合委員会が当事者に対して宣告した除名による。但し、除名は組合総会の承認を得るものとする。

㈢　正当な理由なく、六ケ月以上の組合費の不払いに対し、会計監査の申し出にもとづき組合委員会によって宣告された除名による。この除名も組合総会の承認を得るものとする。

才十四条　組合員は全てこの規約のもとに平等であると同時に、協力と連帯の最大の精神をそこにもたらすことを義務とする。

才十五条　組合員は総べての組合機関の構成員に選挙され、また選挙する義務がある。

才十六条　組合員は各機関の報告を求め自由に批判することが出来る。

組合員は各機関に出席し、また発言することができる。

才四章　支部

才十七条　自映組は同一職種の組合員によって支部が構成される。

才十八条　支部は最底三名からなる執行部を選出する。且つ、この規約に準ずる支部内規をもたなければならない。

才十九条　支部は自映組総会の決定に従うが、その決定に矛盾しない限り自主的に行動ができる。

才二十条　支部は当規約及び内規により組合費を定め、自映組納入分は支部で一括納入する。

才五章　機関と運営

才二十一条　自映組は、左の機関を設けて運営される。

㈠　組合総会

㈡　組合委員会

㈢　組合執行委員会

才六章　組合総会

才二十二条　総会は、組合の最高決議機関であり、毎年一回、　月　　日以前に定期的に開かれる。

臨時総会は、組合委員会の三分の二以上が必要と認め、又支部数の二分の一以上の請求による。総会の議案及必要事項は、全組合員に二週間前に通達しなければならない。

臨時総会は、速やかに召集されるものとする。

才二十三条　定期総会は、組合委員会によって決められた議事日程にもとづいて

㈠　組合委員会、組合執行委員

会その他の報告を審議確認する。

㈡　組合の活動、運営方針を議決する。

㈢　年次会計報告及予算の審議を確認する。

㈣　組合執行委員及規律委員を選出し、新しい組合委員を確認する。

㈤　組合会計監査を選出する。

組合員の提出議題が議事日程に入るためにはその議題を総会開催日のすくなくとも一週間前に文書をもって組合委員会に提出されなければならない。

才二十四条　組合総会の成立は、各支部を単位として、　名に一名の割合で、直接無記名投票で選ばれた代議員総数の二分の一以上の出席が必要である。代議員の委任は一代議員が一名とし、それ以上は認めない。総会代議員は、総会開催の三日前までに事務局へ氏名を届ける。

才二十五条　総会運営のため次の小委員会を設ける。

一、資格審査委員会。二、議事運営委員会。三、起草委員会。四、会計審査委員会。五、投票管理委員会。

才二十六条　総会は代議員、執行委員、組合委員で構成されるが、代議員に選出されない、執行委員、組合委員は、決議権はない。

議長団は総会で選出し、議決は総会が特別の採決方法を決定しない限り出席代議員の三分の二で決定される。

才七章　組合委員会

才二十七条　組合委員会は、組合総会につぐ決議機関で、定期総会から次の定期総会までの組合の活動運営に当る。

才二十八条　組合委員会は、各支部単位に　名に一名の割合で直接無記名投票で選ばれ、定期総会に於て確認された組合委員と、執行部とによって構成される。

但し、　名に満たない支部も一名とし、端数は　名を超える場合に一名を加えるものとする。

委員の任期は次の定期総会までとする。

才二十九条　組合委員会は、その任務を充分に果すため、少くとも、月一回以上ひらかれる。

組合委員会は、組合執行委員会の責任に於いて召集されるが、組合委員の二分の一以上及支部数の三分の一以上の要請があった場合にも開かれる。

組合委員会の成立は、組合委員の二分の一以上の出席が必要であり、議決は出席委員の三分の二とする。組合委員の委任は認められる。

才三十一条　組合委員は、総合及組合委員会の決定を支部組合員に徹底させる義務がある。

才八章　組合執行委員会

才三十二条　組合執行委員会は総会及組合委員会の決定と規約に従い組合の運営を行う。

才三十三条　組合執行委員会は、業務運営のため本部機構を左のように構成する。

正副委員長、事務局長、執行委員若干名もって業務分担の為次の専門部を設ける。

一、組織宣伝部。二、業務部。三、財政部。四、技術研究部、

運営上必要の場合、専門部の新設、改廃を行う。又専門委員会を設けることができる。

才三十四条　組合執行委員長は組合を代表して組合全般の業務を統轄する。

組合副執行委員長は、委員長を補佐し、委員長事故あるとき代行する。

才三十五条　組合執行委員会事務局長は事務局を統轄し、事務局員若干名とともに組合の日常運営を行う。

才三十六条　組合執行委員会は、通常一ヶ月に一回、委員長が召集して開かれる。委員会で討議される事項は全会一致で確認されるものとする。

才三十七条　組合執行委員会は、組合委員会の承認により、業務の円滑な運営をはかるために事務局員を採用することができる。

才三十八条　会計監査委員は総会に監査の結果を報告し、財政上の助言を与えなければならない。但し、その独立性を尊重し決議権はもたない。

才九章　会　計

才三十九条　組合の収入は次の通りである。

㈠　組合費

㈡　寄附金

㈢　組合が発行したり、その庇護のもとに発行される出版物又は催事による収入。

㈣　銀行予金の利子

寄附をうける場合は組合執行委員会の確認を要する。

才四十条　組合費は一人月額　円とし、支部は構成員数を一括して月末までに本部へ納める。

才四十一条　自映組の予算と決算は、定期組合総会に文書をもってはかられるが、決算には職業

的資格のある会計監査人の証明書を附するものとする。
会計年度は定期総会から次の定期総会までとする。

第四十二条　会計の細部に関しては別に細則を設ける。

第十章　規律委員会

第四十三条　規律委員会は組合機関から独立し、定期組合総会に於いて各支部毎に推薦された候補者の中から選出された　名の委員によって構成される。
委員会の成立は三分の二以上の出席をもって成立し、議決は全会一致とする。

第四十四条　規律委員会は、組合員の規律と紛争に関する事件を調査し、できるだけ速やかに有益な決定を下し、組合委員会に提出しなければならない。
組合委員会がもしそれを承認しないならば、緊急に最終的に判定を下すため総会にかけなければならない。

第十一章　規約の改正と組合の解散

第四十五章　この規約は、代議員総数三分の二の出席ある総会で過半数の議決によって改正される。

(5)
第四十六条　組合の解散は、全組合員の直接無記名投票による四分の三以上が得られた時にのみ宣言される。

附　則

第四十七条　第三条、第十一条の規定にも拘わらず、組合委員会の承認によって、各支部に属さない個人加盟を認めるものとする。

第四十八条　本規約は、一九六一年　月　日より施行する。

ドキュメンタリー通信

○ドキュメンタリー理論研究会七月例会
○時／七月十五日(土)後六時
○所／厚生年金会館六階会議室／新宿区番衆町十九(都電四ツ谷三光町、地下鉄新宿御苑)／TEL(351)一一一一
○テーマ／ニュースとドキュメンタリズム
○テキスト／「記録映画」七月号
○出席／佐々木基一(予定)
○会費／五〇円

○記録映画研究会七月例会
○時／七月二十日(木)後六時
○所／岩波映画製作所三階試写室(国電、水道橋下車そば、TEL(301)三五五一
○テーマ／実験的、前衛的ドキュメンタリー
○内容／〃西陣〃〃安保条約〃を上映します。
○出席／松本俊夫はじめスタッフ出席します。
○世話人／長野千秋、西本祥子、間宮則夫、羽田澄子

○西武記録映画を見る会七月例会
○所／西武デパート八階文化ホール
○時／七月十六日(日)前十一時十二時三〇分　二回
テーマー楽しい科学シリーズ
小児マヒの話／海岸のなりたち／津波
○時／七月三〇日(日)前十一時十二時三〇分　二回
テーマー日本文化シリーズ、京のたべもの／鹿児島／筆と墨
○無料、どなたも入場できます。

○自主上映七月例会
○時・所／二九日(土)千代田公会堂／三一日(月)杉並公会堂
八月一日(火)第一生命、後六時、七時三〇分　二回
○内容／オリーブに生きる人々(伊)／生れくる者のために(英)／セーヌの詩(英)
○会費／一ケ月五〇円
○特別試写会
八月五日(土)／麻布公会堂／後六時、七時半／偉大なる戦斗／七つの峰に挑む
○主催／東京自主上映促進会／千代田区神田司町一の二一　大和会館TEL(201)二四二〇
○全国自主上映促進会、ではこのたびソビエト大使館より、ソビエット劇映画「鳩よ、さようなら」と記録映画「ポール・ロブソン伝記」二本の一年間の上映権を確保しました。

○新作教育映画試写会七月例会
○時／十四日(金)二八日(金)後一時上映
○所／山葉ホール
○入場無料
○内容／五日前に協会事務局に連絡下されば、内容及び会員券が来ていますから取りに来て下さい。
○主催／教育映画製作者連盟／TEL(591)一八九八

○劇映画〃裸の島〃上映促進のお知らせ!!
○時／七月十二日～十八日
○所／併用映画①テアトル渋谷、新宿／わが生涯は火のごとく②人世座／かあちゃんしぐのいやだ③大塚ヒロキ／素晴らしい風船旅行④読売ホール／未定
○料金／一般一二〇円、割引八〇円、割引券発行
○製作、配給／近代映画協会、大和フイルム
○申込先、東京映画愛好会連合、新宿区西大久保一ノ四六TEL(368)三六二六

○PR映画センター七月番組
○所／東宝演芸場(日比谷、東京宝塚劇場五階)
○時／毎日午後一時、三時　二回
七月三日－八日／原子炉開発はすすむ／色彩調査／オートメ記者／二度の稔／幸福の鍵
十日－十五日／ある主婦たちの記録／今日と明日を築く人々／色彩調査／東京都ニュース〃道路〃伸びゆく神鋼一九六〇
十七日－二二日／成人病問答／日本の絹／日本の送電を担う／地下鉄第一部
二四日－二九日／ありとはと／

建設はすすむ／新三菱の全貌／虹の馬車

三一日―八月四日／月ロテット／日本の庭園／東京都ニュース〃こまりますわね〃／狭谷に挑む／捕鯨

○入場無料

○主催／日本証券投資協会／TEL(661)八二〇七

○七月より映画試写会〃山に挑む〃時／七月八日（土）後二時所／都立日比谷図書館地下ホール（都電内幸町、地下鉄霞ケ関下車）

内容／①中日ニュース／②遭難／③講演ヒマラヤへの道、羽田栄治氏／④未登の氷壁（ワイドカラー）

○主催／都立日比谷図書館―東京中日新聞事業部

動静

東洋映画株式会社製作部長、風土記「佐賀」脚本アップ演出中、三菱長崎造船所各種映画プロデュース自主製作品「病院」シナリオハニテイング中。九州電力企画等多忙。自宅は東京で下宿で独身の味を小気味よく味わつています。長崎に参りまして幾半年一生懸命仂いています。長崎造船の仕事が月平均八―九本あり。またNTVKBC共同TVニュース等の駐在社となつていますのでニュースは公平にミ社に送つています。ときどきNVの企画物などを引うけてやりますがここまでとどかないのでみたことありません。専ら稼いでいます会社が……

桑木道生

生きたままの牛の横腹に穴をあけて撮影した「牛の栄養と消化」パートカラー2巻を完成（演出大内田）続いて「トラクター農法」に着手する予定　原田勉

「日本の電気」（電気協会PR）の撮影が本格化しました。九月まで九電力をまわります。　西沢豪

長い篇の実験映画にとりかかつている。一挙に成功するかどうかはまだ分らないが、自分としては強い自信を持つている。プロデューサーをはじめ一切のスタツプから並々ならぬ支持を受けている。　広木正幹

「事務局より　お知らせ」

△単行本及雑誌の紹介

（一割引になります）事務局へ申込下さい。本はいつでもあります。現金引換とします。

(イ)〃ドキュメンタリー映画〃（本誌掲載）ポール・ローサー、厚木たか訳

四六版三九六頁写真三二頁
八〇〇円を七二〇円に

〃芸術としての映画〃ルドルフ・アルンハイム、志賀信夫訳　B六版二三〇頁写真十二頁　四〇〇円を三六〇円

〃映画言語〃マルセル・マルタン、金子敏夫訳　二八〇円を二五〇円

〃映画の心理学〃ヴオルフコンスタイン、加藤秀俊訳　三五〇円を三一五円に

以上みすず書房。

(ロ)〃芸術運動の未来像〃武井昭夫著　四六版三〇〇頁　四〇〇円を三六〇円に

〃シエアリズム宣言〃美装　四〇〇頁
八〇〇円を七二〇円に

以上は現代思潮社。

○悪魔祓いの芸術論　飯島耕一著
四三〇円が三八〇円に

○見者の美学　江原順著
四〇〇円が三六〇円に

○サイド復活　渋沢竜彦著
四〇〇円が三六〇円に

○美学的空間　中井正一著
四八〇円が四三〇円に

○芸術の前衛　針生一郎著
四五〇円が四〇〇円に

その他アテネ文庫、アテネ新書、講座近代思想史、現代日本資本主義大系等いずれも一割引、細部は事務局まで、以上弘文堂。

◎新入会者紹介

辻本　誠吾―昭島町押島ヶ六部営住宅十号企業所属（わがたプロ）助監督

城之内元晴―北多摩郡国分寺戸倉新田六六一FAA内　フリー助監督

梶川　勝良―新宿区市ケ谷本村町二三フリー助監督

◎住所変更その他　お知らせ

西田真佐雄―新宿区柏木町二の二〇六　大道寺方に変ると共に東京シネマ所属に。

吉田　長治―千代田区神田神保町二ノ一二東京映研　TEL(331)五三六五

森田　実―フリーから東京シネマ所属になりました。

△協会財政報告　五月分

収入の部

会費	六三、五五〇
入会費	三〇〇
雑収入	七八四
借入金	二、〇〇〇
繰越	一〇、六〇五
計	七八、二三九

支出の部

人件費	四〇、二五〇
印刷費	一〇、〇〇〇
研究会	一、六〇四
家賃	五、〇〇〇
通信費	五、一七六
交通費	五、三五〇
文具費	四七〇
手数料	五一五
会合費	七〇〇
雑費	三、三五〇
未払	五、〇〇〇
計	七七、四一五

△記録映画財政報告　五月分

収入の部

予約	一一、二〇〇
売上	七、六四一
広告	四二、五〇〇
映画会	三六、四〇〇
繰越	六九、九九九
計	一六七、七四〇

支出の部

印刷費	六四、五四〇
映画会	九、九〇〇
通信費	六、九〇六
交通費	三、八三五
文具費	五三〇
原稿料	六、〇〇〇
会合費	二一〇
貸付金	三、〇〇〇
計	九四、九二一

1961・8・1 発行

記録映画作家協会々報

No. 69

記録映画作家協会

東京都中央区銀座西八ノ五日吉ビル四階　TEL　（571）　5418

各企業の実状と職能組合に対する意見

“七月十九日懇談会”

七月十九日、生活と権利を守る懇談会が開かれました。常任運営委として岩堀、大沼の両氏、自映連より事務局の新海氏と、もう一名自映連の役員が出られました。日映新社より藤原さん、岩波より松本公雄氏、日経より川本、前田の二名、東京シネマより大島氏、全農映より青野氏が出席、新理研と日映科学の二ヶ所は欠席でした。作協の運営委員会としての考へ方が話された。生活と権利に対して充分な体制が組めなかった。どちらかと云えば芸術運動の方に力がむけられていた。そこで現段階においては積極的に生活と権利の問題にとっくんで行きたい。

岩波の契約者懇談会の活動に刺戟され、そこへ職能組合の問題が自映連から出されて来ているが、中々にむずかしい問題なので、充分に審議して行きたい。

岩波の松本氏よりー三、四年前から会を持つ話しが出ていたが中々出来ず、今回契約金を上げてほしいということで会社と交渉八〇名近くがまとまり五月に結成された。問題はいろいろあるが労災、失業健康保険、値上等の経済面でぶつかる。今回夏期手当のことで話し合っている。又企業内の労働組合のストに協力して行くなどの協力体制を組、処から初めている。

日経ー社員と嘱託の二つになっており、フリー契約は一名ぐらいしかいない。組合がなく、これから作ろうという段階。

藤原さんー表期契約者が多い。二つにわかれ、契約者と嘱託となっており、毎年スライドされるようになっている。契約も個人、個人で行うのでまとまらない。又作家精神についてうんぬんされる。又組合ともよくいっていない。

全農映の青野氏よりー契約書をかわしているわけではない。表期契約と嘱託と社員の三つにわかれている。自主製作の問題が出てから経営方針が変るので、会合を開き、いくつかの案が出ているがまとまっていない。唯原則として社員になることが希望として出ている。

自映連ー一つはすでに組織の限界が来てしまっている。二つは企業中心の組織体になってしまっている。そこでフランス、アメリカの職能別の組合を参考にした。映画関連、全映演等の統一の気運が出ているおりから、それらから学び、規約を作った。[illegible]の労働局におもむき、職能組合になると法律で見とめられた組合法に適用される。それによって労災、失業、健康保険が取れるようになる。等から単一組合にすることゝした。

以上の提案に対し東京シネマ労組の大島氏より次のような疑問が出されました。

賃金体系がさがっているのにどこで統一させるのか。企業組合との関係はどうなるのか。に対して、低い処と高い処があるので中々むずかしいが、と前おきし、職場別に作られていってよいのではないか。等々の話しが出され、準備会をじよじよに作って広めて行く。

作協としては職能組合との関係等について以上の討議を中心に運営委員会で審議を重ねて一日も早く結論を出すようにする。

(2)

雑誌「記録映画」の値上決定と職能組合について

＝七月七日運営委員会＝

七月七日の運営委員会の報告をします。

(1)雑誌〃記録映画〃値上げについて

値上げすることは、物価、郵便料の値上のおりから原則的に賛成。今までの雑誌〃記録映画〃の諸経費の赤字分をうめる上から九〇円値上を八月号から行うことを決定。（一〇〇円にすべきだという意見も出しましたが）雑誌〃記録映画〃には突然の値上についての訴えをのせること、体裁については七〇円の時と同じよう変えぬこと。以上あくまでも財政的立場で九〇円値上げとし、編集委員会へ申しおくることとしました。その後印刷屋の方より印刷費一割以上の値上が発表され、事務局長との話し合で九〇円ではやって行けぬ処から一〇〇円にすることを運営委員全員に承認の手紙を出し承認を取りました。

(2)前衛、実験映画会のこと

秋の雑誌〃記録映画〃財政確立の為の映画会は春の映画会と同じように、実験映画を見る会として読者に関心あるもので開くこと、日時については十月の教育映画祭との関係があるのでぶつからないようにする。八月の運営委員会までに作品をさがしそこで決定し、日時、場所をきめる。

(3)職能組合について

種々意見が出されていますが、中心的なものは、作協そのものが職能組合になって行く。作協はそのまゝのこし別に組合が出来る。の二つが出ており、然し作協として生活擁護の方に力を入れ事務局を強化する必要が出てきている。

組合活動にとり組んで行くべきである。三年前にギャラをきめて行った本来の姿にもどすべきである。等が出ましたが、作協としても今後の組織運動方針の問題にかゝわってくるものであり、職能組合案なるものを提起した自映連の事務局の新海さんをまねき、各企業の中の事務連絡者の人々も呼んで懇談会を開くことをきめました。日時は七月十九日常任運営委と、日映新社、日映科学、岩波、全農映、新理研、日経、東京シネマの方々を呼ぶことゝしました。以上の懇談会後運営委員会で今後の方向について協議することとしました。

＝記録映画＝意見及質問

毎号一生懸命よんでいますが、何号だったかわかりませんが、会議バカのことかなんかで少しイカレた理論家が相変らず御元気と知り大変うっとうしい気がしました。しかしこれらの人こそエネルギーなのかとも思ったりしました。

桑木道生

此の雑誌に大きくわけて二つのセクションがあるなら、Aは幾ら高度になってもよい。真実の意味の内容的な高さ。Bはもっとずっと大衆的に興味深いものにする。発行部数が巨大なればグラフの充実も可能となろう。正しい意味での視覚性の稀薄な映画雑誌はたとえそれが機関誌であっても魅力に乏しいのではあるまいか。

広木正幹

全民主文化運動における組織者的役割を重視せよ。特集を組むようになってからますます研究誌としての性格と使命を高めていることは喜ばしい。まさに「機関誌」である。筆者一人として七月号についてー明後日の人達の発言は放言に終ってはなるまい。そのいみでとくに佐々木守のヒケラカシは言葉尻としてでなく、徹底的に糾明される必要がある。編集委員の一人であるだけに軽視できない。発言内容が本気なら記録映画の仕事から一切はなれて普通のサラリーマンになりきれ。山田宗睦氏と小生との意見共通性を面白く思う。われわれすべての作協を単一的に職能組合化することと協会内に職能組合的要素を充実させることを混同してはならない。全体として運動体的性格を弱めるならば職能上の権利擁護も後退させられるばかりだろう。問題は全員個々の希望や要求を敏速に汲取りつつそれをいかに組織化し運動化するかにある。ひろく徹底的討議を望みたい。日本映画民主化の全般的視野を失ってはなるまい。

大島辰雄

新作教育映画 試写会、八月例会

○入場無料

○試写会が五日前に協会事務局にきます。作品内容もわかります。又直接会場に行かれて申込下さい。

○主催／教育映画製作者連盟、港区芝琴平町一一六 TEL (591) 一八九八

◇教育映画会五月番組

○時／中旬（四月二〇日にきめる）

ドキュメンタリー通信

◇全国視聴覚教育研究大会
と　き　八月一、二、三日
ところ　北海道、札幌
今次の大会は学視連が主催する学校視聴覚教育大会の第一三回目と、全視連が主催する社会視聴覚教育の第七回目の全国大会を兼ねている。

◇第七回教育映画コンクール
入選作品発表

第一部（学校教材映画）「江戸時代の商人」（記録映画社製作。教配配給）「耳のはたらき」（日映科学製作・教配配給）

第二部（児童劇映画）「かぐや姫」（学研製作、奥商会）「音楽教師」（東映教育映画部）

第三部（社会教育映画）「母と子供と先生と」（東映教育映画部）「母と娘」（シナリオ文芸協会製作、教配配給）

第四部（産業映画）「巨船ネス・サブリン」（岩波映画）「日本の絹」（東邦プロ）

第五部（記録映画及一般教養）「大いなる黒部」（日映新社）「北海道の子供たち」（電通）

(2) ◇一九六一年教育映画祭参加要領決る。

(1) 執行委員に協会より振興会議委員に大沼鉄郎氏が、国際短編映画祭委員には京極高英氏が選ばれました。

(2) 参加資格・昭和三五年九月一日より昭和三六年八月二五日までに完成された教育映画で十六ミリ版。

(3) 参加部門。学校教育部門、社会教育部門、産業教育部門、その他細部の問合せは東京都港区芝西久保桜川町二六映教会館、日本映画教育協会、TEL (591) 二一八六

◇劇団民芸公演久保栄記念
火山灰地一部、二部村山知義演出、二部九月十三日～九月二七日毎夕六時十五分開演、日曜、祭日一時、六時十五分
全席指定A￥四六〇～三六〇、B￥三六〇～三〇〇円割引します。　東横ホール

◇単行本のあつかいのお知らせ！
(1) 講座現代芸術　全七巻
阿部知二、小田切秀雄、清水幾太郎、竹内好、富永惣一、日高六郎、南博編集
完結記念セット販売、美装函入￥二八五〇、（二、三、五巻三五〇円、四、六、七巻四五〇円一冊づつも販売します。）

(2) 新劇評判記四六判／三二〇頁四五〇円、花田清輝／武井昭夫／対談
○東京神田駿河台二　勁草書店

(3) 伊丹万作全集志賀直哉、伊藤大輔、北川冬彦、中野重治、監修A5変型判四五〇頁、麻ダック装上製貼箱入、定価一、二巻一、三〇〇円三巻一、四〇〇円一時払一、七〇〇円
○東京千代田区神田小川町二ノ八筑摩書房

(4) 現代芸術論叢書飯島耕一、江原順、小川和夫、渋沢龍彦、谷川俊太郎、中井正一等著者
定価三〇〇円から四八〇円まで
○東京千代田神田駿河台弘文堂

(5) 映画教育運動三十年稲田達雄著A5版箱入上製本約六〇〇頁、会費一口一、〇〇〇円（限定版配布）
○東京港芝西久保桜川町二六、日本映画協育協会
註（〃映画教育運動三十年〃をのぞいてあとは一割引で作家協会事務局であつかいます。現金を持って申込下さい）

◇西部記録映画を見る会八月例会
○所／西武デパート八階文化ホール
○テーマ、日本の子供たち特集
○時／二〇日（日）后二時、三時二回／一年坊主（教配）
○時／二七日（日）后二、三、四時三〇分三回／津波つ子（東映教育映画部）
○無料／どなたも入場できます。

◇新作教育映画試写会八月例会
○時／十一日、二五日（金）后一時上映
○所／　山葉ホール
○入場無料
○内容／新作を上映します。五日前に協会事務局に連絡下さい。内容及び会員券があります。
○主催／教育映画製作者連盟TEL (501) 〇二三六代

◇記録映画「西陣」試写会通知。
記録映画「西陣」のキャンペンも多く持たれ、各方面の雑誌、新聞等に紹介と批判が掲載されましたが今回左記で試写会を持つこととなりました。希望者は申込下さい。

(1) 優秀映画観賞会八月例会
と　き　八月九日（水）后六時
ところ　久保[illegible]ホール（都電、地下鉄虎ノ門下車社会事業会館）
内容一、記録映画「西陣」三巻
二、東宝作品「駅前団地」

(2) 日本映画ペンクラブ八月例会
と　き　八月十日（木）
時間及場所は未定

◇記録映画「汝多くの戦友たち」八月上映のお知らせ
○八月十日（木）后六時一回文京公会堂
○八月十五日～二一日池袋東口、山手映画劇場で上映、併映作品、イタリア映画「わらの男」いずれも会員証八〇円発行

(4)

労働協約（草案）

自由映画技術者労働組合

本協約は

映画製作を担当する事業主である使用者（以下甲と称する）。

自由映画技術者労働組合（以下乙と称す）

甲、乙双方は、乙の組合員の労働契約に当って、労働法規の精神に基き、相互その立場を尊重し、相協力して、事業の健全な発展と組合員の労働条件の維持改善、並に福祉の向上をはかり、契約中の民主的な運営を確立する目的をもってこの労働協約を締結し、双方誠意をもってこれを遵守する。

第一章　労働協約並に雇用契約の締結

第一条　甲、乙双方は本協約の締結、並に乙の組合員の雇用契約にさいして、甲の委任並に乙の委任を受けたものは団体交渉権をもつものとする。

第二条　労働協約の締結は甲、乙の当事者は書面に記名押印をもって発効する。

第三条　雇用契約の締結は甲、乙の当事者は書面に記名押印をもって発効する。

第四条　甲は乙の同一組合員を再契約するとき、特別の事情がない限り前契約を自動的に有効とする。

第二章　労働雇用契約の基準

第五条　甲は乙の組合員の契約の基準として、乙の組合員が現在保持している社会的職能的技術評価を維持し、又物価指数の変動等を考慮すること。

第三章　労働時間、休日、休暇

第六条　一週を六日とし、一日を実働八時間とし、一週を四十八時間とする。

第七条　業務の都合によっては甲、乙協議の上、前条の規定に拘らず時間外又は休日に勤務させることができる。

第八条　労働時間の制限について次の通りに定める。

一、引続き十四時間（休憩時間をふくむ）一週を通算して六十六時間以上の労働に従事させない。

二、徹夜は、休憩時を含めて二昼夜にわたってはならない。

三、休日は毎週一回とし、又四週を通じ四日与えなくてはならない。

四、夜行列車で当着後の作業開始までの休憩は五時間とする。

五、ロケーション規定は別に定める。

第四章　契約期間

第九条　短期、又は巻数契約の場合の製作日数の算定基準は前章に基くものとす。

第十条　長期契約の場合は、甲に直属する労働組合との労働協約の該当条項、又は甲の就業規則の該当規定に違反するものは、労働基準法の該当規定によって定める。

第十一条　当初の契約期間を経過した場合、経過した労働日の計算については第五条、第七条の該当規定による。

第十二条　契約の内容（日当、短期、巻数）の如何を問わず、その契約料は時間外賃金をふくむか否かを明確にしなければならない。

第十三条　契約後、甲の都合により作業中止の場合、その間の費用については契約当初よりの日数割、又は時間割で支払うものとする。

第十四条　準備期間中といえども、契約なしに甲は乙の組合員を使用できない。

第十五条　職能別による特性は契約のときに別に定めるが、本協約の精神を逸脱してはならない。

第十六条　本契約中組合員が病気その他やむを得ない理由により相当不能となった場合、甲、乙協議の上本契約を解除、又は更改するものとする。

この場合の賃金の支払等については実情に応じて甲、乙協議する。

第五章　完成作品の改編

第十七条　甲は脚本家、演出家の同意なしに完成作品の改作は許されない。

第十八条　甲は作品の撮り足し、撮り直しは止むを得ない場合を除いて当初の作品に参加した契約者に依頼するものとする。

第六章　経費の分担

第十九条　組合員の自宅よりプロダクション（事業所々在地）までの交通費は組合員の負担とする。

プロダクション（事業所々在地）より作業現場までの交通費は甲の負担とする。

第二十条　製作中の昼食、夕食午后十時以後の夜食、徹夜明けの朝食は甲の負担とする。

ロケーション中の宿泊中の宿泊費は甲の負担とする。

第二十一条　航空、潜水、隧道、抗内、山岳等々危険又は衛生上有害をともなう作業の災害保険

等は甲の負担とする。

第七章　賃金の支払

第二十二条　賃金の支払い方法は契約時にきめる。

第二十三条　賃金の最終残額の支払いは、短期契約は契約解除日より十日以内とし、十日以内の契約の場合は契約解除日の翌日又は三日以内とする。

第八章　外国映画製作契約

第二十四条　契約は本協約にもとずくものとする。

第二十五条　契約は日本国の労働法規を守り、日本人の製作慣習を尊重すること。

第二十六条　契約は相手国の賃金水準、並に労働条件を考慮し、ダンピングの行為にならないようにすること。

第九章　効　力

第二十七条　本協約は締結の日より向う　ケ年有効とする。但し期間中でも双方の合意があれば改訂又は解約することができる。

第二十八条　甲又は乙はこの協約の改訂を必要とするときは期間満了一ケ月前までに文章をもってその旨を通告すると共に新協約について可及的速やかに協議する。

一、 項協議が、有効期間満了までに整はないときは、期間満了後一ケ月を限り、この効力を存続しその期間内に妥結するよう努力しなければならない。

二、甲、乙のいずれからも期間満了後一ケ月前までに何ら意志表示をしないときは本協約はさらに　ケ年間有効とする。

附　則

第二十九条　本協約の成立を証するため、本書弐通を作成し甲、乙それぞれ一通を保有する。

昭和　年　月　日

甲

乙　自由映画技術者労働組合

＝動　静＝

六月より新映画実業で大野孝悦君と王子製紙を撮り現在編集ー七月二十日〜三十一日NETの小岳ドラマ〃アニザイレン〃にスタッフとして参加します。　梶川勝良

三木映画社にて海外PR映画「日本でみたこと」仕上げ中。　日高　昭

杉山正美氏と伴に東京医大病院にと「血液」撮影中（桜映画社）　二口信一

PR映画東京ガス（演出矢部正男氏）クランク・アップDB七月三十一日の予定です。　田中平八郎

TVニュース他、電機メーカーPR映画シナリオハンテイング中　辻本誠吾

精神文化国際会議記録「世界の空は一つ」撮影一部を終り、自動車PRの脚本を終ったところです。近日中にクランクインの予定。（日本デザインセンター映画部）　松川八州雄

「ヘイドローフオイル」のスタッフ編成のためちよっと上京SSにの「キング・タンカの仕事が進んでいます。シドニーに参る話があり、あちらはいま冬とかでちよっと期待してます。いよいよ忙しくなり優れた作家の手がかりたい。　桑木道生

∧心境∨まっしぐらに自分の目標を見透す自分の足元のキソ工事をガッチリと年月をかけて構築する。海の彼方を羨望したり、あこがれたりせず勿論無視もせず、大体対等のものと考える。芸術の道はこれで間違いないと信ず。　広木正幹

国民文化会議
運動方針

一、長期計画による事業体制を確立する。

二、調査研究活動の本格的な準備を始める。

三、地方組織の強化をはかる。三年計画による県民文化会議の組織化。

四、組織の機構を改革

五、国際文化交流を具体化する。当面はアジヤ、アフリカ諸国の仲間と交流する。

六、国民文化会館の建設運動を起す。第一年度は啓蒙準備、第二年度は具体的準備、第三年度は建設にかかる。寄附カンパ活動による。

七、国民文化省を具体的に実践する。

◇ドキュメンタリー理論研究会

八月例会

○時／八月十五日（火）後六時
○所／厚生年金会館六階十二号室
新宿区番衆町十九（都電四ツ谷三光町、地下鉄新宿御苑）／TEL(351)一一一一
○テーマー／私の方法論
○テキスト／「記録映画」八月号
◎出席者／森本和夫（フランス文学者）京極高英
○会費／五〇円

◇記録映画研究会

八月例会

○時／八月二一日（月）后六時
○所／岩波映画二階試写室（国電水道橋下車そばTEL(301)三五五一）
○テーマー方法論研究について
○上映〃行司〃2巻〃双生児学級4巻〃法隆寺〃3巻（予定）いずれも羽仁進演出作品
○チエコ前衛映画〃白い鳩〃7巻
○世話人、長野千秋、間宮則夫、西本祥子、羽田登子

〃交換ノート〃

吉見泰氏の提案？職能組合として協会がもっと意味を持っべきであるという意見全面的に賛成です。企業での賃金斗争の場合にも協会が自映連の様に強力な統一性を持っていないと非常に斗いにくい。ひとつ各企業フリーを含めて経済斗争組織としての作家協会を強化する委員会をもうけてはいかがですか。

松川八州雄

「病院《サナトリウム》」を表から裏から気永にみつめたものを計画していますが、院長、副院長が全面的に協力してくれることとなりうれしい。一年半ぐらいかゝって面白いものを作るつもりです。お金がないからボチボチ作るということになりましよう。援助指導乞や切。

桑木道生

目下仕事休み、児童劇シナリオ執筆中です。何か適当なのがありましたらお知らせ下さい。TEL会社まで(231)一八四四わがたプロ内

辻本誠吾

誌代値上げについてのお願い！

諸物価及郵便料の値上により、印刷代の諸経費が上り、今のまゝの料金で、、原価を大きく割ってしまい、雑誌「記録映画」の維持が出来ない処においこまれてしまいました。運営委員会において審議の結果、予告もなく突然なのではありますが、この八月号より一冊定価一〇〇円にさせて戴くことになりました。

そのことにより大変御迷惑をかけるとは思いますが御了承、御協力下さい。

予約者で今までに代金を納められた方々はそのまゝとし、新しく八月号より代金をおさめになる場合左記のとをりになります。

○半ケ年分　六〇〇円（送料共）
○一ケ年分一、二〇〇円（〃）
○B5版四四頁　定価一〇〇円

昭和三六年七月一八日

記録映画作家協会運営委員会

東京都中央区銀座西八の五日吉ビルTEL(571)五四一八

振替東京九〇七〇九

＝事務局よりお知らせ＝

住所変更その他お知らせ

大野孝悦〜六月よりフリー演出
田中平八郎〜文京区戸崎町六四の二・清風荘内

古川良範さん病気見舞金の集計

協会で呼びかけました古川良範さん病気見舞金が九千円集りましたのでおとどけしました。

◇協会財政報告六月分

収入の部	
会費	五八、六〇〇
入会金	三〇〇
雑収入	六六三
借入金	一〇、〇〇〇
寄附	一、〇〇〇
繰越	八二四
計	七一、三八七
支出の部	
人件費	四〇、二五〇
印刷費	七、〇〇〇
家賃	五、〇〇〇
通信費	四、四七二
交通費	二、七七五
文具費	三一〇
手数料	六八〇
研究会	一、〇〇〇
貸付	二、〇〇〇
計	六三、四八七

◇記録財政報告六月分

収入の部	
予約	一六、二六〇
売上	一四、九二八
広告	三三、〇〇〇
映画会	一二、七八〇
繰越	七二、八一九
計	一四九、七八七
支出の部	
印刷費	七一、〇二三
映画会	七、三〇〇
通信費	六、八〇二
交通費	四、二六〇
文具費	一、〇二〇
座談会	三、五四〇
研究会	五〇〇
貸付	一〇、〇〇〇
計	一〇四、四四五

1961・9・1 発行

記録映画作家協会々報

№ 70

記録映画作家協会

東京都中央区銀座西八ノ五日吉ビル四階　TEL（571）5418

職能組合と運動体について

十月の実験映画を見る会

＝八月九日運営委懇談会＝

八月九日運営委懇談会報告

出席者ー松本、西本、間宮、荒井

（出席者わるく懇談会にしました）

㈠職能組合その他についての意見

事務局より案を出しました。

生活と権利を守るという点で委員会を強化し、それが職能組合の要素を持つように委員会及び事務局を強める。それと共に映画運動の面は、この三年間の雑誌「記録映画」及研究会の成果の上にのっとって広めて行く方向こそ大切である。即ち二つの方向を同時に取っていく案なのであります。それはあくまでも会の財政の問題と今までの会の発展の面を考えあわせて出て来たものであります。

ところが以上の案に対し、当日出席された方々から、そのような方向にはなりえないという事が出されました。

その一つとして職能組合即作協となることは組織的にいってもおかしいし、又それは映画運動の面が全面的に否定されたことになり今までの三年間の運動とは全々反対のものになってしまう。又は、作協では労働組合法につのった強力な組織にはどうしてもなりえない、別に作協の協力のもとに各企業に契約しているフリー作家の集り又は個人との連絡協議会仮称をもつようにしてその中での調査活動、その他を具体化する方向にすべきで作協はその一員として役員を出すようにし、その協議会が独自で行動すべきであり作協は援助するものとなる。

それと共に映画運動については意見が異ってきており、芸術運動はエコールとして小集団としてのこるのではないか、という意見と、集会員制をもうけて、劇映画、映画技術者その他のジャンルに呼びかけると共に雑誌「記録映画」の内容の問題から研究会等におよび映画運動、芸術運動を広めて行く方向におよびました。

草案を早く作り上げて各人の意見を上げさせ今期総会に提出することがなによりも大切であると話され、次回運営委員会（九月七日を未定）に事務局長案を出し討議の未草案とし会報にのせることになりました。

㈡第三回実験映画を見る会について話され、日時は、十月二十五日（水）后六、処は虎の門共済ホール、8ミリ、16ミリの他に劇映画一本を入れることになり作品の何本かが上げられました。

「眼には眼を」「愛と希望の街」「密告」クルゾー「恐怖の逢びきバルドン「海の牙」等出されています。会費は一人百円で行います細部は次回運営委員会で決定する

古川良範さんより　お礼のお手紙

カンパありがとうございました諸兄に御礼状を差上げたいのですが、当分あまり身体を使えないので出しません。事務局からよろしくお伝え下さい。とりあえずお礼まで

第二国立病院より

七月二九日

ドキュメンタリー通信

○ドキュメンタリー理論研究会九月例会

○時／九月十五日（金）后六時
○所／厚生年金会館六階十三号室
新宿区番衆町一九（都電四ッ谷三光町、地下鉄新宿御苑）
ＴＥＬ(351)一一一一
○テーマ／ドキュメンタリーの現代的視座
○テキスト／「記録映画」九月号
○出席／野田真吉、松本俊夫
○会費／五〇円（コーヒ代）

○記録映画研究会九月例会

○時／九月二〇日（水）后六時
○所／東京シネマ試写室（国電、地下鉄お茶の水下車、近江兄弟社ビル四階ＴＥＬ(291)六三五一～三
○テーマ／ドキュメンタリーの現代的視座
○上映作品／科学映画「エレクトロニクス」竹内信次演出「ガン細胞」渡辺正己、「魔法のテープ」ドイツ他一本純科学映画
○出席／渡辺正己
上映後一階パーラーにて懇談会を行います。

○一九六一年教育映画祭

○十月二日（月）教育映画総合振興会議、西桜小学校
テーマ″教育映画の利用を振興するための条件は何か″
○十月三日（火）中央大会、国際セレクト上映、ヤマハ
十月四日（水）～六日（金）
国際短編映画祭、Ａ、Ｂ、Ｃ、Ｄとプリントを組合せ十六ミリで巡回する。東京も都教委、映教、朝日文化の会等で別途上映協会を持つ。又ＮＨＫテレビにより入賞作品を放映する。
○東京都港区芝西久保桜川町二六映教会館、日本映画教育協会
ＴＥＬ(591)二一八八番
（記）国際短編映画祭及、入賞作品上映会の券は作家協会にも用意しておきます。

○西武記録映画を見る会
九月例会

○所／西武デパート八階文化ホール
○テーマ／社会教育映画特集
○時／三日（日）十一時、十二時二時三回／″テレビ憲法″三巻（荒井英郎演出奥商会製作）″耳のはたらき」二巻（日映科学製
○時／二三日（土　祭）十一時十二時二回″落ちたハーモニカ五五巻（中川順夫演出奥商会製作）
○入場無料

○新作教育映画試写会
九月例会

○時／八日、二二日（金）后一時
映
○所／山葉ホール
○入場無料
○内容／そのつど新作を上映します。五日前に協会事務局に連絡下さい。内容及び会員券おわたしします。

○日比谷図書館フイルムライブラリー九月番組

（1）文化映画会／毎水曜日、后二時
内容未定
（2）ニュース映画会／毎金曜日后、二時、内容中日ニュース、ユニバサール産経スポーツ、その他新作
（3）優秀映画を見る会テーマ／今井正監督特集
時／一時、五時三〇分二回
十二日（火）「どっこい生きている。二六日（水）「にごりえ
（4）中日よい映画を見る会
九日（土）后一時、三時
内容／児童映画特集「ゴウケツさん」五巻その他ニュース
註（いずれも入場無料で行っています。細部のお問合せ

世界実験ドキメンタリー映画会

第三回実験映画を見る会
（予告）
とき・一九六一、十月二五日（水）后六時（一回）
ところ・虎の門共済ホール
プログラム
第一部　８ミリ作品発表
高林陽一、大庭雄吉、堤正男、浜田英夫、小島一比品、等の最新作発表
第二部16ミリ作品発表
一、最後の遊び（伊）二、死神の手（仏）三、ゲルニカ（仏）四、とＡ－Ｂ・ＭＢ（細江英公作）「熱い叫び」（タムタム製作）五、白い鳩（チエコ）いずれも予定。
第三部　35ミリ作品発表
一、″西陣″松本俊夫作品二、闘牛（仏）三、黒の錯裂（アートフレンド製作）四、恐怖の逢いびき（バルドン作、スペイン）の中から選ぶ。
（註）細部については十月号「記録映画」に発表します。カンパは戴きます。お問合せは記録映画作家協会ＴＥＬ(591)五四一八まで

日比谷図書館視聴覚課ＴＥＬ(591)七七三九ー八

○ＰＲ映画センター

九月番組

○所／東宝演劇場（日比谷、東京宝塚劇場五階）

○時／毎后一時、三時二回

三日ー九日／オートメ記者／漁網／巨船ネスサブリン／北海道の秋

十一日十六日おふくろのバス旅行／新しい鉄時代／あにおとうと／青い炎／日立（英語版）

十八日ー二三日／テトロンと皆さん／電球から原子力まで／地下鉄第二部／東映商事第二部ＣＭ（英語版）二五日ー三〇日／アルミニュムの誕生／伸銅物語

十月二日ー六日／人工衛星／エネルギー／新しい紙／がんばるモートル／銅虫／カラ、インライフ

○芸術関係単行本の紹介と斡旋

(1) 講座・現代芸術全七巻
阿部知二、小田切秀雄、清水幾太郎、竹内好、富永惣一、日高六郎、南博編集
完結記念セット販売、美装箱入¥二八五〇（2・3・5巻三五〇円ー4、6、7巻四五〇円、一冊でも販売します。

(3)

(2) 新劇評判記四六判／三二〇頁／四五〇円、花田靖輝／武井昭夫対談
○東京神田駿河台2　草書房

(3) **成城町二七一番地Ａ五版**
／三五〇頁／絵コンテ写真多数／価四八〇円**市川崑、和田夏十**（ある映画作家のたわごと）

(4) 映像の技法Ｂ６上製／三八〇円
志賀信夫著（シナリオ、テレビ創作法、映画監督法入門）

(5) シナリオ読本Ｂ６上製／四六〇円、新藤兼人著
○東京千代田区神保町二ー二白樺書房

(6) **記録映画の技術**Ｂ６判美装／三五〇円、吉見泰、岩佐氏寿、記録映画作家協会編
○東京文京区駒込片町三二
医歯薬出版株式会社

(7) 「映画教育運動三十年」稲田達雄著、Ａ５版箱入上製本六〇〇頁、会費一口一〇〇〇円（限定版配布）
○東京港区芝西久保桜川町二六日本映画教育協会

註（〃映画教育運動三十年〃をのぞいてあとは一割引で作家協会事務局であつかいます。現金をそえて申込下さい。

○記録映画西陣について

記録映画「西陣」は各方面で話題になっていますが、今回大和フイルム（洋画配給）の力ぞえで全国配給が、教配の関西上映その他観光文化ホール等において九月中旬から十月にかけて市場にかゝる可能性が出てまいりました。細部については
○記録映画「西陣」支援する会
記録映画作家協会気付ＴＥＬ(571)五四ー八、か新世界プロＴＥＬ(291)二五一三へ御連絡下さい。

国民文化会議映画関係委員会報告

八月十二日（土）后二時よりミラノ座パーラーにて

当日の出席者は、映演総連、映愛連、勤視連、独立プロ協、記録映画作協、オブザーバとして八幡映画クラブ

○国民文化会議の組織の改変によりこの会議の問題が出され映画関係委員会とすることとし、独立プロ協の事務責任者、山内達一さんが運営委員であることを確認。

○映演総連より―映画演劇労働者の統一の問題が出ている。量産競走による破綻が労働者の肢よせになってあらわれている。全映演からの統一の申し入があり、あと日活労組との関係だけである。まだ復興会議の問題がのこされている。新東宝は中小企業となり、月テレビ二本、劇二本を製作する体制を組む。又ステージは貸ステージとする。

○勤視連ー㈠〃汝多く〃の上映運動がある。㈡労農ニュース〃かく斗えり〃が完成㈢アカハタニュースの上映運動はあまりよくない。㈣教組番線の問題について〃わらしっ子〃〃未来の子供たち〃〃山いも〃等の製作運動がおきている。㈤労視研及労農ニュースに対しての総評の方針は縮少する方向が出されており、今后の労視研大会は労働組合の教宣集会の一部とし組合以外のものの参加を制限する。又労農ニュースも年間一本か二本という三分の一の縮少が出されている。㈥政暴法の記録映画製作運動をもり上げることが出ている。

○独立プロ協組ー近々総会を開き今まで作られた全作品のリストを作り、各方面に配布する。「裸の島」のモスクワ国際映画祭入賞による国際交流の立場から、朝鮮、中国、ソ連との合作映画の計画、及九月以向東映、全農映等による。独立プロ所属の作家の作品が作られて行く。この八月三一日モスクワ映典祭歓迎と帰国報告会を開かれた。

映愛連ー各地域ごとの組織を映連一本の組織体に変へる方向が出

ている。映愛連として自主上映運動に力を入れる。その一環としての十六ミリ映写機購入運動等。

そのあとで
(イ)入場税問題について話され
(ロ)機関紙「国民文化」の原稿について映愛連と勤視連が責任もつ。

＝動静＝

EKカラー35〃マンモス高炉〃三巻完成、EKカラー35〃焼設備〃三巻完成、EKカラー16〃若返る。〃三巻製作中EKカラー16〃ラーメンプレス構造実験〃二巻製作中。

松岡新也

「日本発見」シリーズ製作のため宮崎ロケへ出張中。

花松正ト

目下PS映画用データー集録中です。

辻本誠吾

一応落着いたので万事新規まきなおし。引越しというものが、これほどた介な手のかゝるものとは予想しなかったのでくたびれ果てました。息子夫婦や五人の青年諸君の手助がなかったら半分でやめたくなったのに相違ありません。今後はバタバタせず、ゆっくり落着いて仕事をします。

岩佐氏寿

交換〃ノート〃

原爆をテーマとしたドラマファイル構成を観て、まだまだウソがあるようです。広島出身体験者の一人としてもっといゝものを書きたいと思ってますが同志う。

辻本誠吾

〃記録映画〃十月号（予告）

テーマーは作家としての作品による思想性

一、総論（芸術と思想） 花田清輝か針生一郎
二、テーマと思想 丸山章治
三、カメラワークと思想 羽仁進
四、モンタージュと思想 長野千秋
五、音と思想 片山樹夫
六、シナリオと思想 原木たか
七、演出と思想 黒木和雄
八、光と影と色と思想 川叉又は
九、演技と思想 大島渚
その他

事務局だより

移転と電話変更のお知らせ（外部）

○株式会社日本デザインセンター映画部
新事務所ー東京都中央区銀座西七の二ー二ー銀座ビルデング八階
新電話ー(571)四七一一、四七一二

○株式会社たくみ工房、九月十五日より、
新事務所・スタジオー渋谷区代々木二の二一日連会館TEL(368)一七八四、(361)五七二七、(371)三四七五（交）
作画室ー錦果園ビルTEL(368)六七七一

○映教会館完成新住所紹介

○日本映画教育協会
東京都港区芝西久保桜川町二六
TEL(591)二一八八

○教育映画製作者連盟
TEL(501)〇二三六

○教育映画配給者協議会
TEL(591)二一八六

○教材映画製作協同組合
TEL(591)一八五〇

◇住所変更その他お知らせ

岩佐氏寿〜練馬区谷原町一の一四九八
矢部正男〜世田谷区大蔵町一〇一の一大蔵住宅一八二七号
山口淳子〜日映新社所属
北多摩郡保谷町上保谷
苗木山一九二一

◇新入会者紹介

高林陽一〜世田谷区玉川等々力町三の七八 賛助会員
真田浩介〜中野区宮園通り二の四 賛助会員

暑中見舞が作協に参りました。
東和印刷社（協会報印刷）、日本ヘラルド映画株式会社、大方弘男、東急文化会館、テッサー（ファイル製造）、日本ライト社、近代映画協会、新週刊、藤プロダクション、塚原孝一、芸術学院、篠原央憲（TAM、TAM芸術集団〈東京支局〉）

◇協会財政報告　七月分

収入の部	
会費	五〇、三〇〇
入会	三〇〇
雑収入	七七一
借入	四六、〇〇〇
繰越	七、九〇〇
計	一〇五、二七一
支出の部	
人件	七二、七五〇
印刷	一〇、〇〇〇
家賃	五、〇〇〇
通信	六、九六五
交通	三、九五五
文具	四四〇
手数料	四二五
研究会	一、〇〇〇
雑費	三、九五〇
計	一〇四、四八五

◇記録映画財政報告　七月分

収入の部	
予約	一二、七一〇
売上	三八、一五二
広告	五八、五〇〇
映画会	四、一八〇
雑収入	九〇
繰越	四五、三四二
計	一四八、九七四
支出の部	
印刷	七一、四四〇
通信	六、三一九
交通	二、〇六〇
文具	七六五
研究会	一、五〇〇
貸付	四六、〇〇〇
計	一二八、〇八四

1961.9.12 発行

記録映画作家協会々報

資料

記録映画作家協会

東京都中央区銀座西八ノ五日吉ビル四階　TEL（571）5418

職能組合についてのプラン
一九六〇・九・十（第一次案）

事務局提出

こゝ数回の常任運営委、運営委において職能組合についての討議がすすめられておりますが、欠席の方もありますので、今までの討議を事務局でまとめてみました。これを運営委全員の検討にかけ、賛成、反対を問わず意見をだしていただきたいと思います。その上で第二次案ができれば、それを会報にのせて、全会員の討論にふしたいと考えますので、どうか御意見を出して下さい。

1．協会の現状について

今年下半期に入ってから、協会の運営上で特徴的に表われてきた二、三の問題を分析する必要がある。事務局の資料によると、協会費滞納の総額は、五月三十一日現在で、約二五万に達し、運営委員会は二、三度これにとりくみ、滞納一掃の運動をおこし、ある程度の成果をおさめたが、現在なお大きな変化はない。この滞納は主にフリー作家、助監督にみとめられる。次に、企業会員の側から、会費の値下げ、ないしランキングな上る際にの据置きの要求が顕著になってきた。この傾向は、当然賛助会員にもみられるものである。これらの部分に顕在化し、また会費納入の云い分にあっても内在していると思われる共通した意志表示は、会費を払うわりには、協会は何もしてくれないではないか、ということである。これまで運営委員会、その他で検討してきた所によれば、これらの声は一応、生活と権利を守ることでの、協会への不満と要求であると考えなくてはならず、協会は、率直にこの要求をきゝ、対処することが重要だと思われる。いわば「生活と権利を守る小委員会」的な方法では応えきれない要求がでてきているということである。

芸術運動の面ではどうであろうか。協会は、機関誌「記録映画」を発行し始めてから、それ以前はむしろ不分明であった芸術運動団体の側面を強力におしだし、以後三年以上にわたって、記録映画運動の波紋を協会の内外にひろげてきた。それが映画界に果している役割は、六十年末の協会総会において認められた通りである。しかし、この経験の中で云えることは、記録映画運動が、実質的には、記録映画専門家の母胎にとじこもるべきものではなく、現実的にも、この枠をのりこえたところで運動がすゝんでいるということである。最近の芸術運動も、各芸術ジャンルの枠をこえたひろがりで、すすんでいる。まして、記録映画作家の集団の中だけで発展を考えることはできない現状ではないだろうか。

2．生活と権利を守るたゝかいについて

生活と権利を守る要求は、企業会員の場合と、フリーとでは、ちがった形であらわれている。企業の労働組合に加入している協会員は、この要求を協会にたよるという方向ではなく、当然、労働組合の要求としてたたかっており、これらの会員にとって協会は、生活と権利を守る組織としては重い意味を持たないと云える。次に企業に所属しながら、組合組織をもたない会員は、たとえば日経映画の如くに組合結成に成功した部分と特に小企業、小人数であることから、大きな連帯的組織をのぞむ部分とがある。フリーに於ては、ギャランティ、労働条件等を守り高めるための有効な組織をという要求は一そう切実である。このように作家のそれぞれの地位による要求解決の方向のちがいは大きく、協会がこれを一括的にとらえ、全

(2)

組織的な問題としてとりくむ上で困難にぶつからざるを得ない。この困難が、一つの大きな条件となって、生活と権利の問題に対する協会のとりくみ方の弱さを招いている。フリー会員で、わりあいに長期間、一室の企業で仕事をする部分は、この協会のよわさにたよらず、自主的に契約者の組織化をすゝめ、懇談会といったものを結成したところがある。岩波映画にその例がみられるが、こゝでは、作家と技術者の団結によって契約者の殆んど全員を傘下におき、会社側との話し合いでギャラ、その他の保証をかちとろうとしている。こゝでは相当の成果をあげているけれども、同時に、団交権、ストライキ権をもらえないところからどうしても限界がでてきている。従って将来の方向としては、岩波映画労組とは提携しつつも、別個のフリー労仂組合の結成を目指さざるをえないということが論議されている。

3．新しい組織の提案

以上の経験と現状の分析から、われわれは現在の作家協会の組織が、作家の生活と権利を守るたたかいに於て有効な組織ではないのではないかという疑問を提出する。作家にとって必然的な一面の要求つまり、生活と権利を守る、ということと、芸術創造あるいは広く考えて芸術運動、を進めるということには、現状にあっては組織の上でピッタリ重り合うことが出来ず、現在の作家協会がこのままの組織であるならば、この何れの要求にも結局応えられないのではないかということである。組織は常に人々の要求の一致点に於て結成され、人々の自発性によって支えられていくものであることを考えれば、当然次のような見透しを立てることが出来る。現在、生活と権利を守り高めるために必要なのは、企業所属の会員にとっては労仂組合であり、フリー会員にとってはフリーの特殊性を生かした労仂組合的組織である。また、作家としての芸術創造、芸術運動の要求にこたえるための、芸術運動体であろうし、また、映画による教育運動の組織も考えられるであろう。現在の作家協会は発展的に解消して、以上の諸組織に改編されるべきではないのか。

4．フリー記録映画作家の労仂組合について

すでに自映連では、自由映画労仂組合についての構想を持ち、作家協会に対しても、この問題の検討を呼びかけてきている。内容については既に会報68、69号に転載した通りであるが、いわば映画界ではじめての労仂組合法人を作ろうとするものであり、十分な検討が望まれる。さきに述べた様な協会の改編を認めるならば、この労仂組合法人（自映組と略称）は記録映画作家、特にフリーにとっては当然重なり合う問題であり、又企業単位に結成されたフリー契約者懇談会にとっても共通の問題である。これが実質的にどんな利益をもたらすか、どんな利益を確保し拡大していけるかは、これからの課題であるが協会員特にフリーの会員がこれに自主的、積極的にとりくむ必要があると考えられる。協会はフリー会員の問題討議の組織化を助け既に出来ているフリー契約者懇談会の間の連携を援助することが出来るだろう。例えばフリー部会ともいうべきものを作りこれとたよる自映組推進の委員会をもつことも考えられるのではないか。

5．芸術運動体について

作家協会はその結成以来、戦後の記録映画運動を受ついできたし特に「記録映画」誌を中心とする理論的活動においてそれを批判的に発展させようと努めてきた。この成果は今后も決して放棄することのできない重要なものである。しかし作家協会の発展的解消があるとすれば、それに伴なって今迄の記録映画運動も当然再編成されずにはいられない。芸術上の運動がその根底に思想の潮流をもつ以上、今までの「記録映画」を中心にした芸術運動とは異なった地点で新たな流派が生れることも可能性があり又当然なことであろう。こうして夫々の流派が、夫々の芸術運動を指向し、その為の運動体を作っていく。われわれはこれらの間に起るであろう芸術論争、思想論争を恐れてはならず、むしろ歓迎し、そこを通して生れてくる新しい芸術にこそ期待すべきではないだろうか。敵対のための敵対ではなく、よりすぐれた芸術創造のための討論がのぞまれるし、大きな意味での連帯がのぞまれる。そして、そこから更に大きな芸術運動の統一体も構想しうるのではないだろうか。作家協会と上記の芸術運動体との関連について言えば、協会員全体が単一の運動体に参加するということは現状では考えられぬことであり、従って現在の協会が改編によってずるずると一つの芸術運動体に変身することもないであろう。協会員の個々の集団によって或いは協会外の人を含めた集団によってそれは新しく発足するものではないのか。これに参加するとしないとは勿論各人の自由であり、又自映組の組合員であるとないとを問わないであろう。

1961. 10. 1 発 行

記録映画作家協会々報

記録映画作家協会

号 外

東京都中央区銀座西八ノ五日吉ビル四階　TEL (571) 5418

動静

次の仕事の準備で、九月上旬から十月半ばまでは、九州との間を行つたり来たりです。

岩佐氏寿

千歳映画株式会社の創立にともない、その役員のひとりとして、製作を担当することになりました。事務所は中央区銀座東一ノ二東貨ビル内。電話(561)〇六九一・六八四〇

大口和夫

「現代に生きる」(奥商会)が、いちおう終り、「農民と技術」のシナリオ一つ、テレメンタリー一つにかかつています。

熊谷光之

十六ミリ映画社で数学シリーズ〃概数のはなし〃完成

谷川義雄

七月はUSISの仕事を演出担当して、八月からはフリーとなり、「禅」の映画の準備に入りました。

村田達治

テレビの仕事と脚本を三本ほど書き終りました。十月から三井プロの仕事でアラビヤ・ロケに出発します。帰国は十二月初旬の予定。

頓宮慶蔵

やつと仕事スタートしました。下水道、一九六一年、カラー三巻(新理研) いて読売にて、セメント、カラー二巻、今年はまとまつたもの一本もなく、年末をひかえて、どうしても後一本やる予定。

入江一彰

十巻、シネスコ、カラーの実験映画は一部撮影したが会社的に手間どり、暫く保留、来春までかかつて科学映画「ウイルス」に取組むこととなる。これは専門家向けなので骨が折れる。

広木正幹

=記録映画= 意見及質問

毎号大変興味深く拝見しています。

村田達治

現在の編集方針を積極的に支持します。ルポルタージュの強化と、座談会がほしいと思います。更にご健闘を祈ります。

粕　三平

アカハタ日曜版や、新週刊のような編集方針を取入れるなら、記録映画は大衆とも結び付き、経営的にもうまく行こう。今では、乙にすましたあまり美人でない人。

広木正幹

世界実験ドキュメンタリー映画会

—第四回実験映画を見る会—

とき・一九六一年・十月二五日(水)后六時　一回

ところ・虎の門共済ホール(都電地下鉄虎の門下車)

第一部8ミリ作品発表(三〇分)

(1)〃トンニャツポ〃(カラー)提正男作

(2)鍬をかついで〃　高林陽一作

第二部16ミリ作品発表(40分)

(3)〃かりいれ〃(フランス)一九六一年東京国際アマチュア映画コンクール大賞ピエール。ボルデ作品。

(4)〃ゲルニカ〃(フランス)アラン、レネ作品。

第三部35ミリ作品発表(30分)

(5)〃ブロードウエイ・バイ・ライト〃(アメリカ)

第四部特別試写(96分)

(6)〃黒の錯覺〃アート・フレンドアソシエーション作品

(7)〃おかしな通夜〃和田勉作品

(註)世界の代表的な実験的な映画を集めました。アマチュアの作

(2)品もふくまれています。〃記録映画〃読者及映画愛好者におくるものです。記録映画作家協会へカンパ下さつた方々を招待します。

○記録映画研究会

戦後の短編映画代表作を年代順に上映、三ケ月にわたり毎月二回戦後の作品を検討する。二回目に討論会を開きます。

とき／十月十八日（水）十九日（木）后六時～九時

ところ／西部労政会館（国電、高田馬場、下車三分）

TEL(369)○一九一～二

内容①原爆の長崎／②稲の一生、／③まんがの世の中／④京浜労働者／⑤砂川の人々／⑥流血の砂川／生きていてよかつた／⑧カラコルム／⑨太陽と電波

○とき／十一月十八日（土）二〇日（月）后六～（予告）．ところ／渋谷労政会館、内容①腰のまがる話／②蝶／③富士山頂観測所／④佐久間ダム／⑤日鋼室蘭／⑥教室の子供たち／⑦おふくろのパス旅行／⑧ミクロの世界／⑨松川（フイルムによる証言）／⑩地底のガイカ

○とき／十二月十一日（月）十二日（火）后六（予告）．ところ／渋谷労政会館、内容①　の結晶／②空気のなくなる日／③月の輪古／④朝鮮の悲劇／⑤ひとりの母の記録／⑥蛙の発生／⑦世界は恐怖する／⑧遺難

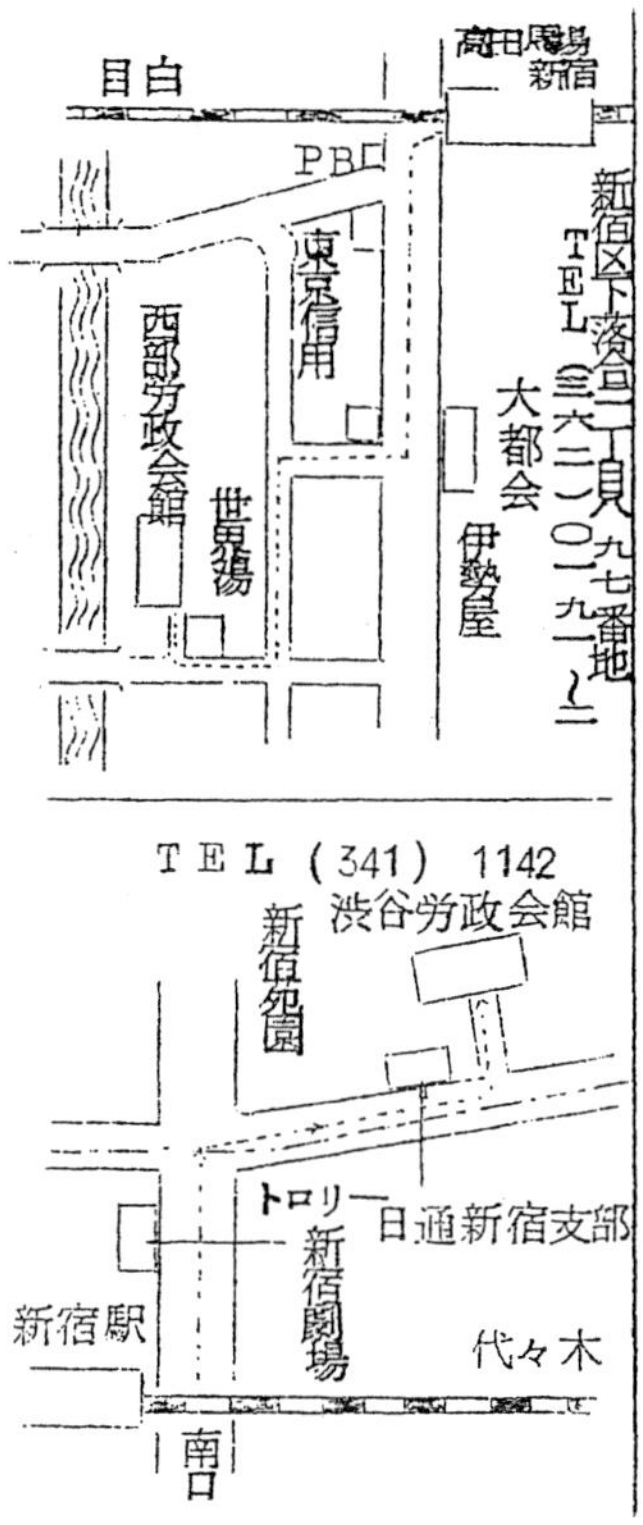

ドキュメンタリー通信

○ドキュメンタリー理論研究会　十月例会

○時／十月十六日（月）后六時

○所／主婦会館四階会議室（国電、地下鉄四ッ谷下車そば、TEL(301)○一二一

○テーマ／芸術と思想

○テキスト／「記録映画」十月号

○出席者／長野千秋、黒木和雄

会費／五〇円

○新作及国際短編試写会

今後、毎月初めに試写会を計画しますので参加下さい。

とき／十月十一日（水）后六～九時・ところ／西部労政会館（国電高田馬場下車三分）TEL(369)○一九一－二

内容、各社新作及各大使館所有短編を上映。

主催・東京映愛連、記録映画作家協会。

事務局よりお知らせ

この九月十五日より高橋昌秀君が退めることとなりました。それに変つて和田恵美さんが新しく「記録映画」編集担当として入られました。和田さんはテレビタレントの和田勉氏の奥さんです。今後共よろしくお願いします。

△事務局員給与について和田恵美さんの入会と共に武井登美江さんの給与を一、〇〇〇円値上げして、九、〇〇〇円とし、又和田恵美さんの九月分の増額分等合せ、一万円については財政計画を立てゝ支払うこととしました。

事務局より会員の皆さんへ

△今国会で政暴法が問題に又なります。言論の自由を守り、集団の権利を剝奪されない為にも政暴法案なるものを同封しますので読んで戴きたいと思います。又文化団体連絡会議としての行動がありますのでその節は参加下さい。

△職能組合のこと、芸術運動について運営委員会では討議中です。いろいろの意見が出されていますが今、十二月の総会の議題として重要なものになりそうです。十一月の会報には細部の案が出ます皆んなで検討下さい。

△協会の会費の滞納分がふえてまいりました。各人に請求書と共に振替用紙を入れて送つていますが、事務局あて至急会費をおくつて下さるようおねがいします。

1961.11.1 発行

記録映画作家協会々報

No. 72

記録映画作家協会

東京都中央区銀座西八ノ五日吉ビル四階 TEL (571) 5418

事務局問題と職能組合について

＝十月十日運営委員会報告＝

当日は集はあまりよくないのですが、重要な会議でしたので充分討論されました。

㈠新入会者紹介、西原孝（東映所属）演出家を紹介

㈡実験映画を見る会についての経過と当日の問題。

チエコの〃白い鳩〃がだめになりそのかわり〃黒のさくれつ〃（アートフレンド）〃悪い奴〃（和田勉演出）に変つた。券の配布と当日は役員の協力方をおねがい。

㈢新事務局員和田恵美さんの紹介をした。

㈣国民文化会議会費の値上げ承認と記録映画作家の個人会員の呼びかけも承認すると共に呼びかけをすることとなつた。

㈤〃記録映画〃及協会財政問題について、今までの財政計画及方法では限界がある点からどのようにして行くかについて討議したが良い意見が出なかつた。

㈥事務局問題について

家主の方から前責任者、吉見泰、菅家陳彦の両氏に話があり今年一パイで現事務局を出てほしいむね申し入れがあり、その旨を伝えた。（常任委員として話し合つた処やむをえないであろうということになり、家主の方に今年一パイで移転するむね連絡をとつたことが本日の運営委員会後報告された）運営委員会としてやもうえないであろうということになり、新しく事務局をさがすこととなつた。

㈦職能組合について

事務局案が出されて現在運営委員会で討議中であり、事務局案に対し賛否が出ているので、その二つの意見の中でも又ニュアンスの違いもあり、いくつかの出されている意見を文章化して、次回運営委員会にて討議しその結果をまとめて総会議案書の草案として会員の意見を上げてもらうよう準備中。

記録映画 十二月号予告

特集一九六一年の記録映画界
ー現況分析と報告ー

(1)映画経済論／野口雄一郎
ー記録映画界を中心としてー

(2)座談会、一九六一年の総決算と未来への展望。
加納龍一、栗山富郎、富沢幸男、野田真吉。

(3)短編映画界の現況／望月、宮永、（日本教育映画協会）

(4)記録映画の劇場上映／村尾薫
ー映画館からの意見ー

(5)一九六一年の記録映画／飯島耕一
ー創作上の問題を中心として

(6)教育映画祭作品評
㋑学校教育映画評／岩佐寿彌
㋺社会教育映画評／高林陽一
㋩産業映画評／物江龍慶
㋥国際短編映画評／大島辰雄

(7)講座・ドキユメンタリー映画の作り方／岩佐氏寿

(8)ポーランド映画の新しい傾向／康敏星

(9)日大映研〃椀〃コンテ

その他

ドキュメンタリー通信

（2）

◇第二回短編新作試写会
お知らせ

と　き〇十一月九日（木）后六時。
ところ〇厚生年金会館（地下鉄、国電、新宿下車、都電、三光町下車）ＴＥＬ(351)一一一一
内容、シネマ・リユミエール／映画百科辞典／我が友ピエール日仏学院提供、水をふたたび（東京フイルム）
主催、東京映愛連、記録映画作協。

◇ドキュメンタリー理論研究会
とき〇十一月十四日（火）后六
ところ〇厚生年金会館
内容、記録映画作家研究
テキスト〃記録映画〃十一月号
出席、京極高英、松本俊夫
会費、一人五〇円

◇記録映画研究会
テーマー、戦後短編映画代表作品研究、第二回。
と　き〇十一月二七日(月)二八日(火)后六～九
ところ〇渋谷労政会館（国電、地下鉄、新宿下車千駄ケ谷方面）
ＴＥＬ(341)一一四二
内容、一日目～腰のまがる話／あげは蝶／富士山頂観測所／佐久間ダム、日鋼室蘭／教室の子供たち／おふくろのバス旅行。
二日目～ミクロの世界
松川（フイルムによる証言）
地底のがい歌。

◇高林陽一作品発表
時／十一月十六日(木)后六時
所／ブリジストンホール
第一部(イ)石庭幻想(ロ)石が呼ぶ、(ハ)京都。
第二部　同質主題による二つの作品。
(イ)石つころ、(ロ)鉄をかついで。
川崎（十六ミリ）予定
主催、記録映画作家協会

◇西武記録映画を見る会
十一月例会
〇所／西武デパート八階文化ホール。
〇テーマー／一九六一年教育映画祭参加作品集。
〇時／三日（金、祭）十・三〇・十二・十五時の三回／巨船ネスサブリン四巻、メガタの卵二巻（岩波映画提供）
〇時／十九日（日）十、三〇、十二、十五時の三回／北海道のこども達三巻、（電通映画社）追われるガン細胞三巻（東京シネマ）

◇新作教育映画試写会
十一月例会
〇時／十日二四日(金)后一時
〇所／ヤマハホール
〇入場無料
〇内容／その都度新作を上映します。五日前に協会事務局に連絡下さい。内容及び会員券を渡します。
〇主催／教育映画製作者連盟。
ＴＥＬ(501)〇二三六

◇国民文化会議研究会議
全国代表者会議開催
時／十一月十一日(土)研究会議
所／東京
時／十一月十二日(日)代表者会議
所／東京神楽坂出版クラブ（国電飯田橋下車、都電神楽坂）
主催、国民文化会議、ＴＥＬ(301)一三四三、是非来て下さい。

◇映画観客団体
全国会議開催
時／十一月十八日(土)、十九日(日)（来年二月にのびる予定）
所／岐阜（中映連責任）
議題①自主上映運動と映サとの関係、②民主的映画運動の総括と観客運動との関係。
出席団体、中部、関東、東京、関西、九州よりの各地方団体出席。
(註)記録映画作協の会員は是非この会議に出席するようにしましょう。

◇〃「夜と霧」見る会
誕生と呼びかけ

アラン・レネー作品「夜と霧」が日本税関によりカットされた。完全上映をのぞむ団体、個人の呼びかけを発表。今回上映される作品を見ると共にノーカット上映運動を広く呼びかけ、関係方面に要請又は抗議を訴えます。「夜と霧」を見る会準備会～

〇十一月十日よりＴＹ系チエーンで〃狂つた年輪〃と同時上映される。

〇連絡所、東京映愛連ＴＥＬ(369)三六三六、記録映画作協、ＴＥＬ(571)五四一八

◇「飼育」上映促進の会で
上映対策を!!


十月二三日に東京映愛連、国民文化会議、映　総連、記録映画作協、都下大映研、大学映研、等が参加して誕生。

大島渚監督になる「飼育」が十一月二二日八重州名画座で上映十月三十日に第二回会議を開く。十一月八日、十四日の試写会にをいて大島　等をはげます会を開くこととなつた。

○連絡は東京映愛連、記録映画作協。

◇事務局より お知らせ◇

一、単行本あつかい。

○〃記録映画の技術〃吉見泰、岩佐氏寿等記録映画作家協会編集、医歯薬出版、定価三七〇円

○〃成城町二七一番地〃市川崑、和田夏十、白樺書房、定価四八〇円

ようやく出版されました永らくおまたせしました一割引であつかいます。

○〃浮浪児の栄光〃佐野美津男、三一新書、定価一八〇円、（大島渚にて映画化）

二、アラン・レネエ監督「夜と霧」他、前売券あつかい。

十一月十日より一週間、新宿劇場、池袋劇場、目黒スカラ座あつかい。一般二三〇円の処一七〇円に。

三、「飼育」会員券発行。

十一月二二日、二週間、八重州名画座、一般一五〇円の会員券発行。

(二)(三)の券はいづれも事務局にあります。

(3)

〃交換〃ノート

従兄の熊谷が、編集委員を辞退しました。無責任の体系と、正面きつて向かいあい、切開手術をするためだそうです。レッテルはひとから貼られるという思いこみの中で、自分で貼つてることに気づいたらしく、製造元のヤキウチにかゝります。

柏 三平

指導者を自任する人は胸襟を広く開いて映画の新芽を見つけて下さい。でないと一つの流れに浮んで来る作とか、手八丁口八丁の作品しか気が付かないことになる。本当に個性的な開拓は、意表に出て、しかも大てい未完成な形で現われるのでキャッチしにくいと思う。新芽は若い株から出るとばかりは限らない。

広木正幹

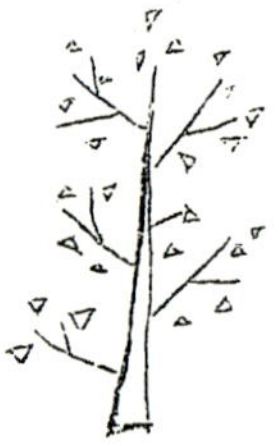

◇記録映画「西陣」自主上映にふみきる!

今までなにやかにやと西陣の業者との関係、又十六ミリ製作等ありましたが、今回はつきりと自主上映でわりきつて進むこととなり、「西陣」上映支援の会とが中心になつて自主上映の事務をあつかうこととなりました。

一日の使用料五・〇〇〇円で出すこととなりましたので各方面の申込があれば扱うこととなりました。

東京の事務連絡所は記録映画作家協会ということになりました。

◇中国映画祭が十一月に始る

美しきめぐり逢い（カラー十二巻、）二つの運命の決戦（白黒六巻）

十七日九段会館、十八日品川公会堂、二二日豊島公会堂。

上海解放物語（カラー十一巻）

青春万才（カラー七巻）

十六日九段会館、十七日、目黒公会堂。

暴風驟雨（白黒十二巻）のど自慢狂時代（人形カラー四巻）

十七日、杉並公会堂、二〇日、太田区民会館

燃えあがる大地（カラー十三巻）

エベレスト征服（カラー二巻）

十七日両国公会堂、二〇日九段会館、二一日豊島公会堂。

上映は全部午后六時。

主催、中国映画祭実行委員会

会費、一人百円（事務局にもあり）

◇シナリオ募集コンクールで現在まで次の作品が集まりました。

○アニメーション映画〃ぼくの知つたことではない〃大西金之助。

○社会教育映画〃黒い影の少女〃 阿相謙二

○児童劇映画〃亮こと山男〃 福西みどり

○無題二つ、加本、河内紀、五つが集りました。

◇第六回全日本学生自主映画祭

○十一月二二日一二時／自主作品発表会／ヴイデオホール／出品作品・「歯車」（法政映研）「灰」（慶応映研）「白い一日」（学習院映研）「人間注目」（明大映研）「〇の視点」（国学院大映研）「わん」（日大映研）「虚」（東北学院大学映研）「国」（京大映画部）「題未定」（北大映研）「サロベツ原野」（同）「汗がにじんで」（関大映研）「デルタ」（関学映研）「ぶんご夏」（稲門シネ研）の合計一三本。

○第二日／二三日／合評会／日本大学。

○第三日／二四日シンポジウム及び全体会議／日大。第一課題／現在の映画サークル運動の問題点。第二課題／創作及び批評主体としての学生映研の動向。第三課題／学生映画運動の表向。全体会議／センター結成と活動網領採決。

◇事務局より　おねがい◇

一、事務局について
永らくいました日吉ビルの事務局が家主より申し入があり、今年一パイで出なくてはならなくなりました。そこで会員の皆さんの中でよい事務所（安い処）がありましたら紹介下さい。

二、名簿作製について
会員の皆さんから経歴等戴き名簿を作ることとなりましたが、費用が一万円以上かゝりますので現在スポンサーをさがしています暫くおまち下さい。

三、国民文化会議個人会員募集中、
国民文化会議映画部会では個人会員を募集中です。会員一人百円です。希望の方は事務局まで申し出て下さい。

四、研究会部員募集中。
毎月〃記録映画研究会〃〃ドキメンタリー理論研究会〃〃新作試写会〃を行つています。現在研究会の部員が不足しています。部員として協力出来る方は事務局まで申し出下されゝばさいわいです。

五、十一月中に滞納会費を納入下さい。一九六一年もあと、一ヶ月で終りになります。会員の皆さん会費滞納の方々は十一月中に納入下さるよう努力下さい。TELがあれば取りにうかがいます。

◇住所変更その他お知らせ

花松正ト〜新宿区舟町四鷺田方
伊勢長之助〜港区赤坂台町一五
リキアパート二〇四号
小川益生〜世田谷区松原町一の一
七七八　小沢方
城之内元晴〜杉並区天沼一の四〇
FAA内
西原　孝〜世田谷区船橋町六九
加藤敏雄〜渋谷区大山町十一荒川
方フリー助監督

◇協会財政報告　八月分

収入の部	
会費	五四、〇〇〇
入会	三〇〇
雑収入	六九五
寄附	三、〇〇〇
借入	一五、〇〇〇
繰越	七八六
計	七二、七八一
支出の部	
人件費	四一、七五〇
印刷費	一〇、〇〇〇
家賃	五、〇〇〇
通信費	六、五五六
交通費	四、二〇〇
文具	二三五
手数料	三四〇
研究会	一、〇〇〇
雑費	二、三八〇
計	七一、四六一

◇記録映画財政報告　八月分

収入の部	
予約	四、五七〇
売上	二七、六九七
広告	三七、五〇〇
繰越	二〇、八九〇
計	九〇、六五七
赤字	五、二四六
支出の部	
印刷費	六八、六七〇
通信費	七、九四〇
交通費	六〇八
文具	七二五
研究会	九〇〇
雑費	二、〇六〇
貸付	一五、〇〇〇
計	九五、九〇三

◇協会財政報告　九月分

収入の部	
会費	五九、〇〇〇
入会費	三〇〇
借入金	三、五〇〇
繰越	一、三二〇
計	八四、一二〇
支出の部	
人件費	四六、七五〇
家賃	五、〇〇〇
通信費	六、一二七
交通費	四、〇二〇
文具品	一〇〇
手数料	八七五
研究会	九〇〇
雑費	七〇
計	六三、八四二

◇記録映画財政報告　九月分

収入の部	
予約	一三、三四〇
売上	二八、一五六
広告	二一、〇〇〇
映画会	二〇、〇〇〇
雑収入	一二五
計	八一、六二一
支出の部	
印刷費	六〇、〇〇〇
通信費	六、五七〇
交通費	四、三七三
文具品	五六五
研究会	一、一四五
雑費	二〇〇
貸付	三、五〇〇
赤字繰越	五、二四六
計	八一、五九九

1961.12.11　発行

記録映画作家協会々報

号外

記録映画作家協会

東京都中央区銀座西八ノ五日吉ビル四階　TEL　(571)　5418

新事務局十二月末　新宿に移転！

永い間、新橋の日吉ビル内にてがんばって来ました。作協の事務局も七年近くなりますが、こんど家主の方の都合で出なくてはならなくなり、運営委員会でいろいろと審議の結果、移転にふみきり、新宿、渋谷方面を物色中、やっと左記の処が見つかり十二月末に移転することになりました。

部屋は八畳で一戸建です。

唯し、その為の資金として約十五万円近くかゝります。そこで会発展の立場から定例総会におきまして、資金カンパを訴えますので皆様方の協力を節におねがいしま

住所
新宿区西大久保　二の六六
電話
(361)　九五五五

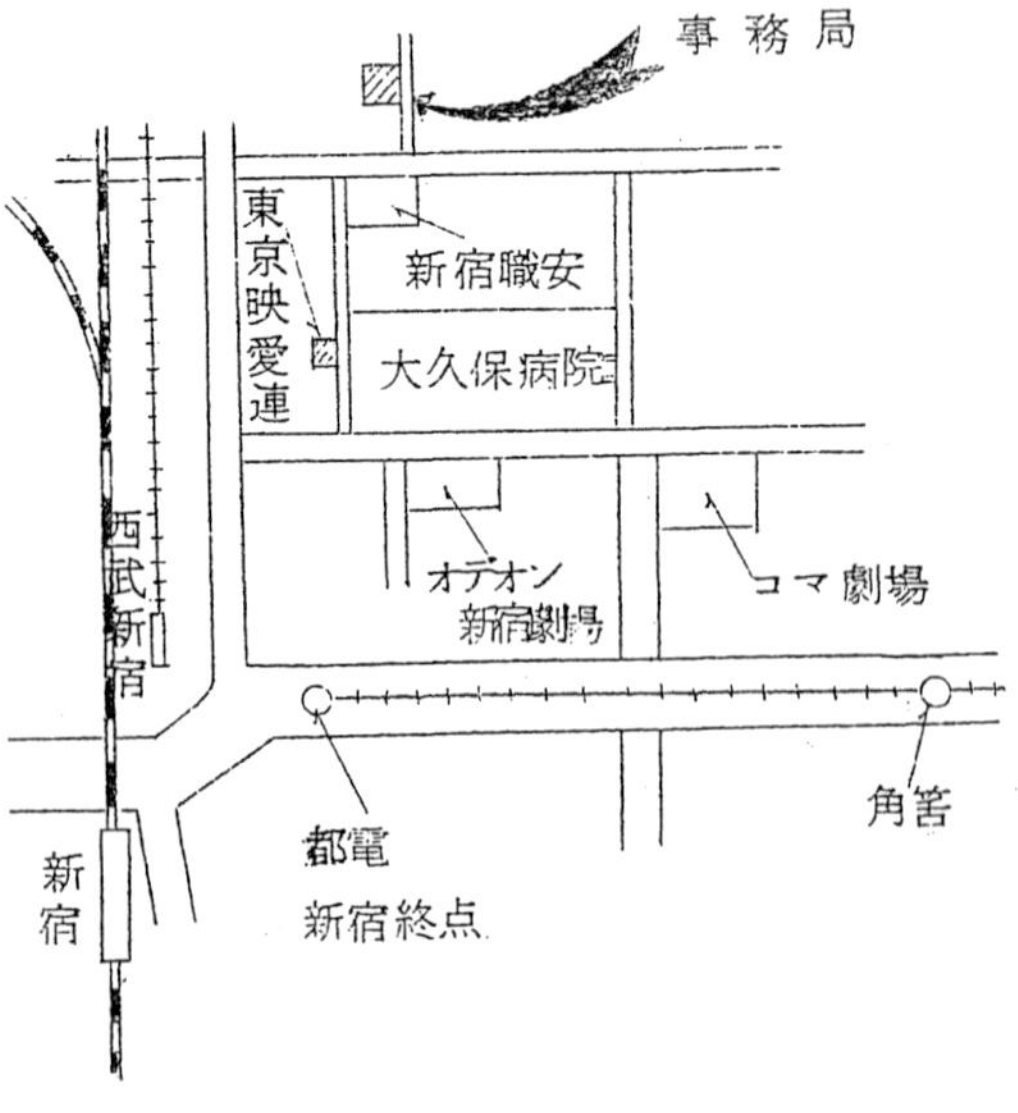

会費滞納者へ　訴えとお願い！

協会も多難な年をやっとのりきろうとしています。一年をふりかえって協会は生活と権利の問題、作家の創造上の問題等数かぎりない問題をかゝえてまいりました。会員も二百名を突破し、いろいろの方が加盟してまいり今後の運動は、新事務局移転と共に多難です。会を進めて行く上で一番大切な財政の確立はなにより重要になってまいりました。然し会費の滞納はなくなりません。今年だけで二五万円近い滞納があります。

そこで別紙の精算書を同封しますので、

(イ)定例総会の十二月二七日までには精算下さるよう会員一人一人の協力を節におねがいします。

(ロ)協会として皆さんの健康等のことを考えあわせ健康保険に加入していますが、会費納入のわるい方は健康保険代もわるく、これは会の財政と別であり他の加入者に大変に迷惑をかけますので一ケ月以上滞納の場合は自動的にやめて戴くよう運営委員会で決議しましたのでよろしくおねがいします。

(ハ)又この訴えつき次第協会事務局へ電話下されゝば取りにうかゞいますので協力下さい。

昭和三六年十二月二日
記録映画作家協会
運営委員会

事務局移転と新運動方針案について

十一月二五日運営委員会報告

一、事務局移転と資金についての常任運営委、その他で先にふれたように事務局移転を承認後、新宿、渋谷方面を物色することゝなり、その資金として、今日総会に会員全員に呼びかけ、協力者によるカンパを訴え、その間の金ぐりについては運営委員会として行う、その資金として十五万円を用意することゝなり別会計で処理することを決定した。

二、一年の経過報告と運動方針について審議（内容は総会議案書参照のこと）は中々激しく討議され、今後の方向までも出されました。

三、新役員候補者及委任状の取りあつかい方等を決定。

十二月二日運営委員会報告

一、事務局の件、新宿西大久保によい事務所が見つかり、その報告があり、先の資金について再度確認され、個人借受けもきまりスタートし、十二月六日同居する東京映愛連との話し合により決定することを確認し、十二月末に移転することゝなった。

二、運動方針審議継続と文章化について、①生活と権利、②創造活動、③作家の思想、芸術の自由、④協会の組織を守ること、等にふれ、現在の情勢と今後の問題等について討論が深められ四日に文章化された。

三、総会への委任状及書記のことについて再確認する。

四、実験映画を見る会の計画を一九六二年二月中旬に計画、この十二月十日実行委員会を開きレパートリー、及び日時、場所を決定する。

◇事務局だより

(1) 年末、年始の事務局の仕事について

〇一九六一年十二月二九日（金）后六時まで勤務

〇一九六二年一月五日（金）十二時仕事初

(2) 事務局移転は十二月二〇日以後になります。

新宿区百人町二の六六

電話 (361) 九五五五

(3) 前々から会員の皆さんにお願いしました、作品歴と住所簿の件、大変におくれて申し訳ありません。近々作る予定でいます。

協会財政報告 10月

収入の部	
会費	五〇、八五〇
入会	六〇〇
雑収入	七〇二
借入	一五、〇〇〇
繰越	二七八
計	六七、四三〇
支出の部	
人件費	四二、五〇〇
印刷費	一〇、〇〇〇
家賃	五、〇〇〇
通信	三、八三二
交通	三、六四〇
文具	二四〇
手数料	八六〇
研究会	五二〇
雑費	八〇〇
計	六七、三九二

記録映画財政報告 10月

収入の部	
予約	四、八六〇
売上	二三、六五二
広告	三四、〇〇〇
映画会	四〇、三五五
計	一〇二、八六七
支出の部	
印刷	七一、〇〇〇
映画会	五、一〇五
通信	九、〇三五
交通	四、〇八〇
文具	九四五
座談会	二、四八〇
雑費	一、〇九〇
返済	五、二四六
計	九八、九八一

◇住所変更その他のお知らせ

渡辺大年～杉並区矢頭町三十

星合達郎～杉並区天沼二の三八五

曾我　孝～品川区平塚二の六五七

矢野方

松本俊夫～新宿区西大久保二～二

三五上山荘

TEL (369) 三九七八

米山　彊～中野区高松町十五

前田庸言～日経映画社をこの十一月で退社しフリー会員になりました。

松尾一郎～日映科学を退社しフリー会員になりました。

三浦卓治～日映新社所属ですが、当人の申し出があり協会をやめました。

◇新入会者紹介

鈴木朝雄～練馬区東大泉一一七森田方TEL (996) 五〇九七

（賛助会員）

安井　治～台東区二長町五四

（フリー助監督）

1962. 2. 1 発行

記録映画作家協会々報

№ 73

記録映画作家協会

TEL (361) 9555

東京都新宿区百人町2の66

振替番号東京90709

○協会員へおねがいと呼びかけ！

一九六二年度を迎えて、協会も多くの問題をかゝえて運動を進めなくてはならなくなりました。

生活と権利の問題、研究会活動、製作運動等についてより多くの人員とより多くの力をそゝがなくてはなりません。そこで協会の会費の納入が大変に悪く、三ヶ月から六ヶ月の滞納が多くなつて来ています。そこで新年度にあたり、会費の納入に一層の協力をお願いし給与日には支払えるよう又事務局へ電話下さるなり、振替の活用をおねがいする次才であります。

又、雑誌「記録映画」の購読者を一人でも多く獲得下さるよう、おねがいし、〃記録映画〃誌をよくすると共に、財政的にも潤るをえるよう協力下さることをおねがいすると共に友人その他へ叫びかけて下さい。

(一)会費は給与日に取りに行つているところがあります。会計又は担当者にお渡し下さるようよろしく御はからい下さるようお願いします。

会社名	担当者
岩波映画	松本公雄
日映科学	飯田勢一郎
日経映画	川本昌
新理研	特田か三上
日映新社	山口淳子
東京シネ	協会事務局員

(二)振替用紙と請求書を同封して、会報と共にお送りしています。振替用紙には金額と貴方の名前を書きこみ、通信欄には金額の内容を書いて近くの郵便局へお納入下されゝばそれが事務局へとどき、領収書は後ほどおゝくりします。大変便利なものです。

振替番号東京九〇七〇九番

(三)雑誌「記録映画」読者拡大に協力下さい。その場合、半ヶ年分六〇〇円、一年分一、二〇〇円にて送料共です。又代金納入方法は振替を利用するようにお話し下さい。

○振替番号東京九〇七〇九番

又事務局へ電話下されゝばその方あてに雑誌「記録映画」と振替用紙をお送りします。

○電話361九五五五

財政担当責任者、富沢幸男。

新事務局のお知らせ！

十二月末より左記へ移転しました。やつとおちつきました、こんどは一家屋です。新宿より十分ぐらいの処です。新宿に出られた時はお立ちより下さい。

◇新宿区百人町二ノ六六

TEL (361) 九五五五

記録映画作家協会

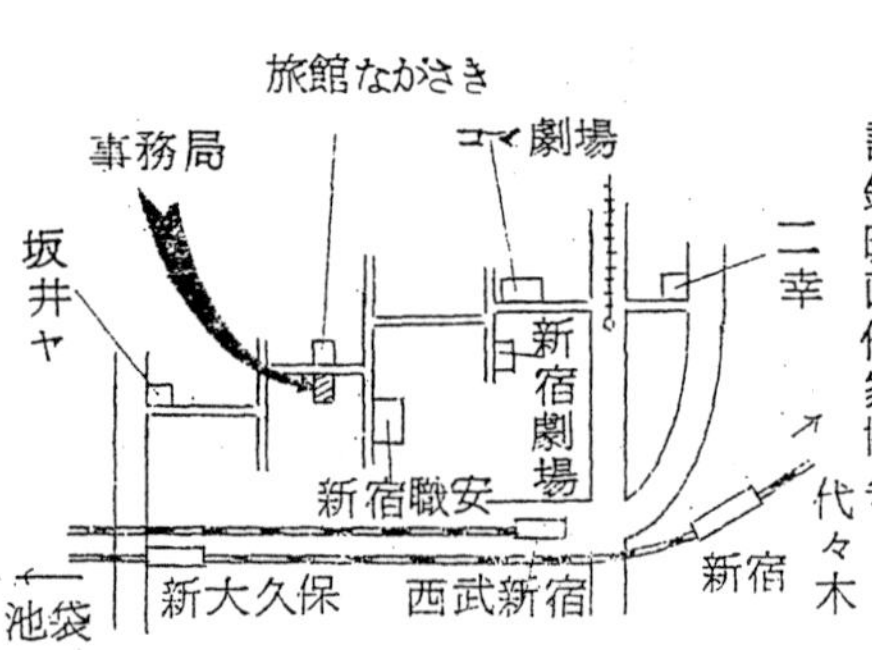

住所変更その他お知らせ！

楠木徳男ー中野区大和町三八五

加藤敏雄ー杉並区堀ノ内一の一七

三 原田方

原本 透ー杉並区永福町二九七

村上喜久男ー大田区馬込東一の四四九

谷川義雄ーTEL（登戸）(0449)四四五五

記録映画作家協会
第八回定例総会報告書

とき〇一九六一年十二月二七日、ところ〇厚生年金会館六階二十号室にて后三時より開会された定刻より二時間おくれました。

議長団に徳永瑞夫、長野千秋、楠木徳男の三名を選び、年次報告として大沼事務局長よりされた。おもな内容はすでに議案書がとどいているのでくりかえさないが、重要点をぬいてみよう。

池田自民党内閣はいちはやく支配体制を再確立して、先制攻撃を加へてきているのに対し、革新陣営はその指導性の欠如と無責任さは、政治的、思想的、組織的に解体状況をもたらしてきている。こゝに絶望感が生まれた現実的な根拠がある。挫折のあとにやつてきた池田内閣の所得倍増政策の幻想とレジヤー・ブームの中で人々は無気力な日常性の中に自分を見失つていつている。

芸術ジャンルにおいても、創作、理論運動の面にわたつて、沈滞が現象しており、芸術の前衛からも、本来そうあるべき現状否定の精神破壊思想ー危険思想が見失われてしまう空気がただよい始めてきたのも今年の特徴であろう。それと同じ動きが記録映画作家の中にもあり、外部の圧力に対し、無抵抗のまゝ後退し、日常性の中に埋没していつていることは否定できない。

以上の現状のありさまのなかで、作協の生活と権利の問題がありながらも取り上げられえなかつた点はすでにのべたとおりであるが、協会即労働組合にすべきであるという意見があることは安易であると共に、現状をつかみ取つていないものと云えよう。

雑誌〃記録映画〃研究会、財政の問題が質議の上承認され、来年度の方針案の題案がされた。

①自分をみつめることから、今日の作家にとつて、われわれをとりまく外的状況の正しい認識なしには、今日的な作家活動などあり得ないことは云うまでもない、その意味ではいわゆる国際情勢や国内情勢の分析はもちろん、マスコミ状況の動向、芸術諸ジャンルの話題など、作家が関心を示す対象は無限に広い。一人一人が作家としてこの条件を自らに向つて苛酷なくつきつけ、自己検証を徹底させてゆくことである。徹底的に絶望の意味を思想的に掘り下げて自らを刺す苦痛にたえるべきであろう。いずれにしても、自己認識を貫徹させることである。

②相互に刺戟し合おう

自分が考え抜いたことを全責任をもつてぶつゝけ合うよう努力すれば批判をもつてはねかえつてくるであろう。創造と批判の関係においても同じであり、そのことにより、思想の生産性は回復され、創造的な気運が生れてくるであろう。

③創造面の組織化を

自発的な研究会を作り、創作グループを作ると共に、集団と集団の関係において同様な緊張を生み出してゆくようにする。はじめから対立のないところに統一などありはしない。その意味で高次の運動をはかる運動は徹底的に民主的でなければならない。

④作家の権利を守ろう

生活と権利を守るたゝかいは、われわれ協会だけの問題でなく、全映画労働者の問題であり、そのためには、劇映画まで含めた企業の労働者はじめ、フリーの作家や技術者を組織する大きな構想をもたなければならない。こうした大きな組織化の目標をもちつゝも協会個々の会員の日常的な要求ととりくむことはなによりも大切である。

以上にのつとり当面の具体的な方針として、

①記録映画の創造と運動のために

(イ)一人本のオリジナルシナリオを作る運動をおこそう。

(ロ)研究会活動を発展させよう。

(ハ)雑誌「記録映画」を発展させよう。

(ニ)作品発表の場をひろげ、対外交流をすゝめよう。

②作家の思想と表現の自由をまもるために斗おう。

③作家の生活と権利を守るために

(イ)フリー会員の仕事のあつせん。

(ロ)ギヤランテイ基準の改定

④協会の組織を守り発展させるために

(イ)会費の納入を守ろう

(ロ)会報の充実

(ハ)事業活動を活発にしよう。

以上が決定され、それにそつて新役員選挙があり次の方々が選ばれました。

運営委員長	丸山章治	六三票
次点	樋口源一郎	一二票
事務局長	大沼鉄郎	五九票
次点	楠木徳男	二三票
運営委員	富沢幸男	七〇票

松本俊夫六四票、長野千秋六二票、杉山正美六一票、野田真吉五七票、楠木徳男五四票、西本祥子五〇票、間宮則夫四九票、荒井英郎四七票、樋口源一郎四一票、河野哲二三八票、八幡省三三七票、苗田康夫三四票、菅家陳彦三二票、西尾善介三〇票矢部正男三〇票、かんけ・まり三〇票、次点藤原智子

会計監査　広木正幹、時枝俊江

又、当日祝電を下さった団体は、パレスフイルムプロ、東映助監督部部会、「西陣」委員会、日本産業映画センター、新日本文学会、清水労映、労働者文化協議会、全神戸映サ協、京都記録映画を見る会

以上

第一回　運営委員会報告

一月十一日后六時、稲ぎくにて、

出席者（野田、西本、苗田、河野、長野、かんけまり、菅家、丸山、大沼、杉山、間宮、八幡、樋口、松本、富沢、楠木）

欠席者（荒井、矢部、西尾）

運営委員長より経過報告の後、事務局長より、運動をどう組かという立場からの専門的運動の内容が話され、㊀専門部の内容、㊁常任運営委員の選出の問題が出され、次のごとく決定した。

(1)専門部について

(イ)財政部ー事業活動（財政企画及計画も入る）未納金について、会費のアンバランスについて、事務所移転資金について、雑誌「記録映画」財政について、

(ロ)生活対策部　ー　ギャラ基準の問題、仕事のあつせん、組合の問題

(ハ)製作運動部ー自主製作運動について、シナリオ創作、自作発表、その他対外的関係について（国民文化会議、映画サークル）

(ニ)研究会部ー独自な研究会の援助等、（すでに記録映画研究会はやられている）

(2)常任運営委員について

運営委員長及事務局長と各専門部責任者を常任運営委員とする。富沢幸男（財政部）楠木徳男（生活対策部）杉山正美（製作運動部）、河野哲二（機関紙部）西本祥子（研究会部）

(3)各運営委員の専門部担当を決定

〇機関紙部ー松本俊夫

〇財政部ー菅家陳彦、間宮則夫、

〇生活対策部ー八幡省三、野田真吉、

〇製作運動部ー樋口源一郎、かんけまり、矢部正男

〇研究会部ー長野千秋、荒井英郎、苗田康夫、西尾善介

運営委員会はさほど開かず、常任運営委員会を月一回開き各専門部会を強め、その為に各専門部は部員をつのるようにし、部会を開き具体化をはかるようにする。

(4)雑誌「記録映画」編集委員を推薦

編集委員長　野田真吉

編集委員、松本俊夫、佐々木守、西江孝之、花松正ト、藤原智子谷山浩郎、松川八洲雄、徳永瑞夫

以上

第一回　常任運営委員会

一月二〇日后六時、事務局にて、全員出席

事務局より経過が報告され、ひきつづき各専門部ごとでの議題に入る。

(1)財政部関係

㋑滞納者の問題について、昨年のひきつづきとして、長期滞納者に手紙を出したが、返事のないものについて会を退めてもらうことを決定、次の五名の方にやめてもらう。理由はなんらの返事もなく会として手は打っていることから、

[redacted]、小津淳三、八木仁平田中徹、片桐直樹の諸氏

㋺会費納入の方法として、給与日をねらつて事務局が取りに行く電話があつて取りに行く又とどけてくれる、振替で納入してくれるの方法があるが、もつと振替用紙の活用のアツピールをすること。

㋩会費の調整をすること。助監督から演出家になつても会費が上つていないのや、ある企業では会費のバランスが前のまゝの処があるのでその調整を行うこと。

㋥事務局移転資金として十二万円近くを安保映画製作会計から借用しているのでそれの返却について、

(2)実験映画会について

二月二七日の会の計画はすでに進められているが、今後の五、九、十一月の計画又二月の具体化については、財政、運動、編集部から委員をきめて委員会を作り具体化すること。

(3)雑誌「記録映画」について

㋑「記録映画」広告について、計画的に広告社に申し入れる方法大きなスポンサーをさがす方法

㋺原稿料について、月二、〇〇〇円の値上をしたい、外部の方々に書いてもらう立場から検討する表紙の二色印刷の一、五〇〇円の値上げみとめる。

㋩コンクールについて、一月三〇日に審査委員会、入選作をきめ三月の誌上にも発表する。スポンサーとの問題について、

㋥ファイルを作ることについて、以上財政に関係あることについて合同部会を開く。

(3)

(4)研究会について
　記録映画研究会—担当者長野、西尾、科学映画研究会—担当者、苗田（一ヶ月おき）教育映画研究会—担当者西本、社会教育映画研究会—担当者荒井、以上ですが各研究会に部員をつのり会を開くよう準備中。
　動静のハガキに研究会への意見を出してもらうようにする。月三千円の予算（年内三六〇〇〇円）を要求。

(5)作品歴付住所録作成について
　各プロダクションよりカンパを取り二月中旬までに作るようにしテレビ各方面に協会員の宣伝をはかることとこれは重要になつて来ている。

(6)生活と権利の問題
㋑ＳＰ及自映連で労組づくりの準備会の要請が一月末にあるのでそれえのオブザーバーとしての出席が討議された。

㋺ゲラ基準をつくる為に劇映画、テレビの調査をする。又企業関係の人々も呼んで部会を開く。

㋩仕事のあつせんについて、動静を事務局へつたえること又、手数料の問題等についても考える。

(7)対外的問題について
㋑生産性本部の視聴覚会議について一月二五
㋺平和友好祭実行委一月二二日、実行委へ代表をおくり実行団体に参加するようにする。
㋩全国映画観客団体の会議、三案の内三月四日を希望する。データーとして記録映画の製作状況を書いた労視研の資料とその後をつけ書えておくる、代表を一名出すことを決定。

(8)製作運動について
　事業活動として〃池袋の地下街〃の記録映画製作に協力する。その案が発表され一月二三日の夕、関係者と話し合うこととなつた。

(9)会報の充実について
　一月号会報に名専門部報告をのせる〆切日二五日までに出してもらう。
　財政部—会費納入と予約者拡大の呼びかけを出す。振替用紙の活用について
　研究会部—自主的な研究会希望者及部員の募集、その他

研究会報告とお願い

　昨年は一般に低調だつた研究会ですが、年明け早々、協会員の中から積極的な動きや要望もあつて担当委員も従来の二名から五名へと拡大され、その第一回集会を一月十六日もちました。昨年の反省の上にたつて、今年の具体的なプランを練つてゆきましたが、一年を通じて、絶えず斬新な企画をもち、研究会の内容を深かめ充実したものにしていくことは、五人の担当者が懸命に努力してみても相当に難かしい仕事です。

　そこでまずお願い。協会から毎月、皆様の手許に送られる葉書に、新たに「研究会への要望と意見」の欄をもうけることにしました。

　どしどし痛烈な意見や批判、具体的な作品名にいたるまで気付かれた問題は何でも結構です。又定期的なものでなくても、こんな研究会を開きたい……と思われた時も、遠慮なくお知らせ下さい。作品は国内の映画、テレビは勿論、国外の作品にも広く目をむけてゆきたいと思います。PR映画も大いに観迎します。そしてすぐれた研究会の内容を、雑誌にも反映してゆきたいと思います。

　具体的に早速発足することに決つた研究会は次の通りです。記録映画研究会（食P.R）教育映画研究会（主として児童劇）科学映画研究会（現在のところ隔月の予定）それに社会教育映画研究会のほうでもプランがねられています。

　これは、自主的な声に基いたものですが各々が活発に発展していくには回転軸となるものが必要と考えました。つまり予算や、運営上起つてくる様な問題を具体的に解決し、補佐していくという意味合をかね運営委員が担当を分担することにしました。（新しい研究会をもちたいとの要望があつた時も、その部分の相談役となる担当者を決めたいと考えています。）

　又、協会員の方の中から、研究会独自の研究会運営委員とよぶべきものを作り、たくさんの知恵を集めて、各々の運営に当ることにしました。しかし……世話人より何より、優れたアイデアの持主である。二〇〇人の協会員の皆さん。皆さんから寄せられる便りを私は三秋の思いでお待ちしています。フツフツした、そのたくさんの情熱だけが研究会を生々と発展させる唯一つの源動力なのですから……。

記録映画㊎長野、西尾、西江、黒木、平野、宮崎
科学映画㊎苗田、広木、真田、杉山、泉水
教育映画㊎佐々木
社会教育映画㊎荒井外

　お願いばかりで恐縮ですが、若い協会員の皆さん、新入会員の皆さん、お互に顔を知らないまゝ一ツ協会に席を置いているのも味気ないことです。私たちも皆さんを知りたい……皆さんの方でも何か

気遅れして会に出にくいという方が多いのではないかと思います。そこで、ぜひ研究会を協会になじむ足がかりにもして頂きたいのです。（西本）

第八回世界青年学生平和友好祭について

一月十四日、友好祭・日本実行委員会の文化芸術部門から協会に参加招請があった。

この友好祭は、世界中の青年代表が集って、平和と友情をテーマに連帯をはかる祭典で、今年はその才八回・フインランドのヘルシンキで、七月二七日より十日間にわたって開かれる。常任運営委員会では、友好祭の意義について原則的に賛成し、文化芸術部門実行委に出席していくなかで、協会としての態度を決定していくこととした。これにしたがって、二二日にひらかれた会合に事務局長が出席し、報告と討議に参加した。内容はほぼ次の通りである。

1. 昨年秋から、総評青対部、日青協、社青同、民青、全日農青年部、オリンピック青年協議会日本のうたごえ協議会、国民文化会議の八団体が世話役となり、中央実行委の結成をはかってきた。平和と民主々義を愛好する青年の個人団体をとわず、できるだけ広範な組織をつくり、代表団をヘルシンキに送り、同時に七月頃日本祭典をひらいて運動を進めることを決定した。
なお、青年学生運動革新会議の参加申出をめぐって中央実行委の意見がわかれ、実行委が渋滞している件が報告された。

2. 日本代表団は二〇〇名とし、代表一人当りの費用は一五万円。この他に、参加団体は、運動全体をすすめる費用として数千円を拠出する。代表団の枠については、今後旅券の獲得のために努力する必要があろう。

3. 文化芸術部門は国民文化会議に事務局をおき、各団体一名の代表によって実行委員会をつくり、更に各ジャンル毎に二名をだして常任委員会をつくる。
現在まで参加しているのは、音楽、舞踊、演劇、映画、美術、写真、生活文化の七ジャンルで、映画は、映演総連と独立プロがさしあたり常任委員をつとめる。

4. 文化芸術部門の代表は四〇名を予定されているが、ヘルシンキで「日本の夕」を計画したいので枠をひろげたいという意見がだされた。また中央実行委で記録映画製作のプランがあり、このスタッフとして代表団の別枠で二名とりたいという意見がすでにだされていたが、まともな記録映画をとるためには、当然二名ではたりず、予算案もないので、これは映画部門で検討していくことになった。

ほぼ以上のような現状から出発して、今後協会としてどのように態度を決定していくか、運営委で討議されるが、会員のみなさん、特に青年の側から、意見をだしていただきたいし、積極的に首をつっこんでもらいたいと思います。

（事　務　局）

第七回　映画観客団体全国会議

「日本映画の民主的な発展を斗いとるために、重要な段階に立ちいたった映画運動をいっそう発展させるために、問題解決と意志統一を勝ちとるための努力をいたしたい」

このような目標をもって、才七回映画観客団体全国会議が開かれることになり、協会へ参加招請がありました。

期日は、三月四日・五日の二日間、岐阜で行なわれる予定です。

議題は—

1. 映画情勢分析
2. 戦後十年間の映画製作運動
観客運動の総括と点検
3. 映画運動のすすめ方
4. その他

となっており、参加するのは、製作団体として、独立プロ協組、記録映画作協、映演総連、勤視連の四団体。観客側は全国の映サその他の団体。ほかに自主上映促進会も参加します。

これは毎年ひらかれており、昨年も協会の代表を送って討議に参加しましたが、まだまだ本質的な問題に切りこんでいるとは言えませんでした。しかし、上記の議題からいっても、映画運動の根本的な問題にせまるものでありますし、協会としては、正式な代表を送って討議に加わりたいと思います。このために、協会から資料も提出します。具体的問題は映画運動部で、ねっていますが、会員のみなさんからも是非積極的な参加をおねがいいたします。会議出席に要する費用は交通費、宿泊費を含めて概算五、〇〇〇円ですが、オブザーバーとして出席されたい方も、協会にお申出下さい。

ドキメンタリー通信

◇ドキメンタリー理論研究会
と　き〇二月十六日（金）后六
ところ〇厚生年金会館（新宿）
テーマー芸術的前衛のビジョン
出席者　福本安彦、池田龍雄
レポーター、西江孝之
会費一人五〇円

◇記録映画研究会
と　き〇二月中旬
ところ〇草月会館
テーマー、芸術的前衛のビジョン。
内　容、勅使河原プロ〃おとし穴〃試写会
先着順五〇名様を招待しそれ以上の場合はおことわりします。
会　費　一人五〇円

◇ミリオンパール賞発表会

◇オ六回世界の実験映画を見る会
＝日本実験映画特集＝
と　き〇一九六二年二月二七日（火）后六ー九時
ところ〇虎の門共済ホール（虎の門）
内　容、一、〃一〇三五〃早大シナ研
オ一部　二、〃む〃　京大映研
三、〃腐と原爆〃細江英公作
四、〃シネバラード作品その一〃真鍋　博作
オ二部　特別上映
〃羅生門〃ベニス映画祭グランプリ受賞、黒沢明演出〈五〇年作〉
会費一人　一〇〇円
㊟会員券を発行し各プロダクションにおいてありますのでそこからおもとめ下さい。又事務局へ電話下さい。

◇ミリオン・パール賞発表会
と　き〇二月十三日㈫后六時
ところ〇虎の門共済ホール
内　容㈠受賞式
㈡新作上映
予定作品
（〃おとし穴〃か未来につながる子ら〃）
(イ)ベスト・テン
日本映画ー用心棒
外国映画ーアラモ
(ロ)監督賞　黒沢　明
(ハ)男優賞　三船敏郎
(ニ)女優賞　若尾文子
(ホ)特別賞
㈠「人間の条件」その他の文芸プロにんじんくらぶ
㈡記録、文化映画専門館としてつくし又今後のことで観光文化ホール
㈢「豚と軍艦」の演出にあたり今村昌平に対し、
〇希望者は招待します。

12月分記録財政報告

摘要	支出	摘要	収入
家賃	5,000	売上	18,000
通信費	3,232	売掛金	2,870
交通費	4,665	予約	6,100
文具費	300	未収広告	36,500
人件費	36,000	未収映画会	2,000
未払費用	99,786	映画会	3,400
貸付金	10,000	貸付返済	72,000
現金	570	繰越金	18,683
計	159,553	計	159,553

12月分協会財政報告

摘要	支出	摘要	支出
家賃	5,000	会費	26,700
交通費	4,810	未収会費	61,900
通信費	3,258	研究会	2,500
手数料	710	寄附	250
文具費	485	雑収入	2,899
研究会	800	借入金	299,870
人件費	36,000	繰越金	4,300
未払費用	20,000		
会合費	3,780		
借入返却	187,000		
臨時支出	132,620		
雑費	550		
現金	3,406		
計	398,419	計	398,419

1962. 3 1 発行

記録映画作家協会々報

№ 74

記録映画作家協会

TEL （361） 9555

東京都新宿区百人町２の６６

振替番号東京９０７０９

白鳥事件の映画化について

昭和三七年度予算審議

－二月二八日運営委員会報告－

二月二八日（水）運営委員会報告（厚生年金会館）

(1) 製作運動部の問題

①白鳥事件の映画化について

黒田氏（撮影者協会）より映画化にするまでの説明がある。

自映連として映画化に協力することを決定、四巻もので白黒十六ミリで作り、白鳥事件の公判までに作りたい。

以上より、この映画を安保映画製作委に出してそことしてやりたいむねの希望も出され、㊀安保映画後の映画として取りくむかどうか、㊁協会として白鳥事件製作委に応援するかどうか、について討議され、㊀については安保映画製作後の問題がそのまゝになっており、又大衆団体としてこのようにハッキリとした政治的な映画に参加する。ことはということになり㊁の項として協会の製作運動部が窓口となって協会有志として参加するようにする。

(2) 財政部より予算審議

先の常任運営委員会の(6)財政部報告の(イ)(ロ)の決定と(ハ)予算案の原則的承認があった。

予算案は別表のごとし。

（細部についての質問は事務局まで）

記録映画関係年間計画予算

収入		支出	
摘要	金額	摘要	金額
売上	621,706	人件費	298,500 (327,900)
広告	550,000	印刷費	868,000
事業活動	274,794	通信費	100,000
シナリオ	(304,194)	交通費	50,000
広告		文具費	10,000
映画会	170,000	原稿料	60,000
予約増加	1人3名半	座談会	15,000
	ヶ年分を取	研究会	10,000
	る。	家賃	30,000
		雑費	5,000
			1,596,500 (1,625,900)

協会関係年間計画予算

収入		支出	
摘要	金額	摘要	金額
会費		人件費	298,500 (327,900)
500×85名		印刷費	60,000
400×1名		家賃	30,000
300×72名		通信費	85,000
250×3名		交通費	55,000
200×42名		文具費	12,000
計203名		手数料	7,000
73650×		会合費	8,000
12ヶ月＝		加盟費	5,000
883,800		研究会部費	26,000
事業活動	209,150	製作運動部費	8,000
映画製作	(238,550)	生活対策部費	6,800
幹　旋		雑誌代	194,880
会員名		臨時支出	145,000
簿　録		雑費	5,000
		予備費	15,000
	960,380 (989,780)		960,380 (989,780)

(2)

ギャアラ基準をきめること、会費の前納制について

—二月十九日常任運営委員会報告—

二月十九日（月）常任運営委員会報告（協会事務局）

(1) 報告及確認事項

㋑桑野茂氏退会についての手紙がとどきました。討議の末、退会をみとめましたが雑誌「記録映画」に対しての意見が出ており編集部で討議してもらうこととしました。

㋺入会者のおしらせ
中村敏、佐藤みち子、河野秋礼、都燾雄の四名が承認された。

(2) 編集部報告
三月号の特集は〃発見と創造〃をテーマにすゝめている。

(3) 製作運動部報告

㋑ 製作運動としてシナリオ発表又は自主作品の企画をすゝめる人々の集りを開くなど出ている。

㋺ ヘルシンキの平和友好祭がこの七月に開かれるが、具体的になっていない。唯、記録映画を取る話しが出ている（具体的ではない）

㋩ 国民文化会議の全国集会が四月二一、二、三日に東京で開かれる。加盟団体として参加がきまっている。

㊁ 映画観客団体全国会議が三月四、五日の二日間岐阜で開かれ、代表として大沼事務局長が事務局長代理として山之内が選ばれた。費用として五千円を用意した。

㋭ 映画製作（池袋地下街）については基本的に参加し、財政活動の一部とする。

(4) 生活対策部報告

(イ) ギャラ基準の問題について各企業の給与等を調査する為にギャラ基準委員会を作り、原案を運営委員会に出す。映画だけでなくテレビの方も調査する。

(ロ) 統一した契約書を作り、支払方法等についてもきめるようにする。

㋩ 仕事の斡旋を協会としてする。（プロダクションに紹介しきめるまで）然し何％を協会として取るようにする。具体案はもう一度都合できめる。

(5) 研究会部報告
二月は特別研究会として「おとし穴」を取り上げた。三月は記録映画研究会を三月二〇日、岩波映画で「風土病」菊地周氏のものと「スラム」荒井英郎氏を取り上げ開く。

(6) 財政部報告

㋑ 会費滞納の件について

・アッピールを出すことにより会費の納入はよくなっているので続ける。

・規約により三ヶ月滞納者は退会とあるが、事務局としては次の点で会員の皆さんに連絡を取る。四ケ月目から精求書を出す。五ケ月目に雑誌「記録映画」を止める警告をする。六ケ月目から雑誌は止める。一ケ年目に最後の通知を出し、その後は自動的に退会とする。（原則として）

㋺ 協会の財政の立場から会費の前納制を取る。あらゆる支払が前納になっている今日、協会の資金が運転がきかず資金が零の時があり、運転資金として前納制を取る。実行は六月のボーナス期とし、三月から呼びかけて行く。

㋩ 予算案について

A協会関係。今までの日常の費用の他に部会費をもうける。研究会部費（研究会三つとしてその実費年間二六、〇〇〇円）製作運動部費（会合費その他参加費等年間、八、〇〇〇円）生活対策部費（調査、事務費として年間六、〇〇〇円）

映画会は協会の事業とする。臨時支出として一四五、〇〇〇円があるが移転費で返却するものである。

・収入として会費の他に事業活動として、映画製作（池袋地下街）仕事の斡旋、会員名簿のスポンサー料、その他による。

B雑誌〃記録映画〃関係、原稿料を上げて、対外的な方々には支払を出来るようにする。収入としては売上、広告代、事業活動とし、事業活動としてシナリオの仕事、予約増加（運営委員一人半ケ年三名、年間六名を確保）広告分増加（今後広告については財政部と編集部とでそのつど審議してきめて行く）その他

—動　静—

現在、イタリヤ国立映画実験センター（チエントロ）の留学生としてローマにおります。一年半滞在の予定　神馬美佐雄

ミホ映画社で「氷点下の世界」カラー二巻完成に今一息というところです。　大野孝悦

映画照明技術者労働組合規約（写）

前文

映画照明技術者労仂組合は、映画（テレビ映画を含む）製作事業主に対し自由契約で仂く映画照明技術者の結集をめざして組織する職能労仂組合で、組合員の生活と権利を守り、技術の向上、芸術の創造活動の自由な発展、映画事業の健全な発展と民主的運営をなし、あわせて日本文化の向上をはかる。

また、仂く者の連帯を強めるため、全労仂者の統一と団結に努力する。

才一章　名称と構成

才一条　この組合は、映画照明技術者労仂組合と称する。（以下「組合」と称する）

才2条　組合は、映画（テレビ映画を含む）製作の照明技術に従事する自由契約者によって組織する。

才3条　組合は法人とする。

才4条　組合の事務所は、東京都世田谷区代田二ノ九四一に置く。

才二章　目的と活動

才5条　組合は、前文にもとづくいっさいの活動をおこない、自由契約者の団結をつよめ、契約上の利益を擁護し、かつ映画事業の民主花とその健全な発展を図る。

(3)

才6条　組合は、前条の目的を遂行するために、使用者との間に労仂協約を締結する。

才三章　組合員

才七条　組合員は、身分、人種、宗教、信条によって差別されない。

才8条　組合員は、映画（テレビ映画）製作の照明技術に従事し、その賃金、給与、その他これに準ずる収入によって生活を維持している自由契約者である。

才9条　組合員の加入には、規約を認め、組合員二名の推薦者を得て加入の申請をなし、組合委員会の承認を得るものとする。

才10条　組合員は、規約にもとづく組合費を納めなくてはならない。

才11条　組合員の資格が失われるのは、

(1)　映画照明の仕事をはなれるとき。

(2)　組合の規律を乱した場合。

(3)　組合の円滑な運営、あるいは、その威信を害するような言動をしたとき。

(2)・(3)については、規律委員会の申し出にもとづいて、組合委員会が当事者にたいして宣告した除名による。

但し、除名は総会の承認を得るものとする。

(4)　正当な理由なく、六カ月以上の組合費の不払いにたいし、規律委員会の申し出にもとづき、組合委員会によって宣告された除名による。

この除名も総会の承認を得るものとする。

才12条　組合員は、すべてこの規約のもとに平等であると同時に、協力と連帯の精神をもたらすことを義務とする。

才13条　組合員は、すべての組合機関の構成員に選挙され、また選挙する権利がある。

才14条　組合員は、組合機関の報告を求め、自由に批判することができる。

また、組合員は、各機関に出席し、発言することができる。

才四章　機関と運営

才15条　組合は、つぎの機関を設けて運営される。

(1)　組合総会

(2)　組合委員会

(3)　執行委員会

才16条～才28条　略

才29条　組合の収入は、つぎのとおりとする。

(1)組合費　(2)寄附金

(3)組合が発行したり、その庇護のもとに発行される出版物、または催事による収入。

(4)銀行預金の利子

寄附をうける場合は執行委員会の確認を要する。

才30条　組合員は組合費規定にもとづき所定の金額を事務局へ納める。

才31条　組合の予算と決算は、定期総会に文書をもってはかられる。決算には職業的資格のある会計監査人の証明書を附するものとする。

会計年度は、定期総会から定期総会までとする。

才32条　会計の細部に関しては、別に細則を設ける。

才33条～才38条　略

才六章　会計監査、才七章　規律委員会、才八章規約改正と組合の解散。

細部については資料事務局にあり。

カラーTV用のミュージカルショウ（10分物16㎜カラー）の助監で製作中です。なれないミュージカルでスタッフ全員でデイスカッシヨンーながら進行させています。その他の単発のTVニュース等

辻本　誠吾

事務局だより

◇協会員のお見舞について

次の三名の方が危害をうけましたのでお見舞下さるようおねがいします。又カンパ活動をしていますので協力下さい。

1. 原本透さん

(新理研所属演出家)の現在住んでいました自宅が火事で全焼しました。

2. 諸橋 一さん

(日本アニメーション所属)は胆石にて手術し病院入院中、経過は良い方にむかっています。

3. 安倍成男さん

(フリー助監督)記録映画社にて仕事中に顔を火傷しましたが経過は良く自宅におられます。

◇今後仕事の斡旋を協会がした場合は何%か手数料を載くようになります。

◇**会ヒ滞納についてお願い!**

会費滞納者に対し事務局として次のようにしますので御了承下さい。

会費滞納が四ケ月目に入り精求書を出します。五ケ月目に雑誌「記録映画」を止めるむねの予告と精求書を出します。六ケ月目から雑誌を止めると共に、精求書を入れそれ以後はつゞけて出す。一ケ年目に最後通知を出し、それ以後は自動的に退会となります。(原則としての取りあつかいです。)

◇**会ヒ前納のお願い!**

会の財政確立の立場から今回、六月期に会費の前納制をおねがいする次才であります。あらゆる文払が前納制を取っている今日、協会の運転資金が全々ない日が出来大変に会の運営にさしつかえます。そこで今回、六月期に会費の前納をとりますので会員一同に協力下さるよう呼びかける次才であります。

◇**作品歴つき会員名簿について**

新役員もきまり会も軌道にのりましたので、やっと伸びのびになっていました作品歴つき会員名簿のスポンサーへの呼びかけをすることになり、三月未には出来上ることとなりました。のでお知らせします。

○ **新入会員者紹介**

中村 敏〜世田谷区松原町三の一〇六〇(フリー助監督)

河野 秋礼〜新宿区戸山町戸山ハイツ七号九二三(フリー助監督)

佐藤みち子〜杉並区上高井戸五の二一五六公団住宅五の一〇六

企業(藤プロダクション) 六四七

都 憲雄〜世田谷区一の八二六

倉持方(新理研所属)助監督

本間 賢二〜新宿区若葉町一の二

山県方

仲原 湧作〜南多摩郡日の町豊田一七七四の二住宅公団才一住宅

◇**住所変更その他お知らせ!**

森田 実〜小金井市本町住宅B四〇一

1月分記録映画財政

支出 摘要	支出 金額	収入 摘要	収入 金額
人件費	21,000	予約	4,410
通信費	2,964	売掛金	3,950
交通費	3,340	売上	38,328
文具費	1,345	未収広告	15,000
家賃	5,000	広告	10,000
研究会	800	映画会	2,600
映画会	240	研究会	1,050
未払費用	30,000	家賃	2,500
貸付金	10,000	繰越	570
雑費	1,065		
現金	2,654		
	78,408		78,408

1月分協会財政

支出 摘要	支出 金額	収入 摘要	収入 金額
人件費	21,000	会費	21,000
家賃	5,000	未収会費	18,200
通信費	150	入会費	300
交通費	2,550	研究会	1,000
文具費	1,345	家賃	2,500
手数料	640	借入金	10,000
研究会	1,185		2,000
加盟費	2,500	繰越	3,406
臨時支出	4,804		
雑費	1,930		
雑誌代	16,800		
現金	502		
	58,406		58,406

1962. 4. 10. 発行

記録映画作家協会々報

NO 75

記録映画作家協会

東京都新宿区百人町2ノ66

TEL (361) 9555
振替番号　東京90709

製作運動、生活対策など と財政縮少案討議

—三月二十六日拡大財政常任運営委員会—

三月二六日拡大財政常任運営委員会報告。

一、退会者について、岡本昌雄氏より会をやめたいむねの申し出があり退会を承認しました。但し賛助会員として入会したいむねの希望がのべられていました。

二、製作運動部報告

㋑戦後の記録映画運動の新案に対し討論を深め協会全体の問題にして行くと共に全国の観客団体へ提出する。

㋺平和友好祭が今年ヘルシンキで開かれ、十五万円の費用で代表者が出せることや、映画製作の問題も出されている。

㋩国民文化会議の「鳩よさようなら」上映実行委員会と、全国集会への参加が要請されている。

㋥〃白鳥事件〃映画製作について
　現地において七〇〇米近くのラッシュを取って来ている。三月二九日、共同映画社にて会議が開かれる。荒井英郎氏が参加している。

細部についての報告は二九日後に行う。

三、生活対策部報告

㋑ギャラ基準案づくり。㋺仕事の斡旋等について協会全体に呼びかけて討議する会を開く点について運営委員会の承認をえたい。

四、研究部報告

　もっと研究会の内容を充実することが出されている。

五、機関紙部報告。

　五月号は「大衆と映画」特集ですすめられている等の報告のあとドキュメンタリー理論研究会のあり方に対しての批判、雑誌全般について〃作品を取り上げて行く中で、作家論、作品批評等に頁をさくことや、論文は一、二にして、随感等を入れたらよい等が出されていたが、深められなかった。

六、財政問題について大沼事務局長より、会の財政の基礎を会費と広告、寄附でまかなうことが出され、先に出した予算案を全面的に修正すべきであるという意見が出され各専門部費、経費等の予算のきりつめを行い、その上での事業活動の内容が出され、それを基礎に討議中であり運営委員会に提出することになった。

㋑映画製作の再検討、映画会の収入、読者予約の増加、等々についてふれられると共に、

㋺広告についてはそのつどの特別委員会においてきめて行くこと。

㋩映画学校案

㋥プロダクションその他へ協会としてプランを出して行く製作運動の問題。

㋭定期講読者を作る為のアッピール等について出された。

一九六二年メーデーに参加下さい！

時間—五月一日（火）
　前八時
集合場所—神宮外苑絵画館左池側、作協の赤旗を目標

○行進は映演総連の後について行います。

—記録映画作家協会事務局—

白鳥事件映画才一次ロケハン終る

白鳥事件映画化のスタートについては先号の会報でお知らせしましたが、その後才一次ロケハンと、雪のシーンの一部ロケが行なわれました。協会から荒井英郎氏が出て、自映画高山氏らと三月の雪の北海道をまわり、下旬に帰京。三月二二日と二九日に発起人会がひらかれ、その後の対策が検討されました。その内容は、

1. 映画人の発想で始めた映画製作であるが各方面の援助をうけつつ、芸術性の高い作品にしていきたい。
2. 十六㎜白黒、三十分位にまとめる。
3. 運動をすすめていく根底としてシナリオの作製にとりかかる。協会から演出担当荒井氏、SPからシナリオ担当をだし、協力する。一方で動視運有志を中心に財政面を検討する。
4. 四月四日を目標に、製作実行委員会準備会を結成し、映画以外の諸団体（白鳥対策中央協議会、総評等）との関係も考えていく。

協会としては、有志の参加をうながし、協会の運動部が窓口になっていく態度をすでに決定しておりますが、製作委の結成にともなってこの点も今後具体的にしていく必要があると考えられる。会員諸氏の意見をよせて下さい。

（運動部）

財政困難を乗切ろう

拡大財政部会の問題提起

三月一四日、二六日と拡大財政部会がひらかれました。現在、予算案にしたがって運営がすすめられていますが、ここ三ヶ月の経験では赤字化の傾向があり、これを黒字にし、協会運営と機関誌発行を正常にするために、具体的な収入策を立て不急の支出をおさえる必要がある、という点が事務局より報告され討議されました。この討議にもとずいて、今、各専門部で具体案を検討中で、四月の運営委で最終討議にかかるはずです・会報先月号の予算案について、意見質問をおよせ下さい。

協会の基本的な収入は、会費と機関誌の売上げであることは言うまでもありません。これを大きくしていけば、ある意味で財政問題は解決してしまうでしょう。

拡大財政部会では、運営委、編集委が一人三部ずつ機関誌をふやすよう要請をだしますが、会員のみなさんにも、次のことを訴えます。

◎機関誌「記録映画」の読者をふやそう。

◎会費の完納、前納を。

△住所変更その他

お知らせ△

原本　透ー杉並区下高井戸四ノ九
三六

安藤五郎ー港区赤坂新坂町八二板本方
TEL 408 二〇六二

動静

もろもろのPR映画の脚本執筆及び日映十周年記念の自主映画の企画をすすめています。
藤原智子

東邦シネプロダクション三月末日頃まで手伝っています。
石田　厳

春秋映画社で社会教育映画を今から編集。月末までに完成。
丸山章治

×ー×

フリー助監督の仕事斡旋

何%か納入で活潑化へ

―生活対策部で検討中―

生活と複利の対策部では、ギャラ基準の原案を作りにかかっています。これと、仕事のあっせんに%をとって、活潑化する方法を考え、近く、フリーの会員に集ってもらって大衆的な討議にかける予定です。原案が出来次才会報で報告します。

国税通則法案が通れば
協会も納税の対象に

国税通則法という法案が昨年十二月九日に国会に上提されている。この法案が通ると、労仂組合、民主団体、平和団体は税金面で圧迫される。中小企業団体や労仂組合ではそのことをいち早くキャッチして反対運動が拡がっている。

国税通則法はナチス・ドイツが第二次世界大戦準備のため徴税強化をする目的で制定した。悪名高い「租税調整法」と殆んどそっくりなものなのである。東京の観賞団体である労音、労演、映愛連では声明を発し、次のようにのべている。「昨年十二月九日から始まった国会に上提、立法化しようとするものに絶対反対し、粉砕すること。この法案はナチス・ドイツが国民所得の四〇%を収奪したドイツ租税調整法を手本に大蔵官僚の一部が作り出したもので、税収奪の強化を企てようとしている。新安保の成立を突破口として政暴法といい、それと一体になって財政的な保障をしようとするものでこれは国民全体の大問題である。

たとえば、労音のようなところも法人とみなし、帳簿資料作成の強制、推計課税調査のために何時何処にでも立入り、何んでも調べられ、又、税理士、弁護士、医師等は憲法で保障された秘密を守る義務を認められなくなる。これでは会費の大部分が税金の対象となり、民主運動、民主団体を税金面から破壊しようとするものです。国税通則法を完全紛砕に進みましょう」と呼びかけている。

資料として現行法との比較を拾って見ると、

(一)疑わしき天下り課税方式

現行V納税者の自主申告が建前で納税者の異義申立の権利がある。

改正V税負担の公平の名で税務署長の一方的調査により税額をつり上げ確定することができる。

(二)民法商法の規定の権利をうばう

現行V否認権は規定されているが官僚の権力をつよく規定してない。

改正V租税回避を理由に税務署の否認権を乱用する、又行為計算をみだりに否認し、常の課税を行う道がひらかれている。

(三)記帳義務を強制

現行V青色申告以外は記帳義務は強制されない。

改正V記帳義務が納税者全部に強制される。いつわりの記帳をしたと税務署が認定すれば、一年以下の懲役または二万円以下の罰金をとられる。

(四)税務署長の一方的な推計課税ができる。

現行V独裁的な条項はない。

改正V税務署長は、課税標準を計算する帳簿のそなえつけがないときは一方的に課税標準を推計して更正または決定することができる。

(五)質問、立入り、検査権の拡大、

現行V検査権と罰則は規定されているが、人権を極度に侵害する点はない。

改正V質問、立入、検査、見本採取など範囲がひろげられ、税務署が必要とみとめる関係者はほとんど対象にされる。

(六)医師、弁護士、税理士などの職務上の秘密を守る義務が侵害される。

現行V条項はない。

改正V医師、弁護士、税理士、など職業上知り得た秘密であっても、質問、検査をこばむことはできない。

今開かれている国会（衆院）では、こうした内容についての社会、民社、共産の三党の反対をおしきり、多少の修正を加えた自民党案が採決され（三月二十七日）ただちに参院にまわされました。私たちも、この法案のなりゆきに監視を怠らず、反対の意志を表明していくことが必要だと思います。

（事務局）

事務局より お知らせ(2)
三、西武記録映画を見る会もつと活用しよう

毎月二回日曜日に開かれている西武デパートの記録映画を見る会は、相当な観客を動員しています。今まで事務局で各月のレパートリーを組み、西武デパートに通告して先方も熱心に支持してくれています。そこで、事務局としては、毎月のレパートリーを組むのに苦労しているのですが、ただありあわせのフィルムを提供するというだけでなく、テーマをもった映画会にして、作家と観客の恒常的な交流の場にすることもできるでしょう。作家が話をして、映画を見てもらい、アンケートをとるなど考えられます。この場を活用する積極的なプランをたして下さい。

（事務局）

事務局より お知らせ

一、〃戦後の記録映画運動について〃の私案について

先の会報も二月十九日　常任運営委員会報告にお知らせしたように映画観客団体全国会議に、製作運動部責任者杉山正美と事務局長代理として山之内重己の二名が出席し、会の内容については「記録映画」誌上にのせた通りであるが、全国会議場にて杉山正美氏が〃戦後の記録映画運動について〃の私案を発表、これを作協内に於いても討論してまとめたものを文書化して全国の映画観客団体におくることとなり、現在常任及運営委員会で討議中です。討論がまとまり次才、会報に発表して会員一同の意見を出してもらい、それを又会報にのせて行く作業をつづける中で、私達の記録映画運動を深めて行きたいと思い、現在討議中です。

二、国民文化全国集会のお知らせ

日　程

四月二一日（土）日本青年館
午前十時　開会（九時半開場）
主催者挨拶
基調報告　木下順二
記念講演　上原専祿
午後一時　専門別分科会開会
午後五時　終了

四月二三日（日）都立青山高校
午前十時　問題別分科会開会
午後五時　終了

四月二三日（月）日本青年館
午前十時　全体集会　報告
討議　まとめ
午後五時　終了

○専門別分科会〈九分科会〉
宗教分科会、映画分科会、音楽分科会、写真分科会、学習分科会、舞踊分科会、教育分科会、文学分科会、生活記録分科会、

○問題別分科会　十一分科会
①地域の民主主義を育てる運動
②農村の文化活動
③サークルの創作、批評、鑑賞活動
④余暇活動について
⑤マスコミの現状と対処
⑥宗教と国民生活
⑦青少年の教育
⑧調査、研究活動
⑨文化創造の方法
⑩国民文化のイメージ
アンダーラインの分科会は関係あると思います。
⑪（特別分科会）
憲法の改悪について

自由に参加下さい。
四月十五日頃までに申込下さい。
参加費参百円（資料共）

（事務局）

2月分記録映画財政

支出 摘要	支出 金額	収入 摘要	収入 金額
印刷費	95,200	予約	27,130
通信費	14,403	売掛金	3,640
交通費	5,995	売上	58,996
文具費	945	未収広告	33,000
家賃	5,000	広告	50,000
研究会	800	研究会	900
人件費	22,250	家賃	2,500
光熱費	331	雑収入	135
映画会	6,000	事業収入	10,000
貸付金	3,000	繰越	2,654
事業支出	19,083		
現金	15,948		
	188,955		188,955

2月分協会財政

支出 摘要	支出 金額	収入 摘要	収入 金額
人件費	22,250	会費	32,350
通信費	13,566	未収会費	27,300
交通費	2,170	入会金	600
文具費	470	映画会	12,590
手数料	1,310	家賃	2,500
家賃	5,000	雑収入	25
加盟費	400	借入金	3,000
会合費	400	礼金	2,000
返済	4,000	繰越	502
光熱費	329		
映画会	12,615		
雑誌代	16,480		
雑費	965		
現金	912		
	80,867		80,867

1962. 5・15 発行

記録映画作家協会々報

NO 76

記録映画作家協会

東京都新宿区百人町2ノ66

TEL (361) 9555
振替番号 東京90709

協会活動半年間の総括をめざして

ー六月末を目標にー

五月十一日常任運営委員会報告

(1)財政対策（財政部より）

(イ)会費滞納者への調整

(ロ)事務局員給与値上について
現在の給与の一割値上と六月のボーナス分を値上額で支給する。細部については運営委員会で決定。

(ハ)六月の映画会において事業活動として五万円近い収入を得るよう努力する。

(ニ)会費前納制及映画会の訴え別項による。

(2)製作運動と対外的なもの
（製作運動部より）別項による。

(3)ギャラ基準改訂と生活対策
（生活対策部より）別項による。

以上のことにのっとってこの六月に半期をすごした上での反省と今後の運動方向を打ち出す上からも拡大運営委員会で討議し協会運動の刷新をはかることとなった。そこで、

(イ)ギャラ基準の改訂と生活対策(ロ)協会内財政の確立、(ハ)独自的な協会の運動内容
（作家個展、雑誌〃記録映画〃の拡充）

とき六月二四日（日）前十一時から五時まで半日がかりで討議してきめて行く。

それらの準備もかねて次回運営委員会を五月三〇日に開く。

(イ)事務局員給与値上とボーナスの件、(ロ)六月十九日映画会の動員体制、その他

以上

「芸術映画を見る会」決まる

今度も七回目の映画会を迎えました。

前回の映画会は、残念乍ら準備不足もあって、財政的には失敗したといえましょう。この映画会は協会にとって定期的な財源を確得出来る唯一の事業活動で、基本会費についだ収入といえます。

映画会の成功は、そのレパートリーの決定に大半がかかっておりますが、迫力ある作品が、そう年中あるわけではなく、その選たくに常に困難をきわめております。

前回の失敗に学んで、今年は当初年四回の予定を切り下げ三回にして確実な方法で開くことに方針を変えました。特に今回は今までのシリーズとは別のものとして、新しい観客層にも呼びかけることにします。

今年の財政方針の中には、この映画会活動の収入が大巾に組入れられており、この収入がないと非常に困難な状態になります。

すでに事務局が映画会の切符の配布をはじめました。会員のみなさんの協力を切にお願いするものです。

また、映画会の開き方及びレパートリーの選定など意見を反映していただきたいとお願い致します

（運営委員会）

協会会費全納制を訴える

協会会報で毎号のようにお願いしている、協会の会費の納入状況はみなさんの努力によって少しづつ向上してきました。会費は文字通り協会運営の基礎となるもので、この納入%が向上することが最大の問題と思われ運営委員会及び事務局も努力しております。

今年の運営のように、各専門部を作り、それぞれ独自の活動も活潑化してゆくようになると、したがって財政も必要となります。運営委員会はいろいろな討議の末、財政の最大の基礎は基本会費に置くことは勿論ですが、その他かずかずの事業活動でこれをおぎない、また各専門部の活動は出来得る限り独自の財政活動で運営するように決められました。

しかし、協会運営の財政を最大限に縮少して運営しても毎月末の支払日近くになると、事務局に金が全々なくなるという現象がおきてきます。それは、協会発足時に基本基金を持たずに始まったことが原因だと思われます。入会金が或る意味では基金になっているのだといえますが、基金としては不足しているわけです。

そこでここに会費前納制を実施すると、この問題は或る程度解決出来ると考えます。勿論、運営財政を基本的に黒字にしてゆく努力が同時になされなければ、これも赤字をうめる結果にしかならないことはいうまでもありません。

そこで運営委員会は六月末より協会会費の前納制を行いたいと思います。七月分会費は六月末に納入することになります。六月末には二ケ月分の納入をするので会員の方々には、負たんとなりますが、協会運営のため、御協力願いたいと思います。

その時期をなぜ六月末としたかというと、企業会員にとっては、ボーナス期となるので、多少とも負たんが軽くなるものと考え、この時期を選びました。

必要経費を縮少し、会費納入を向上し、そして事業活動を活潑にしていく努力を今後共つづけてゆくなかでこそ前納制は成功することと思います。

（運営委員会）

製作運動部会報告

一、先に映画観客団体全国会議に私案として出された「記録映画運動の素描」を資料に討論を組織して行きたい。そして過去の映画運動を色々な角度から追求して映画運動の指針をつくり出す様に努力する方針である。

二、作品個展を開く事について
毎月二回西武デパートで行われる記録映画を見る会を利用してこれを個展形式として発表の場として行くプランが採択され、六月からそれに取りくむ事になった。
現在の考えでは、協会は、
一、会報、機関紙その他でレパートリーを発表する。
二、招待状、アンケートの印刷は行う。
三、個々の観客の招待は原則として作家個人が行う。
なお、六月、七月のレパートリーは次の通りである。
六月三日（日）時間十二時ー一時三〇分　西尾善介作品展　決定
〃老人と鷹〃〃しやも師の一生〃
六月二四日（日）一時、二時、三時、丸山章治、黒木和雄作品展　予定
七月菅家陳彦、飯田勢一郎、広木正幹、豊田敬太（交渉中）
又八月以後これに参加される方々は事務局宛御連絡下さい。

三、白鳥事件の映画化について
自映連撮影部から出された白鳥事件映画化の件について現在協会としては荒井英郎氏が個人参加の形で現地調査及び若干の撮影（雪のシーン）を行ったあと、シナリオを新人監督協会が引き受け現在加藤盟氏が執筆中です。

四、その他対外的なもの
㋑世界青年平和友好祭について
㋺中国映画代表団懇談会について
㋩国民文化全国集会反省会について
㊁東京労視研七月開催とその準備会について作協としてオブザーバとして代表を出すこと

五、映画製作運動について
具体化するものがなく充分な調査と具体的に話し合いを持つことによって準備をかさねて行く。

以上

ギャラ基準の改訂と生活を守る対策部について

生活対策部

（3）

「経済のことは池田にまかして下さい」といって池田さんにまかしているうちに私たちの生活はだんだん悪化して来ました。国鉄、電力、郵便、水道等公共料金は次々に値上げされ、日常の消費物価も日に日に上昇して来ました。その反面、異状にふくれ上った日本経済の破綻が最近急速に現われはじめ、金融引締めによる中小企業の倒産が目に見えて出て来ました。こうした動きは当然私たちの日常にも大きな影響を及ぼすに到り、前者に関してはギャラ基準の改訂という必要に迫られ、後者に関しては短篇映画業界の不況に対するわれわれの生活対策ということで何れにも取組まなければならない状態になつて来ました。こうした現状に即して、生活対策部としては次の二点について会員の諸氏とともにその対策を考えてゆきたいと思います。

一、ギャラ基準の改訂

現在協会規約の内規に定められている基準（別項参照）は、一九五七年に改正されたもので、それ以来現在までに約五年の才月を経ております。今回は、当然この間の経済的な値上りを考え、拘束期間の変更、長期契約の場合の基準なども含めて練り直してみたいと思います。この改訂に当って、助監督、シナリオライターの方々の意見もお聞きしたいと思いますのでこれを機会にそうした自主的なグループの生れることを期待します。この改訂基準は、それらの綜合的意見をまとめて運営委員会がこの原案を作り、更に近く開かれる予定の拡大運営委員会にはかつてこれを決めたいと思つております。

次に参考までに現在のギャラ基準をここに附記しておきます。

①演出料

△二巻までの基準（契約拘束四五日を標準として）
十万円乃至十五万円以上（手取以下同じ）

△三巻より四巻までの基準（契約拘束四五日を標準として）
十五万円乃至二十万円以上

△五巻以上の基準
二十万円以上

△オーバーギャラは基本契約料の三十％以上とする。また、長期間のものについては前記の基準にもとずいて話し合いの上決定する。

②助監督料

△二巻までの基準（契約拘束四五日を標準として）
三万円乃至六万円（手取、以下同じ）

△三巻より四巻までの基準（契約拘束四五日を標準として）
五万円乃至十万円

△五巻以上の基準
七万円以上

△日当計算が適当な場合一、〇〇〇円―一、五〇〇円以上

〇尚、経験年数や技術の浅いものは別途話し合いの上決定することがある。

〇オーバーギャラおよび長期間のものについては、演出料の定めに準ずる。

③脚本料

△二巻もので八万円以上（以上の場合は一巻当り四万円）

④シノプシス料

△一万円以上（ただし巻数および内容については脚本料に準じる）

⑤構成編集料

△一巻当り四万円以上

二、生活を守る対策

最近全般的な景気下降と金融引締めの余波をうけて、各短篇映画会社のＰＲ映画の受註本数が減少しその受註額もぐんと下つて来ました。毎年常時十数本は撮影に入っていたある社が、現在のところ製作に入る予定の作品が一本もなく、ある社では社員の給料が遅配になっているということです。毎年各社ともいまごろは仕事が少い時期だそうですが、それにしても今年は例年より諸状勢が悪くなりつつあるようです。このような現実に対応すべく、私たちは、私たちなりのこうした現状に対する対策を考えなくてはならないと思います。

事務局では今までも各プロダクションから要請があった場合、それに応じて会員の仕事の斡旋をして来ておりますが、その申込件数もだんだん少くなって来ているようです。当協会は仕事の斡旋を中心に結成された職能団体ではありませんので、個人個人の仕事をセールスして廻るということは現在のところ出来ません。そこで、もし、そういった要望が強く出てくるとなれば、組織をそうした態勢に変えてゆかねばならず、現状でそれを行おうとすれば、そうした事務局員を専任に雇わねばならなくなります。そのためにはその専任者を雇ったり、交渉のためのかかる諸費用を当然出さなければならな

くなります。その費用をそうした人々が集つて出し合うグループを作ればどうかという案もありますが、それをやつたら、すぐに私たちの生活問題が解決するというものでもありませんので、この辺はいろいろ検討してゆきたいと思つております。そして現実可能な範囲での対策として、生活対策部としては、当面次のことを計画しております。

A、会員の作品歴を一冊にまとめこれを広く各企業や関係先に配布し、協会員の対外的ＰＲをする。（このための作品歴を未提出の方は至急事務局までお送り下さい）

B、右会員名簿配布後の各企業への積極的働きかけ。
事務局長、事務局員らとともに各企業や関係先を廻り、協会員の仕事の場を積極的に広げてゆくことに努力する。

C、従来通り各企業から申入れのあつたスタツフの要請については、出来るだけ会員の有利なように話をすすめてゆく。
（但し、今後、協会財政必迫の折柄、仕事を斡旋した場合、諸雑費も重みますので、若干の％を斡旋料としていただくようになるかも知れません。この点諒承しておいていただきたいと思います。このことは勿論、運営委員会なり、拡大運営委員会でおはかりした上でのことですが…）

D、生活を守るためのフリー会員の話し合い。
前にあげたような現状から来る生活の問題を具体的にどのように打開してゆくか、みんなでその方法を話し合つてみたいと思います。期日、場所、時間は追つて皆様にお知らせしますから、その際は出来るだけ多くの方がお集り下さるようお願いします。

以上、生活対策部の当面のプランについてご報告致します。この案について積極的な皆様の建設的ご意見を是非事務局までお寄せ下さい。

▽－－－－－△

▽－－－－－△

芸術映画を見る会と西部文化ホールを活用

四月十二、十九日運営委員会

四月十二日運営委員会報告

出席者が悪るく映画会のことのみを決定。
○先の映画会の失敗も考えあわせて、充分に時間を取ることゝ、作品の選択をすること。その点から日時は六月下旬とする。又費用もかゝらぬよう二万円以内の予算とする。作品候補が出され次の中から選ぶことゝなつた。
〃さすらい〃〃真夏の夜のジャズ〃〃マダムと泥棒〃〃宿命〃〃サレムの魔女〃〃眼には眼を〃〃老人と海〃

四月十九日運営委員会報告

やはり出席は悪い。各部の責任者が出席されたので各部報告ならびに次の決定事項をした。

(1)報告事項
㋑製作運動部
○国民文化会議の全国集会出席の要請
○世界青年平和友好祭の動きについて
○白鳥事件映画化については荒井英郎氏が有志として参加
○中国映画代表団について四月二三日末日で一ケ月間滞在、懇談会等計画
㋺生活対策部
○ギャラ基準の資料あつめ及生活対策の委員会を計画して行きたい。
○仕事の斡旋に対しての％の問題

(2)議題
㋑映画会について、日時は六月十九日、内容は短編と劇映画で行くべきである。劇映画として〃さすらい〃アントニオーニ、お話をしてもらう。短編として〃血液〃〃雨〃その他を上映、それですゝめることゝなつた。

㋺中国映画代表団については京極、大沼の両氏が責任をもつてあたることゝし、会員に対しカンパの呼びかけをすることゝ、懇談会を連盟と共に持つようにする。

㋩メーデー参加について責任者を大沼事務局長とし、デモ責任者に長野、谷山、杉山、富沢の諸氏があたる。会員全員にハガキを出して参加を呼びかける。

㊁西部文化ホール〃記録映画を見る会〃について。

今までは唯記録映画を上映する

だけになっていたものをあらためて、作家の個展方式を取ると共に、記録映画に関心を持ってもらう立場から作家に出てもらい話し合ってもらい、雑誌〃記録映画〃の宣伝もする。六月より実行にうつす。

㊄未解決の問題として、雑誌〃記録映画〃の三部以上読者拡大の件と、同じく広告の問題について。

東京労視研集会

お知らせ

すでに第一回四月十九日、第二回五月八日東京地評において準備会が開かれ次のことを決定している。

1. 日程7月7日ー8日（二日間）
2. 場所江の島か熱海
3. 経費参加員一人五〇〇円
4. 基調報告　各参加団体より問題提起をする。現在まで出ているものは、

○体制側の産業視聴覚の活用（機関紙協会）

○自主上映の強化と作品評価（教員組合）

○自主上映の問題点（地区労）他で、

(5)

次回の会議は五月二四日一時地評にて行なわれる。

諸橋一氏よりお祝の手紙が来ました！

前略、長らくご心配をおかけしましたが、やっと全快致しました。肝臓疾患のため、昨年十月末より入院加療中でしたが、一昨日、六ケ月ぶりで元気に出社しました。入院中は、皆様方のお見舞状貴重なカンパを頂だいいたし、まことにありがたく、どんなにかなぐさめられ、勇気づけられたかわかりません。こゝに厚く御礼を申上げます。御厚情有難とうございました。

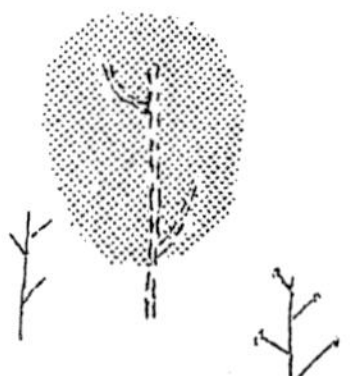

住所変更その他おしらせ

樺島清一　調布市若葉町一の四五の二一

佐々木守　世田谷区代田一の七二三　今野方

青野春雄　南多摩郡日野町豊田一七〇〇　多摩団地一一七の四〇三

動静

〃ハイ・スピード・フォードリニヤペーパーマシン〃カラー、五分（脚本演出）　ルーマニヤに輸出する製紙機の動くカタログー完成五月十日（理研映画にて）

入江一彰

四月一日附で岩波を円満退社フリーになりました。

黒木和雄

△会合のお知らせ△

◎五月三〇日運営委員会

時　五月三〇日（水）后六

所　協会事務所

内容一、事務局員給与値上とボーナスについて

二、芸術映画を見る会（六月十九日映画会）動員について、

三、会報七六号の内容について、

◎六月二四日拡大運営委員会

時　六月二四日（日）后一時ー五時

所　厚生年金会館会議室

351一一一一

内容一、財政報告と対策に就て

二、ギャラ基準及斡旋について

三、「記録映画運動の素描」について

四、その他

（註）協会も六二年を迎え半期がすぎましたそこでギャラ基準改訂及財政政策等のことについて運営委員の出席を要請する次第であります。

事務局よりお知らせ

第七回芸術映画を見る会

今まで実験映画を見る会として六回まで進めて来ましたが、残念ながら作品がそうあるわけではなく今回より芸術映画を上映することゝなりました。今までどおり協力下さいますようお願いする次第であります。

とき　六月十九日(火)后六から
ところ　虎の門共済ホール
（都電地下鉄虎の門下車）
内容　第一部（アニメ・記録）
(1)〃飛ばないジユータン〃他二本（日本テレビジョン）
(2)〃雨〃高林陽一作品
(3)〃血液〃杉山正美作品、（桜映画社）
第二部（お話と劇映画）
(4)〃アントニオーニの作品について〃お話佐々木基一
(5)〃さすらい〃M・アントニオーニ作品（新外映・イタリ・フィルム）
会費　一人一〇〇円

（註）会員の方々はぜひとも多くの友達、おさそいの上一人でも多く見ていただくよう協力下さい。

図書販売の斡旋

一、現代っ子採点法―阿部進著 二〇〇円（三一書房）
二、(イ)映画理論史―アリスタルコ著（吉村信次、松尾朗訳）一、八〇〇円（みすず書房）
(ロ)映画美学入門―ドウブリ著（金子信夫訳）四八〇円（みすず書房）

（註）いずれも定価の一割引であつかいます。〃現代っ子採点法〃はすぐ本を渡せますが、他は申込制です。事務局まで。

野球大会のお知らせについて

先に五月十二日の新日本文学との対抗試合は雨のため延期されました。六月初めてに開く予定になりましたので、出られる方又応援に参加下さるようお願いする次才です。

（事務局又は杉山正美まで）

○……○

協会３月財政

支出 摘要	支出 金額	収入 摘要	収入 金額
人件費	21,375	会費	52,050
家賃	10,000	未収会費	14,000
通信費	4,432	前受会費	500
交通費	1,695	入会金	600
文具費	570	研究会	800
手数料	1,205	礼金	2,000
印刷費	5,000	映画会	7,700
雑費	1,976	家賃	2,500
光熱費	314	住所録	1,000
未払費用	10,000	繰越	912
研究会	1,770		
借入返済	10,000		
製作運動費	5,110		
現金	8,615		
合計	82,062	合計	82,062

記録映画３月財政

支出 摘要	支出 金額	収入 摘要	収入 金額
人件費	21,375	予約	19,900
印刷費	66,410	売掛金	2,510
通信費	7,596	売上	32,364
交通費	7,080	広告	46,500
文具費	550	事業収入	10,000
座談会	3,000	家賃	2,500
家賃	10,000	研究会	500
研究会	800	繰越	15,948
光熱費	313		
未払費用	3,000		
雑費	1,780		
現金	8,318		
合計	130,222	合計	130,222

1962・6・5 発行

記録映画作家協会々報

NO 77

記録映画作家協会
東京都新宿区百人町2ノ66
TEL (361) 9555
振替番号 東京 90709

「記録映画作家協会 在京者全員集会」開催のお知らせ

日時 六月二四日(日)后一時～五時

場所 厚生年金会館会議室

右記のように、在京者全員集会を開きますので、ぜひ御出席下さい。

今年度の運営委員会は、昨年末の総会の決定に沿つて上半期の協会運営を行つてきました。当時指摘された経済的情勢の悪化は、会員の生活にも、また協会の運営そのものにも影響を及ぼしてきています。創造活動の前進の面でも、機関誌の発行をつづけ、映画会、研究会、個展等やつてきましたが、会員相互間の十分な討議が行われたとはいえません。

ここで、運営委員会は今年上半期の協会諸活動の総括を行い、下期の運営方針を、会員の支持の中に決定確認していく必要があると考えました。

どうか、在京者全員がこの集会に出席し、討議に参加して下さるよう、おねがいします。

予定される議題及び主な内容は次の通りで、なお当日会場にて詳細な資料を配布できるよう準備中です。

議題（報告と討議）

一、運営委員会概括報告
昨年末の総会以降、今日までの運営委員会の活動。
そのプラスとマイナスは何か。この期間、会員はどんな仕事をしたか。創作上及び経済的生活上の条件はどうなっているか。協会員から運営委員会に対して、どんな声があがつていたか。
以上のしめくくりとしての問題提起。

二、財政部会
財政状態は赤字である。赤字の原因、いかにして赤字を回復し、健全な財政を建てるか。

三、映画運動部会
上半期における業績とその評価
現在計画しているもの。
下半期に何をやつていくか。

四、生活と権利部会
経済的な困難に面して、協会としてやつていくべきこと。
ギャラ基準改訂の提案。
仕事の斡旋活動の検討。

五、機関誌部会
機関誌の内容について。
機関誌拡大をめぐつて。

六、研究会部会
研究会の活動

七、以上の報告と討論の中から
下半期において協会が重点的にとりくむべきこと、その内容と具体的方法をはつきりさせる。

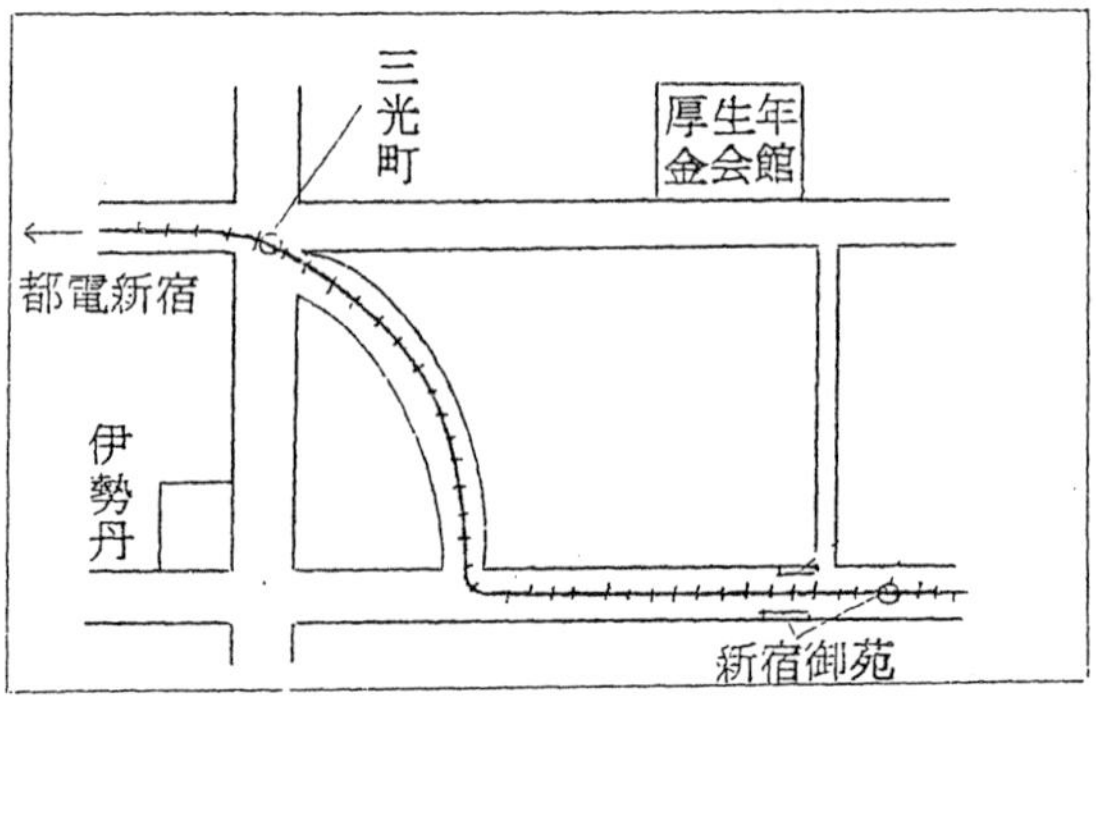

協会会費前納制六月に実行！

協会会報で毎号のようにお願いしている、協会の会費の納入状況はみなさんの努力によって少しづつ向上してきました。会費は文字通り協会運営の基礎となるもので、この納入%が向上することが最大の問題と思われ運営委員会及び事務局も努力しております。

今年の運営のように、各専門部を作り、それぞれ独自の活動も活発化してゆくようになると、したがって財政も必要となります。運営委員会はいろいろな討議の末、財政の最大の基礎は基本会費に置くことは勿論ですが、その他かずかずの事業活動でこれをおぎない、また各専門部の活動は出来得る限り独自の財政活動で運営するように決められました。

しかし、協会運営の財政を最大限に縮少して運営しても毎月末の支払日近くになると、事務局に金が全々なくなるという現象がおきてきます。それは、協会発足時に基本基金を持たずに始じまったことが原因だと思われます。入会金が或る意味では基金になっているのだといえますが、基金としては不足しているわけです。

そこでここに会費前納制を実施すると、この問題は或る程度解決出来ると考えます。勿論、運営財政を基本的に黒字にしてゆく努力が同時になされなければ、これも赤字をうめる結果にしかならない。ことはいうまでもありません。

そこで運営委員会は六月末より協会会費の前納制を行いたいと思います。七月分会費は六月末に納入することになります。六月末には二ケ月分の納入をするので会員の方々には、負たんとなりますが、協会運営のため、御協力願いたいと思います。

その時期をなぜ六月末としたかというと、企業会員にとっては、ボーナス期となるので、多少とも負たんが軽くなるものと考え、この時期を選びました。

必要経費を縮少し、会費納入を向上し、そして事業活動を活発にしていく努力を今後共つづけてゆくなかでこそ全納制は成功することと思います。

運営委員会

財政部　富沢　幸夫

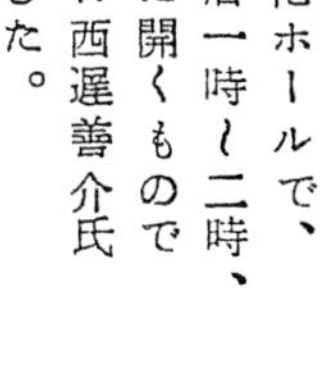

「作品個展を開きましょう」

―会員に呼びかけ―

西武記録映画を見る会を、西武デパートと作家協会の協力で始めてから一年以上をすぎました。今までは、新作を事務局が適当にえらんで漠然とやってきましたが、このままでは、記録映画を見てもらう折角の場であるのに積極的な意味がありませんでした。デパートのお客ですから、もちろん積極的な記録映画支持者とは限りませんが、中には熱心に見てくれる人もあります。こうした人々を手がかりに、作家と観客が、作品を通して交流する場にしようと思います。そのいみで、この会を個展という性格の強いものにして観客の印象を深くすることは有効であると考えました。すでに会報で過去二回にわたってお知らせした通り、西武デパート八階文化ホールで、ほぼ隔週の土曜の午后一時～二時、あるいは二時～三時に開くものです。第一回の六月三日西遅善介氏の会は好評に終りました。続いて黒木、竹内、広木、飲田氏が企画されていますが、なお会員の積極的な参加を要請し、事務局に申し込んでくださるようおねがいするものです。

一、作品は作家の自選で、上映時間約一時間、十六ミリ版。

二、名称は記録映画作家個展「○○○作品特集」とします。

三、宣伝は機関誌、会報により、当日会場で作家作品と紹介のちらしを配りアンケートの回収をします。

（製作運動部）

(３)

ギャラ基準と生活対策について

五月三十日運営委員会報告

五月三十日、運営委員会報告

出席者、荒井、八幡、丸山、八幡丸山、富沢、大沼、菅家、松本、かんけ・まり、西本、十名。

一、芸術映画を見る会動員について計画としては五万円の収入を予定している。動員としては八百名を予定、その為には一千名以上が券として配布されなくてはならない。今回の映画会が事業活動としても試金石になつているので動員を要請する。

二、西武記録映画を見る会について

作家個展に切かえた意味をもつと協会員にアッピールすることと共に対外的に宣伝すること。

招待状の問題、会報及雑誌にのせて行く。協会員にチャンスをあたえて行く、等の意見が出された。

三、事務局体制について、

㋑事務局勤務時間原則として前十時〜后五時まで、㋺オーバータイムについては休暇を取つてふりかえる。㋩有給休暇は年二〇日間とする。ただし全体の仕事を途切らせないようにすること。以上を決定する。

四、財政部報告

㋑会費前納制をこの六月に取るようアッピールしたし、それによつて、運転資金とする。

㋺基本財政計画をたてたが、事業活動の大きなものゝ一つが具体化しなかつたことにより財政の組なをしと、共に上半期の決算を出し、その分析のもとにあとの下半期の計画財政をたてて行く。

㋩滞納者二五名に対し最終的に手紙を出したのは助監督の長浜明氏。

㊁事業活動の内容について、名簿作制による収入、会員増加をはかる。製作運動について、映画学校8ミリ映画講師等々がある。

五、生活対策部報告

ギャラ基準の新しい案の内容が発表（細部は六月二四日に発表）されると共に、その内容の前提をめぐる意見が出された。教育映画製作者連盟から企業合理化と市場拡大についての方向が出されているが、作協としても製作、創作運動と同じように生活防衛の活動を強力におし出すべきではなかろうか、企業合理化の中に作家のギャラ基準の問題が出ており（テレビ映画のギャラとの対比が出ている）ギャラの引き下げの問題も出ている。又市場拡大については作協としての見解をもつて、連盟と話し合うということもあるのではないか、以上から高いギャラ基準を作るのではなく、原案をつくる会をもうけるべきではないか。その為の方針、方向をつくる為の分析もすべきである。

六、研究会報告

社会教育映画研究会についての相談会を五日三一日后六時映協会館にて開く。他の研究会は今の処やつていない。

七、編集部報告

雑誌の発行がおくれているので八月号をシナリオ特集発行にしておくれを取りもどす。表紙の二色については財政部と相談していく。

その為の財政として積極的な事業活動を組んで行く、常任運営委でその内容を出して行く。

八、事務局員給与値上について、

財政的には苦しい時期ではあるが、物価の値上、その他から考えあわせ事務局員の値上要求もあり現行の一割を上げることについて討論され、次のように合計四、五〇〇円の値上額を六月より支給するよう決定した。

山之内重巳三三、〇〇〇円
（三一、五〇〇円）
武井登美江一〇、五〇〇円
（九、〇〇〇円）
渡辺　純子一三、〇〇〇円
（一二、〇〇〇円）

（　）内は旧支給額

九、六月二四日の会の内容について拡大運営委員会ではなく在京会員の出席が出来るよう。懇談会風にして会の内容を充実するようにすること。二四日の議案をまとめる為の運営委員会を開くことその為にも専門部会を開くようにすること。

協会４月財政

支出 摘要	支出 金額	収入 摘要	収入 金額
人件費	21,375	会費	68,150
家賃	5,000	未収会費	6,200
通信費	4,981	入会金	300
交通費	1,320	研究会	300
交文具費	405	映画会	1,400
手数料	665	住所録	4,000
加盟費	700	家賃	5,000
会合費	400	礼金	4,000
雑誌代	32,800	借入拾	10,000
映画会	15,680	雑収入	100
光熱費	137	繰越	8,615
雑費	305		
現金	6,297		
借入返済	18,000		
	108,065		108,065

記録映画４月財政

支出 摘要	支出 金額	収入 摘要	収入 金額
印刷費	71,604	予約	5,500
通信費	6,503	売掛金	1,010
交通費	890	売上	74,031
交具費	1,230	広告	26,500
原稿料	3,000	コンクール	10,000
座談会	220	研究会	900
研究会	700	家賃	5,000
家賃	5,000	借入金	3,000
人件費	21,375	繰越	8,318
光熱費	137		
借入返済	7,200		
未払費用	3,000		
雑費	100		
現金	13,300		
	134,259		134,259

◎事務局よりお知らせ

◎第七回芸術映画を見る会

今まで実験映画を見る会として六回まで進めて来ましたが、今回より芸術映画を上映することゝなりました。今までどおり協力下さいますようお願いする次才であります。

とき　六月十九日(火)后六から
ところ　虎の門共済ホール
（都電地下鉄虎の門下車」
内容　才一部（アニメ・記録）
(1)〃飛ばないジューターン〃他
二本立（日本テレビジョン）
(2)〃雨〃高林遙一作品
(3)〃血液〃杉山正美作品
（桜映画社）
才二部（お話と劇映画）
(4)〃アントニオーニの作品について〃お話佐々木基一
(5)〃さすらい〃M・アントニオーニ作品（新外映・イタリ・フイルム）
会費　一人一〇〇円
（註）会員の方々はぜひとも多くの友達、おさそいの上一人でも多く見ていただくよう協力して下さい。

◎図書販売の斡旋

一、現代っ子採点法—阿部進著
二〇〇円（三一書房）
二、㋑映画理論史—アリスタルコ著（吉村信次、松尾朗訳）
一、八〇〇円（みすゞ書房）
㋺映画美学入門—ドウブリ著（金子信夫訳）四八〇円（みすゞ書房）
（註）いずれも定価の一割引であつかいます。〃現代っ子採点法〃はすぐ本を渡せますが、他は申込制です。事務局まで。

◎住所変更と新人会その他

三上　章—世田谷区池尻町一六
三　白井豊方に変更
東　陽一—（岩波映画所属—助監督）世田ヶ谷区砧町九五—六植木責方（新入会）
黒木　和雄—電話新設(901)八一四一（内一七二一）

◎野球大会について

新日文対抗の野球大会は雨にたゝり伸び伸びになっています。グランドを交渉中、労文協という文化団体からも試合の申込あり。

短篇映画界の不況に対処する生活を守るための話し合い呼びかけ

生活対策部

最近私たちの生活の場である短篇映画企業の仕事が目に見えて少くなって来ました。これにはいろいろな原因があると思いますが、一般的な経済界の不況が大きく影響していることは否定できないと思います。こうした情況が何時ごろまで続くものなのか、今後どう変化してゆくか、今、その見通しをはっきりたてることは出来ませんが、何れにしても現実的に私たちの生活がそのあおりを食っておびやかされていることは事実です。こうした現状をお互が懐手傍観していたのでは何の解決策も生れては来ません。それぞれが何らかの積極的な対策を考え、それを自らの行動として仕事に生かすときにのみ、その切抜ける道が開かれてゆくのだと思います。そうした意味での、フリー会員同志監督、助監督、脚本家）の生活を守るための具体案を、この際みんなで集つて話し合つてみたいと思います。左記日時、一人でも多くご参集下さい。

記

○日時　六月十六日(土)午后六時より九時まで
○場所　厚生年金会館会議室（新宿区番衆町）TEL(351)一一一一
○フリー会員は出席下さい。
尚、これを機会に、後でギャラ基準の改訂についても意見の交換を行いたいと思います。

（地図一頁参照）

1962・7・15 発行

記録映画作家協会々報

NO 78

記録映画作家協会

東京都新宿区百人町2ノ66

TEL (361) 9555

振替番号 東京90709

在京者全員集会の報告

（六月二十四日 後一時 厚生年金会館）

会報七七号でアッピールしたとうり、今年に入って深刻化してきた経済的状況の中で、協会は如何にたたかうかを討議するこの集会は、四〇名の参会者をえて、盛会裡にひらかれた。

各専門部の報告（別記議事録参照）があったのち、討議に入り、機関誌問題、生活対策問題、協会財政にわたり、研究会のあり方をふくめて活潑な討議がくりひろげられた。

この会の性質上、むりなまとめや結論を急がずフリートーキングを重点としたので、ここでは、出された主な意見をあげることにする。

K「生活対策と創作活動が並行して問題が大きくなって来ている。経済的問題と共に創作の問題に制限が出て来ている。スポンサー又はプロデューサーの方から変えられてしまって、ついには上映出来なかったり、改作されたりしている。テレビ映画の中にも現われて来ている。一人一人では限界が出て来ている。協会として、抵抗して行くようにすべきであろう。」

Y「I映画社で、作家が試みをやったがお蔵になったというふ、スポンサーと作家との関係では当然そのことはあり得るが、プロデューサーのまずさがあるのではないか。」

O「この場合、プロデューサーが作家とスポンサーとの話しの場を作らずに来た。組合としてプロデューサーの無能さをつきあげたのであるが、あくまでも岩波の内でやられていたので、協会としては待っている形となった。ここでは経済不況を受身の弱い形でとらえてしまい、大切なスポンサーであるということから、ひきさがって作家がやめて行くという結果になって来ている。一つの例として表面にI映画の例が出たが、他にもそのような事が出ており、聞きながしえない。」

Y「連鎖的に起ることは、はっきりしている。日常、協会員の多数がPR映画をやっていながら協会として、統一した意志で斗いを進めて行くことが、日常的に築かれていず、労組としても自分たちが傷つかないようにということで問題が拡大されないで流れていくのではないか？。」

D「協会の中の作家自身に危機があるのではないか、PR映画を丸のみこみで作るという人も居る。協会とはなんなのか。」

Y「作家がある意図を実験しようと思ったがプロデューサーがそれを助けず、直接スポンサーの前にたたされれば、負けてしまう。創造論の論陣をはるだけに終らず、統一の行動が必要であった。労組がその援軍とならず、バラバラになって、作家だけがPR映画に対処しているところに問題がある。金を出して作品を作る体制側に対処する方向を協会が持つべきではないか。」

F「創作の立場からだけではなく、職能団体的な性格にしたらどうか。

K「協会に持ちこんでも解決しないのではないか、という考えがあるが、なにしろ持ちこんでほしかった。自分の身近に起きていても協会に出さず、個人で終ってしまっているので、このさい組織として協会全体の問題として考える必要がある」

E「協会の性格をふくめて、作家が協会にのぞんでいるものはなにかを出すべきだ。」

D「今まではPR映画のブームであった、その中で、作家の危機が

すでにあり、それが現在になって膿として出て来たのである。」

E「経済要求があるのであるから、その要請にそって運動内容を変えて行くべきではないか」

Z「プロダクション間のダンピングにともなって、皆の生活問題、作品の内容がさがって来ている。作家側にそれに対処する方法はないのであろうか」

B「税金の青色申告について、シナリオの場合十五%が十%にさがった。著作家組合は斗っている。作協においても、この程度のことはやるべきではないか」

F「版権問題が前にもあった」

G「研究会などで、創造上のこと、たとえばPR映画の問題は出ているのではないか、又私の仕事場の総評、その他において問題がハッキリ出されて来て仕事がやりやすくなっている。ただ、会員全体の中で問題がひろがっていない。その点で、仂きかけ、問題を提起して行くべきであろう」

Z「研究会でやる方法もよいが、それを更に雑誌の上にのせるようにして行くべきではないか」

Y「研究のこころみは良いが結果がつたわらない、短いスペースの中におしこめられている。つまらないという研究会の内容が検討されないといけない。内容が参加したと同じようにつたわるように心のくばりがかけている。」

S「研究会に出来るかぎり出席して、自分たちの意志によって研究会を持つことが大事で、おのおのの中に積極性を持たないと同じ処にとどまってしまうのではないか」

Y「研究会に吸引力がなく、むずかしさが先にたつ、皆が持ちこめるだけの道を作らなければならない」

S「研究会に出席する人がきまっている。協会員一人一人が意識を持つべきで……」

Y「作家が孤立している事実の上にたって道をつけるべきである。皆なが持っているものをひき出して行くべきで、その事実の上にたって方針を出すべきである」

D「生活と権利についても個人が斗っていく中で、かさなりあって行く、それが協会を強めて行く、そういう両面がなくてはならない。おのおのが斗う中で、その力を協会につみかさねて行く」

G「個人個人では斗えない状況におかれているから協会が……」

D「自分がまず斗う処から協会の力が出てくるのではないか」

C「協会自身のみりよくは弱いが、今は、会社の云うままの映画を作るゞ協会に入っていない人たちに多い。然し、そういう人たちが協会に感心を持ちみりよくを感じ始めている。又研究会にも関心を持っている。今の処仲間だけに終っているが、もっといろいろの人を入れて、人々の背景になる力を持てるようにすべきであり、雑誌ももっと現状の目前の問題をとらえて行くべきではないか」

Y「個人個人が問題の場にいる時に斗うことには賛成であるが、あいてがあるし、あいてがきつくなっている。そこで一人で斗いきれないでなやんでいる人に基本をおくべきである。I映画での問題にしても、本質的な問題でどこに欠陥があったのかはっきりさせるべきである」

D「斗う時に協会の基準を引き出して最低の処でぶつかりあう、それがなくてはだめなのではないか、個人と組織とが両立するものである。」

A「斗うということは前提であって、どのようにしてという点で運動体としての責任がある」

X「今まで問題の出されている点では原則的なものから出ていない。そのことは才八回定例総会にもりこまれている。今出されている組織の中の各グループ活動、又その他の場で、どのように組織化するかということであろう、生活対策に対し不充分だったのであるから、この問題については具体的に強化して行くよりない。どうにかなるだろうという考え方で委員会を持ってもどうにもならないであろう」

O「ギャラ基準の処で問題があった。ダンピングはしないという支えがないかぎり、又個々で斗わないかぎり守って行けない」

G「社員とフリーの関係を考えていくべきだ」

D「A、B、Cのランクをつけたらどうか」

H「ダンピングせずにいられないで、協会員がやっているのであるから、具体的に皆ながダンピングの内容を出すべきである。無政府状態になっている」

C「ギャラ基準はきめておくべきである。協会は強くはないが、それが一つのものにはなる」

F「もっと他団体の交流を持つようにし、わりきる処けわりきって、職能的面をはっきりさせて行く」

W「アメリカのPR映画の製作は製作費の十%をギャラとして組んでいる。製作費の七〜十%を実行予算として厳守して来ている。それでランクをきめている。参考になると思う。」

F「我々のギャラは責任給ー技能給である。社員の場合は生活給になっているが、その点もはっきりさせて行くべきである」

E「社員は生活給になっているが今の物価値上の中での生活条件から協会のフリーのギャラ基準等で問題が社員の中でも出て来ている」

H「社員の人も全体的に低く生活給にもなっていないところから、F氏の意見は重要である」

K「その為にもギャラ基準をきめて行く委員会をつくり、フリー、社員も考えに入れて原案を作って行く」

（議長）「以上の内容をもとに運営委員会で話し合いを深め方針を出して行くようにする」

議案書（要約）

A、生活と権利を守る斗いを推し進めよう！

一、ギャラ基準の改訂について

われわれの実質的な生活費は日に日に増大していっている。各企業所属の労仂者は年々賃上げの要求を行い、今年もそれぞれ大巾の賃上げや一時金の獲得に成功しつつある。しかし、われわれにあっては現実的には五年前に定められた現在の基準すら守られていない現状である。そして、今日のように仕事が少くなり、プロダクションの受註額がダンピングされてくると、自らもそのベースにはまり込み、安く売込むことによって何とか仕事の場にありつこうとする者も出て来ているのである。そして当然要求すべき最低額も自ら割り、製作条件も最悪の事態にあることに目をつむり、ただ、とにかく作ればいい式の主体のない仕事権利へと流れていっているのである。こうした事態をわれわれは直視しなければならない。そして、五年前の基準にこだわることなく、われわれが、今日、そして明日、生活し、創作していくに必要な最低ギャラ基準額を、みんなの検討によってうちたてねばならない。しかも、こうして定められる基準を空文にしないため、その額、並に発表、実施に移す時期や方法はよく研究された上で行われるべきである。

そのためギャラ基準改訂委員会をつくり、あらゆるデーターを集め、具体性のある案を作るようにすべきだ。

二、生活を守るために

これは各個人の問題でもあるとともに協会全体の問題でもある。個人個人が生活の場を守るための積極的な仂きかけをしなければならないとともに協会もそれに出来得る限りの力を与えねばならない。

(イ) 他職種団体との交流

例えば撮影者協会とか、照明技術者労仂組合とかの団体とも生活を守るための共通の場での話し合いをする。その中から相互的な映画人全体としての問題について、いろいろな具体案を練る。

(ロ) 日本映画教育協会、製作者連盟及びプロデュサーとの懇談

製作者としての会社並びにプロデュサーとの現状打開への話し合いをする。そうした中から現在の短篇映画企業のあり方への意見の交換を行い、今の窮状を切り抜けるための対策を共に考える。

(ハ) 各自の企画活動を旺盛に

自主、教材、PRの如何を問わず、各自の作りたい作品の企画活動を盛んにする。特に今日のように待っていて仕事がこない時代には尚更この企画の持込みが必要である。また今までも積極的なこうした仂きかけをやっている人の方が仕事も多くやっている。こうした活動が一人で無理な場合は数人がグループを作って仂きかけるのもひとつの方法だろうし、シノプシスなりシナリオをもって会社やプロデュサーに仂きかけるのもある方法だと思う。座して待つ他力本願では何も進まない。創作的にも各自の旺盛なる企画活動を促す。

(ニ) 仕事の斡旋活動について

今までも協会に度々スタッフの斡旋依頼があったが、今回作品歴の入った会員名簿も出来上ったので、これをもって協会員全体の各映画会社、テレビ局等への積極的な仂きかけを行う。そして、そうした中から出て来た仕事の斡旋には本人の希望に応じて交渉も行う。但し、こうした接渉の諸費用も重む関係上、協会斡旋の場合、契約額の二%を斡旋料として協会に納めて貰うよう認めてほしい。

三、作家の権利を守る斗いについて

最近、積々の条件から作家の権利をふみにじるような事態が度々起きて来ている。

例えば、スポンサーの強要により原型を止めないまでに改竄されて放映されたり、機構の中で民主的

ルールに従って製作された作品が作風が気に入らないという理由でオクラになったりしている。

また、ＰＲ映画の場合でも、完成したときの作品と、何ケ月かを得て上映された場合との内容が全く変っていた場合も今迄たびたびあった。特に最近はシナリオコンクールによる入札制度がスポンサー側に流行し、プロダクションはせっせと作家にシナリオを書かし、落ちると知らん顔をしているという話が非常に多くなって来た。ギャラの基準についても製作者側が連絡して低下させていこうという動きがあることも聞いている。

このような、創作的、経済的、精神的に今やわれわれの生活は追いつめられ、権利を握りつぶされて来ているのである。こうした会員個々人が今うけつつある苦いしるを、みんなで味わい、みんなでこれに抵抗していくようにしなければ、われわれがわれわれ自身で墓穴を掘ることになるのである。協会は、こうした現実の中にあって、作家の、生活と権利を守る母体となり、その足場となり、その運動体とならなければならないと思う。これらの問題について、協会員全体の真剣な討論が行われ、下半期の新しい運動方針がその中からうち出されることを期待する。

（生活対策部）

B、製作運動を広めるために！

一、「記録映画運動の素描」を中心に討論を

製作運動の一つとして記録映画の運動が今後どうあるべきかを明らかにする事を一つの目標としている。

そのため一つの手がかりとして出された「記録映画運動の素描」は作家協会の今後のあり方についても深く関係を持つので、広く協会内の討論を呼び起す様に問題点を摘出して行こうと考えている。

二、労仂者視聴覚研究集会について

全国労視研は、今年度は、地方別の大会を開催する事になった。作家協会としては、未解決の問題をかかえてはいるが、この組織労仂者の映画運動を重視して労農記録映画の製作、その他の会合に積極的に参加していく方針である。

三、作家個展形式による〃西武記録映画を見る会〃について

作家個人が自分の作品を観客に見て貰うという活動を西武デパート文化ホールで試み、第一回を西尾善行氏、第二回を黒木和雄氏の作品について行いました。アンケートの回収、その他にまだ問題はありますが、作家自身が観客に向うという意味で協会員の積極的な参加を望みます。

四、白鳥事件の映画化について

（詳細は本日報告）

現在シナリオの第一稿が出来上り回覧中です。協会としては、荒井英郎氏が作家協会有志として、スタッフに参加しております。シナリオは一部協会事務局に置いてあります。

（製作運動部）

C、研究会活動報告

本年度のはじめ、研究会発足当時の状勢は、自主的な要望もあって、年間、三つ位の会を持つはずであった。然し協会財政の悪化に伴って研究会を一本化、記録映画等、雑誌の特集にそって進めてきた。

平均三〇名の参加者、一応毎月、盛会であった。社会教育映画研究会も発足しようとしている。六月中旬、すでに第一回の懇談会が持たれたが、社会教育映画に深い関心を示す作家プロデュサー、配給者が主体で十二〜十三名が個定したメンバーである。勿論、参加希望者は大いに歓迎する。運営は研究会員が百円の会費を出し合い、その中でまかなっていくという自主的なもので、今後の成果に期待が持たれる。

（研究会部）

運営委員会（七月二日）の報告

さきの在京者全員集会で出され討議された問題を、更に検討し実践化するために、ひきつづき運営委員会が開かれた。

一、生活と権利の問題を、協会の性格と任務の中で、どうとらえるか。

会員が持っている要求が多種多様であり、しかも未分化で重なりあっていることは、全員集会での発言の中で、はっきりいえることである。それは、協会の成立の歴史的な条件にもよることで、当然多様な構成員を含むものだ。そこで、会員の様々な要求を並列的に何でもひきうけます、という形で協会の組織を見ていくならば、却って、どの要求にもこたえることのできない無力な組織になってしまうだろう。運営委員会としては、会員の声を分析し整理して、根本的な解決の方向を出していく義務がある。

二、そこで、状況が悪化したから

それに順応して生きていくにはどうすればよいか、ということでは解決できないのに、昨年あたりまでのPRブームの潮流の中ではこの点が意識されずにすごされてきた。今になって、状況に順応しようという作家の姿勢が、なおも続けられるならば、それは作家の転向ともいうべき様相が一層深刻化するだけであろう。

三 こうして、協会が現実の悪い情勢の中で作家の集団としてたたかっていくことのできる力は、作家個々の力の集積でしかありえない。したがって、協会は、また、作家の一人一人がたたかう力を発揮できるようにその運営を考えていかねばならず、個々の作家はその力量を協会に集中しなくてはならない。

四、現在までのところ、協会は、芸術運動体の性格と、生活・権利を守る職能団体としての性格と、二つをあわせもってきた。これは作家の集団として、かんたんには切りはなせない問題である。しかし、この二つの性格は、本格的な思想的態度においては共通するけれども、現実的な組織運営上では、矛盾する面もあるのではないだろうか。協会運営の難かしさ、また、協会経営面での困難が、加速度的に大きくなっている現状の中には、こ 矛盾が影響している点がある。あらためて、協会の性格なり存在理由を問う必要にせまられている。

五、しかし、現在、今まで芸術運動ばかりやってきたから、これからは生活問題をやるのだ、というように、協会の運動方針を変えるのが正しいことか。われわれは昨年来の総会で、芸術創造の問題と生活、権利の問題とを二本の柱に立てた。これを放棄するのではなく、この基本方針が十分に実行されていないことを反省し、今後の運営を進めるべきであろう。

六、それと同時に、本年末の総会にむけて、現在の状況と本当に斗うことのできる組織のあり方をさぐり、協会の存在理由を再検討していく作業を始めるべきであろう。

七、以上の基本的な討議を土台にしながら、生活対策のもんだいを、全員集会の議事録に沿って検討した。そして、生活対策部の原案を了承し、ギャラ委員会については、別記の方々に参加してもらうよう要請、その他の件についても早急に具体化を計ることになった。

八、運営委は更に財政部の報告を検討し、財政措置の基本線をみとめた。中心的には、事業活動の具体化と、機関誌財政の予算案の再検討が必要とされ、そのために財政部が必要と考えるメンバーを招集した会議を、あらた てもつことになった。

事務局のお知らせ

住所及所属変更追加

渡辺正己～三鷹市牟礼一、一二四
三鷹台団地15－502

小谷回亘～八王子市長房町九四
オ一2の169号

東 陽一～岩波映画を退社、フリー助監督に
電話新設 (416)六三六九

岩松正ト～電話新設 (351)六〇一三

佐々木守～ 〃 (411)三八七六

新入会員のお知らせ

横山弘夫～文京区駒込坂下町三五
森義広方（フリー助監）

第十三回ヴェニス国際記録映画祭 入賞発表

一、開催期日 一九六二年
六月二九日～七月四日

二、開催場所 イタリー・ヴェニス

三、カテゴリー(A)記録映画部門
㋑現代生活・社会記録映画の部門
賞ーサンマルコ獅子最高賞
作品名ー「西陣」
製作・京都記録映画を見る会、浅井栄一
脚本・演出 松本俊夫

四、カテゴリー(B)短編映画部門
㋑アニメーションの部
賞ー青銅メタル賞
作品名「人間動物園」
久里洋二作

五、カテゴリー(B)短編映画部門
㋭テレビ用記録映画の部
賞ー青銅メタル賞
作品名「太陽の子ら」
NHK映画部

MOM労組の支援を決定

七月二日に、MOM労組の人が事務局を訪ねてこられ、現在首切り反対で斗つていることについて資料をおいて、支援を訴えられました。MOMは、主に電通の下請けでアメリカのテレビ用アニメーションヨン映画を作つています。経営者は松本酉三、大村英之助、持永。現在の不況の中で仕事がうまくいかないからというので、組合委員長をふくむ　名の首切りを、一方的に出してきました。組合はこれに反撃し、今は、新しいアメリカからの作品も入つたということで、一応白紙にもどすと経営者はいつているそうですが、これは首切り撤回ではなく、いつまた攻撃がくるかわからないという状態です。

運営委員会では、MOMの組合の資料をよんだ上で、支援を決定し、次のようにMOM経営者に対しては抗議文を、組合には支援声明を出すことにしました。

「支援声明」

私たち記録映画作家協会は、七月二日あなたがたMOM労組の斗争をうけとりました。この日、私たちも現在の映画界の経営的な不況のなかで、いかに斗つてゆくべきかを討議していたのです。

あなた方MOM労組の直面している問題はまさに私たち記録映画作家協会の直面している問題と同じものであります。

現在、映画界の不況は深刻なものがあるといわれています。しかし、この状況はまさに資本家たちが、資本主義競争の中で必然的に作りだしたものであり、労働者には何ら責任のないものであります。それにも拘らず、資本家たちは、自分の作つた経済不況の責任を労働者にとらせようとしています。また、現在あげつゝある利潤を更に大きくするために、この不況を口実にして、資本主義的合理化＝労働強化、配置転換、首切り、を労働者におしつけてきています。

だが、こうして今、敵が切りくずそうとしているあなた方MOM労組の基本的な諸権利こそは、労働者が、人間として生存する権利文化的な生活を送る権利を守り拡大するためのものにほかなりません。　たち記路映画作家の諸権利においても事は同じであります。この権利の前には、敵に一切の口実を許さぬ覚悟でたゝかうことが必要であります。

私たち記路映画作家協会は、ここにMOM労組に対し、心からの連帯を表明し、支援をおくるものであります。

一九六二・七・二　作協運営委

MOM労組御中

「抗議」

私たち記録映画作家協会は、MOM労組の発したアッピールをうけ、事態を検討した結果、MOM労組に加えられつつある資本の攻撃を、本質的には、私たちに対する攻撃に外ならないものと考えます。

よつてここに、MOM資本家が、MOM労組に対する一切の不当な攻撃を撤回し、労働者の基本的な諸権利を尊重することを要求するものであります。

一九六二・七・二　作協運営委

松本酉三、大村英之助、

持永　殿

七月協会日程のお知らせ

△七月十六日（月）后六厚生年金会館会議室「ドキュメンタリー研究会」テーマ〃アニメーションの可能性〃会費五〇円

△七月二一日（土）十時、十一時二二日（日）十時、西武八階文化ホール「西武記録映画を見る会」テーマー「竹内信次作品特集」上映作品〃ガソリン〃〃太陽と電波〃　入場無料

△七月二七日（金）后六　新理研試写室「記録映画研究会」テーマーPR映画における創造の可能性、上映作品〃わが愛北海道〃黒木和雄演出、会費五〇円。

△七月一日ー一日（A・T・G）場所、所宿文化、日劇文化、後楽園アートテーター「おとし穴」勅使河原宏プロ作品、共通券二〇〇円あり。

ー事務局よりお知らせー

ギャラ基準改訂委員会について

七月二日の運営委において左記の方々に委員をやつてもらいたいと原案がだされ、それぞれ要請をだした。了承をえた方々に、なるべく早く集つてもらつて仕事をはじめる。

（生活対策部）楠木、八幡、野田
（運営委事務局）丸山、大沼、菅家
（助監督）泰、安部、松本
（フリー演出脚本）苗田、入江、厚木
（労組参加の企業会員）二、三名

才一回七月十二日（木）協会事務局にて開いた。

フリー会員仕事斡旋にあたつて二%（ギャラ手取）の納入確認

在京者全員集会及び運営委員会討議によつて、フリー会員の仕事の斡旋（主に助監督）を協会が行う場合は、ギャランテイの手取の二%を協会に納入することに決まりました。

この場合、電話電報等で会員に連絡し、プロダクションを招介するまでの業務を基準として、二%とします。これ以上の業務、たとえばギャランテイ額の交渉や取り立てを協会が行う場合は、会員との・し合いによりこの二%をこえてもらうことになります。

助監督部会結成のよびかけ

生活対策が重要視されてきましたが、それにともなつて、助監督間の連絡や、その統一的な意志表示が要望されます。生活対策部及び事務局では、そのような組織が生まれることをうながしていきたいと考えますので、助監督の方々がんばつて下さい。

〇住所変更その他お知らせ！

日高　昭ー渋谷区善竹町四一公団善竹アパート六〇四
春日千春ー杉並区馬町四の五四九原島方

〇新入会員紹介

横山弘夫ー文京区駒込坂下町三五森　義広方

図書販売の斡旋

一、月刊映画音楽（四シート３回）
定価三八〇円の処二〇〇円に割引
二、現代っ子採点法ー阿部進著
二〇〇円（三一書房）
三、㋑映画理論史ーアリスタルコ著
（吉村信次、松尾朗訳）
一、八〇〇円（みすず書房）
㋺映画美学入門ードゥブリ著
（金子信夫）四八〇円（みすず書房）

（註）いずれも定価の一割引であつかいます。"現代っ子採点法"はすぐ本を渡せますが、他は申込制です。事務局まで。

自昭和36年12月1日
至昭和37年5月31日　37年度上半期作家協会財政報告書

損益計算書

損失の部		利益の部	
摘要	金額	摘要	金額
人件費	287,050	会費	432,150
家賃	35,000	入会金	1,800
通信費	72,832	売上	259,381
交通費	42,435	広告	214,500
文具具費	9,145	寄附	250
手数料	4,820	雑収入	3,397
加盟費	4,200	名簿	40,000
印刷費	472,717	コンクール	36,000
原稿料	15,000	礼金	10,000
座談会	6,220	映画会	27,790
会合費	4,580	研究会	9,450
臨時支出	137,424		
光熱費	2,118		
製作運動部費	5,110		
映画会	35,135		
研究会	8,865		
コンクール	19,083		
雑費	9,431	当期赤字	136447
合計	1,171,165	合計	1,171,165

貸借対照表

資産の部		負債・資本の部	
摘要	金額	摘要	金額
現金	19,013	未払費用	163,947
未収会費	320,520	前受会費	11,30
売掛金	92,684	予約金	15,400
名簿	33,000	未払金	12,000
広告未収	47,000	借入金	223,970
商品	600	前期繰越	228,617
貸付	5,970		
当期赤字	136,447		
合計	655,234	合計	655,234

1962・8・15

記録映画作家協会々報

NO 79

記録映画作家協会

東京都新宿区百人町2ノ66

TEL (361) 9555
振替番号 東京90709

ギャラ基準委と8ミリ講座

七月二十一日 運営委報告

㊀8ミリ映画講座を九月より実行する。事業活動として取り組むことを決定、幹事団として、大沼、丸山、菅家、富沢、野田の運営委の他に、吉見泰、厚木たか、岩佐氏寿、高村陽一の諸氏があたりそこで具体化する。

㊁東京労視研について問題にするはずであったが、出席された八幡氏が欠席されたので、後にまわすことゝなった。

㊂白鳥事件の映画化については、九月下旬に製作に入るように準備中で検討用のシナリオが配布され意見を出すようにされている。又七月二二日に会合が開かれることゝなっている。又一人一千円のカンパの要請も出されている。

㊃財政問題では特に雑誌の面で出され、雑誌の型等で節約出来る処はするように努力すると共に内外の協力者にカンパを訴えること等について出され、又その他協会財政のこともあり細部については財政部、編集部等で検討することゝなった。

㊄ギャラ基準委員会の報告が出され、七月十二日報告発表され、ギャラ基準委員会の内容についてはその方向で行くことが了承され、基準は作るべきであり、再度の委員会にて討議し、そのことによって強めて行く。具体的には㋑運営委員長に連盟との話し合いを一任㋺その他助監督、又企業の中の作家にも呼びかけて行くことゝなった。

作家の位置をPRする

―ギャラ基準委報告―

七月十二日出席者　松本（公）安部、八幡、丸山、入江、泰、

“短編フィルム”6号（ユニ通信社発行）でユニマン通信社編集部と対談している教育映画製作者連盟理事長田口助太郎氏による企業合理化と市場拡大についてのことゝ連盟内の理事会で出されている問題から話しがすゝめられ、

○教育映画製作にあたり作家のギャラを売れた本数による％にて支払方法を取っている話しや。

○A社のように長期契約者のギャラが生活給ということでさげられてきている。

○N社の場合は巻数できめるのでなく月額で出すという方法、生活給にして行くという。

○以上のことから生活給的なものになりつゝあることゝ長期契約者が何本も持ち労働強化になると反比例して一本契約者の仕事がへって来ているけいこうがある。

○産業教育映画の方向が出されて来ており、今までの社会教育映画がそのものにおき変ろうとしている。技術指導、人間関係等の内容が団体関係にもあらわれて来ている。全視連の会議の中でも都会的社会教育映画―産業教育映画が本格的に取り組んでいる。

○テレビ作家協会とも関係を持って行くべきではないか。

○以上の討論の結果作家の位置を高めると共に作家活動を評価し、そのことによって第一段階として作家の位置についてPRすること、その方法として、連盟との話し合、“記録映画”誌上へのアッピール等

がある。それらの基礎の上にのつとつて、作家自身の問題の認識と共にギャラのことが出されて来る。唯ギャラの問題が数字として出されて来ただけではなにもならない。と云うことで会は終つた。

その後、ギャラ基準をきめる為の準備として、新人監督協会、テレビ作家協会、撮影者協会、等のギャラ基準を調査することゝなり、事務局もその任務にあたることゝなつた。

又、まわりの動きとして㋑教配の人事発表、㋺奥商会の再会のうわさ㋩キネマ旬報等にこの七月下旬までに掲載されている産業映画に関係しているいくたの人の意見発表に対しての問題点、㋥このごろ各企業内に現われている現象、㋭雑誌〃記録映画〃が十月以降、作家側から見た新しい映像芸術運動の必要性と可能性についての問題が出されている。

才一回8ミリ映画講座打合せ会

週一回とし九月十七日ー十二月三日の十二回とし時間を六ー九時までとする。会場は毎月曜日が取れるようにあたる。

講座内容について一、なにが映画的か（総論）二、映画の製作、三、テーマとモチーフ（シナリオ論①）四、映画の構成（シナリオ論②）五、演出プランとコンテニテイ（演出論①）六、映画の文法とその応用（演出論②）七、レンズフィルターその機能（撮影論①）八、アングルとポヂション（撮影論②）九、画調と照明採光の効果（撮影論③）一〇、小型映画のテンポ（編集論①）一一、小型映画の音の問題（編集論②）一二、映画の可能性（作品コンテスト募集発表）

講師の予定として、丸山章治、京極高英、厚木たか、吉見泰、羽仁進、菅家陳彦、松本俊夫、西尾善介、野田真吉、大島渚、黒木和雄、岩佐氏寿、杉山正美、吉田六郎、大沼鉄郎、富沢幸男、島谷陽一郎、植松、その他の諸氏があたります。

構座の内容は一時間の講議後、質疑に入り作家の作品と、アマチュアの作品を上映する。

又会費として一期（四回として）一、〇〇〇円、三期二、五〇〇円で行う。定員五〇名とし収入としては六万から七万を予定している。

又講義を受ける方々にリフレツトと会員証を渡すことゝなつている。

△第二回打合せ会

〃小型映画友の会〃の協力もあり、「小型映画」九月号の掲載により、すでに申込が四名来ていること及び講師については七割近くが承諾して来ていること。会場については九月十七日ー十月二二日までは日本出版クラブ会館（神楽坂）十月二九日ー十二月三日までは日本雑誌会館（お茶の水）が決定、その他スポンサーの報告のあつた後決定されたことは、

㊀ 講座日程を決定。㊁ 講座日程にともない講師の決定。㊂ 上映作品の決定。㊃パンフレットの内容を検討し八月二〇日までにまとめ八月末に発行、又申込用紙は八月二〇日までに作ること。以上

会費前納制実施に再度の呼びかけ

協会会報で毎号のようにお願いしている、協会の会費の納入状況はみなさんの努力によつて少しづつ向上してきました。会費は文字通り協会運営の基礎となるものでこの納入%が向上することが最大の問題と思われ運営委員会及び事務局も努力しております。

今年の運営のように、各専門部を作り、それぞれ独自の活動も活発化してゆくようになると、したがつて財政も必要となります。運営委員会はいろいろな討議の末、財政の最大の基礎は基本会費に置くことは勿論ですが、その他かずかずの事業活動でこれをおぎないまた各専門部の活動は出来得る限り独自の財政活動で運営するように決められました。

しかし、協会運営の財政を最大限に縮少して運営しても毎月末の支払日近くになると、事務局に金が全々なくなるという現象がおきてきます。それは、協会発足時に基本基金を持たずに始じまったことが原因だと思われます。入会金が或る意味では基金になつているのだといえますが、基金としては不足しているわけです。

全国農村映画協会労働組合
「設立の御あいさつ」

私たち全農映に働く労働者は、堅い団結のなかで、七月二十九日全国農村映画協会労働組合を設立いたしました。

私たちはいま首切りの不安に絶えずさらされ、身分も保証されず安い賃金のまま働かされています。こういう条件の中で、映画の創作活動を続けて行くことが、農民の期待を裏切るような作品を生む原因となるのを私達は恐れます。私たちは、農村映画活動の内容を向上させ、民主的に発展させるためにも、組合の果す役割は大きいと考えております。

誕生したばかりで非力な私たち組合が健全な発展をとげるには、何といつても長い経験と強い力に富む貴組合の御支援御指導が是非とも必要です。どうかきびしい御鞭達を賜りますようくれぐれもお願い申しあげます。

一九六二・七・二九

全国農村映画協会労働組合
執行委員長　片　山　孝
副執行委員長中島日出夫
書　記　長　山岸　豊　吉

設立宣言

一九六二年七月二十九日全農映労働組合の設立宣言を致します。

この組合は組合員の固い団結の力により、労働条件の維持改善と、経済的文化的地位の向上を図り、真に農民映画活動の民主的発展に寄与することを目的と致します。こゝに全組合員の強い握手とたゆまざる斗いへのエネルギーを誓つて設立宣言と致します。

全農映労働組合万歳！

一九六二年七月二十九日
全国農村映画協会労働組合

運動方針

一、身分保証の確立と首切反対
二、最低賃金制の確立
三、社会保証制度の獲得
四、労働協約の締結
五、製作の民主化

全農映労組結成へ
「支援声明をおくる！」

私たち記録映画作家協会は今回あなたがた全農映労組の結成をきゝました。

私たちも現在の映画界の経営的な不況のなかで、いかに斗つてゆくべきかを討議しています。

あなた方全農映労組の直面している問題はまさに私たち記録映画作家協会の直面している問題と同じものであります。

現在、映画界の不況は深刻なものがあるといわれています。しかし、この状況はまさに経営者たちがつくりだしたものであり、労働者には何ら責任のないものであります。それにも拘らず、経営者たちは自分の作つた経済不況の責任を労働者にとらせようとしています。労働者の基本的な諸権利こそは労働者が、人間として生存する権利、文化的な生活を送る権利と場所を守り、拡大するためのものにほかなりません。

私たち記録映画作家の諸権利においても事は同じであります。

私たち記録映画作家協会はこゝに全農映労組に対し、心からの連帯を表明し、労働組合結成を祝うと共に支援をおくるものです。

一九六二・八・一

記録映画作家協会運営委員会
全国農村映画協会労働組合御中

そこでここに会費前納制を実施すると、この問題は或る程度解決出来ると考えます。勿論、運営財政を基本的に黒字にしてゆく努力が同時になされなければ、これも赤字をうめる結果にしかならないことはいうまでもありません。

そこで運営委員会は六月末より協会会費の前納制を行つています。八月分会費は七月末に納入することとなります。七月末には二ケ月分の納入をするので会員の方々には負たんとなりますが、協会運営のため、御協力願いたいと思います。すでに協力の方々も多くいます。ボーナス期としたのも多少とも負担が軽くなるものと考え、この時期を選びました。

必要経費を縮少し、会費納入を向上し、そして事業活動を活発にしていく努力を今後共つづけてゆくなかで前納制を成功させよう。

運営委員会
財政部　富沢　幸男

事務局だより

8ミリ映画講座へのおさそい！

とき○九月十七日ー十二月三日
ところ○日本出版クラブ会館（神楽坂）九月十七日ー十月二二日
○日本雑誌会館（お茶の水）十月二九日ー十二月三日
時間○毎週月曜　后六時
日程①九月十七日(月)后六時
なにが映画的か（総論）
丸山章治
②九月二四日(月)后六時
映画の製作　京極高英
③十月一日(月)后六時
テーマとモチーフ（シナリオ論①）　吉見泰
④十月八日(月)后六時
映画の構成（シナリオ論②）
厚木たか
⑤十月十五日(月)后六時
演出プランとコンテンテイ（演出論①）羽仁進
⑥十月二二日(月)后六時
映画の文法とその応用（演出論②）菅家陳彦
⑦十月二九日(月)后六時
レンズ・フィルターその機能（撮影論①）中尾駿一郎
⑧十一月五日(月)后六時
アングルとポヂション（撮影論②）植松
⑨十一月十二日(月)后六時
画調と照明採光の効果（撮影論③）大島渚
⑩十一月十九日(月)后六時
小型映画のモンタージュ・テンポ（編集論）松本俊夫
⑪十一月二六日(月)后六時
小型映画の音の問題　西尾善介
⑫十二月三日(月)后六時
映画の可能性　野田真吉

○会費は一期（四回分）一人一千円、三期（十二回分）一人二千五百円、唯し一回のみの場合は参百五拾円になります。
○申込は第一回九月一日とし定員五〇名とする。
○その他の講師団、黒木和雄、岩佐氏寿、杉山正美、真鍋博、吉田六郎、富沢幸男、大沼鉄郎、島谷陽一郎
○8ミリ映画講座幹事団
丸山章治、大沼鉄郎、厚木たか
吉見　泰、菅家陳彦、野田真吉
富沢幸男、高林陽一
○協催　小型映画友の会、その他

8ミリ映画劇場（入場無料）

（8m/m16m/m35m/mノンコマーシャル映画上映機関）
と　き○一九六二・八月二九日(水)后六ー七時三〇分
ところ○山一ホール（銀座西）
上映作品　洋ぽん（市川保彦）
とんにやっぽ（堤正男）
棒の手（加藤雅巳）
京都（高林陽一）
特急ロマンスカー（萩野茂二）
事務所　世田谷区玉川等々町二ノノ七八　高林陽一方
アマチュア・ムービセンター
（注）毎月第二、四(水)后六ー七時三〇分に上映される定期的な催しものです。

日仏交換映画祭

と　き○八月十四日ー十二月二三日（毎日替り）
ところ○国立近代美術館試写室（京橋交叉点）
時　間　前十時三〇分（毎朝十時に会館へ入場されれば見られる）
后六時（二〇〇名先着順往復はがきで七日前に申込こと）
内容　18日（ベル・ニヴエルネーズ号）（水の娘）
19日ルネ・クレール（ル・ミリオン）
21日（アタラント号）
22日フエデー（女だけの都）
23日マルセル・カルネ（霧の波止）
24日クルーゾー（密告）
25日ルネ・クレマン（鉄路の斗い）
26日コクトオ（オルフエ）
以上ですが九月の番組も近々わかります。

△新藤兼人脚本、監督　野上弥生子原作（海神丸）より近代映画協会〃人間〃THE MAN
十一月四日ー十六日、有楽町読売ホール（ロードショウ）
前売券二五〇円の処二〇〇円に発行中、事務局へ申込下さい。

ドキユメンタリー理論研究会

と　き○八月二三日(木)后六時
ところ○厚生年金会館会議室
テーマ　シナリオ特集（雑誌〃記録映画〃八月号）
ゲスト　松本俊夫　大島渚
レポート　野田真吉
会費一人五〇円
主催〃記録映画〃編集部

PR映画センター（入場無料）

処　○東宝演芸場
時間○午后一、三時
○八月二〇日ー八月二五日
トンネルとメタルフオーム、東京ガス　親友都市　北海道の秋
劇場CMフイルム第十二号　京京ニユース（交通安全）
○八月二七日ー八月三一日
地下鉄イコス工法　精神薄弱の医学　荷役はかわる・第一集
新しい薬の世界

西武記録映画を見る会九月例会

○九月二二日(土)前十時三〇分

十一時三〇分、一時三〇分
〇西武文化ホール（西武デパート八階）菅家陳彦作品特集
おふくろのバス旅行　ヨーロッパのくらし
主催記録映画作家協会入場無料

第三回東京国際アマチュア映画コンクール

とき〇十一月二日ところ〇砂防会館
内容　海外〆切八月末、国内〆切九月二〇日、すでに海外の作品はアイルランド、カナダ、イギリス、デンマーク二〇点他にアメリカ、イタリア、フランスが予定されている。
又国内〆切後三週間以内に行う。

東京労映発足会員募集中

旧東京映愛連はこの九月から東京勤労者映画協議会（東京労映）として発足会員募集中です。
会の特長①毎月鑑賞映画を選び鑑賞（九月／切腹ー小林正樹、禁じられた遊びールネ・クレマン、手をつなぐ子等ー羽仁進。十月／「世界の映画」人世座、太陽はひとりぼっちーアントニオーニ、怒りのぶどうーフォード。十一月「世界の映画」人世座　晴れた空ー自主上映）
(5)
②会員証推選館利用（学割）
③前売券あつかい。
④機関紙「ミリオンパール」配布（スケジュールつき）
〇会費一ケ月三〇円三ケ月前納制九〇円九、十、十一月入会金三〇円
〇事務局まで申込下さい。会員証と機関紙「ミリオン・パール」を配布します。

図書販売の斡旋

一、月刊〝映画音楽〟（四シート）定価三八〇円を二〇〇に割引
二、㋑映画理論史ーアリスタルコ著一、八〇〇円（みすゞ書房）
㋺映画美学入門ードゥブリ著四八〇円（みすゞ書房）
三、斬られ方の美学ー佐藤忠男著四八〇円（筑摩書房）
四、大きな肉体と小さな精神ー小川徹著六〇〇円（七旺社）
五、成城町二七一番地ー市川崑、和田夏十四八〇円（白樺書房）
六、現代っ子採点法ー阿部進著二〇〇円（三一書房）
（注）いずれも定価の一割引であつかいます。事務局まで申込下さい。

第九回教育映画コンクール

〇八月二三日后六表彰式と記念映画会
〇八月二四日后一、六
愛賞映画特別鑑賞会
主催　東京都教育委員会
△第十七回芸術祭主催公演「世界の映画」開催
主催　文部省芸術祭執行委員会
場所　人生座（池袋東口）
期日　十月二日ー十二月六日
入場料一般一〇〇円、学生八〇円、団体六〇円
プログラム
〇日本　生きる　彼岸花　楢山節考　真昼の暗黒　暴力の街　明治一代女　豚と軍艦　裸の島
〇アメリカ　リオ・ブラボ　ワーロック　ナポリ湾　マーティ　手錠のまゝの脱獄　攻撃
〇フランス　リラの門　勝手にしやがれ　いとこ同志　夜と霧
〇イタリア　さすらい　ふたりの女　青春群像　鉄道員
〇イギリス　年上の女　恐怖の砂
〇ソ連　女狙撃兵マリマートカ　戦争と貞操
〇ポーランド　灰とダイヤモンド　地下水道
〇その他　処女の泉　令嬢ジュリ　最後の橋　死の船　汚れなき悪戯　天使の家
〇記録映画　真夏の夜のジャズ　アルピニスト岩壁に登る　ミクロの世界　等々上映
〇六〇円入場券を事務局であつかう上映中有効期間のもの。申込下さい。（プログラム贈呈します。）

フリー会員仕事斡旋にあたつて二%（ギヤラ手取）の納入実施

在京者全員集会及び運営委員会討議によつて、フリー会員の仕事の斡旋を協会が行う場合は、ギヤランテイの手取の二%を協会に納入することに決まりました。

この場合、電話電報等で会員に連絡し、プロダクションを紹介するまでの業務を基準として、二%とします。これ以上の業務、たとえばギヤランテイ額の交渉や取り立てを協会が行う場合は、会員との話し合いによりこの二%をこえてもらうことになります。

助監督部会結成のよびかけ

生活対策が重要視されてきましたが、それにともなつて、助監督間の連絡や、その統一的な意志表示が要望されます。生活対策部及び事務局では、そのような組織が生まれることをうながしていきたいと考えますので、助監督の方々は御連絡下さいお世話します。

住所変更お知らせ！

日高　昭　渋谷区美竹町四一公団美竹アパート六〇四号

青野春雄　南多摩郡日野町豊田一七〇〇多摩平田地一一七の四〇三

山元敏之　中野区上高田一の二七光風荘

新入会員紹介

辻本篤視　武蔵野市吉祥寺一七三清和荘　フリー助監督

雑誌〃記録映画〃直接購読のおねがい

〃記録映画〃もこの六月で五年目を迎えました。これは一重に会員ならびに読者の協力による処と思います。

近ごろ日本唯一つのドキメンタリー専門雑誌と云われるほど独特な主法を持っているということで、映画関係はもとより、文学、美術写真等各方面にただいの感心と協力者が出ております。

すでに直接講読者もおりますが〃記録映画〃の財政を守り、協会の運動をほうふにして体制を強める上からもこゝにあえて直接講読者を呼びかける次第であります。

△直接講読については振替用紙を活用し、近くの郵便局にて代金をおさめるようおすゝめ下さい。

△申込先は東京都新宿区百人町二の六六　記録映画作家協会
TEL（三六一）九五五五

△直接購売料一ケ年分　一、二〇〇円
半ケ年分　六〇〇円
（送料共）

△振替番号　東京九〇七〇九

6月財政（記録映画）

支出		収入	
摘要	金額	摘要	金額
人件費	23,700	会費	68,750
家賃	10,000	未収会費	5,600
通信費	4,830	映画会	29,910
交通費	3,680	住所録	350
文具費	60	家賃	5,000
手数料	960	礼金	4,000
映画会	20,855	借入金	35,000
光熱費	198	繰越	5,654
生活対策部費	400		
借入返済	55,000		
雑費	240		
雑誌代	32,400		
現金	1,941		
計	154,264	計	154,264

6月財政（協会）

支出		収入	
摘要	金額	摘要	金額
人件費	23,700	予約金	500
家賃	10,000	予約	3,700
印刷費	32,300	売上	54,958
通信費	7,888	広告	12,500
交通費	5,115	家賃	5,000
文具費	1,300	研究会	400
研究会	700	貸付返済	15,000
光熱費	197	繰越	13,359
返済	1,000		
雑費	110		
現金	23,107		
計	105,417	計	105,417

記録映画作家協会々報

1962.9.25

NO 80

記録映画作家協会

東京都新宿区百人町2ノ66

TEL (361) 9555

振替番号　東京90709

契約のことや来期の方向について

九月一日常任運営委員会報告

出席者　丸山、楠木、西本、河野大沼、富沢

一、報告事項

㋑"白鳥事件"映画製作について

シナリオが書き直されたことにより、おくれて八月二五日に完成し、九月五日に撮影が始められた。それと共に製作資金について、の要請がだされている。十月十日完成への方向にむかつて、一口カンパ券二万枚を発行し運動中。シナリオ執筆は、はじめ加藤盟があたつたが途中で島田功に変り改定がされている。

演出には当協会の荒井英郎氏があたることゝなつた。協力団体として、自映連、勤視連、撮影者協会、映演総連、新人監督協会有志、記録映画作協有志、等。

協会としては会員全員にカンパを呼びかける。一口五〇円カンパ（カンパして下さつた方に会員券を渡す。試写会、上映会に使用出来る）

㋺　中国映画祭について

十月十七日より昨年にならつて中国映画祭を新しいフィルムの寄贈と共に開く。協力要請が作家協会にあり、参加することを決定。希望者に対し入場券を世話する。

㋩　教育映画祭について

何回か執行委員会がありながら一度も委員会に出席しなかつた点が反省として出されたあと、十月一日－五日までヤマハホールで開かれる。会に参加することも決定している。

㋥　国民文化会議映画部会報告

国民文化全国集会後一度として部会の開かれていない反省と共に、出席者（独立プロ協組、東京労映記録映画作協）より、各々の内部の動きが出された。

ＭＯＭプロ労組が（先の会報に発表のもの）解散したことや、全農映画の第二作家城巳代治演出の作品が民芸映画社委託製作になつたことや、近代映協の"人間"の製作はきりつめた形で作られていることや、東京労映（旧東京映愛連）の発足と共に自主上映促進会とが今だに統一出来ないこと、厚生年金会館ホールでの自主上映会の計画、等の話しが出たあと、おたがいに映画運動をすゝめるものとして連絡出来る場をもうけたい。映画そのものゝ内容について討議出来る研究会を開くなど課題として提出され、次回は九月下旬に開くことゝなつた。常任委で国民文化会議の必要性と、協会との関連等について会員にアッピールする必要上、積極的に映画部会に参加することが出された。

㋭　新入会の紹介あり。

二、議　題

Ⓐ８ミリ映画講座のこと

事務局より経過報告があり、申込が二十名となり、あと一息であること、講師としてまだ未定のものがありその点での再交渉の件が出され、亀井文夫氏の名前も上げられた。

又この為に８ミリ関係の方々の協力、特に高林陽一氏、小型映画編集部の高橋氏の努力に感謝し、当日の問題として常任運営委の協力方をおねがいした。

Ⓑ各部の問題

(1)　生活対策部（楠木）

○　契約書について

労協の問題について出され、契約の中にふくめるべきことなどが出、何人かの実際にあつた問題にふれ、大きな企業ではだいたい労

災保険に入っているが、小さな所では全々入っていないことから問題が起きている。

そのことゝあわせて、このごろ口やくそくの契約がだめになって仕事が出来ないという作家の出て来ていることが問題として出され、その点をふくめて契約書を交す必要が強調され、協会として統一した契約書をつくるようにしたい。また、連盟にも要請することなどの問題が出された。

〇　ギャラ基準について

資料をあつめて委員会を何回か開き、時間をかけるが年内にきめて行くようにする。

〇　助監督部会について

さっそく世話人会を開き来年には具体的活動を持つようにする。

(2)　研究会部（西本）

特にないがつゞけて開いて来ている。九月には記録映画研究会はテレビドキメンタリーで九月二六日に開く。

プロジューサー等加盟している社会教育映画研究会について、会員よりの要請もあり、又研究会部としても、内容を会報等で知らせて行く、又会合の通知も知らせて行く。次号会報に会の報告を発表することゝなった。

ⓒ今年の運動と来期への方針

総会を前にして、今年は早めに方針案なるものを出し、全会員に討議してもらう期間をおくようにする。そのことをふくめ運営委員会にて二回近く討議したものをまとめて方針案の原案とし印刷物を発行、全会員の討論にかけ、総会にのぞむようにする。出されている点は〃組織論の問題〃〃作家自身の行き方について〃〃会員一人一人の意識化の問題〃〃組織としての財政的な確立と方針の問題〃等について次回九月二五日運営委員会を開き、きめて行く。

×　×　×

一九六二年度 国民文化会議大会について

一九六二年九月十日后六時より新宿厚生年金会館にて一九六二年度の方針をきめた。そのおもなものは、

一、働らく者の文化祭

A　舞台芸術部門

（総評の訪ソ文化芸術労働者使節をえらぶのと関連して）

〇会場、中央大会約三日間、来春五月下旬〇場所都市センターホール、千代田公会堂〇種目音楽（声楽、器楽ともに独唱（奏）邦楽、洋楽、民謡などを含む）舞踊（邦舞、洋舞、バレエ、民踊など独舞、群舞を含む）演劇

B　文芸、評論部門

〆切一九六三年一月二〇日、審査四月三一日、発表、五月下旬

種目(イ)小説、詩、戯曲、ルポルタージュ、生活記録、文芸評論

(ロ)評論

二、研究会の開催、「日本文化の現状、特質、展望」「労働組合の教育、文化、宣伝活動に関する研究」「文化運動の歴史と問題点」「新興宗教に関する研究」「マスコミ研究」

三、全国的な文化講演会と地方組織の強化

四、労組の文化活動者会議

五、文化活動全国代表者会議

六、機関誌「国民文化」強化拡大の二つの案あり、

(一)案は宣伝、販売員など設置する。

(二)案は隔月刊として出版社に委託発行する。①編集を常任委員会がもち、発行販売を出版社に委託する。②Ａ5版百頁百円程度、③内容ー特集主義とする。

(イ)トピカルな問題を扱う部分、(ロ)特集の部分、(ハ)労働者の創作作品、(ニ)芸術、思想の各分野展望の部分、その他

(ロ)の特集部分（マス・コミ問題青年、合理化と労働者意識、国民文化論、底辺の労働者、伝統民族、日本文化、日本の組織、子どもと教育、等）

映画「白鳥事件」製作基金協力のお願い

先に常任運営委員会においても協力をきめた「白鳥事件」は、映画人の力で今春企画され、準備をすゝめて来ている。白鳥事件裁判の最高裁判所の公判を前にして、白鳥事件中央対策協議会が全国的な運動をひろげるために、映画を活用することをきめた。今回の総評全国大会において、白鳥事件の被告村上国治さんの無罪釈放の運動をすることを決議した。

これを実現するため、製作日を次の通りきめた。

撮影開始九月五日、初号完成十月十日、巻数四巻、製作予算一五〇万円、演出荒井英郎

今後も映画人が直接企画、製作運動に参加することがおこると思うが、何らかの役に立ちたいと思う。製作資金は、大衆的な基金活動によりおこなう。よって、皆様の御協力をお願いします。

基金方法として一口五〇円の協力券が発行されている。その券は映画「白鳥事件」上映の時に使用

一九六二年度 教育映画祭決定事項と内容

○ 大会日程

(1)十月二日(火)一時、ヤマハホール
と学校
㋑教育映画総合振興会議
㋺国際短篇映画祭

(2)十月三日(水)一時、五時（二回）
中央大会（入賞作品発表表彰式パーティー、国際セレクト番組上映）

(3)十月四日(木) 五日(金) 一時、五時（二回）
国際短篇映画祭

○キャッチフレーズ〃映画でみのる豊かな学習〃

○地方映画祭については地方映画祭委員会に一任

○受賞作品決定

(1)最高賞、学校教育部門―ジガバチモドキの観察（科学映画研究所）／日本の気候（共立映画社）／精巧な歯車を作る（日経映画）／なかよしのあいさつ（学研）／牛飼いっ子（東映）／動物オリンピック（教配、電通、東京中央人劇）
社会教育部門―青年の虹（英映画社）／ともだち（岩波映画）／パルスの世界（東京シネマ）
産業教育部門―長さのスタンダード（日経映画社）／ワイドフランジ（岩波映画）

(2)特別賞、学校教育部門―火成岩（学研）／総合開発（日映新社）
社会教育部門―十万羽養鶏（記録映画社）／風土病との斗い（桜映画社）
産業教育部門―誰でも知っている（小花園プロ）

(3)技能賞、今泉善珠（「青年の虹」「続六人姉妹」の演出）／清水ひろしほか撮影スタッフ（「尾瀬」の色彩撮影）／小林米作ほか演出、撮影スタッフ（パルスの世界」の演出、撮影）／島内利男ほか製作スタッフ（「オフィス・レイアウト」の色彩設計）

(4)特別企画賞、貯蓄増強中央委員会（「青年の虹」「ヨーロッパのくらし」の企画）／日本損害保険協会（「日本の民家」の企画）／松下電器（「パルスの世界」の企画）／中外製薬（「女王蜂の神秘」の企画）

(5)特別奨励賞、日映新社と朝日新聞社（「新日本地理映画大系」全十八編の完成に対して）

以上です。映画祭参加者は協会事務局まで申込下さい。

第二回 中国映画祭のお知らせ

(1)レパートリー

Ⓐ演劇愛好家を中心とする。
一九六〇年北京映画製作所
中国京劇映画総天然色十五巻
〃女将軍〃（中国古典劇を再現）

Ⓑ一般、活動家向
一九五九年海燕映画製作所
中国現代劇映画総天然色十一巻
〃荒野にいどむ〃（北辺の不毛の大地にいどむ人間像）〃画中山水〃記録映画二巻

Ⓒ一般、青少年向
一九五九年長春映画製作所
中国現代劇映画総天然色十一巻
〃水と恋と若者たち〃（建設のなかにえがく青春のモラル）
〃大あばれ孫悟空〃漫画映画五巻

Ⓓ婦人児童向
一九六一年北京映画製作所
中国児童映画総天然色八巻
〃新中国の子どもたち〃
〃にんじんちゃん〃きり紙動画三巻

Ⓔ一般、活動家向
一九六一年天馬映画製作所
中国現代劇映画総天然色十二巻
〃女性第二中隊長〃（中国映画コンクール賞に輝く）〃延安の生活記録〃記録映画二巻

十月十七日―十九日読売ホール
会員券指定席二五〇円、一般席一八〇円Ⓐ番組
十月二二日―三一日、中野公会堂、九段会館、豊島公会堂、等
Ⓑ―Ⓔ番組　会員券各一二〇円
事務局であつかっています。

新しく贈呈されたフイルムによる第二回中国映画祭ですので御期待下さい。

される。事務局又は次の処においてある。申込下さい。

映画「白鳥事件」製作上映
実行委員会
参加団体　自映連、撮影者協会、照明労組、編集者集団、美術協会、スクリプター協会、記録映画作家協会有志、監督新人協会砧支部、勤視連

動静

諸岡青人　千葉市幕張町二の九〇五
近藤才司　葛飾区上小松団地七の二〇八
池田元嘉　大阪府豊中市穂積八五五の一白山荘内二三号

新人会者紹介

江原哲人　中野区江古田二の五五　フリー演出
辻　功　千代田区神田泉町一の一須田方フリー助監督
加本悠利代　武蔵野市西窪二四四磯貝方フリー編集

九月下旬ー十月上旬

催し物、研究会お知らせ

◎九月二四日（月）8ミリ映画講座、後六、日本出版クラブ会館（神楽坂）
◎〃二五日（火）大河内伝次郎を偲ぶ会、後六、共立講堂。
映画〃沓掛時次郎〃〃百万両のツボ〃会員券　一三〇円　主催　無声映画鑑賞会　TEL(622)二八五四
◎〃二五日（火）〃乳房を抱く娘たち〃試写会　後六才一生命ホール　主催　全農映　東京労映
◎〃**二八日（金）記録映画研究会**（教育部研究会）後六、NHK本館六階TEL(501)四一一一　テーマーテレビドキメンタリー上映〃日本の文様〃〃現代の記録〃二本　会費五〇円、主催　記録作協、長野千秋、
◎〃**二八日（金）新作短編試写会**　後一時、ヤマハホール、入場無料　主催　連盟
◎十月一日（月）8ミリ映画講座、後六、日本出版クラブ会館
◎十月二日ー五日教育映画祭　後一ー五時、ヤマハホール（受賞作品上映、国際短編上映）
◎**十月六日（土）ドキユメンタリー理論研究会**後六、厚生年金会館会議室、TEL(351)一一一一　テーマーテレビドキメンタリー（記録映画九月号参照）ゲスト　山際永三、長野千秋、レポーター松本俊夫、会費五〇円　主催　記録映画編集部
◎十月八日（月）8ミリ映画講座、後六、日本出版クラブ会館
◎十月九日（火）日本読売新聞〃講演と映画の会〃二五周年記念、後六、千代田公会堂、講演、小田実、杉浦明平、竹内好、映画「影」と短編上映、会費百円　TEL(941)六〇〇四

八ミリ映画講座はじまる。才一日は丸山さんの名講義もあつて、盛況で成功しました。出席者も今後増えるそうです。
　協会員の方々も出席協力して下さい。

協会（7月）

支出		収入	
摘要	金額	摘要	金額
人件費	46,950	会費	61,550
家賃	5,000	未収会費	2,800
印刷	10,000	入会	300
通信費	5,169	借入	40,000
交通費	2,050	研究会	900
文具費	50	映画会	13,210
手数料	1,145	礼金	2,000
研究会	1,150	家賃	2,500
映画会	60	繰越	1,941
光熱費	200		
雑費	1,405		
借入返済	50,000		
現金	2,022		
計	125,201	計	125,201

記録映画（7月）

支出		収入	
摘要	金額	摘要	金額
印刷費	132,700	予約金	1,200
家賃	5,000	予約	16,260
人件費	46,950	売上	34,713
通信費	5,301	広告	70,000
交通費	6,250	雑収入	110
文具費	325	貸付返済	25,000
雑費	1,065	借入	30,000
光熱費	201	コンクール	2,000
借入返済	5,000	家賃	2,500
現金	2,098	繰越	23,107
	0		
計	204,890	計	204,890

1962.11.16

記録映画作家協会々報

№ 81

東京都新宿区百人町２ノ６６

TEL (361) 9555
振替番号　東京 90709

第九回　定期総会をめざして

黄金の年もあえなくすぎさつて二年たつた今日、協会は内外の困難な事情をかかえながら、第九回総会をむかえようとしています。今年は、とくに協会の運動が困難をきたしていることは、正直に確認してかかる必要があると思います。

十月にはいつてから今日まで、数回の運営委や常任委がひらかれ、協会活動の今年の総括にとりくんでいます。最近の運営委のまとめは別項を参照して下さい。なお、それ以後討議は続けられており、近く総会の議案書もおとどけいたしますので、十分御検討の上、総会での活発な討論をおねがいします。

（常任運営委員会）

総会の予定

日時　十二月二十七日午后一時！
　　午后九時

場所　厚生年金会館

運営委員会の報告

出席者　丸山　大沼　杉山　野田
楠木　松本　富沢　西本

十月三十一日の運営委員会では、協会の活動の大まかな総括と見通しが話し合われた。財政問題については、おおよその方向が出されたが、細密なプランは、今後の運営委員会に改めて提出されることになつた。

運営委員会討議内容の要旨

作家協会は、組合活動を経たフリーの作家たちによつて相互の親睦と救済をはかるために結成されたものであつた。しかしそれが作家の集団である限り、当然その活動は芸術運動として進められなければならない本質的な役割を担つていた。

この、生活と権利を守るという職能団体としての性格と、芸術運動体としての性格は、分ち難く重なり合つており、教育映画作家協会から記録映画作家協会へと組織の転換を遂げた際にも、この性格のもつ意味をとらえ直して協会の運動の中心課題を明らかにし、明確な方針を導き出すというところにまでは至らなかつた。

この協会の任務のもつ二重の側面と、構成員の多様さは、今日もなお活動の過程で様々な矛盾を生み、活動の上にある種の困難をもたらしているといえる。

今日の時点は、このような協会の性格と存在理由がすでに充分明らかにされつくした上で、その上にたつて活動が具体的に組織され進展されているべきところに来ている筈である。しかしいまだそのような状況とはほど遠く、たとえば、情勢の悪化も反映して今だに「生活問題か芸術課題か」といつた論議がくり返されている状態である。

言うまでもなく、経済要求やその他の要求を並列的にあるいは身のまわり主義的にとり上げるというのは正しい態度ではない。フリー、企業員、助監等々多様な構成員のもつ諸要求・諸課題を正しく位置づけ、それらを結合している潜在的要求までもくみ上げて、統一的に組織しなければならないのである。

また、経済的課題の追求を無意味だとすることは勿論誤りである。が、作家主体が芸術的情熱と確信を実質としてもち芸術家としての主体を組織的に高めることなしには、経済的課題を追求する強力な斗いは決して組織されえないし、

かえつて雑多な問題にひきまわされて組織の自己崩壊を導く危険に陥るであろう。たとえプロダクシヨンの要請に応じうる体制を協会が整備し、ギャラ基準を上げたとしても、作家自体が無能であれば、強い要求はできない。せいぜい[redacted]、三流どころの安く器用に働く技術屋や古ぼけて食えなくなつた作家を、売れつ子の名をかりてPRして売るといつた失対事業に近い一種の救済策をとるところにまで身を落すはめに陥るに違いない。また、不況にともなつて、労組的なものでもつくれればと考えるものもあり、実際にそのような転換を行なつたところもあるが、しかし実体は以前と変わりなく、変つたところといえば税を免がれる条件がうまれたことくらいであり、斗い自体実際には行われていないというのが実情である。

　むしろ、視点を、現在新しく生まれつつある別の状況に転ずるべきであろう。今日、テレビ作家が短篇の記録をつくつたり、共同制作を行なつたり、現実にはすでに、テレビ作家・劇映画作家・記録映画作家間相互の交流がはじまつており、相互に一線を画さねばならない理由は消滅しつつある。経済的条件においても、創造上の基礎においても、共通の基礎が形成されつつある。むろん事情は、一足とびに映像芸術家集団を結成しうるという単純なものではないが、しかしすでにワン・ステップがふみ出されるべき時期にさしかかつているとは言えるのではないだろうか。芸術上の共通課題を明らかにし、せまいわくをとり払つて、新たな綜合化の方向を見出す努力をすることによつて、発展的な転換をなしとげる可能性を追求すべきではないか。

　とは言え、このことは直ちに、現在の組織がすでにいきづまつたということを意味するものではない。現在の組織にある種の停滞があるとしても、過去の運営上の諸問題が充分徹底的に追求されてきたかどうかを厳密に検討することなしに、拙速な結論を下してはならない。

　克服されねばならない多くの欠陥がそのままに放置されているし、実行されねばならない事柄が怠られている。たとえば協会員の動静やシナリオを協会に集中するといつた些細なことが実行されていないために、単に仕事の斡旋ができないというだけでなく、全体の動きをつかみ、生々とした脈はくを全体に伝えて、創造上の生命を高揚させることが妨げられている。8ミリ講座に例をとつても、企画だけをやつて、あとは一部の者に任せてしまうという無責任さがみられる。

　総会に向けて、これら多くの欠陥を大胆にえぐり出す努力を、運営委員会や各部会はもちろん、全協会員が行なうことなしには、今後の展望は決してきり開けないであろうし、協会の新たな発展はありえないであろう。　（事務局）

西部記録映画を見る会

　六月からはじまつた西武記録映画を見る会は、毎月続けられています。西武デパートの方でも、欠かせぬ行事として組んでおり、固定の観客も次第にふえ、作家の話しにも熱心に耳をかたむけてくれています。協会員の希望をいれてプログラムを組みたいので、どしどし申しこんで下さい。今までやつてきたのは、

六月　西尾善介「老人と鷹」「盲目のジャズ」
七月　竹内信次「太陽と電波」「ガソリン」
八月　大国和夫「道は遠けれど」「たなばた」
九月　菅家陳彦「おふくろのバス旅行」「ヨーロツパのくらし」
十月　広木正幹「小児マヒ」「タン白質とアミノ酸」

これからの予定として
十一月二十四日　松川八州雄特集「一粒の麦」「東海道ハイウエー」
十二月一日苗田康夫特集「沈下」「離れ島」を組んでいます。

会費納入に御協力下さい

　本年度の決算が迫つています。今年は会費納入は割合に順調でしたが、有終の美をかざるため本年度分の滞納を一掃して下さるよう御協力下さい。あなたの会費が協会を支えるのです。
　十一月三十一日が〆切ですからその日までに必ず納入して下さい

お知らせ

◎ドキユメンタリー理論
　研究会（十一月二十七日）
午后六時－九時　鬼王神社
「記録映画」十・十一月合併号）
会費五〇円　主催記録映画編集部

◎「記録映画」三十六年度バツクナンバーをお求めの方は御連絡下さい。他年度のものもわずかに残つています。

8ミリ講座調査表（　）内は人数

○ 職業
公務員（0）　会社員（7）　学生（3）　自由業（1）　会社経営（2）　商店経営（2）　店員（0）　教員（0）　医師（1）　無職（1）　私大図書館員（1）　団体職員（1）　組合書記（1）

○ 出身校
小学校（0）　中学校（1）　高校（5）　大学（8）　短大（0）　専門学校（5）

○ 本講座を何で知つたか
雑誌「小型映画」（8）　雑誌「記録映画」（3）　日本読書新聞（4）　アカハタ（2）　パンフレット（0）　知人・友人から（1）　8ミリ映画劇場で（0）　小型映画友の会（0）　自分の意志で参加（3）　国民文化会議会報（1）

○ 本講座で何を学びたいか
映画理論（7）　自主創作方法（8）　専門家との交流（4）　8ミリで行きづまつたから（1）　専門家の創作方法を学びたい（4）　記録映画作家になりたい（1）　自分の勉強の為に（11）　視聴覚活動の一環として（4）　組合教宣活動として（0）

○ 本講座に対する今まで及び今後の意見と希望
講座内容はこれでよい（1）　もつとわかりやすく（4）　8ミリの内容にふれてほしい（2）質疑の時間がほしい（4）　上映作品はこれでよい（3）　上映作品はいらない（0）　上映作品はもつと講座と関係をもて（6）　もつと技術的なものを（5）　具体的指導を（3）

○ 本講座以外の例会その他
何々例会（3）：「小型映画友の会」「小型映画友の会高崎支部」「ＮＥＣＣ」　労視研（0）　何々同人会（1）：「グルツペ・キネマアルフアー」　その他（2）：：「シナリオ研究所」「大宮視聴覚研究グループ」

○ コンクールについて
開いた方がよい（7）　どちらでもよい（3）　大会場で上映してほしい（2）　推せん一名佳作四名で入選をきめる方法がよい（0）　入選者には賞品をだす（0）　作品を出品し専門家と話合いをしたい（6）　講座の成果として開いてほしい（8）

新事務局員に櫛野義明君
山之内重己君は賛助会員に

長い間、協会で活躍してくれた山内君は、このたび一身上の都合で事務局を退職しました。今後も賛助会員として応援してくれます。今までのごくろうに感謝します。かわりの人選を運営委員長、常任委で急いだ結果、櫛野君におねがいすることになりました。十月末より事務局員として仕事をはじめています。よろしくお願いいたします。

（大沼）

御あいさつ

大変に永いこと御厄介になりました。私も五年以上も記録映画作家協会事務局に勤務し、いろいろと勉強することが出来ました。私が入る時は機関誌「記録映画」の第二号が出るところで、ベースボールマガジン社の協力によつて半ケ年間発行されました。その頃佐々木君が入り三年近くがんばつて戴きました。

また事務所も日吉ビルの田中のおじさんの処で四年間がんばりました。〃記録映画〃も六年目を迎え、映画界を初め各方面に、いろいろと問題をなげかけています。また今までにない、発行方法と内容を持つていると思います。協会の仕事も〃記録映画〃を中心に作家の権利、創作活動への方向を強めてきたと思います。

そして昨年新宿の百人町の現在の事務所にうつりました。今後の活動に入る時に、一身上の都合とはいえ事務局を辞めることは大変に心ぐるしいのではありますが、私も人生の一つのくぎりの年にもなり、すゝめもあつて、生活のことも考えなくてはならず、今まで勝手なふるまいをして来たのでありますが、こゝに新しい方向にむかわせて戴いた次第であります。今までの活動がやくにたつことはもとより、今後共に連絡を持ち賛助会員として協会の活動に参加させて戴きます。今後共武井、渡辺の両嬢をはじめ新らしく事務局についた櫛野氏を今までと同じようによろしくお願いする次第です。

今後の御指導、御鞭たつをこの紙面をお貸りしておねがいし、今までのお礼にかえさせて戴きます。

十一月五日

根岸　純

（ペンネーム・山之内重巳）

(4)

動　静

小谷田亘　会社創立（八月より）「東京記録映画社」渋谷区代々木二の四五（三六九）四四八三　建設省の記録映画その他を製作　テレビ映画のシリーズ物を製作準備中

長井泰治　結婚　港区赤坂溜池三〇公団住宅六一〇（四八一）三〇九六

辻本誠吾　住所変更・電話新設　東京都昭島市拝島町三九六六の二　十号（呼）〇四二五・四・一八一六

西村康世　十月より入会　岩波　中野区昭和通二の二一藤沢方

大平　隆　十月より入会　フリー　板橋区白原町一五一三村山方

安藤令三　十月より入会　日映新　世田谷区玉ツ奥沢三の三〇八日鉱九品仏社宅安田正之方

山之内重巳　十一月より賛助会員　豊島区椎名町二の一八九五　根岸方

協　会　（9月）

支出 摘要	支出 金額	収入 摘要	収入 金額
人件費	23,700	未収会費	2,500
家賃	5,000	会費	47,100
通信費	4,615	入会	600
交通費	1,150	名簿	3,000
文具費	54[illegible]	家賃	2,500
手数料	795	礼金	2,000
光熱費	97	借入	20,000
雑誌代	16,000	繰越	6,643
映画会	9,100		
雑費	100		
借入返済	15,000		
現金	8,237		
計	84,343	計	84,343

記　録　（9月）

支出 摘要	支出 金額	収入 摘要	収入 金額
人件費	23,700	予約金	2,500
印刷費	33,700	予約	8,500
通信費	5,345	売上	36,556
交通費	4,065	広告	8,000
文具費	390	売掛金	400
原稿料	3,000	寄附	10,000
光熱費	98	家賃	2,500
雑費	440	貸付返済	5,000
現金	4,211	繰越	1,493
計	74,949	計	74,949

協　会（10月）

支出 摘要	支出 金額	収入 摘要	収入 金額
人件費	23,700	前受会費	6,000
家賃	5,000	未収会費	300
通信費	3,000	会費	57,900
交通費	4,270	入会	300
手数料	970	寄附	9,598
会合費	690	名簿	70
光熱費	269	家賃	2,500
生活対策部費	500	礼金	2,000
雑費	1,040	雑収入	440
雑誌代	32,000	事業収入	10,000
借入返済	25,000	繰越	8,237
現金	906		
計	97,345	計	97,345

記　録　（10月）

支出 摘要	支出 金額	収入 摘要	収入 金額
人件費	23,700	予約金	3,800
家賃	10,000	予約	9,900
印刷費	64,235	売上	80,487
通信費	4,520	広告	22.000
交通費	7,090	研究会	1,000
文具費	1,185	コンクール	1,000
原稿料	2,500	寄附	400
研究会	700	家賃	2,500
光熱費	266	貸付返済	6,000
借入返済	3,000	繰越	4,211
雑費	200		
現金	13,902		
計	131,298	計	131,298

1963, 2, 1

記録映画作家協会々報

No. 82

東京都新宿区百人町２ノ６６

TEL (361) 9555
振替番号　東京 90709

苦難を予想される今年
一人一人が現実の生活と創作活動に作家的斗いを推し進めてゆこう

第九回定例総会
問題点とその総括

一九六二年度の才九回定例総会が去る十二月二十七日新宿の厚生年金会館で開かれた。出席者五三名、委任状五五名、計一〇二名、賛助会員 五名の参加で討議が行われた。議長団には徳永瑞夫氏、松川八州雄氏、藤原智子氏が選ばれ、大沼事務局長の一般年次報告にはじまって各部より年間の活動報告があり、質疑応答の後、丸山委員長から一九六三年度の活動方針について提案があった。これらについての論議の中心、並に問題点とその総括は次の通りであった。

生活と権利の問題

最近われわれが作った作品がテレビに放映される場合作家に無断でカットされたり改編されたりしている場合が多い。これについて版権の問題を契約書の中に明確にすべきだという意見が出た。版権の問題は経済的な面と創作的な面との二面から見るべきで、完成後の作品の改訂については必ず作家に相談するという習慣をつけさせるべきだとの意見も出た。版権の問題を契約書の中に含めることについては担当運営委員で研究されたのであるが、現状では、著作権の存在は今のところ著作権協会に登録して著作権ナンバーを貰った場合にのみ法的に効力を発することになっている。そのため、簡単にこちらの意向だけで明文化しても相手側が認めなければ実際問題としてその意味をなさない。映画の著作権については大体製作会社が握っているのが現状で、明文化する前にカットや改訂については映画作家全体の問題として運動を起さなければならない。従ってこの双方をふんまえて更に検討し研究を進めてゆくべきだとの説明があった。この問題にからんで協会を法人化する案も出され、版権の問題とともに、新年度の研究課題として新運営委員に委託されることになった。

ギャラの新しい基準案については、製作会社の予算によって大きく幅があるので、各段階に分けて基準を出してはどうかとの意見も出されたが、そのような出しかたをすると、当然、製作者側は低い基準をあてはめてくるので、むしろヤブ蛇になるおそれがある。相手の製作予算の高低はあったとしても、われわれ作家としての作品にかける創作的エネルギーは何ら変るものではない。従って、如何なる条件であろうとも、われわれとして仕事をする場合はこれだけほしいんだ、というものを基準にした。そして、これは現在中堅作家が実際獲得している額であるとの説明がされ、諒承された。

（2） 総評映画の中止について

総評の「税金」をテーマとした映画を協会がやることになり、担当プロデューサーとライターを決めて進めていたのがどうして中止になったのか、そのいきさつについての説明が求められた。これは、中間にたってこの仕事を斡旋して来た人に途中から疑義が出て来て、総評側との若干の行き違いもあり、途中から手をひかざるを得なくなったとの報告がなされた。これに対し、今後、このような製作をする場合は、よく相手の信頼度を確認した上で行うべきだとの反省が促がされた。

企業の問題をもつととりあげるべきだ。

今までの協会の運動の中にはフリーを対象とした問題が多い。企業会員に共通な場合もあるが、その割に関係ないことが多い、もっと企業のもっている諸問題も協会の運動の中に繰入れてほしいという要望がなされた。これは当然のことで、新年度の運動方針の中で、運営委員会の構成も変え、企業会員の声を強く反映させてゆく態度がとられることになった。

その他、会報に対する要望や、ギャラ基準や契約書の履行については協会としてもバックアップしてほしいという声や、協会名を「日本記録映画作家協会」にしてはどうかという提案があった。これも法人化の問題とともに新年度の研究課題として残された。

その後これらの諸問題を新年度の運動に繰入れてゆくことが諒承され、今年をふりかえっての問題点と来年度の方針案について丸山委員長から報告が行われた。これについて活潑な討論が繰り返され、新しい作家活動の目標と協会運営の方向がうち出された。その総括は次の通りである。

作家は現実にどう対処し協会はどう運動を進めてゆくべきか

状況は決して楽観を許さない。経済的不況の波は一部の金融政策の手直しがあったとしてもそう好転するとは思えない。当分横バイ状態が続くであろうし、短篇映画企業の実態は更に苦境にたたされることを余儀なくされるであろう。企業の合理化とコストダウンの影響は各企業に所属する者にとってもフリーで仕事をする者にとっても生活的、創作的に一層の悪条件を強いられてくることになるであろう。受註作品も細分化され、カタログ的小規模の十六ミリ作品が増える傾向にある。内容もコマーシャル的なものが要求され、プロダクションもこのままでゆけば無原則的に妥協し後退し、悪循環の中に落込んでゆく。作家側も生活に追われて自らギャランティをダンピングし創作的にも悪条件の歯車に巻き込まれて積極的発想を失ってゆく。ただ食うために日常的作業を繰り返してゆく、といった既物的職人根性になり下ってやがては作家主体を喪失し、その生活は自らの墓穴を掘る怠惰なミイラと化してゆくのである。経済的な危機のみに視点をおき、そのことのみに作家的危機があると見るのは間違いで、むしろ、経済的には安定していた中で自らの魂をも売っていた戦争中の方が作家的危機であったことを思い起すべきである。状況が悪化すれば悪化する程こうした作家主体の危機はわれわれの内部に潜んでくるのである。状況がわれわれを悪化させるのだといった運命論的思考を逆転させ、われわれが状況を少しでも変えてゆくのだという作家的座標が必要である。こうした突破口を見出してゆく作業、そのための一人一人の生活と創作の場での斗いが、協会員全体の中に組み込まれてゆかなくてはならない。生活問題が先か、芸術運動が先かといった論議も、こうした両側面を統一的にとらまえて進められなければならず、決して分離して考えるべきことではない。新年度はジャーナリズムの世界も反動化され、映画関係雑誌も次々に骨抜きになってゆくであろう。こうした時代に「記録映画」の果す役割は大きく、自由に発言し、作家活動を啓発してゆく上に貴重な存在となることが予想される。そうした読者拡大の意味も含め、雑誌の内容が一層充実されることが望まれる。更に新年度はプロダクションとの交流を深め、企業会員とも手を組んで短篇映画企業を前向きにしてゆく運動も考えなくてはならない。版権の問題では広く劇映画作家、テレビ映画作家も含めて共同して斗う砦を築いてゆかなくてはならない。他団体とのコミュニケーションを持ち、協会の運動を外にも広げ、会員同志は作品を見せ合い、シナリオを寄せ合い、協会主催の定例試写会などを通じて相互に刺激し合おう。協会員一人一人が作家的主体を持ち、生活と創作への現実的斗いを推し進め、こうしたエネルギーが協会の運動に結集されてこそ、この苦境に対処してゆく協会の力となることが出来るのである。この

自覚のもとにスクラムを組むべきである。

　最後に役員の改選が行われ、その前に運営委員選出の方法の改正案が出され、フリー九名、企業三名、助監督三名案が多数決で可決され、続いて選挙に移った。当選した役員は次の通り。

委員長　丸山章治
事務局長　楠木徳男
運営委員
フリー　荒井英郎
大沼鉄郎
大内田圭弥
菅家陳彦
河野哲二
富沢幸男
野田真吉
松本俊夫
八幡省三
企業　苗田康夫
渡辺正己
二瓶直樹
助監督　安部成男
東陽一
佐々木守
会計監督　樺島清一　佐藤みち子

本年度第一回運営委員会決定事項

出席者　八幡、安部、菅家、松本、河野、大沼、荒井、東、二瓶、富沢、渡辺、大内田、野田、丸山、楠木（一月十四日）
次のように任務分担を決定。
○生活権利対策部
　八幡、安部
○機関誌部
　菅家、松本
○財政事業部
　河野、二瓶
○研究部
　大沼、荒井、東
○映画運動部
　富沢、渡辺
○組織部
　苗田、佐々木、大内田
　新しく設けられた組織部は、そのもとに置く、フリー懇談会、企業委員会、助監督部を組織・掌握し運営する。ほかに未加入部分を組織する対策を練る。「記録映画」編集委員長を野田真吉に決定。新編集委員長より次の二点を提案、承認された。
①企業、フリー、助監から平均的に委員を選ぶという方式を採らず、編集任務を最適と思われる人材を選ぶ。
②三ケ月以上、正当な理由もなく、また無断で編集委員会を欠席した委員に対しては、任務放棄とみなして、新委員と更迭する。
以上の二点の確認の上にたって次の編集委員を選出した。
松本俊夫、徳永瑞夫、西江孝之
佐々木守、黒木和雄、熊谷光之
厚木たか、長野千秋
ほかに推薦された候補についてはのちに委員会で適否を決定する。
尚、本年度一般方針及び各部の方針に関しては、一月三十一日の常任運営委員会で検討のうえ、次回運営委員会で確認される。

（３）

会員のひろば

誰も野たれ死にはしない

誰も（映画づくり）をする以上、前衛でなければその価値を認めないといっている訳ではないし、その脳髄のなかに有効適確な状況変革の論理を構築しているべきだと、あなたに強制しているのでもない。映画がつくりたければつくればよいし、好きならば好きでよいのである。芸術家や作家というものが大へんなもので、職人であることがよいのなら、職人でいてもかまわない。あなたにも選択と行動の自由があるのだし、あなたの考えの通りに、好きなように映画をつくればよい。

　だが、あなたを除く多くの仲間たちが（映画づくり）にあなたと異なった方法をとり、その状況変革を目指したとき、そこで得ようとしているみのりを、あなたがうすくしてしまうような選択はしないでほしい。仲間たちが克服しようとしている壁を、故意に厚くしていくような行動だけは、しないでほしい。

　あなたを含めて、仲間たちが背負っている（映画づくり）の場における状況は低劣苛酷なものだ。あなたもつねづねそのことを苦しみ、なげき悲しんでいたことを知っている。あるときは、おたがいに肩を叩きあったこともあった筈だ。それにもかゝわらず、あなたはある時を境にして仲間たちを見殺しにすることも平気だし、まるで血液までが違うもののように、たゝかいから離反して仲間を売るイヌになることも平気だ。仲間たちが抱えている低劣苛酷な状況は、あなたの隠れミノ。低劣であればあるだけ、あなたは救われる。なぜなら、状況分析もできなければ、そこにおける（映画づくり）の方

（4）

法も、何一つもち合せていないことから生れるあなたの貧しい作品に対する責任を、状況の低劣さの故に回避しうるからだ。

苦しみ、なげき、かなしみは、あなたには判らない。あなたは本当は（映画づくり）なんてしなくてもよかったのだし、いま、あなたがそこにいるのは間違っているのだ。それはあなたのためにもよくないことなのではないか。いまの選択と行動を続ければ続けるだけ、あなたがその生涯において当然、あるところで得ることができたであろう安息を遠ざけ、あなたが野たれ死をするであろう時が、容赦なく近づいてくる。だが、あなたを除いて、誰も野たれ死はしないのだ。

記録映画が成り立つ場そのものが歴史の不当な波にゆさぶられているとき、それとかゝわりなしに遠距離目標に向い、それにたえず接近していくための（映画づくり）はなし得ない。つくり手が、その場をつくり変えることに積極的に参加し、行動しないかぎり、苦しみやなげきからは永久に抜け出し得ないし、状況の転換もあり得ないであろう。

まず最初に（映画のつくり手）は、全て等しく状況を背負い、それをはね返すために等しく力を出し合い、一つに結集すべきなのだ。

ところで、ぼくが本稿において書くべき筋あいを持たされているのは（新理研的状況のなかからの発想）についてである。

そこでは論証をたしかにするために、はじめに（低劣苛酷な状況）なるものの分析と規定が必要と思われるが、ぼくたちをとりまく全ての条件、全ての規制をひっくるめて、概ね妥当なものと思われる分析が、記録映画作家協会、第九回定例総会議案書のなかで、すでに試みられているので、こゝでは似たような分析をすることをせず、そこから当然構築されるべき方法を探ることにしたい。

以下、具体性を欠くと思われる点があれば、前掲議案書を参照していたゞきたいと思う。

議案書における状況分析は、いってみれば記録映画作家のおかれている状況の分析であり、同時に短篇映画の企業がおかれている状況の分析なのであるが、いま仮りにこれを（大状況）と呼ぶことにしよう。（映画づくり）を進めていく上において、この（大状況）は、ぼくたち映画のつくり手と対立することはもちろん、企業そのものとも激しく対立し、企業が指向すべき芸術運動への方向をも、きびしく拒絶させるに至っているといって過言ではない。資本による映画支配が、ＰＲ映画に覆われた現在に至る（映画づくり）を、つまるところテレビのコマーシャルと同等にか、あるいは動くパンフレットとしてしか認めないで、企業にとってその初期に抱かしめた可能性を規制し、剝奪させるに至っているのだ。製作費の削減、製作規模の縮少、その内容への規制――更に、企業にとって利潤追求のための舞台さえ、かつての形態でそこにあるのではなく、それは（映画づくり）とはほど遠いところに追いやられ、局面としてはぎりぎりの位置にあるとみてよいのであろう。

そのよってきたゆえんは、単なる景気の後退とか金融情勢の悪化などという現象では、到底把えきれぬ。企業は、映画をとりまくメカニズムや諸条件の反動化を企業が企業としてくいとめうる免疫をもたず、その進行に対応する何らの方法をもっていない。企業の自由の底抜けの濫用と、おのれの本質を見失った結果、あろうことか本妻がいつの間にか戸籍を抜かれて、実質的にメカケであるにもかゝわらず、それに気付かずに、なぶられ痛めつけられる状態に自ら陥っているのだ。

こうした（大状況）と企業とのかゝわり合いにおいて、ぼくたちには（大状況）ばかりでなく、企業とのかゝわり合いにおける（映画づくり）という点において、（小状況）ともいうべき局面を更に附加して考えねばならない。つまり（大状況）の荷重に耐えかねた企業が、その場かぎりの企業的に見合う条件なるものを算出することによって、つくり手に対して強いる創作への干渉と介入――低劣な労働条件と不平の製作方式の現出する状況である。とはいえ、この（小状況）でさえ、現在に至る変化を、組織だった目によって把握し、突きかえすことをしなかったぼくたちつくり手の側の怠惰――作家主体の孤立化・喪失と方法意識の欠如に、それを生ぜしめた主体的要因があることを忘れるべきではない。さもなくば、作家が状況に振りまわされ、（映画づくり）の本質的な課題をさえ、見うしなってしまうであろう。

ともあれ、（小状況）は、それぞれ程度の差こそあれ、同じように各企業が抱えて我々をとりまいている。現在、ぼくがかゝわる新理研には新理研的な状況がある。苛酷な（大状況）に対して何らかのクサビをも打ち込め得ていない。しかしこの点に関しては、おそらく日映にしろ、科学、岩波、東シ

ネにしろ同様であろう。だが、いったい（大状況）に対する（小状況）のそうした在り方は、いってみれば遠距離目標や未来的課題をふまえた（映画づくり）という点に結ばれる以上、そして今日におけるＰＲ映画が、映画づくりの精神にのっとったものであり、その歴史的な使命を満足させるものであり、なおかつ真の映画であるといゝ得るものであらねばならない。とするならば、いつまでも単なる企業とつくり手の対立であってはならないはずである。そこでは方法として（大状況）に対する企業とつくり手との提携による突きあげ、更に運動の本質に根ざした各企業間の強い連系（横の）によるはね返しが考えられるべきであろう。もちろんそれは、ぼくたちつくり手の絶えざる連帯意識によって生れるものであるが、それなりの（小状況）を抱えているぼくたちが、創作活動を通して如何にそれを認識し、如何に動くかということに（大状況）変革の契機はかけられているし、またそれは、どれだけつくり手の精神の結集と集積が可能かということにかけられているのである。

（5）

行動以前に敗北のイメージを描くことは唾棄すべきであり、因循な手段や孤立した方法からは現状脱却はなし得ない。いま、最もぼくたちに必要とされるのは、このような極めて基本的な視点にたちかえることであり、そこからの再出発であると思われる。

そこから創作活動を軸に、直接的に企業所属のつくり手に（フリーランスであるよりも）要請される課題は、尽きることなく大きいといえよう。

（新理研映画労組有志）

「三井プロ」の斗い

今回の三井プロ労組の斗争に、多大の支援を下さいましたこと、此の紙面を拝借して、感謝の意を表します。

発端

ご多聞にもれず、この斗争は経済的要求に、すなわち、組合の三十七年度冬季生補金二・五ケ月要求に対して、会社回答が一・〇ケ月であったことに、その端を発した訳です。

我々の給与ベースは業界で最も低い。その上、これ又、最低の一ケ月では、どうやって生活して行けというのだろうか。

会社は、我々のわずかばかりの生活補給金を削りとってまで、赤字の補填に、まわそうとしたらしい。これは経営の責任を我々組合員に転嫁しようとするもので、会社を経営して行く者としても恥ずべき処置ではないか。

我々は、数回、団交を重ねた。しかるに事態は少しも進展しない。

今までの三井プロ労組ならば、いつもこゝいまでだった。しかし、いつものようにこゝで引き退っていたのでは、生活は窮迫するし、「組合」と云うものに対する信頼感は、まったく薄らいでしまうだろう。

我々には、全員一致で、残業拒否の実力行使にふみ切った。（ケツカッチンの仕事が二本あった。）さて斗争に入ってみると、斗争経験のない我々には、様々な「不安」という重荷が、ドッとおっかぶさってきた。その不安をとりのぞいてくれたのが、支援体制の編成であった。映演総連傘下の各組合、作協自映連、新人協会、そして三井ビル協。契約中のスタッフでは、契約者協議会の結成。これらが、我々を力づけた。

妥結

冬季生補金一・五ケ月、ベ・ア及びその他の労働条件については、早急に話し合う等の条件をかちとって、十二月十三日に妥結した。

我々が学んだこと

労働者の団結力・連帯感の強大さ、そして我々のちから、——ささゝやかながら、この小さな斗争において実感された。

昨日の三井プロ労組は、今日の三井プロ労組ではない。

問題は、山積している、単に経済的な要求ばかりではなく、現在の資本攻勢下におかれた短篇界、その中に生きる我々映画労働者が力を結集して打破って行かなくてはならない問題が無数にある。

——今、それが、私たち斗ったものすべてにわかりかけて来た。

ご支援、有難うございました。

（三井プロ労組有志）

西部記録——映画をみる会——（二月例会）

日時　二月十六日(土)午前十一時

場所　池袋西武デパート八階ホール

　毎月好評のうちにつづけている西武記録映画をみる会の二月例会は、河野哲二の左記の二作品を上映いたします。

一、「妊娠中毒症」（白黒三巻）

昭和三十七年、新世界プロダクション作品。

　現在、わが国の妊産婦死亡原因の才一位を占めている妊娠中毒症の原因・症状・障害・予防・治療などを説明しながら、定期検診による早期発見、早期治療が大切なことを訴えて母子衛生の向上に役立たせようとする社会教育映画です。

二、「描きつづけた三才の生涯」（パートカラー、三巻）

昭和三十四年、文化映画研究所作品

　三才で一万点の絵をかきのこして死んだ徹（とおる）ちゃんという幼児がいました。

　脊椎カリエスのため病床にふしていた徹ちゃんのよろこびや悲しみが一枚一枚の絵ににじみだしています。

　残された一万点の絵によって幼児の姿をさぐろうとする記録映画です。

年賀

○日生劇場映画部　米山彊氏○プロダクションスタッフギルド○十六ミリ映画株式会社製作部○京映動画スタジオ宣伝課○東京カラーフイルム○日本映画撮影者協会会員一同○勤労者視聴覚事業連合会○日本教育文化協会　労文協○日本出版販売株式会社○シナリオ作家協会○東京フイルム株式会社○神奈川ニュース映画協会○日本共産党中央委員会○西武百貨店奉仕課　生活クラブ○朝日録音株式会社○東映教育映画部　山下勇氏○ムービーセンター　○中央映画社　江原哲人氏　○青葉映画株式会社　○草月アートセンター○都民劇場　○創造社○関西映画株式会社　○テッサー○船清製本株式会社○農山漁村文化協会農文協映画部○東京出版販売株式会社　○大蔵省小型映サ　徳永哲氏　○東京芸能人国民健康保険組合○新宿区柏木町三の三八

TEL（三六二）五八一〇

関根　弘氏

○あけましておめでとうございます。永い間ごぶさたして申しわけありません。イタリアでのんびりすごしていると、「記録映画」が大変な刺戟になります。イタリアでもすぐれたドキュメントが多くあるそうですが、日本以上に見る機会が少ないので弱ります。今のところMicciche と E・Battaglia という若い二人が、それぞれリアリズムとスペリメンタリスモを代表して活やくしています。

（I・Tinba神馬亥佐雄

Piazza Tuscolo17

scala A lui t 13

Roma Itdlia）

○海には光　地には風　人には翼

（東陽一氏千賀氏より）

○世田谷区代田二の九三七

深江正彦氏及び御家族

○今年は意欲的な仕事をいたします。御注目ください（豊島区雑司ケ谷一の一島谷陽一郎及び御家族）

○渋谷区美竹町四一公団美竹アパート六〇四　日高　昭氏

読者から

○小生、昨夏、貴会を訪ね、山之内氏にお会いした読者です。京都で学生時代野田真吉氏とお会いして）京大映画部）話したこともありますが、最近の貴会の当面しておられるさまざまな困難を拝見し、何か小生にできることがあれば、と筆をとりました。

NHK大阪中央放送局編成部

北村充央氏より

○モウシバラクツブレズニカンバッテイテクダサイ（芦屋市津知町七一　米長寿氏より）

○千代田区九段四の六　高原浩一氏　藤井治典氏　○杉並区松ノ木町一二三三　福井正紀氏○久保書店編集部　滝元喜美氏○大田区久ケ原四六八　池田羲信氏

新入会

内田昌克　十二月より。フリー
○中野区宮里町二六
波田慎一　十二月より。企業。
新宿区市ケ谷柳町二五

動静

○千歳映画での任期終了を機に本来のフリーに戻る　大口和夫

○日経映画社契約中。種々企画をたてている。　間宮則夫

○「神奈川の物産」アジア映画社完成。仕事の斡旋を。　日高昭

○PR映画、スポンサーに渡辺製菓、仮題〃インスタントエイジ〃の脚本オ二稿に入る。二月クランクイン。その間CMフイルムの仕事がほとんど。　島谷陽一郎

○三木映画でシナリオ執筆。新生映画社今春一本演出予定。光報道で一本演出予定。　丸山章治

○「三菱水中翼船」「躍進」東洋映画四月完成予定　金高伸夫

○「日本の結核対策」演出（日映科学）三月末完成予定　清家武春

○劇構成の銀行教育映画、記録映画社。次は未定。　安倍成男

○読売映画社「ウイルス物語」広木氏、二月完成予定　中村久彦

○建設省の「渋谷を結ぶ猿沢橋」東京記録映画社、オ一部二月、オ二部九月。東武鉄道の「冬の日光」シナリオ執筆。　小谷田亘

○「日本横断パイプライン」完成次回も産映センター。　石尾一郎

○長期もの準備中。日本産業映画社。　前田庸言

○「東洋レーヨン」東京シネマ、四月完成予定。フランスへロケに行く予定。　東陽一

○脚本創作中　河野秋礼

○一年がかりで取組んできた「樹冠」やっと完成。次回作待機中　楠木徳男

○シナリオ企画中。　大野孝悦

○「NSKボールスクリュー式ステアリング」（日本精工、日映、二月下旬）。「歌舞伎」（シノプシス）「コロンビアのPR」（北欧シノプシス）　熊谷光之

○「日本の建築」（日映新社一月）「金工」（同左、三月予定）　星山圭

○「イヴ、クライン」編集助手、自主作品。編集の仕事の斡旋を。　加本悠利代

○「十代の谷間」（東映）完成。「おかあさんと子どもの勉強」準備中。　西原孝

○「お客さまの眼」「一万人のPR」記録映画社。次は未定、斡旋を。　加藤敏雄

○映像ユニ社、CF製作。引続きCF、AD・M、PR映画、記録映画、宣伝企画・TV映画を作る予定。L・S・D25投薬による大衆公開グロテスコ実験を行なった。　城之内元晴

○三菱電機TVニュース週一・二本製作。観光文化映画一本演出予定。　辻本誠吾

○自分で8ミリカラー「京都の秋」を作る。販売予定。　江原哲人

○「治水」「関西電力・一九六二」日映新社、演補。本年よりフリーへ。　池田元嘉

○三井プロで、二・三脚本執筆。民族芸能をテーマとした自主作品準備中。ヴエルトフの論文翻訳中。　徳永瑞夫

○「ウイルス物語」読売、二月完成予定。次回作、生命に関する科学映画　広木正幹

○「ちょっと奥さま」（共同テレビニュース」二月末迄の予定。その後仕事の予定なし。　大平隆

○電通映画社で専らCMを作っている。　松本治助

○「農業の近代化のために」（仮題）撮影中。　深江正彦

○TBSのテレビドラマ二本。NHKのテレビドラマ一本。産業映画センターのPR映画シナリオ一本。点の会公演の戯曲一本。現代思潮社出版「講座戦後日本の思想」の「芸術編」にのせる論文、および三一書房で評論集を出すため、そこにのせる論文の執筆。　松本俊夫

○「パイオニア」東京シネマ、四月まで。地方ロケ。　黒木和雄

○記録映画「農業の近代化」の脚本、演出。（東京フイルム）一月完成。　西江孝之

○全農映にて記録企画準備中（脚本）一月クランクイン。　小野寺正寿

○十二月「妊娠中毒症」（新世界プロ）完成。　河野哲二

○「福岡」読売映画社。次回桜映画社の作品。　内田昌克

○「蒼い湖」EK三五分「赤石の山峡」オ二部編集。他に「銀座地下鉄工事」着手、十月完成予定。　苗田康夫

○「アラビアの海に」電通映画社完成。その後遊んでいる。

○大阪にロケ中。あとの仕事、斡旋されたし。　松本公雄

通信

○スモッグを逃れ、一月二十二日より、左記へ居を移すことに致しました。御手数乍ら住所録を御訂正下さい。
武蔵のゝ片田舎ナレドモ、ガス・水道は勿論、電気もツキマス。加え、吾が家でわ、アルダケわ飲み放題、食べ放題デス。オ暇の折にお出掛下さい。

（西武池袋線、東久留米下車、徒歩五分）

北多摩郡久留米町大字小山字下田百の十　藁谷　勲
尚、仕事に関する、マネージは左記に委任して居ります。

プロダクション・スタッフ　ギルド　TEL（五四一）五一一九六

○AFPの連絡で、さる十八日、東独での才五回ライプチヒ国際映画祭の記録映画部門に、私の作品「三池」が入賞し、東独組合賞を貰うことに決定しました。参加作品は二百四十九本、参加国は四十九ケ国とのことですが詳細については現在問合中です。取敢えず右お伝えし、平素の御鞭撻に対して御礼申上げます。
徳永瑞夫

○アジア映画から共同テレビニュースに移る　大平　隆

○北多摩郡久留米町字神山東久留米団地六の二一二に移転
中村久彦

○電話新設（九五五）六八五七
石尾一郎

○西村康世　海映社へ

（時の話題）

○盗作事件

新春早々、勅題の詠進歌の中から盗作が発見されて大さわぎになった。まんざら我々に関係のない話題ではない。

新聞の報ずるところによれば、ある人の上の句ともう一人の人の下の句とわつなぎ合わせる言葉を考え出して上手にモンタージュしたものだそうである。他人の作品そっくりそのまゝを自作として発表したわけではなくて、そこには多少とも創意工夫があるのだから、これを純然たる盗作と云えるかどうか疑問であると思う。

もし私が「古池や蛙飛込む水の音」を「古池や人間飛込む水の音」と改作したら、私は芭蕉の作品を盗んだことになるだろうか。芭蕉は、蛙のとび込むかすかな水音にも耳をすませているような心境を詠じたのであるが、私は人間が自殺のためにとびこむ音にすら冷やかに耳をすましているような心境を詠じたのであって、内容に天地のへだたりがある。従って私の作品は芭蕉のパロディではあっても決して盗作ではないだろう。

元来短歌とか俳諧とかいう文学には、歴史的に短歌的な俳諧的な一定の心境があって（それが季題趣味などというものである）それを五七五とか七七とかいう一定のリズムにのせて表現するのであるから、パターン化しやすいのは当然である。だから誰にでも容易に作れるかわりに、どれもこれも似たりよったりの月並みになりやすい。

映画においても事情は変らない。外国映画の名作を見て、「こいつはいける。よし次回作品はこの手でゆこう」などと考える映画作家はいくらでも居る筈である。われわれの作品も、作者名のタイトルを見ないと、区別がつかない程どの作も似た顔をしていて、一人の作者が作ったのかと思われるような作品が多い。

私は何も他人の模倣をしたり、他人の作品からヒントを得て改作することをいちがいに否定している訳では決してない。たゞ、パターン化した発想を、パターン化した形式に表現する月並作品を、盗作と同じように問題にしてしかるべきだと云いたかったまでである。ひとごとのように盗作事件の作者だけを笑い者にしている批判にいささか私はふんがいしているのである。

（一月十八日記）

あとがき

運動と創造の清新なエネルギーをこの会報に結集したいと考えます。次のような原稿をお寄せ下さい。○西武個展の感想・寸評　○現場通信　○企業や助監督部会での問題　○協会の運動についての意見　○その他
昨年度の会費は皆さんの協力によって八十五％納入を保障されましたが、本年もよろしくおねがいいたします。

1963, 2, 15

記録映画作家協会々報

No. 83

東京都新宿区百人町2ノ66

TEL (361) 9555
振替番号　東京 90709

本年度各部活動方針

【生活・権利対策部】

今年は、作家の生活と権利に対する圧迫はいよいよ強められることでしよう。生活と権利を守るために、どのように協会の運動を強めて行くかは、ますます大きな課題となつています。

その具体化は、今後、一歩一歩進めて行かなければならないと考えますが、生活対策部ではそのとつかかりとして、会員のために少しでも役立てばと考えて、次のことを計画し実行に移すこととしました。

①税金相談日の開設

所得税の申告の時期（2/16－3/15）に当り、その具体的な手続等について、公認経理士、**吉田長治氏**（協会賛助会員）を災わして、税金相談日を持つことにしました。

日時　二月二十三日（土）
午后一時より六時まで
場所　記録映画作家協会事務所

当然還付される税金を放置することは自ら高額の不当な税金を認めることになりますので、絶対に申告する方が有利であると同時に必要なことです。

地方税との関係、必要経費の算定、控除さるべき条件など、専門家の吉田氏にどしどし相談して下さい。

尚プロダクションからは源泉徴集票を受け取り、又、保険関係その他控除に関係する書類、申告用紙等を当日持参された方が具体的な処理が容易です。

ロケ等のため、当日来られない方は、御家族や友人に、相談を託されても良いと思います。

②仕事の斡旋のために

毎月実行している会員動静の返信に、次のような点を記入して頂きたいと思います。

(イ)現在の仕事（契約）は何時終るか。

(ロ)現在の仕事が終つたら、次の仕事は（契約は）すでに予定されているか。

(ハ)予定がないとすれば斡施を希望するか。

これらのことは随時電話で連絡して頂いても良いのですが、ねらいは、ある程度早めに、動静がわかつていれば、プロダクションから要請のあつた場合でも回答が容易になり、少しでも仕事の確保が有利になると考えます。

③生活と権利に関する通信を

生活と権利に対するいろいろな圧迫の具体的事実をお知らせ下さい。それらのことを協会としても問題にし、具体的な斗いを進める必要があります。そして機関紙や会報を通じて、会員全体の問題として行き度いと考えます。

これは作家の生活と権利を守るための最も端緒的な行動であると同時に、強めなければならない作家の発言だと思います。

以上は当面する手近かな事柄についての、ささやかな行動です。いわば生活と権利を守る斗いを具体化するための出発点であつて、これだけで山積する問題が解決できるなどとは考えていません。

(2) より長期に亘る目標と計画を、具体的な運動として発展させるよう、今後一層努力したいと思います。（生活・権利対策部）

研究会部

一月一八日に運営委の研究会部会をひらきました。そこで話し合われたこと―

一、研究会部会の部員を増強することについて。現在担当の運営委員は、常任が大沼で、荒井、東の三名です。ところで現実に、いくつかの研究会を推進していくためには、会場の世話、映写の手はずなどの準備が要ります。まして研究会そのものの内容を充実させ、成果が積み重ねられ分散しないようにするには、それぞれの研究会について責任をもち、問題を深めるようなメンバーが数人ほしいところです。そこで、運営委員以外の会員から、ぜひこの部会に部員として参加してもらおうということになりました。検討の結果、泰、間宮、黒木、広木、松本、(公) 平野、松川、佐藤の諸氏に交渉することになりました。このうち●Kしてもらつた方々に集つてもらつて、改めて担当のしかたや会の進め方について話し合う予定です。

二、研究会は、今のところ、記録映画研究会、理論研究会、社会教育映画研究会の三つに重点をおいてすゝめる。この他に、自発的に結成される研究会、必要に応じて結成すべき会などにタッチしていく。以上のすべての会にあつて、その運営は、協会に任せるのではなく、自治的に行ない、独自の構成をもち、それぞれにふさわしい研究の進め方をするのが望ましい。協会はこれを援助し、なるべく多勢の会員が参加するよう促がす。会報や機関誌でみなに知らせ、また各研究の交流や連絡をはかる。

三、試写会活動について。一つは、月例の試写会をもつ。協会員の作品をみなに見てもらうことを中心に、研究会のテーマによつて、どんな作品でも上映していく。月例の試写会は協会主催であるが、その内容は、各研究会が交互にプランを出しあい、それによつて、他の研究会と問題を交流することにもなろう。協会員は勿論、映画関係の諸団体、個人、特に関係の深いところには招待状を出す。これは、映画に限らず、他の芸術文化部門の人にも見てもらいたい。

四、西武で開かれている個展シリーズは、個展をやる個人を協会が後援するというスタイルを確立する。会場の世話、招待状、プリントのことなど協会は積極的に援助するが、中心は、あくまで個展の性格をもたせる。

五、他の部門との共同活動について　これらの映写会は、映画運動としての意味を持つので、映画運動部との関係がふかくこと共同することが多いだろう。また財政上の意図をもつ映写会も考えられる。

たとえば、古典、名作上映など。

六、さまざまな研究会活動の一つの成果として、年末にコンクールを開いてはどうか。たとえば月例試写会の中からえらんでもいいし、今までのコンクールとちがつた、作家の創造活動に密接に即したポイントで表賞をあたえるようにする。このコンクールは協会員の全員投票その他の方式が考えられるだろう。また、入賞発表会が映画運動部や財政と共催になり、その面でもプラスになることが望ましい。

七、研究会の成果や、重要な論争点などはどしどし機関誌や会報に発表していきたい。そのためにも、研究会が、毎回、前回の成果をつかんでそれにつみ重ねる運営の仕方が必要である。できれば、毎回まとめをやつて文章化し、すくなくとも会報には必ず発表するようなやり方はどうか。

その後、部会は運動が進んでいませんが、早急に活動に入りたいと思つています。

特に月例試写会の会場に予定していた山一ホールが、会場の無償提供をやめるというおそれもあり、対策を考えているところです。（大沼）

組織部

協会は現在会員数百七十七名の大組織になつているが、その構成員は多様でフリー会員、企業所属会員、助監督会員、夫々作家活動の前進のためにこういう共通の願いや課題をもち乍ら、現実の困難な状況の中では、その要求も当面する課題も多様であり、現在日常の協会活動が十分これに答えているとはいいがたい。組織部はこう

(三)

した会員個々の協会に対する要求を綜合的に組織し、作家活動の前進に役立つよう組織する中で、協会活動を活発にしなければならないと思う。

一、企業所属会員、また日常協会との積極的なつながりの少いフリーの会員たちの協会活動への積極的参加を促し、その様々な要求や課題を協会が組織的積極的に解決するよう努力する。これは協会と会員間の意志疎通を円滑にするためのパイプづくりである。

一、助監督会員の共通の課題の解決、協会が助監督会員の話し合いの場として、積極的に利用されるよう、協会として働きかける。

一、未組織者を出来るだけ協会に吸収し、記録映画作家の団体として、組織強化をはかる。現在、各企業で、いかなる組織にも属さないシナリオライター、監督、助監督などかなり多数仕事をしている模様であり、我々協会員と共通の課題をもつて働いているものも少くないはずこうした未組織の孤立した作家たちを、協会組織の中へ吸収することによつて共に斗う団体としてその力を吸収していきたい。

一、今年度の組織部の課題として、現在フリー会員、及び企業内労組などで数々とりあげられている職能組合の問題を、協会組織内でとりあげ、その実現化について、研究したい。

※今後の活動については、部会の討論を経て、効果的に行動を起したい。

財政部

協会財政の確立と健全化は、協会活動の活発化と表裏をなすものです。その中をよく考慮していただいて、協会員各位の積極的な協力をお願い致します。

昨年度の財政委員会によつて総会に提出された昭和三十八年度予算は別記の通りです。

以下これに従つてのべていきます。

(一)会費について

昨年末八十五パーセントに達した会費の納入率が、今年に入つて低下しています。そこで組織部と連絡をとつて、企業会員はなるべく一括して納入してもらう方法を考えます。

その他、助監督から作家になつた会員の会費の調整理由なく滞納している会員の整理、賛助会員に多い滞納者の会費納入促進などをすすめます。

又、新入会員の増加もすすめます。

(二)記録映画売上げについて

記録映画の売上は僅少の増加が認められますが、ほぼ固定化しています。

売上げを伸ばすため、新しい販路として東急ジャーナル(渋谷文化会館内、ニュース短篇上映館)の依託販売。従来の東販、日販の他に直接書店への依託販売を考えております。そうした書店の紹介をはじめ、新しい読者の紹介など読者増加運動への協力をお願いします。尚、予算書の売上げは、現行販売価格百円より二十円高い百二十円で計算してありますが、百二十円への値上げについては編集部と相談して決定します。

(三)広告収入について

広告収入は減少の傾向がありますが、その大きな理由は雑誌発行の遅れにあります。新しい広告の開拓の為にも定期発行が大切なので、編集部とともに努力します。

(四)事業収入について

今年も約三十万円の事業収入をあげなければ協会運営に支障をきたします。しかも昨年迄やつてきた多くの事業が収入の点では頭打ちしている状態ですから、今年の事業収入には多くの困難があります。

今年の事業として考えられる才一は映画製作です。これは昨年度あるプロダクションの下請製作をして成功したので、今年もそうした機会をつかまえて製作したい考えております。尚、こうした製作を活発するためからも協会の法人化(社団法人)を研究していきます。次に収入の点ではあまり期待できませんが協会主催の作品コンクールを行い、入賞作品に「記録映画作家協会賞」のようなものを贈ることを考えております。現在行われている諸コンクールと違い、協会独自の立場で行いたい。これについては運動部と具体案をねります。

八ミリ講座については、収入の点でもかんばしくなかつたし、記録映画運動の点からもあまり効果がなかつたので、本年はもつと検討して、収入のあがる方法が、運動的視点に立つた講座が可能な場合のみ行いたいと考えております。

(五)協会運営費について

予算がかなりきりつめてくまれているので細部をのぞいては問題はありません。ただ今年度新しく組織部をつくつたので、その部費として予備費(二万円)より六千円をまわします。

事務局員の人件費はたいへん安いのですが財源の問題もありますので、ベースアップは時期をみて検討します。

(六)記録映画編集出版費について

この中での最大の問題は印刷屋に支払う費用です。現在の印刷屋は印刷能力が低いためどうしても定期発行がくずれやすく、それが広告収入などに影響していることは前述した通りです。但し、他の印刷屋より二割方安いという利点もあります。従つて、現在と同じ位の印刷費で定期発行が可能な印刷屋をさがす必要があり、その努力をしなければなりません。

尚、雑誌の経営委員会は現状では必要なく財政部と編集部の一部とで問題は処理していきます。

(七)借入金返済について

個人借入金は会費前納にふりかええて消却していきます。

安保製作委からの借入金と運転資金の借入金は事業収入とのかねあいがありますから、それによつて検討します。

西武記録映画を見る会　三月例会

とき　3月23日(土)
午前10時半—12時・12時20分—1時50分
ところ　池袋西武デパート八階
文化ホール

楠木徳男作品

1.「樹冠」カラー四巻。本年度1月完成の最新作・北欧映画作品

今日、山にも肥料をやつて林地肥培することが国際的にも研究されるようになつてきた。わが国でも昔から一部の篤林家が試験的にいろいろな方法で肥培してきて成功している例もあるが、現在では全国の林業試験場や一般林業家の間でも積極的にこれが研究し実行されるようになつて来た。これは、その林地肥培と取組んで来た人々その技術的方法、科学的立証、各地での実例などを明らかにし、自然主義的育成林業から科学的栽培林業への変革を訴えようとするものである。日本的土壌の中からこれらのイメージを浮彫にするため邦楽器を効果的に使つて映画音楽の一つの新しい試みもしている。

1.「巨船ネス・サブリン」
カラーワイド　四巻
1961年度岩波映画作品

これは1年数ケ月にわたる三菱長崎造船所でのイギリスの9万トンタンカー、ネス・サブリン号の建造記録である。
造船所の中で働く多くの人々、優れた設備や高度の技術も、人間の創造と労働があつてはじめて生み出され活用されてゆくものである。こうした生産関係のそこに働く人々の姿を通じ、一隻の船が作られてゆく感動の実感を、カメラを通じて描こうとしたものである。
何にもないガランとした船台から次オに形をなしてゆき、交錯する音響の中で巨体はふくれ上り、やがて進水し、内臓機関が備えられて息吹きをはじめ海上をかけめぐる。こうして一隻の新しい船が出来上り長崎の港を後にして処女航海についてゆく。このダイナミックな各現場での作業と海のもつロマンを交響楽詩的にもりあげようとした作品である。その年の教育映画祭優秀作品賞、科学技術映画賞、海外紹介映画コンクール賞、他数多くの受賞をしている。

声明

「国民の祝日に関する法律の一部改正に関する法律案」なるものが、議員立法として国会に提出された。その内容は、①二月一一日を建国記念日とする、②七月一五日をお盆の日とする、③一〇月オ一土曜日を体育の日とする、④祝日には国旗を掲げる、⑤祝日と日曜が重なつたときは翌日を休日とする、というものである。

以上のような趣旨のものはこれまで何回か提出されたが、世論の支持がえられず、昨年のオ四一国会でも廃案となつている。今回は仏教色の濃い「お盆の日」や、「体育の日」と抱きあわせ、休日をふやすことで人びとをひきつけ、これによつて成立をはかろうとしているが、中心は明らかに「建国記念日」にあり、かつての「紀元節」を復活させようとするものであることは、まつたく疑う余地がない。しかも「国旗」を掲げることまで制度化しようとしている。

「紀元節」の復活が憲法改悪と軍国主義強化のための有効な一手段として企てられていることは明白で、これまでも世論の強い反対をうけてきた。現在、反動勢力は、それを新安保のもとで是非とも実現しようとし、国民に媚をうるための化粧をほどこして国会に提出してきたのである。わたくしたちは国民の祝日を増すことに必ずしも反対ではないが、しかしその制定は日本国憲法の精神と矛盾するものであつてはならないと考える。その意味で、わたしたちは「紀元節」復活の企図を許すことはできない。

平和と民主主義を守り、わたくしたちの権利と文化を守る立場から、わたしたちは「紀元節」復活や国旗の制度化に反対するものである。

一九六三年二月五日

国民文化会議

お知らせ

○最近、各プロダクションから、手のあいている方を求める電話が、かなりひんぱんにかかつてきています。生対部方針に記されている要領で、ぜひ連絡をとつて下さい。

○シナリオ・ライブラリーを事務局に設置します。過去の作品でも結構ですから、お寄せ下さい。借り出しは遠慮ねがいたいのですが、いつでもご覧になれるように整備しておきます。

○会費を半年以上滞納されておら

動静

○「ヨーロッパ見聞録」長編記録構成編集。「技術を追つて」演出、二月中旬クランク・イン予定（いずれも三井プロ）　頓宮慶蔵

○光報道のPR映画、シナリオを書きおえるも、いまだスタートせず（演出予定）。新生映画「長寿の条件」演出予定。オー映画「イエスとノー」演出予定。みんな予定で、仲々スタートせず。四苦八苦中　丸山章治

○「近代化を急ぐ日本の農業」イーストマンカラー、ウイド三巻東京フイルム、完成。現在、冬眠かつ、冬眠中。　西江孝之

○東洋レーヨンPRシナリオを書いています。　松川八洲雄

○8ミリ「国宝彦根城」モノクロ「京都の秋」カラーを作成。仕事の斡旋を。　江原哲人

○①演出中のもの、「水中翼船」「シンフオニー躍進」（ともに東洋映画製作所作品）一四月完成予定。
「モノクロームの画家・イブクライン」（企画・構成、瀬木慎一と共同、音楽、武満徹）
②準備中のもの、「ピカソのゲルニカ」「わらべ唄」（シナリオ寺山修司）　野田真吉

○大映配給「死ぬまで一緒」（仮題）製作中、三月下旬完成予定。（ハイティーン人気歌手が多勢出演する楽しい映画です）

○読売にて「私はねむれない」脚本執筆中。　入江一彰

○「心の健康」（三巻）三月二十日完成予定。　深江正彦

○昨年は、二つのPR映画のために、ほとんど東京にいませんでしたが、一年がかりその二つ「火の国」と「森林」が完成しましたので、当分東京です。ごぶさたしていたみなさんとも、ぼつぼつお目にかかりたいと思つています。
仕事がまたがつたので、東映とは、演出のみ専属契約が継続することになりました。シナリオ編集に関しては依然フリーです。いまは、短かい教育映画と、長いPR映画一本の演出にかかつています。ほかに、シナリを三本準備中。シナリオは、二本が東映、一本が日生映画部。　岩佐氏寿

○「世紀の超特急」編集助手、日映新社、二月末完成　山口淳子

通信

○冠省。御誌、ご恵贈いただきありがとうございました。今後ともよろしくお願い致します。ご発展を祈りあげます。
河出書房新社　本田忠義

○一月号は面白かつた。毎号この位面白いといいな、と思います。全部の記事をよみました、またよめました。感謝。　丸山章治

○結婚　苗田康夫・川添光子

○会費納入がすつかり遅くなつてしまつて申し訳ありません。
僕の会費は規定では月三百円となつていますが、協会運営の困難を知り、今回は一月、二月分会費として千円お送り致します。今後も出来るだけの努力を致すつもりでいます。

研究会、その他の活動にも積極的な参加をしたいと思つていますが、時間的な面、その他で思うようにゆかず、甚だ残念に思つています。協会員の皆様によろしく。　大平　隆

○住所変更
昨年の暮れより左記に移転しています。
中野区江古田一ー二一五三
二宮方　電話(386)一九四八呼　楠木徳男
品川区大崎本町二ー四三〇
津山方　安藤令三

れる方にお願いします。協会財政の状態は着実に回復しつつありますが、まだまだ困難な域を脱しえていません。そのため、残念なことですが、半年をこえた場合には、雑誌の発送を停止せざるをえません。早急に若干なりとも納入くださいますようおねがいします。

○「記録映画」の売れ行きは、最近かなりの伸びをみせ、一月号はすでに残部がなくなりました。今後さらに発行部数をふやしたいと思いますので、販売店のあつせん、購読の勧誘に御協力ください。

○未来社、三一書房、現代思潮社合同出版社の図書は一割引であつせんします。希望の書名を連絡下されればそろえておきます。

○ドキュメンタリー理論研究会を二八日（木）六時から厚生年金会館で開きます。「記録映画」一、二月号をご持参ねがいます。

○二十日（水）の運営委員会は六時から事務局で。

○二三日（土）は、ゼイキン問題の相談日です。お忘れなく。詳細は生対部の方針に。

○西武個展の感想、寸評、企業、助監督の問題、現場通信、協会の運営について・・などを事務局あてにお寄せ下さい。

時評

中ソ論争

丸山章治

人間は誰でも直接自分の眼で自分の「顔」を見ることが出来ない。だから鏡が必要である。もつとも、鏡と云つても何もガラスでなければならない訳ではない。うちの女房が「ちよいとお前さん、鼻の頭にゴハン粒がくつついてるよ。」と云つてくれた時には、うちの女房も亦立派に鏡の役目を果してくれているのである。最近こんなことがあつた。たのまれて或商品の宣伝映画のシナリオを書いた。ところがスポンサーから「このシナリオは映画的ではない」と文句を云われてしまつた。むろん私は内心大いに腹を立てた。しかし、その後よくよく話し合つてみると、先方の言分にも一応の道理があるということが解つた。先方の言分をとりまとめてみると、こうである。「われわれは日常その商品を見慣れてしまつて新しい見方が出来なくなつている。そのために宣伝もマンネリズムでゆきずまつてしまつた。しかしあなた方映画の作家なら、われわれとは別の目でちがつた角度から見て、新しい発見をしてくれるだろう。と大いに期待していた。ところが出来たシナリオには新しい発見はなくて、ことごとくわれわれと同じ見方でつらぬかれている」というのである。

そう云われてみると、そのとおりである。私はスポンサーとの摩擦を少くして出来るだけ速く映画化する必要から、スポンサーの望むところは多分こんなところだろうと勝手に推察し、カタログ的映画のシナリオを書いたのである。野田真吉君の所謂「自己検閲」を行い、苗田康夫君の所謂「発見と創造」を行はなかつた、のである。つまりスポンサーは作家の主体性を要求していたのに、私は自発的に主体性をひつこめていたのであつて、まことにお恥かしい次々である。私はスポンサーの意見を鏡として自分自身を発見することが出来、その結果自己批判をすることが可能となつたのである。ながながとこんな恥を話す所以は、中ソ論争にもあてはまる事情ではあるまいかと考えたからである。中共の批判を鏡としてフルシチヨフ君も自分の顔をとくとながめるべきであり、フルシチヨフ君の批判を鏡として中共もとつくり自分の顔を点検すべきであろう。われわれは誰でも論争相手なしには自分の本当の姿を発見することが出来ないのである。論敵が現われたということは不幸なことでもなんでもない。相互に論敵を鏡として自己批判することが可能となつたとすれば、これを不幸などと云うのは当らないではないか。「人間は鏡を持つて生れてくるのでもなく、又吾は吾なりというフイヒテ的哲学者として生まれてくるのでもないから、人間はまず他の人間という鏡に自分を映して見る。人間たるペーテルは、自分と同等なるものとしての人間たるパウルに関連することによつて、初めて人間としての自分自身に関連する。」

あとがき

岩波映画労組執行委員長の花松正卜さんからユニオン・ショップ制をめぐる運動の経過と問題点についての文章がよせられたが、紙面の都合で勝手ながら次号にまわさせていただきました。一千日の運営委員会であらためてこの問題をとりあげ、次号ではその特集をくむ予定です。それを契期に運動についての論議が活発に展開されることを期待します。

１２月協会財政報告

支出 摘要	金額	収入 摘要	金額
人件費	92,900	会費	25,400
家賃	10,000	未収会費	52,000
通信費	14,446	入会	600
交通費	11,045	売上	32,378
文具費	3,070	予約	2,100
手数料	870	売掛金	2,600
会合費	5,000	広告	1,000
研究会	1,196	未収広告	6,500
水道光熱費	1,217	寄附	2,671
雑費	6,090	研究会	700
未払	18,560	雑収入	1,580
現金	13,349	礼金	2,000
		繰越	48,214
計	177,743	計	177,743

１月協会財政報告

支出 摘要	金額	収入 摘要	金額
人件費	44,400	会費	17,000
家賃	5,000	未収会費	9,700
通信費	6,601	売上	49,737
交通費	12,020	予約	9,200
文具費	415	売掛金	1,400
手数料	540	広告	9,700
会合費	900	寄附	1,600
印刷費	30,000	雑収入	1,400
座談会	3,500	借入金	10,000
水道光熱費	1,014	繰越	13,349
雑費	8,955		
現金	9,741		
計	123,086	計	123,086

1963.3.25

記録映画作家協会々報

NO 84

記録映画作家協会
東京都新宿区百人町2ノ66
TEL (361) 9555
振替番号 東京90709

作家協会は作家の集団として、会員共通の利益を守るために、果して何をなしうるか。

組織部報告

組織部は本年度運営委員会において、新しく設けられた部門で、(一)未組織の作家を協会に吸収することと、(二)協会の運営を個々の会員の要望に答えうるよう、協会組織と会員個々の意思疎通を計る役目を担つている。

現在の会員はフリー六十六名（三七、二％）フリー助監督三十六名（二〇、三％）企業所属七十五名（四二、三％）合計百七十七名である。

三月現在では多少の増加変動があるが、フリー会員、フリー助監督会員には特に報告すべき新しい動きはないが、企業所属の会員の大部分が加入している映演総連傘下の短篇映画労組の新しい局面を報告して、会員諸氏の意見を求めたいと思う。

○岩波映画で働く契約者四十一名が組合に加入した。

岩波映画で働いていた演出、撮影、録音関係の技術契約者は、六一年五月、契約者懇談会（会長矢部正男）を組織し、契約者の権利及び労働条件を守る運動をすゝめていたが、本年二月、岩波映画労組（約百五十名）は組合規約を改正し契約者四十一名（協会員二名）の組合加入を認めた。会社側もこれを了承して組合との間に契約者に関する取りきめを交している。

△今後、新しく契約を行うときは、三年以上の経験技術者であること。三年未満の者を採用するときは職員（社員）として採用すること。

△新しく契約を行うときは組合と話し合うこと。

更に、労組は職員（社員）の賃金体系を確立したことに引きつづき、契約者の最低賃金保障を会社側と交渉中である。この動きは、今後臨時工的性格低賃金の技能者が新しく入つてくることを防ぎ、将来はクローズ、ショツプ制を目指す動きとして注目に価する。当協会としても、今後フリー会員が岩波映画で仕事をする場合、労組の獲得した諸権利を十分尊重し、共通の権利を守る運動に協力を望むものである。

○日映新社で働く嘱託者十六名が組合に加入した。

日映新社では従来、会社の方針として社員給与よりも低い臨時工的性格の嘱託制があり、こゝ数年間、新規採用は、社員採用を行わず、嘱託という不安定な地位におかれていた。昨年末のボーナス斗争をきつかけに、日映労組（約百名）は嘱託者の組合一括加入を認め、十六名（当協会員四名を含む）が労組に加入した。しかし、日映新社の場合、五五年に会社と取り交した労働協定に、嘱託や契約者を組合員からはぶくという規定があり、目下スト権をかけて、嘱託を組合員として認めるよう斗争

中である。（三月十八日、組合は才一次二十四時間ストに入つた。組合に加入している嘱託者も全員参加）この組合員の制限規定（労協）を削除された場合は、今後、フリー契約者にとつても、組合に加入し、組合と共に諸権利や労働条件を獲得する斗いをすゝめてゆく道がひらけることになり、当協会としても日映労組の斗争を注目している。

○短篇連合各労組の動き

当協会の半数近い会員が加入している短篇各企業の労組の代表者会議で、春斗の統一最低賃金要求を出した。（年令別本給）

十八才　一万三千円（高校卒）
二二才　一万八千円（大学卒）
三〇才　三万　円
四〇才　四万　円

当協会にも協力の呼びかけがあり、契約金の統一最低基準確保を要請された。協会は常任運営委員会で、これを討議して、労組の斗いを支援する意味でも、短篇連合の最低賃金要求を十分尊重して、これを傷つけるような契約を行わないよう会員に知らせる。と同時に、独自に主な企業での契約状態を調査し、資料をととのえることにした。

更に短篇連合労組の代表者会議で検討されている重要な問題として、現在の企業別労組の共同によつて、産業別単一労組をを結成しようという方向と、（日映新社労組）クラフトユニオン結成（岩波映画労組）を目指そうとする方向とがあり、この統一組織づくりの問題で、準備会を結成したいとの要望があり、協会の協力を求めてきた。

現在の協会活動の中で、生活と権利を守る斗いが、一つの限界を感じる現状の中で、協会自体としてもこれからの短篇業界の不況と、悪条件がかさなる中で、より強力な体制が考えられなければならず、かつて六一年秋の事務局提案（大沼）の職能組合への組織化の問題を改めて検討されることを会員諸氏に要請したい。（補足すると、六一年総会では、現体制のまゝで、契約書作成、ギャラ基準改定など、まだやれることが残されているという理由で、この職能組合の問題は立ち消えになつている）

参考までに本年度の目ぼしい映画人の動きについて報告すると、

◎日本映画撮影協会（会員六十九名準会員二〇名）は一月四日の総会で、「撮影技術者としての職能を向上発展させる為の研究開発」と並んで「協会の組織を労組の方向へ除々に組み替える事」を議決した。

現在、各委員（準備会）が、各映画社、東京キヤメラマンクラブ、撮影監督協会等、フリーの人々のギャラの実態調査を行い、最低賃金制を確立する準備をはじめている。

◎日本映画俳優協会（千三百名）は一月二十七日大会をひらいてユニオン結成のための準備会を組織することを決議した。

池部良理事の提案によるその内容は、

一、最低賃金の保障
二、不当問題の仲裁
三、出演についての意見の調整
四、出演契約書の内容の検討調整
五、再上映などに関する報酬の設定

これら二つの協会の動きは、いずれも、協会組織を、法人格のある組合法人として、団体交渉による諸問題の解決、権利保障をかちとろうとする方向である。

ふりかえつて、当作家協会の本年度の課題は「苦難を予想される今年、一人一人が現実の生活と創作活動に作家的斗いを推し進めてゆこう」（会報No.82）である。

組織部として、以上の報告と共に会員諸氏に改めて問いたい。「作家協会は作家の集団として、会員共通の利益を守るために、果して何をなしうるか」と。

三・一八　組織部　苗田康夫

運営委員会報告

二月二〇日。出席、丸山、東、河野、菅家、八幡、安倍、大沼、苗田

○キューバの会、及び国民文化会議シンポジウムに代表を送る。

○新入会（山川、越田）脱会（吉野）を承認

○機関紙部

雑誌印刷所の変更を承認

○生活権利対策部

①動静の統計表をだし、マネージの仕事をみんなでやる
②税金問題相談会のときに、法人化の問題をきく

○研究会部

①協会独自の新人養成のためのゼミナールをもちたい（他の団体との共催も考慮する）
②8ミリ講座のときの講義録をパンフにし（五百部）安価で頒つ。
③企業での研究活動を会報などにくみあげ、実際にある芽をのばしてゆく。

○組織部会

①短篇連合の動きに注目し、映画産業界と組合の動向を把握し進むべき方向を見出す

②他産業のフリーの問題、諸外国の職能組合の実情を調べる

③協会員の中でも企業会員の要求や不満を集約し、発展的に解決していく。

常任委員会報告

三月十五日。出席、野田、楠木、苗田、大沼、河野、富沢、八幡

○新入会（石井、斎藤、浅井）脱会（矢部）を承認

○研究会部

①ドキユメータリー理論研究会（四月十三日、四月二十四日厚生年金会館）

②新たに会員間で独自の研究会が始められた。一、テレビ番組と内容の研究　二、国際的映画運動（資料）の研究　これを各研究会の交流とし、運動を発展させたい。次回は「夜行列車」を中心にポーランド映画の問題を扱う。

③定例試写会は、会場の問題を早急に解決して発足させたい

○映画運動部会

①キユーバの会の報告は会報にする。

②厚生年金映画劇場は、厚生年金会館と労映の間で、企画選定委員会を団体、批評家、労映から選んで結成し発足したもので、協会からも運動部長富沢が参加したが、上映二回の成績は動員数不足から赤字となり、その責任をどこがとるかという責任の所在が現在のところ不明確なので、今後さらに慎重に検討したい。

○生活権利対策部

①税金問題相談会には、吉田氏のほか、生対部から八幡、安倍が事務局に待期したが、幸か不幸か、来訪者は皆無だつた。しかし今後相談があればいつでも協力するという約束を吉田氏からいただいた。

②法人化の問題は今後更に検討を深める。

③仕事の斡旋については、需給関係のずれもあつて機能的にスムーズにはいつていない。だが、先月号会報に記した要領に従つて動静を連絡されれば、より円滑に処置できることは確かである。

④三月は著作権問題を研究する予定であつたが、果せなかつた。

○機関誌部

①理論研究会のもち方を検討する。

②雑誌印刷所を変更して合併号を出すことについて、一口五百円のカンパニアを協会外にむけておこなう。

○財政部

①雑誌印刷所変更にあたつて、会費前納五千円（それ以下でも可）のよびかけを行なう。

②会費長期滞納者に対しては、運営委員を中心に個人的に話し合つて解決を図る。

③事務局員のベースアップ問題は、諸物価の上昇を考えるならば上げる方向は当然認めなければならないが、財政上の問題もあるので、委員長、事務局長、財政部長の三者で線を出し運営委員会で決定する。

○「ひとりつ子」上映運動を支持し支援する。

キューバ芸術家支援のアッピール

キューバ革命と、革命のなかから生れたキューバ文化が、かつての植民地的抑圧をみごとに排除し、革命によつて獲得された自由な人民の真実を反映しつつ急速に発展している状況を、われわれ日本人民は心からの喜びをもつて注目しています。

キューバの作家、芸術家たちのたたかいと創造活動とは、キューバの人民のみならず全人類の人間解放と深く関連しています。それはまた現代において、まさに民族解放と平和の旗印であることを、われわれは信じて疑いません。

キューバを封鎖し、キューバの芸術活動を停滞させようとするアメリカの不当な干渉を、われわれは人類の平和と創造にたいする干渉とみなすものです。

われわれも、われわれの知恵と力を結集してキューバ芸術家のたたかいを支持し、その活動のさらに強まり、ひろがり、そして深まることを、心から期待するものであります。

キューバ革命とキューバ芸術家の活動に光栄あれ！

キューバ革命とキューバ芸術家を支援する国際連帯万才！

一九六三年三月一日

A・A作家会議日本協議会
国民文化会議
新日本文学会

※　右声明は三月一日の集会で採決されたものであるが、協会からは代表として、長野と櫛野が出席した。

西武映画を見る会　四月例会

岩佐氏寿作品集

四月二六日（金）二時から、四時から。池袋西武デパート八階文化ホール。

上映される三つの作品は、とくに出来がいいとか、気に入つているとかではなく、一昨年から最近までのものを順にならべたものです。

私は多作の方であり、かつ東映教育映画部のいまは専属契約監督であるという事情から、いろいろな種類のものをたくさんつくらざるを得ないので、そうした各種のものを見て貰つた方が、私自身のすべてが露出されて、批判を仰ぐのに都合がよかろうと考えてのことです。

○「いけばな」（カラー35mm）は、スポンサーが外務省で、日本を外国にＰＲする目的でつくられたものですから、外国語版だけで、日本語版はありません。前半の説明的な部分や、婦人たちの出てくるシーンのほかは、とくに外国人に見せることを考えずにつくりました。ここでは、日本の室内空間とそこからの脱出というふうなことを、映画的空間に置きかえるとどうなるかーといったようなことを課題としながらつくりました。勿論それは閉鎖的な現在の時点での作者の当面の問題でもあるわけです。

○「火の国」（カラーワイド）〃九州の人と風土〃という副題が語つているように、九州のエネルギーを主題としてつくられたものです。九州電力ＫＫがスポンサーで、いろいろと注文の多い一年がかりの撮影でした。以前に、ほかの人のつくつた「九州」というのがあり、スポンサー側にその映画のイメージが先にあるため、ちよつとつくりにくい状態でした。この映画では、ありきたりの名旧蹟の風景に、主題に応じてどのような意味を持たせることができるかという、そのアングルの選定がせい一ぱいでした。最後まで、当事者と私の間に西郷隆盛という人物の歴史的な評価の違いがあり、これには閉口しました。

○「津浪つ子」は児童劇映画です。児童劇映画は映画のジャンルとして考えるべきであり、教育のジャンルとして考えるべきではない、劇構成をとつた教育映画とはべつに考えるべきであるという、年来の私の主張を貫こうとして、ある程度までしか果せなかつた、しかしある程度は果したと信じている作品です。このごく当然な、ほんとに当り前の主張が通らないでいままで来ている教育映画の世界の壁の厚さにぶつかることのシンドさを痛感いたしました。オトナの映画にはないわが国のわれわれのなやみです。ここでは、子どもは子どもの世界を持つているという児童劇映画の一般的な通念のアンチテーゼとして、子どもはおとながつくり出している状況の中にいるという、これまた至極当然の主張を課題としました。従つて子どもは、子どもなりの極限状況に追いこまれる場合もあるわけで、それを子どもがじぶんのエネルギーで切り開いて行き、その過程での連帯意識を呼びこむーつもりでありました。そうでなければオリエンテーションぬきの、エネルギーベッタリになつてしまうのではないかと考えたからですが、ここはひじように論のあるところでしよう。最近私はこのところを考え直しています。

なお以上三作品は、それぞれ、日本紹介映画コンクール金賞、東京都民映画コンクール銀賞、教育映画祭金賞・厚生大臣賞、キネマ旬報ベストテンなどを授賞していますが、べつにうれしがつて授賞作品だけを並べたわけではなく、一昨昨年以来の作品で何かを授賞していない作品はないので止むを得ません。似非インテリ風にテレることもあるまいし、またコンクールというものの性格を知つて頂くのもよかろうと、あえて書き加えておきます。

「ひとりつ子」問題について

ＲＫＢでは「さわぐから放送しないのだ」という態度で、事態の責任を放送労働者、対策委員会の側に転嫁している。対策委側ではキネレコは封印されていて出すことができないが、写真をもとにＶＴＲの音を入れて三十分のスライドをつくり、署名運動とあわせて全国的な運動の展開を図つている。三月二二日六時半にはマスコミ五単産を中心に守る会を発明会館で開いた。署名運動は四月も継続して行なう。なお、左記に連絡すればパンフ、新聞などの用意あり。

港区赤坂一ツ木町三六
東京放送内民放労連
「ひとりつ子」対策委員会
電（四八一）八七一一（呼）

新入会

○山川治　新宿区柏木一の一四〇松風荘・推薦　苗田康夫、野田真吉、三七年三月より日映新社助監督、三月から・

○越田委寿美、目黒三の七三四森山方・三八年よりフリー作家として主に短篇、テレビ映画などの脚本執筆・三七年十月より日映新社と演出契約・推薦　苗田康夫、中村敏郎

○石井清司・大田区新井宿六の四五六・推薦　越田委寿美、苗田康夫・三十三年、冗談工房に所属、主にラジオ原稿を書いて今日に至る（仁丹一粒エチケットトリローサンドイッチ、ミッドナイトストリート、ザ・ピーナッツ、トースト冗談、冗談天国、ハイミナールコントジョッキー等、現在はＴＢＳ、パブリカ、ハイウエイコント）シナリオ研究所九期来・現在日映新社「地下鉄白石」演出助手・

○斎藤益広・杉並区久我山一の一推薦　入江一彰、広木正幹・松竹大船撮影、大映東京撮影を経て理研映画ＫＫに入社し、記録映画の脚本、演出に従事す、二十五年フリー契約者となり現在に至る・三月から入会。

○浅井栄一・枚方市香里ヶ丘香里住宅Ｄ－30－三〇八・三月から賛助会員・推薦、野田真吉、松本俊夫・三十年より京都記録映画をみる会事務局長で観客運動を組織・三六年、自主製作作品「西陣」をプロデュース・三七年、Ａ・Ａ・Ｐ（Ａ・アートプロ）を設立、プロデューサーとなる・

脱会

○吉野馨治（賛助会員）

○矢部正男（脚本・演出）

動静

○パルプ、プラント完成ＥＫ二巻（理研科学）・「刃の科学」準備中（神沢プロ）

〃ＮＥＣ－63（日本電気）ＥＫ二巻、英、仏、中、西、タイ、各国版編集中（読売にて）　入江一彰

○「ちよつと奥さま」（共同テレビニュース）・仕事がないため契約続行、七月頃まで続く予定その後、同社でテレビドキュメンタリー番組を行なう予定・　大平　隆

○一年がかりの「日本横断パイプライン」を終り、次回作の準備中です・　松尾一郎

○三月から入る仕事があつたらお願い致します・　石田　巌

○「可愛い恋人たち」（パシフイツク、プロモーションにて製作中）仲宗根美樹、森山加代子、西田佐知子、五月みどり、佐川ミツオ等の出演で、撮影所は早くも春がやつて来た感じです・四月封切（予定）　辻本篤視

○仕事のアッセンをおねがいします・　江原哲人

○「空に伸びる街」岩波六月完成　北条美樹

○「税金」（共同映画社、三月十日）・次の仕事予定なし　大内田圭弥

○外務省映画「北海道」（電通）脚本編集終り、次の「日本の子供の遊び」脚本を書き終えたところで、目下休養中です・　本間賢三

○社会教育映画「年輪の観び」シナリオの完成を急いでいます・三月初めにクランクインの予定・（三井プロ）　高井達人

○一月一杯で産業映画センターとの契約をきりました・三井プロからの仕事も辞退し、今自宅にて静養中・次の仕事、はつきりとした予定はありません・この社会に入つて三年たちましたがこの様にのんびりしたのは初めてです・色々の意味で大変貴重な時間だと思つています・　二口信一

○現在、三菱電機ニュース綜合版編集（録音）三月中旬よりわがた・ぷろ製作の音楽映画「スカイリング・デート」の製作担当で撮入する予定・あとは、月四、五本のＴＶ企業ニュースの構成等・　辻本誠吾

○一年半がかりで取組んでいた「ＹＳＩ11」（日映新社）二月末完成予定・フジテレビ「女の詩」一本完成、あとの予定はありません・　川本博康

○「蒼い湖」ＥＫカラー35分完成地下鉄工事ロケ中、39年9月まで日映新社・　苗田康夫

○日本短篇でジエトロ作品「火の海のヨット演出、三月中旬完成　大沼鉄郎

○仕事のあつせんを　田中　学

○「火の海のヨット」編集助手（ＪＥＴＲＯ）ＰＲ　三月中旬完成、カラー・（予定）「イヴ、クライン」整理、三月、「虹の女」日大新映研自主作品35ミリ劇映画、整理及編集、三月・三木映画社の編集室を専用に使用することになりました・御利用下さい（五四一）七四一三　加本悠利代

○二月五日より続売ジャイアンツのもので、読売映画社、完成予定日は不明・次の仕事の予定は

ありません。 内田昌克

○「原子力と医学」新理研、二月末日完成予定。次の予定なし。仕事の斡旋よろしく。上野大梧

○東邦シネプロにて今年の流行色を扱つた楽しい映画を演出しています。三月中旬完成の予定

○「新しい化学工場づくり・ジャイロスコープ」文部省TV映画電通映画社、完成予定は三月上旬。次の仕事は未定。よろしく。会の会合に近頃、顔を出さなかつたが、今年はどんどん出席する。 中村 敏

○「西レ」東京シネマ。完成七日の予定。次回未定。 黒木和雄

○「名古屋港高汐防堤」「神戸港摩邪埠頭」二作品とも春秋映画にて、三月中編集・録音。次回未定（四月より） 加藤敏雄

○外務省企画「現代日本の美術、工芸」（桜映画社製作担当）の製作に参加中のところ、去る三月初旬クランク・アップ。中旬完成。次の仕事未定。 大口和夫

○朝日テレビにて、「鉄道の科学」二巻の脚本演出中。三月末の完成予定。次の仕事は未定。 大野孝悦

○仕事の斡旋を 安倍成男

○仕事の斡旋を 佐々木守

○「シンフォニー躍進」「三菱水中翼船」（演出、野田真吉氏）東洋映画製作品）、二作とも五月上旬完成予定。 金高伸夫

○十二月より関西映画KKの仕事をすることになり待期していましたが、いつまでも決定せず、のびのびになり困つたので、二月末日の身柄の拘束を解除してもらいました。今、三ヵ月の拘束の補償の話しあいを会社としております。現在のところ次回作はまだ決定しておりません。
三月五日 河野哲二

○やつと、今年はじめての仕事にありつき、十二日からクランクにはいります。俳優さんの都合で、撮影は夜が多く、運営委の当夜も撮影です。十七日夜クランク・アップの予定。それがすむと、すぐ新生映画の仕事にかかることになつていますので、三月一杯は全く手があきません。 丸山彰治

○共同映画社にて、日本紹介「JAPAN」の演補。（三九年五月迄の予定） 池田元嘉

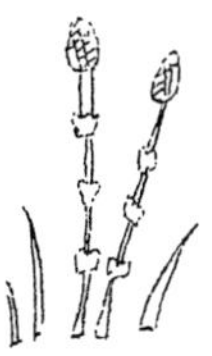

通信

○前略 ぼくは徳島県に住む高校生（二年）ですが「現代の眼」二月号に記録映画十二月号発売中と載つていました。現在ではおそい申込みですが記録映画十二月号、二月末までに手元に送つていただけませんか。もし十二月号が売切れでございましたら、一月号でもけつこうです。はじめてでありながら勝手な事ばかり書きましたが下記に送つて下さい。失礼します。
徳島県阿南市富岡町富岡西高等学校内二四ホーム中内哲弥

○住所変更 藤沢市辻堂南町五八六二 北修美樹

○此度、左記に転居致しました。品川と五反田の恰度中間、御殿山の静かな処です。是非一度お立寄り下さい。電話が入らない為、いろいろと御不便をおかけする事があるかと思いますが、昼間は東亜発声映画社（五二一）二九二三～五が連絡所となつておりますので宜敷くお願い致します。品川区北品川四の七三三 山本弁良

○当事務所は左記に移転しました。中央区銀座西六の八、電話番号はいままで通り。
日本生命会館（日生劇場）

映画部 米山 壇

○8ミリ映画劇場は会場をお茶の水ホール（国電お茶の水聖橋口下車十秒、日販ビル二階）に変更、毎月才三火曜日に行ないます。……現在のところ、ホールの使用料その他実費については有志の等分負担にしていますがそのいく分でも外部から補填できればと考えています。もし、何らかの形でこの会の運営に協力して下さる方がおられましたらぜひお申し出頂きたいと思います。……
8ミリ映画劇場事務局
品川区西大崎三の五三一 瀬下雅朗方（四九一）八三〇八

○「記録映画」二月号、有難うございました。貴協会の隆盛と、「記録映画」誌の発展を心から祈ります。 朝日テレビニュース社。

○右と同様の文面
独立プロダクション協同組合

○二月二八日から四月十七日まで、海外ロケの為、東南アジア、インド、アフリカ、ヨーロッパ、アメリカへ行つて参ります。その間、編集会議にも参加できず御迷惑をおかけすることになりますが、よろしくお願い申上げます。とりあえず御報告まで。
黒木和雄

○長い間岩波で仕事をして来ましたが、三月よりフリーとなりましたので、よろしく
台東区神吉町三四
TEL（八七一）九四六二（呼出）　泉田昌慶

○会費の滞納おわびします。
死亡＝まり子　長女
二月十七日誕生　三月一日死亡
きびしい、余りにもきびしい試練です。　大野孝悦

○電話新設　市川（〇四七三）三一三五八〇　安倍成男

○二月二十一日付をもって、東洋映画製作所の社員を解約、フリーとなりました。五月迄は契約とし続けます。　金高伸夫

○移転　所沢市緑町二ー一五公団住宅八一の一　岩佐寿弥

○移転　浦和市領家一三一三
木村俊夫方　妹尾　厚
電話浦和（二）六六八〇

現場通信

South and West Africa ロケ便り

西本祥子

嵐が過ぎ去るとあたかも北斎の筆に描きだされたかのような象徴的な荒海が展開しました。来る日も来る日も海また海の印度洋。波がおさまるにつれ、多くの生命を誘い込んだといわれるブルーの海。まさに吸い込まれてしまうのではないかとハッと我にかえることのあるほど、印度洋はみわく的な青さをおしむことなく繰りひろげ…海上にたわむれる陽光は集つて燃え拡散して再び集り、寸時も一つ形に止まることなく生きつづけていました。永遠の真理が青い青い海底に閉ざされているかのようでした。

あまりの見事さにほれ込んでいるうちに十四日の洋上生活はアッというまに過ぎて、一昨日待望のアフリカ大陸の土をふみました。予定より一週間おくれています。香港三日、シンガポール六日（予定往二日）、ペナン一日（予定往〇日）。

A　香港、シンガポール

かつて栄えた二つの自由港は、今、まるで似て非なるものでした。一見華かで、密集する人いきれにむせかえる香港でしたが、権力を英国に握られ、中産階級が全くといってよい程育つ余地のない植民地、香港島。かつてのような人種差別こそありませんでしたが、実質的には差別以上の差別でしばられているのが香港島の中国人ではないかと思います。英人商社に働く秀才、中国青年の郭君の涼しく澄んだまなざしが、どこか憂いを帯びているのが、いつまでも心の一隅に焼きついて離れません。そして、次々と新築されるマンモス高層アパートは彼等の給料では手のとどかぬ高価さだということです。しかし、そのアパート以外に住む物所がないのです。

混血のハンサムボーイも夫婦で稼いでいましたが、商社の中では有能な働手であるにも拘らず、アパート代位しか給金が得られないとのこと…つまらない……と肩をすくめてみせました。

一方シンガポールは広々として緑の茂る美しい街です。中国人街に次々と焼打ちをかけ、大通りで晒首にして血を求めて狂喜した日本人に対する憎しみや恐怖感は今も残つているということです。香港では、どんな商店でも日本人とわかると親しみを示されましたが……シンガポールではインド人、マラヤ人から好意を示されても、中国人からは冷やかな無表情で迎えられることが多いように私自身も感じました。事実、中華料理店の四十才足らずの主人が、「領事館の人もよくきますが、日本の兵隊さんはとてもこわかつたです…日本人はこわい」と複雑な笑いをうかべました。一口に戦争のなせる罪悪といつて片付けられないきびしさを、ジカに叩きつけられ、鋭い刃物で心臓をえぐられるような痛みをどうすることも出来ませんでした。

しかし、曲りなりにも独立した（経済権は英国に、そして実質権利は華僑ににぎられている）シンガポール国では、中国人、マラヤ人の身ぶりの中に活達とした自由がみ出され、国全体が歩みだしていることを行く先々で感じさせられました。香港と違つて、公立の小中学校が次々とたてられ、義務制となり、母親学級を推進しようという貼紙

が方々でみられます。

日本でいう公団アパートが次々とたてられていましたが、日本のそれよりはるかにすばらしく、マラヤ人、中国人が働いて家賃を払って暮してゆける位の安いものです。金持階級でなく町はずれの小学校の子供たちの表情も生々として、香港に比べると格段の服装のよさ……それも全般的によいのに驚きました。詳細は帰国後またお伝えする機会があると思いますが、戦後、二つの島の辿った生立ちの違いを頭においてお読み下されば未来への進歩の線に向ってとられた一つの勇気と行動が何をもたらすか……。

B　南ア連邦

予定より一週間もおくれてアフリカ大陸につきました。ダーバン、イースト・ロンドン、ポート・エリザベスの寄港を終えて、ケープ・タウンに向っています。どの町にもコロンブスの銅像が堂々と市街をヘイゲイしていました。カッカと燃える太陽が白人のうえに輝いていました。すべてがヨーロピアンオンリー。アフリカ人たちは疲れ切っているのか、生きる条件のすべてを規制されたアフリカ人の中には驚くべく暗い沈黙の中で働いている者も多くみかけました。殆んどシャツとは名ばかりの、紐が繋がっているようなシャツをまとって、気力のすべてをそぎとられたかのように。しかし一方、ヨーロッパ人が彼等にいつかとってかわられるのではないかと恐れている現実を裏付けしているかのようなすばらしい目の輝きや、未来をみつめる図太さとまでみえる逞しさを発見し、何ものかにギクリとよびさまされるのでした。決して、多くの日本人が物語るような、「独立国といえどもそれを望んだ人たちは数人にすぎず九九%までが考えるということすら知らない！それがアフリカだ」といったようなことが、どんなに大きな間違いであるか……。グリーンのベレー帽をかぶった働く娘さんたちや、田舎のおじさんのようにハンチングにだぶだぶの洋服をきたアフリカ人たちは、いくら生活条件を圧迫してみても、考える力、生きようとする生命力まで奪われはしない。それで苦悩しているのが南アのヨーロピアンではないかと思います。

絶望の中からこそ希望が生まれるという真実。一見みすぼらしい黒い太陽たちの表情の中にむしろ生気を見出し、美を発見し、私のアフリカニズムに対する考え方は夢の中の物語りにすぎなかった。スタティックな想像にすぎなかったことを知り、ガクゼンとしています。明日をみつめ苦悩するもののすばらしい美観。

これはアフリカの才一印象です。では又。

第二信

三月九日

ナイジェリアのラゴス、アパパ港に碇泊すること一週間。気温三八度、湿度九〇%。

アパパを出航して現在、ニジェ川を朔り、ポート・ハーマートに向っています。さすがに焼けつく太陽から逃れてほっとしたせいか今日は一日、ソファの上でごろごろろして過ごしました。

ふり返って、南アフリカの黒人たちの、射抜くようなニヒルな眼光にくらべて、ラゴスの黒人たちは、何とあてどもなく陽気なことでしょうか。与えられた独立。独立後二年。あてどもなくぞろぞろと街を横行する黒人たち。雲助として外人にたかり、当然のこととして賄賂を強要する役人。しかし、彼等は、百年、あるいは二百年搾取され、生れてから死ぬ日までそれ以外の生きる道を誰からも知らされることなく……いや考えることの一切を抹殺されてきたが故のことである……ということを同じ地元の一週間の間に、同じナイジェリア人たちから、言葉で現わされるのでなく私に対する日常の接触の中で深く感じさせられました。悲しく悲惨な歴史の中で成長した人たちと、成長過程である程度の訓練を、あるいは教育をうけた人たちの、あまりにも大きい隔り。いかに自然は暑く灼けつく国であろうと、黒く、唇の厚い人種であろうと、黒人もまた立派に人間としてのすぐれた能力をもつことを、ニヒルな、あまりにも厳しい南アの黒人の表情の中に、又、ラゴスの青年や子供たちの中に発見した時のスガスガしさ。私たちは十年後の、いや、五年後のアフリカを見つめて世界を語るべきであることを再確認し、今、その確信を次才に深めております。

たとえ、アフリカの現在が、世界の文明におくれをとっていようとも、それは単に今日の比較、対照の問題でしかありえないということ。とてつもなく大きく、アフリカは動いています。否定しようとしてもしきれない力をもって。

ここではかつての仏領アフリカカメルーこのような徹底した白人に対する激しい憎しみは殆んど見

受けられず、世界の情勢に対応して彼等は変わり、彼等の国は成長する……といつた、のんきさが巷にたゆとうていましたが……それでなお、年毎に個性をよびさまされていく人間がふえつつあることが目にみえるようだとのことです。

服装の悪い子供を撮影して、ホッペタをぶんなぐられたり、貧しい忘れられた生活の部分に目を向けて、ポリスに訴えるぞと脅かされたり、車代をべら棒にとられたり、これまで寄港した港町の中で最もスラム的な街であつたにも拘らず、本能的なエネルギーをもつているのかもしれない、ともかく街中に、何かが渦巻き、止まることを知らぬかのように……何かが流れつづけているのもラゴスでした。

すべてにおいて中間層がなく、古いものと新しいもの、知性と原始、富と貧しさの常に一つ器の中に隣り合わせに住んでいるナイジエリアの矛盾。しかし、三十才前後のチエックマンは言う。我々より年上のものが死に、僕の子供たちが大きくなつた時、ナイジエリアは、きつとすばらしくなるだろう……みていて欲しい。我々をみてナイジエリアを律しないようにして欲しい。僕の息子はすばらし(9)い。！と、口々に彼等は堂々と主張するのでした。

その、彼等のストライキは、お国柄かすばらしくユーモラスです。資本経済は今も、英国に殆んどを握られています。その英国資本家に対して、徹底的に金がなくなるまで、一ヶ月でも二ヶ月でもストライキをやつてのけます。金がなくなると、しばらくストを解除し、和解したかにみせて作業開始、少し金がたまると、再びストに突入します。こうして徐々に賃上げを行ない、生活を向上させ、自らの存在をみとめさせてゆくのです。それを根気よく、あきもせず彼等は繰返してゆくのだそうです。

ナイジエリアの建設にもそれが見受けられます。この国では一年毎、あわてず、さわがず、国造りを行なうことをモットーにしているようです。勿論、そのために隣近所の国々より、長く多く苦しむ民衆が多いことも事実です。

最後に、芸術感覚は、おせじにもすばらしいといえないのが、スラム的建物の密集するラゴスの表情でした。

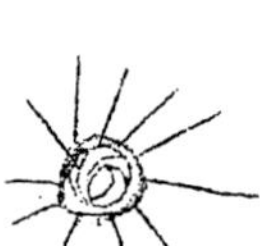

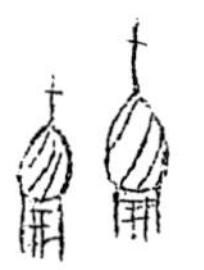

日映新社労組スト突入

日映新社労組は、賃上げ（平均賃金七千円、最低四千円）と労働協約改定（嘱託者の組合加入）とを要求して三月十八日五時にストを会社側に通告し、才一波二十四時間ストに突入した。

組合側は、かねてから会社側の経営の停滞を批判してきたが、経営者の無能と責任放棄、植民地的管理スタイルこそが、低賃金と不適正な協約を生みだしたものとして、会社側の経営責任を追求している。二一日、二四日と二波、三波の斗争が継続させるが、斗いは長期化しそうである。

協会としては、運営委員を中心に支援体制を組織したが、ある労組で最近生じたような一部協会員によるスト破りが、今後おこなわれることのないよう、常任運営委員会としては要望している。なおそのような遺憾な事態が生じた際には、ただちに協会に連絡されたい。

2月協会財政報告

支出		収入	
摘要	金額	摘要	金額
人件費	44,400	会費	34,300
家賃	10,000	入会	1,200
通信費	17,138	未収会費	9,800
交通費	10,925	売上	15,511
文具費	2,360	予約	17,200
印刷費	51,820	広告	32,250
原稿料	3,000	売掛金	2,400
手数料	525	未収広告	19,500
研究会	700	寄附	400
光熱費	1,939	研究会	800
雑費	210	家賃	5,000
現金	5,195	雑収入	110
		繰越	9,741
計	148,212	計	148,212

(10)

時評

吉田石松老人の無罪

丸山章治

私がまだ少年の頃、「ザ・ヘルス・キャット」という題名の西部劇を見たことがある。題名を英語で記憶しているところから考えると、多分私は中学生だつたろう。

この映画のクライマックスで、可憐なる乙女が悪漢に手込めにされようとするシーンがあつた。悪漢がジリジリと乙女の身辺に迫まつてくるカットと、乙女の恋人の勇ましい青年が馬をとばして救助に馳けつけるカットとが、御定法どおりに激しくカットバックされて、少年の私は手に汗を握つてはらはらさせられたものである。

ところが、なんとも驚いたことに、青年がやつと馳けつけて見ると、乙女はすでに手込めにされてしまつていて、ベットの上で泣きくずれていたのである。

今でもこの時の映像がアリアリと記憶に残つている。

いつも正義が必ず勝つというオプティミスチックな映画ばかり見せられていた私の人生観は、この映画から猛烈なショックを受けた。

それと丁度同じ頃であるが、ある日、中学校で歴史の時間に、いつも平凡な議義をしていた先生がふとこんなことを云つた。

「正義がいつも必ず勝つわけではない。正義が常に勝つものなら楠正成は湊川で戦死しなかつた筈だ。」

私はこのコトバを決して忘れることが出来ない。

映画「ザ・ヘルス・キャット」と歴史の先生の教訓は、私の少年らしいオプティミスチックな桃色の人生観をコッパミジンにふんさいしてくれたのである。

吉田石松老人の場合は、正義が勝つたのである。この勝利は、恐らく安易に「正義は常に勝つものだ」という夢を普及することだろうと思う。

しかし、この劇的な正義の勝利ですら、決してやすやすと得られたものではない。新聞記事の報ずるところによれば、吉田石松老人はその半生にわたつて東奔西走し、常にいたるところで自分の無罪を主張しつづけてきたそうである。このような執ような努力は、長い歳月の間に、少しずつ人々の関心をひき、人々の心を動かし、一人又一人と次才に味方を形成していつたのである。吉田石松老人を守るために形成された有志の組織的な協力があつて、はじめて斗いが実りあるものとなり、かろうじて命あるうちにその無罪を斗いとることに成功したのである。

無学な一老人のすさましいばかりの斗魂が、休みなき斗いを可能にし、その休みなき斗いが、ようやく勝利をもたらしたのである。

正義だから勝つたのではない。斗つたから勝つたのである。まことに正義が勝利することは、実にもつて容易なことではなかつたのである。

お知らせ

○名簿作成について

会員名簿作成が、用紙をまだ送つて下さらない方のためにおくれております。次の要領で御記入の上、早急にお送り下さい。

名前　生年月日　住所
フリーか企業所属か
所属企業名
演出、助監、脚本、編集、製作（○をつける）
作品歴
作品名
年代
製作会社
備考（受賞など）
※作品には代表作と思われるものから順に番号をふつて下さい。

○記録映画フィルムができました

百五十円、送料とも二百円
現金引換え、事務局まで連絡下さい。

○財政部報告にお知らせしましたが、会費を前納していただける方は、御連絡願います。

○とても素適な編集室があります。

1. 時間は使用者の自由です
2. 機材は整備がゆき届いています
3. おいしいコーヒーがのめます
4. 可愛い女の子が居ます

一度見に来て下さい。
作家協会員は特別優遇

東銀座二の四　竹田ビル
三一七号　電（五四一）
七四一三
加本悠利代

1963.4.25

記録映画作家協会々報

№ 85

記録映画作家協会
東京都新宿区百人町2ノ66
TEL(361)9555
振替番号　東京90709

米原子力潜水艦の寄港に みんなで反対しよう

政府はアメリカの要請による原子力潜水艦の日本寄港を認めようとしています。大平外相は断れないと言い、池田首相は安全の保障と損害の賠償問題さえ片づけば日米安保条約上便宜供与は当然だと言つています。

この潜水艦はU2型機と同じように世界中を水中パトロールし、本国の指令があれば何時何処からでも水中から広島の三十倍の破壊力を持つた原爆を目的地に発射出来るようになつています。

原子物理学者はこぞつてその安全性を否定し、構造も戦争目的のために建造されたもので、あらゆる点に無理があることを指摘しています。それを裏付けたのが、ついこの間のスレッシャー号沈没事件です。もし、横須賀に絶えず寄港することになつた場合、その廃棄液で東京湾が汚染され、その魚を通じてわれわれの生活にも大きな影響を与えることも心配されています。

学術会議は科学者の良心の立場から全員一致で米原子力潜水艦の日本寄港に反対する声明を出しました。

世界ではじめての原爆を広島と長崎にうけ、如何なる国の人々よりもその恐怖と非人道性を深く刻み込まれているわれわれとして、今、祖国日本が、原爆基地になることは断じて許されません。

われわれは過去の歴史の中で再度にわたる侵略戦争の中で大きな誤ちを繰り返して来ました。第二次世界大戦では多くの同胞とわれらの友人を失つて来ました。その日本が、今、再びアメリカの軍事基地になり、しかも原爆の攻撃基地にされ、その砲口が、ソビエト朝鮮、中国、東南アジア民衆に向けられることを決して見逃すわけにはいきません。

われわれは作家としても、その前に一人の平和を望む人間としても、祖国をおびやかす悪魔の浸入を拒否しなければなりません。

協会員全員で米原子力潜水艦の
日本寄港に反対しよう！
みんなの力で
安保斗争のときに結集した民衆
のスクラムで
全力をあげてこれを阻止しよう
！

協会は一部の者のための組織ではない
―職能組合の論議に寄せて―

最近職能組合の論議がさかんになつてきた。昨年、自映連の照明協会が映画照明技術者労働組合に踏みきり（そのことについて田端氏に別記の通り寄稿していただいた）今年編集者集団がやはり職能組合にきりかえた。日本俳優協会がその準備をはじめ、撮影者協会も現在検討中だとのことである。

また、短篇連合の各労組からも協会のフリー作家が職能組合を作り、われわれと共同斗争をやろうじやないか、との申入れを受けた監督新人協会の一部の人たちからも、これらのことについて話し合

いたいという動きがあることを聞いている。

われわれは、映画産業の創作面にたづさわる者として、当然これらの動向に無関心であってはならない。この際、われわれも、いろいろな角度からこのクラフトユニオンについて研究し考えなければならない。

この前に、まづ協会の現状から考察をしてみよう。

当協会の前身は日映作家集団であった。当時、日映新社をレッドパージで追放された作家、プロデユサー、助監督が集り、自らの創作運動をやる足場にし、生活的にも助け合おうというところからこの集団がはじまった。労働運動の高揚期にあってやがてこの中から記録映画製作協議会が生れ、作品的には「京浜労働者」「日鋼室蘭」「月の輪古墳」等が作られた。その後当集団を広く記録・教育・文化映画の作家の集団にしようと教育映画作家協会が結成されるに至った。創作的には自主映画運動が下火になり、PR映画が活発になり、それまで苦境の中でたたかっていた作家たちも生活的には息をつくようになってきた。そのころはまだ会員数も少く、会費も企業所属は毎月手取の二%、フリーはギャラ入手のとき、その四%、他に毎月維持費として百円納めるようになっていた。しかし、こうした会費の徴収方法では協会運営の計画がたてられず、その後現在の定額会費になったのである。名称もやがて記録映画作家協会と改められた。この経過の中で、協会が果してきた役割は何といっても、創作運動の各作家に与えてきた影響である。初期には労組や大衆組織と組んで記録映画を非劇場映画として広めてきたこと、PR映画のブームの中にあっては、その主体性を強く訴えてきたこと。そして、これらの中から優れた新しい作家が生れてきたこと、この運動が今やジャンルの芸術運動にも大きな波紋を投げかけてきていることなど……、である。

今、こうして協会のたどってきた道をふりかえってみるとき、たしかに芸術運動面ではひとつの成果を生んできた。だが、もうひとつの側面の生活と権利を守るたたかいについてはどうであったか。残念ながら充分な対策が講ぜられてきたとは思えない。もし、協会運営について会員の中に不満があるとすれば、この点についてではないかと思う。毎月会費を払ってもそれだけの反対給付がない。仕事の斡旋もしてくれない。ギャラ基準も高くなかなか守れる額ではない。一方で高く要求しても、一方で同じ協会員でありながらずっと安くやる者がいる。企業内で賃上げ斗争をやっても同じ協会員でありながらストを座折させるような者もいる。著作権の問題にしても製作者へのさまざまな要求にしても何の力にもなり得ない。協会の事務局は一体何をしているのか。という意見である。これらはそれぞれもっともとうなづける点もある。

この点についてちょっと考えてみよう。先づ仕事の斡旋と会費の反対給付について。今までも再三このことは要求されてきており、事務局も努力しているのだが、作家の斡旋は他の撮影や照明などの技術者とちがって、依頼プロダクションやプロデユーサーによって好みがあり、技能的にもあいている者は誰でもいいと言うわけにはゆかないのである。事務局員も各社に雑誌の広告の依頼とともに仕事の紹介を依頼し、あいている者を知らせたり、時には電話で連絡したりもしている。こうした中から助監督は今までも何回か斡旋したこともあり、相手から言ってくる場合もあった。しかし、ライターや演出家の場合は、あいている者を連絡して依頼してもなかなかうまくまとまることが少い。むしろ、各社に送った会員名簿によって直接本人に仕事がいく場合が多い。従って、このことについては協会が直接的に斡旋団体になることは無理で、百数十名のフリー会員のすべての仕事の世話を見るということは現状では不可能である。

会費はそのことのためでなく、協会全体の運営についての相互負担であるから、もっと視野を広く、創作面の運動から受けるプラス面も含めて理解していただきたい。次に今回新しく定められたギャラが高いと言う点についてだが、これは、あくまでもわれわれ各自で獲得する現在の目標である。これが高いと感ずるのは今までがあまりに安すぎたのである。安い基準でたたかえばその限界でしか獲得できない。各自が創作的にも修練を積み、自信を持って当然のギャラを要求するような日常的たたかいが必要なのである。では、

その要求ができない弱い立場の者をどうするか。という問題がここにでてくる。企業について組合がある場合は賃上げ斗争によつて全員のベースをアップしてゆくことができる。しかし、フリーの場合はひとりひとりの交渉だから相当な自信がなければそうそう要求額を通せるものではない。ここに、ある者は無制限にダンピングしてゆく危険性があるのである。何といつても現在ではまだ雇う方が力を持つているのである。これに対抗して、われわれも組合を組織し、場合によつてはスト権をも確立して力関係であるギャラ基準を守ろうというのが、職能組合を強調するひとつの主張である。理想的に言えば、フランスの全国的な映画技術者労働組合のように、あらゆる映画労働者が一つの組織に結集され、国内外の映画製作会社との契約はすべてここで定められた条件でなければならないとする方法である。ここであらゆる労働条件が一定の基準によつて定められ、製作会社の団体と団体交渉をもつてそれを決めているのである。今提唱されている職能組合はその前の段階のものである。つまり各職種毎に職能組合を作り、ゆくゆくはそれが一つになろうとするものである。フリーの作家がひとつの職能組合に集結し、経済要求や製作条件、諸権利の要求をそこでやるようにしてはどうかというのである。たしかに、職能組合を作ることによつて今まで協会でなし得なかつたひとつの面は解決する可能性を持ち得るだろう。統一的最低ギャラ基準の制定、危険手当や作業上の諸保障の問題、製作条件の改善、作家的諸権利の主張、など、法的にも強力な交渉団体としての共通の利益を守ることはできるだろう。ここで、先にいつた今の協会組織に対するある面の不満は一部解決することができるかも知れない。

しかし、これを更に冷静に考えを進めてみなければならないのは、こうした生活と権利を守る職能組合が出来たとしても、われわれの現在持つている諸問題がすべて解決するということではない。生活の問題は依然として本人の作家的評価と、日本経済、社会的客観状勢によつて残ることであろう。創作上の芸術運動は職能組合が生れようと生れまいとやはり必要なことである。われわれは一映画労働者であるとともに、創作上の芸術活動をやらなければならない作家の立場であるものである。これらのことを組織的にもとのように取組んでゆくか、ここに現在のわれわれの大きな課題があるのである。

今、協会はギャラの問題についても各短篇企業の労組と連絡を保つて提携しようとし、教育映画製作者連盟とも話し合をうとしている。経済問題については、法人格にして製作をも引受けてはどうかという話も出ているし、職能組合については組織部を中心にして検討をすすめている。

協会の運営についてはいろいろ批判もあるだろうし、雑誌の編集についてもさまざまな意見を聞く。これは当然あるべきはずであつて組織は常に矛盾をはらみつつダイナミクスに動いてゆくべきものなのである。この矛盾を相互批判し思想的にも運動的にも創作的にもみんなで意見を出し合い、時には激しい討論を経て、新しい道を開いてゆくべきではないだろうか。職能組合の問題についても一人一人で考えてみよう。

（事務局長）

(3)

照明労組の結成と今後の方向について

田畑正一

先日、楠木さんとの話の中で「照明労働組合について書いてくれ」との注文がありましたので、簡単にまとめてみたいと思います。

今日、映画界は斜陽と言われて、その危機は小さなプロダクションだけでなく、大企業の中にも非常時宣言を出すところも現れています。

勿論その中で働く映画人は、労働者も技術者も、作家も俳優も生活や仕事の条件が日ましに厳しさをましています。フリーで働く私達は、一層そのしわよせを受けていることは、毎日体験している通りです。

日本映画を破壊から救うために、日夜奮斗されている皆さんに、この小文が、何程かの参考になれば幸甚です。

(4)

一、組合はなぜ必要か

私達はこの頃、P・R映画で工場や会社に出入りします。こゝには例外なく労働組合があり、年末に年末斗争、只今は春季斗争で大巾賃上げ等を斗つています。映画でも大企業は勿論（最近日活にも出来ました）中小企業の会社でも大方組合が出来ています。

今更組合はなぜ必要か、なんて書くのはいさゝか馬鹿々々しいようですが、労働者が労働力を売つて生活する以上、その代価を少しでも高くするために力を協せて斗う組織をもつこと当然の常識で、この労働者の団結権、団体交渉権は、法律によつても保護されているのです。大企業や中小企業に働く映画人は、組合をもち、その団結の力で要求をかちとることが出来るのに、私達フリーの映画人には、これがありません。日本の未組織労働者は、約一千百万人と言われ、その殆んどが、中小企業、零細企業労働者ということです。私達もこの中の一人であるわけです。又フリーの映画人は、多くが一つの会社に定着せず、その都度プロダクションを渡り歩き、仕事のない時もあり、中には一年の中に仕事のない月の方が多いと言う人もあります。統計によれば、日本の半失業及び、完全失業合せて一千万人とのことです。私達は同時にこの中の一人でもあるわけです。しかも映画界の危機はこの数をますます増やす傾向にあります。

それなのに、どうしてフリーの映画人は組合に結集することが出来ないのでしょう。

一部には「芸術家（その卵も）に労働組合はおかしい」と言う考えがあります。これは学校の教師は聖職だから労働者ではないとか、看護婦はナイチンゲールだから組合はいけないと言う思想に通じると思います。

どんな人間でも雇われて賃金をもらつて生活しなければならない人は労働者なのです。

たまたま彼等は石炭を掘つており、船を作つており、そして私達は映画を作つている違いで、フリーの映画人は大中企業の労働者と同じように映画産業の労働者であるわけです。かつて組合なんか嫌いだと言つていたスター級の俳優さん達が、組合を作つて団結して自分達の生活を守ろうと言う考えをもつようになつて来ています。

それ以下の生活をしいられているフリーの映画人が、労働者階級としての自覚を忘れ、連帯の組織が作れないとしたら、これからの不況の中でどうして生活が守れるでしょうか。ますます破壊され、軍国主義化されようとする映画産業を誰の力で立直して行けるでしょうか。

二、照明の労組が出来るまで

フリーの映画照明技術者が多量に出たのは、朝鮮戦争遂行のためマッカーサー指令によつて、大企業から、多くの活動家が巷に放り出されてからです。他の職種でも同じでしょう。初め三つの集団にわかれていたのですが、独立プロ運動、記録映画運動の高まる波の中で次才に統一され、映画照明協会と言う一つの集団に統一されました。そしてそれは「生活を守る」「仕事の機会を作る」「よい映画を作る」等のスローガンの下に、他の団体と共に自由映画人連合会に参加しました。

この姿は長くつゞき、「協会とは何ぞや」「自映連は如何なるものか」「経済団体か」「運動団体か」と言う論議が重ねられましたが結論が出ないまゝ協会と言う組織で十年近く維持されて来ました。

その中、独立プロの衰退の波と共に、一・二の団結は自映連から去り、又消滅もありました。

協会と言うのは、幹部が民主的に選ばれ、運営が民主的に努力されたが、所詮一つのクラブの様なものであつたのです。その主な仕事は仕事のアッセンと集金、マーケットの維持等、丁度モデル・クラブのようなものでした。

役員は努力し、事務局は奮斗しても自づから協会は協会の限界しかもつていなかつたのです。

そこからは映画運動を支える力も、又皆んなの期待する経済要求も次才に後退するしかありません。

たゞ協会として存続して来たのは、連帯を失いたくないと言う善意の願望と、いつか又独立プロの秀れた作品につけると言うかすかな希望を皆んなが待ちつゞけて居たからと言えるのではないでしょうか。

やがて主な仕事がP・R映画となり、しかもその稼動日数が少くなり、反面テレビ映画の一層劣悪な条件が増えて来るにつけ、もちつゞけた希望も連帯の願望も次才に薄くなり、経済的にも協会を維持して行くことすら困難になつて来ました。

数年前から「協会よりも労働組合を」と訴えつゞけた有志の声が実つて昨年一月「映画照明協会」は

(5)

「映画照明労働組合」に脱皮しました。組合になる前に、自映連を解散して、全フリーを網羅する単一組織を作る方針が自映連より出され、それに全員参加するつもりでいたのが、他の職能が時期早尚と言って、足並みがそろわず、照明協会はそれを待つことが出来ない事情から一足先に労組結成をふみきったのです。だから、他の職能が同じ途を進むことを願って、規約にも単一フリー労組への一歩であることを明記してあります。

一方京都に於けるフリーの照明技術者十数名も、安保斗争を通じて組合結成を計画し、一部のフリーの撮影者に訴えたが同意されず、やはり照明技術者だけで「独立映画人協会」を結成して来たが、東京と時を同じく、昨年一月「独立映画人労組」に前進しました。

昨年組合を作るとき、「組合になつたら仕事が来なくなるのではないか」と心配をした者もありました。又「固苦しく窮屈になるのではないか」と思つた者もいました。これは東京でも京都でも出た質問です。しかし一年間の経験はこれらのことは思いすごしであり、むしろ組合となつて生れた新しい労働規律は相手側にむしろ喜ばれ、又自由な空気は組合によつて保証されることを自覚して来るようになつたと、かつて心配した人の口から語られています。

次に組合になつてからの成果と欠陥を簡単に上げて今後の方向を考えて見たいと思います。

三、成果と今後の方向

労組になるとどうしてそう変るのか、と質問をよくうけます。どうして変るのでしよう。あの近江絹糸の若い女工さん達の斗いの勝利を思い出して下さい。労働者は一人では無力です。又烏合の衆では何にもなりません。労働組合と言う規律ある組織をもち、階級としての自覚に目醒めたとき、信じられないような力を発揮するものです。この力は何事もなしとげます。

この偉大な労働者階級の指導によつて社会主義を打樹てた国が、世界にもう十三もあるのです。さて才一に経済問題です。フリー照明労働者の一日の賃金は一昨年まで千円程度でした。

千円と言うのは、十年位前から変らない賃金です。

十年前に七百円位だつた大工さんの日当は、土建労組に結集することによつて千八百円の最低賃金を決定して獲得しました。

照明労組も昨年大衆的に最低賃金を決め、東京も京都もその目標額を獲得することが出来、京都では目下、大映始め関係各社に残業料の要求を申入れています。（組合員も倍加して二十数名になりました）才二には、組合になつて、協会当時考えられなかつた自由な空気が作られたことです。

組合員としての一人一人の独立した自覚と共に、今までの徒弟制的雰囲気や、又アッセン業的空気は打破られました。特に今まで沈黙していた若い年代層からの発言が活潑になり、ルーズな行動はお互い戒め合う民主的な状態が生まれて来たのです。

才三に、技術の問題ですが、協会以来技術問題はやかましく叫ばれ、あたかも協会の大きな任務のようにも言われて来ましたが、実際には何もなされなかつたのでした。ところが組合になつて初めてこの事を実現しました。組合専門部の活動によつて、昨年は十数回にわたる技術講座やテキストの作成が実現し、更に今年度の計画が実行されようとしています。

その他、自主製作運動や選挙活動等に至るまで今までに見られない積極性が生れたことは協会時代とは比較出来ない位と思いますが、重要なことは、労働者が組織を作り連帯の意識に目醒めたとき、それはその労働者の個人的利益を超えて行動すると言う事実だと思います。

あるプロでの話ですが、照明労組員が未組織のスタッフのギャラをとるために先頭になつて交渉して獲得したとか、又悪条件の仕事をはねかえす為に、卒先して斗うとか、いろいろな具体例が生れています。

しかしまだ組織されて日が浅く、経験と意識の低さからいろんな誤りも生じています。

これらの誤りも、かつての協会時代なら他の仲間を蹴落す材料になつたのに、今では熱心な討議によつて反省され、新しい前進の糧とすることが出来るようになつているのです。そのために学習活動や研究会がもたれてきました。だから照明労組は、今一年に余る経験の中で、新しい問題にぶつかつています。それは照明労組と云う職能組織だけでは駄目だと言うことです。最近新しく編集者集団が労組を結成し、撮影者が今労組に転換しようとしています。

照明労組の浅い経験からも、やはり職能を超え、しかも企業別にとらわれない産業別の単一組合にならなければ、すべての要求も獲得出来ないし、映画の運動も前進しないと言うところに情勢は発展しているのではないでしょうか。

照明労組は結成の精神に従い、現在の機能的な枠を破つて、フリー映画人の産業別単一体に発展する日を待つているのが現状です。

この統一した力によつてのみ、私達の働く場　中小企業のプロとも大きく手を結び、映画を破壊から守り、又自分達の生活も向上して行けると信じているからです。

しかし私達は、映画のすべての問題が労組結成だけで解決する等とは考えていません。

映画運動のために、又職能に特有の技能研究等のための組織があることは決して反対しません。むしろ労働組合として援助すべきと考えます。現存の監督新人協会等もその一つです。しかしこのような組織が仮りに産業別労組の枠を抜け出し、単独で職能的組合になることには反対です。

何故ならそれは組織を分裂に導き、やがては自からの首をしめる結果を招くからです。

世界の労働運動は、今日の高度な資本主義体制の中で、もはやかつての熟練工組合である職能別組合では斗えないことを教えています。又企業別組織の斗いは既に頭打ちの状態に来ております。いろんな企業やプロを転々と移動する私達には、企業別組織をもつことは無論出来ません。

産業別に統一されることが、最も適切であり、効果的であると考えます。そして映画界で最も陽の当らない未組織の労働者が、一人残らず参加出来るような個人加盟の組合が出来ることが急務であると思います。

現在、分断され、孤立化されているフリー映画人が、一日も早く一つの民主的労組に結集して、映画の企業内労組と共斗して、生活を守り、後進国並みの労働条件をくつがえし、社会保障をかちとろうではありませんか。

又一方映画を愛する真面目な中小プロと協力し、激励し、日本映画を守る運動を起そうではありませんか。

紙数が大分超過しましたので、以上簡単な報告で終りますが、詳しい点は、直接組合の役員からお聞き下さる様に願つて、皆さんの御健斗を期待します。

（一九六三・四・二七）

短篇映画連合各労組における契約者問題について（組織部報告）

映演総連傘下の短篇各企業労組は、春斗で統一最低賃金要求を出して、低賃金の壁をやぶる斗いをすすめた。（会報八四号に報告）

同時に当協会へも協力の呼びかけがあり、協会においても契約者の最低契約金確保の為の共同斗争を展開するよう要請されていた。

常任委員会（三月十五日）運営委員会（三月二十九日）でも検討されたが、現在の協会組織の現状としては、短篇連合と最低契約金保障の今後とも十分連絡をとり乍ら、協力してゆくという基方方針を確認したにとどまつた。

その後短篇連合各労組の中でも、多くの契約者を推している岩波映画と日映新社において、契約者の諸権利や契約条件について、新しい局面に入り、再び契約者問題について四月十日協会と岩波映画労組、日映新社と懇談会をもつた。

（出席者　協会－富沢・大沼・苗田・池田。岩波－花松（委員長）日映新社－滝沢（書記長）安藤）

岩波映画労組では先に会報で報告したように組合の規約を改正してクローズ、ショップ制として、「すべて従業員は組合員でなければならない（組合と会社で協議決定したものは除く）」とし、「会社の雇用関係にあつて、会社の業務にたづさわるものはすべて従業員である」として現在三十六名の期間契約者（協会員二名）を組合に加入させた。（期間契約者とは一年または○ケ月とか期間を定めて契約する者で、作品ごとに契約する作品契約者は別の扱いである）組合が会社と取交した契約者に関する取決めは

△技術者を採用する際の諸条件

一、技術者を期間契約者として

採用する場合、実労働（スタッフとして拘束期間）二十四ヶ月未満のものは原則として採用しない。（注、既報の三年は誤り）但し、アルバイトをはずす。大学専門学校にて技術修得している場合、之に加算してもいゝ

二、これ以外に採用した場合は三年間会社で保障しなければならない。

三、責任ある団体、又は個人の身許引受人として保証がある場合はこの限りではない。

四、実労働二十四ヶ月ないものでも、各パートの最高責任者として償う場合はプロデューサーの判断によつて一本契約（作品契約）としてもいゝ

（以上要点のみ）

更に交渉中の件として

△契約金の最低基準ー社員の年令別最低賃金制をつくり職能給制を確立した。社員の月給を約一・五倍して契約金の最低基準をつくつた。——月額三万円。現在三十六名中五名（撮影助手）ばかりこれ以下のものがいるが、最低基準にそろえるについて、全契約者の一律五千円の契約金の値上げを要求している。（現在助監督で月額三万三千円〜五万円、演出者で五万五千円〜十万円）

△統一契約書の作成　これは組合の原案であるが、十一条中特に従来のものと較べてすすんでいる点について。

オーバーギャラについては、契約金を日割にしたものの三倍を算定する。

契約期間満了にともなう、会社側の予告期間を従来の一ヶ月を三ヶ月〜一年に延長して、予告なき場合は自動的に上廻る額で更新するものとした。

病気休業中は契約の進行を凍結し、業務に復帰した日より進行させる。そして不就業中の補償として、六ヶ月まで（全額〜八割）の契約金を支払う。その後は労災保険又は健康保険の休業補償の手続をとる（結核の場合は合計二十四ヶ月に相当する休業補償が確保される）

契約期間中の死亡、廃疾については十二ヶ月分の契約金を支払う。

（注、期間契約者の場合、健康保険、失業保険、厚生年金、労災保険が適用されている）

更に目下組合と会社との間で協議中の問題として、作品契約者のギャラ基準について一つの考え方として技術料（巻当り）と拘束料（十五日当り）にわけて、最低基準をつくろうという問題で、特にフリーの会員にとつて、これは十分検討を要することである。——これは短篇業界におけるダンピング問題の一つとして人件費のダンピングによるものを防ぐ手段として、会社側においても重視していると言う。

×　×　×

日映新社労組では、この春斗の集点であつた嘱託者問題が、二十四時間ストを三回、時間外スト一週間の結果、やつと一つ方向が出されて、双方協議の段階に入つた。十六名の嘱託者のうち二名は社員に採用する、嘱託者制度を解体して、一般事務職の女子従業員を準社員制度に、製作スタッフ関係は二年以上の映画経験者を契約者（A）にそれ以下のものは契約Bフオームとするという会社回答があり、夫々の条件の話し合いをつゞけている。協会所属の演補三名を含む契約者（A）については、岩波と同じく最低ギャラ基準三万円を要求して交渉をすゝめ、目下、最低二万五千円（四月二十日現在回答）を確保したところ。（現在の嘱託制では社員ベースよりも低く、演補で本俸経験二年、平均、一万五千五百円時間外打切二千円手取一万五〜七千円といつた現状）

契約者問題で組合と会社との協議で、会社（堀場常務）は作家協会が製作連盟と契約条件やギャラ基準について取決めを行わない限り、日映が単独に取決めは行わない。その理由の一つとして、自らダンピングを行つている点を指摘したそうである。

以上、短篇連合、特に岩波映画日映新社においてあらわれた契約者の諸問題について、岩波、日映社両労組からの要望もあり、協会も何らかの新しい方針を出し、現況下の会員の権利を守る活動を行わなければならない事態に直面している。四月二十三日の常任委員会で、検討をすゝめることにしたが、組織部としても、協会が、会員の日常活動の基本的な諸問題解決の力となりうるよう、努力をつゞけるつもりである。

四月二十日

苗田康夫

助監督の期間契約の場合最低月三万以上を獲得するようにしよう。

岩波、日映労組で今契約者の条件を獲得する斗いをしています。その中で二年以上の経験者は月三万円以上としています。会社側からは、何れも申し合せたように二万五千円の解答を出しています。われわれもこの斗争を支援し、われわれも最低は月三万を獲得するよう努力しよう。

芸能人国民健康保険について

新しい保険証が協会に届いています。今までの保険証では通用しませんので協会までご返済下さい。新しい保険証は保険料をお支払い下さつた方にお送り致します。

今まで保険料を滞納されている方は至急納入して下さい。他の加入者にも迷惑をかけ、新しい保険証も取れませんので一日も早くお届け下さるようお願い致します。

運営委員会

三月二九日

出席者　安倍、京、菅家、松本、河野、大沼、楠木、大内田、佐々木、富沢

○入会者　辛木、梅田両氏
脱会者　谷川氏　を承認

○日映ストに対しては、激励文を送り、ピケに六名参加した。

○フリー会員と企業会員との連けいを強め、スト破りになるようなことを起こさないようアッピールする。

○職能組合問題については、機運にのせられて拙速な判断をするべきではない。職能組合が創造活動に何をもたらすか……さまざまな問題がある。組織部を中心に論点を整理し検討を加えてから議題として提出する。

○「記録映画」カンパについて協会内外にむけて行なう。協会員に対しては納得のいくように財政状態を数字にして知らせ、六月までカンパを進めていく。

○「記録映画」は十五日を定期発行日とし、前月発行とする。新しい印刷屋との契約は、その条項を変更する必要が生じた場合、余め予告し、一方的に破棄することのないようにする。部数は二五〇部単位でふやしていく。

○事務局のベースアップを承認
櫛野二一、〇〇〇円（一、〇〇〇円アップ）
渡辺一五、〇〇〇円（三、〇〇〇円アップ）
武井一二、〇〇〇円（一、五〇〇円アップ）
四月から十二月まで。
ボーナスは六月と十二月に一月分を支給する。

○会費前納。大沼、杉原、富沢氏一年分前納。大内田氏二千円前納。楠木氏三千円前納。河野氏四千円前納。

○仕事のあつせん問題を、生活権利対策部と財政部とで検討する。

○滞納者に対しては、運営委員が日時、場所まで決定し、責任をもつて納入体制をつくる。

○広告とりが非常に困難になつたので全協会員に協力をねがう。

常任運営委員会

四月二十三日

出席者　楠木、苗田、河野、富沢、大沼

「記録映画」カンパの状態

（四月三〇日現在）一口五百円

○寄贈者
長谷川四郎氏　四口
飯島　耕一氏　二口
武井　昭夫氏　二口
針生　一郎氏　二口
花田　清輝氏　二口
滝口　修造氏　二口
竹内　実氏　一口
子どもセンター　四口
佐藤　忠男氏　二口
城所　昌夫氏　二口
佐藤　重信氏　二口
大内　秀邦氏　二口
間宮　芳生氏
瀬木　慎一氏

○読者
吉村（映サ）氏　一口
橋本（労文協）氏七百円
米長　寿氏　一口
久保田睦子氏　四口
吉田　礼子氏　一口

○「短篇連合の各労組は、二年以上の経験をもつ各助手の期間契約の最低契約基準を三万円とする要求をうち出し、各会社側にむけ運動を展開している。協会員の助監督もこの最低基準を守る契約をむすぶよう努力してほしい。」との申入れを受けて会員に呼びかけることにした。
○最低基準の問題も含めた話し合いを近く製作者連盟と行なう。

連盟にギャラ基準を提示し、各プロダクションにも協力してもらうよう要望する。
○契約の基準額かくとくをめざして努力する。会員の要望があれば事務局が交渉をバックアップして支援活動を行なう。
○新ギャラ基準は別紙の通り
○メーデーは、映画総連のもとに参加する。
○新ギャラ基準、入会申込書、協会規約を印刷し常備する（契約書は常備してあるので利用されたい）
○在京者集会について
年末総会までの仲間で在京者集会を持つようにする。現在進行中の諸問題を語り合うよう。運営委員会でその議題と内容をよく検討して行う。
○新入会者　吉川協、高橋克巳氏を承認。

上村　竜一氏　二口
伊藤　健氏　一口
○協会員
長野　千秋氏　二口
石田　厳氏　三口
広木　正幹氏　一口
熊谷　光之氏　一口
加本悠利代氏　二口
山口　淳子氏　一口
西沢　豪氏　一口
西江　孝之氏　二口
二口　信一氏　二口
苗田　康夫氏　一口
楠木　徳男氏　二口
東　陽一　二口
山之内重巳　一口
間宮　則夫　二口
吉見　泰　二口

尚、今後もひきつづき、カンパ運動、前納運動、滞納一掃運動を継続します。

西武記録映画を見る会　五月例会

大沼鉄郎作品集（自作紹介）

五月十八日（土）　十時半〜十一時半・十二時〜一時・一時半〜二時半　西武デパート八階文化ホール

「光の技術」は一九六一年の作品です。製作会社は東京シマネ。松下電器のPR映画のうちの一本です。この作品の前に、同じスポンサーで「電子の技術」と「音響創造」というのを二本演出していますから「光の技術は三連作の最後の作品ということになります。

前の「電子の技術」がテレビ材料にし、「音響創造」がスピーカーやステレオの話しだつたのですが、これは照明器具全般を持っています。

照明ということについては、イリンの「灯火の歴史」やファラデイの「ろうそくの科学」などすぐれた啓蒙書があり、そういう歴史的にみた文化映画や科学映画も作れるわけですが、ここでは、照明器具のマスプロダクションを主題にしました。

現代の生産工場は、無人のオートメーションで商品がどんどんできていくところが一つの特徴で、これが描きたかつた焦点です。ですから、実際にどのような経過で作られるものかをわかりやすく説明するよりも、表現上の誇張によつて人物を配置させた。機械のリ

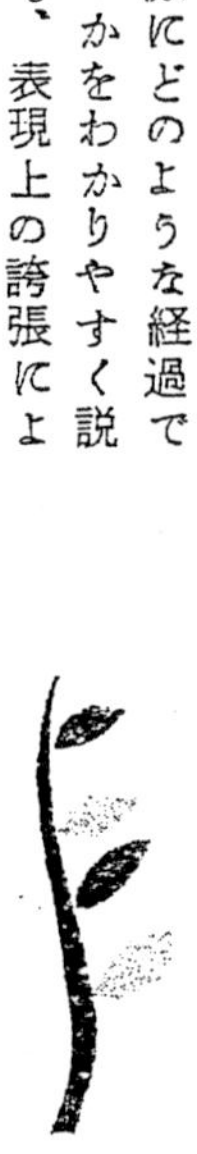

（10）

ズミカルな動きを描いたものです。

「火の海のヨット」は、東京都が玩具の輸出をすすめるために、日本貿易振興会と共同で企画したもので、日本短篇映画社の製作。今までにも玩具を題材にした映画はいくつかあつたのですが、今までとちがつた感じのものをということで、このシナリオがえらばれたようです。鉄の玩具と、布地のぬいぐるみとプラスチック系統の玩具と、この三種類を出してくれというスポンサーの要求に乗つかつて、いわば三題ばなしの形で構成されたシナリオです。外国むけの映画だということで、バタくさい調子が意識しないうちにでてきたようです。

美術を朝倉摂、ナレーションの詩を谷川俊太郎、音楽を松村禎三というスタッフに支えられて作つたものですが、作品にうねりがでなくて今後の勉強にしなくてはなりません。一九六三年、今年の三月に完成したものです。

South and West Africa ロケ便り

西本祥子

第三信

○三月十八日
いつも疲れた頭で、体力を回復することが先決だと考えて走り書きのお便りばかり、申訳ございません。

漸くロケーションもガーナを最後に峠を越しました。昨日は象牙海岸（仏領）アビシャンに入港しましたが、ガーナの疲れと気のゆるみで、アフリカの太陽が大脳にジンジンとこたえました。それでも明度の高く、しかもシックな赤と青をすべての基調にした、かのフランスの町はさすがに鮮かで、目を楽しませてくれました。

○三月十一日
ナイジエリアのポート・ハーズートでは、広大な原野の中にすさまじいばかりの工業化への建設が着々と進められていました。現在四千万の黒いナイジエリアのエネルギーは、目的もなく、あてどもなくさまよい、火気に吸収され、霧散していますが、工業国となり、四千万の人間から生まれる新しい四千万の人間が、人間のレベルの中で小さい時から育てられることになり、充実した力になつた時、巨大な黒人国が誕生するのではないか。おどろくばかり人間性を抹殺されて大人となり、そして流しで雲助となつて横行するお人好しのナイジエリア人、それが現実であることに間違いはないとしても十年後は、おそらく全く別人の国が出来上るのではないでしょうか。

この国の親たちが言うのです。「わしらはどうしようもない人間だ。わしらが死んで、うちの息子たちの時代になつたら・・・その時こそ、ナイジエリアはベリー・フアインの国になるだろう」と。

○三月十二日
ガーナのテマ港に入港。独立後沙漠の中に建設された港である。本船もはじめて入港するわけですが、ナイジエリアで、やれビールを、やれタバコを、やれ飯をと、役人やチエックマン、港湾労働者から、のべつ催促されて、「黒ン坊は何だつて……」と人間並にみようとしなかつた船の人たちがびつくりした程の、それはすばらしさでした。ソビエト船が碇泊していました。今までの港ではみられなかつたことです。

社会主義国家をうたうガーナ港の周囲に拡がる広大な労働者住宅街の偉容。住宅は完成した。次は工場の建設だ。・・・と鉄塔がニョキニョキと沙漠の中に伸びている。表は東京にも勝り、裏にはスラムの密集し多くの人間がほつたらかされていた今までの国々と全く異つているだけに、これがあの馬鹿にしていた黒だろうか。というわけです。港の設備もすばらしく、労働者はすごく少数でコンベア式オートマチック作業。日本の港湾労働者より遥かに人間的であり、むしろ彼等の態度は権式高い程。よくしやべり、お人好しで、物ねだりの名人の感があつたナイジエリア人をみたあとのせいか、親し

(11)

みを示すスキもない程です。役人から船に出入する者まで、タバコ一本ねだるものがいないのは、予想外のことでした。全般のレベルはもつと低いと思つていたのですが、ナイジエリアの一二倍という所得を得ているガーナ人はさすがに男も女も、主都アラクは勿論、東端のタマラジーまで、全般に仲々服装がよく、おしやれです。

主都アクラでは、船と日程の都合で、アンバサダーホテルに泊りました。ナイジエリアのホテルのボーイに較べて、仲々のスタイリストです。一般民衆の冷たいまでの誇りと態度（日本人に対してはきわめて好意的でしたが）にくらべて、各国人の集るこのホテルの中では、強力なこの国の警察権も外部程ではないのか、やゝ伸びやかな人間味を感じました。

大学生は、何かことあると、日本のトロツキストどころのさわぎではありません。国中からだいじにされ、すばらしい校舎、一切無料の授業料と宿舎に住い、この国のレベルより遥かに上の食事を与えられ、温室の中で特技意識をはぐくまれていく、彼等の鼻意気たるや、嘔吐を催したくなる程のいやらしさな、時折り感じました。

それも、独立後、ガーナとしての自らのプライドを創造し、育むことではなく、英国式格式と外見を重んじ、その上流社会の生活を身につけ、そうした生活ができるようになることこそ、黒人も人間並みに堂々と偉張れるのだという役人たちの考えが国中にあまりにも深く浸透しすぎていることの弊害。あまりに悲惨に人間性を抹殺されすぎていた過去の反動でもあるのでしようか。警察プラスこれら特権階級の特権意識で固められつつあるガーナの未来を考えると、レベルが他のアフリカ諸国より遥かに高いにも拘らず、恐しいものに出合つたような恐怖感を覚えざるを得ませんでした。

しかし、目のきれいな少年たちのすべてが、教育をうけることが当然の権利として教育をうけて成長し、民衆の間から様々な批判の声が生れる日がおそらくやつてくるでしよう。

今は丁度、日本でいえば大東亜戦争直前のよう……。一本の軌道の上を走ることしか知らされていないのがガーナの民衆のようでした。エンクルマの銅像に洋服をきせ、鉢巻をまき、指揮をのみ、ひたすら鼓舞するガーナ。その銅像をとらせろ、とらせないで銅像を守備しているボリと長い時間スッタモンダし、何故と聞いても彼等はダメだと答えるだけ。金や物をねだられることは一度もなかつたけれど、学生にしろボリにしろ、頭にきてるんじやないかと考えることが時折ありました。

のびのびとしたナイジエリアの薄汚いけれど途方もない逞しさを感じる工業化への歩みを想い起す時、このまゝではガーナはいつか追越されるのではあるまいか。最初に独立した国であるという。これ又、特権意識の上にたつて民衆が暮している限り、動いている国の方は何はともあれ強い。

新生独立国の前途は、想像以上に多難であるようです。演説好きで、大言壮語の傾向。それを代表するのがエンクルマだともいわれます。きらびやかな名言が鼻につくことのある彼の著書。英国式スタイルを身につけようとしている事実もムベなるかなとうなずけます。

ともあれ、ガーナでは一般民衆の多くは実に立派であつたことも事実です。アクラからタコラジーへ一四〇哩三時間の道程を突走つてくれた若い運転手など、タコラジーの税関のゲートで、バスを取らないと門内へ入れないというお巡について、実に正確な批判の声を私たちに聞かせ……、それとは別に税関警察のお巡の中をまわつて手続をすませ、一銭の金も要求せず無事に見知らぬ他国人を船まで時間通りキチンと送り届けてくれたのでした。

「ルーズで、一寸目を離すとどうしようもないのが、独立国といえど黒人の本性だ。黒ん坊は何をするか判らない」と人々はいいますが…、若い世代の多くが短期間に見事な転換をとげていることも事実でした。ともかく無智でなくなつた民衆が、一たん獲得した権利をもつて（悪害を伴いつも）目に見えないところで目に見えない力で、点の変革を行ないつつあることを、温室の内の特権知識階級が知つたとき、自らその非を覚えることはあるまいか。……、いつか民衆にたたかれるだろう。ガーナが再び栄光に向つて歩み始めるのはその時ではあるまいか。

十年後をみてアフリカの価値を批判すべきであるという印象は、なににも勝る私の実感です。

〇三月十七日

ウフエ・ボワニの名誉欲に操られている象牙海岸では、南アの黒人以上に去勢された貧しい人々がみちあふれていました。隣国がいづこも悪幣を伴いつつも次才に向上していく過程が、短かい旅行者の目にさえ感じられてきたのに、同じ黒人であるウフエ・ボワニのためにのみ、二十世紀から取残されたこの国の黒人たち。九〇%が無知に等しいナイジエリアでさえ独立後の変わりようはまさに驚くべきものだと、この国にすむ日本人のすべてが、そのことだけは認めています。

貧しくとも独立し自由を獲得することの意義の大きさを、あらためてかみしめさせられています。自由を得ること意外に己にかえつてくる利益は何もないということ・・・。

ギネヤを訪問できないのが何としても残念です。

第四信

西アの最終港フリー・タウンをあとにして、船は今、一寸先もみえない濃霧の海上を、再び南ア、ダーバン港を目指して帰港中です。

〇三月十九日　フリー・タウン入港。歴史に有名なフリー・タウンの街が、想像を超えてアメリカ的であることにまず驚かされました。アフリカ的であつた西ア諸国の住民の建物は、ここでは一転して古い西部劇にでも出てきそうな化物屋敷のような、板作りの洋風バラツクがフリー・タウン成立の歴史の長さを語るかのように、右へ、左へかしいで、ところ狭しと路地に密集していました。

職のない不良少年たちが、ハンチングをかぶりシャツの裾を腰でキュッと結び、三々、五々たむろしている様（カメルーン・ナイジエリア・ガーナでは昼間青年があてどもなくさまようといつた姿は殆んどなかつた）といい、太つた黒人の婦人が洋装で歩いている姿といい、アメリカの都市の一部を移植したかの感じでした。そして概して貧しく、スレッからしの不良スタイルを売物にしたような青年が多いのも、アメリカから送り返された祖先をもつ故でしようか。アフリカでは異色の街です。

これまでの街では、私をみかけると、日本人かときくものもいましたが、多くがチャイニーズ？又はフレンチボーイ？など、埃まみれの時は、インデア？とか、好奇心の現れも様々でした。ところが、ここでは、ジャパン・トウキヨウ。老人から若者まで、そして、どんなうらぶれた街はずれに姿を現わしても、ジャパン・トウキヨウとよびかけてきます。

みじめという以上に貧しい西の果の、文化の恩恵にすらろくろく浴することのないフリー・タウンですが、それでもまるで、各国々は支配する国の（実質的には英国支配下なのですが）影響をいかに大きくうけるものであるが、トウキヨウ・ジャパンの一言が実に明瞭に物語つてくれました。

話はそれますが、香港、シンガポールでは、日本人と中国人は、まず間違いなく見分けがつきました。しかし、一たん東洋の地を離れてアフリカまでやつてくると、日本人同志でさえ、日本人だろうか中国人だろうか区別をつけかねることがしばしばです。

フリー・タウンの代理店では、日本の漁船の人と顔を合わせました。日本人だということは、あとでなつて判つたことで：：その時は、私の方も、日本人かなと思つてはみたものの、仲々色は黒い、一寸顔も長い。そこで他国の船にのつている中国人だろうと判断しました。その日の夕刻です。宿舎である船にひきかえすと、先刻の人がタラップをおりてくるではありませんか。そして「アッ、先程は失礼しました。もし中国の方だと：：言葉は通じないと思いまして一・・・故国を離れれば日本人同志でさえこの有様です。人間を混然と世界の屋根の下にばらまいて過去の一切を白紙にもどして、民族の優劣を一切抹殺して、人間社会は今、ここから始まるのだと、0から再出発できたなら、地球上の社会は如何なることになるだろうか。それでも、黒い人種、黄色い人種、白い人種の差別はいつまでも尾をひいて残るものだろうかそれからしばらくは、そんなことを考えては毎日を過しました。

その人は日本漁船団の漁撈長で二年近く日本を離れているとのこと、お互に自分の灼けこげた顔色のことは忘れて、あいつは黒い奴だ。フイリッピンかな、中国人かなと考えるのですから、おかしなものです。お互に日本民族は優秀民族だという考えがこびりついているのでしよう。薄汚いほこりまみれの日本人をみると、どうも日本人ではないらしい、他の東洋人だろうと考えるのですから、こういう時に普段意識下に全くないと思つていたことがぬつと顔をだす。そのシミの深さに怖れを抱きました。

〇三月二十五日

これが都市であろうか：：と、日本において考えていた都市という概念がガラガラ壊れさりそうな街、ボワン・ノエル。仏連合体内のコンゴ共和国才二の都市ボワンノエル。僅かにしやれた小さな小さなフランス人街を除いて、人も住いも、目に入るもの人間らしい

物の影さえない。ベルギー領コンゴとは全く別の国ですが、去勢されたような無気力な顔、モブツの骨格そつくりの顔立の黒人たちがダラリン、ダラリンと歩き、また市場にへたりこんでいました。現在のアフリカが、ヨーロッパ人の区分したコンゴ……というか、領土区分に他ならぬことを語つています。しかし港は、アグストラクトの彫像物を無雑作に配置したかのような、うらさびれた中にも奇妙にひきつけられるものをいつまでも残す構造で、丁度、衰退していくフランスを誰かが惜しみ、モニュメントとしてここに建立した

とでもいえそうな情景を夕暮の中にさらけだしていました。こうして書いている現在もアリアリとその情景が浮かんでくる程、強い印象をそれは残しています。紙の余白がなくなりました。一ケ月後おあいしましよう。その時また。

（13）

動静

○首都高速道路公団の建設記録映画をやっています。（理研科学映画で）三月末日迄に二本完成の予定。　中村重夫

○「精密機械の誕生」撮影が終り目下録音中（三井プロ）四月中旬完成の予定。次の作品は未定。　頓宮慶蔵

○国立公園」映画化準備中
「背骨をつくる」製作中（日本精工PR映画）
以上何れも学研映画局作品　村田達治

○「オートベンダー」（日経映画）という脚本をかいています。作品として仕上るのは六、七月頃になりそうです。　間宮則夫

○今の仕事なし。次の仕事なし。
金になることならなんでも斡旋を。　城之内元晴

○海外向技術PR映画「気象への挑戦」カラー一巻の脚本演出中。「株わかた・ぷろ製作）完成は六月中旬の予定。その他・PR映画一本企画製作中　辻本誠吾

○「美への科学」EK二巻準備中（カンザ・プロ）
「ねむりの科学」二巻脚本執筆中（読売）　入江一彰

○今の仕事「東洋レーヨン」東京シマネ。六月末完成予定。
他に、実験的記録映画「死んだ男」製作準備中。パトロン募集中です。　東陽一

○五月下旬より三井の仕事で広島へ。共同の仕事で秋田、山形の方へ向う予定。　徳永瑞夫

○「エジプト美術」を撮つています。四月中に完成の予定。最悪の条件での仕事。という勉強のつもりです。本来が動画屋さんか美術に属する造型部分など、共同演出の辻功君と、結構楽しみながら作つたり、いつその事音楽やナレーターも、やつちまおうか、といつた〃個人タクシー〃的、或いは〃自主製作テスト〃的興味に与えられてもつている次第　松川八洲雄

新入会

○高橋克己　昭和六年六月二八日
理研科学映画KK。演出、脚本製作。横浜市港北区日吉本町二五一三。四月から入会。
推薦者　中村重夫　星合達郎
経　歴　昭和二七年、明治大学卒業後、三二年、調布撮影所木村恵吾作品一本従事。「テレビ映画ドングリ記者」栄光テレビ映画社。三三年日本テレビを経て、三三年より理研科学映画KKにて各記録映画の製作を担当。三六年「オクタミン」三七年、はとバス東京遊覧列車防災。三七年より製作中の作品は、中央線復旧工事記録。新宿民衆駅、藤田組建築、土木、各記録映画、富山県八尾ダム

○吉川昭　昭和十二年七月十九日
東京都練馬区向山町一四五番地　西保戸塚荘七号室　助監督
現在岩波映画と長期契約中
作品歴
「Hパイル」　岩波映画
「せいとん」　〃
「大坂電話」　〃
「ガラスの壁」　〃
「ワイドフランジ」　〃
キネマ旬報作品賞他受賞
「横浜火力発電所」　〃
「武山超高圧」　〃
「マスハウジングプロジエクト」　〃
推薦者　泉田昌慶　塚原孝一

脱会

○遠藤完七　映画作家として意欲を失いましたので脱会いたしたいと思います。

通信

○左記の通りTEL住所変更
杉並区高円寺六の七〇一
TEL（三八五）五九二六　久保田義久

○長女まり子三月一日午後三時三十分永眠しました。短い短い一生でしたが彼女は生きることへのたたかいと努力の尊さを私たちに教えてくれました。まり子が生れ出る前からそして短い在世のあいだみなさま方のあたたかいお心くばりとお見舞いご声援に深く感謝致します。　大野孝悦・阿見野

○謹啓　随分永い間協会の諸氏には御無沙汰しています。会費のことが気になりながら滞納が重なり御迷惑をおかけしました。昨年岩波の仕事以来、学研へ入つてやつていますが、最近に至り漸く具体化してきた次第です。未納の分がまだ多く、甚だ面目ありませんが本日振替口座で払込みを致しましたが、どうかよろしくお願いします。　村田達治

○小生四月四日より、左記に転宅致しましたので、宜敷御手配下さい。尚、甚だ申訳ありませんが、協会費は今しばらく御待ち下さい。現在小生仕事待ちですので、適当な

仕事がありましたら、御連絡お願いします。
転宅先　新宿区信濃町一　ヒバシアパート
TEL（三五一）四〇五一（呼）
松本公雄

○四月から日映新社とは嘱託ではなく長期契約関係になりましたので身分はフリー会員です。子供という人生のお荷物も成長するにつれてだんだん軽くなって来ました。これからは研究会などには出来るだけ出席したいと思いますが、「記録映画」を受け取って研究会のスケジュールをみるともうその日はすぎていたなんていうことが時々あります。なるべく早目にその月のスケジュールが判るようにして頂きたいと思います。
藤原智子

○住所変更
目黒区宮ケ丘一七〇　大島辰雄
中野区城山町五一
TEL（三六九）二九一六　徳永瑞夫
武蔵野市境一の一四九　魚好辰夫

時評　野次と妨害

丸山章治

東京都知事の選挙は終つた。思切つた都政の革新などとても期待出来そうにもないお人好しのロボットが又ぞろ再選されて、元どおりの日々が今后もくりかえされることになつたのである。

ところで、新聞の報ずるところによれば、こんどの都知事選の立会演説会は、「悪質な」野次や「目に余る」野次によつて演説が妨害されたそうである。

しかし、そもそも野次というものは、話手の話のくぎり目に乗じて、間髪を入れぬ具合で、上手に投げ入れる聞手の寸評であつて、そういう寸評は会場にイキイキした批判精神を呼びさます刺戟的な効果をもつものなのである。話手にとつても、そういう寸評がはいつたために、自分の話の要点や眼目を、その野次を上手に批評しかえすことによつてより強調出来るのであつて、とかく単調に流れやすい演説に、討論風の活気を添えることが出来るのである。

ところが、こんどの立会演説会場における怒号や罵声は、ただただ話手の話をきかせまいとするために発せられたものであつて、そこにはワサビのきいた批判精神などというピリッとしたものは毛程もなくて、ひたすら声をはりあげ足ふみならし、音響によつて演説そのものを中断させるための妨害があつただけのことである。こういう妨害行為と批判的野次とをミソもクソも混合されては甚だ迷惑である。

野次は、伝達そのものを妨害するのではなくて、話手が伝達している思想を寸評してみせるだけであるが、こんどの事件は、伝達そのものをぶちこわしているのである。

選管は、話そうとする人と、聞こうとする人との間に、伝達を成立させる場所として立合演説会場を用意した筈であるのに、その会場に全く用のない「聞こうとしたい人たち」が多数にはいりこんできて、伝達を破壊しようとし、又破壊しているにもかかわらず何一つ有効な手をうたずに、彼らのジユウリンにまかせていたわけである。こういうことが公然と行われているというのに手をつかねているという状態は何とも恐ろしいことである。行列の割込みを注意してなぐられた、などという事件とはくらべものにならない重大事件である。

まことに時枝誠記博士の云われるように「言語が、相手に正しく伝わらなければ、われわれの生活目的は達せられないのである」しかも伝達の成立については「一言にして云えば、コトバは通じるものである」から、「伝達の喰違いを最少限度に止めるためには、両者（話手と聞手）の環境経験を出来るだけ同一に近づけるか、相互に相手の立場を理解しようとする寛容な態度を持つより他に方法はない」のである。

伝達の成立を妨害するものは、すべてわれわれの敵ではあるまいか。

おわり

「新暴力法」問題ノート

『暴力行為等処罰に関する法律等の一部を改正する法律案』

大正十五年廃止の、治安警察法等十七条にかわるもの。「労働運動や小作争議や水平運動等を取締る目的は毛頭ない」→その時早速弾圧に使う。昭和十年、一千件をこえる事件に適用。

争議で起訴された人の罪名のうちこの法律にひつかかつたもの（昭三〇〜三四）八〇・一％（四九二六名）

昭和二三年一三・五％→昭和三五年三一・五％と、刑事犯罪検挙者中この法律で検挙された者の割合は増加、三五年（安保と三池の年）前年より千人増加。三池では起訴二一〇名、七〇件中一二一名が。三四年「主婦と生活」事件以来、中小企業争議に適用。三六年、適用事件中弾圧事件の占める割合は検挙件数で三七％、人数で五四％。

政暴法の巧妙な焼直し。

①刑が十年以上十年にもなる。

「常習」　前科がなくとも、常習性ありと認定しうる資料があればよい。

②罰金がなくなり、保釈がなくなる。グレン隊なら今でも保釈しなくてよい。—改正の要なし。労働運動を狙つたもの。罰金でなく実刑になると解雇され易い。

③「銃砲刀剣所持取締法のそれに限定されないものという。何が拡張解釈されるか。「未遂」罪—プラカードや旗竿持上げ

④裁判所法の改正。三人の裁判官の合議による決定—一人でやれるようになる。

ひつかけられやすく、検挙されたら出られにくく、刑は重く、裁判は粗末にされる。

「占領状態終結」前に破防法、安保改定前に警職法。新安保体制に政暴法。

改悪阻止では不十分。悪法の廃止を。

川崎シネ・グループ発足

去る四月九日、川崎シネ・グループのメンバーの会合が川崎図書館で行なわれ、事務局からも話合いに参加しましたが、四月二十五日、運動部長野千秋を加えて再度会合をもちました。

そこで確かめられた今後の基本的な方向は次のようなものでした。

これまでの記録映画を見る会の運動の反省の上に立つて、運動を単なる鑑賞運動のみにとじこめず、鑑賞批評活動を自らの創作活動のバネとして位置づけ、統一的な創造運動を確立する。その組織は、当面川崎に場をおき、勤労者層の映画に対する鑑賞批判と創造の中核としての役割を果すことを目指す。したがつて、専門映画作家との交流も、新しい運動的場の上に立つて行なわなければならない。

組織拡大の方向は横浜、東京にむけられるが、東京ではすでに学生を中心に組織確立の見通しが生まれている。

記録映画作家協会としては、既に活動を進めている都内の八ミリ映画集団と新たに生まれた集団との関係について、協会とこれらの集団との関係について、充分な検討を行ない、適切な連けいと援助の道すじを打ち出す必要があると思います。

「記録映画」の拡大についても積極的な助言が与えられ、近く都内学生団体のルートが開かれる予定です。

〔お知らせ〕

○五月八日　六時—九時「新暴力法」研究会　於国民文化会議会議室
講師　渡辺正雄弁護士（青法協）

○五月十日　運営委員会　六時協会事務所
①米原子力潜水艦寄港問題について②各短篇映画労組の動向について③製作者連盟との話合いについて④その他

○五月十三日　新作教育映画試写会　於ガスホール　主催　教育映画製作者連盟「温室の村」「原野に生きる」

○五月十四日　国民文化会議　マスコミ研究会　六時〜九時　国民文化会議会議室（飯田橋）テーマ（オリンピック準備の状況とマスコミ）報告者　深瀬記者（共同通信）会費三十円

○五月三十一日　ドキメンタリー理論研究会　於　厚生年金会館　六時から「記録映画」五月号

○六月十日　ドキメンタリー理論研究会　於　厚生年金会館　六時から、「記録映画」六月号

（16）

「ひとりつ子」を放送させるための闘いの方針

"「ひとりつ子」を放送させよう！"のスローガンの下に「ひとりつ子」を全国ネットで放送させるために次の闘いを組みます。

一、労連本部に「ひとりつ子」問題対策委員会を設置し、東京地区放送の自由を守る委員会およびＲＫＢ毎日労組「ひとりつ子」対策委員会のメンバーを委員とし、委員長に労連本部下村書記長をあてる。

二、対策委員会は「ひとりつ子」問題の現在までの経過をまとめたパンフレットを作成する。

三、「ひとりつ子」放送要請の署名を労連全組合員が行い、署名簿をＲＫＢ毎日に送付する。

四、各単組は、それぞれの集会（大会、代議員会など）で放送要請の決議を行い、ＲＫＢ毎日の会社に送付する。

五、対策委員会は、ＲＫＢ毎日社長、ＲＫＢ毎日番組審議会に対して公開質問状を出す。

六、労連外部に対する運動

(イ)署名運動

Ａ四十万人を目標に行う。

Ｂ各単組は、各都市において街頭署名を行う。同時にビラを配る。ビラは本部で作成する。

Ｃ各単組は、地区の他の単産本部および支部、民主団体に署名簿をもつてゆく。できるだけ、組合員が直接工場に入つて、説明と共に署名をもらう。

Ｄ三月一杯を第一次集計期間、四月一杯を第二次集計期間とする。

(ロ)三月中旬または下旬にマスコミ五単産を中心にして「ひとりつ子」を含むマスコミ弾圧の問題を訴える集会を、札幌仙台、東京、大阪、名古屋、福岡で開催し、他単産労働者文化人、学者、映画演劇関係者、一般市民などの幅広い参加を要望する。

(ハ)労組、民主団体の各種会合で「ひとりつ子」問題を訴える。

(ニ)パンフレットを各単産、民主団体、学者、文化人あて発送する。

(ホ)国会の逓信委員会または、文教委員会に持ちだす。そのため革新改党に資料を提出する。

七、これらの運動は、放送労協と協力して行う。

３月分協会財政

支出		収入	
摘要	金額	摘要	金額
人件費	44,400	会費	56,900
家賃	10,000	入会	300
印刷費	70,800	未収会費	11,300
通信費	15.057	前受会費	500
交通費	8,060	予約	17,200
手数料	1,230	売上	26,762
文具費	2,397	売掛金	1,000
原稿料	1,000	広告	33,000
光熱費	2,292	雑収入	480
雑費	440	借入金	50,000
未払	2,800	家賃	5.000
借入返済	28,100	繰越	5.195
現金	21,061		
計	207,637	計	207,637

号外

一九六三・五・一四

記録映画作家協会会報

東京都新宿区百人町二の六六（三六二）九五五五

原子力潜水艦寄港問題特集

五月二十日の原子力潜水艦寄港反対中央集会に参加しよう

去る四月二十六日の学術会議の反対声明をきっかけに、米原子力潜水艦寄港反対の運動は急速に全国の各所で高まりつつあります。文芸春秋、中央公論、世界などの六月号でもこの問題を大きく掲載しています。今、学者達の各集会では、連日科学者の責任と使命について討議が交わされ、学生、労働者、婦人の間でも安保以来の広範さで関心がもたれ、この運動は国民的な斗いになりつつあります。

政府は、数ヶ国を百回以上寄港しても事故はなかったと言っていますが、一九五九年ハワイの真珠湾で原子力潜水艦サーゴ号（一九六一年、国民の目をくらまして横須賀に寄港していた事実がある）が沈没寸前の大火災をおこし、サンフランシスコではパーミット号が沖合で貨物船と衝突しているのです。最近建造中の原子力潜水艦が次々と火災をおこし、スレッシャー号が沈没したことなどまだ耳新しい事実です。

日本でも今年の三月三十日、浦賀水道で海上自衛隊護衛艦てるづきが貨物船と衝突して船体が真二つになり、機関部の油が海上にただよい、大火災をおこして五名が死亡した事件がありましたが、これがもし原子力潜水艦だったらどんなことになるのでしょうか。五万キロワットの出力をもつ原子炉が破壊されたら、東京湾は半永久的に強力な汚染で使用不能になるばかりか、国民生活に重大な影響を与えることになります。

デンマークのコペンハーゲンでは、安全性の面からはっきり拒否し、ビクトル・グラム国防相も「アメリカのポラリス積載原子力潜水艦は、デンマークの同意なしにバルチック海に配置することはできない」と言明しています。

佐世保では市長が先頭にたって全市をあげての反対運動に起ち上っています。折も折、今月十二日に水爆機F105戦斗爆撃機が福岡の板付に入って

来ました。ここでも今、知事、市長を含めて反対運動がもりあがっています。

安保共斗国民会議は、来る二十日を原子力潜水艦寄港反対の一大国民反対集会の日にすべく、全国でそのための大会をもつことを決定しました。

東京でも同じく二十日（一月）午後六時より、日比谷の野外音楽堂で、総評のスト権奪還共斗委員会と共催で、他の問題とともに中央集会をもつことになりました。そしてこの集会の後、国会請願とデモ行進が行なわれることになりました。

私たちも一市民として、また作家として、安保の怒りをここによみがえらせ、平和のために斗うこの大会に一人でも多く参加するようにしましょう。

運営委員会で反対決議
「記録映画」編集委員会と
共同声明を発する

去る十日の運営委員会で事務局長よりこの件に関して現状報告と提案があり、安保斗争に続く現在の斗いとして協会もはっきり反対決議をし、更に「記録映画」編集委員会とも共同で反対声明をだすことにしようと決定、その旨編集委員会へ連絡協議することにした。そして全会員には反対署名を呼びかけることを申合わせた。

尚この日、国民文化会議より提案されている「新暴力法」（本会報にその要点掲載）についても運営委員会では反対決議をし、編集委員会と共同声明を出すことにし、これも文案を事務局に一任することにした。

「日常の政治から疎外されている現状をあばき、米原子力潜水艦寄港反対を訴える」自主映画運動がおこる

十日の運営委員会で楠木氏より左記企画書の趣旨にもとづく自主映画を制作したいが協会も何らかの方法でバックアップしてほしいとの申入れがあった。

企画書

われわれは日常的にあまりにも現実に追われ過ぎている。生活のためにPR映画を作る。その中で

何とか突破口を見出そうとあがいている。内容的にも技法的にもある実験的試みをすることもある。そして、それはそれなりに成功している場合もあり、ある役割を果して来た点もある。しかし、その成果は認め得たとしても、これらの創作活動が如何に民衆の意識変革に役立って来たか、民衆との生活のつながりの中で、われわれが如何に映画を通じて現実を変質させてゆくことにかかわりあって来たか、そのことに思いを及ぼすとき、残念ながら自らを恥じざるを得ない。

労働者が労働に熱心になればなるほど、工場生産が能率をあげればあげるほど、サラリーマンが勤労に忠実になればなるほど、その行為とは関係なく資本家の富は蓄積され、労働者は自らが疎外されて商品化するのである。われらのPR映画も決してその枠から逃れることは出来ない。

われわれの生活のまわりには、われわれの真実を見ようとする目を外らし、われわれの魂を奪い、われわれをあやつり人形のように動かそうとしている体制側のあらゆる策略が充満している。ラジオ・テレビ・映画・新聞・雑誌を通じてすべてのマスコミは民衆を眠らすことにやっきとなっており、小暴力のキャンペーンや、誘かい事件やオリンピックにことよせて、いっさいの政治問題から目かくしし、アメリカの原子力潜水艦の寄港に反対する科学者たちをも権力によってその口を封じようとしている。

日常の太平ムードに酔わされ、何の気力もなく、仕事場にあっては歯車の一部となり、外にあっては低悪な週刊誌やナイターのとりこになり、たまに酒場で政治論争でもしようものなら「ハイ、それまでよ」とくる。民衆が民衆でお互を規制されるように仕向けられ、政治から疎外されることによって世はまさに平和・平和、平和である。

こうした裏側で生活に必要な諸物価は徐々に値上げされ、広島の数千倍の破壊力を持った水爆を積む原子力潜水艦が乗組員の休養という名目で絶えず寄港しようとし、教科書を無料配給するということで民主教育をとりあげようとし、憲法を改悪して日本をアメリカに従属する城塞にしようとし

（4）

ているのである。

われわれは全世界の民衆と手を結ばなければならない。如何なる戦争勢力ともたたかわなければならない。疎外されているものが何であるかをあばかなければならない。そして、何に向って怒り、何に向って行動を起さなければならないかを呼びかけるわれわれは任務をもっている。

私たちは記録映画にたずさわる者として、この今日のもっともアクチュアルな問題と取組んでみたいのだ。そして、今、国会でも問題になっている米原子力潜水艦の寄港に、映画人としての反対運動を訴える映画を作りたいのだ。

新安保斗争に続く現在の地点でのこの問題は、われらの日本国民全部が起ちあがらなければならない重要問題なのである。この寄港を民衆の力で阻止することは、変則国会で彼らが批准したという日米安保条約を、死文化することなのである。

私たちは、ただ単なるスローガン的反対映画ではなく、自らの心の中にあるものの変革を訴えてゆく映画を作りたいのだ。


この自主映画運動の企画に賛同と支援あらんことを願う。

一九六三年五月十日

楠木徳男

他数名

それに対し、その意図には賛成だから具体案を示してほしい、それにもとづいて対策を協議しようということになった。

尚この企画については今早急に具体案を進めつつあり、協力者も出て準備を開始したとのことである。

（詳細は追って報告される予定）

署名運動について

次号会報に、声明文とともに署名用紙をとじ込みますので、しばらくお待ちください。

1963・7・20

記録映画作家協会々報

No. 86

記録映画作家協会
東京都新宿区百人町2ノ66
TEL(361)9555
振替番号東京90709

協会の財政危機打開のために

最近、経済的不況とさまざまな内的外的影響をうけて会員の会費納入率が低下し、雑誌の広告収入が激減して来ました。そのため毎月赤字が重ねられ、今まではいろいろ借金やカンパで補って来ましたが、それにも限界があり、このままでは協会の運営そのものが危機に追いやられる結果となって来ました。

そのため、今、運営委員会では再三その打開策をめぐって討論を続けてきました。

この際、協会の運営のあり方、会費の問題も再検討され、今までの矛盾にメスを入れ、何らかの抜本的対策をうち出そうとしてきました。このことについては当然近く開く予定の臨時総会で皆様に検討していただくことになりますが、この危機は、全会員の積極的な協力なしに乗切ることができません。

いずれ、運営委員会での打開策の原案がまとまり次第、それを臨時総会の通知とともに、お手もとにお届けしますが、その際は何卒よく吟味され、協会発展の方途を発見することに力を集中していただきたいと思います。

尚、臨時総会の時期は、八月中に、おそくとも九月上旬までに開きます。会費滞納の方は、それまでに、分割払いでも結構ですから、是非入金して下さるようお願い致します。ほかの方々も、その月の会費はできるだけ月はじめにお納めいただければありがたいと思います。現在直面しているこの財政危機を打開するために重ねて皆様の御協力を切望します。

新入会

○瀬川　昌（昭和五年九月二三日）　脚本、演出
千葉県船橋市高根台団地一一〇—四〇二
年輪の秘密（フジTV）（岩波）
自方自治を豊かに（電通）
ペガサスへの招待（電通）
GAS—それは炎にはじまった（電通）
明日をつくる高分子（電通）
すいせん者　八幡省三　　松本治助

○藁谷　勲（大正十四年八月二八日）演出、脚本
北多摩郡久留米町大字小山一〇〇
夜の配役（三五年）（歌舞岐プロ）
新しい中径貴（三四年）（岩波）
切削理論（三七年）（電通）

○林　真宏（昭和六年　月二九日）演出・脚本
中央大学法学部卒。中日新聞社を経て、新東宝
教育映画に移る。在職中よりNHKテレビ・レ
ギュラー脚本家として現在に至る。新東宝解散
後、電通及びNHK・TV他有職。
すいせん者　田中岦次　松本治助
豊島区目白町二の一六六三柳田アパート

○大林　義敬（昭和十三年十二月二十二日）助監督
昭和三五年国学院大学卒・照明部（自映連）に
参加・三八年三月演出部に転向、大映TV室、
「人間の条件」「球形の荒野」に助監督として
従事。現在・新世界プロダクションにて「異様
グラフ」
杉並区和田本町八一四　横尾方（三八一）三九〇九
すいせん者　河野哲二　松本公雄

○矢倉　赫雄（昭和十三年四月十九日）演出・編集
横浜市港北区菊名町一四九
昭和三二年三月、県立横浜緑ケ丘高校卒。
同　三二年四月　法団法人　神奈川ニュース映
画協会演出部に入
社　現在に至る
すいせん者　深江正彦　吉田和雄

○金子　安成（昭和八年九月二〇日）演出、脚本
横浜市戸塚区戸塚町一〇五
昭和三三年　日本大学芸術学部映画学科卒
同　三四年　神奈川ニュース映画協会入社
現在に至る
すいせん者　吉田和彦　深江正彦

（2）

○永岡　秀子（昭和八年五年十二日）脚本、助監
新宿区戸塚四丁目戸山アパート四二号一〇五八
昭二七・三　静岡県立静岡城北高校卒。
〃二七・九　中央大学法学部中退
〃二八・九　都立社会事業学校卒。
〃二八、十　総理府勤務
〃三八・七　退職の見込み
昭三六、12　ラジオ・ドラマ〝一つの屋根の下で〟　ラジオ中国
〃三七・一　ラジオ・ドラマ〝わたしは今ここにいる〟　ラジオ中国
〃三七・三　記録映画〝目溜りに本を喰う町〟「記録映画」シナリオコンクールに応募。
〃三七・六　ドキュメント構成〝お母さんの学校〟フジ・テレビ
〃三七・十　ドキュメント構成〝翼と私〟フジ・テレビ
〃三八・一　PR映画〝ブドウ酒・旅のアラベスク〟

動静

○大変ご無沙汰いたしております。愚生、目下ロケハン中の作品、仮題「マイトマイシンC」（脚本演出）より正式に一本立になりました。今後共よろしく皆さまのご指導をお願いいたします。
泉水　剛

○東洋映画作品「シンフォニー躍進」（演出野田氏）の仕事も上って、現在、英気を養って待機中です。
金高伸夫

○大体、病気がよくなったので、少しずつ仕事を始めています。いま取りかかっているのに「東京」のドキュメント（記録映画社）と「ある父祖の記録」（東映です）
古川良範

○「車輛用コロ軸受」電通映画社　六月完成予定。次の仕事は未定。
安部成男

○「中央線複々線工事記録」四二年　「新宿民衆駅建設記録」藤田組土木工事記録三九年　「日綿ビル建設工事記録」三九年　「富山県八尾ダム」三八年　理研科学映画
高橋克巳

○「ゆがんだ眼」（大映外注作品）　模範少年であるがゆえに酒も飲めないタバコもすえない女も……そんな少年の姿をギリギリのタッチで描いてゆく作品です。五月下旬完成予定。

辻本篤視

○「彼女と彼」（岩波）七月完成予定。

羽仁進

○学研で「精度をつくる」という技術映画を製作中

村田達治

○「体液」仮題．脚本調査中・一応今年中完成予定．内容、体液バランスが如何に生命力に影響するか。四月の初旬のことであったが、大阪での医学総会では内外の医学映画が百本送ばれ上映された。日本からは東京シネマ、桜映画社、読売映画社の作品が送ばれ気焔をはいていた。

荒木正幹

○ジエトロ、欧米むけT．V映画「ジャパン・トゥデイ」脚本演出。六月クランク・イン。

西江孝之

○五月から三井プロと長期契約に入りました。「精密技械の誕生」四月一杯で完成しました。「夏を呼ぶ軽井沢」脚本、演出中。

「新しい波に乗って」脚本執筆中。（エア・カーみたいな船の話で六月からクランク予定）

頓宮慶蔵

○劇映画の配給などやっています。演出作成ありません。仕事ありましたらおねがいします。

中央映画　江原哲人

渋谷区代々木二の五　農協会館二階

（三六八）七三六五

○今度民芸映画で「こちら社会部」というテレビ映画の仕事をすることになりました。七月からTBSで放送する番組です。契約はとりあえず七月末日までです。

梅田克己

通信

○前田庸言

電話　武蔵府中（〇四二六）四六〇一

内線三四二番

○転居　杉並区大宮前六の四五八　中山方

金高伸夫

○自宅への連絡は　江東区南砂町四の一の八へ

水木荘也

○転居　世田谷区代田二の七〇一　小坂井方

（四一四）〇七二四

光井義明

○電話　横浜日吉局（〇四四六）四九六六　高橋克巳

○仕事の都合上、少くとも今年いっぱいは大阪に居ることになりそうです。現在の住所は大阪府豊中市岡町南七の三三　谷山方です。　東　浩郎

○転居　練馬区上石神井一の三二六　熊谷光之

○電話番号変更　（七二九）二〇一一　古川良範

お知らせ

▽「記録映画」用ファイル（百五十円　送料は別）すでに製造会社に代金を支払ってしまってありますので、協会財政の窮状をお考えくださって、早速事務局あてに御註文願います。

▽記録映画研究会

七月二六日（金）六時―九時まで

岩波映画会議室および試写真室にて

作品映写及び合評

国学院大映研

西江孝之「近代化を急ぐ日本の農業」

梅田克己「あたみ」

▽五月以降の「記録映画」カンパの状態は次の通り。

執筆者　大島渚　二口

大岡信　一口

寺山修司　二口

小倉真美　三口

玉井五一　六口

稲葉三千夫　三口

飛鳥田一雄　二口

読者　日本証券投資協会野中淳　一口

労文協　一口

平間寿子　三百円

永岡秀子　一口

協会員　大野孝悦　一口

仲原湧作　一口

厚木たか　一口

菅家陳彦　二口

前田庸言　一口

石田修　一口

大内田圭弥　一口

野田真吉　二口

松本俊夫　二口

カンパ運動は今後も継続して行ないます。財政面から「記録映画」を支えるとともに、その内容と方向についても、意見や原稿をよせる形で支えていくようおねがいいたします。

事務局

祖国へ往き来する自由を！

先日、記録映画作家協会あてに、在日本朝鮮文学芸術家同盟から、祖国往来問題の資料及び別記のような声明文が送付され、支援を要望された。これに対し、運営委員会はただちに支援決議を行ない、声明を発し、それを「記録映画」誌上に掲載して、支援を広くよびかけることに決定した。

在日朝鮮人の祖国往来実現に
ご支援をお願いします

日本の文化発展のためご活躍なさっておられるみなさまに心からの敬意を表します。

ご承知のように、いま日本には六〇万の朝鮮人が在留しておりますが、在日朝鮮人は、約半世紀にわたる日本の朝鮮支配の時期に徴用・徴兵など強制的につれてこられたものや、生活の手段を奪われてしかたなく日本に渡ってきた人々やその子弟であります。

このような事情で日本に在留するようになったにもかかわらず、在日朝鮮公民は、解放后十八年になる今日に至るまで、海外への旅行はおろか、自分の祖国へ往来することすら抑えられております。

在日朝鮮人が自分の祖国へ往来することはこのような歴史的事情や人道的立場や国際的慣行から当然認められるべきです。それは何人も侵すことのできない人間としての基本的権利であります。

しかしながら、日本政府は正当な理由もなしに、終始一貫、在日朝鮮公民が自分の祖国へ自由に往来することを認めようとしません。

そのため、日本に数多くいる外国人の中で在日朝鮮公民だけが親・兄弟にあうことができず、故郷を訪ねることができません。

私たちは、このような不合理で、不幸な状態を打開し、祖国への往来を実現するために請願運動を行っております。

在日朝鮮人の帰国実現のために、ご協力くださったように、私たちの切実な願いである今度の祖国往来のための運動に、人道と人権よう護の立場から、積極的なご支援をよせてくださいますようお願いいたします。

一九六三年六月
在日本朝鮮文学芸術家同盟
中央常任委員会
委員長　許　南　麒

原子力潜水艦をおいはらうために

わが作家協会も名をつらねる「原子力潜水艦寄港反対文化団体連絡協議会」は、去る七月九日に会合を開き、次のような当面の行動方針を決定した。

七月二五日から三一日までの国民会議の統一行動に積極的に参加し行動しつつ、来るべき九月初旬のけっ起にむけ・七月二〇日より八月一ぱいを情宣月間として準備を急ぐ。街頭での署名・カンパ活動を含む準備的活動の成果を九月にむけて結集し、九月十日前後、日比谷野外音楽堂において、文化関係個人及び団体の大集会を決行する。この集会は、各団体の独自性を生かしたカンパニアを綜合し、総体としての独自性を発揮してそれを力強く表現しなければならない。

具体的な活動については、各団体の創意性を充分生かし、また他団体との交流のなかから、より発展的な形態をうみだす。

たとえば、原子力研究所と連携して、同研究所作成のパンフの利用、講師の招へい。八月一日から十日までに行なわれる平和行進に参加してのビラまき。決議文よりはるかに有効な公開質問状。財政活動でもある、ペンダント、扇子、色紙等の作成と販売。

なお、組織を強化するために、財政活動・カンパとあわせ、各団体より月一口五百円の会費を集める事務局を新劇人会議内におき、事務局長を松田氏とする。〔（二五一）五七一四　（二九一）九〇七五〕

総会は月一回、十五日を定例とする。十五日が休中にあたる場合はその翌日とする。

※「記録映画作家名簿」予算がたりなくて、粗末なできになりましたが、ともかく完成しました。プロダクションには持参します。来る臨時総会の席でお渡ししたいと思いますが、早めに必要な方は事務局にお立寄りねがえれば幸です。できる限り事務局員が持参するようにはいたしますが。

大沼鉄郎作品集

於西武デパート八階文化ホール　七月二七日（土）

「火の海のヨット」「光の技術」　一〇・三〇－一一・三〇　一二・三〇－一三・三〇　一四・〇〇－一五・〇〇

当日、会場で、解説・コメンタリー・詩を刷ったプリントを配付します。

八月は、吉見泰作品集「ミクロの世界」「パルスの世界」二四日（土）一一・三〇から三回

四月　協会　財政

支出		収入	
摘要	金額	摘要	金額
人件費	49350	会費	63500
家賃	10000	入会	900
印刷費	88555	未収会費	17200
通信費	11160	前受会費	500
交通費	14295	売上	36391
文具費	605	予約	8800
手数料	1640	予約金	500
原稿料	2500	売掛金	200
光熱費	1871	広告	34500
雑費	490	寄附	27500
借入返	41000	ファイル	2400
未払	7800	借入金	12000
		家賃	5000
研究会	1400	研究会	900
現金	686	繰越	21061
計	231352	計	231352

月　協会　財政

支出		収入	
摘要	金額	摘要	金額
人件費	49350	会費	42500
家賃	10000	入会	900
印刷	53500	未収会ひ	4100
通信	11813	売上	40152
交通	8145	予約	2800
文具費	1340	売掛金	300
手数料	685	広告	22500
原稿料	1000	西陣手数料	1600
研究会	700	寄附	10700
水道光熱ひ	871	ファイル	1200
ファイル	15000	雑収入	1816
雑費	1815	家賃	5000
		借入	33000
現金	13005	繰越	686
計	167254	計	167254

（8）

1963. 8. 20 発行

記録映画作家協会々報 No 87

記録映画作家協会　TEL (361) 9555

東京都新宿区百人町2の66　振替番号東京 90709

組織の総力を挙げて危機を克服し新たな展望をきりひらこう

運営委員会では、臨時総会の期日を九月二十一日に内定し、それにむけて討論を重ねています。

運営委員会としては、残す一ヶ月を有効に生かし、討論を全協会の規模に広めつつ深めていくことに全力を傾中します。しかし、時間的な制約を考えると、みなさんの自主的・積極的な討論への参加なしには、臨時総会の成功は至難です。

確定的な方向は今後の数回の運営委員会で打ち出されますが、ここで一応これまでの討論の経過を、臨時総会で論議の焦点になるであろうと思われる部分に限って、その要旨をまとめてみました。

これを参考に、ただちに組織をあげての討論を進展させ、最も有効な方向を全協会員の力で導き出し、その成果を臨時総会で集中的に検討し、協会の新たな発展をかちとりたいと考えます。

○会費の納入率の低下、滞納、広告収入の減少――これらによる財政危機をいかにのりきるか。

会費の完納、広告収入の回復によって、危機はなくなるか。

もし、これによっても、諸物価高騰の現状では依然として赤字予算が解消できないとすれば、そしてまた、昨年までの赤字のうめ方（特定会員運営委員の個人的好意と負担によりかかってするうめ方）はもはや採るべきでないとすれば、誌代値上げ、

会費値上げもやむをえないのではないか・

○会費納入率低下の原因としては、外的条件としては諸物価高騰・短篇業界の不況などによる窮迫ということが考えられるが、運動体としての反省は、内的要因に、つまり運動そのものの停滞状況にむけられなければならない。運動の停滞は「記録映画」にも反映し、内容と方向に対する不満をよびおこしている。財政上の危機が、このような運動の危機的停滞の一つの集約的な現象形態であるとすれば、運動とその機関誌の方向は、積極的に自ら運動を支えていこうとするエネルギーの湧出をともに共通の課題としてめざさなければならない。

○運営委員会は、協会員の不満・要求・意見などを充分に組織していない。とくに企業からの意見に耳をかたむける態度がないのは問題だ。雑誌の内容も、身近な問題や作品評などをもっとふやし、機関誌的性格を強めるべきだ。

○「何かありませんか」「左様、御尤も」といった調子で、御用聞きのように注文をきいてまわって、何でも無原則的に聞き入れ、とりあげ、みたしていくといった迎合主義・追随主義では、問題の発展的な核心と契機はとらええない。不満・意見・要求等の多くは、雑多な要素が錯綜したままの未分化な形で出されてくる。これらを主体的にうけとめ、潜在的な要求までも正確に分析・綜合して正しく方向づけ組織することが、運営委員とその委員会の主体的な、真に責任ある活動のあり方だ。企業からの意見に耳をかさないというのは誤解だが、しかし企業の意見に対するも、この基本的態度の例外であってはならない。ただし、企業からの意見の中には労組的な発想と要求を、そのまま記録映画作家協会という組織に移し入れ、持ち込むという誤りをおかしたものもあるが、これは協会という組織に対する誤解に由来する。あるいは、いや、より正確には、協会の性格自体の曖昧さに誤解の原因がある。

　身近な問題を、ということについては、身近さなるものを、地理的な距離とか、いまの感覚、実感とかでのみはかるのは、卑俗な身のまわり主義の尺度である。そのような虚偽の身近さにへばりつき、自己を狭く限定していくところには、運動の前進はない。距離的に遠いところで行なわれる創造活動から激しい触発をうける例は、課題意識の共通性と追

求をかかわらせる可能性は、国境とかジャンルの枠とかに規制されるものではないことを示す。現在一般的であるかにみえる感覚・実感を否定し、次にあるべきそれを模索する・一時的には無理解のなかの孤立したたたかいが、ついには・それが発展の必然的な正しさを把握しえていたが故に勝利しえた例は、この協会の歴史の中にも見出される。

作品評のことについては、それは量の問題ではない。無意味なものをいくら並べてみたところで、また、プロダクションの太鼓持ち批評で広告をもらったところで、芸術創造の発展とは何のかかわりもない。問題は作品と批評の質と方向性なのだ。

○協会の運動に対する不満の多くは、生活的・経済的要求を協会が充分にみたしえないところから生じている。この充分な解決は・協会の性格と組織の現状からしては不可能に近い・これを無理に背負いこんで幻想を与えることは、一層の不満と混乱をもたらすだけだ・協会とは別個にフリー映画人の組合をつくり、それと短篇連合との連携のもとに、生活的・経済的要求の解決を図ってゆき、協会は、作家的権利を守り芸術創造を前進させる芸術運動体として発展させるべきである。客観情勢の最近の動向は、この方向をとることの正しさを示唆している。

○作家とその芸術運動の根本的危機は、作家とその集団が自らの芸術課題を見失い、その内部に燃焼する創造的生命力を喪失するところからはじまる。この状況は、作家主体がその課題追求と創造活動を他ときびしくかかわらせ対決させていく場を崩壊させることによって、運動体の危機的様相を深化させる。

我々の直面する危機の本質についての、このような認識を欠如したすべての危機打開策は、けっして有効性をもちえない。あるものは組織運営上の二義的・部分的欠陥に目をうばわれた部分的改良策であるにすぎず、あるものは運動体の性格と機構を形式主義的に問題としてこれを改変しようとするが、これはもう一つの新たな形骸化した芸術運動体をもたらすにとどまるであろう。

我々がいま声を大にして主張し作家的生命をかけて遂行しなければならないことは、芸術課題追

求および創造活動の、作家主体内部の創造的パトスとエネルギーの回復である。そしてそれによってうまれる。作家主体相互のきびしい対決と批評にささえられた運動のダイナミクスが、われわれの内なるジャンル意識と現実のジャンル的規制をつき破り、他の諸ジャンルの尖端的に芸術の課題と運動をまさぐる部分とかかわりあうことによって、映像芸術の共通課題発見と追求の可能性をきりひらき、運動的実体の確立を導き、芸術運動の新たな綜合的発展の方向をわれわれのものとすることができるであろう。

○今後の運動のヴィジョンがいかなるものかはともかく、これまでの協会の基本方針――芸術課題、生活・権利の課題を統一的にとらえて解決していく方向――の正否を判定する理論的・実践的準備に自信はあるか。それがないかぎりこの方針の破綻を宣告し転換を云々するのは、軽卒であろう。方針実現のために新設した組織部、生活権利対策部の活動が、その他の諸活動とともに一層精力的にとりくまれるなかで、相互にきびしい点検と批判をおこない、方針の正否を検証するべきである。

○より高次の運動の方向を確認し志向しつつ、その先取したヴィジョンにむかう現実の主体的・客観的条件がいまだ飛躍・転換をとげうるまでに成熟していない現状を、いかに成熟させ変革していくか。我々の当面の課題は、この過渡的期間に、創造にむかうエネルギーを高揚させ、創造と批評のダイナミックな場をつくりだしていくことにある。

○運営委員はもちろんのこと、全協会員のヴィジョンとプログラム、運動論と組織論、当面の現実的プログラムが提出され、集団的な討論が各所で、そして全体で展開されなければならない。

（事務局）

掲示板

八月二二日　ドキュメンタリー理論研究会
八月二四日　吉見泰作品集
八月二四日　六時　於ガスホール　六時
「二四時間の情事」「四陣」講演松本俊夫
九月七日　吉田六郎作品集
九月二〇日　ドキュメンタリー理論研究会

西武記録映画をみる会
八月例会
吉見泰 作品集

日時　八月二四日（土）　十一時～三時半
場所　池袋　西武デパート八階文化ホール
作品　「ミクロの世界」「パルスの世界」

「ミクロの世界」


ここには観察の世界があります。

顕微鏡でとらえる微生物の世界の観察。

結核菌と白血球の格斗の記録です。

ここで観察されていることからは、結核菌や白血球の生態と、その両者のかかわりあいです。

生態を見、かかわりあいの様子を見るということは、それを通して、そこに働いている自然の法則を発見しようとすることです。

彼はいかなる環境のもとで、いかようにして生きるのか。

一般的に言えば、こうした観察と発見の蓄積の上に、われわれは今日生きているのです。


したがって、映画「ミクロの世界」でも、その撮影を支えた基礎は、今日までの、結核菌と白血球に関する科学の蓄積であることを感じずにはいられません。

丁度われわれの肉眼が、まわりの現象をとらえて、中枢に伝えるように、顕微鏡カメラは、「ミクロの世界」の現実の一端をとらえて中枢に伝えます。

そしてその現象がもつ意味をさぐって行きます。

法則の発見は、この意味の探索の中にあります。

「意味」は現象と現象とを関係づけ、位置づけます。この「意味」を見きわめるときに、はじめてわれわれは類推をはじめ、したがって生きることができます。

自然科学は、多くの確実な「方法」を持っています。どの分野でもたしかに「方法」は豊富になってきています。

しかし、それに対応すべき「意味論」は意外にたちおくれています。

作品の創作問題でもこのことが言えます。

作家の中の意味論の不在もしくは立ちおくれが、作品の停滞を呼んでいるのでしょう。

「パルスの世界」

この作品は、情報理論にもとづいて、現象面の意味論を意識的に展開しようとしたものです。

「映像文化」誌に、「パルスの世界」がすべてのパルスを等視しているのは誤りであるという意見があったそうですが、誰も、すべてのパルスを等視などしていません。むしろそのような誤解を産む底には、意味論へのアプローチの不足があるのではないかと考えられます。そのことがかえって問題です。

この映画は、「ミクロの世界」のような観察映画ではありません。

しかし、当然なことながら、今日までに蓄積された科学的観察（実験）データの上に、はじめて展開できる世界です。

今日、エレクトロニクスは、自律的にも新たな生物を創造する方向に向っています。

哲学は「科学の化石」という言葉がありますが、現代の作家は　あまりにも、データに貧困すぎはしないでしょうか。作家の中の「現代」は、いつの時代の現代なのか。古い時代の化石をもって、いま生きている現代をはかろうとするところに、作品の停滞があるのでしょう。

西武記録映画をみる会
九月例会

吉田六郎作品集

所　池袋　西武デパート八階文化ホール

時　九月七日（土）一時半～三時

作品　「かえるの発生」「水鳥の生活」
「ジガバチモドキの観察」

三つの作品を選んだわけ

「かえるの発生」は、今から約十年前、岩波映画で作ったものです。

私にとっては、撮影技術者としては、ものをはっきりと写しとることの確実な手掛りとなった作品であり、演出家としては　自然を凝視することの重大さに対する確信を得た作品です。

しかし今日どのような評価を得ることが出来るでしようか。

その後、五年前に岩波映画を退転し、東映教育映画で、三年間に五本、一四巻の映画を作りました。

私が代表作と考えるものに、三十五年の「蜂の生活」と三十六年の「水鳥の生活」があります。それぞれ四十分以上の長さを持つ、三十五粍色彩記録映画です。作品としては「蜂の生活」に愛着がありますが、今回「水鳥」を選んだ理由は、この作品はシナリオというものを持たず、自然それ自身こそシナリオだという考えのもとに、自然のふところの中で、自然と人間を見つめつつ製作したものです。

「ジガバチモドキの観察」は、私達のプロダクション、科学映画研究所の第一回作品です。もっと正確に云えば、「ジガバチモドキの観察」が昨年度の映画コンクールで数個の賞を得たことで、科学映画研究所が出来上ったのです。

この作品は、私がプロデュースした最初の自主作品で、科学映画、教育映画というものに対する私の持つ考えにもとづいて製作したものです。

この映画は、私が全責任を負わなければならない最初の作品です。

一九六三・八・一八

動静

○「白夜とともに」神奈川ニュース映画協会　八月十五日頃完成。次の仕事の予定ナシ。　唐木武久

○仕事がありましたらおねがいします。最近、「記録映画」に、理解できる文章が載るようになりましたね。その調子でおねがいします。　奥好辰夫

○仮題「日本のこころ」（電通映画社）脚本、監督。アメリカ向け観光映画　九月中旬完成予定。　瀬川晃

○日映新社「海潮音」三九年六月迄。　久保田義久

○記録映画社で、五月から三菱銀行の映画をやっています。八月初旬完成予定です。　豊田敬太

○小生、今回入会させて頂きました。未だ素人同然ですので、よろしくお願い致します。現在の「奥様グラフ」も七月一杯で止め、待機の状態です。なお経歴の内、小生の書き違いで「人間の条件」は照明として従事致しましたので、取消して下さい。それに大学も三十五年度卒です。　大林義敬

○ある大きな本屋が、医学映画製作をはじめたい意向あり、まだ熱していないか、協会のためにも注目している。協会は如何なる対処をするや？その本屋の主脳部の一人が近所に住んでいるので時々話すのだが、自分は今とり込んでいて殆んど出られない。関心を持つ価値ありと思うなら電話を下さい。　広木正幹

通信

○転居

・山元敏之　横浜市中区福富町西通り三九　福富町ヤ二住宅五一四

・吉田長治　新宿区四谷一の五　東交ビル四階　吉田税務会計事務所（三五一）五〇〇六

・荒井英郎　練馬区春日町一の二五七八

・杉山正美　世田谷区上馬一の八五二　真中ヤ二住宅三〇五

・長野千秋　世田谷区代田二の七六〇　巽方

・前田庸言　府中市晴見町一の二八　府中団地二一号の一〇二（〇四二三六）四六〇一　内線三四二

・小川益生　中央区室町二の七　浅岡方

・二瓶直樹　大田区上池上一一一〇　桂荘

・平田繁治　江戸川区上一色町八四三

○訂正　伊勢長之助　港区赤坂台町一五　リキアパート四〇八号（四八二）八六一一

○暑中見舞

・日生劇場映画部　米山彊氏

・銀座さくらや

・深江正彦氏

・山本館　草津ホテル

・東映動画スタジオ

○電話変更

・徳永瑞夫　世田谷区松原一の六九　右近方（三二八）二二四〇　一時的連絡場所

・日本テレビジョン（四五二）六三七一（大代）

・日本映画新社（四四二）七二五一（代）

新入会

塩沢朝子　北区中十条三の二五の三　昭和十四年五月二三日生

推薦　野田真吉　松本俊夫

昭和三三年三月　都立文京高校卒

同六月　合資会社興商会東京支社

企画部勤務

昭和三七年六月　同社経営不振のため退社

同七ー九月　三木映画社「急ぎませ暖かき風と聞くからに」助監督につく。

昭和三八年

六ー七月　フジテレビ番組「奥さまグラフ」にて〝洗濯の科学〟〝夏休みの生活指導〟二本のシナリオを書く。

動静と通信の追加

○山元敏之　ラジオドキュメント「八月六日」へラジオ中国で六月三日から十回〕がやっと終りました。

転居　横浜市中区福富町西通り　福富ヤ二住宅五一四

○渡辺大年　東京都杉並区井草町四丁目三番十八号　住居表示制度実施による新名称

お知らせとお願い

○読者の方々、寄贈者の方々の御支援と、協会員の皆様のお力によって、「記録映画」印刷所を変更し、定期刊をかちとることができました。発行部数もふやし、売れいきも少しずつのびてきました。この点ではやっと一安心というところですが、協会全体の財政については、依然一歩の先も見通せない状態にあります。毎月、その日ぐらし的なしのぎ方をくり返しています。息をきらしながらどうにかその月の壁をのりこえるのですが、ほっと一息つくひまもなく、またも目前にそびえ立つ次の月の壁をどうのりこえるかに頭を悩まさなければならない有様です。広告も、ごらんのように、プロダクションの援助がほとんど期待できなくなったため、出版関係の好意にすがって、どうにかうめていますが、毎月息切れのしどおしです。

他にたよるよりもまず、何よりも、きちんと納められた会費で運営していくことが基本だと思います。みなさまのふところ具合も大へんだとは存じますが、できるだけその月のうちに会費をお納め下さい。会費が滞っている方は、二、三か月ずつでもまとめて徐々に額をへらしていってくださるようおねがいいたします。広告についても、お心当りがございましたら、ぜひお知らせねがいたく存じます。表紙の1/2で五千円という規定です。

六月財政報告

支出		収入	
摘要	金額	摘要	金額
印刷	64325	入会	600
家賃	10000	会費	53300
人件費	49350	未収会費	5300
通信	8135	西陣 手数料	800
交通	6685	名簿	500
文具	1470	雑収入	168
原稿料	4000	予約	9300
電話料	5000	売上	27953
手数料	795	広告	35000
研究会	920	寄附	7400
水道光熱費	839	ファイル	1800
雑費	200	研究会	150
未払	6000	家賃	5000
現金	2557	繰越	13005
計	160276	計	160276

七月財政報告

支出		収入	
摘要	金額	摘要	金額
印刷	63230	前受会費	1000
家賃	10000	入会	900
人件費	97350	会費	57100
通信	11223	賛助会費	3200
交通	7480	未収会費	20100
文具費	1850	8/mm 収入	8000
原稿料	2000	名簿	6900
電話料	5000	予約金	4300
手数料	1135	予約	6900
研究会	1000	売上	45291
組織部費	720	広告	40000
水道光熱費	553	売掛金	500
雑費	285	寄附	4500
現金	4572	ファイル	150
		家賃	5000
		繰越	2557
計	206398	計	206398

記録映画作家協会々報

No. 88

記録映画作家協会
東京都新宿区百人町2の66
TEL (361) 9555
振替 東京 90709

臨時総会を中止し、そして定期総会にむけて新しい運動の方向を見出そう

先の会報で九月二十一日に臨時総会を開く予定であることをお伝えしましたが、運営委員会でその後も討論を重ねた結果、これを中止し、今までの討論を更に発展させ、定期総会でその運動論を向おうということになりました。

その理由をここにご報告致します。

(一)、現在の状態では、運営委員会の方針は、全会員の皆さんに自信をもって提起できるほどの強固なものになっていない。このまま問題を投げかけたのでは、いたずらに混乱を招くだけで、前進にはなり得ず、むしろ協会の危機をより深化させるおそれがある。これでは折角の臨時総会もかえってマイナスの結果となる。

いうまでもなく、いま協会にとって必要なことは、如何に現状の慢性的停滞症状を克服するか、その方策を見出すことにあるが、上記の点を考慮に入れるならば、運営委員会の提案する原案をより明確にするために、残された定期総会までの期間を集中的な討議期間とし、これまで積み重ねられた討議を全協会的な規模で発展させていく、という方向をとることが適切である。

(二)、期日があまりにも定期総会と接近してしまった。三ヶ月後には再び定期総会を開かねばならない。この間に臨時総会を開かなければならない理由は、(一)の現状を打開する根本的方針の検討という要件を除けば、財政上の問題にある。(一)の要件について前記のように判断すれば、財政上の問題にかなりのウェイトをかけて臨時総会にのぞむことになる。しかし、財政上の方策、たとえば会費値上げ案などは、(一)の成果と緊密に関係する問題であり、それだけを切り離して提案すれば、危険な結果が出ることも予想しなければならない。加えて、総会にかかる費用(一回開けば約二万円はかかる)を短期間に捻出しなければならないことを考えるならば、いま臨時総会を開くことには慎重にならざるをえない。

発展的な基本方針に見合った財政方針によって財政危機回復の確固とした見通しが得られればともかく、そうでない限り、さらに赤字をつみ重ねてかえって危機的破局を迎えることになりかねない危険をおかすべきではない。

定期総会まで何とかもちこたえる財政的対策を講じ、当面する危機を切りぬけていく方向をとるほうが適切である。

主として上記の二点から運営委員会では臨時総会の中止を決定し、定期総会にむけて次の点を中心に全力をあげてとりくむ。

(一)協会の直面する状況を深く分析しつつ、これまでの討論を継続的に発展させ、運動的、財政的危機の根本的打開策を見出していく。そのため運営委員会は定期総会までに集中的な討議を重ねる。

(二)財政を総会まで持ちこたえさせるために、次の二つの事業を行なう。これには映画運動としての意味も含まれる。

④テレビドキュメンタリー、アニメーション、PR映画、記録映画など(外国のものも含む)から秀れた作品をえらびだし、できるだけ多くの人々を動員する。これに関しては既に小委員会では、会場を通産省ホール、期日を十月下旬に予定し、プログラム編成に努力しています。近々に詳細を発表しますが、その際には会員券を一枚でも多くさばいて下さるようお願いします。

⑤記録映画のシナリオ集を「記録映画」別冊として発行する。第一集は戦前の作品を特集する。資料的にも、実作の上にも役立つ共有財産となりうるものにする。これも編集小委員会をつくって検討中です。一般の人々にもおすすめ下さい。おそらく予約申込をお願いすることになると思います。

(3)企業会員の代表者懇談会を開く。企業会員の持っている諸問題を話し合い、今後の運動の方向を見出す。また、かねてから懸案になっていた会費の調整(企業により、個人によりその額がバラバラになっている)を行なう。

(4)上記のようなプランも含め、定期総会にむけて各部の活動を活発に進めていく。

(5)定期総会にむけて、協会員の運動論についての個有の見解を積極的に出していく。それを会報にのせて全体としての方向をつくりだしていく。これについては、別項に今までの運営委員会での討論内容を要約したものを出してありますので、それを参考に投稿されることを皆さんに強く要望します。

(6)各企業内に協会員のサークルをつくる。今までにも、各企業でフリー契約者の組織が作られ(岩波、日映、電通)、それぞれに活動しているが、協会員同志の連携は比較的おこなわれていない。

東京シネマの場合はすでに協会員の会がもたれて話し合いが進められているが、ほかの企業内にも同様のグループをつくって共通の問題を話し合う場を持たれることを希望します。

(7)雑誌「記録映画」の誌代を、十月号から一冊百三十円、予約申込半年分七五〇円、一年分千五百円に値上げする。諸物価の値上りと合わせて読者に訴え、了承を得るようにする。

(8)会費を積極的に納入する運動を進め、滞納会費は出来るだけ早急に完納していただくようお願いする。

以上のような当面の諸対策と今後のプランを運営委員会では決定し、いまそれにもとづいて活動をはじめています。この重大な局面の困難を克服するために、皆さんの積極的な討論への参加を希望します。

これまでの運営委員会での討論の要点

これは、運営委員会での討論をより前進させるために、今まで討議されてきたものを個条書的に要約したものです。あえてここにこれを皆さんの前に公開し、この論議を実りあるものにするために、皆さんの参加を期待するものです。御意見を次号会報にご投稿下さい。

運営委員会資料

今までの運営委員会における討論の、具体的な発言については、前号（八七号）会報を参照されたし。ここでは、今までの討論の内容を、できるだけ構造的にとらえ、多少の無理をおかして、図式化してみた。

〔I〕協会は危機に陥っている

A。危機は財政上のハタンとして現われてきた。
財政上の分析でいえば、毎月二～三万の赤字、

B。客観的に、経済的社会的条件の悪化＝不景気。
機関誌広告収入の減少
事業活動の困難
諸物価の値上り
会費納入の悪状態がつづいている

C。会費は値上げをしなければならないが、カンタンには提起できない。
協会の運動にかかわるから。
運動についての確信のなさは、会員への説得力をもたない。先ず運動論を持つことだ。

D。協会と会員との結びつきが弱まっている。

E。作家同志の連帯の共通項が明確でない。
作家のもつ課題が分裂し分散し、あるいは喪失した現状。

F。作家（協会員）は如何なる課題をもつべきか。

G。作家たちを結びつけるものは何か、連帯の共通項は何か。

H。しかも、漠然とした連帯感への要求はある。
その分析と方向づけと、組織化の必要。

I。作家協会がなくなってしまったらどうなるか。

〔II〕連帯の基礎は何であるべきか。

J。これまでの協会がとらえていた連帯の基礎
1、芸術的課題の設定と追求を共通の場で行な

う。

2　作家としての諸権利を守り、拡大したい。

3、経済的・生活的要求

K。これらの多面的要求を、相互に不可分な、支えあうものとして統一的にとらえるべきである。（今までの協会の基本的なとらえ方）

L。芸術上の問題のみを重点にすべきである。

M。生活的・経済的要求を中心にすべきである。

N。統一的にとらえることは正しいが、現実的具体的には・それらの要求は相互に矛盾し合うことがある。

ただ一つの組織でこれらの多面的要求を包括することはできない。

O。一般的方針は今までのままでいいが、具体的運営のまずさと会員との隔りが問題だ。

P。連帯が失われているのは、会員の直接的な要求に協会がこたえていないからである。

その要求は　もっと身近な問題をとりあげろということである。今の協会は一部の芸術運動家のための団体になっている。機関誌は会員の作品をもっと取上げ、会員の声をのせるべきである。

（Ⅲ）機関誌をめぐって

Q。機関誌は会員の意志表示、意見の発表を、意見の相異を理由にして妨げたことはない（編集上の民主主義の問題）

R。機関誌は、芸術課題・方法を追求する運動誌としての性格をもつ。したがって、この課題にこたえるための論文は、協会の内外をとわず取上げるのが当然。しかもなお、会員の中に発言をうながしつづけてきた。

S。「記録映画」には書きにくい。発言しにくい、とりつきにくい。その理由は何か、どうすれは突破できるか。

T。最近の「記録映画」は、芸術課題の追求において停滞しており、つまらない。その原因は協会をふくめて、芸術運動の停滞に由来する。

U。停滞のあらわれとしては、すぐれた論文がないこと、論争がおこらないことがあげられる。一つの意見に対して対立する意見が現われてこない。各作家の芸術的課題追求の弱さがあるのではないか。

V。協会の運動の多面性の中で、機関誌がうけもつ分野は限界をもつ。協会運動のすべてを機関誌がになう事はできない。各専門部の活動のありかたが問われるべきだ。

(Ⅳ) 芸術運動のありかた

W。芸術創造の核、主体は個人である。

X。芸術運動のエネルギーは、この個人のエネルギーから発した小グループの充実した運動にかかっている。

Y。しかも、個人及び小グループが、相互に刺戟し合い、お互に高め合う広い連帯が必要である。

。そのような連帯の組織は何か。

(Ⅴ) 作家協会の運動論

イ。会員は芸術的課題追求のパトスによって連帯し運動をすすめる。

ロ。作家の生活的、経済的要求については、別個の組織と運動を考える。(労働運動的側面の要求を純粋化)(フリー労組)

ハ。作家のもつ多面的要求は、芸術的課題を中心としつつ統一的構造的に把握し、協会はそれを組織化した統一体として運動をすすめる。

ニ。協会は職能的な集団として自己規定すべきである。

ホ。その上で、芸術的運動とその組織を別個に構想すべきである。

ヘ。芸術的課題追求で統一した組織は、他の職能(撮影、照明、等々)や、他のジャンル(絵画、テレビ、写真、デザイン、劇映画、等々)の人々を包含すべきである。

(Ⅵ) 構想実現のためのプログラム

ト。運動論、組織論の長期的目標を実現するための、目前の具体的プログラムがなくてはならない。

その具体案をどう組んでゆくか、

会費の値上げ額

会員の構成をどう再組織してゆくか

長期滞納者の問題

構成会員を他ジャンルの者も含めるようにするか(テレビ関係、劇関係等)

芸術運動の方向をどう規定し、何を目標にプログラムを組んでゆくか。

通信

○いままでは、フリーとして、東映教育映画部と専属契約で仕事をしてきましたが、今度左記の会社へつとめることとなりました。今後ともよろしくおねがいいたします。

記

株式会社　日本技術映画社

ところ　調布市上石原字柳谷戸四六二
鹿島建設株式会社技術研究所内
TEL 調布（〇四二二九）
二一一六（代表）

岩佐　氏寿

転居

○平野克巳　三鷹市牟礼二七六
TEL武蔵野（〇四二二）四・四七四七

○山川　治　板橋区双葉町四〇　日映寮

○飯島耕一　渋谷区千駄ケ谷二の五
TEL（四〇二）四〇七二

暑中見舞・残暑見舞

○大島　渚氏「この度、三一書房より「戦後映画・破壊と創造」という本を出しました。これまでの映画に関する評論を集めたものです。御目にとまることがありましたら、何とぞ御高評いただきますようお願い致します。」

※同書、事務局で二割引であっせんします。その他の書店の図書も同様にあっせんします。

○文京区春日町一の一　労文協

○新宿区四谷一の一三　ムービーセンター

○十六ミリ映画株式会社製作部

○新宿区柏木一の六三　東京映技株式会社

○大阪市東区馬場町六の四　NHK大阪中央放送局芸能部

大阪市阿倍野区阪南町西四の五　住宅公団阪南住宅二号館二一六号室　北村充史氏

＝脱会＝　石田　巌

＝カンパ＝　辻　功氏　一口
持田裕生氏　二口

八月財政報告

支出 摘要	金額	収入 摘要	金額
人件費	49350	前受会費	3500
家賃	10000	入会	300
通信	7387	会費	77100
交通	4540	賛助会費	2900
文具費	1210	未収会費	5700
電話料	5000	西陣手数料	600
手数料	1270	8ミリ講座	2000
印刷費	63346	名簿	8700
原稿料	4500	予約金	2100
研究会	800	予約	5900
光熱費	679	売上	27551
未払	6000	広告	13000
借入返済	5000	寄附	1200
雑費	400	ファイル	750
現金	1481	家賃	5000
		雑収入	90
		繰越	4572
計	160963	計	160963

＝消息＝

神馬亥佐雄氏
イタリーより帰国後、左記に入院療養中
北多摩郡清瀬町　国立療養所東京病院
東療病棟

＝仕事＝

○求む演出家　社員として
神奈川ニュース映画協会　深江正彦

○求む助監督　緊急に
・日本ドキュメントフィルム　亀井文夫
・東洋シネマ　土本昭典

○求む助監督
日本技術映画社　岩佐氏寿

＝事務所＝

記録映画作家協会の事務所は、今年いっぱいで契約が切れ、出なければなりません。すでに子どもセンターは新事務所を決定しましたので、私たちは独自に探さなければなりません。お心当りがありましたら御連絡下さい。

○「記録映画」の広告、何でも、いくらでも結構です。御協力おねがいいたします。

1963.11.5

記録映画作家協会々報

№ 89

記録映画作家協会　　TEL（361）9555
東京都新宿区百人町2ノ66　　振替番号 東京90709

総会に向けての討議（第一回）

職能組織と芸術運動に関する至極初歩的な原則について

―作家協会の「危機」克服のためのささやかな提案―

花松正卜（映演総連短編連合前議長 岩波映画労組前委員長）
高橋昭治（日映新社労組前委員長）

はじめに

記録映画作家協会報87号（8月20日付発行）は、運営委員会の討論の要旨を事務局がまとめたという形式で「組織の総力をあげて危機を克服し、新たな展望をきりひらこう」と題する「主張」を掲載し、そのなかで「企業からの意見」に対して次のように言及しています。「企業からの意見の中には、労組的な発想と要求を、そのまま記録映画作家協会という組織に移し入れ、持ち込むという誤りをおかしたものもあるが、これは協会という組織に対する誤解に由来する。あるいは、いや、より正確には、協会の性格自体のあいまいさに誤解の原因がある」と。

昨年後半から今年の前半にかけて行なわれた、映演総連短編連合傘下の各労働組合の運動に関連し、しかもそれを曲解したこの「主張」について、当時、映演総連短編連合議長であり岩波映画労働組合委員長であった花松正卜と、日映新社労働組合委員長であった高瀬昭治とが協議し、結論として、㈠当時短編連合において提唱され具体化され、いまなおたたかわれている短編連合労働者の産業別、職能別の再編・統一の運動を曲解するもはなはだしい。㈡私たちが作家協会に対してとってきた友好的・連帯的精神を一方的に破壊している。㈢作家協会組織部苗田康夫氏との再三にわたる懇談、ならびに四月十日夜岩波映画で行なわれた、短編各労組と作協運営委員大沼鉄郎。富沢幸男両氏との会談の内容と、この「主張」の内容とは、一点の共通点もない、ということになりました。

私たち二人は、この誤まれる「主張」を正しい「主張」に変えることが、当時短編連合ならびに各労組の指導的位置にあつた私たちの責任であると考え、岩波・日映両労組の関係者、ならびに「協会の性格自体のあいまいさに誤解の原因がある」といわれた以上、作家協会会員の若干名とも意見を交換し、ここに、協会会員という二人の立場をも含めて一文を提案します。

当時、私たちが、短編連合あるいは所属企業各労組において提唱し実践してきたのは、短編映画産業労働者の産業別・職能別の再編。統一という緊急の課題であり、これに関連して短編映画作家の団体である作家協会の性格を分析・検討したのであります。もちろん、「労組的発想と要求をそのまま記録映画作家協会という組織に移し入れる」というような幼稚な発想ではこの課題を遂行できないことは百も承知のうえで、まず作家協

（2）会の職能団体的性格が、短編映画産業労働運動のいったいどこに位置づけられるかを検討しました。つまり短編映画において労働戦線が産業別・職能別に統一されようとする段階では、各労働組合・撮影者協会・自演連などの諸団体とともに、作家協会が単一の職能別組合に発展する一要因となりうることを指摘したにすぎません。

私たちは、映画産業における労働組合が企業内組合の企業別連合としてしか組織されていない現状（他産業でも大同小異であるが）をどう打破ってゆくかという問題意識に立っています。だが会報の主張は、これに対して何事も答えないばかりか、企業の枠を打破ろうとする私たちの主張に対して「企業内からの意見」とすることで、あえて企業内と企業外との区別を強調しようとしています。私たちの主張は、企業の内とか外とかという発想を否定し、短編映画界の全労働者を対象とした全体的な視点に立って、ここから産業別の再編。統一という課題を提唱するものであり、この視点なくしては、論理的にも現実的にも、この課題は提起出来ません。私たちが、会報の主張に対し、文書によって意見をのべようと考えた直接の動機は、ここにあります。

たしかに、企業内で社員または専属契約者となっている作家たちと、企業外でフリーまたは作品契約者として存在する作家たちとの間には、個別的諸要求の内容に若干の差異があることを、私たちは否定しようとは思いません。しかし、企業内の作家は身分保障があるからもっぱら「生活要求」だけに集中するとか、また企業外のフリー作家は、仕事にありつくためにも、まず芸術論・創作方法論だとかいう傾向に流れるとすれば、それはあまりにもみじめではないでしょうか。それに似た現象が全くないとは言いきれないだけに、こうした現状を打破するためにも、それぞれの作家たちが資本の買手市場の中に個々バラバラに組み入れられている状況をまず変革しなければならないと思います。したがって「短編映画作家は企業の内と外とを問わず単一の職能組合を結成する道を歩む必要がある」という私たちの主張には、十分根拠があるのではないでしょうか。

もちろん私たちは、作家協会が現状のままでストレートに職能組合となることを期待するものでもありません。また協会が、その職能団体としての組織の性格にもかかわらず、芸術運動体としての機能をも果してきた事実を知らないわけでもありません。したがって、私たちは、会報の批判にこたえるためにも、作家協会における職能団体としての問題と、芸術運動体との関連性についての、私たち自身の見解を明らかにする必要があると思います。

会報の主張は、協会の現状を財政的危機に集中的に現われたところの運動体＝組織自体の危機としてとらえ、「運動体としての反省は（外的要因ではなしに）内的要因に、つまり運動そのものの停滞状況にむけられねばならない」としています。

いつものことながら、泰平ムードのどまん中では、運動の停滞も思想状況の荒廃ぶりも、景気のいい「言葉」の洪水のなかに埋没されてしまいます。運動員「倍加」を謳歌する生命保険会社もどきのおめでたい「運動体」もあれば、なかにはその逆を狙って「危機」を売りものにして飛びだしてくる者もいます。そこで秋風とともに、「危機的停滞」「危機的様相」「根本的危機」等の単語が枯葉のように舞い上ることになります。しかし、現実の危機を具体的に解明し、それを打開する方策をもたないマンネリ化した危機意識は、かえって鋭い危機感をぼやけさせ、それにより真の危機を助成する役割をさえ果すことになります。

会報の主張はそれにつづいて、停滞状況をもたらした原因・条件は何なのかという具体的な清勢分析をしようとはせずに、一億総ザンゲよろしく、「協会危機の真因は芸術課題の混迷と作家たちの創造的パトスの欠除にある」と、問題を主観的な方向に帰納することにより、危機ならびに運営上の責任を回避できると考えているようにみえます。協会運営上の諸問題まで個々の会員の作家的パトスの欠除のせいだと問いつめられた協会員たちが、はたして会報の主張の「枯葉の踊り」を黙ってみすごす理由があるでしょうか。そこで私たちも、単に「企業内からの意見」云々に反論するのではなく、協会の危機を克服するために「集団的な討論が各所でそして全体で展開」（会報）されるため一部分として、このささやかな見解を提出しようと思います。

㈠作協の現状について

(1)「芸術運動」への傾斜

作協創立当時の事情はよく知りませんが、当時、記録映画製作がきわ

めて困難な状況に置かれていたこと、そして劣悪な製作条件と作家の生活権までおびやかされる環境の中で、いかにして作品活動をすすめ、さらに民主的な文化の発展に寄与してゆくか、という課題があったことは、協会規約三・四条の目的および活動の項目から理解されます。

やがて神武・岩戸の好景気の中でＰＲ映画の需要が急激に増大します。協会の目的である本来の自主的な映画の製作活動は大して進展しないままに、作家はＰＲ映画製作という大波に吸収されてゆきます。

一方、文学、その他の領域ではじめられた、例えば、作家の戦争・戦后責任の追求等の、思想的な諸潮流は、映画の分野にも影響を与え、作協の運動の主流は、「主体論」を軸とした「創作方法論」へと向います。しかし、他の領域の運動を媒介としながら、映画独自の問題を解明し、そこで抽出された論理を以て、他の分野に影響を与える、という様な、生産力のある方法ではなく、専ら、他の分野の成果の一方的な消費、他の分野の問題点の直接的な輸入と、陋少化された形での図式の展開という様な、後退的な姿勢で行なわれました。創刊された機関誌「記録映画」は、この動きの中心となりました。

協会員の大半が、記録映画創作という作家内部の要求とは本来無関係であるＰＲ映画製作に従事しているなかで、記録映画方法論が協会の主たる運動としてどれほどの一般的有効性をもちえたかという様な問題はさておき、この方法論をめぐる発言が、結果的には、その方法論を実現する（映画にする）ための製作の場と条件への検討を、中抜きにした視点からなされたことは事実でありましょう。

映画製作運動は、記録芸術運動へと思弁的に傾斜し、さらには「芸術運動」一般へと必然的に拡大され、その結果、解明されねばならぬ運動の具体的論理は、たえず抽象的な芸術論一般の中に拡散されてゆきます。作家である協会員が、具体的な創作の場で、なにを悩み、なにを排除し、なにを実現しようとしているのかという問題は、単に抽象化された創作方法論一般では包括しえない問題であると思います。

機関誌ならびに会報は、こうした協会員の現実とはうらはらに、「……ねばならぬ」芸術論を運動論として展開しました。その結果協会の運動体としての統一性に破綻が生じてきたとしても、それは至極必然的なりゆきではないでしょうか。協会の統一性を回復しようとすれば、全会員を包括する共通の要求・課題は何かを、まず明確にしなければならないはずです。ところが会報の主張は、それに気づかないばかりか、危機の原因を芸術運動の課題に還元してしまい、現実の豊富な諸問題に眼をつむってしまいます。そしてこの結果、協会の運動方針や運営上の指導者の責任の問題も不問に付してしまい、さらにまた、作協の構成要因をも無視して、協会を総合芸術運動体へと無原則的に発展へ現組織の解消）させることを志向する始末です。

(2)作協の性格

協会員である作家のすべてが芸術家を志向するかどうかはともかく、作家協会は、現実にＰＲ映画製作に没頭させられている大半の協会員を含む、短編映画部門における作家の職能的集りとしては唯一の組織であります。それは、協会規約のいう通り「企業に所属するとフリー契約者とを問わず、凡ての記録教育映画作家が打って一丸となり」作品活動を行なうための組織であることにより、この組織は、最低の共通要求として、職能的機能と目的をもった短編映画作家の唯一の組織として存在しえたのであります。

協会独自の自主製作活動でもないかぎり、ここでは創作方法そのものの可否や、作家の個々のスタイル＝作風の差異などは、個別的協会員の問題とはなり得ても組織をあげての問題点にはなりえないはずであります。これに関連して言えば、一般に創作活動に関連のある職能組織の内部ではとくに思想・表現の自由が守られるとともに、芸術上・思想上の意見の対立を組織上の問題にもちこまないという原則が確立されなければならないと思います。

(3)芸術運動体とは何か

芸術における創作活動は、究極的には作家個人の芸術的エゴにおいて行われるものでしょう。芸術運動体は、このエゴの独自性を無視することはできないはずですし、むしろそれは各作家の芸術的エゴの共通性の部分ではじめて成立するといえましょう。したがって、志向する芸術思想や方法の同一性または近似性を軸とした作家のグループが、独自の運動目標を明示して、運動体として活動することは現実的に可能です。むしろこう

（4）した同人的グループによる開放的な創作活動の集積こそが、芸術運動の一翼を荷うことができるのだと考えます。そして、それぞれが志向する芸術のあり方の多様性に応じて、職能的組織には制約されないさまざまの芸術運動体が生れる中で、それぞれの潮流相互の間で創作や批評の交流が行われるという状況が実現したとき、各潮流。運動体を包括する、より開放的で自由な統一運動体が形成されるということも、現実的に可能と思われます。

(4)職能組織を踏みにじった「芸術運動」

創作の場の確立を通じて、作家の権利と生活向上をはかる職能組織、ここでは運動目標の統一性と運動形態の集中性が要求されます。他方、作家の芸術的エゴを基礎とする芸術創作運動においては、目標の共通性・統一性よりもむしろ、運動形態の多様性ないしは開放性が要求されます。

作協を究極的には芸術運動体として規定しようとする会報の主張は、いずれにしても、右のこの二つを野合させるという結果しか生みだしません。つまり、会報の主張の希望にもかかわらず、本来的に自由で開放的な芸術運動の多様性を、「記録教育映画作家を打って一丸とした」（協会規約）単一の職能団体の集中性の中で実現するということは、論理的に矛盾しており、現実的に不可能であります。

作協の混乱とか危機とかの真因は、こうした運動方針の基本的誤りにあると、私たちは考えます。職能団体としての組織形態が運動の主要な課題として芸術運動という目標をかかげるところから生れる、さまざまの混乱は、たとえば昨年十二月に開かれた年次総会における一般報告にも見られます。「現在まで協会は、芸術運動体の性格と、生活・権利を守る職能団体的性格とをあわせもってきた。この二つは作家の集団としてはかんたんに切りはなせない問題である。しかし実際の運営にあたっては、この二つが矛盾することが感じられ、その影響が協会運営の困難にえいきようしている」（傍点筆者）と。しかし、こうした現実的な認識の上に立ちながらも総会は、協会として本来両立させることの不可能なこの二つの課題を併行してすすめることが大事だと無分別に結論づけ、その結果、この混乱は、終収のつかないままに本年度までつづけられるということになっています。

作家協会が、記録教育映画作家を打って一丸とした組織体（職能団体）としてスタートし、作家の生活と権利の擁護・拡大を課題とすることにより組織の基本的性格を職能団体として自己規定したこと、当初の劣悪な製作条件を改善させ、創作の場を作家のものにしようとする映画製作運動という課題とを併せもっていたこと自体には、こうした混乱をひきおこす真因はないと考えます。むしろ混乱の基因と考えられるのは、この記録映画製作運動が、記録映画芸術運動へとすりかえられ、芸術運動自身が自己目的化されてきたことにあると思います。

さて、会報の主張は、二つの性格の矛盾を次のように解決しようとしています。「協会の運動に対する不満の多くは、生活的・経済的要求を協会が充分にみたしえないところから生じている。（創作上の要求はみたしているといえるのか―筆者）この充分な解決は、協会の性格と組織からしては不可能に近い。これを無理に背負いこんで幻想を与えることは、一層の不満と混乱をもたらすだけだ。協会とは別個にフリー映画人の組合をつくり、それと短編連合との連携のもとに、生活的・経済的要求の解決を図ってゆき、協会は、作家的権利を守り、芸術創造を前進させる芸術運動体として発展させるべきである。客観的情勢の最近の動向は、この方向をとることの正しさを示唆している」（？）

どこを突っついて、その正しさを示唆しているというのか判りませんが、協会の性格論からすれば本来転倒もきわまれり、というべきでしょう。むしろ(3)で述べましたように、芸術運動体は、職能団体の組織的な制約に拘束されないよう、それから分離・自立することこそ、本来の姿であります。このことによって、職能団体の側の運動も、また芸術運動自身も、相互に邪魔し合うことなく、それぞれ自由に発展し、又互に補強し合う、条件を確立することが可能になるのではないでしょうか。

もちろん会報主張のいうように、作協を芸術運動体として新らたに自己規定し、職能別労働組合をそれとは別個につくるというコースも、抽象的可能性の問題としては考えられます。しかしこのコースは、作協の基本的性格の変更を意味する以上、当然、規約の変更と会員構成の再編成が必要となります。この場合、構成員の資格は、

現行の短編映画作家という職能的共通性にではなく、志向する芸術•思想運動の共通性に求めるという規制作業が必要とされるはずです。こうした初歩的な原則にふれずに、職能団体を足場にしながら、自己目的的な芸術運動をすすめるという安易な姿勢は、許されるべきではないと考えます。

(5)協会私物化の論理

職能団体が芸術運動体として機能し、その芸術運動の中で一つの主流派が形成された場合、当然ここでは、運動の論理として、職能的要求や他の芸術的潮流の運動は、軽視・無視ないしは規制されねばなりません。これは、単数の芸術運動が職能団体を足場にすることにより当然ひきおこされることであり、芸術運動主流による協会私物化の論理として展開されるものに他なりません。あえて論理というのは、この場合その芸術運動自身の価値の有無や、その推進者たちの倫理的正・不正とは無関係に、組織＋《プラス》運動の論理自体が、必然的に法則的に私物化の方向に展開することを意味しています。

(二) 会報のいう『映像芸術運動の新らたな総合的発展の展望』について

(1)組織の「発展的」解消をもたらす総合芸術運動論

さて、芸術運動体として作協の性格を規定した会報の主張は、そのコースにそって今後の展望を明かにします。この部分の文章は難解きわまる上に相変らず抽象的なスローガンに終っているため一読しただけでは理解しがたいのですが、文中「ジャンル的規制をつき破り……」以下に対応する主語が、「われわれ」という主体ではなく、「運動のダイナミックス」という客体となっているのも、この文にはめずらしく遠慮深くて意味深長であります。

要するにこの文は、「(記録映画)作家たちの共通の芸術課題を明らかにし、芸術的情熱と創造力を回復しよう。その上で(短編・記録・教育・PR映画という)ジャンル規制とジャンル意識を突き破り、他の諸ジャンル(テレビや劇映画等の)の尖端的芸術運動とかかわり合うことによって映像芸術の共通課題を追求しよう。(こうしてテレビや劇映画等にも進出することによって)(作家協会の)運動的実体を確立し、芸術運動の新たな総合的発展の方向をつかむことができるだろう」という意味にしか日本語としては理解できません。

ここでは、「運動」の停滞の原因が、短編映画というジャンル規制やジャンル意識(?)にあるかのような錯覚をうけますが、短編映画界で製作の場を回復する努力よりも、ジャンル規制を突き破る努力の方が芸術運動としてはより高度の目的意識に立っているとでも本気で考えているのでしょうか。

たしかに、こうした「芸術」運動自体は、短編映画作家にとって新しい市場開拓という積極的意味をもつものとして重要視されてよいものでしょう。しかしこの展望が作協という職能団体の展望として提出されている以上、それは、その母体の性格を構成組織の面で無視するあまりにも乱暴かつ無責任きわまりない展望だといわなければなりません。

つまり、こうした映像芸術全般に総合的に展開される芸術運動が、いわゆる作協の危機とくに財政面と組織面におけるこの危機を打開する方針となりうるのかという点に立帰ってみれば、一面ではそれが短編映画作家にとってかりに正当な要求でありえても、協会組織と芸術運動体としての機能との間にある背離を、ますます大きくすることになることは、容易に推測できると思います。

たとえ、その志向する芸術運動の方向が、記録映画作家にとって有意義かつ正当性をもつ場合であっても、それを職能団体としての性格をもつ作家協会の基本方針とすることは、不可能であるばかりでなく、原則的にまちがっているといわざるをえません。

(2)記録映画製作運動の課題

一方、作家集団としての運動は、芸術論・創作方法論という芸術的次元での運動に止ることなく、反動的・頽廃的作品をハンランさせているマスコミに対して、また自主作品製作の意慾を喪失しPR映画オンパレードに安住する短編映画資本に対して、文化的水準の高い作品をつくらせる運動として、あるいはまた、作家集団やその支持する団体・組織がみずからすぐれた映画を製作する運動として、すなわち文化・思想の次元での運動として展開される必要があります。このことは、作家の職能団体にとっても、芸術運動体にとってもともに共通の課題であります。作家協会は、その性格論は別にしても、この面でどれだけ積極的に取組んできたかを、再検討してみ

(6) る必要があるのではないでしょうか。

㈢ 論点を正しく発展させるために

以上私たちは、会報87号の主張を手がかりにしながら、作協の現状ならびに運動の展望について、若干の初歩的な見解を表明しました。

もちろん私たちは、現在、短編連合傘下の各企業別労働組合の現状に甘んじているものではありません。企業別労働組合の側に、いまなお経済主義的傾向および企業内意識が根強く存在していることを否定しようとは思いません。むしろそうした欠陥を克服するためにも、産業別・職能別労働組合を明確に志向した短編映画労働組合運動をレールに乗せるための努力が、今年の春闘を契機に目的意識的に行なわれているのです。短編映画資本ないしはその経営陣と真正面から対決するには、そうした労働運動の脱皮が今こそ要求されていると考えるからです。たしかに、企業別労組の経済主義・企業意識という一面性が、製作条件の改良ならびに映画の文化的価値の向上のためのたたかいを組織をあげて行なうという運動を阻害していることは事実です。しかしこの運動は企業別労組という段階では最終的に運動の論理を貫徹しえないということも事実ではないでしょうか。この意味からも私たちは、短編映画全労働者の産業別・職能別再編と統一の必要性と現実的可能性とをくりかえし提唱しその為の具体的方策を講じているのです。

この視点からみるとき、作家協会の現状ならびに運動の展望は、みずからがその一員に他ならない短編映画労働者という立場を括弧に入れた、芸術至上主義、より正確には芸術運動主義とでも呼ぶべき一面性および労働者意識の欠除というあやまりをおかしているといわざるをえません。

私たちは、以上の論点が作家協会会員全員の中で直摯に検討されることを希望します。そして、論点を正しく発展させるためにも、再度私たちの見解を要約します。

(1) 作家協会は、その組織原則からみて、職能団体として職能の利益と権利を守ることを最低の共通要求としてもつ組織である。

(2) 芸術運動体は個々の作家の芸術的エゴを共通課題としても極めて自由な組織であり、目標・組織原則・機能の異る職能団体とは明確に区別されるべきである。

(3) 作家協会の現状ならびに運動の展望は、(2)の芸術運動を(1)の職能組織を足場に推進しようという運動論理上の背理に陥っており、これは推進者の意図とは無関係に、「芸術運動」主義主流による協会の私物化という論理を生みだす。

(4) 会報が主張する「総合的映像芸術運動」という展望は、したがって協会の組織原則を重大な危険に追いこむあやまりであり、かりに協会員に新しい市場を開拓するという積極面があるとすれば、その場合、「芸術運動」と言わずに、新市場開拓運動として独自に進めるべきであろう。

(5) 最後に、職能団体と芸術運動体との根本的なちがいを明確にし、その差異をそれぞれが相互に自己確認したうえで、いたずらに排除し合うことなく、それぞれ独自の運動を推しすすめるなかで、さらに共通の課題をも追求すべきである。

なお私たちは、この一文では表明しえなかった問題として、

(1) 産業別・職能別労働組合とは何か、という組合運動論の基本。

(2) 作協機関誌「記録映画」の問題。

(3) 作協の現在の危機を克服する段階で、作協は具体的に何を志向すべきか。

などの諸問題をかかえていますが、これらは、協会員の討議の或る程度の進展の中で提出されるべきものだと考えています。

「掲示板」

○十一月八日　六時～九時
記念講演会
主催・新日本文学会
於・豊島公会堂

○十一月二一日　六時～八時半
映画会
主催・通産省映リ協
記録映画作家協会
於・通産省ホール

△いずれも会員券は事務局にあります。

記録映画作家協会論のためのノート

東　陽一

はじめにお断りしておきますが、この文章は、花松・高瀬両氏の作家協会運営委員会批判の文章をきっかけとして、運営委員会の一員である筆者が書くものであります。唯、運営委員会は、現在に至っても、両氏が誤解しているような明確な「主張」を何ら持っている訳でなく（全くその点においてこそ、運営委員会は協会に対して根本的な責任を負っています）、したがってこの文章は運営委員会の統一見解に基づいて書かれるものではなくて、現在物理的にも心情的にも運営委員として両氏の文章をすみずみまで分析する余裕も情熱もない筆者の個人の見解によっています。舌足らずの点はごかんべん願いたい。

× × ×

「芸術における創作活動は、究極的には作家個人の芸術的エゴにおいて行われるものでしょう」ということは、言葉の細部の問題は別として、多分そうであろうと筆者も考えます。しかし、そのことから、「作家の権利と生活の向上をはかる職能組織、ここでは運動目標の統一性と運動形態の集中性が要求されます。

他方作家の芸術的エゴを基礎とする芸術創作運動においては、目標の共通性、統一性よりもむしろ運動形態の多様性ないしは開放性が要求され」るというように機能論的な分類が行なわれ、結局、「協会として本来両立させることの不可能なこの二つの課題」という規定がされてしまうときに、しかも日映新社と岩波映画の両労組の前委員長によってそれが言われる時に、筆者は、言葉としては枯葉のように舞い上ろうが何だろうが、事実として存在する危機が、このような機能論で打解され得るものかどうか、大きなうたがいを抱かざるを得ません。簡単にいうとそれはあたかも、一人の男について、男性としての機能と人間としての機能とを分類し、両者はもともと両立し得ない機能であるというに似ています。もちろん、ある組織は別の組織とは別の機能を持っていることによって組織されているわけであり、同一人物であっても男性組合内と人間組合内とではその機能は当然ちがって来るわけですが、そのような分類から、たとえばある映画企業の労働組合内から、映画企業の労働組合であることによって必然的に起ってくる芸術運動的なたかまりを、機能論的にたち切ってしまうとすれば、結果は逆に、「映画企業の労働組合」という機能の固有性を失ってしまうことになります。大切なことは、その時機能的に断ち切ったと思っていたとすると、それは実は単に機能的に断ち切られたばかりでなく、本質的に断ち切られているのであります。

つまり、両氏の文章に対する筆者の批判点は、次のような問題であります。「みずからがその一員に他ならない短編映画労働者という立場を括弧に入れた、芸術至上主義、より正確には芸術運動主義とでも呼ぶべき一面性および労働者意識の欠除というあやまり」は、今日の映画作家一般については、たしかに全くないとは言えないにしても、そのあやまりを指摘するに性急なあまり、言葉の本質的な機能を尊重せずに、誰かが「芸術」といえば、ただちに「芸術至上主義」のことと考えてしまうようなあやまりを犯しています。誰かが「芸術」という時には、それがどれほど浅薄な意識から出て来たことばであろうとも、その浅薄な意識についてでなくて事実として存在する「芸術」のことを悟るべきでありましょう。そうでない、一方の極からの発言は、もう一方の極からの、次のようなおうむ返しのヤユを生むだけであります。すなわち、「芸術的側面を欠くことのできない「映画の」労働者という立場を括弧に入れた、労働運動万能主義とでも呼ぶべき一面性および芸術意識の欠除というあやまり」。そして筆者について言えば、そんなやりとりはもうたくさんだ。

× × ×

しかし、両氏の文章は、会報の文章の不備から来る誤解に基づいている点もあり、それについては委員の一人である筆者も一半の責任を免がれません。唯、明らかなことは、運営委員会は未だかって、

作家協会は芸術運動体であるという規定を与えたことはないし、そういう規定を何者かが現段階でするとすれば、それは機能論的にも運動論的にも極めて初歩的な誤りというべきです。言うまでもなく、何ら統一的な芸術目標を持たない団体が、芸術運動体として自己規定するなどという奇怪なことが実現されるわけはありません。日本の映画産業における芸術運動とは、労働運動と並列的に分類される一機能のことではなく、芸術的な「側面」を度外視することのできない特殊的な労働者の組織的な連帯の中から、全く自律的に、しかも必然的に起ってくる、労働運動とは別の位相の運動のことであります。そして位相は別であるけれども、その関係は極めて複雑に有機的であり、労働運動だけが高揚していて芸術運動が停滞していたりあるいはその逆であったりすることは決してありません。「作家協会は芸術運動体である」というような規定が現段階でコッケイな誤りであるのは、そういう規定をした時にその有機的な関係が断ち切られて、それこそ芸術至上主義に陥るからです。同時にこの関係を単なる矛盾した関係としてのみ捉えた、「芸術運動体は個々の作家の芸術的エゴを共通課題としてもつ極めて自由な組織であり、目標、組織原則、機能の異る職能団体とは明確に区別されるべきである」という花松。高瀬論文は、そこに言われているような「自由な組織」が、一体どこに生れ得る可能性があるのかということを考えてみれば、空論であることが明らかであります。両氏の論文で判らない点（筆者の理解不足によるのでなく、コンテクストとして判らない点）は、その他にも、協会の私物化とか、芸術運動の自己目的化とか、まだありますが、それらの点についてはまた御説明頂きたいと思います。

新入会

○阿部博久（昭和十二年十二月九日生）練馬区春日町二の二〇九七　助監督　日映新社
東京外語大露文科三七年度卒。同年四月ロイター通信社東京支局勤務。本年十月より日映新社に演出助手として契約。
推薦者　苗田康夫　山川　治

○楢逸夫（昭和七年四月二十一日生）世田谷区野沢町一の二五三
電（四二一）四八七六
読売映画社　演出　脚本
早大卒。児童劇映画「風の天使」「狐と童子の物語」。日本視覚教材の「川原の石」「日本列島の生い立ち」のちTV映画制作を経、現在読売映画社。最近作には「大学の青春」「海にひらく」「伸びゆく水道」「蒲田跨線橋建設記録」など。
推薦者　杉山正美　富沢幸男

○山崎博紹（昭和十四年十一月二八日）杉並区阿佐谷二の六一七
青地方　東京シネマ　助監督
三八年早大卒後、四月より東京シネマ演出部入社
推薦者　泉　水剛　大島正明

9月財政報告

支出の部		収入の部	
人件費	49,350	前受会費	700
家賃	10,000	会費	39,300
印刷費	63,000	賛助費	4,800
通信費	7,493	未収会費	1,200
交通費	5,045	八ミリ講座	2,000
文具費	1,540	名簿	2,500
手数料	485	予約金	2,400
電話料	5,000	予約	3,800
原稿料	1,000	売上	39,870
研究会	700	広告	29,000
名簿	10,030	寄付	1,000
光熱費	569	ファイル	2,083
雑費	1,220	借入金	30,000
現金	4,702	繰越	1,481
合計	160,134	合計	160,134

1964.1.20

記録映画作家協会々報

No. 90

東京都新宿区百人町2ノ66

TEL（361）9555

振替番号　東京90709

総会報告・臨時総会特集

協会のあらたな運動を志向する臨時総会

日時　二月一日（土）午後一時ー九時

場所　国鉄労働会館五階大会議室

（東京八重洲口・TEL（231）四八一六）

去る十二月二十七日に開かれました定期総会は別記議事録の通り今後の協会運営の根本問題に触れ、各意見が出されたまま、時間切れになり、臨時総会で継続審議されることになりました。

討論は、協会のかかえて来た諸矛盾をいろんな角度から追求され、抜本的対策としての運動方針の基本理念で、かなり明確な対立が浮彫りにされたようでした。現在の状況をどう認識すべきか、そして、それに対して各人は何をなすべきか、作家の集団としての当協会はどうあるべきか、これらの点が更に突込んで討論されることが望まれています。問題点をぼかして中途半端な結論をたてるのではなく対立の中からの共通項、ぶつかり合う中での接点は何か、この激しい葛藤の中から真の協会の運動の方向がまさぐり探し当てられてゆくべきだと思います。

臨時総会には、みなさんお仕事で多忙なこともあると思いますが、今回は、協会の運命を左右する重要な総会なので、会員各位にも大きな影響があると思いますから、是非参加して下さるようお願い致します。

尚、万止むを得ず委任される場合は、必ず責任ある方に委任状を記されるようお願いします。

みなさんの、意志的直接的な参加により、当臨時総会が実のあるものになることを期待します。

附記（議案書の運動方針案を継続審議しますので、当日は議案書をご持参下さい）

会費滞納者の方におねがい

会費滞納のことが総会でも問題になり、運営委員会に附託されて検討した結果、左のようにみなさんにお願いすることになりましたので、よろしくご協力下さるようお願い致します。

今月二十五日までに今までの滞納分を完納して下さるようお願いします。

最悪の場合でも、三ケ月を残して納めていただかないと、今回の臨時総会に参加する資格がなくなります。

これは、去る昭和三十六年の総会で認められ、協会の内規になつていたのですが、原則として、三ケ月以上無断で何の連絡もなく滞納された場合は、その方は会員の資格が停止されることになつているのです。今までは、みなさんのご都合もあると思い、その処理がのびのびになつていたのですが、今回の総会を機に、その精算に迫られて来たわけです。

以上の理由で、三ケ月以上の会費滞納者で、協会に何の連絡もない方は、会員としての権利が停止され、今回の臨時総会の議決権を失い、参加する資格がなくなるわけです。従つて、その方は、議決権を他の会員に委任することも出来ません。

二十五日までというのは、既に滞納者の方には運営委員を通じ、又は事務局より文書を通じてご連絡をしており、その結果を二十五日

の運営委員会で確めようということなのです。

右のような事情なので、この際三ケ月以上会費滞納者の方は、早急に完納して下さるようお願いします。

止むを得ない都合がある場合は必ずその旨を運営委員又は事務局にご連絡下さい。

尚、ほかの会員の方も臨時総会などで経費もかかりますので出来るだけ早目に会費を納入して下さるようお願い致します。

事務局にご連絡いただければ、何時でもお伺いします。

議事録

これは、当日書記として会員の方に議事録をお願いし、それをもとにして事務局でまとめたものです。出来るだけ当日の討論内容をお伝えするよう記述してみました。若干不備の点はご判読下さい。

記

定時より一時間遅れて午後二時開会。

まず、議長団に、間宮則夫、西江孝之、長野千秋の三氏を選出。

楠木事務局長より一般年次報告として現在の外的状況と協会の内的状況の報告があり、続いて各部の運動報告が行われた。

事務局長の報告の際、議事録中、運動方針案の中の会費値上案と、三九年度予算明細書の会費値上案との喰い違いについて説明があつた。前者は演出グループを六百円、助監督を四百円としているのに、後者が七百円と五百円になつている。この前者は、今年中旬ごろ諸物価の値上りに見合つて運営上の諸経費の健全財政的見地から、会費を値上げする案が運営委員会で検討され、その結果六百円、四百円が決められたものである。それが年末になり、「記録映画」の印刷が今の山形では不可能になり、東京に移さざるを得なくなつて来た。その印刷費の値上り分（山形では五万円前後が東京だと八万から九万かかる）を考えると前者では無理で、七百円と五百円案でないとやつてゆけない。このことが年末ぎりぎりに財政部から出されたため、運営委員会では値上金額は再検討する時間がなく、総会で会員に計ろうということになつたものである。との説明があつた。

◎生活・権利対策部の報告については担当の八幡省三氏より議案中の「…一人も相談に来なかつた」という文章のなかに、運営委員会のつめたい考え方が感じられる。ということが付言され、税務問題については、作家の地位を高上させるために今後も改めて検討したいという意志が表明された。

◎組織部報告については、大内田圭弥氏より担当常任運営委員がまだ出席していないため後にまわしたい意向が表明され、苗田康夫氏の出席をまつて、

苗田氏より「短篇映画関係作家の未組織部分をどうするか」という問題が報告に加えて提起され、

星山圭氏「拡大するばかりが大事なことではなく、組織活動については充分な検討が必要である、と言われる理由は？」

苗田氏「入会勧誘は当然、作協の運動方針に沿つて行なわれるべきであるから、作協の進むべき方向と課題を、現状に照らして具体的に明らかにするなかで、今後の組織拡大の方針を見出したい」

という質疑応答がかわされた。さらに大内田氏から「勧誘活動をしなかつたわけではないが、「記録映画」についての批判が壁となつている」ということが述べられた。

◎研究部会報告について、担当運営委員荒井英郎氏から、常任大沼鉄郎氏欠席のため、よくわからないので、事務局で補足してほしいという旨が述べられ、同部員長野千秋氏がかわつて報告し、「参加者が少ないこと、開けないときさえあつたこと、この問題は、現在の運動状況の一つの現れとみることができるから、根本的に検討したい」と提案された。

◎編集部報告

菅家陳彦氏「内外から約五万円のカンパが寄せられ、これを前金として渡すことによつて、山形での印刷体制に移り、かなり財政的に楽になつたが、十一月になつて山形での印刷が無理だということがわかつたため、再び東京に移さざるを得なくなつた。東京では八万円以上かかるので、これまでも非常な努力で維持してきた財政状態がさらに困難になると考えられる今後も現在のような形で発行を続行していくか否かということについて充分検討される必要がある。「記録映画」の内容について、各プロダクションでも検討されてきているので、ここで改めてその内容と方向を討議してほしい」

松本俊夫氏編集委員として補足。「今年の編集委員会は、単に財政のうえだけでなく、内容のうえでも非常に苦しいところにおい込まれた。まず財政上から言えば、危機はこれまでも何回となくあつたわけだが、今年は諸物価の値上り等のため、東京での印刷が困難となり、山形に印刷所を移した。印刷の出来ばえは多少見劣りするがともかくこれまでどうにか発行を

継続できたのは、組織内部の支え以上に、外部の人たちのカンパ等による支援や山形の読者グループの学生たちによる校正という助力が大きくあずかって力となった。ただ山形では、印刷所が刑務所という特殊事情にあるため、しばしば印刷過程がスムーズに運ばず、発行が次第に遅れそのため広告および広告料はとりにくくなり、また読者や各方面に迷惑をかけるという障害が生じた。そこでいま再び東京に移すことを検討しなければならなくなっている。内容についていえば、編集委員会はこれまで一貫して、我々の置かれた外的内的状況とドキュメンタリーの今日的課題を明らかにしようとしてきたといえる。この方向に沿って、単に協会員相互の交流の場にすることだけではなく、他ジャンルの運動とのかかわりを深め、また受け手の批評活動との結びつきを強めようとしてきた。この成果は、読者数の伸び、その他さまざまな協力と支援として現れている。しかしながら、協会員のこれに注ぐエネルギーはどちらかといえば低下してきている。これは創造運動の一般的停滞と対応するものだが、雑誌そのものに不満と批判がでてきていることも否定できない。しかし雑誌についての不満と批判には二通りある。協会員の身近な関心をとりあげてゆく機関誌的性格を強めるべきだという意見が一方にあり、他方にはドキュメンタリーの現在課題や方法の追求にこのところさほどの前進がみられないではないか、という批判がある。この二つの見解は、具体化の方向で相対立し合うために、編集委員会はしばしば苦しい立場に追い込まれた。ただ委員会としては、無原則的に身近かな関心に迎向することを排し、今日の作家が当然直面せざるをえない創造運動の本質的な理論的課題をいかに身近かなものとして問題にするかという努力によって、前者の批判を止揚しようとしてきた。これを単純に抽象的・観念的という批判、ないし一流派による独善的編集に偏しているという批判は受け容れがたい。だいたいそのような不満をもっているものほど、原稿の執筆を依頼してもなかなか書かないというのが実情である。またそれらの批判は常に「大衆の要求」をくみあげていないという言い方でなされ、大衆の一人である自分自身の問題意識を具体的に提出することがない。明らかに反対のための反対もなされている。しかし、問題は編集技術の問題ではなく、作家協会の運動理念とかかわる問題であり、今日我々の主要な課題をどこに置くかということの認識にかかわる問題である。

◎財政・事業部報告

河野哲二氏「会費の納入率が低下したことをまず指摘しなければならない。昨年度は八五%であったが、本年度は七三%となり、二月から三月にかけて最も悪かった。このことは編集費の不足という障害を生んだ。以後五月にかけては八五%にまで上昇した。これは運営委員会の努力に会員が応じてくれたものだったが、その後再び落ちている。一方雑誌の売上げは着実に伸びており、コンスタントな売上げとして五七〇部が保障されている。これは金額にすると四万四千円から五万円の額となる。一三〇円に値上げしてから売上げは五万五千円程度となった。広告については、普通全部うまれば(名刺広告を除く)三万円に達する筈であるが、昨年よりプロダクションの広告が減り出版社のものでうめざるをえなくなったためこの線に達していない。その上、発行が遅れたために一層広告収入は減少した。雑誌のためのカンパは内部外部とでは外部の方が多額であったが、合計して約五万円となった。映画会については、現在のところ一万五千円以上の黒字をみている。映画会については、今回のように無料の会場を借りれば来年もまた開催しても見通しは明るいが、結論的にいって事業収入は思うほど入らなかったといわざるをえない。人件費は三人で合計六千円値上げしたが、まだまだ給与ベースとしては低い。印刷費は山形に移してから安くなったが、それが不可能となって再び東京にかえたので高くなる。一月号は名刺広告がかなりとれ、収支が見合うと判断したので、八万八千円のところに依頼した。しかしその後のことは今後の検討にまたねばならない。事務所を移転したが新事務所は八千円である。財政上の態勢は今後も非常に苦しいと考えられる。会費の値上げについても、運動方針についての会員の熱意ある支持をえることなしには、承認されることはできないだろうが、しかしこのことなしには財政危機は基本的には打開できないといえよう。

◎会計監査、書面により証明、承認される。

◎活動報告についての質疑応答

松本俊夫氏「先ほど述べたような状態のために合併号を作らざるをえなかった。」

吉見泰氏「活動報告について、一言にしていえば、充分な解析が行

なわれていないと思う。その点はどうか。」

事務局長「本年度の活動が低滞していたことは認めるし、活発な運動が展開されなかつたことは事実である。今年は、その根本的な問題がどこにあるのか、その打開策は何か、をまさぐつて来た。会員の要求を未分化のまゝかかえ込んで来た今までの協会のあり方の性格のあいまいさが、今この壁にぶつかつて来たように思う。今年はこの病的症状にメスを入れ、新たなる運動の方向が何であるか、状況の変化に応じた志向がなされるべきではないかと思つている。

吉見氏「経過報告としてみればわからないことはないが、総活としては概観的なものではなく、やつてきたことに対して誤つていたなら誤りの原因を分析し、具体的な反省をしてほしい。」

西江孝之氏（発言の承認を得て）「吉見氏とは評価のアングルが違うので、観点から問題にしたい。たしかに報告内容はあいまいだ。しかしこのような報告が出てくるのは現在の作家協会の全般的な状況の現れであり、そのことはこの総会の状態を見てもわかるのではないか。このような解体的なところにまできているのだ。作家協会は果して存在理由があるのか、どのようなところにあるのか、というところから改めて問い直さなければ、また再びこのような報告になつてしまうに違いない。」

議長間宮則夫「出席三八名。委任五九名、計九七名で会員の過半数に達したので、総会は正式に成立した。」

菅家陳彦氏「さきの報告につけ加えたい点としては、「記録映画」は充分に会員の多様な要求に応ええていないという批判に、どうこたえるか、ということが中心的な問題となるだろう。ということであろう。」

松本俊夫氏「要求要求というが、要求を手あたり次第平列的に羅列してみたところで、要求の本質は明らかにされないし、またそれを実現することもできない。その本質を抽出する適確な分析と具体化の方針が問題だし、何よりそれを実践する責任意識と行動力が問われるべきだ。運営委の中にも、まるで傍観者的な批判をするものもいるが、たとえばこの一年、それぞれの担当した部門の活動をどれだけ責任をもつてやつたのか反省して欲しい者が多い。大衆の要求という美名のかげにかくれるなと言いたい。」

西江孝之氏から、松本氏と同様の発言が具体例をあげてされる。

吉見氏「運営委員は、会員から運営を一任されている。だからその責任として、会員の要求を忠実に汲み上げ、その動向がどうなつているか、どうつかむかというところから、ちゃんと見てほしい。たとえば、執筆を依頼しても結果として書けなかつた人のことを、どれだけ内情をたしかめているのか」

星山氏「運営委員同志が何をしたか何をしなかつたかなど言い合う前に、吉見氏の言われるように、議案書に沿つて質問された場合にはそれに応じて回答してほしい」

事務局長「全般的にきわめて不充分な活動しかできなかつたことは認めなければならない。しかし、充分ではないが、運動方針にもとづいて企業の問題、生活対策、研究会、映画会などに積極的にとり組んだ。所期の成果をあげ得なかつたことについては運営委員会としても痛切に反省している。しかし、運動を支える会費の納入が不完全なこと、研究会参加などのエネルギーが稀薄なことなど、会員各々の運動への主体的なかかわり方の問題として根本的なところから問題にしていかなければ、今後の問題としてもどうしようもないのではないか。」

菅家まり「運営委員会の運動方針が誤まりであるとしたら、それがどんなものに基づくのか、その分析をしてほしい」

（この間に、富沢幸男氏による運動部報告、および先の報告の項に記した、苗田、長野両氏の報告が入る。）

吉見氏「事務所費、人件費等の未払いについてはどうなつているか

河野氏「人件費、事務所費等、約十万円近い経費を今月中に必要としている。」

（この間に、報告の項に記した苗田、星山氏、大内田氏による質疑応答が入り、五分休憩）

◎協会内部の危機について——丸山章治氏（運営委員長）報告

「本年になつて、産別労働組合を作ろうとする動きが活発化した。それに応えようとする作家の要望もたしかに存在した。同時に一方では財政面に典型的に象徴されるような作家協会の運動的、組織的危機が問題とされた。五月以来このような内的、外的要請に作家協会はいかに応えるかという討論が続行された。しかし運営委員会の集合状態は極度に悪かつた。それ故、問題は〝作家協会はあつてしかるべきか〟というところまできてしまつた。会費の集まりも悪かつた。どのようにしてこのようなアパシー状態をのりこえるか、悪

戦苦斗して道を探り続けた。この苦斗は「記録映画」十一月号や会報にみられるとうりであるが、このような永い混迷の過程を経て、総会をひかえた最終段階における討論で、どうにか意見の最大公約数を見出して、それをこのような報告および方針案の形に事務局長の手でまとめあげられた。あくまでもこれは最大公約数であつて、個人的にみれば不満な点も多いに違いない。私にしても、会員の要求は運営委員会でいわば上からくみあげるだけではだめで、いわば下部組織を、つまり力動する実質をつくりあげなければならないというような反省などをもつている。作家協会の独自活動としての芸術運動は、今年も困難であつたし、今後もさらに困難は続くであろう。しかしそれはどのような形にしても試みなければならない。

映画を作れなければシナリオだけでも作つて、それを運動とすることができるし、しなければならない。人間の全的解放をめざし、それに芸術家としてたちむかうことをやめない限り、われわれが真に作家であろうとする限り。

◎運動方針について

八幡省三氏「フリー作家にとつて労働組合が必要であることについては、運営委員会でも主張してきたし私は今でもそう思つているけれども、職能別組合をつくるということについては不賛成である。それぞれがプロダクションと契約を結んだり、創作をしていく上での障害となるべきものを打破していくためには、スタッフが互いに協力し共同していかなければならないからである。当面フリー作家が入るべくして作られるものが必要である。これが一つのステップとなつて、さらに企業組合などをまとめて発展してゆくであろうという展望を私は持つている。」

（斉藤茂夫氏などから議事進行に関する質疑がある。）

吉見「いままでのところ、作協の問題を追求するには、作協本来の姿とは何かを見極めるべきだ、というような話になつてきているが、その前に、運営委員会で対立した問題点は何かをはつきり説明していただきたいと思う。」

事務局長「根本的には作家主体が現実にかかわるかかわり方の基本的な認識が何時も対立する。大きく分けて、生活問題を第一にすべきだという意見と、先ず映画を作る作家としての創作的追求が第一だとする意見である。ここから経済問題に対する考え方も違つてくる。一方では身の廻りの要求を協会がとりあげてゆくべきだといい、一方では作家としての個々の現実との主体的なかかわりあいを抜きにしてただ要求をとりあげるのはナンセンスだといい、この点で、作家の組合に対する考え方も違つて来ている。」

大内田氏「政治的な諸条件に、作家としてどう対処するか、という問題も加えないと誤解されるおそれがある。」

菅家陳彦氏「労働組合になるべきか、芸術団体であるべきか、その他運営委員会ではいろいろと意見が出されたわけだが、私としては、芸術団体であるということを認めない。我々の創作活動は様々な制約をうけているわけだが、制約されているという共通の面で統一し、その制約をとりのぞき問題を解決していく場として作家協会をとらえる。」

松本俊夫氏「我々の直面している障害は何かということに対する認識の相違がある。外的障害がないなどと私は言つてはしない。仕事がない時に生れる経済的な危機意識と、仕事があつても創造の場がなくなつていると感じる危機意識とは、次元が異なるのだ。しかし仕事があるときにはとかく危機意識などどこかに拡散してしまうところに作家としての内的な解体がある。日常の体制の中に埋没させようとする、目にも見えず音もない動きに抗し、その流れを逆流させるためには、我々の内部で解体し頽廃していく意識や感性と対決しなければならない。この対決を何よりも創造運動の課題としてとらえることが大事だ。芸術の創造ということすら根こそぎ疎外してしまうような外的、内的状況に対しては、あくまで芸術の創造と、創造ということに対する欲求と、意識を運動的に組織していくことで対決することこそ中心の課題に置くべきだ。少くともそういう意識を共有していない集団は作家の集団であることの固有な意味をもたない。芸術運動ということを強調すると、すぐ現実逃避だとか政治からの回避だとかいう者もいるが、それは大へんな誤りだ。そのような考え方が、かつて幾度となく芸術運動を政治運動の道具にすることで、政治も芸術もダメにしてきた。それは歴史が明らかにしていることである。芸術運動は政治運動から、とくに特定の政党の政策とその支配から自立しなければならない。自立するということは、現実や政治に、芸術創造の課題として固有なかかわり方を積極的に確立するということである。そのことによつてのみはじめて、芸術と政治の正しい関係ができあ

がるのだ。」

吉見氏「作家協会はもともと、作家の統一の場を求めることによつて出発したものであり、今もそうであるべきである。作家協会の規約にあるように、平和と民主主義を守り、生活と権利を高めることを共通の課題として我々は集まつているのであり、運動もこの統一した目標にそつて行なわれなければならない。この作協本来の姿に逸脱して運動が誤り進められているのなら、我々の課題は本来の姿に戻るべき道を探すことである。もしそれが見失われていたら、そことをまず検討すべきである。」

星山氏「昭和三九年度の予算にでているところからみると、会費の大部分が雑誌に使われていることになる。芸術運動とは、雑誌を出すことか。」

運営委員長「私はそういうことは何もいつていない。」

事務局長「映画作家の集団として創作活動の理論と成果が雑誌に反映され、それが協会の芸術運動として出されることは当然あるべきだろう。」

松本俊夫氏「星山氏の意見で会費の大部分が雑誌に使われているということについて算術的な間違いがあるので訂正したい。雑誌の売上げ金、および広告料などの収入を計算に入れてないではないか」

星山氏「作家協会は短篇映画界でただ一つしかない大衆団体であるから何とか守つていかなければならないと思つて言つているのだ」

西江氏「星山氏の判断は明らかに誤りである。吉見氏のいうこともわからないではないが、ぼくの考えは松本氏の意見と基本的には一致する。問題は弁証法的な相互関係にあるのであり、外的条件がにくらの内的条件の反映だという場合もある。作家協会が担つている理念は何であるかを確認さえしてれば、守るとか何とかいうことは無意味だと思う。活動報告なども毎年同じようにあのような形でやられてきて、今のような状態になつてしまつたこと、これはなぜか本質的なところから解明しなければならない。思想的には個々の差があるのは事実だが、互にPR映画を作りながらも、どう芸術的創造活動をしていくかという〃要求や不満をくみあげる〃以前の前提問題を徹底的に究明しなければ、本物にならないと思う。」

吉見氏「話をもつと具体的にしたい。それぞれの運営委員が足をすりへらしたが、さしたる成果はあがらなかつた、という。それはかつての綱領から外れてきて、運動体となつてしまつたからである。運営の必須は、渦巻いている要求とか不満を持ち寄り組織していくことであり、作家協会はその場である。」

西江氏「吉見氏のいう綱領では、〃平和と民主主義を守る会〃と同じことになる。作協の綱領の三つの柱のうち、作家として当然中心的に考えるべき創造活動に関する最も独自な柱が脱落している。ここで吉見氏は根本的な誤りを犯しているのだ。」

菅家陳彦氏「私も松本氏のいう内部的危機を考えないではないが、作家協会のような組織で、作家の内部まで働きかけることが正しいことだろうか、いや我々運営するものにそのような力があるのかどうか、たいへんに疑問に思つている。」

吉見氏「人の考えを充分に理解しないで〃誤つている〃ときめつける西江氏のような考え方は天下り的なものだ。運営するものの考え方としては適当ではない。今までの欠陥は、そのような考え方が原因ではないか。」

西江氏「私は運営委員ではないが何だろうと誤りは誤りだ。〃平和と民主主義を守る〃などという古ぼけて俗悪な天下り思想を、作家の場に持ちこもうとしたこと、かえつてそれこそ代々木スターリン主義的の天下り的なやり口だ。」

松本俊夫氏「吉見氏たちを主要メンバーとする創立当時の作協が中心にかかげた〃平和と民主主義を守る〃というお題目は、反体制運動のあまりにも一般的なスローガンにすぎない。そこには作家の集団としての固有な課題意識がなくその内発性を確立しえなかつたために、事実特定政党による大衆団体の支配が行なわれたわけだ。このようなスローガンのもとで政治主義的なひきまわしをやり、自らの戦争責任、戦後責任を少しも自覚しようとしない頽廃した作家たちとその運動に対して、私は一九五八年に斗いを開始した。しかしたとえば吉見氏は、「ちよつとはね上りすぎた」というていの結果的、表面的な自己批判しかせず、全く己れの内部の没作家的な頽廃と対決しようとはしなかつた。しかし協会の運動はすでにそのようなところを基本的にはとつくにのりこえてその運動的課題を具体化してきたのであつて、今さら一般的な〃平和と民主主義を守る〃ふやけた文化運動に戻そうなどということは、歴史的な後退を意味するだけでなく、再び共産党の政治主義的支配を許すことになる。現にこの大会で彼らが徒党を組んでただ指導権を奪回しようと画策し

ていることをみただけでも、そのことははつきりと再認識しておかなければならない。」

菅家陳彦氏「文化運動が〃平和と民主主義を守る〃というスローガンをかかげることは、松本氏の言うような〃ふやけた文化運動〃ではないと思う。吉見氏が、作協の組織を〃運動体ではない〃ということについては、その点はちがうと思う。生活、権利を守る斗いなど非常に重要な課題であり、ただ今年などギャラ基準を設けたということを、じかに生活と権利を守るということに結びつけたところに誤りはなかつたろうか。マスプロとの斗いなど、如何にして作家として斗い、生きていくかということを、みんなで具体的に討議していきたい。」

吉見氏「菅家氏が今話したような具体的な論に賛成である。何かというと抽象論か観念論になつてしまうのは困る。いまの松本発言は重大である。政党支配に利用した事実があるというのなら、古い会員に検証してほしい。」

長野（議長）「一応、本題の中心をはずれるので検証することはまず止します。」

吉見氏「やつていただきたい。」

松本俊夫氏「あつたでしよう。」

竹内信次氏「本人があつたでしようと言うんだから、そこは、やはり、はつきりさすべきだと思う。」

西江氏「明明白白たる事実だ。」

豊田敬太氏「横道にそれていくことは、議事進行上思わしくないので、本題に戻していただきたい」

（夕食に四十五分費して再開）

斉藤茂夫氏「協会に対する不信感の大部分は「記録映画」の内容によつて生じている。人件費を未払いしてまで発行するのは解せない」

星山氏「会費滞納の問題も、その不信感に関係がある。」

江原哲人氏「会報の消息らんに何度も仕事の問い合せを出したが一度も仕事は来なかつた。一三〇円の雑誌を五〇〇円で買つているような気がする。」

（事務局付記ー演出家の要望はほとんど来ないのですが、来たときには必ず江原氏のことは紹介しました。ただし、そのことを江原氏にいちいち報告する労をとらなかつたことは、おわびいたします）

事務局長「仕事のあつせんについては、プロダクションにはできるだけ依頼しているのだが、助監督の要望はかなりあつても、演出家を求めてくることはほとんどないというのが実情だ。会費については、運動体の場合は、具体的な物質面に現れる面だけでなく、運営上の経費や広い意味での連帯的同人質的な部分もあるので、その点も考えていただきたい。」

八幡氏「協会員にきいてみると、作家協会に血のつながりが感じられないという。また会報は読むが雑誌は読まないというものも多い。仲間ということを感じる場が少ないという問題もある。電通映画社のなかに会費滞納者が多かつたので、そこで話合いをしたところ、いろいろと不満や要求が出て来た。また、滞納者にも会費を納める意志がないわけではないということもわかつた。対策をたてる場合には、これらのことをよく考えるべきだと思う。」

豊田氏「雑誌を出すことについては反対ではないが、危機だ危機だと言われながらこのような本を出しているのでは負担が多過ぎる。これをスポンサーをつけて出す形とか、何か別の方法が考えられないだろうか。もし事務局の人件費にも支障をきたすようだつたら一時休刊も考えられる。」

吉見氏「何から解決して行くか、何に集中していくかで、一つの中心的な課題を必要とする。また、問題の解決のためには、財政的なことも考えなければならない。今の「記録映画」は外部にまで及んでいるが、財政的になりのないよう〃クオータリー〃の形にするか或いは場合によつては休刊にすることも考えられる。」

丸山氏「吉見氏のいう〃集中課題〃とは何か。」

（吉見氏中座につき一時他を話題とする）

菅家陳彦氏「作家協会の位置を客観的に認識するために、製作者連盟その他の外部団体にどう関係するか、ということも問題だ。」

長野氏「ぼくにとつては、創造運動の上で支えになつたものは、やはり雑誌「記録映画」であつた。」

豊田氏「私はさきに経済的な見地から財政的危機を立て直す方法として提案したわけだが、無理さえなければ、短篇映画界にこういう雑誌があつてもいいと思う。」

菅家陳彦氏「〃記録映画〃を活版にした折り、雑誌は事務局の基本財政は別図であつたが、現在のように広告その他の収入が激減してきてみると、どうしても雑誌が予算の面で大きい分を占めてくることが問題だ。」

事務局長「今迄にも、いろいろと危機はあり、その都度どうにかくぐり抜けてきたが、まだその根本的な原因の解明や対策が充分なされないままに来ている。財政的危機は、雑誌の面の負担だけからうまれるわけではない。過去に雑誌を出していないときにも会費滞納に

よる危機はあつた。財政上の危機が雑誌からだけ来ているものではないことを認識しておく必要がある。このことを了承された上で考えて欲しい。

吉見氏「集中課題ということについて、発想の根拠は、会員たちが共通の問題を持ちながら孤立してしまつているのは何故か、ということだ。立体的な交流を試みたいと考えている。一月のうち一回くらい曜日を決めてみんなできるだけ出席する。また、会員の作品について批評会などを開く。このような身体をよせあうようなことからやつてみたらどうだろうか。これが、作家協会の独自活動となりえていくのではないか。」

丸山氏「独自活動ということをどう考えるかが問題だ。それは、その組織の個有の、独自性をもつた活動である。」

富沢氏「コミュニケーションの問題は大切だと思うが、吉見氏の論理は倒錯していると思う。集まつてきてそこで仲よくなつて問題ができるというのではなく、人それぞれの孕んでいる問題の共通性にもとづいて組織と運動がはじまるのだ。」

藤原智子氏「〃記録映画〃にはたしかにいろいろと欠陥はあり、これからも批判していかなければならないが、それは私にとつてこれまでもつとも大きな創造上の支柱であつたし、また交流機関としての役割も果たしてきたと思う。」

吉見氏「機関誌での交流も認めるが、相互理解の上でまだ足りないところがある。プロダクションで作家の地位が正当に評価されるために、またギャラをあげるためにも、もつと緊密な交流の場が必要だ。」

林直広氏「編集のやり方が下手である。内容も雑駁である。執筆者依頼の範囲が非常にせまい。べつに低級にするということではなく、親しみ易くすることである。そうすればもつと広告もとれる筈で、私の経験では、百万円はとれる。編集方針をかえることが運動方針にかかわるというのならこのようにすればよいと思う。」

大内田氏「事務局の人達に対する給料未払いの件について何らかの形で検討してほしい。」

（ここで事務局長より未払人件費事務所費、電話料等年末を越すのに必要な最小経費の明細が報告され、出席者全員に各自五〇〇円づつの前納会費納入が提案され終会後渡されるよう依頼があつた。）

（事務局報告ーこの結果、事務局長より報告の不足分は補え、無事越年出来ました。）

持田裕生氏「運動方針は、今のままだとちつとも核心に近づいていない。ぼくとしては、芸術運動体であることをはつきりさせたいと思うが、方針の核心にむかう討論を指向してほしい。」

◎来年度方針案討議

荒井氏「芸術運動体の意味を抽象的にではなく、もつと具体的に説明してもらいたい。」

事務局長「各個人の持つている独自な芸術的な課題を追求し、それが各グループなり集団となつてぶつかりあい、その個有性が尊重されながら多様性のある広義な芸術運動体となることである。そのことにより、より綜合的な課題と方法の追求をしていく場にしたいということである。」

荒井氏「ある一定の目標なり方針なりをもたなければならなければ、芸術運動とはいえないし、芸術運動にならないのではないか。そうすれば性格がせまくなつてしまう。独自という単純な姿勢では困る」

持田氏「作家の集団としての独自の、固有の任務は何かと考えればそれは当然芸術的課題である。政治的、社会的課題や生活的課題もむろん独自的課題を推進するに附随してとりくまれなければならないが、それは運動の独自性を喪失させるものであつてはならないと思う。」

星山氏「芸術運動を第一義とするということは、最終的には「記録映画」を出していくことであるとしか思われない。」

松川八州雄氏「芸術運動ということについて個々の作家の創作的な活動を深めていく場、激化していく場としてとらえる考え方と、平均化していく場としてみる考え方とがあるだろうが、私は前者の立場をとりたい。」

荒井氏「芸術運動を場としてとらえることには、がつてんがいかない。」

菅家陳彦氏「作家が個々の主観にたよつて活動していたら、芸術運動はどのように統一していくことができるのか。」

（荒井氏は運営委員ではないか、という議長の指摘に対し、荒井氏から「速達が遅れてついたので、議案書討議には参加できていない旨の弁明あり。）

松本俊夫氏「協会的な規模で考えなければならない芸術運動というのは、創作方法その他で一致した共通分母をもつ狭義の意味での特定流派のそれではない。むしろその点の多様性を前提とし、むしろそのことに積極的な意味をもたせて、それら相互のぶつかり合いと相互刺戟を有効に組織していく広

義の意味での芸術運動であるべきだ。しかし、そこにはおのずと、芸術創造すら根源から解体していくような物質的、意識的な状況に対して、いかに芸術創造そのものの課題を対置させ、芸術運動の立場からそれを変革していくかという問題意識が共有されていなくてはならない。」

吉見氏「いま松本氏がいつたような姿勢を援助するのが、協会のこれからの仕事であろうと思う。」

松本俊夫氏「芸術運動体のイメージを狭義な意味のそれにかえられては困る。また、協会は我々ひとりびとりの作家から構成されているのであつて、その主体的な課題および協会の理念を、運営上の問題にすりかえられては困る。」

西江氏「吉見氏とは考え方が本質的にちがう。肉体的交渉か何か知らないが、理念ぬきにそんなことをやつたつてナンセンスだ。きめつけるとか文句をいうが、不合理な点、ナンセンスな点はお互いたたいて進みたい。」

丸山氏「自分が作家であるという意識がなければ、作家の疎外など感じられるはずがない。」

松川氏「（〃新日本文学〃創刊号の宮本百合子の〃歌声を起れ〃を問題提起として朗読）このように、生活的なものをあくまでも第二義的なものとしてとらえなければ、作家としての主体性が失なわれるであろうことは、歴史的事実としても明らかである。菅家氏の態度はこの点についてあいまいである」

菅家陳彦氏「私としては、作家協会は、どうしても芸術運動体とはなりえない、としか考えられない。そこまで作家の内的なものを指導できないと思うし、その態度もないと思う。少くとも私にはそう感じられてしかたがないのだ。」

（この間、松本俊夫氏、菅家陳彦氏、西江孝之氏の間に、二、三の議論がおこなわれ、議長から「本質的な問題がいま論議されているので、多くの人に発言してもらいたい」との要請あり。）

斉藤茂夫氏「〃協会の生きる道〃の項の一は全面的に賛成である。これを推し進めていく上に困難な諸条件をどのように解決していくかの労をとるのが協会の仕事であろう。これを抽象的な問題にすりかえているところに協会不信感をまねく原因がある。」

西江氏「基本的な規定の次に具体的な活動を記述してある。それがどのように具体的に誤りであるかを指摘することをせず、むやみに〃抽象的である〃と非難することこそが、抽象的論議のし方ではないか。」

（ここで、時間が十時をすでに経過したので、事務局長から審議未了になつた場合の事態処理の案が提出され、松本俊夫氏藤原智子氏より、三九年に入つて早期にもう一度総会を開くべきことが提案された。これに対して星山氏、大内田氏斉藤氏から、来年開いても同じ論議の繰り返しだから、この際に役員改選をしてしまうべきだとの主張がなされた。丸山氏、西江氏から方針も何も決まつていないのに改選をすることは無責任である、との反論がなされた。ここで事務局員から発言があり「今のままで何の方針も決らず無責任に改選が行われて何となく又続けるというようなことでは、事務局も熱意をもつて仕事に当ることが出来ない。従つて今のままで役員改選されるようでは事務局員三人は辞職せざるを得ない」旨が表明された。これに対し、竹内氏英井氏からその真意の質問があり事務局から答弁が行なわれた。続いて事務局長からも「無責任に役員が改選されることに反対する。運動方針が明らかにされるために来年度臨時総会が開かれるべきである」と主張された。

結果として、来年度早期にもう一度臨時総会をもち、継続審議を行なう。ことが承認された。

さらに、松本俊夫氏から三ケ月以上の滞納者の資格問題は規約にてらしてはつきりすべきである」との問題提起が行われ、〃会員の意志反映を疎外した委任状集めが行なわれている。との中には滞納者のものがかなり含まれていると見られる〃と指摘された。

そして、この問題の重要性が強調され、事情を考慮した上での早急な対策の必要性が説かれた。八幡省三氏からは、「ここで機械的、形式的に処理することは避け、もう一度運営委員会で対策を講じてみるべき」ことが主張され、結局運営委員会にその処理が一任されることになつた。

◎年賀　加藤敏雄氏、日本映画撮影協会、日本映画監督新人協会、サトウ画廊、内科画廊、東陽一氏、神奈川ニュース映画協会、深江正彦氏、中央映画、東京都映画協会西江孝之氏、記録映画社、根岸純氏、近代映画協会、日本映画教育協会、日本映画監督新人協会

◎移転又は電話変更　モダンアート協会（北多摩郡狛江町和泉一八五一勝本富士雄方（四一六）二六八〇。　日本映画監督新人協会（中央区銀座東一の八広田ビル（五

三五）二八二〇、（五六一）四七一六）　新日本文学会（三六二）八七七一（代）八七七二（編）

日本技術映画社（〇四二四）八二・一一一一（代）一一一一（夜）

）　日本アニメーション映画社（八一三）五八二一ー三（代）（八一二）五三二三（別）

文映株式会社（二五三）四四二一ー三）

◎　会員住所変更

加藤敏雄（横浜市南区唐沢四六・打木荘）　西本祥子（中野区氷川町三七　新井方（三六一）七〇八七）　山本升良（品川区二葉町三の五二九）　中川すみ子（足立区花畑町一八〇花畑団地六ー三〇七）

◎　新入会　菊池康治

世田谷区松原町四の一四〇南方

昭十四年十月十九日

脚本・助監督

推薦　間宮則夫・中川すみ子

記録映画「偶田川」脚本・協同演出」「自転車」（脚本・演出）テレビドラマ「あのまちこのまち」台本、他にCM台本。

◎　通信

中川すみ子（フリー、日経映画と契約中。

魚好辰夫（らつしゅ、だびんぐ・公会堂、映画劇場等、十六、三五ミリいずれも、映写技術者派出致します。（三六八）七三六五、中映ぷろだくしょん）

◎「あとがき」総会の報告は、総会議事録から、とり急ぎ事務局がまとめたものですので、不備な個所や誤解した部分があるかと思います。みなさんにたしかめる時間的余裕がありませんので、このような形のままプリントせざるをえませんでした。訂正や補足がありましたら、お知らせいただければプリントして、二月一日の総会でみなさんに渡せるように致します。そのプリントには、十二月二十七日の総会の問題について、運動の総括、現状、方向について、「記録映画」について、組織問題組織の性格、などの意見を特集したいと思いますので、この報告を参考にされて、御意見をお寄せください。動静の葉書を利用してくださつても結構です。

一月十六日に、鬼王神社で、助監督、新人作家の集会が開かれました。その報告もおとどけします。

1964.2.1

記録映画作家協会会報 号外

TEL(386)5824
振替 東京90709
東京都中野区松が丘 1の10の17

特集(II) 臨時総会にむけて

会報、雑誌「記録映画」、総会での討論(あるいはその議事録)などを参考に、協会の性格・方向・活動の問題、「記録映画」の問題 等についてのご意見をお寄せください。

◎川本博康氏「吾々が創作活動をするに当って直面する様々な障害を、共通の場で話し合い、取り除き、更にバック・アップしてゆく協会の性格は、そういう共通の場であって欲しい」猶、住所の番地変更を、今まで二回も事ム局に連絡しているのに、協会からの郵便は相変らず旧番地で来ます」いつも配達人から注意されるので、事ム局としては呉々も気をつけて下さい。新住所ー杉並区下井草二丁目二五番地一号・電話の局番も(三九一)が(三九九)に変っています」

(事務局…六月現在(昨年)で作成の名簿にはもとのままになっておりますので、おそらくその後連絡いただいたのだろうと思いますが、だれもいただいた記憶がなくて、事務局の健忘症をおわびしなければならないようです。どのような方法で連絡くださったのでしょうか。最近とみに事務局の手ちがい(郵便物がつかない等)についてのご注意がふえていますので、会報50号は三回名簿と照合し、中央郵便局までバスで運んで投函しましたので、おそらく全員に(住所変更ない限り)届いたと思います。ところで、これは明らかに東和印刷のミスですが、八幡省三氏、佐藤みち子氏の変更が脱落していること、深くおわびいたします。)

◎中村久彦氏「協会員の作品を徹底的に試写検討する事に依って、芸術運動体としての協会の方向も自ずと具体化されると考える。又協会の芸術運動なるものを今以上に対外的なものへと積極さを加えるべきだ。各プロダクションで仕事中の演出家（又はスタッフ）と緊密な連繋を持ちつつ、やゝもすれば失いがちな芸術的創造の場を獲得すべく支援する大衆団体として真価を発揮すべきではないだろうか」

◎原田　勉氏

最近の記録映画誌は一部の人の独善におちいっている傾向にあり、読んでも面白くないので止めようかと思うときもあります。本当に人にみせる映画を作っている人に書いてもらってはどうでしょうか」

◎泉田昌慶氏「協会は何よりも先ず、ドキュメンタリイ映画の作家にとっての、運動体である事が、作協の魅力となりたい。その為に、活動方針は基本的にうなずける方向と思える。」

◎菊池宗治氏「まだ入って少時間なので協会の問題を客観視するようでしたが、今度松竹映画の仕事をして、初め　の契約金といざもらう契約金とちがうことで、プロジューサと話しましたがプロジューサーは契約金よりも低い金額しかくれません。まるっきりインチキですが一人ではとても弱く、それにまだまだ初めなので、この矛盾には立腹します。ですから協会は重要視しなければなりません。協会は強くなければなりません。」

◎丸山章治氏「よい映画をつくることの出来る能力（能力）がなければ、その仕事でオマンマを食べる（職業とする）ことは出来ません。又創作は作家一人一人の内部的要求にもとずくものですが、他面社会的分業の一つでありますから、社会的要求にもとずくものであります。（いろいろ云いたいことがあって書ききれません）

◎斉藤茂夫氏「議事録のまとめについて、細かいことはふれませんが、次の点がまちがっているので訂正していただきたい。

特集号　九頁の斉藤の『協会の生きる道』の項の一は全面的に賛成する…以下略』の私の当日の発言は『方針案の最初に書かれている協会は広義の芸術運動を発展的に推進させてゆくと云うことは賛成だ，

しかし、その運動を推進させてゆく　われわれの創作活動は非常に困難な条件におかれている。そのためには、運動方針の三項に書かれている創作活動を推進する必須の諸条件をかちとることが、最も重要なことではないか。そこに現実的な目を向けないで、や一義的とか　ヤ二義とかに別けたり、抽象的な理論をならべているだけでは、問題の解決にはならないのではないかという内容でした。」

◎楠木徳男氏「征足は常に動いています。古典をしっかり踏まえつつ、青年のような若さとみずみずしい現代感覚を感じ、これを方法論化し、思想的に定着し、実践することが必要だと思います。現代の生き方はそうだと思いますし、芸術もそうあるべきだと思います。作家協会も昔に戻すのではなく、死体化した組織を若返らせ、生き／＼した各会員の作家的青春をよみがえらせるわれわれの創作上にプラスする組織にすべきです。会則の目的の解釈も、製作を通じて平和と民主主義に貢献し、とあるのを、ただ平和と民主主義だけを目的とするが如きすりかえは協会の設立当時の目的にも反すると思います。製作を通じて——とあることを今一度再確認すべきだと思います。各人の作家活動を無視して、観念的に政治を論じ、協会を政争の具に供そうとする人々に私は反対します。」

◎吉見　泰氏「一、広義の芸術運動などありえない。狭義にしろ広義にしろ、協会は芸術運動団体ではない。多様な作家の集まりの中に、特定の芸術論だけが有効だとして持ちこむことは分裂の危険こそあれ統一には役立たない。　一、『記録映画』は、特定の芸術論的傾向が支配的である。機関誌は協会の統一のための組織者として編集されねばならない」

◎山元敏之氏「失業することにしか危機を感じない人が協会の多数を占めるのなら、つまり技術者に作家としての内的な解体と頽廃の危機を訴えても馬の耳に念仏だから。『平和と民主主義を守る』という綱領も引込めて、仕事あっせんを協会の本業とすべきだろう。完全就労のために斗う組織であるのもいいが、作家意識の検証に役立つ組織のほうが、ぼくにとってはありがたい」

◎樺島清一氏「協会の性格は、本源の姿にかえすべきでしょう。平和と民主主義を守り生活の権利を高めるためとあれば、その線に戻りその線上で活動方

向を考えるべきでしょう。雑誌は、財政の無理のないようにすべきでこれを出すことで協会活動が忘れるのでは困ります。芸術とか、作家とかいう観念のかくれみのの下で安住することのないよう、吉見氏のいわれる身体をよせ合う場として、私も協会を考えたいと思います」

◎日高　昭氏「"作協"というものは、特定の思想・方法を基にした、あるいみで狭い芸術運動体にあってはならない。それは映画作家の集合体にある以上、広義の芸術運動体であらねばならないが、も一つ、生活的・経済的基盤を共通する機能体でもある……と小生は考える。"記録映画"誌に関しては、現在のような純型論誌であるとともに、例えていえば「キネマ旬報」的要素を加えていくことが好ましい"そのことは"作協"の白の性格づけから出てくる」

◎豊田敬太氏「一、協会の性格は、創立初期の目的のように、第一に作家の生活の向上と権利の拡張を第一目的とする。それと随伴して、作品の創作・研究活動を盛んにする。多種多様の人々を包擁する協会として、誰でもが共鳴できることをやっていくということである。記録映画の発行を第一目的のようにして、金も人も、それで一杯のようなことをしない。

一、雑誌"記録映画"は協会の財政状態と睨み合わせ、発刊経営方法を善処する。

一、現在の会報を充実させる。

一、試写会通知は、必ず個人宛に出す（五百円払って、五円の切手も出せないというようなバカな話はない）」

◎江原哲人氏「私は一人で孤立した仕事をしていた。自分でもカメラマンを育て、ヘンシューを育て、自分で演出していた。"製作仲間というものは全くいなかった"。偶然作協の谷川氏から見せられた作協の規約で私は私の手を握りあえる仲間がいることを知った。今私は会員である。私は協会の目的、規約③目的の⑴項⑵項⑶項は私にとって励みであり私は孤立していない現在を知る。この方針を今后も進めてもらいたいと思う」

◎池田元嘉氏「"芸術運動の推進"という運動方針案は協会の規約からみて問題が残るし、あえて規約変更を計るのでない限り（この場合、私見では協会の存続に関ってくると思うのですが）規約に添った活動を行うということより仕方ない。性格が元来曖昧なのだと考えます。従って、会費値上げ、という

処理に止め、雑誌・協会活動とも在来のまま行う。

動静

池田元喜　日本技術映画社にて、長期契約

江原哲人　作りたいものが二・三ありますが資金がなくて困っています。

豊田敬太　一月三一日より、東映にてクランク・イン（〃嫁と姑の悪口文集〃という三巻の社教映画）

日高　昭　『北九州市』（EKカラー二巻）完了。次の仕事未定。

山元敏之　今なにもしてないが、一身上の都合でなにもしたくない。

泉田昌慶　〃時に向って走るもの〃東京シネマ二月一杯仕上げ中

大久保信哉　キロク映画社の『私たちの首都東京』の模型・アニメの製作に掛りました。

丸山章治　日経映画と九月まで長期契約をむすび、今京急と東電のPR映画をつくっています。九月までかかります。

金高伸夫　JETRO『北九州工業都市』海外向一月一杯迄

菊池泉治　松竹映画『駆逐艦雪風』（一月三十一日まで）次は有りません。

長野千秋　神奈川ニュース『老人問題』

（五頁上段一行目より続く）

◎長野千秋氏『雑誌は発展的に続行したい。作協の運動を更に、創造的な面に進めたい。

◎間宮則夫氏『協会を〃創造を深化〃させていく場として発展させていくべきである。従って、◎『記録映画』は、現在の編集方針を内容的に積極的に発展させていくこと　◎作品の相互批評を活溌化すること。

※先に予告しました助監部会の報告は、ここには掲載せず必要に応じて総会席上で行なうことにします。

通信

中村久彦　会費長い事滞納致しまして誠に申し訳ありません。昨年の十一月の事故以来、いまだ家庭の事情は思わしくないので、いま暫く御容赦下さいます様お願いします。

井内久　御手紙片ら小生の所属が、フジテレビとなって居りますが・何かの間違いだと存じますので名簿の御訂正をお願い致します。目下フリーで・何処にも所属しては居りませんので……

金高伸夫　電話を新設しました。（三九八）六四八〇　中山方です。

泉田昌慶　電話（八四一）七八七六

八幡省三　川崎市王禅寺字日光二〇三二　に移転

佐藤みち子　新宿区荒木町二〇　土井方　に移転

辻本篤視　渋谷区千駄ケ谷五－二〇　小佐野方（三四一）二五一二　に移転

林　直宏　鎌倉市材木座八三七　に移転

新入会

大沢建一（昭和十五年九月十八日）フリー助監督
杉並区下井草町三丁目三八番地
「未来誕生」（西本祥子演出）
「レンズと精密機械」（西本祥子演出）
「いつかある日」（池田傳演出）
「文化とともに」（野田真吉演出）
推薦　間宮則夫　野田真吉

宮井陸郎（昭和十五年三月十五日）フリー助監督
三鷹市下連雀五三二
自主製作　及び助監督
推薦　松本俊夫　大沼鉄郎

脱会

吉田　巌

会員名簿一覧表（一九〇名）

1．フリー会員（八十二名）

赤佐政治、厚木たか、荒井英郎、井内久、伊勢長
之助、伊豆村豊、入江一彰、岩佐氏寿、岩堀喜久
男、上野大梧、江原哲人、大内田圭弥、大口和夫
大野孝悦、大沼鉄郎、加藤松三郎、樺島清一、川
本博康、菅家陳彦、かんけまり、岸光男、京極高
英、楠木徳男、熊谷光之、黒木和雄、康浩郎、
河野秋礼；河野哲二、越田安寿美、斉藤茂夫、斉
藤益広、島谷陽一郎、杉原せつ、杉山正美、高井
達人、竹内信次、田部純正、徳永瑞夫、富沢幸男
豊田敬太、豊富靖、苗田康夫、長野千秋、波田
慎一、西江孝之、西尾善介、西沢豪、西原孝
西本祥子、野田真吉、秦康夫、頓宮慶蔵、樋口
源一郎、肥田侃、日高昭、広木正幹、藤原智子
古川良範、星合達郎、本間賢二、前田庸言、牧野
昭、松尾一郎、松川八洲雄、松崎与志人、松本公
雄、松本俊夫、間宮則夫、丸山章治、村田達治、
柳沢寿男、八幡省三、瀬川昊、林道宏、山岸静
馬、山本升良、吉田六郎、粟谷勲、高瀬昭治、山
添哲、深江正彦、永岡秀子

2．フリー助監督（五十三名）

青野春雄、安倍成男、飯村隆彦、池田元嘉、石井
清司、泉田昌慶、内田昌克、梅田克己、大沢建一
大林義敬、大平隆、岡本英雄、小川益生、小野
寺正寿、梶川勝良、加藤敏雄、加本悠利代、唐木
武久、川本昌、菊池康治、久保田義久、黒沢章、
小泉尭、佐々木守、城之内元晴、妹尾厚、曽
我孝、高極克巳、田中学、田中舜平、塚原孝一
辻功、辻本篤視、中川すみ子、仲原湧作、中村
久亥、中村敏、西田真佐雄、東陽一、平野克巳、
二口信一、光井義昭、宮井陸郎、都憲雄、宮崎
明子、村松隆一、持田裕生、安井治、山元敏之
吉川協、横山弘夫、金高伸夫、塩沢朝子

3．企業所属会員（五十五名）

イ．岩波映画製作所（十四名）

秋山衿一、各務洋一、榛葉豊明、高村武次、田中
実、時枝俊江、羽仁進、羽田澄子（以上演出）
岩佐寿弥、神馬亥佐雄、諏訪淳、田中平八郎
花松正卜、北条美樹（以上助監督）

ロ．日映科学映画製作所（一七　名）

飯田勢一郎、奥山大六郎、下坂利春、清家武春、

（7）

中村麟子、二神直樹、諸岡青人（以上演出）

八、日本映画新社（四名）

安藤令三、山川治、山口淳子、阿部博久（以上助監督）

二、新理研映画株式会社（四名）

富岡捷、藤本透、三上章（以上演出）

宮内砌（企画、脚本）

ホ、東京シネマ（六名）

泉水剛、森田実、吉見泰、渡辺正巳（以上演出）

大島正明、山崎博紹（以上助監督）

ヘ、神奈川ニュース映画協会（三名）

金子安成、矢倉赫雄、吉田和雄（以上演出）

ト、日本アニメーション映画社（三名）

長井泰治、平田繁治、諸橋一、（以上演出）

チ、記録映画社（一名）

小泉修吉（助監督）

リ、フジテレビ（一名）

渡辺大年（演出）

ヌ、わがたぶろ（一名）

辻本誠吾（助監督）

ル、全国農村映画協会（一名）

中島日出夫（演出）

ヲ、生産性本部（一名）

三木本哲夫（演出）

ロ、フクニチ映画製作部（一名）

藤田幸平（演出）

カ、たくみ工房（一名）

大久保信哉（演出）

ヨ、電通映画社（一名）

松本治助（製作）

タ、東京記録映画社（一名）

小谷田亘（演出）

レ、理研科学映画（一名）

中村重夫（演出）

ソ、農山漁村文化協会（一名）

原田勉（演出）

ツ、藤プロダクション（一名）

佐藤みち子（演出）

ネ、読売映画社（一名）

橋 逸夫

ナ、日本技術映画社（一名）

星山 圭

記録映画作家協会会報

1964・2・24　No.91

記録映画作家協会

東京都中野区松ケ丘1の10の17

振替　東京90709　TEL (386) 5824

新方針および新役員のもとに新しい運動を！

二月一日におこなわれた記録映画作家協会臨時総会は、出席四六名、委任五〇名をもって成立し、定例総会にひきつづく継続審議と討論をおこないました。その結果、方針については、前期運営委員会提案の原案の原案に対し、吉見泰氏提案の修正案が六〇対六七票をもって可決され、従ってこれを新方針として今期の運動を展開することになりました。つづいて、会計監査委員、運営委員長、事務局長、運営委員を選出し、次の新メンバーをもって今年度の活動が推進されることになりました。

　新役員（　）内は得票数　次＝次点

運営委員長　吉見　泰（六四）
　次　黒木和雄（四八）
事務局長　菅家陳彦（六六）
　次　長野千秋（四一）
運営委員
フリー演出　河野哲三（七五）　苗田康夫（六〇）　荒井英郎（六〇）　八幡省三（五六）　厚木たか（五六）　斉藤茂夫（五五）　大内田圭彌（五四）　黒木和雄（五三）　徳永端夫（五二）
次　松本俊夫（五一）
フリー助監督　小泉堯（五三）　西田真佐雄（五〇）　安倍成男（五〇）　次　東　陽一（四九）
企業　渡辺正巳（六七）　星山　圭（五六）　曽我　孝（四二）　次　二瓶直樹（三七）
会計監査委員　西沢　豪　羽田澄子

協会の生きる道

来年度運動方針

作家協会は会員の諸要求にもとづき、作家活動を発展させ、創造活動を阻害するあらゆる障害を克服するために運動する。

1. 協会の運動は、会員各自の芸術的課題の追求を、中心的任務とする。

　われわれは、状況に埋没した機械的、没個性的作業を否定し、現実変革と自由なる表現を求めて、作家的生活に自らを賭ける。スポンサード映画であっても、創作的斗いを決して放棄することなく、現実きびしくかかわる主体的作品として創造する。そしてこのような創造と批評を相互にはげしく対決させ、発展的契機

を集団的にとらえ、ダイナミックな運動を展開するベースとして作家協会の実体を変革していく。

2. エコール・グループ、あるいは企業ごとの研究批評活動を活潑にし、その核を集約的に組織して、大きく協会全体の芸術運動としてもり上げる。

機関紙「記録映画」には、これらの運動およびその成果を誌上に反映させ、相互の刺戟と触発のための有効な討論の場として発展させる。

3. 創作活動を推進する必須の諸条件をかちとるために、表現の自由を守る斗い、著作権を守る斗い、生活と権利を守る斗い等に取組む。その他職能的属性から派生する共通要求や、政治的な共通要求にも取組む。

4. 新たに運動を維持・推進させる財政的基礎を確立するために、賛助会員・演出家・シナリオライター・編集者・アニメーターの会費は、フリーと企業所属とにかかわらず、一率に六百円とし、助監督の会費は四百円とする。

（この項は今後の運動の実状によって考慮し、一時保留する。）

5. 事業報告を、全会員の力で活潑にする。映画会開催、記録映画シナリオ特集発行など　財政的および運動的利益を統一した協会独自の事業活動を、計画的に行なう。

6. 助監督グループの研究会、ＰＲ映画研究会、ドキュメンタリー研究会、現代映画批判の会、テレビ映画研究会など、ジャンルその他の多様性に応じて研究会を企画し、批評・研究の気運を高める。

7. 雑誌の読者・学生・映画サークル・観客団体・アマチュア創作者などとの交流を深め、その他有効な方法を通して運動の基盤を拡大強化する。

8. 他ジャンルの芸術家、芸術団体とも積極的に連携を強め、現代芸術の共通課題を追求し、固有の課題の前進をはかる。

※※※※※※※※※※※※※※※※

※会費値上げの項は、臨時総会では一応保留され、新運営委員会に検討・処置を委ねる形になりましたが、しかし、次の点が討論の過程で強調されましたので、これらを充分参考にして対処しなければなりません。

A　会費滞納を一掃すること。

B　会費のアンバランスを調整すること。

C　三カ月以上、正当な理由なしに滞納した場合には、会員の資格を失なうという内規に定められた原則を徹底させること。

※総会、臨時総会を通じてしばしば論議の焦点となった規約の原則とは、次の「目的」の条項をさします。

協会は、企業に所属すると、フリー契約者たるとを問わず、凡ての記録映画作家が打って一丸となり、次の目標を果たすための力となる。

①記録教育映画の製作を通じて平和で民主的な日本の文化の発展に貢献する。

②記録教育映画の製作を活潑にする力となり、作品の質の向上に努める。

作家・プロダクション・観客の統一による創造活動の発展を

――第一〇回定例総会の総括と本年度の運動方針について――

一、本年度運動方針をめぐる論争を目して、芸術派対生活派の論争だとする捉え方が、一部になされているようです。しかしそれは根本的に誤まりです。

ちょっと目を外に向けて、たとえ話をしてみましょう。

いま、世の中では、医療問題をめぐる混乱が起きていますが、かりに、医は仁なりとばかりに医術（医学）の課題を主体的に追求する派を医術派。医療の社会制度（医療の場）を問題にする派を生活派と規定したところで、どっちが勝っても医療問題の本質的解決が得られるわけはありません。

一口に医療の社会制度の問題というけれど、それは、基本的な医術（医学）のあり方を発展させ得る制度なのかどうか医術（医学）そのものの発展を約束する制度なのかどうかという問題として捉える必要があるのです。つまり、医療制度のあり方と「医」の本質との統一的発展を斗わぬ限り、「医」も医療制度も発展しないという問題を私たちは見てとらねばならないのです。そうでない限り、迷惑するのは患者です。

すでに明らかなように、映画の創造活動は、いわゆる中世的・個人芸術のらち内にはない、組織的に産業化された世界の中にあります。

基本的な「医」の発展を阻害する医療制度が、「医」そのもののあり方の反省とともに反省され、その統一的な発展に到達するよう迫られているのと同じように、映画の産業化の進行と作家活動（創造活動）を統一的に発展させるという視点で、協会の活動の方向を捉えたいものです。

本年度運動方針の基本はそこにあります。

二、したがって、芸術運動が才一義で、生活と権利問題は才二義だとする捉え方―芸術か生活かという対置の仕方にはなんの根拠もなく、非論理的ですし、本年度運動方針は、生活を才一義、芸術を才二義と規定しているのでもありません。芸術派か小生活派かという捉え方が本質的に錯誤であり、それはむしろ現実を誤まるものであることを明らかにしておきたいと考えます。

三、総会の席上、「製作の場の確保、発展」が言われ、「プロダクションとの統一」ということも問題にされました。その意味は、単に生活の場の確保ということでもなければ、プロダクションとの無原則な融和や協調ということでもありません。その本来の意味は、荒廃しつつある製作の場を

恢復し、確保発展させるために、プロダクションとともに共同して斗い、映画の産業化の進行と作家活動との統一的発展を目指すところにあります。

映画産業の現状は、すでに明らかなように、プロデュース活動や作家活動をゆがませ、客観的には作家が作家であることを脅やかしてさえいます。したがって主体喪失の危機がそこに胚胎しています。このような危機的状況と主体的に対決しなければならないことはもちろんです。

しかし、「場」から抽象された主体というものは、観念的、主観的にはあり得ても客観的、具体的にはあり得ません。

製作の場の確保、発展を目指す具体的な斗いを抜きにしては、主体の確立は斗いとれないと考えます。

このことはしかし、作家自らの確立の斗いを軽視しているのでは決してありません。自らの問題意識と課題をあくなく追求するという実践とその成果（発言力）とを軸とし、てことして前進しない限り、作家としての斗いの主導権はとれないと考えます。

こうして客観条件と作家主体の統一的な発展を目指さぬ限り、斗いは、社会的諸条件を抜きにした主観的な芸術至上という抽象に終るでしょう。そのとき、観念的、主観的な論理がはばをきかして、現実認識と現実の斗いの組み方を誤まるのです。

四、以上の斗いを強力に成りたたし得る最大の基盤は観客です。

作家とプロダクションが共同して創造活動の発展を目指すためには、その斗いの基盤を観客に求めねばならないのです。私たち、記録映画作家とプロダクションの大きな弱点は、観客との関係がまことに稀薄な点にあります。

作家も、真に民主主義作家としてたつためには、観客大衆との民主的な結合に基礎を持たねばならないし、プロダクションもまた観客に支えられなければ、真の発展は望めないことは論をまちません。

作家とプロダクションと観客との統一――ここに、作家活動、創造活動発展の保証があると考えます。

自らの行動と自らの作品を、分るものだけが分ればよい式の独断と独善が許されてよいわけはないし、それは斗いの放棄です。

いかに国民要求にこたえるか、いかにして創造活動を通じて観客大衆と積極的に結ぶか――ここに作家の課題の基本があり、プロダクションと作家が、観客と統一して、創造活動の発展を目指す環があると考えます。

六、この意味で、新運動方針は、協会内部の統一と団結を恢復し、その上に、ひろく創造活動の発展を指向するものであり、その斗いの発展を通じて、作家の社会的地位、生活と権利をもまた前進させることを期したものなのであります。

「作家協会は会員の諸要求にもとづき、作家活動を発展させ、創造活動を阻害するあらゆる障害を克服するために運動する」という本年度方針の大綱は以上の趣旨の集約なのです。

運動方針の具体化について

以上の「総括と運動方針」にもとづいて、運営委員会は議案書の各項に沿ってさらに討議を重ねた結果、その内容を具体化するために当面次のような諸活動を展開することにしました。

☆才1項（会員各自の芸術的課題の追求を中心的任務とする）を発展させるために、

(1)会員相互の創造・批評活動を活潑にし、また会員によるグループ研究をさかんにして、記録映画の創作理論を追求する。

(2)協会は年二回以上、シンポジユウムを開いて理論研究の成果や創造体験等を発表し合う。

(3)協会事務局にシナリオ・ライブラリーを確立して、会員の創造活動に役立てる。

☆才2項、機関誌「記録映画」について

(1)機関誌「記録映画」は、協会の諸活動とりわけ才一項に述べられた活動の成果を反映させ、会員の創造活動を向上させると共に、記録映画作家の活動を広く内外に紹介する研究誌として充実発展させる。

(2)機関誌「記録映画」の発行は原則として季刊とする。但し、財政的問題も考慮して季刊、月刊の問題は更に慎重に討議する。

(3)会報は毎月一回発行し、会員の連帯、交流を深めるために一層充実したものとする。

☆才3項、記録映画作家の生活と諸権利、社会的地位の向上に関する問題について

(1)すべての芸術団体と共同して、表現の自由や著作権など、作家の創造活動を保証し発展させる諸権利を守るために斗う。

(2)PR映画、テレビ映画、学校教材映画、社会教育映画、労農記録映画の一切について、製作活動を活潑にし、創造活動の場を拡大する。そのため製作の方法には凡ゆる可能な方式を試みる。（例えば、製作条件の困難な教育映画等に就いては版権歩合―プリント単売収益の歩合配分―による契約制度なども考えられる。）

(3)適正なギャラ基準の確立を指示し、当面、不合理な低額ギャラの引上げのために斗う。

☆才4項及び才5項は協会の組織を強固にする問題、とりわけ財政的基盤を確立するための方針です。このため、

(1)協会は各企業内に支部組織を持ち、その企業に働く協会員の共通の問題を討議する。

企業支部の組織は、その企業所属の協会員とその企業に契約したフリー会員との交流を深め、さらに協会員とその職場の人々（協会員外のスタッフやその企業の組合員）との統一行動を組んでゆくためにも重要である。

企業支部の組織は決して固定的なも

のではなく、契約者の数によってその構成員の数は随時変動するものでよい。
(2)協会員の会費は当面現行のまゝ据置くこととする。
　但し、脚本家、演出家五百円、助監督三百円の現行基準に就いても、数年前の状態が今日まで踏襲されており、かなりのアンバランスが生じている。従って運営委員会としては早急にこのアンバランスを調整し、フリー、企業所属を問わず月額一率五百円、三百円に是正して戴くよう別紙アンケートを添えて要請した。

　尚、賛助会員に就いては、月額五百円以上にして戴くよう要請している。
(3)事業活動に就いては、議案書の才5項が示す通り、全会員の創意によって活溌化し、協会の運動と財政的利益の統一をはかる。
☆才6項の研究会活動については、才1項の方針に沿って発展させせます。
☆才7項は記録映画の運動をさゝえ、発展させる基盤の問題で、これについては、
(1)劇場、非劇場を問わず、凡ゆる有効な方法をもって記録映画を観客と結びつける。
(2)機関誌「記録映画」の読者、映画サークル、学生、アマチュア創作者、一般観客との交流を深め、運動の基盤を拡大強化する。とりわけ8ミリ映画のサークルは今年度の注目すべき分野である。
(3)以上の運動を推進するために、可能な限り製作者連盟、配給者連盟等とも提携協力する。
☆才8項は他の芸術団体、民主団体との交流を示しています。協会は他団体との交流を積極感に押しすすめると共に、国際的交流の問題にも積極的に取組む。

企業支部結成の呼かけ

　昨年の総会の討論の中で、一致して企業支部の必要性が確認されたことは、御存知のことでしょう。協会を、協会員一人一人のものとするためには、現在の組織のまゝではいけないことは明らかです。会費を払って月一冊の本を受取るという受動的な組織であることをやめ、会員の多様な要求と創意をくみあげる能動的な組織にするためには、製作現場である企業に協会支部をつくることが必要です。

　各企業に働らく会員を中心に、フリーの会員も自由に参加できる企業支部を確立することで、協会を我々自身のものとなしうる基礎ができると考えます。それは、各企業の演出部会とダブりながら、会員各自の問題を、作家全体の視野から捉えていく方向を可能にし、同時に各パートの労働者との創造上の交流を深める道をも開くと考えます。運営委員会との連絡のもとに、早急に各企業内に協会支部を作るよう呼びかけます。

(星　山　圭)

作る側と見る側と

阿部慎一

　プロデューサーほど頭の痛い商売はない。自主作品の教育映画でも、製作本数の伸びと購入側の予算の枠が、アンバランスなのだ。小さなマスの中へ多くの酒を注ぐようなもので、当然あふれてしまう。過剰生産といわれるのも当然だ。販売機構をもっているものはともかく、たゞ作るだけのプロダクションでは手足のないダルマみたいなものだ。

　ＰＲ映画は金額に問題はあっても、一応製作費は保証されている。しかしこれも雨後のタケノコ見たいに、プロダクションが生れてきて、砂糖にアリのたかるようにスポンサーから注文をとろうと競争がはげしい。出血受註でそのしわよせが、作家のギヤラをねぎり、質を落して信用をなくしてしまう。

　みんなこれではだめだ、何とかしなくちゃとあせるがその日の仕事に追われて、ズルズルとジリ貧に追込まれてゆく。

　作家とプロデューサー　ひところはお互に悪口のいゝ合いで犬猿の仲だった。しかし最近はいせいのいゝケンカもあまり聞かない。とすれば仲がよくなったのか、バカくさくなったのかどちらかだろう。しかし作家がプロデューサーの苦しい現実に、同情して止めたのではなく、内部でくすぶっていると見るのが当然だろう。

　映画製作のように独創的な仕事と経済的になりたゝせる仕事と両面をもっているものはどこかでバランスをとらなきゃならないむずかしい問題をかかえている。計画生産ができないところに悩みが深い。

　われわれの作った映画を支持してくれるのは観客なのだ。金を出してくれたスポンサーでもなく、作家のギャラを払ってくれる経営者でもない。このことがあまり目先のことに追われて忘れてしまったのではないだろうか。作る側と見る側が離れすぎてお客に背を向けて作ってるんぢゃないかと心配だ。

　われわれの作った映画を、もっと見せる機会を、場所を、人数を拡げたい。作家もプロデューサーも映画を作る努力を、この方向に向けて進めたいものだ。映画はもうかると考えて実業界から乗り出してきた人たちは、もうからなくなったら、またほかの仕事にかえれる道はある。しかし好きで映画の道に入った人々は、他に転進の道はない。多くのプロデューサーや作家はみんなこのような宿命をもっている。だとすれば何んとかこの仕事を続けてゆきたい。守ってゆきたい。

（教育映画製作者連盟事務局長）

「閑心遠目」

加納竜一

生きているということは年をとるということだから何ともしかたがない。気がついてみると小生も還暦ということになったようである。ひとなみに老人らしく「閑心遠目」ということをぼつぼつ心がけたいと思っている。閑心遠目とは、たしか花伝書か何かの言葉だったと思うが、心をゆっくりもって遠くを見よ、ということだと記憶している。しかし日常の事情としては、遠くをだけ見ているわけには行かないのが事実だが、時には遠くのことを空想してみることにしている。たとえば毎年秋の教育映画祭だが、その国際部門で各国の問題作の指名出品のようなことが出来ないかということがある。昨年秋、ヨーロッパを見て来たデザイナーの原弘氏がポーランドの作家レニッアの短篇映画を大へんほめていた。(その後気をつけてみたら日本の「アイデア誌」やアメリカの「ショウ」などにレニッアの紹介があった。ワルソー・ポリテク出身、一九五七年のベニス賞「むかしむかし」、六〇年「ムッシュー・テート」、六二年「ラビリンス」などの短篇があり、ポスターや画集にも仲々面白い作品があるようだ)。こういう作品がみられないかと思う。また、毎年の教育映画祭のような機会に新人作家賞とか、創造精神賞のようなものを現物のフイルムで出すということが出来ないか、このことについては二三関係者にも話して原　則　として同意を得たのでぜひ実現したいと思っている。このようなことをのんきに考えてみるのが今の小生の「閑心遠目」の実例でもある。

六四・二・二〇

(教材映画製作協同組合理事)

記録映画の作家

上野耕三

初め私もすなおに喜んでいた。ところが段々に妙なものになっていくので、一度は警告したがそんなもの聞き入れられる筈もなく、ついに断念、脱退を申し込んだ。

今度新しく再発足するとのこと。大いに賛成。しっかりやって下さい。

もともと私たちは映画を作る仲間だ。お互いいろいろの面で励まし合い、助けあい、競争し、斗い……とにかく記録映画の質を高めていくために努力しなければならないのである。そのために協会もあるのだし、刊行物だって必要なのである。一部の人の妙な野心や独りよがりのために、組織が利用されるということは、絶対不可。

記録映画の作家はだれでも進んで入れるような、又入れば何かとためになるような、大人の、而も若々しい作家協会でありたい。

(記録映画社代表取締役)

通信

電話番号変更　理研科学映画株式会社
代表（二六二）六一三一　直通（二六二）
一六六二　（二六五）三九七八
電話番号変更　ナガサキフオトサービス
（二）三二五七ー九代表　（二）三二七
五、三二七六
井内　久　御手数乍ら小生の所属が、フジ
テレビとなって居りますが、何かの間違
いだとも存じますので名簿の御訂正をお
願い致します。目下フリーで、何処にも
所属しては居りませんので・・・。
金高伸夫　電話を新設しました。（三九八）
六四八〇　中山方です。
泉田昌慶　電話（八四一）七八七六
八幡省三　川崎市王禅寺字日光二〇三二に
移転
佐藤みちよ　新宿区荒木町二〇　土井方に
移転
辻本篤視　渋谷区千駄谷五の二〇　小佐野
方（三四一）二五一二に移転
林　直宏　鎌倉市材木座八三七に移転

新入会

大沢建一　（昭和十五年九月十八日）フリ
ー助監督　杉並区下井草町三丁目三八番
地
「未来誕生」（西本祥子演出）
「レンズと精密機械」（西本祥子演出）
「いつかある日」（池田博演出）
「文化とともに」（野田真吉演出）
推薦　間宮則夫　野田真吉
宮井陸郎（昭和十五年三月十五日）フリー
助監督　三鷹市下連雀五三三二
「焔の芸術」（西江孝之演出）
ほか自主作品
推薦　松本俊夫　大沼鉄郎

脱会

吉田　敞

会員動静

金子安成　「若い芽」クランクアップ。
二十三日より録音。
吉田和雄　労資関係問題の脚本執筆中。
加藤敏雄　「くらしと計画」演出。二十日
より録音。
矢倉赫雄　ニュース映画演出
長野千秋　「老人の福祉」三月上旬完成
（以上五氏、神奈川ニュース映画協会にて）
間宮則夫　才一生命保険のPR映画。
丸山章治　京浜急行のPR映画、九月完成。
ほかのシナリオ、依然として進まず。
（以上二氏、日経映画にて）
長井泰治　CM企画製作　日本アニメーシ
諸橋　一　ヨン映画社
平田繁治　PR線画製作
曽我　孝
高井達人　三菱造船　三井　プロダクション
小泉修吉　「私たちの首都東京」
田部純正　「支店誕生」続（三菱銀行PR）
（以上二氏、記録映画社にて）

大野孝悦　「日本のぬりもの」（仮題）二巻
宮内　研　「新しい信号」「上越線新トンネル」「東北本線」シナリオ
三上　章　高崎原研にて原子力の工事記録
富岡　捷　「本木埠頭」「天竜川橋梁」「マンモスデリーフ」
（以上四氏、新理研映画にて）
苗田康夫　「日本の寺と社」
山川　治　オリンピック強化記録
安藤令三　「国立公園」助監督
山口淳子　「シリカチート」
西沢　豪　「国立公園」
（以上五氏、日映新社にて）
飯田勢一郎　九大「精神身体症」編集段階
奥山大六郎　日立「火力発電機」
中村麟子　武田「アリナミン」
諸岡青人　石川島「ジエットエンジン」
下坂利春　「日本の祭」「佃新橋」
二瓶直樹　「尾鷲火力」夏に完成する予定
持田裕生　「日立配電板」
清家武春　「日立送風器」
都　憲雄　下坂武春演出作品の助監督
河野哲二　日立「新幹線車輛」
（以上十氏、日映科学映画にて）
時枝俊江　「東京ガス」ダビング終了
田中　実　三菱電機のＰＲでホンコンに。
各務洋一　「日本の海岸線」完成
秋山衿一　精神病についての作品クランクイン
岩佐寿彌　国鉄ＰＲ「ある機関助手」続篇「駅」ダビング、月末上り。
榛葉豊明　メタルフォームについての作品
高村武次　日本鋼管「鉄の世紀」改訂版のためヨーロッパに。
諏訪　淳　「鉄の世紀」日本Ｂ版
羽仁　進　「ハローＣＱ！」12チャンネル放映用のテレビドラマ。
田中平八郎　「熊野」助監督
花松正ト　「宇部興産」
北条美樹　「話し上手、聞き上手」
（以上十十氏、岩波映画製作所にて）
黒木和雄　「青年ーあるマラソン選手の記録」ダビング
泉田昌慶　黒木演出作品助監督
加本悠利代　黒木作品ラッシュ編集
森田　実　「誰もわかっちゃいない」完成。待期中
渡辺正巳　「結晶」撮影中。
大島正明「結晶」助監督
吉見　泰　「結晶」最後的構成。新企画数種。
（以上七氏、東京シネマにて）
西田真佐雄　ばねについての作品
安倍成男
藁谷　勲　印刷機械についての作品
瀬川　晃　ポリエチレンについての作品
中村　敏　宇宙ロケットについての作品
（以上五氏、電通映画社にて）
中村重夫　高速道路建設工事記録。
星合達郎
（以上二氏、理研科学映画）
上野大悟　「構造改善」シナリオ準備中。
西江孝之　「開けゆく世界」（カラー）演出。四月完成。綜合社。
小谷田亘　除雪機械「白米への挑戦、三月完成。東京記録映画社。
東　陽一　経済上の窮乏化と逆比例的に創造力を蓄積中。呵々。

原田　勉　農業教材「和牛」、記録「玉川農協の記録」企画中。農文協。

杉山正美　「スポーツの科学」五月完成。桜映画社。

松本俊夫　映画の動静なし。劇団青俳のためのメタフィジカル・コメディ「嘘もほんとも裏からみれば…」——合唱団幕間劇つき二幕または三幕——台本完成。四月上演。演出。

菊池康治　商業デザイン製作。助監督、シナリオ、企画の仕事を求む。

佐々木守　ラジオ・ドラマの脚本。

古川良範　記録映画社にて「私たちの首都東京」を演出。

前田庸言　銀行の社内教育映画を産業映画社にて演出。四月中旬完成。

中村久亥　前田演出作品を助監督。

広木正幹　専門家むけ科学映画、人体の代謝をテーマとするもの。読売映画社。夏完成。

樋口源一郎　貿易映画、三月完成、桜映画

富沢幸男　大阪電通作品、三和銀行ＰＲ映画五月完成予定。

楠木徳男　「路上」完成。土本典昭演出楠木シナリオ。東洋シネマ。35ミリ。16ミリ、漁村問題のシナリオ執筆中。

竹内信次　ＫＯＤ（国際電信電話ＫＫ）依頼による海底電線の脚本完成。

川本博康　目下仕事なし。

大口和夫　ＭＢＳ（毎日放送）「日本の魅力」シリーズ、構成メンバー、その間短篇を。

杉原せつ　「小犬と少女」埼玉銀行ＰＲ、アジア映画社。

大沼鉄郎　日本技術映画社の仕事終り、目下ひまです。

伊勢長之助　「私はかもめ」（ソ連ボストーク六号の記録）編集録音中。来月完成35カラー。ファーストフイルム　岩波映画。宇部鉱産ＰＲ「宇部鉱産」岩波映画。大阪府「堺臨海工業地帯建設記録」大阪府。「日本製鋼所」新理研映画。

厚木たか　ただいま企画中。

赤佐政治　シネセルにて石川県の観光映画。

荒井英郎　東京ニュースにてドキュメント「大きな自転車」

苗田康夫　一月八日以来、「日本の建築」のロケで京・大和地方に出ています。アップは三月上旬の予定です。それまで東京を留守しています。よろしく。

菅家陳彦　次の企画を準備中ですが、今月は協会の仕事で何となく終ってしまいそうです。

かんけ・まり　科学映画社（堀田プロ）で、豊島区のお母さんたちと一諸に「学級と四〇人のお母さん」を終えたところです。一月下旬完成、共同映画社配給。

岩佐氏寿　「街にかける橋」三月。「北国を建設する」六月。「北上川」六月。「播州工業地帯」六月。「永富家の記録」六月。「熊沢体育館」七月。以上、脚本演出。

泰　康夫　「京王帝都新宿駅」十月。「阿賀野川用水工事」四一年四月。

星山　圭　「羽田モノレール」六月。「シールド工法」四月。

池田元嘉　「ＮＨＫ放送センター」六月。「東海道新幹線」十月。「地底に築く」七月。

松本公雄　日本産業映画センターで〃海と太陽〃と云う作品が完成しました。次の企画が仲々決まりません。当分仕事待ちと云ったところです。

「記録映画の担当委員から」

徳永瑞夫

回 さきほどの総会でも確認された通り、『記録映画』は次号からは協会機関誌として発行されます。（二月号までは前編集委員会の責任編集によって在来の形で発行。）

回 もともと『記録映画』は協会機関誌として発足したのですが、出版財政の大部分を市販による不特定読者に頼っていたことなどのため、機関誌としての性格を次第に失ない、また内容、編集方針も、編集委員会による責任編集という機関誌としてはかなりルーズな形で発行されて来ました。『記録映画』の内容をめぐってさまざまな意見対立が起ったり、出版財政が、協会の基本財政にまで影響を及ぼし、それがひいては協会の活動まで制限するようなことがあったのは、こうしたことも大きな原因でした。

回 『記録映画』が、今まで果して来た役割は大きく評価されますが、同時に、悪い側面もあったことも反省して、今後は運営委員会の直接責任のもとに、はっきり「機関誌」として発刊することになりました。

回 「機関誌」になったことで『記録映画』が一八〇度の変貌をするというのではありません。今までの成果の上に立ちつつさらに会員の相互信頼と力の結集を、より強めてゆきたい、ということです。したがって編集、内容とも今まで以上に充実したものとなることが期待されます。

回 なお、機関誌として着実な体制を整えて再発足するためには、もっと検討を重ねる必要がありますが、とりあえず四月発行を目標に鋭意準備をすすめております。また、今まで通り月刊とするか、あるいは季刊として思い切った増ページを断行するか等についても、協会の活動、財政面からも検討して、より正しい方針をもとめたいと思っております。

皆さんの一層の御協力をお願いする次第です。

山元敏三　三月より労農記録映画「人災」（仮題）の脚本協力、助監督（共同映画）

※動静は交流の基礎。
必ずお送り下さい。

① 三井物産、三井精機のPR映画脚本執筆中（三井プロ）

② 三月より合理化問題をテーマとした労農記録映画（仮題「人災」）の脚本、演出の予定（共同映画）

徳永瑞夫

二月のトピックス

（ユニ通信の御好意により、本会報には今月から毎月の主なトピックスを同通信より再録させて載くことになりました）

◎　才15回ブルーリボン賞
「ある機関助士」

岩波映画、教育文化映画賞は三本目

英文毎日、時事通信、スポニチ、デイリースポーツ、東京タイムス、東京中日、内外タイムス、日刊スポーツ、報知新聞の九紙で構成する東京映画記者会が主催する恒例の才15回ブルーリボン賞が決り、三十日受賞式が行われた。

△教育文化映画賞「ある機関助手」（岩波映画作品）（脚・演土本典昭）

△ニュース映画賞「中日ニュース才四七八号特集・恐怖の新薬ー十字架の子ら」

なお、教育文化映画賞は才三回（昭27）から設けられ、岩波3本、日映新社2本、日映科学、ビデオ映画、毎日映画、記録映画、民芸映配、読売映画、日本ドキュメンタリーフィルム、東京シネマ、虫プロの作品がそれぞれ1本づつ受賞している。

◎　才十八回毎日映画コンクール
入選決る「生命誕生」

「ある機関助士」など六作品

毎日新聞社主催による才十八回毎日映画コンクール入選作品は、一日、日活会館国際ホールで発表されたが、教育文化映画賞など、短篇映画関係はつぎのとおりである。

☆教育文化映画賞（カッコ内は受賞対象）

△生命誕生　（科学）C16分東京シネマ（脚・吉見泰、演・渡辺正巳）

△ある機関助士　（科学）C37分岩波映画（日本国鉄）（脚・演土本典昭）

△新昆虫記オトシブミの観察　（教育）C16分東映教育映画部（脚・演米内義人）

△森林・北海道の国有林　（産業）C46分東映（日本林業技術協会）（脚・演岩佐氏寿）

△企画賞「土と愛」「原野に生きる」（中篇劇）の企画者　貯蓄増強中央委員会

☆ニュース映画賞　毎日ニュース（「史上空前の二重事故」をふくむ才四六七号）毎日映画社製作

☆大藤信郎賞　「わんぱく王子の大蛇退治」の製作スタッフ　日本の長編動画の領域で作家様式と色彩表現に新風をもたらした。

審査経過＝教育文化映画賞は、さる二七日本社才一会議室において、参加作品五三本を対象に、選定委員八名により審査が行われたが、才一回の投標により二六本を選出、ついで才二回十一本にしぼり最終審査にうつり得票数の多いものから入選作品を決定した。才四位は「森林」「セロひきのゴーシュ」「土と愛」の二作品が同点となり審議の結果「土と愛」は企画賞に「セロひきのゴーシュ」は創造力に若干かけるとして、「森林」が選ばれた。なお、第二審査で選ばれた作品は、前記入賞作品（候補作品ふくむ）以外は次の通り「日本の城」「バラと混虫」「斗魂の記録」「挑戦」「私は高速道路」

◎ 才12回都教育映画コンクール
受賞作品きまる
金賞に「生命誕生」「土と愛」など

才十二回東京都教育映画コンクールは参加作品六〇本を対象に行われたが、このほどその審査結果が決定した。今回は前回にくらべて質的に向上したといいがたく、才二部門・児童生徒向き映画および才四部門・産業教育映画は金賞該当作品なしとなっている。各部門別受賞作品および審査経過は次のとおり。

才一部門・学校教材映画
金賞「植物の生殖」 18分(16)黒白 学研
(脚・演浅川地畐)
銀賞「配色」 18分(16)C 東映(脚・演佐藤雅子、演米内義人)

才二部門・児童生徒向き映画
銀賞 「しあわせ一家」 50分(35)黒白 東映(脚・片岡薫、演・酒井修)
奨励賞「海に生きる」 54分(16)黒白 松崎プロ(脚・演島崎嘉樹)

才三部門・社会教育映画
金賞「土と愛」 37分(35)C 春秋映画
(脚・千葉茂樹、演・堀内 甲)
銀賞「空に伸びる街」 31分(35)CW 岩波映画(脚・羽田澄子、演・藤久真彦・安藤厳)

才四部門・産業教育映画
銀賞「海と太陽」、 19分(35)CW 日本産業映画センター(脚・松尾一郎、演・松本公雄)

才五部門・一般教養映画
金賞「生命誕生」 35分(16)C 東京シネマ(脚・吉見泰、演・渡辺正己)
銀賞「挑 戦」 35分(35)C 電通
(脚・演渋谷昶子)

(審査経過)
才一部門=審査員十四名により5点法で採点
受賞二作品のほか科学映画研究所の「バラと昆虫」、全農映の「緑こそ水のふるさと」の二作品が候補に残ったが、「バラと昆虫」は題材をしぼりすぎて固くなった点でおち、金賞「植物の生殖」は丹念なまとめ方が買われ「配色」は映写設備の状況で色が変わるなどの難点が指摘されたが、教材として導入に使える点で銀賞となった。
得点数=「植物の生殖」61点、「配色」

健康保険料納入についてのお願い

三月十五日で、健康保険が切かえになります。健保加入の方は一五日必着するよう、古い保険証と三月までの会費をお送り下さい。新しい保険証はそれを待ってしか交付されませんので、必ず納入して下さい。とくに滞納されている方は、ほかの方に迷惑をかけますので、それまで完納してくださるようお願いいたします。

60点、「バラと昆虫」56点。

才二部門＝審査員十二名

この分野は毎回、一種の泰平ムードに浸って新鮮味のある作品が少いとの評で今回は金賞該当作品なし。東映の「しあわせ一家」が手なれた作り方で銀賞に、また松崎プロの「海に生きる」が、冗漫だが、くらしの実例として良いという企画的要素を買われて、東映の「妹の分も走れ」を抜いて奨励賞となった。

「しあわせ一家」54点　「妹の分も走れ」46点　「海に生きる」41点　「勇気ある判断」31点　「ゆだんは大敵」25点

才三部門＝審査員十三名

「土と愛」、「空に伸びる街」、東映の「母の外出」および「老人のふるさと」が候補に残ったが、「土と愛」は十三名の審査員のうち七名が五点満々、六名が四点で文句なしに金賞に決定した。「母の外出」は描写がきれいごとでウソが目立つ点でおち、「老人のふるさと」と「空に伸びる街」で銀賞の決戦投票が行われたが、一票の差で「空に伸びる街」に決った。

才一回得点数＝「土と愛」59点、労人のふるさと」48点、「母の外出」45点、「空に伸びる街」45点、

才四部門＝審査員十二名

「原子力と日本」、「初島丸」、「太陽の糸」、「海と太陽」、「マイウオッチ」が候補にのぼったが、「マイウオッチ」はＰＲ臭が強すぎる点で、「太陽の糸」「初島丸」は技術的にはすぐれているが意図がはっきりしない点でおち、「海と太陽」の映画的迫力が買われた。「原子力と日本」は技術的解説が足りないことと、構成の雑然とした点が指摘されたが全員に好評で、この点がなければ金賞の可能性もあったという。

「海と太陽」48点、「初島丸」45点、原子力と日本」44点、「マイウオッチ」39点「太陽の糸」37点

才五部門＝審査員十三名

才一回投票で「挑戦」58点、「生命誕生」57点、「婦人とガン」「みやざき」48点「森や湖のプランクトン」「未来をつくる製鉄所」44点となり、「挑戦」と「生命誕生」で決戦投票が行われた結果、「生命誕生」が技術的水準と16分間にきり

アンケートについてのおねがい

内規によると、会費は、脚本、演出五百円、フリー助監督三百円、企業助監督二百円となっておりますが、現状は、企業所属演出家の会費は必ずしも内規通りになっておらず、額が一定しておりません。先の総会で、会費値上げの件が問題になりましたが、常任運営委員会では、値上げは一応見合わせることにしました。しかし、財政状態を少しでも好転させるために、とりあえず会費のアンバランスを調整することを提案したいと思います。

同封葉書のアンケート用紙記載のＢ案がその提案です。協会の財政健全化のため、ぜひとも支持してくださることを希望します。

つめた充実感が買われ、海外に出してもはずかしくない作品と折紙をつけられ、九票をとって金賞となった。

◎ カンヌ青少年向け国際映画祭に入賞
外務省「現代日本の美術工芸」

カンヌ市主催・仏文部省後援の〃青少年向け国際映画祭〃はさる昨年12月末から今年の1月4日まで行われたが、この芸術部門・優秀賞に外務省の「現代日本の美術工芸」（C30分・桜映画社）（脚本・演出村山英治）が入賞した。

◎ カンヌTV映画祭に
「あるガン患者の～」参加

カンヌテレビ映画に出品国内選衡委員会では、きたる四月二十七日～五月二日に開催される〃カンヌ国際テレビフイルム祭〃の日本代表作品に、NET「あるガン患者の記録」

（50分 製・朝日TVニュース 脚・菅野長吉、演・甲原安記、撮・上野匡史、俊郎）を正式決定した。なお、同委員会では日本テレビ「水と風」を推せんの形で参加させることになっている。

◎ 岩波映画「メダカの卵」
メルボルン映画祭へ

岩波映画作品「メダカの卵」（脚・演渥美輝男）が、きたる五月末から六月中旬にかけてオーストラリアで開かれるメルボルン映画祭に出品される。

なお、同映画祭には、日本からは五八年に四本、六〇年に一本参加しているが、いずれも受賞はしていない。

◎ 〃記録映画の現状と問題点〃
16日NHKで放送

去る16日、午後11時15分より、NHK才2放送、芸能展望の時間に、〃記録映画の現状と問題点〃と題して、阿部慎一 草壁久四郎、登川直樹、荻昌弘（司会）の四氏による座談会が放送された。

まず、昨年度受賞した作品を中心に、記録・科学・教育・劇・アニメーションの五部門に分け、代表作品についての紹介があり、ついで短篇映画のの現状及び問題点についてふれ、大要次の如き事項が話合われた。

△製作本数は、3年位前までは、順調な延びを示していたがその後やゝ頭打ちの状態である。

△プロダクションは、全国に二〇〇社以上あるが、興廃が甚しい。しかし、大半は固まってきている。問題は中位のプロダクションにある。だが、それも、特色ある製作社は延びてきている。

△教育映画を主とする自主作品の減少については、一作品当りのプリント販売数に格差があり、ときには、埋れてしまうためにつくられたと思われるものも出てくる結果になる。これは、過剰製作に問題があり、結局、経済的にはマイナスである。自主規制できないものであろうか。

△前項に関連して、製作数の大半を占めるスポンサードフイルムは、内容的にすぐれた作品が増加しており、金は出すが、口は出さないという方向に向ってはいるが、やはり、何等かの干渉をうけざるをえない。したがって、自由に、純粋にいい作品がつくれない所に問題がある。こうした、自主作品とスポンサードフイル

ムとの製作費などの落差を埋める方法を考えるべきである。

△「ガラパゴス」「動物たち」など一連の興行用記録映画には、企画の段階から意欲をもち、世界観をもって製作されていると考えられるが、日本のものは根気だけで製作されたと思えるものがある。またけんび鏡から昆虫までのスタッフは優秀だが、動物のスタッフがいない。要するに、技術は国際水準だが、アイデアが問題である。

△映画の内容について、その型がマンネリ化している。

△現在の短編製作者は、みせるためより、製作対象を購入者あるいはスポンサーに向けている傾向がみられる。

△劇場上映については、現在散発的で、クオーター制なども問題になっているが、地道に大衆に知ってもらって、大衆の声から実現していくべきである。要は、もっとみてもらう運動をすべきである。

◎文部省、視聴覚教育の新年度予算

文部省視聴覚教育課は、このほど昭和39年度予算をつぎのように発表した。（カッコは前年度）

1. 初等中等教育助成費＝へき地小中学校

> **シナリオ・ライブラリーの設置について**
>
> 別項（運動方針の具体化について）で提案の通り、協会事務局に記録映画関係のシナリオ・ライブラリーを設け、ジ ンル別に、或いは内容別に分類して会員諸兄姉の研究、参考に供し、併せて資料保存の目的を達したいと思います。事務局でも各プロダクションその他の協力を得て極力その蒐集にあたりたいと思いますが、会員諸兄姉にも、右の趣旨を諒とされ、積極的な協力を寄せられるよう、お願い致します。
>
> 尚、ライブラリーの内容はその都度「会報」に記載して参りたいと思いますので、御利用下さい。

テレビ受像機構入補助六〇〇台、一二〇〇万円。へき地小中学校シート式磁気録音機購入補助一三三校。四〇〇万円（新規）＝合計一六〇〇万円（千二百万円）

2. 社会教育助成費＝テレビ教育指導者養成三九・九万円（三八・五万円）ラジオ番組制作費六五六・六万円（前年度どおり）テレビ番組制作費三八二〇・九万円（前年度どおり）

教育映画等の振興についてA青少年向優良映画の普及一県二〇万円二三県で四六〇万円（前年度どおり）、B教育映画録音教材等の普及二三三六・一万円（前年度どおり）C視聴覚教育の普及七〇・六万円（六九・四万円）合計二八六六・七万円。

視聴覚教材利用の促進、A視聴覚教材の利用研究委嘱一一九・一万円（前年度どおり）B視聴覚ライブラリー整備補助七四四・六万円（新規）合計八六三・七万円。

△総額＝約一億四百万円（約九千二百万円）

◎　一月の完成作品

アサノプロダクション（大阪）
太陽がいっぱい・才一部　16　15分
太陽社

旭映画株式会社
ここにママさんがいる。　16　25分
都共同募金会

岩波映画製作所
技術に生きる遠州製作　35カラー2巻
遠州製作所

食を拓く　35カラー4巻
日魯漁業

法政大学総長　16　1巻
法政大学

インターナショナル映画株式会社
鶏（英語版）　16カラー5分
米飼鳥肉協会

チキン・ショウ（英語版）16カラー5分
米大使館

共立映画社
地質シリーズNo12石炭と石油のでき方
16パートカラー21分

土地とくらしシリーズNo5　山奥のくらし　16　21分

新理研映画株式会社
放射線の管理・非常管理篇16　1巻
日本原子力研究所

同　・汚染除法篇16　1巻
〃

全国農村映画協会
生れ変わる土地のために　16カラー2巻
全農構造改善協会

九　州　16カラー21分
全運連観光

東京シネマ
明日への虹　35カラー34分
日興証券

中部フォトセンター
日碍式活線洗浄装置　16　2巻
日本碍子

大同ロッド　8カラー3巻
大同製鋼

東映教育　画部
とも子胸をはって　35　5巻

暮しの中のレジャー　16　3巻

工業と水　16　1巻

せんいの性質　16　1巻

日本シネセル
新しい都市建設・シールド工法　16カラー23分
熊谷組

ひらけゆく農業　16　23分
三重県

モーション・タイムス
あゆみ　16カラー20分
世界救世教

読売映画社
心臓を守るエレクトロニクス　35カラー22分
東芝放射線

◎日本大学映画学科、

昨年は三四本を作る。

日本大学芸術学部映画学科研究室は、昨年一年間にカラー五本、黒白二九本、合計三四本（いづれも十六ミリ版）を完成した。このなかには、宮崎県企画のもの六本、徳島県、宇都宮市企画のものそれぞれ一本などが

ある。

◎　東京12チャンネル

フイルム番組ほゞ出揃う

東京12チャンネルのフイルム番組の放映作品および日時がほゞ確定した。すでに「ハローCQ！」（岩波映画）、「縦ノ木は残った」（歌舞伎座テレビ室）、「てんてこママさん」（NAC）などの製作が開始されているが、同チャンネルの邦画フイルム番組内容は次のとおりとなっている。

△てんてこママさん

月〜金AM12・15〜12・30、15分クール

△明日ある道（仮題）

月PM7・30〜8

△縦ノ木は残った

月PM9〜10　60分2クール

△謎の双曲線

火PM8・30〜9　30分2クール

△三人三羽　水PM6・30〜7

△ハローCQ！　水PM7・30〜8

△しろばんば　土PM7・30〜8

△児童劇・音楽映画　日AM10・30〜11・30

△名作劇映画　日PM1・5〜2・35

日本映画復興会議からの呼びかけ

日本映画復興会議実行委員会は、第二回日本映画復興会議の参加を協会にも呼びかけてきた。

日本映画復興会議は、映演総連、全映演、日活、短篇、座館、全洋画、民放労などの労働組合が中心となって、日本映画の困難な状況を打開するために結集したもので、その第一回会議は一九六一年二月に開かれた。現在、企業別組合に組織されている映画労働者が、それぞれの企業の枠をこえ、一堂に会して共同討議を行う。日本映画の危機はそれ程深刻なのである。

第二回映画復興会議はわれわれにこう呼びかけている。

「（前略）……映画労働者、作家、観客の別なく拡大している映画に対する斗いと活動を結集し、今日の映画の危機を正しく認識し、その壁を打ち破るためにはどうするか、又、何んと斗うべきかを明らかにするならば、日本映画の産業的文化的危機を打開して、民主的民族的な復興と発展の途を見出すことは不可能なことではありません。

私たちはそのために『第二回日本映画復興会議』の開催を呼びかけます。」

われわれは、民放、日本映画監督新人協会、自映連、勤視連、全国自主上映、国民文化会議などと共にこの呼びかけに応じ、その討議に参加することとした。第二回映画復興会議は次の要領で開かれる（討議の要点は次号会報に掲載予定）。

会場日時

二月二十二日（土）午前九時より
午後五時まで

二月二十三日（日）午前九時半より
午後五時まで

開催日程

第一日＝来賓挨拶　問題提起　分科会

による討議

第二日＝分科会による討議

全体会議

分科会の構成

第一分科会＝創造の自由を守り、民主的な映画づくりをどう進めるか。

第二分科会＝映画労働者、作家の生活と権利をどう守るか。

第三分科会＝観客は映画に何をのぞみ、これにどう応えるか。

一九六六年、日本で初めての国際映画を待とう

一九六六年九月、日本で初の国際映画大会がひらかれる。国際科学映画協会東京大会である。

国際科学映画協会は本部をパリに持ち、加盟国三〇ケ国。現会長は一九六三年パリ総会で新任のランドル・ホエーリー（アメリカ）、副会長はエドガー・アンステー（イギリス）、岡田桑三（日本）、ジャン。ジャコビ（ポーランド）、アレキザンドル・ズグリジ（ソ連）。

日本は、一九五八年、教育映画製作者連盟を基盤として加盟。岡田桑三氏は毎年出席、一九五九年、ロンドン大会には、いまご病臥中の石本統吉氏も出席されたことがある。

来るべき東京大会は、一九六三年パリ総会で決議されたもので、大会は映画祭とともに、国際的な技術交流の会合も持たれる。世界で唯一の権威ある国際科学映画大会が日本で持たれることへの期待は大きいものがある。

なお、日本が参加以来の、日本の受賞作品は次の通りである。

'58　ミクロの世界（東京シネマ）
'60　マリンスノー（東京シネマ）
'61　潤滑油（東京シネマ）
　　追われるガン細胞（東京シネマ）
　　鉤虫（桜映画）
　　中耳の病態生理（岩波映画）
'62　パルスの世界（東京シネマ）

実験映画の試みを

スポンサーやプロダクションのお世話にならずに、フイルムによる実験を試みてみたい。会員のなかにはそんなことを考えていらっしゃる方が沢山おられるに違いありません。しかし個人個人では、当面それも高嶺の花。ところで折角自分たちで作っている協会です。それをベースにして何とかならないものでしょうか。実は私もそんなことを考えてみたのです。一人でも二人でもいゝ、誰かが秋の映画祭までには協会をベースにして何の気がねもなしに実験映画を作る、そんな機会を作ってみたいと思っているのです。そして近頃では、こんな私の提案にも少しずつ手ごたえが感じられ始めています。私が事務局にいるうちに、それはそれは実現してみたい試みなのです。

（菅　家）

1 2 月　財政報告

支出		収入	
摘要	金額	摘要	金額
人件費	97,350	会費	42,550
家賃	16,000	賛助会費	300
印刷	7,100	未収会費	73,300
通信	7,315	電話	10,000
交通	9,220	映映会	15,200
電話	9,268	8／㎜講座	100
文具	3,276	名簿	500
振替手数料	1,010	予約	875
会合費	3,300	売上	16,892
部会費	300	売掛	1,025
名簿	5,000	未収広告	21,000
原稿料	3,000	広告	9,000
光熱費	3,634	ファイル	300
雑費	1,750	繰越	40
未払	13,800		
現金	9,759		
計	181,082	計	181,082

1 月　財政報告

支出		収入	
摘要	金額	摘要	金額
人件費	49,350	会費	18,550
家賃	8,000	賛助会費	1,800
通信	11,110	未収会費	36,200
交通	11,070	入会費	900
文具	3,154	映画会	1,350
振替手数料	540	予約	1,900
会合費	3,800	売上	17,416
部会費	700	未収広告	18,000
光熱費	700	売掛	600
映画会	11,580	ファイル	450
雑費	640		
現金	6,281	繰越	9,759
計	106,925	計	106,925

記錄映画作家協会会報

1964・3・25　No.92

記録映画作家協会

東京都中野区松ケ丘1の10の17

振替　東京90709　TEL (386)5824

「青年―あるマラソンランナーの記録」の再録音をめぐって、三月十二、三日、会員黒木和雄君と東京シネマの間に、作家の権利がおかされたかどうかという問題が提起されました。協会はこの事態の収拾と、問題点の究明に努力しました。ここに運営委員会の調査と見解と卒直に表明し、あわせて黒木君の意見を掲載する次第です。

作家の権利と社会的責任

本年度新方針にもとづく協会の運動は着々と進んでいます。

しかし一方では、問題も起りました。

去る三月十四日、富士フイルム企画・東京シネマ作品「青年―あるマラソンナーの記録」（上映時間六二分）の再録音をめぐる問題です。

初号ダビングに際して、演出担当の黒木和雄君とプロダクションとの間に、表現形式の上で意見の相違があったが、黒木方式を基幹にして、とにかく初号を完成させたと言われます。

ところがこの初号が、スポンサーに納まらなかったのです。理由は「よく分らない」ラッシュで説明を受けながら見ていたときの方が面白く、わかったということだそうです。ダビングに際しての、プロダクション側と黒木君との意見の相違は実はそこにあったのだと言われます。

当然、再録音のことが日程にのぼりました。

プロダクションとしては、今度は、最初から主張していた方式を基幹にして再録音をする方針をきめ、三月十二日、黒木君との折衝に入りました。

そのとき折衝にあたった桑木道生企画部長は、「今度は会社側の考えている方式で行きたいが、それが受けいれられなければ、演出からおりてもらうのも致し方ない」と、述べたそうです。

そして、黒木君との間に「監督として参加させるのか、させたいのか」という問題をめぐって激論が交わされたそうです。

問題は未解決のまま、その夕刻。たまたま居あわせた菅家陳彦事務局長も話合いに参加。その結果、黒木君も、三月十四日のダビングを控えて追加コメントの作製をはじめていた吉見泰製作部長と打合わせをし、ダビングにあたるということで問題は落着。ひきつづいて、約半分を書き終えていた吉見製作部長と黒木君との打合わせが行なわれ、黒木君は明朝十時に、必要な資料を整えて再会。コメント準備を進める約束で一応別れました。

翌朝（十三日）、午前十時に出社の予定

だった黒木君は、遅れて午後三時に出社。

ところが、このとき、もう一つの事態が起っていました。

東京シネマ階下の明治パーラーに、協会内外部、十名前後の若い人々が黒木君の作家の権利がおかされたとして相集まっていたのです。この人々は協会とは関係なく、一応黒木君の立場を心配する友人として集ったのだということでした。併しこうした長時間にわたる行動が会社側をかなり刺戟したことは事実だったと思います。

一方、黒木君を待ちあぐねていた吉見泰君は、前夜にひきつづいた打合わせを早速はじめようとしましたが、黒木君の意見で、問題を当初の線にもどし、再び監督としてやれるのか、やれないのかという討議が繰返されることになりました。たとえば、今度のダビングを吉見方式でやり、黒木が監督として参加するなら、一つの作品に二人の監督がいるようなもので（もっとも共同監督という場合もあるが）、方式がちがう二人の監督がいたのでは作業は進まないのではないか――これが黒木君の主張だったのです。

もし、とことんまで話しあって、どうしても、折合わぬなら、俺なら自分からおりる――これが吉見君の主張でした。

なかなか折り合いがつきませんでしたが、具体的に話し合おう、ここに吉見方式の原案がある（コメント原稿のこと）・これでいけるのか、いけないのか、検討してくれという吉見提案で、黒木君はメイン・スタフと打合わせ、その結果、これを基幹にしていくという最終的な落着をみました。

たまたま明治パーラーに来合わせた菅家事務局長は事態を明らかにするため、協会の東京シネマ支部責任者竹内信次君とともに、集った人々と話し合い、問題があるなら、会社側と話そうではないかと提案、集った人々に問題点をまとめてもらいました。整理して提出された問題は次の三点でした。

①　再録音について、録音担当の加藤一郎氏にまず連絡をとったのは不当である。まず、黒木氏に連絡すべきだ。

また、再録音につき、黒木氏に考える時間を与えず、三月十四日と一方的にきめたのは不当だ。

②　黒木氏が最初に吉見氏のところに打合わせに行ったとき、吉見氏が一方的に、すでに１－３ぐらいも書きすすめていたのは不当だ。

③　スポンサー側が見て、分らないから受けとれないと言われ、そのままひきさがってきたプロダクションの態度は肯定できない。分る分らないは、もっと多くの人々によって判断すべきであり、再録音もその上で慎重に決定すべきものだ。

（以上）

これらについてプロダクション側は次のように云っています。

①　については、黒木君はまだ、東京シネマの次の仕事（コマーシャル）にかかっていて、いつでも連絡がとれるが、加藤君は契約満了で、早く手をうたねばどうなるか分らないおそれがあったからだ。

録音の日取りについては、納品の時機から言って、この日をはずすと、当分、録音場がとれなかったからだ。

②　については、急いだ仕事の準備として、

当然である。

③　については。プロダクション側としては、長尺の作品で、再録音費も少額ではないので、スポンサーに対して説得できるだけは説得に努めた。しかし、最初の録音のときから危惧されていた点が問題として追求されてきただけに、プロダクションは再録音をすることによって責任をとる以外に道はないと判断した。

（以上）

多少、直訳的になりますが、以上がわれわれの見聞した事実のすべてであります。

なお、こうした事情の中で、菅家、竹内両君は、吉見、黒木両君の共同作業が充分に実のあるものとして行われるよう、録音の日取りをもう一度考慮できないものか、会社側に申入れを行い、話合いを進めていました。そこへ、吉見君との打合わせをすませた黒木君がやって来て、問題はすべて解決し、明十四日、ダビングに入ると伝えました。

菅家、竹内、黒木君らは、その旨を集まっている人々一同に伝え、トラブルの決着を報告しました。しかし、それでも、一部の人々は、そんなことで問題は解決していないとして、まだ不満を残していたようです。

明治パーラーに集った人たちについては、黒木君は、自分はそんな召集などした覚えは全くないと言っています。われわれもいま、それを信じています。

そして、われわれは慎重に、見聞し得た事実だけをここに述べました。かなりむずかしい問題でしたが、黒木君も納得して再録音を無事にすませてくれたのは何よりでした。

しかし、この事態を反映して、多くのプロダクション側に、作家協会不信の抗議態勢が起りつつあります。作家の行動の社会的責任について協会は問われているのです。

われわれは事態を正視して、正しい解決をはからねばなりません。

作家の権利とはなにか。作家の自由とはなにか、それはいかにして守り得るのか。作家とプロダクションの関係はいかにあるべきか。大衆団体員の組織的行動とはなにか。

これらの問題を具体的につきつめてみる必要があります。

今回の問題をめぐって、一部の人々の間に起きた不満にも理由はないとはしません。しかし、こうした不満も、正規に協会の組織にのせ、組織的に解決をはかるところにわれわれが協会を作っている意味があるのではないでしょうか。

絶えず作家の権利を守るという観点に立ち、われわれは今回の問題を通して、作家の権利と責任をきびしく見つめてみたいと考えます。そのためのシンポジウムも計画したいと考えています。

（常任運営委員会）

古い保険証、保険料三月分までを、四月十五日に必着するようお送りください。

納入なければ新保険証は交付されず、皆さんにめいわくがかかります。

「青年の問題について」

黒木和雄

「青年」についての問題点は

問題は形としては解決したわけです。つまり監督が一時的にでもキャンセルされた事実、これが問題の発端であり、結果であり、すべてであるわけです。

キャンセルした事に経営の方では統一した見解は別段なく、キャンセルは事実経過上無効になり結局は正常に戻ったのです。

事実の具体的経過を

私ー作品「青年」（全五巻）は昨年十月中旬よりクランクイン、二月末アップ。内容は、マラソンランナーのドキュメンタリイ。スポンサード映画です。ダビングは二月二十日予定でしたが「陸連」試写で若干のクレイムがあり、二九日会社立会いの上ダビングを完了。初号は三月十日午前九時三十分上ったわけです。

午後スポンサー試写、ひきつづき十一日もスポンサー試写。所が初号のスポンサー試写の結果が十一日夕刻になっても私に報告されない。

午後六時頃担当録音技師より電話があり「留守して今帰宅するとさい前家のものにプロダクションより連絡があり「青年」のことについて明朝（十二日）十時出社されたし、とあった。監督の方に何か連絡があったか」とのこと。全く知らぬことなので直ちに製作課長に電話したわけです。

製作課長も全く何も知らぬ由、課長より桑木担当プロデューサーと担当製作デスクに事情を聞いてもらうよう要請したのですが二人共会議中で現在電話に出られないから明日の午後でも会社で結果を話すという課長への伝言だったのです。

どうもすっきりしないし不安は解消しない。録音技師への連絡理由も明瞭にならない。そこで助監督に連絡をとり、製作デスクに更にたしかめるようにと依頼したのですが深夜になってもまだ帰宅していないので本日は不可能というわけです。

そこで翌日（十二日）朝十時、東洋現像の方に仕事があり行っていたのですが、一向に連絡がないのです。十一時頃ですか、もう一辺製作デスクに問い合わしたのです。丁度傍に吉見製作部長がいて「実はダビングのやり直しを十四日にやる。スポンサーにキャンセルされたから」ということなのです。寝耳に水のショックでした。「監督としては余りに急な話なので判断に迷う。至急会社に行く」というと「何時頃になるか」「三時頃になる」「それではもう遅い」「では一時過ぎに伺う」ということで電話

を切り、仕事を変更、会社に向ったわけです。

一時半会社に到着。吉見重役は不在。桑木重役との話合いになりました。

「初号はよくわからないということでスポンサーからキャンセルされた。それで会社としては明後日十四日に再ダビングをやる。君の作品は初号として残しておく。ついては監督を降りて欲しい。再ダビングは会社の責任においてやるから……。」

私「再ダビングの話は今聞いたばかりです。然しスポンサード映画であり、しかもキャンセルということが既定事実となっている以上、再ダビングはやらざるを得ないだろう。しかし監督を降ろすということとはナッ得できないし何よりも先ずこの重大な事実を私に連絡すべきではなかったのか。しかも十四日再ダビングの決定も監督自身が全くつんぼはしきにおかれている。話し合いをする段階が常識的に必要ではなかったのか」

「それ処ではなかった。会社としては、とにかく再ダビングしてパスさせなくてはならない。それが至上命令である。君が初号を作ったことは非難しないし、認める。しかし再ダビングは会社の責任と方法によってやりたい。初号を作った作家が今更再ダビングして別のものを作るということは作家主体がないということになるのではないか。降りるべきである」

私「いや、作家主体ということよりも監督として当然再ダビングをやるべきではないのか。それが最低の責任であるということをお願いしているのだ。その次元から話し合いでやりたい。」

「いや、君の方法がキャンセルされたのだから、別の方法しかないのだ。それでもよいということが逆に理解できない」

私「それでは機械的であって、要は別の方法というよりも初号がキャンセルされた理由に基づいて手直しすると云うことではないか、手なおしをしてスポンサーにパスさせることに同意しているのに、どうして監督を降ろすことになるのか。とにかく吉見氏と話し合いを持ちたい。」

「いや監督が降りる事を認めた上で吉見氏に会わせる。」

要約して云えばこう云う形の会話が延々と続いたわけです。漸っと八時過ぎ附近の旅館に居るという吉見氏と会うことになった訳です。

「桑木氏の発言はおかしい。監督を降ろすというようなことはない。今から話し合いでやりたい」と云う吉見氏の発言でその時はじめて桑木氏の言動が経営の統一した見解でないことが判明したわけです。桑木氏が暫くして参加。そこでは桑木氏は全く終始一言も発言しない状態でした。こうして手続きとしては、ノーマルな形になったわけですが、私自身、心理的疲労度が強く、明後日の再ダビングを考える余裕がなく一たん帰宅。翌十三日夕刻より話し合いを再開。六時過ぎに再ダビングの方法について了解点に達して解散。

十四日、再ダビングを完了したわけです。全く簡単な経過ですが、この「経過」は作家、プロダクション、スポンサード映画との関係に於けるさまざまの問題をは

らんでいると思う。創造上の問題ともからみ、今後共、共通の問題として認識される必要性を感じます。私には、何時でも、「問題追求」の討論《シンポジウム》に参加する用意があるつもりです。それに、作品「青年」を是非皆さんに観て貰いたいと思っています。

健康保険の未納について

運営委員会

芸能人健康保険組合に対する三月末までの健康保険費未納額は別表の通りであります。健康保険費は加入者が納入の責任を負うものであることは申すまでもありません。健康保険組合に対する未納額は、そのまま、未だ健康保険を払っていない方の総額をあらわしている訳です（尤も協会の場合は、会計報告で明らかな通り、納入して載いた保険費の中から三万円を協会財政が借入したことになっております。これは昨年度の財政をそのまま受継いだもので、至急協会財政から保険費に返納しなければならないものであります。事務局としては早速処理することにしております。三月下旬の会計報告に、このような失態を示していることを、深くお詫び申し上げます）。

毎度申上げております通り、三月は保健証の書きかえであります。表の示す十万円以上の未納金は、三月一杯に組合に納入しませんと、新しい保険証の交附をうけることができません。今までも、未納者の分は納入された方の分で補いながら、何とか組合との関係を維持してきたのです。併し未納者の額が大きくなると、とても納入者の額ではやりくりがつかなくなり、かえって納入者に御迷惑をおかけする結果となってしまいました。完全に納入されている方に、昨年の十一月以降、屢々御迷惑をおかけしているのもこのためです。

協会財政の立直しに努力するなかで、新しい運営委員会は、この未納額の大きさを重視し、いま、一日も早く皆様の御迷惑をなくそうと奔走を続けております。此の際、未納者の方々にも改めて一層の御協力をお願いする次第です。

就きましては、新保険証が交附された場合でも、運営委員会としては完納された方から順に保険証を交附し、未納の方には未納金をお納め願ってから新保険証をお渡しするように計らいたいと考えています。

一方、今日では一般の国民健康保険の方が、利用者にとって得ではないか、協会が芸能人健保を扱うのは無理ではないか、という意見も出ております。併しこれとて、芸能人健保を完納していなければ、国民健康保険にも加入が許されません。このように、協会の扱っている芸能人健保は、いまさまざまな問題を抱えています。

そこで、改めて未納者の方に御協力をお願いする一方、近く協会では「芸能人健保加入者懇談会」を開いて、加入者の皆さんの御意見を伺い、芸納人健保を今後どうしてゆくか、その問題を考えてみたいと計画しております。御協力を御願い致します。

(別表は二七頁)

運営委員会報告

二月十七日　常任運営委員会
（吉見、菅家、厚木、徳永）

□中村重夫氏の脱会届を保留し、吉見、菅家が話し合いをおこなう。

□会報について。

○承認された方針をどう具体化していくかという観点で会報を編集していく。

○総会議事録は従って簡単に結果をまとめ、総会総括と今年度方針（運営委員長執筆）のなかで問題点を明らかにする。

○さらに方針を具体化したものを事務局長が整理する。

○こうして明確にされた方針に対して会員の批判をきく（従ってこれは次の号になる）。

○メッセージをのせる（加納、森脇、阿部、上野、高橋の各氏）

○支部報告をのせる（東京シネマ、全農映）

○動静は、今回は時間がないので電話で集める。

○ユニ通信から抜すいして、映画界の動きを知らせる。

○機関誌の原稿公募、要請を担当委員（徳永）が書く。

○シナリオライブラリー設置の提案をおこなう。会費は五百円、三百円という原則に近づけるべく、脚本、演出五百円、助監督三百円案を提案し、承認をアンケートで求める。

○会費、保険料の滞納をなくする。

□映画復興会議への参加を電話でよびかける。協会から組織部として斎藤茂夫を出す。

□アジア・アフリカ映画祭（第三回）に協会代表の意味も含め、吉見泰氏の派遣を考える。

□労映と共催した映画会を開催したい。

三月十一日　運営委員会
（河野、菅家、八幡、安倍、小泉、荒井、吉見、渡辺、徳永、厚木）

□会報の検討

○二〇～二五日発行の体制を確立する。十五、六日〆切とする。

○編集技術が拙く、読みづらい。

○会員の声をもりあげる。

○論文に近い内容のものものせる。

○会員の手によって作られる会報という感じを強める。

○連盟、映教等の試写会の短評を担当者をきめてのせる。

○試写会の案内状を全会員に配布できる体制を確立するため、連盟、映教に事務局長が交渉にいく。

○プロダクションだよりをのせる。

○ユニ通信の記事はひきつづきのせる。

○春斗の動向等、社会的動向をとらえる

○映画雑誌等の抜すいをのせる(担当八幡)

□財政問題について。

○映画製作の下請けその他の事業活動によって財政状態をたてなおす。

○事務局はもっと積極的に時間と労力をさいて回収する。事務局の会費集めの体制と活動プランを整備する。

○支部組織は、会費を集約するためにも有効である。

○会計報告の書き方が不明瞭なので検討

する。

○十四日に事務局で滞納問題の整理をおこなう。

□ 東京シネマ、全農映、電通映画社、技術映画社、三井プロ、日映新社などでの、支部確立報告、あるいは確立への動きについての報告がされた（別記報告）。

□ 「記録映画」誌について。

○まとまった論文を毎月だしていくことはしんどいので季刊の方がよいのではないか。

○集中的に読みごたえのあるものをのせていくが、中には広告の関係で宣伝原稿のようなものも入るだろう。

○海外資料を系統的にのせていく。

○作家論も映画界の全般的な流れの中で作家の位置をとらえるものにしたい。

○来日した映画人におみやげとして渡せる立派なものとしたい。

○季刊ならば、相当量の広告をとらねばならず、また読者も減り、協会の基本財政にくいこんでくるのではないか。

↓季刊の方がカンパをもらいやすいし、内容もみつちりしたものができる。

○編集委員会は必要ではないか↓運営委員会の責任編集とする。しかし編集部は必要。

○機関誌問題についての拡大常任委員会を十六日にもつ。そこにむけて徳永、星山が問題を検討し方針を見通しを出す。

○助監督の集りをもちたい。運営委員会でレジメを作り、集会の結果は雑誌に出す。

□ アジア。アフリカ映画祭について。

○四月一九日から二四日まで会議が開かれる。

○吉見氏がいくとしたら、四月十七日の出発まで、有志の世話人が内外にむけてカンパ活動をおこなう。二五万〜三万円が必要。作協としても基盤の一翼をにない、日本記録映画作家として出席することに賛意を表し、中心になって送迎の活動を責任もつておこなうこと。

○東京シネマの態度のいかんでは、吉見代表の線がくずれるが、その場合作協からだれか一人派遣するかどうかは次の時点で検討する。ただし、運動方針の中にも国際交流を深めるということはあるんだし、かつて国外に代表を送った経験もあるんだから、送ることは考えてよいだろう。

□ 川島氏の入会を承認、

三月十六日　拡大常任運営委員会

（吉見、菅家、徳永、星山、曾我）

□ 会報原稿を早く事務局へ送ること。

□ 財政問題について。

○十七万円以上入らねば収支がつぐなわない。

○下請けで映画をつくること。カンパ活動をすること。未納会費を回収すること。

○未納会費二〇万円中今月中に三万円を回収すること。

□ 「記録映画」準備状況。

○全運営委員で編集内容の検討会をもつこと。

○内容としては芸術論。映画産業の動向

（映画復興会議、組合活動、プロダクションの動きなど）。観客問題（サークル報告、上映の場からの報告など）。世界の映画の動き（ＡＡ映画会議など）。が考えられる。

○会員に原稿を募るアッピールを出す。

○労映、労音その他の組織が責任部数をうけもつ形で、市販を失うことによるマイナスをうめる。

○季刊にするという形で休刊届を出す。

○発行人名義を徳永瑞夫に変更する。

□ 黒木作品問題について、経緯説明と質議応答。円満解決したということ。

□ 事務局長が、作協の活動の一環として、長野に出張する。予定は、二三日、長野市主催の社会教育映画懇談会に出席、二四、二五日、長野県教委主催の８ミリ映画製作講座に講師として参加。

日本映画発展の道

——日本映画復興会議から——

＜会議＞はこの二月二十二日、二十三日の両日、東京で約二百五十名の映画労働者、作家、観客を集めてひらかれました。討論のなかで明らかとなったのは、労働者と監督や作家の間のズレであり、映画の作り手と映画サークルの共同行動の必要でした。

この集会に、作家のとりくみがよわいということや参加の少なさが、労働者の側からも観客の側からも出されましたが、このことは、作家と労働者、観客が日常的に連帯と統一行動をもっていない現実をしめすもので、この状況をどう打破っていくかということが、お互いの現状認識にたって話しあわされました。まず、労働者の側にいえることは、自らの生活と権利を守るたたかいとあわせて、映画芸術家の創造と芸術活動の自由を守るたたかいがくまれてこそ、両者の間に協同と連帯が生れ、統一行動も発展することが確認されました。その具体的な経験として次のような意見が述べられました。

『作家は〝にあんちゃん〟にしろ〝キューポラのある街〟にしろ、企画を通すためにねばりづよく会社と交渉し、我慢し、ギリギリのところで、創る条件を獲得している。しかも、これら良心的作家は、多くの障害とぶつかりながら、二ケ月も三ケ月もかかってこれらの作品を創りあげてきている。ところが私たち労働者は、このような作家の生活と権利を守るたたかいを、一度だってしたことがあるだろうか。』

こうした反省にたって、若い労働者は『仲間の撮りたい作品をどのようにして陽の

目をみるたたかいにしていくか、衆知を集めて探求したい』と発言しています。

もう一つのズレは、企業に体をおく映画芸術家の側の問題です。現在、日韓会談の粉砕をはじめ、軍事基地の徹去、F105D機やポラリスの配備反対の統一行動は、労働者階級を先頭に大きく前進しています。これら前進する大衆は、企業でつくられる映画に満足せず、自らの映画要求を自主製作、自主上映運動や8ミリ映画運動で確保しようとしています。企業にいて、資本の企画に専念する映画芸術家が、この躍動する現実を知らず、勤労階級のなかにある無限の映画要求をつかみえないならば、その作品は枯渇し、これらの人たちから見捨てられていくことは、陽を見るより明らかなことです。

こうした意見が、企業に安住する作家にたいして、連帯をふかめる観点から警告として発言されています。

映画労働者は今年の春斗と併行して、作家や俳優との結びつきの強化を、真剣に追求しはじめています。これらは、何れも＜復興会議＞がもたらした収獲ということができます。＜会議＞で報告された次の言葉は、参加者にふかい感動をあたえました。

『浜松に住む若い事務員が、キャバレーで働く気になって、たまたま〃キューポラのある街〃を見た。彼女は映画から大きな感動をうけた。そしてキャバレーで働くことがどんなことかを考え、キャバレーに移ることをやめ、真面目に働くことを決心した。働くものの心を打つ映画は、本当に大きい影響をあたえる。私たちは、このことにもっと確信をもっていいのではないか』

私たちは、映画芸術家がこの確信にたって、映画労働者を信頼し、ともに力をあわせて生活と権利と創造の自由を守るたたかいに結集してくれることをねがわないではおれません。

また、＜復興会議＞の総括をおこなったある撮影所の労働者は、『たとえどんな低劣な映画であっても、批評をしよう、批評活動をおこそう。機関紙やニュースを通して、その映画を労働者がどう見たかを、みんなで発表していこう。そのためにも、できるだけ映画を見よう』ときめています。こうして＜会議＞の撒いた種子は、豊かな土壌のなかで、発芽し、やがては花を咲かせるでしょう。

私たちは、困難なたたかいをおそれず広汎な労働者階級に依存して、映画労働者、作家、観客の団結をつよめ、行動の統　をすすめていきたいと考えています。

「ジョルジュ。サドウル氏との懇話会について」

サドウル氏が来日中であることは、すでに皆さんが御承知の通りであります。協会としてもこれを機会に氏との懇談会を計画してみましたが、氏も多忙で協会独自で時間を載くことは無理なため、製作者連盟と共同で、来る十三日に懇談会をもつことになりました。会場、時間、参加人員等については未定ですが、参加希望の方は十日頃まで協会事務局まで御連絡下さい。尚、当日までに氏には出来るだけ多くの記録映画をみて載きたく、目下その準備をすすめております。

第三回アジア・アフリカ映画祭の原則と目的

一九六四年四月、インドネシア共和国の首都ジャカルタで、コンクール形式の第三回アジア・アフリカ映画祭がひらかれます。

これは、「バンドン精神」、アジア・アフリカ諸国民連帯会議の抱負を表明したもので、一九五八年タシュケントでの第一回、一九六〇年カイロでの第二回にひきつづくものです。

「バンドン精神」とは、アジア・アフリカ人十四億、二十九ケ国を代表する政府代表が、一九五五年四月、インドネシアのバンドンに会したバンドン会議でうちだされた植民地主義反対、民族自決支持の精神のことです。アジア・アフリカ諸民族の相互理解と友好親善関係の増進による世界平和確保への基礎を築こうとする期待がそこには貫かれていました。

第三回アジア・アフリカ映画祭の目的は、この伝説に支えられて、アジア・アフリカ諸国の映画芸術家、映画労働者の統一と協力と友情を強め、アジア・アフリカ諸国民間の民族的な映画産業と映画芸術の発展を促進し、帝国主義的、植民地主義的文化侵入に反対し、民族の独立を目指す共通の斗いに貢献して、世界平和を守ることにあります。

ここでは、アジア・アフリカの民族的な映画産業と映画芸術の強化と発展が目指されています。

日本の映画産業も映画芸術も、こうしたアジア・アフリカの国際連帯のもとで、その強化と発展を、目的意識的に目指すということは、新たな展望をもたらすにちがいありません。先日、第二回の会議がひらかれた日本の映画復興会議も、このような国際的な連帯を得ることが実際には望ましいのです。

映画作家と映画労働者の協力と統一、理解と友情の強化を、単に、国内ばかりでなく、アジア・アフリカ諸国民の連帯の上にはかるということは、わが記録映画作家協会の運動方針から言っても、積極的な賛同を禁じ得ません。

運営委員会は、三月十一日、協会を中心にした日本の記録映画作家の代表として、吉見泰委員長を右に映画祭におくることを満場一致できめた次第です。

委員長の帰国報告を期待したいと思います。

なお委員長など、日本代表の出発は来る四月十七日に予定されており、映画祭会期は四月十九日～三〇日と予定されています。

支部報告

東京シネマ支部

東京シネマでは現在、八人の協会員と二人の賛助会員が働いています。作協東京シネマ支部の第一回の会には、その中のロケで出張中の人を余いて七人が参加しました。会では、芸術上の問題もずい分論じられていましたが、ここではそれをさておいて、支部の活動の方向について報告します。

プロダクションを単位にした作協の支部の活動を、作協の運動方針を各会員が、自分の仕事の場で支えてゆくためのものとして、私たちは大切に考えています。

それは、プロダクションの中で、仕事をする協会員の相互の理解を深め、その上に立って、作家の共通の利益を守るための連帯を強め、プロダクションに対しても影響力を持つてゆこうとするものです。

といっても、いきなり抽象的なスローガンをかかげてプロダクションと団交をしようというのではありません。私たちは当面、連帯の基礎になる会員の相互の理解を深める活動から始めることを決めました。その中から、作家のやりたい企画が出れば、それをみんなで実らせることがあっても良いし、そうした具体的な活動をつみ重ねて、支部を根深く仕事の場で育ててゆくつもりです。

第二回の会には、吉見泰脚本、森田実演出の「誰も判っちゃいない」という作品を中心に研究会をする予定でしたが、当日になって作った当人の仕事の都合があつて参加できなくなったので、集まつた人たちだけで、作品を見て二、三の意見を交換しただけで終りました。

私たちがお互いの作品を批評するときにともすると、私ならこんな演出をしないといって作品をこきおろして、方法の違いですで終ったり、又、スタフの苦労ばなしを聞いて、まあ今の条件ではこれ以上は望めませんねで終ったりしがちです。

相違点と共通点をまず明らかにして、その共通点を確め合って、その拡大を計ってゆくというのが、求同排異という討論の方式ですが、ただやみくもに黒白をつけて決裂するのでない、会の持ち方にみんなの配慮が必要なのです。

これが会報にのるころには、第三回の会が持たれて、会の持ち方についてももっと具体的なことが把えられると思います。会の持ち方の技術も、会を重ねることによつて少しづつうまくもなるでしょうし、やはり一回や二回、思ったように行かなくても、ねばりづよく続けることが、支部を大切にすることでしょう。

他の支部の人から、合同の作品研究会をしようという申込をうけています。

もちろん、プロダクション単位の支部の活動が、運営委員会に反映し、又、他の支部に影響を与えながら、全協会員の連帯を強めてゆく方向で、支部活動はあるべきです。

又、年末の総会でどれだけ深く作協にかかわり合ったか自己批判するようなことのないように心がけたいものです。

作協東京シネマ支部の責任者は竹内信次氏です　(渡辺　正己)

電通映画社支部

電通映画社には、現在十名の協会員が仕事をしています。協会員が十名も、一度に仕事しているプロダクションは、割合い少いと思います。その意味でも、協会員は頑張らなければならないと思います。

昨年、この協会員が二回に亘って会合を開きました。そして作家の立場や、協会の今後についての話合を行いました。

いつてみるならば、今年度の協会の活動方針の一つになつている支部組織のはしりがあったといえます。

そして協会に未組織の作家も多く、協会の行方を見守り、働きかけによつて新加入の気持ちのある人々が十人近くいます。

今年はまだ協会員の集りは持っていません。しかし一同の仕事の区切りになる四月初旬には集ろうと話し合つています。

そして未加入の人々に呼びかけ、協会員を拡大すると共に、本当に酷しく作品について批判し合える協会の電通映画社支部を確立したいと思います。

日本技術映画社支部

日本技術映画社では、現在、秦康夫、池田元嘉、星山圭、それに今度新しく入会した川島寿一、計四名の協会員が働らいているが、運営委員会の呼びかけにこたえて企業支部を結成、池田元嘉を支部責任者に、川島寿一を会計責任者に選んだ。新しい企業であることからくる、創成期のさけがたい生みの悩みの中で、プロダクションを本当に作家の働らき易い場にしていくとはどういうことか、現在の状況の中で作家の良心を守っていくにはどうしたらいいのかについて、これまでも我々は考えつづけてきた。しかし、それらの問題を単に企業の狭い枠の中だけで考えていたのでは、結局流されていくという批判があった。企業支部結成は、こうしたあい路をひらく第一歩となるだろう。問題は、我々が眠りこみさえしなければ山積している。創造の問題、製作条件、労働条件等々、カメラマンはじめ各パートの技術者、労働者と協同して解決していかなければならない。具体的な活動は、実践活動として会報に報告していきたいが、協会としても、各企業支部の経験交流、直接交流（創造上、製作条件上など）の方向を発展させていただくよう希望する。

（星　山）

市ケ谷支部

全農映の協会員を中心にして地域プロックの支部結成準備中。

三月二五日に第一回打合せ、四月初旬には結成の予定です。

三井プロダクション支部

現在、仕事や病気で一堂に会せない状態なので、条件が整い次第、会合をもって発足の予定。（今月中には結成します。）

三月のトピックス

ユニ通信の御好意により、本会報に毎月の主なトピックスを同通信より再録させて載くことになりました。

○払・国際フイルム 大量に入荷紹介

国際テレビフイルム＝JITVでは、さきに協定を結んだアメリカ・ナショナル・エデュケーショナル・センター（NETC）に加えて、あらたに、フランス国営放送（RTF）との提携協定をさる二月三日に結び、今後、RTFフイルムの本格的な紹介に乗り出すことになった。

RTFは、欧州放送連合（EBC）の一員で、日本ではNHKがこのメンバーであることから、昨年十二月に極東総局をNHK内に新設してNHKとも提携関係にあるが、今回のTITVとの契約は、NHKとの親善関係をそこなうことなくこれと並行して結ばれたもの。

これによって、日本の民間放送に大量のRTFフイルムが紹介されることになったが、とくに記録、文化フイルムに重点がおかれ、TITVでは、現在、数百本のフイルムリストを検討中である。同時に日本からもフイルムが送り出されることになっている。

○ナックカメラ〃サーキノ〃（三六〇度映画用）製作 四月開場の科学財団円形劇場で公開

株式会社ナックカメラサービスでは、きたる4月開場する日本科学技術振興財団の科学館（千代田区代官町2）に開設される〃サーキノ〃の映写設備室並びに撮影装置一式を受注、このほど完納した。

これは、直径12メートルの円形劇場の内面壁三六〇度にスクリーンを張りめぐらし、これに11本のフイルムを同時にスクリーンの外周に配置された写真機から映写、場内六カ所のスピーカーから出る立体音響とともに、パノラミックな大景観と臨場感が得られるというものである。

すでに、〃サーカラマ〃の名でソ連をはじめ、アメリカ・ベルギー・イタリアなど世界の数ケ所で公開されているが、今回、同社及び前記財団、産業技術・日映科学の協力により、独自の方法で、撮影カメラ以外はすべて国産で製作された。その設備の概要は次の如くである。

＝撮影装置＝

撮影機（アリフレックス16）を11台放射線状に円形に並べたもので、円筒形ケースに収納されており、リモートコントロールによって、同時に作動するしくみになっており、11台のカメラのうち一台が故障した場合、全面的にストップさせる安全装置なども設けられている。撮影の実際については、別項を参照されたい。なお、全重量は一二〇キログラムである。

＝映写装置＝

前述の如く、11台の映写機を外周映写室に等分配置し、それぞれの相対するスクリーン（縦2メートル×横3メートルのものを11枚円筒に継ぎ合わせたもの）に映写されるわけだが、これど磁気フイルムによるレコーダーと同時操作させるため一か所で

集中制御しうるよう設計されており、一人の映写担当者のみで、すべてがコントロールされる。

12メートルの円形劇場は、定員約一〇〇名で、場内中央に立てば、スクリーンに写し出される画面のなかにいる感じを与えられる。なお、一回の上映時間約15分で、一日10～12回の上映が予定されており、科学館への入場者は自由にみることが出来る。

映写システムの主なる仕様は次の如くである。

△16ミリ映写機 ― 光源・クセノンランプ使用（消費電力AC一〇〇V 二五KVA）、レンズ・特殊映写レンズ駆動部／HPインターロッキングモーター リール・エンドレスリール（八〇〇フィート）台数11台（ナック製）

△モータージエネレーター ― 映写機駆動及びシネコーダー 駆動用モーターのシンクロ用電源（消費電力8KVA）

△サウンドシステム ― 3チャンネル2ウエイ（2並列方式） スピーカー 6セット（ナック製）

△リモート・コントロール システム ― 全装置のスタンバイ及びON・OFFその他安全装置など一式。（ナック製）

○日本自転車振興会が 国際映画祭出品補助

第十七回カンヌ映画祭には 電通「挑戦」

日本自転車振興会では、本年度から、日本文化海外宣伝事業の一環として、優秀な文化・教育・記録映画の国際映画祭出品補助を行うことになり、今年度は優秀文化映画十五作品および外国語版プリント各一本を製作者より購入して十五ケ所の国際映画祭に出品することになった。

この出品補助作品の選定は〃国際映画祭出品作品選定委員会〃（川喜多かしこ・牛原虚彦・登川直樹・岩永信吉、村田聖明・萩昌弘・島崎清彦の七名）が行うが、同委員会では、いま、各地で開催される一九六四年度国際映画祭への出品補助作品の決定を急いでいる。

なお、きたる四月二九日から五月十三日まで、仏・カンヌで開催される、第十七回カンヌ国際映画祭への出品補助は「挑戦」（カラー四巻 製作・電通、企画・日紡、第十二回東京都教育映画コンクール銀賞）と決定した。

○国連の新作フィルム貸出

＝国連東京広報センター＝

国連の出先機関である〃国際連合東京広報センター〃（千代田区大手町二ノ四、新大手町ビル四階、電話二一一―一〇二六）では、一九五八年春の設立以来、国連フィルムの貸出しを行っているが、現在、同フィルム・ライブラリーには六八本の国連フィルムがあり、一般に無料貸出しされている。

これらのフィルムは、いずれも国際連合の活動を紹介するもので、国連映画局で製作されたもの。年間、十本ていどの新作フィルムが到着するが、今年の新作品は次のとおり。

「THE FLAGS ARE NOT ENOUGH」
THE WIDENING GAP (16) 30分
GENERATORS OF HOPE (16) 30分
LIFE IS SHORT (16) 30分

「INTERNATIONAL ZONE」

THE MAN IN THE BLUE HELMET (16) 28分
THE INTERPRETER (16) 〃
CATALYST (16) 〃
KILLER AT LARGE (16) 〃
SUBMERGED GLORY (16) 〃
THE END OF A CHAPTER (16) 〃
THE MORNING AFTER (16) 〃
THE LATIN AMERICAN WAY (16) 〃
GOING HOME (16) 〃
26X36 MESSENGER (16) 〃

日本フイルムの立場を守ろう

—多くなつた海外引合い—

東京オリンピックの取材準備や、貿易自由化などで、海外放送局や代理業者が、いま、つぎつぎと日本にやって来ている。それにつれて海外TV局にながす短篇フイルムの引き合いもかなり多くなっている。この機会に短篇業界のウイーク・ポイントだった海外セールスを大いに伸したいものだが、さて、実情はどうだろうか。

過去の例をみると、日本の業者のやり方が安易すぎるようだ。海外に売れたのは予期せぬ儲けとばかり、不利な条件で喜んで安売りしている例が多い。海外セールスの過渡期でデーターがないためもあるが、この辺で、製作者・代理者・配給社ともはっきりした長期的な見通しと基準をもって、海外からの業者と堂々と渡り合ってもらいたいものだ。

この辺の事情について、すでに米・仏・独・スイス・スエーデン・フインランドなどにセールスの実績のある国際テレビフイルムの担当者に聞いてみた。

「日本の短篇フイルムは欧州の場合をみても、意外に、各国TV局その他で使われている。というのは、過去に〃分あたり10ドルで七年間の全欧州配給権〃などという非常に不利な条件で何百本とまとめて安売りされたものがいまだに各国各所に流されているというわけ。

日本の短篇フイルムは質も製作本数も世界一といって恥かしくないし、各国でも興味をもっているのだから、いくら現金で何十本とまとめて一時にパッと支払われるからといって、喜んで売ってしまっては、悪い前例をつくって、自分たちの首をしめるようなもの。もっと日本のフイルムの立場を守り、高い評価で買わせるべきだ。長い目でみて、安売りはぜったいしないよう日本の関係者も堂々とやってもらいたい。たとえば、このうちでは、この間、スエーデン放送協会に〃分あたり10ドル〃で文化フイルム8本を売ったが、これは一回分の放映料としてだ。だから、今後は〃一回の放映料で分あたり何ドル〃とか、〃一国だけ一年間の配給権で分あたり何ドル〃、〃二、三ケ国の配給権で分あたり何ドル〃というように、はっきり指定して取引をして、日本のフイルムの相場を高くしていくべきだ。」

このほど、国際テレビフイルムを通じて、スエーデン放送協会にセールスされたフイルムは次のとおり。

△広主（20分東京都映画協会） △子とも

の四季（25分　岩波映画）　△版画（30分　ＮＨＫ）　△人形師（19分岩波映画）　△湖と子どもたち（25分　ＮＴＶ）　△アイヌの少女（25分　ＮＴＶ）　△アイヌのしゅう長（25分　ＮＴＶ）　△川合玉堂（11分　協和映画）

「斗魂の記録」
スポーツ映画祭で銀賞

さる二月下旬、伊コルチメダンペッツオで開催された〃第20回国際スポーツ映画祭〃で「斗魂の記録」（Ｃ34分、企・松下電器産業製・東京シネマ）が3位となり、銀賞を獲得した。1位・2位ソ連　4位ドイツ　5位フランスで、1位には伊観光スポーツ省よりカップ、2位、3位には伊オリンピック委よりそれぞれ銀賞がおくられた。

日本映画技術協会の選定する、テレビフイルム技術賞は、このほど、次の如く決定した。授賞式は、来る4月28日、銀座交詢社で、〃日本映画技術賞〃〃日本映画技術協会賞〃ともに、第一七回通常総会の席上においておこなわれる。カッコ内は放送月日。

＝日本テレフイルム技術賞＝（特記外は夫々の撮影に対し）

☆ニュース部門

皆既日食の観測に成功　日本放送協会　（7・21）

みどり丸遭難　琉球放送

日墓里大火　ＴＢＳ・スタッフ　（4・2）

☆記録部門

世界の屋根のヒゲ・ドクター　ＮＴＶ映画部（11・14）

デパートの見える家　ＢＴＢＳ報道部（1・31）

ガン征圧への道　朝日テレビ（9・28）

ひとり帰ってこたかった　滝口岩夫（11・14）

☆ドラマ

鋳型（撮影及録音）日本放送協会（10・27）

孤独の賭け No.8　東映土屋俊忠（11・27）

＝日本テレビフイルム技術選奨＝

☆記録

凶器と童話　日本放送協会（9・14）

あるガン患者の記録　朝日テレビ（9・28）

昭和三八年度文部大臣賞きまる
「土と愛」・「おふくろ」「せろひきし」に

昭和三八年度文部大臣賞がこのほどきまった。同賞は年度中の特選作品を対象に、学校教材、学校教育劇、社会教育教材、一般教養映画の各部門に与えられるものだが、今回の候補作品は三八年度特選五本のうち日本であった。部門別受賞作品は次のとおり。

学校教育用教材＝△「セロヒキのゴーシュ」（道徳、学習研究社）

学校教育用劇映画＝△「おふくろ」（東映教育映画部）

社会教育用教材＝△「土と愛」（春秋映画社）

☆審査経過

三八年度特選（38年4月～39年3月）は、前記受賞三作品のほか「日本の建築・すまいの伝統」（日映新社）、「蒼い湖」（日映新社）の五作品であったが、このうち「蒼い湖」はスポンサー側（中部電力）が中部地方以外は貸し出しを行わない意向のため、候補作品からはずし四作品で審査を行った。各部門とも候補作品が一種ずつのためほぼ自動的に受賞が決定したが、一般教養映画

部門「日本の建築・すまいの伝統」は、内容的に、前篇として製作されているため、この部門は、受賞該当作品なしとなった。

支部報告

東京シネマ支部

東京シネマでは、創立10周年の日に当る、三月二三日、次のプログラムにより、記念写真会を開催した。

△開催場所　有楽町・朝日新聞東京本社講堂

△上映番組

マリンスノーc25分　潤滑油c26分　世界の漁網c26分　パルスの世界c28分　生命誕生c17分　斗魂の記録c35分　青年―あるマラソンナーの記録c62分

通信

○宮内　研　世田谷区新町一の一五二の三
こまくさ荘　に移転

○日本ドキュメントフィルム　渋谷区北谷町四　森田マンションに移転（電）四六一・八八四八・八八五八

○日本映画撮影者協会（三六一）六三四五に変更

○松川八洲雄　（七〇二）五八八九　直通

入会

川島寿一　世田谷区松原町一の四六
昭和十六年一月十七日生　助監督
日本技術映画社
慶応義塾大学文学部を三十九年三月卒業
推薦　星山圭　池田元嘉

意見

橘逸夫　改革以降の活動に期待するのみです。

間宮則夫「協会の生きる道」「委員長の主旨説明」を読むと、総会での前運営委提出の原案と全体的な方向において大してかわりなく、何故修正案が出され、改めて決定されなければならなかったのか、よく諒解できません。それはともかくとして、「製作の場の確保・発展」も、無原則的なプロダクションとの共斗では、結果的には現状の肯定におわってしまう危険性が多分にあります。

「製作の場の確保・発展」を目指す具体的な斗いはきびしい批判にささえられた作家の創造活動の組織以外にはあり得ないと考えます。

東　陽一　頭の悪さを内外に公表するような会報に、ムダなお金をかけることは、なるべく早くおやめなさい。

星山　圭　①企業支部結成を急ごう。
②事務所を中央へ。

厚木武人　記録映画のシナリオライブラリイの設置は大いに賛成です。なお欲を言

えば優秀作品のフィルムライブラリイ（十六ミリ）も設置していただいて記録映画の研究に役立てたいと思います。この事について諸兄の御一考をお願い致します。

大久保信哉　小生入会した当初は小人企業のような形でわりに自由時間がありましたが近来企業全体の問題で予備がなく協会に迷惑をかけるだけで申しわけがありませんので賛助会員の方に切りかえて戴きたいと思っております。尚協会のために何か出来る事がありましたら出来るだけ協力したいと思っておりますので連絡下さい。

辻本誠吉　職安の様な、求人、求職的なコーナーを設けること。各プロダクションの製作状況等。

大林義数　B案に○をつけましたが、記録映画は季刊ではなく月刊にして下さい。そのための協会運営に支障を来すならばA案でも可。

松尾一郎　雑誌〝記録映画〟を従来通り刊行するよう希望します。会費の件〟B案の支持を希望する〟という註には抵抗を感じます。〝常任運営委員会提案〟でよいのではないでしょうか。

松本公雄　二月号〝機関誌〟に期待します。会報執筆者の中には問題があります。

益田敬太　以前のように〝試写会通知〟を是非出すようにして下さい。そのために、切手代を別に毎月五十円位取ってもよいではないですか。

江原哲人　作協独自で庶民層に話しかけるような映画を作れたらいいのですが。皆がもっとあたたかく接近しあえば可能じゃないでしょうか。新委員諸氏に対する希望とねがいです。

平野克己　活動の基本目的が不明確なままでは組織の存在理由が無くなりますので、それを具体的・方法論的にとらえかえした一つの私見を、機関紙に投稿したいと考えてます。

樺島清一　A・B案どちらかといわれても困ります。値上げ反対一律X百円　C案という所。不均衡の是正は賛成です。新役員のもと、新風が、少しラインに乗った頃を見はからっては如何。ランクをつける根拠なしと思われます。
各プロダクションへの協会の働きかけは現在どのようなものでしょう。
多角的にしかも精力的にやられるよう望みます。

協会報、大変結構。—

村田達治　記録映画や教育映画の製作に携る誰でもが入会出来るような協会でありたい。

肥田侃　東京シネマの黒木氏作品問題を一つの契機として、作家を守る活動を起したいと考える。
（今迄事情があって、会費も納めず、会にも出席できませんでしたが、これからは義務も果せます。悪しからず）

永岡秀子　今年度、初の会報、読みながらいささか会員としての気恥かしい思いがしました。内容の貧弱さを外装の立派さで埋め合わせている感じです。他のジャーナリズム関係でわかるようなことは、今更、ここで高い紙面をさいて載せるほどのこともないと思います。財政費困難の折、新聞形式でも十分、意は達せられます。

諏訪　淳　協会費三十七年から納めておりませんが、これは前協会に対しての機能的不審と無視によるものです。今会の新しい運動を支持し協力したいと思います。（今月から滞納分と合せて月千円づつ納めます）大内田圭弥氏の協会に対する活動に敬意を表したいと思います。

花松正卜　書くことが多いので、別のハガキにします。

①アンケート（会費問題）については棄権します。理由は、強制加入でない協会の如き組織の財政は、第一に今年の活動のヴィジョンが提起され、それに基いて財政方針が決まり、　　　　でどのような資金が必要で、その調達方針は、という風に立てられるべきです。今の会費で足りなければ、増額するか、活動を弱めるかのどちらかです。A、Bの相違（数字の上で）、その相違は具体的にどういう問題を起すのか、という様な説明をぬきにした、そういう無責任なアンケートには責任を以て棄権します。そういえば総会に出された財政の赤字も物価上昇によるものか活動の問題にあるのか、会費が安すぎるのか、甚だ不明確でした。

②何時、誰が、何処で聞いてきたのか分りませんが、私が現在「宇部興産」なる仕事をしている様に会報にのっていますが、あれは種々の事情の為、途中から（1月14日より）降りまして、「宇部興産」は現在未だ撮影をしている様ですが、それは私とは何の関係もありません。それ以後も、何も仕事はしていません。要するにこの2年間何も作らなかったということです。私達の周囲には、デマやウワサが多すぎます。そんなものに一つ一つかかずらっている程ひま人ではありませんが、そのデマやウワサの度合いが一寸ひどすぎる様です。こういう風潮は仕方がないとはいえ何の得にもたらないことだからやめましょう。今後はよく本人に聞いて下さい。今迄動静報告のハガキを一枚も書かなかったわけですから私の方も少し悪いかも知れませんが、だからといって、デマを書くとは協会の品位がうたがわれます。

動静

橘　逸夫　若人の城（三月下旬完成）大阪府営水道（撮影中本年末完成予定）日立横中ぐりフライス盤（三月中旬完成）FTLOCO（撮影中八月完成予定）いずれも読売映画社。

間宮則夫　第一生命PR「町の記章」三巻（撮影中、五月完成予定）あわせて建設記録の「新しい意味」を探る断片を撮影しています。於日経映画。

徳水端夫　三井プロ作品（脚本）共同映画作品（演出）

深江正彦　佐々木プロにて脚本演出担当

日高　昭　「日本のカメラ工業」撮影中

安位成男　PR映画「ばね」演出。三月末録音。

加藤敏雄　「くらしと計量」完成。「老人の福祉」（仮題）三月一杯で完成。

苗田康夫　三月九日より三週間位、奈良、高山へロケに出ます。運委へ出られませんよろしく。

大野孝悦　新理研の「日本ののりもの」気象庁始まって以来の天候不順で完成が三ケ月ものび四月までかかりそうです。

星山　圭　日本技術映画社にて製作中「娘ごころ」シナリオ、朝日テレビニュース社企画委員会で検討中。

安藤令三　日映新社「国立公園」助監督

唐木武人　去年十一月より佐々木プロダクションズの社員になりました。目下CMFの仕事をしています。

宮内　研　「砂と老人」をテーマにした脚本を執筆中。

大久保信哉　記録映画社の「首都東京」「私たちの港区」及び新日本プロ「大阪木材コンビナート」以上ミニチュアニメーション準備中。

小泉　堯　アカハタ・ニュース34号製作中。

辻本誠吾　フリーになり、現在、TBSホームグラフ番組、フィルム構成。「日本の祭」フィルム構成製作担当。その他短篇劇映画等製作中。

河野哲二　日映科学にて演出中。

大林義敬　現在日経映画にて、丸山章治作品助監督。

金高伸夫　JETRO作品「北九州市」ダビング。続いて「日本の写真工業」三月一杯撮影完了の予定。

松尾一郎　日経映画社にて、包装材料のメーカーの写真を撮っています。三月中旬完成。

松本公雄　日本産業映画センターにて「海と太陽」第二篇シナリオ中。

豊田敬太　二月二十二日、社教劇〃嫁と姑の悪口文集〃3巻完了。引続き東映にて〃青春〃5巻（劇映画）三月一杯で完成予定にて準備中。

前田庸言　日本産業映画社にて銀行のPR　— 四月末日UP。

江原哲人　移動映画に没入しています。劇映画や産業映画を持って長野や新潟の豪雪地帯に出張しています。

斉藤茂夫　現在準備中です。

田中舜平　十二チャンネル「東京を探る」準備中。

高林陽一　自分自身が、二つに分裂して、再び還元することのない程、自分自身のものでない影像を求めています。

村田達治　学研映画局で「気仙沼」準備中

肥田　侃　桜映画にて、「アメリカの家庭生活」全六巻仕上げスタックとして、DB終了。「アメリカの農家」全三巻仕上げ中。（フリイ）

高井達人　「ESSO自動化タンカー」（仮題）演出中。完成八月予定。三井プロ作品。

曾我　孝　「ESSO自動化タンカー」（仮題）演出助手。

頓宮慶蔵　病気療養中。急性盲腸炎。

竹内信次　KOD（国際電信電話KK）七月完成予定。

渡辺正己
大島正明
山崎将紹
「結晶」「生物」（仮題）東京シネマ作品

森田　実　待期中

山添　哲
辻　功
「美しき国土」（仮題）東京シネマ作品

吉見　泰　企画立案数種

黒木和雄
泉田昌慶
加本悠利代
「青年—あるマラソン選手の記録」完成　於・東京シネマ

松本俊夫　四月七日〜十三日公演の「嘘もほんとも裏からみれば……」（青俳）の演出・舞台稽古。

諏訪　淳　「鉄の世紀」国内演出、二十二日頃クランクアップ、三十日ダビングの予定。

菊地康治　電通映画社CM・企画、近代アイデアセンターCM・PR企画。

松川八州雄　日映新社「日本のかたなとよろい」完成。日本技術映画社「可能性の空間」（脚・演）三月完成予定。以後具体的な予定なし。

岩佐氏寿　「街にかける橋」四月「北国を建設する」六月、「北上川」六月、「播州工業地帯」六月、「永富家の

記録」六月、「駒沢体育館」七月、以上脚本。日本技術映画社にて。
森 康夫「京王帝都新宿駅」十月、「阿賀野川用水工事」四一年四月、「家庭防火」（脚本）。日本技術映画社にて。
池田元嘉「ＮＨＫ放送センター」六月。「城山地下発電所」十月、「東海道新幹線」七月。日本技術映画社にて。
星山 圭「羽田モノレール」六月、「シールド工法」四月、日本技術映画社にて
川島寿一 池田元嘉作品の助監督。

プロダクション便り

◎電通◎

昨年の年末近く、電通映画社は創立二十週年の祝賀パーティーを催しました。二十年といえば短いようですが、ＰＲ映画のプロダクションとしては、決して浅い歴史とはいえません。

しかし年ばかりとっても立派だという訳にはいきません。その点、他のプロダクションより歴史が古いということだけで、電通映画社の全社員が誇りを持っている訳ではないのです。

ところで電通映画社が他のプロダクションと少し違う点があります。それは、ＰＲ映画で出発しましたが、現在、ＰＲ映画と同じ位の比重でＣＭフイルムをつくっているということです。そして商業デザイナーとして映像化という新分野の作家が生れています。

そしてここでは現像所を持ち、今田無に特撮の行えるスタジオを建設しています。

最近ＰＲ映画をつくる時、一貫生産を誇るスポンサーが多いことは衆知のことです。ＰＲ映画の部門で一貫生産は電通映画社だけというところです。

しかしこんなことで、電通映画社の社員が誇りを持っている訳でもありません。

問題は創られる作品の値が問題です。その点でこそ誇りを持つに価するでしょう。

この点で、今、電通映画社では熱っぽい空気が支配しています。

今年のカンヌ映画祭に、電通映画社は初めての出品を行います。つまり国際舞台に挑むという訳です。その題名も、いわく「挑戦」です。そしてそのディレクター渋谷昶子君はこの映画祭に出席します。

もう一作、国際舞台に乗出します。ブタペスト映画祭には「切削理論」が挑みます。

その結果はどうなるかわかりません。しかし、この意欲が現在の電通の意気といえましょう。

長野の旅から

ー長野県教育委員会・長野県視聴覚教育協議会・長野県視覚教育協会主催による八ミリ映画講習会を終えてー

社会教育映画をどう守ってゆくか、8ミリ映画の製作をどうすすめてゆくか、この懇談会と講習会を依頼されて長野を旅した。今年はこうした運動にも大いに参加して、作家の立場から出来るだけの協力をしよう、運営委員会のそうした抱負に応えて、私も喜んでお引受けした次第である。

三月二三日（長野市）。この日は長野映研（共同映画社、学研映画などのエージエントとして長野県にひろくサービス・エリアをもつ視聴覚センター）の主催による「社会教育映画をどう守り育ててゆくか」、公民館主事の方々の集りである。十数名の熱心な討論に加えて戴く。長野、松本の近郊農村、日本アルプスの山懐に点在する山村、それぞれの立地条件による視聴覚教育の現状と問題点が話される。一つ一つ、頭の下る思いの実践報告である。いまここで、その詳細な報告を述べる紙数はない。この貴重な報告は、いずれ機関誌「記録映画」などで、充分に取り上げてみたいと思う。ただそのなかで、

(1)今までの巡回映画などで、ただ見せっ放しだった地域が、テレビの普及で弱くなっている。

(2)今後は、単に頭数を集める式の大集会というのではなく、小集会でも充実した内容の映写会を組織してゆきたい。

(3)また興行を閉鎖してゆく座館の多い今日、それらの座館と協力した名画観賞会などを組織し、地方の情操教育を維持してゆくことは出来ないか（富士見町ではその成功した例がある）。

その場合でも、映画会をやれば人が来るだろうという甘い考えでは駄目だ。どうしてもこれは観せたいというこちら側の意欲がなければ必ず行き詰ってしまう。またそうした意欲をもった仲間を、部落に沢山作ってゆかねばならない。南信地方では「一人が一人を」という運動を起して仲間作りに成功している。それを学ぼう。

(4)映画教室の停滞は公民館活動それ自体の停滞と決して無縁ではない。反対に映画教室の停滞が公民館と広い村民の関係を稀薄にしている、という側面も現実である。しかし「未来につながる子ら」の映写会では、二五〇〇戸の部落で二四〇〇人が動員された（会費三〇円）という実績があり、その活動のなかで若妻会の活躍が改めて評価された。今後は若い人たちとのつながりをどう回復してゆくか、それが問題である。

等が中心的な議題となった。尚、昨年或る公民館ではＮＨＫの「日本の素顔」が最も好評で、十数本の作品を借りうけ、八〇日

間にわたって上映したという。そして今までの与えられた文化から、作り出す文化への努力も高めようということになり、当面する農村の現実、とりわけ「出稼ぎ」の問題に焦点を合わせた自主映画の製作運動を計画してはどうか、という問題に発展したのである。

三月二四、二五日（松本市）。この二日間は県教育委員会、県視聴覚教育協議会主催の八ミリ映画講習会「八ミリ映画製作技術講習会」とあって講師の私もいささかテレ気味。しかし集った七〇名の先生方（公民館・小・中学校の視聴覚担当者）は、入門からベテランまで多種多様で、話す内容も一般論から専門技術まで、私自身のいい勉強になった次第である。しかしこの雪のなかで（恰度この日、松本は終日春の遅い雪が降りしきっていた）、泊りがけで集った先生方の努力を想うと、私のまずい話がどれ程役に立って貰えたかどうか、汗顔の極みである。

8ミリ映画の製作運動、私はそれを記録映画、教育映画運動の貴重な土壌であると考えている。「上農は土を作り、下農は草を作る」という。私たちはよい土作りをし、その上に立派な映画運動（視聴覚運動）を育てあげたいと思う。こうした意味からも、今度の「身近な問題を視聴覚教材として自作するにふさわしい8ミリ映画の振興」を企画された長野県教育委員会、長野県視聴覚教育協議会に敬意を表したいと思う。

（菅　家）

☆　参考資料（長野県）

1. 視聴覚教具所有状況（38年4月1日現在県教委調査）

		幼稚園特殊学校	小学校	中学校	高等学校	公民館本館	市町村	計
施設数		10	630	231	110	293	139	
16ミリ発声映写機	所有施設数	0	219	95	24	200	27	565
	所有率%		34.8	41.1	21.8	68.3	19.4	
	所有台数		219	95	24	270	69	677
8ミリ映写機 無声	同上	2	71	49	22	54	19	217
			11.3	21.2	20.2	18.4	137	
		2	71	50	22	56	43	244
8ミリ映写機 有声	同上	0	31	16	5	17	9	78
			4.9	6.9	4.5	5.8	6.5	
			38	17	5	18	14	92

２月財政報告

２月収支報告

支出		収入	
摘要	金額	摘要	金額
人件費	27,900	協会費	25,850
家賃	8,000	賛助会費	3,000
電話	8,105	未収会費	27,200
通信	6,020	入会金（1名）	300
交通	13,700	名簿（作家名簿）	700
文具費	1,036	映画会（38年11月実施）	1,100
振替手数料	1,015	ファイル	150
会議費（運営委員会会場費）	500	雑収入	910
名簿（作家名簿）	3,000	記録映画収入	
水道光熱費	2,169	予約	2,925
映画会（38年11月実施費用）	1,270	売上	48,995
雑費	3,730	売掛金	3,850
記録映画出版費		広告	47,000
印刷代	50,000		
原稿料	1,500		
借入金返済			
西陣	15,000		
大沼鉄郎	10,000		
丸山章治	10,000		
購読料（ユニ通信2月分）	1,000		
３月へ繰越	4,316	１月より繰越	6,281
計	168,261		168,261

債権・債務報告（2月末日現在）

支出 摘要	支出 金額	収入 摘要	収入 金額
（借入金）		（未収金）	
安保製作委員会	130,870	協会費	191,400
運転資金	34,500	売掛金	23,725
健康保険	30,000	広告	35,000
丸山章治	10,000		
（未払金）			
人件費1名分	21,450		
映画会38年11月実施費用	7,500		
会報封筒	36,950		
記録映画印刷代	130,985		
記録映画原稿料	15,000		
		事業活動収入見込	167,130
計	417,255	計	417,255

健康保険料4月より値上げ

東京芸能人国民健康保険組合規約改正新旧条文対照表

新条文案	旧条文
第十一条 組合は、被保険者が出産したときは、当該被保険者の属する組合員に対して、助産費として次の通り支給する。	同前
① 組合員 六、〇〇〇円	① 組合員 五、〇〇〇円
② 組合員でない被保険者 三、〇〇〇円	② 組合員でない被保険者 二、〇〇〇円
第十六条 組合員は、その者の属する世帯の被保険者につき、次の基準により算定された保険料の合計額を納入しなければならない。	同前
① 組合員一人月額 五〇〇円	① 組合員一人月額 四五〇円
② 組合員でない被保険者一人月額 二五〇円	② 組合員でない被保険者一人月額 二〇〇円

附則

この改正規約は昭和三九年四月一日より施行する。

3月健康保険費収支報告

39年3月1日～20日現在

支出		収入	
摘要	金額	摘要	金額
38/11月分保険料	26,127	保険収入	20,350
38/10月までの残			
繰越	7,402	2月より繰越	13,179
計	33,529	計	33,529

未納健康保険費報告

支出		収入	
摘要	金額	摘要	金額
未払金		未収金	
保険料38/12月分	26,950	38/1月～11月	17,950
39/1月分	26,950	38/12月～39/3月	50,550
2月分	27,400	貸付金	
3月分	27,400	協会	30,000
		雑損失（住所不明にて徴収不能の分）	10,200
計	108,700	計	108,700

機関紙「記録映画」についての中間報告

□前月の「会報」(No.91)でもお伝えした通り、「記録映画」は協会の理論研究機関誌として、目下継続発行の体勢をととのえています。その形態、編集方針等については「記録映画（二月号）」の巻末一頁を借りて大体の構想を発表しました。

□「記録映画」の発行は、今まで協会財政とも深いつながりをもってきました。その基本財政も別表通りピンチというよりは殆んど破綻状態であります。新運営委員会はいま、そのたて直しに大車輪です。

□次号の記録映画」の発行は、そうした財政のなかで、引継いだ二月号の発行と次号の準備という二重の負担のなかですすめなければなりません。私たちは「記録映画」発行の意義をいささかも軽視するものではありませんし、その一日も早い発行を希うものであります。

□そこで「記録映画」の発行は、あくまで協会の基本財政立て直しの線に沿って、当面は独立採算制をもとに発行の構想を立てなければならないと考えております。そして現在到達した結論として「季刊」の方法がえらばれたのです。それはまた、発行体制が軌道に乗り次第、月刊に切り換えるという前提に立った上での暫定措置とも申せましょう。

□季刊になるということで、当然さまざまな不利な条件を伴うことは充分予想できます。その点は内容の充実、頁数、紙面の拡張等によって克服してゆかねばならないと考えています。以上の諸問題についても、現在、出版関係の専門家諸氏の参考意見も得て、着々と発刊の体制を整えつつあります。編集方針、原稿執筆などについて、皆さまの一層の御協力を心からお願いする次第です。（徳永瑞夫）

『記録映画』の原稿を募集します

□別項アピールの通り『記録映画』は季刊として再刊されます。編集部として、次号を左のテーマによる特集号とすることにしましたので積極的に原稿を寄せて下さるよう御願いします。

①特集テーマ Ⓐ観客問題 ― 作家は観客とどうむすびつかねばならないか？

Ⓑ映画復興 ― 今日の映画産業の危機、その実態と克服について

Ⓒ記録映画論 ― なるべく会員作品を中心にした論文をのぞみます。

②現場からの報告 ― 現在どのような作品にとりかかっているか、その中で、どのように作家課題の追求を行ない、それがどのような成果をあげつつあるか ―

③作品評、なるべく会員作品のもの。

④その他、特別テーマにとくに関係がなくとも差支えありません。

▽枚数 ― 特に制限はもうけませんがなるべく30枚以内にまとめて下さい。

▽締切期日 ― 四月二十日。

▽発行予定 ― 五月十五日

『記録映画』編集部。

記録映画作家協会会報

1964・5・8　　No. 93

記録映画作家協会

東京都中央区銀座東1の8、広田ビル2階

振替　東京90709　TEL. (535)2820 (561)4716

試写会の通知について……

前回の会報で、豊田敬太さんから要請のありました試写会の通知は、運営委員会としても、是非実現したいと考えていました。そこでまず第一に教育映画製作者連盟に協力を申入れ、その結果、快諾を得て同連盟主催の月例映写会通知を、今月から協会員の皆さんにお届けすることができることになりました。なお、引きつづき映教と読売新聞主催の「優秀短編映画の会」などの通知も、お届けできるように努力しておりますので、利用していただきたいと思います。

ジョルジュ・サドウル氏との懇談会

来日中のフランスの映画批評家サドウル氏との懇話会が四月十三日持たれ、記録映画「地底の凱歌」「生命の誕生」他二本を上映後、記録映画方法論等について懇談しました。詳細な内容については、機関紙「記録映画」に発表の予定です。

「芸能人健康保険についてのお知らせとおねがい」

協会でとりあつかっている芸能人健康保険は、四月から新しい保険証にきりかわりました。

この保険証のきりかえについては、一人でも保険料の未納がありますと、全員の保険証のきりかえが停止されるのですが、実は三月末で十万円をこす未納金があり、運営委員会も事務局もたいへん苦慮しました。この際、芸能人健保の取扱いをやめてしまったらという声もありましたが、利用している協会員にアンケートを求めたところ、大多数の方が続行を希望しておる状態なので、一応続行の線で、十万円を借入れ、未納金を完納して新保険証にきりかえました。

以上のようないきさつですから、健保を利用されている会員の方は、未納金がありましたら、至急納入して下さい。

また、新保険証をまだ受取っていない方は、協会

事務局へ連絡をとって受取って下さい。皆さんの協力をお願い致します。

アジア・アフリカ映画祭から帰って

吉見　泰

アジア、アフリカ映画祭に出席し、無事に任務を終えて一日に帰ってきました。出発にあたっては、協会の会員の皆さんをはじめ、関係諸団体、個人等々の方々から、いろいろと御援助をいただいたことに対して、まず感謝いたしたいと思います。映画祭の模様や結果につきましては、すでに報道されており、御存知のことかと思いますが、私自身としましても、いろんな意味で有意義な映画祭でした。いずれ協会でも報告会を企画していると聞いていますので、その折りにでも、その詳細については御報告申しあげたいと思います。

運営委員会報告

四月九日　運営委員会

（吉見、菅家、厚木、曽我、星山）

□　第三回アジア、アフリカ映画祭について

吉見委員長を日本代表の一員としておくる。

□　協会脱会届について

黒木和雄、東陽一、泉田昌慶、岩佐寿弥、加本悠利代の各氏から脱会届が出されており、黒木氏は運営委員であるので、一応保留にする。他の四氏については承認する。

五月四日　運営委員会

（吉見、菅家、河野、八幡、苗田、徳永星山、斎藤、小泉）

□　事務局について

○　事務局　柳野、渡辺、武井氏が四月をもって退職することになった。従って退職金の支払いについて協議してきめたい。

○　事務局員として新しく北爪真佐夫君に来ても

らうことになった。

○事務所を五月二日に移転した。（別図参照）

□第三回アジア・アフリカ映画祭から、委員長帰国。

吉見委員長が第三回アジア・アフリカ映画祭に出席し、五月一日に帰国したので、協会独自の報告会を五月末に実施したい。

□山業試写会の通知について。

かねて会員の要望であった教育映画製作者連盟主催の新作発表試写会の招待状は次回から会員各自に直接郵送できるようになった。

（別記）

□健保の新年度きりかえ手続完了について。（別記）

□機関誌「記録映画」について。

再建準備のため発行が遅れているが、できるだけ早く発行できるよう。また月刊発行の態勢がためを準備中。

□財政問題について

○長年の赤字財政を早急に解決するため、会費の納入促進をはかる。

○基本財政の確立のために、協会の事業の一環として、短篇映画製作等の実現もあわせはかる。

○事務局員の退職にともない退職金を支払わなければならないが、現状では分割払いしか出来ないので、事情を話して了解を求める。

退職金の総額は十四万円近くになる。

□最近、たびたび配布された文書について。

○菅家事務局長宛に送られて来た十五名署名（脱会者も含む）のシンポジウム開催申入れの文書は、受取ったのが四月二十九日の午后であった。

四月三十日までに回答して欲しいとのことであったが、右の様な事情で運営委員会を開くことも不可能であったと事務局長より報告あり。

○会報九二号が配布されてから、西江氏の文書、十五名署名、及び大沼、杉山両氏署名の文書が出されているが、これらの文書は常任委員会が提記した、正規に協会の組織にのせ、組織的に解決をはかろうという訴えにこたえず、文書が各会員に直接配布されている現状は協

会全体にとって決して好ましいものではない。シンポジウムを開催することについては賛成であるが、右のような事情の中でシンポジウムを開催しても、いたずらに紛糾をまねき、問題の本質を正しく解決することには、ならないのではないかという意見が多く出された。
○会員に配布された文書の内容が事実なのか、どうかという点を黒木氏、東京シネマに接触の多かった菅家事務局長から事情をきいたが、菅家事務局長が見聞した範囲では、文書の内容については曲解ないし誤解されている面が多分にあると思うということであった。
○黒木問題についての常任委員会発表以后の事情についても、運営委員会は早急に黒木氏から聞き、プロダクションからも事情をただすことに決定。

□シンポジウム開催について
○運営委員会は前記のように、いたずらな混乱の中で、シンポジウムをひらく意図はない。
○今日の問題を整理し、基本問題を明らかにして、協会の意志統一を目指し、みのり多いシンポジウムを開催したい。

五月七日　運営委員会
（菅家、河野、苗田、黒木、曽我、星山
斎藤、小泉）

五月四日の運営委員会決定により
○黒木氏から「青年―あるマラソンランナーの記録」について、企画段階から完成に至るまでの事実経過、さらに完成後に問題になっている点についての事情をきいた。
○早急に問題の所在を明らかにするため、運営委員が東京シネマの代表者とも会い、諸般の状況を検討の上、今後の方針をきめることにした。

□入会
○吉中　康・演出（全農林）
府中市新町三の二三一
賛助会員であったが、四月より企業会員となる。
○浅野　辰雄
東京都世田谷区世田谷五の二、八二二
電話（四二〇）七八六五

大正五年一月一日生

経　歴

昭和十三年・芸術映画社入社

〃知られざる人々〃〃今日の戦い〃〃君たちは喋ることができる〃〃号笛鳴りやまず〃

近作〃猟人日記〃〃北海に生きる〃など。

現在シナリオ作家協会員。

五月より入会。

推せん者＝吉見　泰・菅家陳彦。

勤労者八ミリ映画運動と発展のために!!

「作品発表と経験交流集会」

一、日時　五月二十六日（火）
　　午后五時三〇分～九時

一、場所　中央区銀座西八ノ八、
　　華橋会館六階会議室TEL(571)九四六一～六

内容

1．作品発表

a．一・二六コンクール入選作品、塩釜市坂病院労組

b．職場自主作品〃母と子の灯〃日公共斗青婦部

c．その他一本

2．経験交流懇談会

今后の活動の発展のために八ミリセンター確立をどう進めるか。奮って御参加下さい。

（主催）勤労者視聴覚事業連合会TEL(535)二八二〇
　　　一・二六8ミリコンクール実行委員会

企業支部便り

「日本技術映画社」

日本技術映画社では、現在大体四班がフルに仕事に入っているが、仕事の内訳をみると、PR受註作品では35m/mカラー六本、16m/mカラー三本、16m/m白黒三本、自主作品35m/mカラー一本となっている。

この中で現在一番問題となっていることは、これら約十三本の作品を四班で消化していかなければならない所からくる無理である。

創成期だということで無理を重ねることもある限度までだということ、それに鹿島建設の子会社だということで、仕事も現在のところ、土木建築映画が多いという特殊な条件を考えて、何とか早く合理的に解決してもらいたいと、全スタッフが要求し、会社もその方向を模索しているのが現状である。創造上、多くを知ることが尊いのでないことは自明の理なのだが、その点でも親会社でもあるスポンサーと必ずしもかみあっているとはいえない。

ダム或いはビルの建設記録が、単なる記録に終っていたのでは、マンネリ化することは早いし、大して意味のないことである。その意味でわれわれスタッフが、　記録映画をおお状況の重圧をはねかえし、この誕生間もないプロダクションを、記録映画創造の場として発展させるためには、きびしい創造の眼が要求されている。その要求にこたえることがわれわれの責任であろう。そうした立場から、われわれは企業支部を軸にたとえば　われわれ自身の自主作品を作りだすといった活動をすすめたいと話し合っている。われわれ自身生き生きした創造の眼を失わないためには、そうしたことも必要ではあるまいか。

（星山　圭）

「市ヶ谷支部」

○市ヶ谷支部は次のような話し合いをもった。

○五月九日、全農映で支部会員の作品研究会を行う。

○会費滞納の分は、毎月分割して早急におさめ、支部が責任をもつ。

○会報92号、常任運営委員会の報告については、運営委員会が提起しているように、正規に協会の組

織にのせ・組織的に解決をはかるようにしてもらいたい。

○最近・会員の一部が流しているシンポジウム開催申し入れの印刷物（五月二〇日までに回答のない場合は・有志でシンポジュームを開く権利を行使します。）というような態度は・協会の組織を無視したものであり・正しい解決をはかろうとする行為ではないと意見が一致した。

事務局員の交替

事務局員として勤務されていた櫛野義明・渡辺純子・武井登美江の三氏はそれぞれの事情で・今度退職されることになりました。長い間・御苦労さまでした。三氏の辞職にともない五月より北爪真佐夫君が後任として・事務局の仕事に従事することになりました。北爪君は国学院大学を修了後・大学院（修）を終わり・アルバイトのかたわら歴史の研究をつづけて・今日にいたった人です。

事務所移転のお知らせ

協会の事務所を今度・中野区松ヶ丘一の一〇の一七より・中央区銀座東一の八・広田ビル（二階）・電話（五三五）二八二〇・（五六一）四七一六・に移転しました。諸連絡事務はこちらにお願いします。

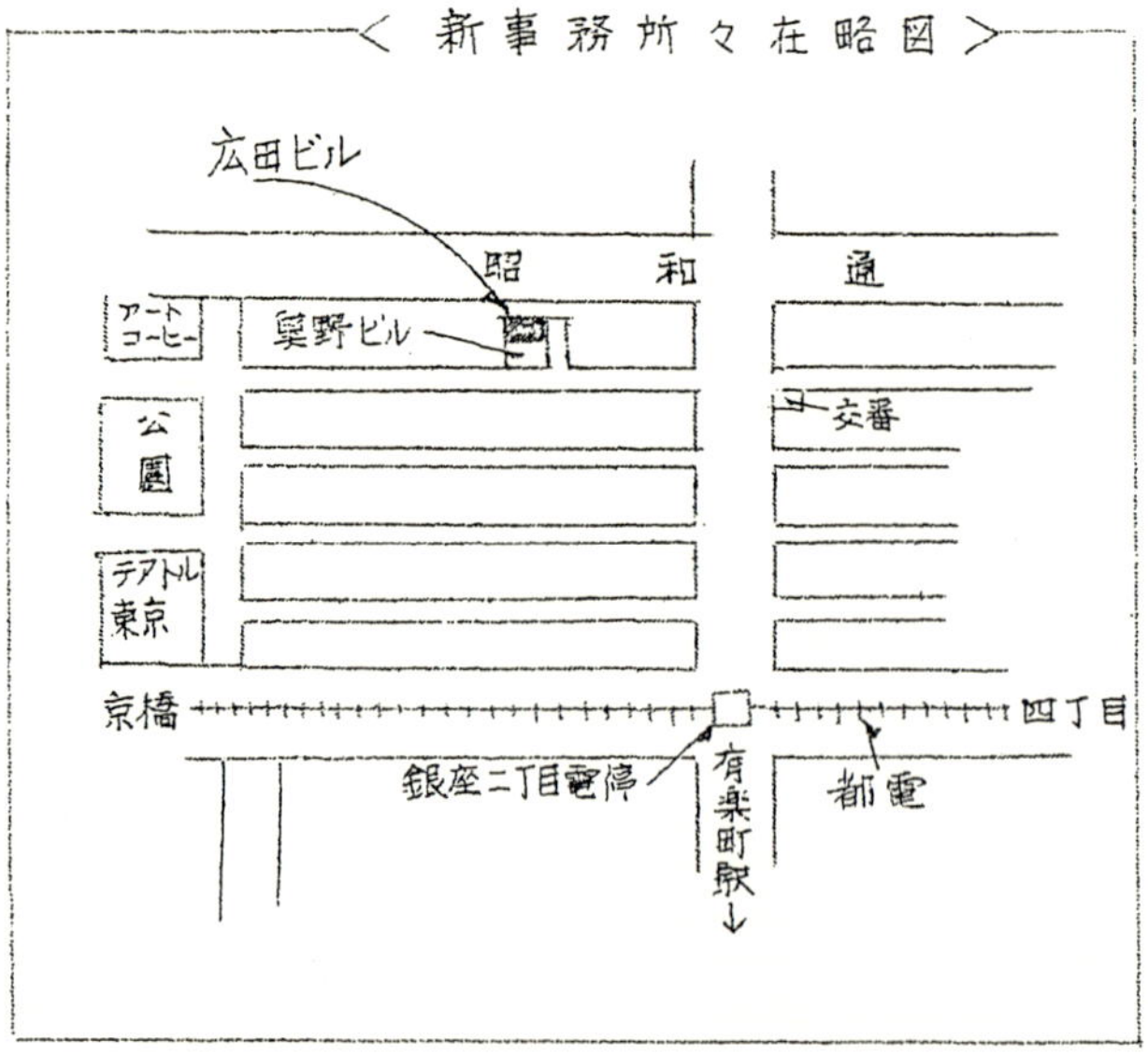

事務局だより

○会報93号は四月発行の予定でしたが、事務局員の退職、事務所の移転などが重なり、止むなく五月になりました。おわび致します。

○事務所は別表の場所です。以前の日吉ビル時代のように気楽に集まり、話し合える場としましょう。

○助監督の申し込みが時々あります。仕事が終る前に協会に連絡して下さい。

○会員動静葉書、前号の時送らなかったものと思います。今後は決して忘れません。

○相変らず会費の納入が思わしくありません。昨年からの赤字の上に未納が増え、協会財政は火の車です。TEL下さい。うかがいます。

記録映画作家協会会報

1964・6・17　NO.94

記録映画作家協会

東京都中央区銀座東1－8．広田ビル2階

振替　東京90709　TEL.(535) 2820
(561) 4716

黒木問題についての報告

運営委員会

(1) 五月七日、運営委員会は、黒木氏より「あるマラソンランナーの記録」の製作過程と再録及び再録音及び再録音後の問題点について報告をきいた。その結果、

(イ)運営委員会は、黒木氏が不満としている点が何なのか、つかむことができた。

(ロ)黒木氏と東京シネマとの間のコミュニケーションがたたられている状態を回復する必要を痛感した。

(ハ)黒木氏もコミュニケーションを回復し、円満解決されることを望んだ。

(ニ)運営委員会の代表者が、至急東京シネマ代表者とあい、東京シネマ側の事情をきき、円満解決のための話しあいをもつ

(2) 五月十四日、運営委員会代表五名が東京シネマ(岡田社長、桑木プロジューサー)とあう。運営委員代表の質問に対して、主として岡田社長が三十数項目にわたって返答するとともにシネマ側の見解をのべた。

(3) 五月二十三日、運営委員会で、東京シネマとの会談内容を報告、討議した。その結果、

(イ)黒木氏と東京シネマとの間にいろいろな話のゆき違い、手続のゆき違いなどあったが、再録音までの問題は解決していることを、黒木氏も出席運営委員の全員も確認した。

(ロ)再録音の問題についても、ゆき違いはあったが未解決の問題は次の二点にしぼられることを黒木氏も運営委員会も確認した。

〔第一点〕 スタッフタイトルの件

映画の中にスタッフタイトルを入れないことは、黒木氏自身了承したのであるから、残るのは、宣材(プレス)にスタッフタイトルを明示してほしいという問題

〔第二点〕 エンドタイトルとコマーシャルカットの入替えの件

入替えたことは作品の質に影響することであ

るから、黒木編集の状態にもどすべきである。以上二点については、シネマ側の事情もあるので話しあって実行可能な範囲で合理的な解決をはかるのもやぶさかではないと黒木氏が発言し運営委員会も了承した。

(ハ)以上によって「あるマラソンランナーの記録」についての事実問題の解決の方向が明らかとなったが、運営委員会は黒木問題をめぐって発生した次の諸点について討議を重ねるべきであるとして、

(A)会報九十二号、常任運営委発表の「作家の権利と社会的責任」について
(B)西江文書、大沼杉山文書について
(C)シンポジュウムについて
(D)「或るマラソンランナーの記録」試写会開催について

(4) 六月四日の運営委員会には、仕事の都合で黒木氏は欠席したので、黒木氏との意見交換はできなかった。この日の黒木問題の討議は、会報九十二号の論文「作家の権利と社会的責任」について意見が集中した。

(イ)運営委員会は、協会規約にあるとおり、常に協会員の権利と地位を守る立場に立つべきである点が確認された。

(ロ)黒木問題についてもこの立場で終始し、再録音の段階でも黒木氏を守るべく東京シネマ側と折衝したことが菅家事務局長より報告された。

(ハ)九十二号の論文をよんで、常任運営委は作家を守るのではなく、プロダクション側に立っているのではないか。常任運営委は不信であると判断した会員が多数いるが、九十二号の論文が、そうした受取り方をされる発表のし方、文体、内容を含んでいたとすれば、常任運営委員会はその配慮の不足、不親切乃至内容のあいまいさを反省すべきではないか。

九十三号の論文について更に討議を深めるとともに、西江、大沼杉山文書、シンポジュームと試写会についての討議は散発的な意見の発表の段階で時間ぎれとなり、次回運営委にゆだねられた。以上黒木問題に関する運営委任会の討論と行動を、事実経過に即して結論的に要約した。

・附記・なおこの報告書は六月八日の運営委員会に提出され、黒木氏をはじめ、出席者全員によって異議なく認められたものです。

作品発表会について

運営委員会では、研究会活動の一環として、近代美術館所蔵の古典を中心とした作品研究会を計画し、近代美術館と接衝しました。その結果、一応の了承を得ましたで、七月から月一回の予定で研究会をひらきます。第一回は、エイゼンシュテイン「メキシコ万才」(マリー・シートン編集)を予定していますが、日時、方法など具体的な細目については、おってお知らせいたします。なお作品についての希望をお持ちの方は、事務局宛御連絡をお願いします。

運営委員会報告

五月二十日 常任運営委員会
(吉見、菅家、河野、徳永、厚木、星山)

◇財政問題について

○赤字財政の解決のために協会費の納入にあたっては、企業別・支部別等に集め、運営委員は積極的に協力する。また、協会の事業の一環として短篇映画製作等の実現もあわせて行うことを確認。

◇八ミリ映画の講師団要請について

最近八ミリ映画製作がかなり普及され、とくに地方から講師団の要請が勤視連などにきており、協会としての協力を要請されている。当分の間は講師団の要請については事務局を窓口として協力をはかる。

◇「記録映画」について

現在の進行状況が報告され、一段と早期発刊にこぎつけるように努力することを確認した。

◇黒木問題について

河野氏よりプロダクション側の事情聴取の結果が報告された。この報告にもとづき次回運営委員会の席上で黒木氏の発言を再度もとめ問題の所在を明確にし、解決をはかることに決定。

五月二十三日 運営委員会
(吉見、菅家、河野、大内田、星山、阿部、曽我、黒木)

◇研究会活動について

過日の常任運営委員会で研究活動の一環として、

近代美術館所蔵のドキュメントフィルムをみる機会を協会として行ってはどうかという意見が出され、賛成を得て七月から行うことに決定。（詳細は別記、「作品研究会について」参照）

◇常任運営委員の変更について

厚木常任運営委員より、かねてから多忙のため常任運営委の辞退の申出があり、これを了承し代って安倍成男氏があたることに決定。

◇黒木問題について

河野常任運営委員よりプロダクション側の事情聴取の内容を報告、黒木氏の意見も表明され、問題の所在と解決への方法を検討した。

◇協会脱会届について

持田裕生、永岡季子、西本祥子の各氏の脱会を承認。

六月三日　運営委員会

（吉見、菅家、河野、入幡、小泉、曽我、徳永星山、安倍）

◇研究会活動について

具体化の状況が星山氏より報告された。（別記参照）

◇月例会の開催について

○一時間位の記録映画の観賞と協会員の相互交流をかねた月例会を設けることを決定。

○日時は毎月最終土曜日、午后五時より二時間程度、場所は東劇シネサロン。（但し、今月――二七日（土）――に限り午后六時より）

◇黒木問題について

前回の運営委員会の討論を基礎に問題点などを集約し、会報上に載せることを決定。

◇協会脱会届について

梶川勝良氏より脱会の申出があり、これを承認。

六月八日　運営委員会

（吉見、菅家、星山、厚木、苗田、黒木、斎藤、徳永）

◇黒木問題について

黒木問題に関する運営委員会の経過及び統一見解については、河野委員に依頼しておいた報告書を討議、全員一致で異議なくこれを認め、至急会報紙上に発表することを決定した。

◇シンポジュウムについて

黒木問題に関して、運営委員会は統一見解に達し、

解決についての端緒をつかむことができた。したがって、できるだけ早急にシンポジュムを開き、これを契機に広く各職場でそれぞれの作家が当面しているスポンサーとの関係、プロダクションとの関係をみつめ、作家の諸権利を守る運動を巾広く展開していくべきであるとの結論に達した。

なお、席上、間宮則夫氏のシンポジュムの早期開催についての要請書が紹介され、これを受理した。

◇月例会について

第一回の月例会を六月二十七日午后六時より、東劇のシネサロンにおいて行うことを決定。

月例会のお知らせ

六月三日の運営委員会に提案され、賛成を得て具体化が急がれていた「月例会」がいよいよ今月から発足することになりました。

日時　六月二十七日(土)午后五時三〇分より

場所　東劇シネサロン

一応、毎月最終土曜日を予定しています。前半約一時間程を「記録映画」の観賞に当て、後半一時間余りを討議や会員相互の交流、また協会運営に対する御意見などに当てたいと思います。是非参加して、有意義なものにしていただきたいと思います。

なお、上映希望のプリントを事務局までに申出てくだされば幸甚です。

会員動静

久保田義夫　日映新社、国立公園九州篇ロケ中、六月下旬帰京予定

豊田敬太　東映教育映画部にて〃わかもの〃劇映画五巻完成、引続き読売映画社にて、五月一日より〃眼《アイ》の銀行《バンク》〃四巻、セミ・ドキュメント演出中、六月末完成予定

浅野辰雄　今年度作品、脚本は「猟人日記」（日活）「男の虹」（日活）「獄門人別帖」（国際放映）が完成、監督も兼ねたものは「北海に生きる」（春秋映画）が完成、現在は劇映画二本を進行させています。

金高伸夫　六月から十月まで、TETRO海外向

TV映画の仕事に入ります。

魚好　辰夫　移動映写をしています。ですから試写とかラシシユとか、いつでも引受けます。内外劇映画を貸しています。

橋　逸夫　読売映画社にて「東京―1964」「FTLOC」「明日を創る―大阪府営水道」いずれも目下撮影中です。

大口　和夫　TBSテレビ放送中の「ここに日本が……」（帯番組）の企画制作を担当中です。九州の装飾古墳からはじめて、現在大和の古代文化を対象にしています。一ヶ年継続の予定です。

大内田圭弥　農文協で農業技術のものと、農村の記録映画をやっています。八月までかかりそうです。

荒井　英郎　毎日放送映画で漁網のPR映画「ニチモウ」をとっています。三十五ミリカラー三巻

阿部　博久　「新聞は生きている」（仮の）助監督（日映新社）（演出・柳沢）

広木　正幹　学術映画、「代謝」を追及したものの撮影がはじまります。題名未定

瀬川　晃　五月中旬、「暮しの知恵―包む―」（カラー二巻。企画ポリエチレン業務懇話会、製作電通映画社）完成。目下（六月上旬現在）昭和電線の「アルミシースケーブル」（二巻）撮影中、あわせて工作機械メーカーのPR映画準備中です。

西原　孝　東映社会教育映画「家族」を製作中です。

中村　久亥　東映商事に於いて、石田演出のもとで神戸市の観光映画の仕事に従事しています。

豊臣　靖　東亜発声映画「靴を創る」演出、日本テレビ（ノン・フィクション劇場）「自分で食べたい」脚・演。「捕鯨三代」脚・演。「牛を追う子供たち」脚・演。

意見・便り・提案

豊田　敬太　青年―ある〝マラソンランナー〟の記録〟に就いて、いろいろ風評を聞きます。協会として一日も早く純客観的な直相を明かにして発表してもらいたいと思います。

試写会通知の件、実現して大変うれしく思ってい

ます・御努力ありがとう！

浅野　辰雄　多忙で協会の活動に積極的参加ができず申訳ないのですが。

(イ)不毛の理論をむずかしくこねまわすことをやめて、作品の相互批判などを中心にして、地についた創造方法の探求へ

(ロ)作家の地位向上のために、最底料金、著作権などの問題を団体協約の方向へ持ってゆくこと。

(ハ)文部省選定委員に代表を推薦すること。

(ニ)協会員は同一利害の上にあり、斗う相手は会社スポンサー、権力機構であり、会の性格は職能団体であるべきと思います。

魚好　辰夫　仕事のあっせんを積極的になされるよう。そのことが会員をキンミツに結びつけることになるのだと思います。協会事業として短篇、CMを作られることを提案します。

橘　逸夫　協会は、当然作家主体のグループであります。従って、その姿勢や活動方向につきましても作家としての思考性を表明したものでなくてはなりません。そして、それがただ単にプロダクションとスタッフとを結ぶ連絡機関として存在するものではなく、その方法論以前の、ぼくらの主体性が協会の姿勢として、態度として反映されていかねばならないと考えます。

荒井　英郎　仕事に手をとられて、運営委員会にも出られず、事務所の移転も知りませんでした。作家は、作品行動が第一と思いますが皆さんには申しわけない次第です。六月は何とかなりそうなので、それまでよろしくお願い致します。

広木　正幹　なかなかむずかしいことですが、小さな対立はさけ、大きい所に目をつけたい。

野田　真吉　黒木君に関する問題は単に黒木個人の問題ではない。むしろ、現運営委の基本理念の問題である。シンポジュウム開催は裁判でも、真理調査発表会でもない。会員全体で問題の本質をあきらかにすることにある。いいかげんに見えすいたサルシバイはよして、シンポジュウムは早急にひらくべきだ。

加藤松三郎　前略、再び中央進出を祝う。

豊臣　靖　他の雑音にまどわされることなく、正しいと信ずることは正々堂々と行動して欲しい。機関誌「記録映画」がおくれている様ですが、そ

の理由を明確にし、一刻も早く発刊できるようにして下さい。又私にできることがあったらいつでもご用命下さい。

間宮則夫氏より運営委員会宛シンポジュウム早期開催の要請書を受けとった。

「住所変更」山口淳子　渋谷区元代々木三三、橋本方

"八ミリ講習会"の講師要請について

現在、協会に左記の地域から講師の要請が来ていますので、希望者もしくは条件の許す方は協会事務局まで連絡してください。

▽土浦市教育委員会、八月二五日の予定
「シナリオ」について

▽九州、　七月下旬〜八月始め（一日か二日か）
「映画をつくるところまで話して欲しい」

▽長野県諏訪市、八月八日、撮影技術講習会

なお、交通費宿泊費は勿論支給されますが、謝礼の額は早期に協会として一定の基準を定めて欲しいと、地方で講習会を準備している方から要請されています。なお又、この他にも二・三の箇所で計画中で追って協会に連絡があると思います。詳細は事務局まで問合せてください。

事務局便り

○会報九四号は六月下旬頃には皆さんのお手許に届くと思います。会報への要望、作品研究会、月例会に対する要望、意見など、どしどし同封の葉書に書きいれて送ってください。

○五月中旬頃より多くの方々から協会費を納入していただいています。御協力感謝いたします。協会の活動が活溌化する折から、基礎となる会費等の納入には今後ともに、なお一段と御協力下さい。なお、できるだけ振替を活用してください。直接事務局までお届けくだされば、なお結構ですけれど……

○今回は五・六月の合併号です。できるだけ定期化を計ります。

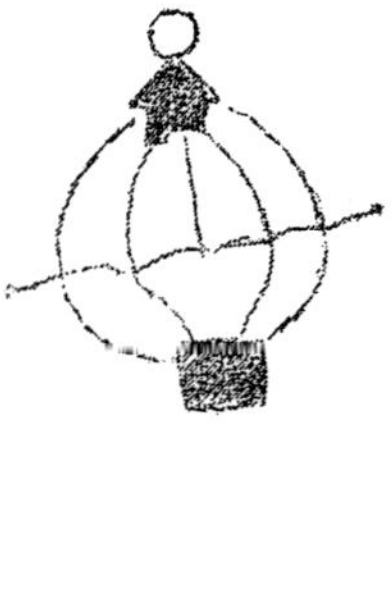

記録映画作家協会会報

1964.7.27　　No.95

記録映画作家協会

東京都中央区銀座東1~8.広田ビル2階

(振替) 東京90709, TEL.(535) 2820
(561) 4716

運営委員会報告

六月十七日　常任運営委員会
（菅家、河野、安倍、徳永）

◇会報九四号の原稿作成と確認

「黒木問題についての報告」（運営委員会）とともに会報掲載予定の黒木氏の文書は、前回の運営委員会の確認した一致点に対し、なお疑問を残すような印象を与える恐れがあるので、事務局長が黒木氏と話合いを持ち、その結果によって処理をきめるが、会報九四号は発行がおくれているし、定例会等の通知も早急にしなければならないので、九四号にのせることは、みあわせることにした。

◇財政問題について

協会の事業活動の一環として、善光寺を中心とする記録映画製作の話がもちこまれているので、具体的な話しをすすめ、協会の財政確立に役立せるようにつとめる。

六月二十六日　運営委員会　（吉見、菅家、河野、荒井、徳永、安倍、苗田、黒木、斎藤）

◇八ミリ講師について

八ミリ講師の要請にあたって、謝礼金の額を決定する必要が認められるので、協会としては、終日の場合は五千円、半日位の場合は三千円（但し交通、宿泊費を除く）とする。事情のある場合は話しあいによってきめていく。

◇記録映画―善光寺―の製作について

財政的に協会の利益になることを確認した上で、製作委員会を常任委員会に任せて発足させる。また協会の責任製作とすることも確認。

◇黒木氏の文書が掲載されなかったことについて。

会報九四号に黒木氏の文書が見送りになったことについて、黒木氏より「どの点に問題があるのか明らかにしてほしい」との意見が出され討議がすすめられた。

会報九四号に、運営委員会は「黒木問題についての報告」を掲載した。これは黒木氏をはじめ出席者全員によって異議なく認められたものであり運営委員会としては、協会の内外を問わず、問題の処理はこの統一見解によってなさるべきである。

しかし、黒木氏の文書では、この統一見解と違う立場で書いたと受取られるような内容を持っているのではないか。また、運営委員会としては、黒木氏の円満に解決して欲しいとの要請に応えて、今日まで数多くの会合を開き、大きな努力を重ねてきたが、それらの行動について、黒木氏の文書では誤解をまぬく部分もあるが、黒木氏の考え方はどうか、等の意見が出され、討論された。これについて黒木氏から、自分の意見は統一見解と違いがあるとは思わない。したがってこの文書が会報に掲載されなかったのは了解出来ないと云う発言がなされた。しかし、多数の運営委員から運営委員会の統一見解にのっとって問題を解決する立場にたてば、黒木氏の文書は誤解を招くし、黒木氏の希望する円満解決へのためにも不利ではないか。――従って、そう云う誤解されそうな部分を書き直したらどうかという意見が出された。

黒木氏は、統一してすすみたいと思うが、内容を書き改めることについては考えてみたい、その具体的な方法は菅家事務局長に連絡をすると発言があり、運営委員会はそれを了承した。

◇新入会員について―岡本昌雄氏の入会を承認した。

◇脱会員について―棟木徳男氏の脱会を承認した。

◇頓宮慶蔵氏の病気について―頓宮氏が病気の為入院中との報告あり。規定により会費三ヶ月免除が確認さる。

◇月例会の作品について

安倍成男作品「素晴らしきかな！バネ」

荒井英郎作品「子供らの叫び」

以上の二作品を上映することを決めた。

◇記録映画の保存活用について

苗田氏より協会と製作者連盟が協同して戦前の記録映画を集めるように努力したらどうか。またプリントの所在をまず確認することが必要ではないか等の意見が出され、有意義な仕事であるから協会としても取りくむことが確認された。

七月七日　運営委員会（菅家、安倍、厚木

星山、小泉）

◇臨時総会の要請について

大沼氏より電話連絡で臨時総会開催の要請があったので、正式に要請書及び三分の一以上の署名簿の提出を待って、運営委員会の態度を決定することにした。

◇会費滞納の処理について

会員に協会の現状報告の文書を送り、会費納入の促進についての訴えを出す。また、名簿の不備が各方面で指摘され、新しい名簿を求める要請が多いので、このさい名簿資料調査の用紙を会員に送付して、新名簿をつくることに決定

七月十九日　運営委員会　（菅家、小泉、安倍、曾我、斎藤、荒井、大内田、星山、厚木）

◇シンポジユム、臨時総会について

七月十日、会員六十八名署名の臨時総会要求書が提出されたが、申し入れの内容は「あるマラソンランナーの記録」をめぐって不明瞭な点が多く起っているので、臨時総会を開いて明らかにして欲しいと云うものであった。

右の問題については、すぐに会報九十四号で運営委員会の統一見解は明らかにされている。併し誤解があることは事実であるし、運営委員会で調査した事実を発表することも必要である。また、会員の中にはこの問題について、事実経過を具体的に知りたいと云う要求もあるのでそれは明らかにすべきである。

運営委員会としては、シンポジユム開催の計画は会報をもってすでにあきらかにしてあるので、スケジュール通りシンポジユムを開催し、「あるマラソンランナーの記録」をめぐっての問題が統一見解に達したのを機会に、広く一般に潜在し、また顕在している作家の権利について討議したい

時期については八月の上旬に開催する。

なお臨時総会については、現在協会が当面している財政問題、組織問題等を解決するために、総会を開催する必要に迫られているが、昨年十二月の総会及び、本年二月の臨時総会で提起された会費三ケ月以上の滞納者は会員としての資格を失うと云う問題もあるので、協会をより発展させる立場にたって、シンポジユム後にできるだけ早く臨時総会を開くことを決定した。

◇黒木氏の文書について——事務局長より、黒木氏から文書の処理についての連絡を待っていたが、本日に至る迄何等の通知もなかったと報告された。

◇財政問題について

各会員に協会の財政状況と、会費滞納者には滞納

額を記入して送付した。協会の健全な運営のために、滞納会費の解決に夫々が努力することを確認した。

◇機関紙「記録映画」について

経済的には依然として困難な状況であるが、会員の活動を反映させるためにも、早急な発行がのぞまれているので、八月発行を目途に努力している。各会員が当面している問題点や、作品の紹介・批評等をどんどん寄せていただきたい。

会員動静

丸山　章治――別段のことはありません。相変らず日経映画社で働いています。

西原　孝――東映社会教育映画「家族」三巻を完成後、「できのわるい子」三巻を演出しています。

辻本　誠吾――TBS・TV　毎週水曜日午後二時四五分――三時迄の15分番組、フイルム「現代の手芸」スクールシリーズ製作中です。その他、TBS・土曜ホームグラフ　日本の祭構成担当

豊田　敬太――読売映画社にて「もっと光を」（眠り銀行）四巻、ドキュメント・七月十八日完成
東映にて、「消えたリス」児童劇五巻、準備中、八月完成予定

村田　達治――学研映画の大阪での製作のため、当分大阪に駐在となりましたが、月一回は帰京します。大阪での製作は他に、毎日放送映画で、「中国の窓」というテレビ番組を担当しています。

藁谷　勲――電通映画社との契約を打切り、現在は清々しい気分です。映画界（特にPR）の低調さ（特に企画の）に愛想がつきた感じです。よい企画があれば年一本位にしぼってやってみたいと思っています。

久保田義久――日生劇場「一億人の森」演出助手（七月～来年二月まで）

頓宮　慶蔵――現在病気療養中・本年一杯入院の予定。
入院先＝鎌倉市腰越七六一
テレジア七里ヶ浜病院
TEL〇四六六(2)四一二五

意見・便り・提案

藁谷　勲――吾々映画作りの職人は、もっと、映画作りを真剣に考えましょう。自らを芸術家であるとか云う論議は、老人に対しても、おこがましい考え方、芸術であるか否かの判断は長い年月が判定して呉れます。

村田　達治――式の遠吠えみたいになりますが、隔意なき会合の機関にしたいと思っています。

西江　孝之――今年にはいってからの運営委の活動は、完全に大衆団体の民主的ルールを踏みにじった乱雑きわまりないものである。会報の「記事」をみても、「マラソンランナーの記録」をめぐる問題を「黒木問題」とすりかえ、例の運営委の官僚作文に対する思想的＝活動的反省が一片もないばかりか、それを押しかくし、ゴマカソウとしている態度によって、自らの醜悪な実体的本質を暴露している。猛省を求めます。

日高　昭――会報が号を経る毎に貧弱になっていくのはどうしたことだろうか。また運営委の各種報告は全くの悪文である。何をいおうとしているのか理解に苦しむ。つまり執筆者にとって問題が正確に理解、追求されていないのではないか。おざなりである。新しい「記録映画」誌は、記録映画作品中心の批評、合評をしてもらいたい。何しろ月産百本近い作品があるのだから、材料に事欠くことはない。毎週の

のＴＶ「ノンフィクション劇場」「現代の映像」だけでも八本がネタになろう。「書評」も広げるべきである。

辻本　誠吾――色々あるが、早く一本にまとまって、活動して欲しい。

丸山　章治――黒木問題についてのシンポジュムを早くひらきなさい。この問題は、今日の作家協会が、作家と対立するものに変質しつつあるのではないか、とうたがわせるに充分です。現在の協会役員諸君は、口で大言壮語し、何一つ実践しない無責任な存在と化しつつあるとしか見えません。この数ヶ月デッとしんぼうして、あなた方がどんな風に協会を運営してくれるのか、黙ってみていましたが、何一つ運動を行わず、大会できめられた方針を実行にうつさず、協会を無活動の死物としてしまいました。至急シンポジュウム（又は臨時大会）をひらいて責任をおとりなさい。これが友人としての忠告です。

佐藤みち子――どうした理由からか判りませんが、私の住むところは大変郵便が遅れます。この前の連盟のハガキも、その前の会報も、そして、この会報（九四号）も大変おそく来ました。前のハガキはすでに映画会がすんでからでしたし、今回の会報も、二十八日に手にしました。研究会（月例会）が終ってからでは参加しようがありません。消印は二三日となっているので充分日時をみてお出し下さったのだと思うのですが、日本の現状ではあきらめなくてはならないのでしょうか。？　もし出来ましたら、一週間前位に出して戴けないでしょうか。また、月例会に、何の映画を上映するのか、前もって知りたいと思

いますが、なお、会報についてですが、記事はなるべく運営委としての見解を明確にのせて下さい。単に事実報告のような一見客観的めいた記事では、会員としては大変考えにくい事が多いのです。

――ようやく本道に入ってきたようで、ご同慶にたえない次第、しかし、なかなか困難な事柄も多く、一生懸命やりましょう。

○

（この記事は署名が忘れられていますので、無署名のままのせます）

映演共斗会議の訴え

東映の委員長首切り、組合弾圧映画の反動化に抗議を！

すでに御承知とは思いますが、映演総連傘下の東映労組において現行労組法無視の不当労働行為、組合幹部の不当解雇、組合弾圧が公然と行なわれています。会社側弁護士にはかって王子製紙を担当した日経連の高梨弁護士が入っていろいろ画策しています。

一、争議の概略は

六月一日に、東映と東映傍系会社の労働者で組織している全東映労連（東映労組、東映従組（京都の俳優の組合）東映動画労組、東映化工労組（現像所）大阪東映興業労組、九州東映興業労組、和歌山東映労組、盛岡東映労組、札幌東映労組以上九組合＞が統一要求・統一団交・格差撤廃を目指して、夏期一時金三・五ヶ月を要求しましたが、会社は当初より全東映の統一団交は勿論、要求書も受けつけず、さらに六月二日より発生した、東映東撮における、舟木一夫主演の「夢のハワイで盆踊り」のハワイロケのスタッフ人員を通常の四五人を十三人で四日間でとってこいというムチャクチャな合理化案を一方的に押しつけてきました。

この映画はカラー撮影でとても無理だ、せめて七人増やせと要求しましたが、会社が専権で出来ると強行するので、八日の組合大会で旅券申請用紙を組合で預ると決め、スタッフの内組合員二名が書記局に預けました。その時、委員長の高岩はいなかった

のですが、会社はこれを不当にも高岩個人が用紙を奪取したとし、また、会社が十八日に業務命令で出発させようとするので、組合はスト権を確立して、十六日に指名ストを通告した所、業務命令を妨害したという理由で、高岩委員長の解雇を十九日にしてきました。組合はこれを受けつけず、その夜決起大会を開きましたところ、応援にかけつけてきた、上部団体、地区労、友誼労組の代表を所内にある組合書記局に入れず、玄関口に立入禁止の表札をかかげバリケードを用意し、私服刑事十数名がウロウロし、かたわらには中型、小型トラックに機動隊が待機し、暴力団まがいの男が東映会社の腕章をつけているというものものしさで、我々が無理に入れば、住居不法侵入の現行犯としておさえかねまじき状況でした。

さらにまた、六月九日朝、本社玄関口で、就業時間前にビラを配っていた組合幹部八名に本社労務課長が「問答無用、施設内でビラ配りをやめろ、文句があるなら裁判所に行こう」と、暴力をふるって組合員を道路上につき飛ばすという暴行事件が起こりました。

全東映がスト権をたてて七月一日不当解雇撤回、三、五月要求、全東映の団交に応ぜよというストをうちましたが、会社はこれを違法ストと宣伝し、組合切り崩しに躍起となり、本社では午后一時より一時間の時限ストでしたが、会社側部課長は職場集会を命じ本社執行部を入れさせないで、今度の争議行為をどう思うかなどと公然と組合への不当介入支配を行ってきました。これらの会社の切り崩しに一部動揺したところも出て、北海道、中部、関西、九州本社の営業関係は時限ストを中止し、昼休み完全実施、抗議集会に切りかえました。

会社はこれに勢をえたのか、さらに組合幹部に不当処分の追打ちをかけてきました。

（中　略）

我々は今映画会にくわえられている、東映労組への不当弾圧の事実を皆様に訴え、映画の斗いをたんに娯楽の問題として片付けないで、また作家や文化関係労組の企業内斗争に終らせないで、実際に金を出している多くの青年労仂者の労仂者階級の連帯性をどう呼び起すか、そのための批評活動、教宣活動を活発化してくださるよう切にお願いすると共に、東映資本家へ抗議を要請します。

（抗議先）東京都中央区銀座西三ノ一・東映株式会社社長　大川　博

（激励先）東京都中央区銀座西三ノ一・東映会館内・全東映中斗・本社支部。

映演共斗会議

映画演劇労働組合総連合会

全国映画演劇労働組合

日活労働組合

全日本洋画労働組合

月例会報告

六月二十七日（土）に第一回の月例会が行われた。上映作品は安倍成男作品「素晴らしきかな！パネル」荒井英郎作品「子供らの叫び」の二作品で、最初にそれぞれの作品をつくる上で意図した点などが話され、つづいて出席者から質問、意見等が交換された。なお、上映作品については、できるだけ早く決定する必要があること、作品評にかぎらず懇談会のなかで協会に対する要望、意見、交換の場とすることものぞまれた。

ともあれ、第一回でもあり、いろいろ今後改善してみのりのある月例会とすることが必要であろう。

（K）

事務局だより

▼協会員の新名簿作成のため、調査用紙をお送りしたわけですが、まだ提出されていない方は、できるだけ早く事務局に送って下さい。

▼会員動静用のハガキ、動静にかぎらず運用して下さい。

▼住所移転のさいには、協会にかならず御一報下さい。

記録映画作家協会会報

1964・11・20　No.96

記録映画作家協会
東京都中央区銀座東1～8．広田ビル2階
（振替）東京 90709　TEL.(535) 2820
(561) 4716

シンポジュウムの総括

一、作家の権利問題を語りあおうとした去る九月十二日のシンポジウムは、全く所期の目的を果すことができずに終りました。

一部協会員による、運営委員会に対する悪質な政治的誹謗と悪罵、怒号によって終止したのです。「あるマラソンランナーの記録」の製作をめぐる諸問題を契機として、作家の権利とは何か。それをいかにして守られ、いかにして発展させ得るかという課題を運営委員会が提出していたことは、すでにご承知のとおりです。

しかるに、一部協会員は、この問題について何らの関心を示さず、意識的、計画的に問題をそらし、協会の運営上の問題に悪質な誹謗をしかけました。

議場の経過は別記のとおりでありますが、ことここに至った本質的な原因は、遠く、今年度運営方針に関して対立をみた第一〇回総会の経緯とその後の経過の中にあることは明らかです。

それら一部協会員は、この対立関係を固執するばかりで、協会の統一的立場から協会全体の発展を考えるかわりに、独断的に反運営委員会の立場にたち、いわゆる独自的な行動をとることに終始してきました。

「あるマラソンランナーの記録」問題が起きたときも、この問題の発展的解決を、協会として組織的にはかろうとするのではなく、いきなり一方的独断に満ちた反運営委員会的文書戦をはじめました。会報九二号の常任運営委員会報告がこの文書戦の起点となっているような姿をとっていますが、もし、常任委報告の内容に疑点があれば、まず委員会と充分論議をかわし、真意をただすのが正常なやり方なのに、全くいきなり、独断的な中傷攻撃の文書戦をはじめたのです。そして、そうした文書による組織活動を背景にしてシンポジウムを要求してきたのです。

当時、われわれ運営委員会は、「あるマラソンナーの記録」の再録音をめぐる問題の中心は、黒木氏が監督として参加できるかできないかにあり、その点は、菅家事務局長を中心とする努力によって事実上解決したと判断していました。ただ、運営委員会は、この問題を契機にして、これまで不充分なままに放置されていた作家の権利問題と協会の組織的活動とについて具体的に討議しておくべきだと考え、さきにシンポジウムを提唱したわけです。

したがって、われわれ運営委員会は、一部協会員からの要求のあるなしに拘らず、権利問題に関するシンポジウムは開催する決定をしていたのです。

ところが、そこへ前述のような運営委員会に対する中傷と誹謗の意図を露骨にした文書宣伝活動がはじまり、また、本年度の作家協会の運営方針を明らかに不満とする記録芸術の会（後に映像芸術の会）の組織活動や、プロダクションとベッタリ馴れあいの運営委員は頼むに足らずとする独断にたった運動を背景にして、シンポジウム要求が出されたわけです。

運営委員会は、同じシンポジウムを開催するにしても、つねに協会の統一とその前進を忘れることはできません。

出されたシンポジウム要求は、はじめから反運営委員会的意図の明らかな挑戦的要求としかうけとれないものであり、直ちにシンポジウムを開催したとしても、席上での対立は解けず、分裂の危機を一層深めるにちがいないことは、第一の回総会以後の経緯からみても明らかなことであり、われわれ運営委員会は、不用意に協会を割る危険をおかすことを恐れました。

しかし、会員からの要求にはこたえねばならず、シンポジウムは開かねばなりません。

運営委員会は前述のような所期の目的を果すに足るだけのシンポジウム開催を目指し、それが徒らな対立や混乱に陥らぬよう準備するため、精力的に活動しました。

まずなさねばならなかった中心課題は、黒木氏を含めた運営委員会の見解の強固な統一にありました。

このことは、黒木氏が問題の当事者であったということだけではなく、映像芸術の会の責任者であるという点からみても、重要なことであったのです。そしてさきに報告しましたように、（シンポジウム討議資料参照）、幸いにして一つの統一見解に到達しました。この間にも、一部協会員からのシンポジウム開催促進の要請が再三ありましたし、統一見解への到達は、漸くシンポジウム開催の見とおしを得たものとして、われわれは愁眉をひらいたものでありました。

そこで、シンポジウム開催への第一段として、この統一見解を会報に発表することとし、黒木氏の一文をもあわせ掲載することによって、シンポジウムの準備を一層強固にかためることを、全員一致で決定しました。

念のため、重ねて、このときの統一見解について述べておきます。

1、再録音までの問題はすでに解決している。

2、再録音後に起きた、エンドタイトルの順序の入れかえは、もとにもどしてもらいたい。

3、スタッフタイトルは、宣材等今後の発行の文書に掲載してほしい。

４、以上、第２、第三項を中心に、プロダクションとのコミュニケーションを恢復したい。

以上

ところが、黒木氏の書いてきた一文は、委員会が黒木氏を含めて折角到達した右の統一見解にもとずいて問題解決の方向へ向かおうとするものではなく、かえって問題をふりだしにもどし、運営委員会は問題解決のためになにも動いていないと非難したものでありました。そして、問題の文書宣伝活動をはじめ、協会内外の一連の動きは、自分とは一切関係はないし、甚だ迷惑だと再三弁明していた態度を俄かに変えて、その立場を極めて曖昧にしようとしたものであったのです。

権利問題についてのシンポジウムを前にして、しかも問題解決の具体的な前進をはかるために、当事者を含めた見解の統一を得ようとした委員会の努力は、ここで完全に裏切られたわけです。

黒木氏は、再三にわたり、プロダクションとのコミュニケイションの恢復を委員会に訴えましたが、一方で行なわれるプロダクション誹謗の文書宣伝活動など、プロダクションとの交渉を困難にする事態が多く起き、それらの動きは、プロダクションとのコミュニケイションを自ら閉す結果にしかなりませんでした。

一方、その頃、シンポジュウム要求をだしていた一部協会員は、「或るマラソンランナーの記録をめぐって不明瞭な点が多く起っている」として、臨時総会要求を、会員13の署名をもって提出してきました。

これに対するわれわれ運営委員会の見解と決定は、すでに会報誌上に報告のとおりです。

シンポジウムの準備段階が、前述のように、分裂の危機を深めるような結果で終った上、そのままさらに臨時総会をひらけば、権利問題よりはむしろ、運営上の問題を中心にして、かく執を深めることは必至であり、当面する権利問題を客観的に、また虚心に話しあって前進させるためには、やはり、シンポジウムを臨時総会の前に開いておくべきだと判断したのです。

権利問題についての協会員の共通の理解を深め、協会としてそれを発展させるためにどうするか――この問題は、これまでが不徹底であっただけに、どうしても、このことだけに集中してでも、徹底的に討議をしておきたかったわけです。

したがって、権利問題は予定どおりシンポジウムによって自由に、虚心に、しかも徹底的に話しあうことにし、それとは別に運営上の問題を臨時総会によってこれまた徹底的に討議したいと考えたわけです。

運営委員会は、運営上、組織上、財政上の問題が山

積し、その処理のためには、臨時総会をひらいてどうしても解決しなければならない所だと積極的に考えています。

問題の一つをとりあげてみても、一部協会員の中には、第一回総会直後から徹底した会費の不納があるのです。中には、委員会が気にくわないから、会費は収めないと言ってきている人たちもいます。会費は納めないが、会員名簿には経歴づきで名前を載せておけと言ってきているのです。これは、会費納入と会員名簿資料依頼の手紙を出したときの返事なのです。

果して、この不納理由は認められるものなのでしょうか。このようなことで大衆団体は維持できるのでしょうか。

いずれにせよ、以上のような経過を経、以上のような状況の中で、シンポジウムがひらかれたわけですが、権利問題などは全く省みられず、一部協会員による運営委員会への誹謗と中傷の悪罵に終始してしまいました。

まさかこのようなことになるとは予想もせずに出席された会員諸氏に、会場を制止し得なかった委員会は深くお詫びをしなければなりません。

同時に、運営委員会は、会場を混乱させ、正常なシンポジウムによる権利問題の討議の発展をさまたげた一部会員に、強く、反省を求めます。

二、次に、運営委員会は、当日、問題になった事項について、ここに見解を明らかにしておかねばなりません。

A、臨時総会要求にも拘らず、なぜシンポジウムを開いたか。

これについての趣旨は前に述べたとおりでありますが、運営委員会は、臨時総会を成功させるためにも、まずシンポジウムで問題を深めておきたかったわけです。しかし、規約にのっとって、会員1/3の署名要求であったにも拘らず、これに応えぬのは、非民主的な規約違反だという発言に対しては、次のように答えねばなりません。

規約第五条三項(「会員は規定の会費を納入する義務がある。三ヶ月以上正当な理由なく会費を滞納した場合は会員の資格を失う」)にてらせば、署名者の大多数は、総会に対する会員の権利を失っています。われわれは、規約にこだわらず、できるだけ多くの会員の参集を得て、権利問題について討議を成功させるためにも、シンポジウムをまず開催したわけです。

B、「思想統制」の疑いについて

去る運営委員会の席上、黒木氏から、自分はどうしたらよいか、共産党員の意見を聞きたいという発言に

対し、運営委員会の中の徳永氏と小泉氏が運営委員の立場をはなれ、共産党員として独自に黒木氏と面談したことが、シンポジウム席上で問題になりました。徳永、小泉両氏が共産党員として黒木氏に、あなたが問題の中傷誹謗の文書活動など、一連の動きに迷惑しているというなら、迷惑しているあなたの立場を文書で明らかにした方がいいのではないかと話したことが、政党の不法介入であり、思想統制だという一部協会員の発言になったのです。大衆団体の中では、あらゆる思想、信条、信仰の自由が保証されることが基本的に重要であると委員会は考えています。したがって共産党員であれ、何党員であれ、その立場からの意見や活動を行なう自由もまた保証されねばなりません。もっとも、それらの自由な発言と活動があったとしても、大衆団体の意思と行動は、最終的には大衆団体自身が決定するものだと考えています。そして、いかなる発言、いかなる行動も、それが大衆団体の利益と合致するとき、われわれ運営委員会は、それを受けいれたいと考えています。

ただ運営委員会は、大衆団体を分裂に導いたり、その不利益をもたらそうとする発言や行動には、断固、反対します。

徳永、小泉両氏の処分についての問題も提出されていましたが、両氏の言動は、前述のように、問題の文書戦などに迷惑している黒木氏から、共産党員としての意見を聞かれ、迷惑しているなら、困っていることを文書ででも明らかにしなければ、困っているという事態は明らかにならないのではないかと述べただけのことであって、思想統制などという問題とは本質的にちがいます。したがって、処分問題など考える必要はないと判断します。

C、かんけ・まり氏のアカハタ寄稿の問題

第一回総会に関し、かんけ・まり氏が政党員としての見解をその機関誌に寄稿して、第一回総会は、協会とその機関誌を私物化し、協会の中に分裂の危機をかもしていた修正主義者の誤りを是正したものであると評価し、大衆団体の統一をかちとろうと意見を述べたことが、一部協会員から問題として提出されました。

これも前項にも述べましたように、思想、信条、信仰の自由の保証という立場からみて、その文筆活動は自由です。

また、この、かんけ・まり氏の論文問題に関連して、論文中「われわれ」とあるのは、誰かを明らかにせよという発言も一部協会員の中にありました。この「われわれ」は当然、かんけ・まり氏を含んだ共産党員関

係を指したもので、それが誰かを明らかにせよという発言は、民主的大衆団体員として論外のことです。思想・信条、信仰の民主的自由に照らして、それは、全く赤狩りマッカーシズムに通じます。

大衆団体の中でいわゆる赤狩りをやり、自ら民主的権利を破壊する行為は、中立を装ったファシストのやり口に通じます。

われわれは、あくまで民主的権利を守り、大衆団体の統一を守りたいと考えます。

三、われわれ運営委員会は、今回のシンポジウムの経験を通して、協会運営上、多くの試練を受けたと考えています。

いかなる言動が協会の分裂に働き、いかなる言動が統一と発展に働くか、われわれは、多くを知りましたし、われわれの前途には、なお多くの困難がたちはだかっています。

今日すでに、一部協会員から、十一月十二日までに臨時総会をひらかねば、独自の行動に出るという一方的通達が事務局に来ています。しかし、われわれ運営委員会は本年度の方針に基き、最後まで協会統一と発展のために努力したいと考えています。大衆団体にとって分裂はつねに最大の損失だからです。

作家の諸権利を守る活動の中で、いま最も必要なことは統一です。現在、協会の中に起っている一部の不統一は、組織の基礎となる財政にも大きな影響を及ぼしています。

しかし運営委員会は、かっての「記録映画」誌の発行によって生じた財政上の困難、例えば、健康保険組合への保険費の滞納や印刷費の赤字負債を着々、整理しつつあります。すでに健康保険費は完納され、加入諸氏のご迷惑を一掃しましたが、前述のような会費不納なども大きく影響して、いまだに機関誌の発行財源の確保にいたりません。

しかし、この間、事務局を再び都心に恢復、会員諸氏の要望の多かった、山葉での新作発表試写会の通知も恢復、また、近代美術館との提携による記録映画の古典研究や、会員諸氏の日常的交流の場としての月例会などを新たに持つことができるようになりました。権利問題についてのシンポジウムも、今回は前述のような経緯の中心でのやむなきにいたりましたが、これも是非、改めて成功させたいと考えております。作家の契約上の諸問題と創造上の自由の問題とを組織的に発展させるため、協会としてはどうしてもとりくんでおかねばならないところだと考えているのです。

われわれは多くのエコールが生まれ、創造の世界を

ゆたかに発展させることを期待します。しかし、作家の統一組織を割ってはならないと考えています。それには協会全員が、協会として果すべき具体的な課題を中心にして、統一を守る毅然とした方針と態度とを貫く以外にはないと考えます。

追記

なお参考までに、協会規約に照らして臨時総会要請者についてみれば、　要請者六八名のうち、　十五名を除く五十三名は、三ヶ月以上の協会費滞納があり、その内訳は左表のごとくである。

滞納月日	人員
3年以上	2
2年以上	2
1年以上	2
昨年10月以降	3
本年1月以降	8
〃　2月以降	12
〃　3月以降	11
〃　4月以降	8
〃　5月以降	5
昭和39年8月現在	53

以上

運営委員会

シンポジュウムの経過と討論の要旨

シンポジュウムは九月十二日、予定の午后五時から一時間ほど遅れて、六時過ぎから十時過ぎまで四時間余にわたって行われました。出席者は六十二名（傍聴者十二名を含む）。

このシンポジウムに対する運営委員会の総括は前掲の通りでありますが、ここに当日参加できなかった会員諸氏への報告を兼ねて、その討論の要旨を記載致します。かなり紛糾した討論でまとめにくい点もありますが、できるだけ録音テープに沿って集約し、問題点を探ってみたいと思います。

尚、当日の司会は、厚木たか、竹内信次の両氏にお願い致しました。

（一）

会は冒頭から、傍聴者をどう扱うか、の問題に意見が集中し、このため予定されていた委員長の開会挨拶運営委員会の報告・提案もできないままに討論に入った。傍聴を認めて欲しい旨の西江氏の発言要旨は次の

通り。

西江氏「……（前略）今回の黒木氏の「あるマラソンランナーの記録」のこの作品の問題、それから派生した問題についての関係者であり、またそれらの人達の多くは、かつては（協会にいて）脱会したわけなんであって、積極的に参加して貰うべきである。そういうふうに考えます」

この提案に対して、「この会は運営委員会としても充分準備して今日まできているのだし、呼びかけのなかにも参加資格というのが特にうたってある。傍聴を希望するならば、あらかじめ運営委員会にその旨を申出るのが普通の会の運営の常識だろうと思う。（中略）この場に来て突然、入れる入れないで時間をとっていくこと自体が非常にこの会の運営を阻害すると思うので、その点は遠慮して戴きたい（桑木氏の発言要旨）」また、「この会は運営委員会の企画によって開かれたものである。その運営委員会ならびに協会のあり方に不満で脱会されたというなら、この会にも傍聴の必要がないではないか（かんけ・まり氏発言要旨）」、「今日のシンポジュウムはあるマラソンランナーの記録をめぐる問題のみが議題ではないということが会報に何回も指摘されている。会員と賛助会員で問題を深めるのがいいのではないか（斎藤氏発言要旨）」など、早く本題の討論に入って欲しいという意見と、「シンポジュウムはもっとオープンの問題に関しては当事者である人達を、なにもしめ出す理由はない（松川氏発言）」、「（協会は）官僚主義的なやり方だから駄目だ。実際作家協会の会員だったものが、この問題が発生してやめているわけだ。そういう人達を出席させないという行き方自体が根本的におかしい（西江氏発言要旨）」などの意見が対立、結局、運営委員会を代表して菅家事務局長が次のような発言を行い、冒頭の傍聴者問題は一応の結着をみた。

菅家事務局長「このシンポジュウムを公開にするかどうかを運営委員会で検討したとき、お互に膝をまじえて、言いたくないことも言い合い、充分にこの会の意義を徹底させようということから、公開シンポジウムという形をとらないで、協会員と賛助会員でやろうではないかという結論になったわけです。（中略）しかし、西江君の発言が本人（傍聴希望者）の意志を代行して言われているならば、我々としては一考する必要がある。そこで、いま話し合った結果、（マラソンランナーの）スタッフであると否とにかかわらず、もと協会におられた方には傍聴して貰ってもよろしいのではないか、それが運営委員会の結論です。但し、無原則的にこれを拡大するとい

うことはやはり非常にデリケートな問題を含んでいるだけに、これはいけない。従って、もと協会に居られた方で、この問題に対して関心をもち、傍聴をのぞむとおっしゃる方には傍聴して戴く、というのが結論です。

こうして冒頭の傍聴者問題は一応落着したが、ここで再び「傍聴者の発言」をめぐって司会者と西江氏の間で問題が紛糾・傍聴は傍聴なのだから議決権や発言権はない、とする司会者と、議決権はなくともいいが、発言権がないのは不満であるとする西江氏の意見が対立、西江氏は激しく司会者の罷免を要求した。

(引き続き西江氏からは、(1)会員三分の一以上の臨時総会要求がシンポジュウムという形にねじまげられている。(2)シンポジュウムの立論そのものが会報九二号の主旨に據っている。などの意見が出されたが、これは運営委員会批判として後述されるので、ここでは問題提起としてのみとどめておく)

ここで運営委員会(菅家事務局長)は、参加者の全員に「司会者をやめさせるということではなく、司会者を助けて会をすすめて欲しい」旨を要請・大島辰雄氏より再び傍聴者の発言を制限するという司会者の発言は撤回して貰いたいとの追加意見が出されて、漸く議事に入った。

(二)

吉見委員長の開会挨拶と、それに対する質問、反論の要旨

吉見委員長「去る三月に、あるマラソンランナーの記録をめぐる問題が起りまして、これを契機としてわれわれはかねてから、作家の権利とは具体的には何か、また作家協会の組織そのものに相応しいものかどうか……の問題としてとらまえて来たわけです。早急に開くべき問題であったように思うわけですけれどもその間附随的な困難な問題が相次いで起りましたので、運営委員会は早急にこのシンポジュウムを開くことができませんでした。…… それから、いまの傍聴者の問題ですけれども、その傍聴者にかかわる問題が起ったときに発言して戴きたい。…… 本日はシンポジュウムで決議あるいは決定ということは考えられませんけれども、本日の成果を将来の運営に反映させていきたい」

西江氏「……作家協会の規約によれば、三分の一以上の要求があれば臨時総会を開かなければならない。それにもかかわらずシンポジュウムという形で行っているわけですよ。それを一体どういうふうにお考

えになっているのか、その点について集中的にお聞かせ願いたい。それからもう一つは、吉見さんの発言のなかで……困難ということの内容は何なのか、それを引起しているのは何なのかということをお聞かせ願いたい」

大沼氏「……秘密的に何か、問題をおおいかくすようなやり方が、運営委員会の文章にすっとあった。したがって僕たちは総会要求を出さざるを得なかったわけです。そのうちに、僕の言葉でいえば、分派活動をやっているから作家協会としては、まともにとりあげるわけにはゆかない。規約に反することをやっていてはそれはいけないことだという言い方でもって　公開シンポジュウムなり総会の要求を、そういうふうにみているのじゃないかと思うわけです。そこでは全く民主的な組織としての作家協会の問題がぜんぜんおかしいと思うわけです」

（この間、委員長の短い答弁があったが騒然とした会場と罵声などでよく聞きとれない）

富沢氏「……運営委員会の経過がここ（討議資料）に述べられているけれども、事実経過のラ列しかない。……黒木と東京シネマの紛争をどう運営委員会はみているのか。作家の権利の侵害とみているのかいないのか、非常に単純なことだけど、そういうことが明らかになっていない」

松本氏「シンポジュウムを開いて欲しいという要求は、ことの事実を明らかにして、そこにあらわれた作家の現在の創作的ないろいろな条件のなかで、一体どうすれば未来に向ってわれわれの創造活動が切り開かれていくかという共同の作業としてみいだしていこうじゃないかということで、その意味内容を含んでいたわけです。それから臨時総会の要求に切り変ったということは、ただ単にそういう問題を明らかにするという問題をすぎて、運営委員会の運営の仕方が非民主的であって、もはや、運営委員会として我々は不満であるという、内容的に新たな問題が加って臨時総会の要求になったわけです。……例えば事実がいろいろとラ列されているというけれども、事実すら述べられていないわけです。一、二の例をあげるならば、岩堀喜久男氏の投書が協会に行なわれているが、非常に重要な意見にもかかわらず、何ら公開されていない。……それから運営委員である小泉氏と徳永氏が、日共党員として黒木氏に会って、反党修正主義者でないことの証明を書いて、つまり文書で出すならばうまく処理してやろうというふうなことを云っている。……なお、先ほどからの吉見委員長の報告などを聞いていると、問題の処理の仕

方がすぐ綱紀上の問題とか規律云々というふうなことを、全くそれだけ述べている。……つまり運営の仕方が全く官僚主義的であり、さっきの吉見発言も官僚主義的な答でしかない。……運営委員会はこのことを反省して改めるか、解散するかどちらかをしてくれない限り、われわれは現運営委員会のそのような責任でお膳立てされたシンポジュウムに、全くただスムースに加わるということはできないわけです」

菅家事務局長「運営委員会は、いろんな事実を隠蔽しているのではないか、というふうな質問がありましたけれども、そのような考えは一貫してもっておりません。いま御質問の岩堀氏の手紙につきましては会報上には公開しませんでした。この手紙を私達がうけとったのは、新しい事務所に移ってからでありますが、そのときは既に開封されてありました。……大至急、運営委員会の諸君に回覧したわけです。で、これは一つの意見であるし、尊重しなければいけないけれども、全文会報にのせるという性質のものではなかろうというふうに判断したわけです。ところが、作家協会の運営委員会には断りなしに、ともかく印刷へ「あるマラソンランナーの記録事件の真実」というパンフレットは、『自らにとって都合のわるい文書はなかなか発表しない癖をもつ、現作家協会幹部は……ここに全く隠蔽しさろうとした論文のあることを、まさに偶然、知ったのである』と前文をつけて手紙の全文を掲載している〉されている。私たちは、この問題については奇妙な印象をもっております。それだけを御報告しておきます。

シンポジュウムについては……ともかく事実を明らかにして欲しい、運営委員会は作家の権利について一体何を考えているのか、という御質問や不安が会員の方にあることは私たちもよく知っております。従ってそういうふうな疑問にお答えし、それから充分な批判をうけて、運営委員会としては臨時総会を招集するという段取りを考えているので、このことはすでに会報に発表しているところです。……なお臨時総会にはこの問題に限らず、二月以来ともかく会費というものを殆んど納めておらない人がたくさんおるわけです。協会は例えば、今日のシンポジュウムを開催するにつきましてもアルバイトをしてお金をつくっています。……

（この間〝金が何だ！〟など騒然）

……何ですじゃありません。会員ならば会費を納めることに関心をもってください。少くとも私どもは大変な借金を持っております。これは前から引継い

だ借金が大部分ですけれども、これを責任をもっていまお返えしをしております。……」

（このところ、議事進行についての小泉氏の発言委員長の発言に対する長野氏の意見など出され、次のような松川氏、委員長の発言があって漸く運営委員会の基調報告に入ることになった。）

松川氏「膝をまじえてという、何かそういうカッコいい形で何も臨時総会が開けるなら問題はないですよ。要求したシンポジュウムすら開かないで、いま金のことをブツブツ、そういうことは非常に矛盾していると思うんですよ。もう一つ資料として、三月八日の「アカハタ」に出ている「修正主義者とのたたかいの経験」という非常に重要な資料となると思うんですけれども、これはなにか、私たちという人達が修正主義者とのたたかいで勝ったと云っております。そういう問題も非常に重要な事実としてつけ加えておきたい。」

委員長「いままでのそれぞれの発言者の内容というものは、すべてわれわれが提案すると云っている事実に関係のあることばかりだ……、これを系統的に報告をさせて欲しいと云っているわけで、引続いて議事の正常な運営のために、座長（司会者）にお願いがあるんだけれども、正式な報告に入るようにして戴きたい」

（司会者の整理で漸く議事に入る）

（三）

運営委員会（事務局長）の報告要旨。

(1)「あるマラソンランナーの記録」をめぐる問題点から出発し、この問題に対する疑問点や見解の相違があるならば、まずそれをただしてから一般的な問題に広めてゆきたい。

(2)提出してある資料は、この問題の経過と運営委員会がどんな観点で努力してきたかをおおざっぱながら掴んで載いて、質問があれば今日、この席上でお答えするという方針で書かれたものである。これによって会報の書き方が簡略でわからないという御意見に答えたいと思う。

(3)「あるマラソンランナーの記録」問題については誠意をもって解決への見通しがついたので今日のシンポジュウムを開くことができた。

旨の前提が述べられ、事実経過の補足説明に入った。そして、協会はこの問題を知ってからは事務局長が介入して一定の役割りを果たし、再録音までの問題が落着するまでの経過を述べたが、ここで報告は再

び傍聴者の問題で中断された。

（傍聴者の再要求は「記録映画の読者であった人たちが下で待っている。すでに報告に入っていると云ったら、報告も是非聞きたいと云っているしということ、大島辰雄氏の要請で出された。これについて司会者の方から、旧会員の人なら入ってもかまわないことになっているが——と発言）

大島氏「どうして会員に限定しなければならないんで、すか。……最初にこの会が始められたとき一種の申合せみたいなものが出来たとすれば僕としては理解できない。事実経過をだらだら並べたてたところで、一体何が出るかということで大きな疑問を感ずるわけです。……そうじゃなくて、問題をもっと広い場に押し出すことが大切だし、解決策の実現性だけでなく、必要性があると思うわけです。……（私は）批評みたいなものをしているから、賛助会員であるから、ここに出席をみとめられて、いるから出てきているのでもなければ発言しているんでもないですよ。こういう集りのなかから、何んか、さっきの言葉で云えば、前向きのものを打出したいと思うから来ているんですよ。そういう人が九人も来ているのを、何も帰す理由がどこにありますか。……（司会の厚木氏に）記録映画の草分けでいられるあなたとしてですよ、どうですか。むしろそれが大きなプラスになる筈ですよ。そういう志が相寄り相集まってきずきあげてきたものではないですか。その本質が問われているときに、この問題に関心をもっている人が傍聴者として参加することが何の矛盾がありますか。あるとすれば発展的な矛盾でしょう。そこに会員の資格とか、会費の納入とか帰納的なものがね。この場合何のかかわりになるか。そういう人達が傍聴であれ、何であれ参加してもらうことによって、これをさらにこの運動のなかにくみ込むという姿勢ではなかったんですか。私はそういうふうに理解しています」

（この時すでに、開会以来一時半以上が経過していた。ここで事務局長は「無限則的に拡大するということは会の性格にかかわる問題である。この問題に関心があるから入れてくれと云われても、それはきめかねる。運営委員会で協議したい」と発言。結局——）

事務局長「運営委員会としては、会をスムースに運ぶために、このシンポジュウムの性格をよく理解してもらって、その上で会員並びに賛助会員の紹介によって参加して戴く、そういうふうにしたいと思います」

（新しい傍聴者は場外で「あるマラソンランナーの記録事件の真実」というパンフを頒布していた。「青の会」の人々が殆んどであった。そして、シンポジュウムをとも角、実りあるものとするため、時間を遷延させまいとしてとった運営委員会の処置は、このあとの経過が示すように、傍聴者が野次罵声・政党非ぼうに積極的な役割を果すことによって完全に裏切られた。

（四）

（時間が大分経過したので、運営委員会としては事務局長の事実経過報告はとり止め、討論の焦点のみを提出することとした。）

事務局長提案の要旨

(1) 協会という組織が作家の権利問題を考える場合、作家が本来もっている創造上（または生活上）の要求をどう発展させてゆくかという問題と同時に、具体的に侵害されている権利をどう回復していくか、という二つの問題をふまえなければならない。

(2) また協会という組織が一人の作家の方法論にまで立ち入ってこれを規制したり、或いは特定の方法論に立って意見を述べるということは、どだい出来ない性格のものである。従って運営委員会としては、このマラソンランナーをめぐって黒木氏と東京シネマの間に起った権利問題については、調査団を派遣して事実問題を調査するなど、実際に生起している問題の回復に焦点を合わせて活動してきた。この点も充分批判してもらいたい。

(3) 協会内に起った問題は、やはり協会の組織にのせてもらいたい。マラソンランナーの問題でも、そんなことで問題は解決しない、協会の組織では駄目なんだと考えている人があれば、その意見も出してもらいたい。その問題は協会の性格、在り方にもかかわる問題なので是非討議してもらいたい。ただ非組織的な行動では何も解決しないのではないか。こうした自己批判を含めて拡大常任委員会は会報九二号を出した。

(4) そして作家が本来もっている創作に対する　或いは生活に対する権利を、現実にＰＲ映画或いは広報映画という条件のなかで発展させてゆくにはどうしたらよいか、それが今日のシンポジュウムで皆で考え合う中心課題ではなかろうか。

(5) そうしたなかで、作家相互の閉鎖的な関係というものを解決してゆく発展的なメドが見つかりはしないだろうか。

（この提案に対して、松本氏は再び政党問題で次の

ように発言、会場は最後までこの問題をめぐって紛糾し、ついに運営委員会の提案には触れられず時間切れとなった。）

松本氏「運営委員会の徳永さんと小泉君がこの問題というのはともかく共産党に対する反党修正主義者の挑戦であるというふうなことを云っているわけですね。そして黒木さんに対して関係ないことを文書で証明しろと、そうすれば問題は解決するといっているわけです。それが事実なのかどうか、徳永さんと小泉君がともかくそういうふうな見解をもって黒木さんに会ったということは一体何を意味するのか。……今の営家事務局の意見からは完全に抜けている。その点を抜きにすると問題をはっきりととらえられない点が出てくるのではないか。そういうふうに思うのでその一点について伺いたい」

小泉氏「ある時点だけを切りとった話をしているわけです……　実は、黒木さんが運営委員会に始めて出席された。問題はそこから始っているわけで……私達、発言をするとね、共産党の考えですか、それからあなたは共産党員ですかというふうな発言をなさったわけです。運営委員会というのは作家協会という大衆団体の中の問題で共産党の問題ではないわけです。ですから共産党としての意見を述べるというふうなことはその場ではしなかったわけです。……それで私は共産党員ですから、そのとき黒木さんから聞いた言葉をですね、僕の知っている共産党員に、そういうことが出ているんだけれども、どうだろうかという話をしたわけです。それでそのときですね、ともかく黒木さんに会って話を聞いてみるということと、黒木さんにその問題をどういうふうに考えるかということを、やはり黒木さんに話した方がこの問題の解決にとっていいのではないかという意見になったわけです。それで私は黒木さんの自宅に電話したわけです。それで私は黒木さんの自宅に電話したわけです。……（以上、小泉、徳永両氏が黒木氏と会った経過が説明された）……　それでそのときに、この今度の黒木さんの問題というのは、私達の考えでは黒木さんの作家の権利が侵されたということよりもっと拡った問題になっているのではないだろうか。それで具体的に三つか四つ話をしたわけです。

（ここで、明治パーラーその他の問題をあげて、そうした非組織的な行動が問題の解決を遅らせているのではないか。また、西江氏の論文はこの問題を紛糾させているのは日本共産党だと書いている。松本氏も「あるマラソンランナーをみる会」で我々の芸術を抑圧しているのは日本共産党である。

だからこれとたたかうんだと大勢の前で発言している――旨を述べ）

……そういう人といっしょになって今度の場合、動いていらっしゃるのかどうか、この問題を、お聞きしたわけです。そのとき黒木さんはですね、　私はそういう動きとは関係はない、政治的な論争に、まきこまれたくない・とそういうふうに云われたわけです。……　私と徳永さんは、あなたがそういう動きとは関係はないということをはっきりしてもらいたいと云いました。どうすればいいんですかと云われたので、それを文章にして書いてもらえば一番あなたとしてもはっきりされるのではないかというお話をしたわけです。……　むしろ黒木さんが何らかのかたちではっきりと発表なさることが、そういうことが一番のぞましいのではないかというお話をしたわけです。」

松本氏「問題の把え方、立て方が徹底的に間違っているわけですね。……つまり彼等はここでもって作家の権利であるとか、作家の創造的未来とかを少しも考えていない。共産党による大衆団体の支配を如何にしてするかということしか考えていないのではないか。……対作家同志の批判は一体どこにあるのかということを真剣に討議する姿勢が全く一かけらもない」

（以上が松本氏によって再び行われた反論の要旨である。

以下、小泉、徳永氏らの短い発言や、西江、大島氏らの反論などが交わされたが、議場は混乱し、またこの問題についての採録すべき新たな論点も述べられていない。

こうしたなかで、小泉氏の発言に対して西江氏が思想統制だと抗議したところから議場は一そう紛糾した。）

（五）

（ここで委員長は討論を主題にかえすために、東洋レーヨンが黒木氏の前作「太陽の糸」のダイジェスト版（コマーシャル）を電通が契約して製作にかかろうとしていたとき、これは黒木君の作品であるから黒木君に編集してもらうべきであると説得、途中で割り込んだかたちで電通さんには悪かったが、黒木君に編集をしてもらうということで問題を解決したことがある。と引例して）

委員長「……（マラソンランナーの場合でも）問題は黒木君が再ダビングの衝にあたるというところまで話し合いでこれは解決した。さきほどから云われてい

るように、その事態ですべて作家の権利の本質が、一〇〇%解決したとは思っていません。しかし具体的な問題の解決を計ってゆくためには、こういう積み上げをしていかない限り問題は発展の方向を獲得できないだろうという見解をわれわれはとっているわけであります。……作家が作った作品をカイザンする、或いは又作家をおろす、他の作家をすげかえて仕事をする、というような事態が今の条件のもとでは、プロダクション自体のもっている経済要求のために作家が押し流されてしまうかも知れない条件をやはりかかえている。これを逐次話し合い報告し合い、また話し合いをかさねて、今日そのような事態の上に立っているのだという危険、或いはその現状、そうした認識を深めて問題をだんだん解決してゆく、そういう風に考えている……」

(だが、発言は再び傍聴者をまじえた、「バカヤロー!」「ヒッコメ!」といった罵声や野次によって中断され、採録すべき論点は見出されない。それらの言葉にもならない野次や罵声の中から、運営委員会への意見らしいものを拾ってみると、やはり、「思想統制をどうみるか」「臨時総会はどうした」の二つがあげられる。これに対して委員長、運営委員が、説明しようとしたが、彼等は聞こうともせず、なかには「その問題(思想統制)が解決しなければ、話にならない」として帰り仕度を始める発言者もあった。

こうしてシンポジュウムは期待された作家の権利問題、協会の活動に対する積極的な方向を深めることが出来ないままに、時間切れとなり、事務局長の、

(1) 協会は今后も作家の権利問題については充分深めてゆきたい。

(2) またそのための活動のやり方は、いろいろな角度からすすめられると思うが、そのやり方の違いを超えて、できるだけ統一してやれるものは統一し、批判するものは批判し合ってすすめてゆきたい。

(3) 思想統制は協会などができるものでもないし、やったこともない。ただ問題になっている小泉、徳永の問題は、運営委員会でもよく話し合ってみる。

(4) 臨時総会は、この問題に限らず、経済問題、組織問題などもかかえているので、できるだけ早く開きたい。

旨のまとめによって閉会となりました。この経過報はもとよりこの会の全容を知っていただくためには不充分です。しかし協会に対する意見はできるだけ丁寧に拾いあげて会員諸氏の批判を仰ぐことにしたのです。

次回（臨時総会）成功のために参考にしていただければ幸いです。

眞に統一をかちとる臨時総会を……

運営委員会

何としてでも協会の運営を正常なかたちにもどしたい。それが、いま、私たち運営委員会の切なる願いであります。折角「作家の権利をめぐる」シンポジュウムを開きながら、その主題にすら迫れなかった現状のなかで、その願いは一そう切実なものとなっています。

ここに運営委員会はかねての予告通り、十一月下旬を目標に臨時総会を開催することといたしました。協会は、現在、組織上の重大な問題を抱えております。来るべき臨時総会は、もとよりこれらの問題に就いて会員諸氏の建設的な討論を俟つことが主要な目的でありますが、同時にまたそれらの討論が別項の臨時総会要求（運営委員会議事録参照）に対しても、適確な回答となることを希って止みません。なぜなら、臨時総会に対するその要望が、たとえ現運営委員会に対する不信を意味するとしても、その批判は当然その運動方針と具体的な活動に向けられるべきであり、それは必ず集団討議によって発展的な方向を獲得することが出来ると確信するからであります。

この半年余、運営委員会は事実上「あるマラソンランナーの記録」をめぐる諸問題につい十数回にわたる精力的な会合を重ね、その解決に向って運営上の大半の努力を傾倒して参りました。厖大な借財と会費未納という当面する困難のなかで、この問題を含めて協会運営の正常化へ努力出来たのも、会員諸氏の激励があったからに他なりません。

こうした活動のなかから、私たちは改めて本年初頭に提示した運動方針にもとずき、次の二点を特に主要な討議課題として会員諸氏検討していただきたいと思います。

(1) 創造活動の基盤として作家個人、グループ、エコールの理論活動、製作活動を積極的に押し進めること。

作家の集団である協会が、記録映画全般の向上のために、作家の立場から協力することは当然であり、何よりも作家自身の向上に資するべきであることは、論をまちません。しかし乍ら、協会という組織自体が一つの創造的方法論をもつことは不可能であり、また誤りでもあると思います。何故なら、私たちの協会はさまざまな方法論をもった作家の集合体であり、それぞ

れの方法論を協会の組織原則に照らして守ってゆくことこそが民主的な運営だと信ずるからであります。協会は各種の研究集会や例会を通して、それらの交流を積極的に図ってゆきたいと考えています。

(2) 創造活動の場を拡大し、記録映画作家の社会的地位や諸権利の向上を図るために、凡ゆる分野との接触を深めてゆく。

作家協会は記録映画作家の立場を代表する唯一の組織であり、その統一が強固であればあるほど作家の発言は拡大されます。例えば私たちは協会を発足させた当時、教育映画総合協議会等に加入して作家の側から行う斯界への発言を確保するよう努力を重ね、教育映画祭へ作家側からの審査員を送りこむ態勢作りにまですすんだことがあります。その后・種々な事情のもとでこうした運動は停止の状態を続けておりますが、でもなお私達のこうした組織的行動は少しも意味を失っておりませんし、また協会でなければ出来ない活動だとも思います。作家個々の契約条件や製作条件がますます悪化し、そのアンバランスが進行しつつある現状のなかで真に作家の独自な立場を主張し、こうした状況の回復のために凡ゆる努力を重ねなければなりません。

（※例えば製作者連盟との間に、契約問題懇談会、作家の諸権利をまもる懇談会のような定例委員会を設けて、作家の統一要求を絶えずアッピールできる場を設けるなど。）

これらの諸問題を推進するためにも、私たちにとって必要なものは、何と云っても強固な統一と正常な運営の回復以外にありません。

そして、これらの諸問題を推進するために、協会の組織が現在のままでいいのか、改変するとすればどんな組織が望ましいのか、あくまで現在の時点に立った具体的な討論が待たれる次第です。

尚、組織問題については、労働組合を要望する声が協会の内外に起っています。運営委員会はそうした要求の必然性を認め、労働組合の結成には積極的な援助を行う態度を明らかにしたいと思います。協会員の構成は企業所属とフリーの会員が半々であり、当面フリーの会員を結集する労働組合が誕生することは、既存の短編関係各労組との共斗態勢のもとに、経済上、製作条件上の改善に新たな局面を開拓してゆくものと信ずるからであります。本会報にもフリーの映画人を結集する「単一労組」の呼びかけを参考に供していただければ幸甚であります。

以上、当面する協会の問題点を提示致しました。来るべき臨時総会の討議を成功させるために、会員諸氏の御協力を仰ぐ次第であります。

（尚・臨時総会正式の招請は、日時会場の決定次第別に御通知申上げます。

運営委員会報告

八月一二日　運営委員会

菅家、小泉、安倍、曽我、斎藤、荒井

大内田、星山、厚木

◇映画復興会議についての報告

八月八日の復興会議では、今度毎月一回機関紙を発行することになり、さしあたり構成団体の一つである協会は分担金一〇〇〇円を負担することになった。なお目下復興会議の中心的な斗いは、東映労組の高岩委員長馘首反対、自衛隊もの「列外一名」（大映テレビ室）のテレビ映画製作、放映阻止、南ヴェトナムの斗いの支援等である。

◇シンポジュウムについて

シンポジュウム開催日については、黒木和雄氏の予定を考慮に入れて、九月五日ないしは十二日に行う。シンポジュウムのための資料作成にあたっては常任運営委員（吉見氏を除く）があたり、運営委員会の審議を経て会員に配布する。

◇月例会について

八月二十二日、黒木和雄作品「あるマラソンランナーの記録」を上映する。

◇新入会員について

鈴木文夫、田中慎之助、秋元勝利の三氏の入会を承認（いずれもフリー助監督）

九月　一日　運営委員会

吉見、菅家、星山、河野、徳永。

◇シンポジュウムについて

シンポジュウムの開催の日時は、九月十二日、午后五時――九時、会場は国労会館会議室、出席範囲は会員及び賛助会員とする。このあとシンポジュウム討議資料の草案の検討を行った。

九月十一日　運営委員会、

吉見、菅家、渡辺、苗田、河野、八幡、小泉、星山、徳永、厚木。

◇シンポジュウムについて

シンポジュウム資料について、更に検討を深める。席上で新たに判明した事実問題や追加事項については、シンポジュウムの席上で事務局長が補足説明を行うこととし、起草委員の草案を確認、なお、当日の司会者を、厚木・平田の両氏にお願いすることを承認した。

九月十七日　運営委員会

（出席者）菅家、小泉、渡辺、曽我、河野、徳永、斎藤、苗田、星山、大内田

◇九月の月例会の作品は、「編集もの」を中心に観賞研究することとし、次の二作品を予定した。月例会は二十六日。

○「ギャチュン・カン　（全五巻）
――ヒマラヤ勝利の記録――」

この作品は、作家協会が、事業活動として共同映画社より委託をうけて製作を担当したもの。編集担当、菅家陳彦。

○「続・ヨーロッパは楽し」　（全三巻）

三井プロ作品。編集担当、徳永瑞夫。

◇脱会承認

広木正幹氏の脱会届を受理、承認。

◇シンポジュウムの総括について。

シンポジュウムに引続く最初の運営委員会としてその成果と欠陥を自由討論の形で検討。その総括はさらに運営委員会を重ねて討議を深めた後、できるだけ早く会報に発表することを決めた。

この運営委員会では各委員によって、その受け取り方に多少の差異は認められたが、共通した観点としては、「運営委員会が準備し、期待した成果は得られなかった」という点であった。これについて、

(1) 現運営委員会に反対しようとする人々の発言は、果して作家の権利問題などを討論しようとする姿勢があったか。

(2) 傍聴者問題などをきっかけに議場が混乱し、運営委員会の報告も充分に出来なかった。従って運営委員会の考え方を充分に討議して貰い、それを全会員に知らせることができないのは遺憾である。

尚、こうした状況のなかでも、運営委員会としては予定通り、シンポジュウムに続く臨時総会を開くことを再確認した。

また、シンポジュウムの席上で話された小泉、徳永氏の問題、アカハタ論文の問題等については次回の運営委員会でさらに討論を続行することとした。

九月二十五日　運営委員会

吉見、菅家、小泉、星山、曽我、苗田

◇シンポジュムについて

前回の運営委員会に引続いて、シンポジュムの席

上で運営委員会の態度を問われた問題点について討議した。

まず・小泉・徳永・両氏の問題にからんで思想統制の疑いがあり、運営委員会は調査し、態度をあきらかにするようにという件については、大衆団体が個人の思想傾向を云々することはできない。個人の思想信条は、それを擁護するよう活動するのが、むしろ大衆団体の民主的な在り方ではないか。ただ時期が非常にデリケートな段階であっただけに、両氏の行動には慎重さを欠いたところがなかったか、などの意見が出されたが、小泉・徳永氏は「シンポジュウムでは議場が混乱して充分発言も出来なかった会報に所信を発表して態度を明らかにしたい」旨を提案、運営委員　はこれを諒承した。

また・かんけ・まり氏のアカハタ論文については会員が自分の所信を発表するのは自由であり、新日文などに他の人々が協会批判を書いているのに対しても、運営委員会はそれを一つの意見として追求したことはない。ただこの問題に関して「あるマラソンランナー事件の真実」というパンフレットに書かれていることは明らかに事実と異なる記事が列挙されており、協会に対しても批判というよりは誹ぼうが多い。

このパンフは問題にして欲しいという意見も出されたが、これは一応シンポジュウムで提案された問題ではないので、別に扱うことにして討論を打切った。

以上の総括は至急、常任運営委員会を起草委員としてとりまとめ、運営委員会にはかって会報に発表することを決定した。

十月二十三日　運営委員会
菅家、吉見、荒井、星山

◇東海地方映画サークル研究集会への講師派遣の件
菅家事務局長が行く予定であったが、不可能なため江原哲人氏に代行してもらうことを了承。

◇月例会の作品を「首都・東京」と決定

◇臨時総会の再要請について

要求書

九月十二日のシンポジュウムの席上で、われわれの提出した臨時総会開催の要求に対し、運営委員会は「できるだけ早く開く」ことをたしかに約束した。それから一月が経過した。

しかるに運営委員会は、いまだ開催の具体的日時を公開していない。

われわれは、臨時総会開催要求書署名者を代表して、改めてここに、十一月十二日までに必ず臨時総会を開催することを要求する。

この臨時総会は、固有な要求と議題によって行われるべきものであり、これを定例総会にくみ入れることは許されない。

もし運営委員会が、規約にもとずくわれわれの正当な要求を無視し、臨時総会を回避するならば、その時われわれは、運営委員会を不信任し、独自な行動をとる権利を行使せざるを得ないであろう。

一九六四年九月十二日

臨時総会開催要求発起人会

大沼　鉄郎　　黒木　和雄
杉原　せつ　　杉山　正美
富沢　幸男　　長野　千秋
西江　孝之　　野田　真吉
松本　俊夫　　松川八洲雄

記録映画作家協会運営委員会殿

尚、本要求書は必ず会報に掲載されたい。

これに対して運営委員会は準備の都合上、十二日は困難であるが、十一月一杯には開きたいことを内定。なお吉見委員長が要請の責任者である大沼氏と会い「独自の行動」とは何か。などを質し、運営委員会の準備状況を話して諒解を求めることを決めた。

◇シンポジュウムの総括文、シンポジュウムの経過及び要旨の検討を行う。

十一月六日　運営委員会

吉見、菅家、星山、斎藤、徳永、曽我
小泉、渡辺、厚木

◇「シンポジュウムの総括」の検討
表現上の問題を含めて、六個所程の修正を行いこれを承認、ただし、二度の運営委員会の討論に仕事の都合などで欠席の委員に対しては、できるだけ意見を述べる機会をつくる必要があるとし、会報の発刊を若干遅らせ、集まれなかった委員には電話その他で再連絡を行うなどして九日まで待つことにした。

◇財政問題について
現在、協会の財政状態は会費の納入が悪く、せっかく編集した機関誌の発行も見合せている状態にある。ことに臨時総会をひかえている現在、規約上か

らいえば権利停止（三ヶ月以上滞納）をせざるを得ない会員が非常に多い。八月には、長期滞納者に対して、その理由及び納入方法について、返信用封筒を同封して解答を求めたのであるが、解答のない人もあり、その解答の中には納入できない理由をあげてきた人もある。しかしながら会費未納の主な理由が「現在の運営委員会が不信だから払えない」というのは、規約上の「正当な理由」とは認め難い。このような理由が通用するならば協会を維持することは不可能であり、会費を速に納入するように努力していただくことを確認した。

◇新入会員紹介

高橋　克雄氏（賛助会員）

同氏は加藤松三郎氏、松本治助氏の紹介によって賛助会員として入会された。

▲頓宮　慶蔵氏（演出・脚本）

藤沢市鵠沼松ヶ岡四ノ八ノ二二

TEL　〇四六六・二・三九九三

四月以来、結核にて療養中であるが、尚全治まで一ヶ年以上要するとのことで、お見舞カンパをしたいと思います。有志の方は、事務局までお送り下さるようおねがいします。

曽我　孝

協会費納入についてのお願い

現在、協会費の滞納額は実に四十二万余円（賛助会費を除く、九月現在）にも達し、せっかく事業活動等で昨年来の負債の多くを返済してきたにもかかわらずこのままではまた、負債が累積しかねません。協会の諸活動や運営をスムースに計るためには、いうまでもなく基礎となる財政の保証が不可欠です。その意味からいっても健全な財政の確立の問題は軽視できません。すみやかに協会費を納入して、充実した協会活動を保証するために、会員諸氏の御協力をお願します。

事務局だより

○マクラレン評伝（一部百円）が事務局にありますからご希望の方はどうぞ……。

○協会費未納の方は、できるだけすみやかに納入して下さい。納入下さる方は連絡して下さい。

会員動静

豊田敬太　九月二十六日、児童劇映画「消えたりす」（五巻）東映にて完成

大久保信哉、記録映画社の「首都東京」三五ミリカラー六巻の地図模型、新理研の「新幹線」日本語版カラーワイド線動画、その他六篇

仲原湧作　カブキ座にて、梶山季之原作、TV映画、「結婚の設計」を一クールの助監督、一クール目は十月末終了予定

豊臣靖　①ノン・フィクション劇場・（NTV）「雲の上の少年たち」脚演
②「男なら」（フジ）現代劇、脚、
③題未定（TBS）時代劇　脚

橘逸夫　読売映画社にて、「東京一九六四年」と「日立FTLOCO」それに「明日を創る―大阪府営水道」を目下撮影中です。又東京映像作品「変りゆく大学教育」を九月初旬に完成致します。

江原哲人　全織同盟第一回全国青年婦人部大会の記録映画を演出兼撮影で四日間箱根でロケしました。

川本博康　「生まれくる子のために」新世界プロ初号完成（八月初旬）
「これからの農業」東映教育映画部、九月初旬初号完成予定

塩沢朝子　東京12チャンネルに勤務

苗田康夫　地下鉄銀座工区ロケ、最終期八月末アップ、十月初完成予定

入江一彰　「日本の工業用水」（三巻）理研産業映画にて準備中

徳永瑞夫　「言ろう唖児童の教育記録」（仮題）十一月末より撮影開始（撮影・菊池周）。半年ぐらいかかりそうです。

意見・便り・提案

大久保信哉　八月十日に株式会社たくみ工房は「たくみ映画株式会社」に社名を変更しました。営業内容は従来通りです。

豊臣靖　最近、協会員の間で、正常なコミニュケーションが失われていることを痛感する。例えば、先日も「記録と映像」の映画会場で楠木徳男氏から、いきなり「物言ひ」をつけられ、大変当惑した。それが問答無用的

なきめつけ方だから全く受れ入る。しかし、これはたんに彼のみでなく、最近とみに協会内部に於て数多く見られる現象のように思われる。なんとかこのような狂った状態を、ノーマルな場へ戻す方法はないものだろうか。そういう意味に於て、臨時総会を開くことを切に希望する。

橋逸夫

要望とか提案ということよりも、むしろ協会の意義は、横の連携にあると思います。とするとそれは月例会や研究会を多く開催することです。常に会員が集るということはむずかしいでしょうから、談話会的なものを多くもち、何気なく集って、四方山話を聞き、その話題の中での、現在、我々が直面している問題点を追求し是正する方向へと近づける。そんな集りが、案外、現在のぼくらにとって重要な役割りを果たすのではないでしょうか。つまり、個々のスタッフ同志でよく話し合っていること、それらをもっと広い視点で話し合う、そんな集りです。

江原哲人　多事多難で、運営委員会諸氏の健斗を祈ります。手伝えることがありましたら、お手伝しますからその時はどうぞお話し下さい。

塩沢朝子　短篇フイルム4の試写会を催して下さい。先日の〃メキシコ万才〃とてもよかった。あ、いう種類の試写会を

苗田康夫　協会活動報告が全くおそまつ、運委なり問題の重要性を十分アッピールする必要あり。会報はそのために充実させる約束をした筈だが、趣味の会会報以下だ。月例会もっと早く、プログラムを組み、事前に内容を知らせる。研究会は年間の方針をたて数ヶ月分のプログラムを組み、これを事前に研究資料をつくること、

入江一彰　協会の皆様の益々御健勝の程、お祈りいたします。

記録映画作家の製作上の諸条件や契約額（賃金）をめぐって「より積極的な組織をしという声は、協会の会員諸氏のなかからも、すでに要望されているところであります。その一つの突破口として、労働組合組織が望まれることもまた当然のことであります。運営委員会は、現在の状況のもとで協会がすぐそのまゝ労働組合に変わることがよいとは考えておりませんが、協会員が参加して組織してゆく労働組合には出来るだけ援助を行い、協会員が一人〳〵の自覚によって、その

ような労働組合に加入することは望ましいことであると考えております。ここに同じような条件の下で活動している監督新人協会（そのフリーの大部分は短編、PR映画を職場としている。例えばそのキヌタ支部では会員八八名のうち、劇映画、TV、待機中の人を除き三二名の人がPR映画の仕事に従事している）（三九年十月現在）の会員も加わって準備されている「単一労組」の構想を紹介し、会員諸氏の御参考に供したいと思います。

この運動方針案は来年早々発足を予定され、すでに組織活動に着手している映画産業単一労組の草案であります。

一九六四年十一月

労働組合結成大会
運動方針（案）

映画産業単一労働組合準備会
世田谷区代田五ノ二四ノ一三
電（414）五一〇六一七

一　私たちの状態

1、映画、テレビ映画の制作状態

映画は「斜陽産業」だといわれ観客は毎年減少しています。記録映画や教育、教材映画も制作条件は悪く上映網も先細りになっています。産業映画やCMも制作も盛んなようですが、上向線をたどっているとはいえません。

テレビ映画はフルに制作していますが、市場のとりあいは激しく、テレビ局での制作は少なくなり殆んどが下請に出されています。このことは下請のまた請負いとなり仕事を下ろすだけで利益を得るピンハネは行なわれ、制作の名目はユニットであれ、プロデューサーシステムであれ、その中味のピンハネには変わりがありません。

このことは、テレビ映画だけでなく、広告の独占企業である電通や博報堂よりの下請、劇映画五社の下請にしてもまったく同じです。これらの利潤は、独占企業のバックになっている銀行資本に集中してゆくことは明らかです。

このしわよせは、下請けの中小企業プロや零細プロダクションに来て　最終にはスタッフやギャストの一部を除いて大部分に低賃金、労働強化、創作活動のし

めつけとなり、物価高とあわせると、内容は悪い方に向いているといえます。

2 賃金の状態

政府の、生産の高度成長、所得倍増の呼び声とは反対に、賃金の額面は上がっても中味は物価高、制作日数、器材、人員等にも制約されるため労仂強度は強まり疲労度がはげしくなっています。

フリーで仂いている人々の多くは契約金は二～三年来上がらず、だまっていれば契約金の切り下げや、仕事につけるかつけないかとおびやかされています。

劇映画五社や民間放送では、制作の縮小、技術の自動化と称して合理化という名で労仂者の首切りや職場の配置替えが強行され、労仂者は労仂組合を通じて生活権を守るために資本家の攻勢に対してたたかっています。資本家は、労仂者の弱い部分に組合を脱退させたり、別の組合をつくらせたりして、団結力をくずそうとして脅迫や懐柔策を弄しています。

このような事実は、私たちにとっては他人ごとでなく、労仂者の団結がくずされることは賃金の切り下げとなり、また多数の職を失なう人たちが出ることは、私たちの仕事の場所が不安定になることです。

私たちが賃金を上げさせ、生活を守るためには、私たちのめぐりの状態と仲間の実情を知ることがとくに大切です。

3．私たちの生活向上。安心して創作活動をするためにどのように活動するか

まず私たちの弱いところをお互いに知り、それをなくすために団結し活動することです。

私たちの仲間はテレビ映画をふくめて十三万人おり、みな労仂組合に入る資格のある人々です。しかしそのうち労仂組合に加入しているのは一割強で、日本の労仂組合の平均組織率三割から四割にくらべるとはるかに低いので、私どもの生活と権利を守るために積極的に労仂組合に入るよう活動することです。

組合の加入率が低いのは、私たちの仂く条件が会社の正社員、臨時社員、長期短期の契約者、作品一本ごとに仕事につく人々等々、いろいろです。このように複雑なので、仂く者の共通の立場で団結してゆく必要を感じさせないような状態におかれています。この中からは一般の仂く人々とかけはなれた立場にあるような錯覚におちいる人々もあり、また要領よく立ち廻っていれば自分だけはうまくゆくと思いこむようにもなります。私たち映画やテレビで仂く者をこのような状態においておくことは、資本家の最大利潤を追求するのにもっとも良いエサとなります。私たちはこの弱さを一日も速やかになくすために、つぎの活動をするこ

とに全力を上げたいと思います。

私たちの労働組合を強く大きくすること。私たちと同じ産業に働く仲間の労働組合がありますが、資本家の分裂政策のためいくつかの組合にわかれ、また一つ一つの組合が会社のワクにしばられていて思うような活動ができないようにおかれています。

しかし、資本家のどのような攻勢があろうとも、働く人々は団結をしなければ生活を守ることはできないし、いくら能力があっても作品を生み出し持続させることはできません。このためにそれぞれの組合は賃金要求をはじめ創造活動を抑圧する軍国主義を復活させる作品の制作阻止のたたかいを続けています。これらのたたかいを通じて、労働者の団結と統一を進め、日本の独立と平和、生活安定の努力をしています。この中で、アメリカ原子力潜水艦の日本寄港阻止、F105D水爆機の撤去など、日本が核戦争にまきこまれることに反対しています。

私たちは、前述したように十万余の人々がまだ労働組合に入ってないことを考えて、会社のワクや契約条件に関係なく、一人でも入れる労働組合をつくり、他の労働組合と一緒に統一行動をとり、バラバラになっている弱さを無くして、憲法や労働組合法による団結権を基礎として交渉できる組合を強く大きくして、不利な労働条件を一つ一つなくしてゆきたいと思います。

二　私たちの要求

組合員は、会社にいる人、自由契約でいる人など、その雇用条件もいろいろです。また、制作のうえでスタッフには必要な職種でも、制作費の切りつめから必要な職種でも他の職種が兼任している例がありますがこのことは職種そのものが破壊されていくことです。また、後継者を育成するための養成については全く考慮されない職種もあります。

テレビ映画の制作は盛んになっていますが、労働強化はひどく、実質賃金は実働時間を算定するとかなり低くなっています。このことは、仕事の内容の低下、技術の低下が標準化してゆく要素を生み出し、インスタント技術が当たりまえのようになるおそれもあります。このことは低賃金を生み出し、労働条件をより悪くしています。

制作会社としては、より早くより安くをねらっているので、私たちがバラバラでいれば、一時良い条件を獲得しても、他から切り崩されることが絶えずくり返されます。組合は、これらの悪条件をなくすために、つぎのように要求をまとめ、不充分なところは討議によって内容を豊かにしてゆくことが必要です。

(1) 労働基準法を守らせること。
(2) 賃金（契約金）の内容をあきらかにさせること。
(3) 技術、演技の向上の保障。創作の自由を守ること。
(4) 作品に対する著作権の保障。
(5) 税金の必要経費の控除を最低五〇％にすること。
(6) 国家保障による最低賃金制の制定。
(7) 自由契約者の失業保険制度の適用。
危険手当

このうち、(1)、(2)、(3)、(4)項は組合として雇用主との間に協約内容として獲得するように努力し、将来はどこの会社とも単一の労働協約を結べるように全組合員の努力を重ねたいと思います。

(5)、(6)、(7)は、政府への要求ですが、これらは他の労働組合をふくめ、それぞれの団体にも協力を要請する広い大きな運動です。

(6)の内容は、政府は業種別最低賃金制なるものを一部実施していますが、これは業者間協定のワクの中できめられるので、いいかえれば会社の都合できめるもので、低賃金を法制化するもので、これには全く賛成できません。ヨーロッパの資本主義国で実施しているものは国と労働組合の協定による、物価にスライドしてきめられるもので、会社の支払分の不足分を補う制度、これが法制化されているものです。私たちはこのような制度を要求しているので、社会主義国の賃金制度ではありません。社会主義国ではご承知のように、住宅、医療、教育は国家保障で、費用を払う住宅費も私たちの支払額とは比べものにならないほど％が低く、扶養する家族の費用は賃金とは別に支払われます。

(7)について、すでに大工、左官、日雇労務者、農業の季節労働者に適用されています。この制度は一部の自由契約で働く人々にとって年間を通じて仕事が保障されなかったり、あっても生活に事欠くことを放っておくことはできません。これらの要求は特定の人々のことだけでなく、全体の生活の安定にとっても必要なことです。

三、要求を獲得するために

私たちの要求は、全組合員の団結を通じて、実際の行動を通じてはじめて実現するものです。一口で云えば、「一人は万人のために、万人は一人のために」の心がけが大切です。そのためには、私たちの置かれている立場、政治、経済、思想を私たちの利益になるように学ばなければなりません。組合はこのことを保障し、便宜を与えなくてはなりません。また組合員は、このための時間をつくる努力をしなくてはなりません。

必要によっては作業時間をこのために組み替える要求も必要です。このようにして組合の各集会、組合活動の自由を獲得することが大切です。

また、私たちの利益となるためには、他の組合と共通の利益のために共同の行動のために努力することが大切です。共通の利益とは、日本の働く人々、労働者の階級として利益になることで、内容は日本の独立、平和、民主主義を守ること、生活の向上に要約されると思います。これらの中には、さきにあげた諸要求の他に、日本の独立と平和をおびやかす米原子力潜水艦の日本寄港反対などは労働組合や革新政党だけでなく科学者、宗教家、勤労市民などが反対して現在行動していることに無関心でいられないことも明らかです。私たちは、当面さしせまった大衆行動に参加してゆくことは、今後とも持続されていきます。

私たちは永い間の習慣で行動が個人々々でバラバラになりがちで利己的な行動になり易い状態におかれています。これをなくすためには、『私たちの要求』に関連するものは組合に集中し、組合員同士の問題解決のための話し合い、協力が大切です。これは組合員だけの問題でなく、未加入の人々との関係も同じで、これを通じて組合加入を促進し、要求をより強く通してゆく要素にもなります。

私たちは、もう一度、団結し、組合を強く大きくしてゆくことを確認したいと思います。

八粍映画の作り方講習会
北九州講座の報告

—江原哲人—

『八月下旬の五日間福岡・北九州大分各市に於ける八粍映画作り方講習会の概況』

北九州共同映画社が企画した八粍映画の作り方講習会は八月二十一日から二十五日までの五日間、北九州小倉、大分、北九州八幡二日のスケヂュールで開かれた。

日毎に講師の講義内容がその日の気分次第で変っては困るので、テキストを作りたいから送ってもらいたい、そのテキストを中心に進めてもらいたいと要請がきたので、講師を引受けた私は、今まで製作してきた八粍映画の経験や参考資料をもとに、コンテ・撮影、ライト・編集・ダビング及びプロデュースの各項にわたる意見を加味したテキスト原稿を大急ぎで書きあげて送った。

二十一日の福岡市市民会館は午前九時から夕方の五

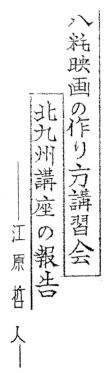

時まで、昼食の一時間を除いて七時間にわたって、主題のつかみ方、企画のたて方、シナリオの書き方、コンテの作り方、撮影のし方、編集の仕方等について、テキストを中心に述べていった。

講習生には、西鉄、全専売　国鉄　四鉄、九電、学校の教師など数十名が集まった。

会場の入口で、普通カメラ歴、八粍歴のアンケートをとったが、これは撮影の実際的経験と知識の程度を講義の前に知っておき、それぞれの要求について指導してゆきたいと思ったからであった。

中にはカメラ歴二十年というベテランも来ていたが大半は二、三年というカメラ歴の所持者であった。

小倉では小倉城の隣りにある労働会館で、十時から五時まで講習生は約二十名、福岡と同じシステムで講義を進めていった。

一日だけの速成講義であったが、シナリオ、コンテの概念、カットのつながり、アングルの選び方など、基礎的な問題を理解したいという要求が強かった。

大分市では、九州共同大分出張所と大分合同日報社とのタイアップで、新聞で宣伝されたため、十四号台風が近づいているうえに、日曜日にもかゝわらず、大きな料亭の一室に風雨をついて五十名程の講習生が集まった。その半数が学校教師でしめ、あとは一般市民で、看護婦さん、医者、バーのマスター、会社員等であった。この日は一時から八時半まで講義をした。皆熱心にメモをとっており、この種の催しが如何に少いかが推量できた。

八幡ではその殆どが製鉄所関係で、大半の人がカメラそのものに対して全くの未経験であることがアンケートでわかった。であるから徹底した初心者向きに講義を進めていった。ここは皆現業者であり、昼間できないため、夜間六時から九時までで二日間にわたった。今回はカメラの操作など、実技の指導が中心であった。

大分の場合では講習生の範囲が広いために経験も雑多で、アンケートには「あなたはこの講習に何を求めるか」の項目を入れ、その要求に対して一人づつアンケートを読みあげて具体的な指導を行った。

以上が総括的な報告であるが、全体を通して感ぜられたことは、一部の人を除き八粍映画はまだ全くこれから開拓される分野であること、ただ八粍カメラに関心を持つ人が意外に多数であることが解ったことである。

中には福岡の西鉄の組合員、小倉の学校の教師、大分の教師・八幡の民商会員の人等が持ってきた作品がいづれも注目に価する明瞭な主題を持った優れた作品であるにもかかわらず、それらを広く発表する場合と方法がないために、個人的に死滅せざるを得ない立場

にあることはひどく惜しまれてならない・

八粍雑誌のコマーシャルコンクールしかない現状では何んとも残念なことで、記録作協なり、労演、労映などでこの優れた八粍映画の広範囲な発掘作業を具体化する方法が考えられないものであろうか。その点、過日のアカハタがおこなった八粍コンクールなどは、効果的な発掘作業であると思う。

八幡では、八粍作家が互に連絡をとり、作品発表の場を集団組織の力で作りあげることが何としても必要である。そんな問題を中心に討議を重ねてきた。それはその後、どんな様子に発展しているだろう。

「あすのために、今日の出来事を忠実に記録しよう」私は全会期を通じて講習生にそう呼びかけた。

それが芽をふいて八粍映画の製作と発表の場が組織的に構成されることを望んで止まない。

それらを推進するのも実は私達であるのだが。——

最後に、講座の進行について積極的に協力していただいた各地区在住の世話人諸氏。九州共同映画社の諸氏に心から感謝申し上げる。　六四、一〇、五

土浦市における八ミリ講習会

八月二五日、土浦市教育委員会主催の八ミリ映画製作講習会には協会から徳永瑞夫氏が講師として出席された。参加者は四〇名程で小中学校視聴覚教育担当の教師達で、以下講習の内容を紹介してみます・

(一)　脚本をどう書くか。
(1)　事実のとらえ方と構成について
(2)　まとめ方
(3)　質疑応答

(二)　演出について
(1)　表現の問題
(2)　映画文法について
(3)　質疑応答

(三)　撮映について

(四)　実作へ参加者の作品、「臨海学校の記録」についての合評会

(五)　実習　六つのグループにわかれて
(a)　主題　構成、作品検討
(b)　撮影　土浦の「新しい道路と古い道路」を中心に記録映画を製作。

(六)　まとめ

なお、別に長野県諏訪市で行われた撮映技術講習会には江原勝人氏にお願いして出席していただきました。

分裂の策動に反対する
―協会規約綱領の精神―

徳永瑞夫

「作宗の権利、自由」をめぐってのシンポジウムは終ったが、問題はいぜんとして未解決のままである。なぜなら、シンポジウムは、それに反対する人々(そして彼らによって会場に応援団として大量に動員された協会外の見知らぬ人々の多数の力)によって中止させられ、(シンポジウムのテーマとは全く関係のない)共産党攻撃の集会に強引に切りかえられたのであるから。私は、運営委員の一人として、(満足とは行かないまでも)何らかの納得のできる結論なり方向なりを、このシンポジウムによって見出して、それを会員一同のものとすべく、及ばずながら努力を傾けてきたが、その結果が、このようなものであったことに、空しさを感じないわけには行かない。

個人的な感傷はさておき、当日、運営委員会提出によるテーマの話し合いを拒否し、運営委員の発言を封じて、一方的に発言を行なった人々の発言内容は、きわめて多岐にわたっているようではあったが、実は、極めて単純な内容のくりかえしにしかすぎない。それは(1)いみじくも松本俊夫くんが要約してくれたが――共産党は芸術を弾圧する。(2)運営委員会は共産党の出先機関である。だから、その運営委員会の委員長が所属する東京シネマは作家を弾圧した。(3)だから共産党員は協会から出て行け――という素朴な反共三段論法でしかない。(何という粗暴な論理の飛躍!)。(私は今、去年の総選挙のとき「ソ連にはプロ野球がない。ソ連は社会主義の国だ。だから私は自民党を支持する」と発言したジャイアンツ長島選手の無邪気な三段論法を思い出す。)

共産党は芸術を弾圧する政党である、などとは全く馬鹿々々しくて話にもならない。人民の解放をめざす党が、どうして人民の芸術を弾圧するのか、? それどころか、日本共産党は、文化芸術科学の発展のために、最も積極的な政策と方針をもっている唯一の日本の政党である。

運営委員の中に共産党員がいた(!)と、飛び上らんばかりのジエスチャーで驚ろいてみせ、だから運営委員会は共産党の出先機関である、などという論旨も沙汰の限りである。もし興味があるなら運営委員会の議事録をよむがいい。その席上で「共産党はどうするか」「共産党はどう思うか」などと挑発的な質問や発言を　っようにくりかえし、共産党の見解と運営委員会の意見を強引に結びつけようとしたのは、問題の黒木和雄くんであることがわかる。その挑発をさけて大家

団体と政党との混同をきびしく区別したのは、むしろ共産党員の方であったことは、小泉くんの報告でも明らかである。

しかもその論理の上に立って、運営委員の中の党員を除名しろ、というに至っては、もはや長島発言的な無邪気さどころか、マッカーシーの赤狩り論法が明瞭に読みとれるではないか。

彼らはなぜシンポジウムを拒否したのか？彼らの一方的な発言に対し、その答弁を行なおうとした運営委員側の発言を、なぜ一方的に中止させたのか？結論から先に云おう。それは、このシンポジウムによって真相があきらかになっては彼らにとって都合のわるい問題が余りにも沢山あったからである。そして何よりもこのシンポジュムの結果、協会が統一の方向に向って動き出すことを恐れたからである。それは、彼らがこのシンポジュム対策のために、急拠作成しバラまいた「あるマラソンランナーの記録事件の真相」と題するデッチあげのパンフレットによってもわかる。まことに、犯罪というものは、このように虚偽を真実と思わせる行為から出発する。しかも、彼らは、この虚偽にみちたパンフレット作成を「青の会」と称する、まことに無責任な仮空の団体に行なわせて自らの責任を逃れようとしたということによっての犯罪の凶悪さ陰険さは二乗三乗されるのである。

記録映画作家協会は、日本でただ一つの、教育、記録映画作家の民主的な集まりである。協会がその目的のために民主的な綱領規約をかかげている以上、その精神を支持して協会に加入する作家の中にたとえ、自民党支持者やクリスチャンがいても差支えない筈である。ましてそこに、共産党員がいたとしても決して不思議なことではない。なぜなら、日本共産党は、協会の「平和で民主的な日本の文化の発展に貢献し」「記録、教育映画の正しい発展のためにたたかう」という規約の精神と共通の目標のためにたたかっている政党であるから。そして、共産党員が「作家の統一と連帯」という、総会決定の精神を支持し、守ろうとするのも当然である。なぜなら、分裂によって被害をうけるのは協会の会員であると同時に、日本の人民であり、そして何よりも共産党そのものであるから。分裂をのぞむもの、統一をのぞむもの、それは誰と誰であるか、今、それを明らかにすべきである。

協会は、その規約綱領にもあきらかなように、芸術家の団体ではあるが、決して芸術団体そのものではない。一たとえば美術における二科会、一水会とか、あるいは演劇部門における民芸、青俳、プークといった、それぞれの　自な主張と方法　と持っているような芸

術団体ではない。）

　協会を構成している人々は、教育、記録映画の分野で活動している作家ではあるが、それぞれの作家の思想、方法、所属はそれぞれに異なっている。協会の存在意義は、その作家個々のちがいを承認している所にこそあるのだ。そして協会の運動は、そのちがいを相互に認め合う――という民主々義の最底線の上に成り立ち、そこから出発させなければならない。協会のめざす統一とは、そういう性格のものである。

　協会は、その意味では、曲りなりにも正しく歩んできたし、また、そこからの新しい飛躍への展望も見出しつつあった。しかし、その足なみが乱れはじめ、いわゆる分裂的な傾向をみせ出した。その時期が、六一年の安保斗争の前後にはじまっている、ということに注目しなければならない。なぜならば、この分裂的な動きは（たとえば文学における新日本文学会のような）他の芸術家の団体の中でも、同じ時期に、同じ方向で始められているからである。

　思想、傾向のちがいを理由に、それらの人々を統一的な大衆団体から排除しようとする、いわゆる分裂主義的な傾向は、さらに、平和運動、労働運動にも顕著に現われている。しかも、その傾向をさらに助長するような言動を行なっているイデオローグの有力なメンバーとして、八回大会前後に日本共産党から集団脱党し、その後は反共活動をその職業、半職業としている者たちを加えることによってその称相をより複雑にしている。（私たちがいう修正主義者というのは、それを指しているのだ。）そしてそれがマスコミの支持によって、ますます助長されているという、昨今の異状な思想状況に注目しなければならない。

　この傾向は、安保改訂に際して発表されたコンロン・スタッフのスカラピーノ報告や、ライシャワーの発言に現われた対日文化政策（とくに進歩的知識人に対する処置）の大はばな変更と決して無関係ではないと思われる。

　「日本の社会的変化はアメリカの政策にとってどんな意義を持っているのであろうか。もっと広い意味でいえば、実効ある征探外交政策の深急の必要を示している。政権を握っている政府とつき合うだけではもはや充分ではない。一つの社会で、手のとどく限り多数の人々と結びつき合うことによって成功するかどうか、生き残れるかどうかがきまるだろう――危険の多い時代に、日米同盟を支えるのに必要な種類の知識的、文化的、政治的根底を持ったためには、第一に、二十世紀最大の勝利をおさめた、ダイナミ

ックに変化しつつある社会としてのアメリカを正確にえがき出すこと、オ二に、美術、文学音楽、社会科学などで進められている創造的な事業に光をあてることが重要である。」ーコンロン報告——

六一年四月に、駐日大使に任命されたライシャワーは、就任と同時に、この「従来衝撃作戦」の実施にのり出した。

　私は日本で攻勢に出ようと努力している。私は古典的マルクス主義に対する攻撃に大部分の時間を費している。これが日本でのわれわれの真の敵である。私はこれに一撃を与える機会を決して逃さない。もちろん、こうしたことばは決して使わない。使うことばは〝新しい歴史観について話そう〟である。要するに〝彼らは全く時代おくれの連中だ、われわれこそ未来の波だ〟といったたぐいのことである。」——（米上院国家安全保障人民活動小委員会におけるライシャワーの発言）——

　ライシャワーは、こうした空疎な「近代化論」をとなえ、マルクス主義の革命理論が時代おくれであることを熱心に説きまわっている。（それと同時にアジア財団、ロックフェラー財団、フォード基金などからの巨額のドルが、大学、学会、各種研究団体にばらまかれている事実も、「史学会の報告その他で明らかになっている。）そして、その活動を直接に反映するかのように、今までは進歩的だと目されていた人々の中からも、階級理論を時代おくれとする、ふしぎな「革新思想」が生み出されてきた。

　私たちは、安保以降、協会編集の雑誌「記録映画」ににわかに大はばなスペースをしめ始めた、いわゆる「主体性」論、「内部の敵」論のような一連のドギつい主張が、このライシャワーの政策に、忠実に、あるいは結果的に、歩調を合わせている事実に注目しなければならない。

　私は、それらの論文のすべてが「ライシャワー路線」のものだ、などと一把ひとからげな云い方はしたくない。中には、今の私たちに真の意味での反省を促しているもの、そして部分的にもかなり感度の高い論調のものがあったことも否定しない。しかし、（それだからこそ）、そこには今の日本の作家が陥りやすい、無数のワナも巧みに仕かけられてある、ということを云いたい。「前衛不在」論や「挫折」論のような反共の泣き言をのべている間はまだしも、やがてそれは（政治ぬきの）、（そしてポーズだけは革新的な）「芸術革命」論に展開し、政治と芸術を分離する方向に向けら

れてゆく。その流れ方は（ケネディあたりをその出どころとする）自民党の「政経分離」政策と不思議な一致を示している。芸術を、単に自己表白の道具と考えたり、個としての人間の内面のみに異常な関心を示す作家たちが、さいきん目立って増えている事実は、その政治的な意味で注目する必要がある。

しかし一方では、そうした傾向には抵抗して、人間の運命や生き方を他の人々との連帯関係でとらえ、社会や歴史の発展の過程で描こうとする作家も多せいいる。私はここで、この二つの傾向のどちらを正しいとし、どちらを否定するというのではない。もともとこの分類のし方は大へん大まかなものであり私たちの協会の中での会員個々の思想状況としては、この二つの傾向が相互にからみ合い、影響し、複雑に重なり合っているのが現実である。しかし、さいきんまでの「記録映画」は、意識的に芸術論争なるものを持ちこんで、この両者の相異をきわ立たせ対立させる方向で編集され、しかもそのような性格を持つ雑誌の維持だけを最も重点的に配慮して協会は運営されていた。協会の中には、このように意識的に対立が持ちこまれ、作家相互の間に不信感が育成されてきたのである。特定の主義主張、思想傾向を基礎にして組織される政党、思想団体とちがって、協会のような大衆団体にあっては、会を構成する会員個々の思想傾向を云々することが主要な論争議題となり、一方が他方を批判し、他方がまたそれに反撥することに、その会の運営の重点がおかれる限り、会は必然的に分裂の方向に向かわざるを得ない。

この一、二年間、協会の内部には、協会を異質のものに改変し無力なものとするために協会内に分裂をもちこむ者と、それに反対する者との深刻な対立が生じていたことはもはや公然の事実である。

協会の規約は「目標を果す力となる」ために「すべての記録映画作家がうって一丸となる」ことを要求している。本年初頭の総会の方針は、いわば、この規約と歴史の精神の再確認にすぎない。昨年までの一、二年間、協会機関内で多数派を構成していた分裂主義者の策動を排除し、ふたたび作家相互の連帯意識をしようという、現運営委員会の方針が、協会員の多数によって支持された、ということなのである。しかし総会がそのような決定を認めたからということによって、直ちに統一がかちとれた、ということにはならない。むしろ、決定に批判的であった人々が、協会機関から退陣させられたことによって、対立は、さらにするどく、そして陰険な形になったと見るべきであろう。

今回のシンポジウムは、その表面だけを見るならば

「マラソンランナー」をめぐっての黒木問題を発端にして起された運営委員会不信任の動議、という形式をとっているが、その本質は、協会を分裂させ壊滅させるために計画的に準備された行動の一端にすぎない。「マラソンランナー」問題がなければ、当然、ほかの形で、矢張り同じ内容をもって、何らかの事件がひき起されたたであろう。それが単なる想像でないことは、「マラソン」問題の発端からシンポジウムに至るまでの反運営委員会の人々の一連の言動・事件の発展のされ方「マラソンランナー」の問題は解決されたにも拘らず、さらに次々と別の問題にすりかえて混乱を意図するような一連の行動。また、さらには「黒木問題」以前からすでに行なわれていた組織的な会費滞納や協会規約を無視した独自行動そして「映像芸術の会」ー委員長は黒木和雄氏ーのような、協会と対立するような組織の結成など。をみれば明らかである。

私たちは、誰が統一をのぞみ、誰が何のために分裂を策しているかね、今回のシンポジウムは、あらためてそれを明らかにした。松本俊夫くんの反共理論が、長島発言的な無邪気さを持っているから、と安心している時ではない。その全く同じ理論で、アメリカの民主的映画人はハリウッドを追われ、そして同じ手口で、今、ベトナム人民の血が流され、日本の港に原子力潜水艦が強行入港しているのである。

シンポジウムを反共集会にきりかえた人々の大部分は、そうした「政治」には無関係な、無邪気な人々であったかも知れない。しかし、その無邪気な人々を背後であやつっている「政治」の姿が、私にははっきりと見える。

私は重ねて訴える。日本の記録映画の民主的発展をおしつぶそうと図っている、この強大な「政治」とたたかうために、もう一度、私たちの間に統一を恢復しよう。思想のちがい、芸術観のちがいは、決して統一のさまたげにはならない。それぞれのちがいがあるからこそ統一が必要なのである。態勢をととのえなければおそきにすぎてしまうのである。

「月例会」に集まろう!!

「協会の意義は、横の連携にあると思います。月例会や研究会を多く開催すること」。「記録映画の試写会を」。「最近、協会員の間で正常なコミュニケーションが失われている」。こうした意見が寄せられているなかで、協会はすでに六月以降、毎月最終土曜日を「月例会」にあて、東劇地下のシネサロンでの試写研究会、協会問題の話し合いなどを続けてきました。因に、「月例会」を催するに当って協会は、会報で次のように呼びかけています。（九四号）。

「前半約一時間を記録映画の観賞にあて、後半一時間余りを討議や会員相互の交流、また協会運営に対する御意見などに当てたいと思います」

そして「月例会」は今月まで既に五ヶ月、自せん他せんを問わず作品をもちより、それらの作品をめぐって自由な話し合いをすすめるという形で続けられています。いままでの上映作品は次の通りであります。

（六月）

安倍成男作品　「素晴らしきかなバネ」

荒井英郎作品　「子供の叫び」

（七月）

大内田圭弥作品　「農村に生きる」

秋山衿一作品　「法政大学」

（八月）

黒木和雄作品　「あるマラソンランナーの記録」

（九月）

菅家陳彦編集　「ギャチュンカンーヒマラヤ勝利の記録ー」

徳永瑞夫編集　「続ヨーロッパの旅」

（十月）

上野耕三作品　「首都東京」

しかし一面では極めて、残念なことに、出席者が少いという、もったいない会合になっています。

それが直接私たちの創作活動へ貢献するだけでなく、協会員相互の交流を深めるためにも頗る有意義だと信じています

会員の皆さんの御参加を改めて御願いしたいと思います。

教育映画作家協会

才5回定例総会

議案書

とき○ 12月27日（土）后1〜后7

ところ○ 中央会館集会所（中央区役所となり）

才五回定例総会

――式次第――

一、開会の辞
二、議長選出
三、運営委員会
◎年次報告要旨及来年度の方針に関する提案要旨
◎機関誌の編集を省みて
四、事務局及財政報告
五、会計監査報告
六、討議と採決
六、助監督部会報告
八、六分科会報告
九、質議応答
十、役員改選と新役員挨拶
十一、閉会の辞

（註）◎議案書は総会当日持参下さい。
◎「記録映画」一月号は総会当日お渡しします。

一、機関誌とグループ活動

一昨年の総会以来、「作家活動の前進」をいかに果すかという問題が協会の中心課題となつてきた。そして日常のグループ活動にその基礎を置こうと計画されたが、なかなか成果はあがらなかつた。

昨年の総会で、グループ活動の一つの具体的な手がかりに、機関誌発行のことがきめられた。

今年度の当初から協会は機関誌発行の準備に着手したが、さまざまな困難にぶつかり、右余曲折ののち、ようやく定期的に発行できるようになつた。

機関誌が発行されるようになつて、作家の主体性問題、創作方法の問題など、会員の間で問題になつていた課題を誌上に明らかにすることができ、作家の日常の課題が発表の場を得はじめ会員の間の問題意識が、機関誌を軸にして発展する傾向にある。いわば協会運営上の、かつてない具体的且つ有力な一つの要を機関誌によつて得たのである。

このことは今年度の成果の第一にあげることができる。

しかしその反面、機関誌の発行に精力が集中して、協会の全般的な活動がおろそかになる傾向を産んだ。グループ活動が依然として停滞したこともその一つの現われである。

ただ、今年度の末期になつて、総会対策の一つとしてとりあげられた各分科会は、この停滞したグループ活動に活をいれる有力な手がかりとなり、その発展への期待が持たれるようになつたことは、これまた第二の成果と言えよう。

二、劇場上映運動

プロダクション有志の間で、記録教育映画の劇場上映運動が起きこれに協会も参加したが、これと前後して、製作者連盟から教育映画の入場税免税運動も起きた。これは教育映画を劇場上映した場合、入場税を免税にせよという運動だが、プロダクション有志が起した上映運動はこれと合流した。協会はこの免税運動に対しては態度を保留し、積極的に参加しないことにした。税金との引きかえで、劇場上映を獲得しようとする動きは現政府の一連の政策から見て必ず、ひもをつけられることが明らかだとみたからである。

この免税運動そのものは今日、大きな発展を見せてはいない。

劇場上映は協会としても積極的な関心があり、是非実現させたい問題だが、運動の基本は、記録・教育映画を見る場を一層ふやし、観客の支持を一層広く深く築いて、社会的関心をさらに広く組織することにあると考えている。

三、作家の諸権利

この一年、作家の諸権利が侵害あるいは危機に見舞われる事態が起きた。

それは一方では企業（職場）の中で、作家の生活権や作家としての地位がおかされるという形で現われ、一方では警職法改悪という政治的な形で現われた。

警職法問題については、委員会は信任をかけてまず反対声明を発表、ひきつづいて協会独自の反対署名運動を展開すると共に他の諸団体との統一行動に参加し、国民文化会議との提携による映画「悪法」の製作にも参加した。

この間、国民の、また作家の、基本的権利にかかわる問題として協会はかなり強い意志統一と行動を示すことができた。

これは作家の集まりとしての協会の力が大きく蓄積されつつある一つの現われとして、成果の第三点にあげるべきことがらである。

また今年度末、新理研映画の労組に起きた、経済要求に端を発した争議にあたつて、作家の生活権を守るという立場から、協会も会社側に誠意ある早期解決を申入れるとともに、具体的にはスキャップの防止という側面から、この斗いを援助した。フリー契約者として新理研と直接関係のあつた協会員諸氏は、事態の意識的な理解にたつて、協力を完うされた。ここにも協会の力の発展のあとをうかがうことができる。

しかし、企業（職場）に起きた作家個人の諸権利の侵害に対して、協会は今日までほとんどなにもなし得ないで来ている。協会の今後に残されている重要な課題の一つである。

四、機関誌の発行問題

　機関誌は第二号以降、ベースボールマガジン社の好意によつて安定したが、年度末に至り、社長池田氏の好意に反して、会社経営上支障になるという結果が出、新たな事態に直面した。支障の理由は主として営業上の問題で、部数の少ない雑誌を扱うことを東販で嫌がり、それを強行すればマガジン社発行の他の雑誌の手数料の引きさげというような面倒が起つてきたのに端を発して、池田社長の好意だけでは発行をつづけることができなくなつた。そこで池田社長からこの際 、営業上の制約を受けぬ自由な立場で機関誌としての性格を完うした方がよいと思う。ある程度の援助はするとの申出があり、協議の結果、左の結論を得た。

1. 二月号以降、ベースボールマガジン社は協会から四万円の支払を受けて従前通りの部数を、従前通りの体裁で印刷・製本する。
（十一月号までの平均原価は、一号につき六万円）
2. 発行は作家協会とする。
3. 一月号までの原稿料は約束通り、ベースボールマガジン社で支払う。

右のような結果になり、本質的にはベースボールマガジン社の好意的援助で、自主出版の態勢をとることになつた。

それにともなう、数字は別途報告の通りであるが、自主体制の強化が今後の課題である。

いずれにしても、今日までの機関誌発行の基礎を築く上で大きな力となつたベースボールマガジン社の好意的援助と、今後の援助に対してここに改めて感謝したい。

来年度の方針に関する提案書

一、グループ活動の強化

　総会対策の一つとして計画された各分科会の活動は大きな成果をおさめ、各分科会の内部で、これを恒常的なグループ活動として発展させたい要望が出ている。数年来、計画されたまま実質的な発展を見なかつたグループ活動発展の基礎がここにかたまりつつある。これは機関誌活動の刺戟によつて、作家の創作上の課題を、それぞれの問題意識にもとずいて討論、発展させたい要求が高まり、その機がようやく熟して来たものと考える。

従つてグループ活動の意識的強化を、協会運営上の基本活動としたい。

機関誌も、この基本活動の発展とともに、さらに発展を見せるだろう。

二、作家の諸権利と作家の主体性の確立を目指して

経過報告にも述べたように、作家の諸権利の侵害はすでに起つている。しかも来年度は、ますます深刻化するだろう。現に、臨時議会で審議未了に追いやることのできた警職法問題は、通常国会で、再燃する気配を見せて、いまだにくすぶつているし、道徳教育問題、社会教育法改悪問題等権力による思想統制、教育統制の強化が見通されている状勢の中で、作家の創作の自由、思想の自由、作家の諸権利が直接、間接に侵害される危機は増大している。作家の自由と諸権利を守る斗いは、作家の主体性の確立に通じている。

主体制を確立し、斗いを強化する足場をどこに求めるか―これが協会の大きな中心課題の一つになつてきているが、われわれは当面、この足場を日常のグループ活動の中に求めたい。

協会がただ旗を振つても、力にはならない。作家の日常のあらゆる斗いをそれぞれのグループ活動に集中し、その活動と話合いの中で、主体性の確立を目指し、諸権利の守り合いについての具体的な足がためを行い、それぞれのグループ活動の力を足場としてはじめて、協会は具体的な力をもつことができる。

今日ずでに、自衛隊の宣伝映画、生産性向上本部を背景にした宣伝映画の製作を前にしての作家の苦悩は深い。社会状勢は、作家をますますそうした映画製作に追いこもうと強要してくる。そして作家の苦悩はますます深刻になる。

しかし、作家は本質的には、イデオロギーの斗いの場に責任を持つている。苦悩はそこに発する。作家の自由、作家の主体性の確立の斗い、作家の諸権利の擁護の問題も、本質的には、このイデオロギーの斗いの場に発している。

グループ活動の成否は、作家全体の自由と諸権利を守る斗いに通じている。

マスコミの波は好むと好まざるとに拘らずいよいよ増大する。われわれはすでにその波の中にある。われわれの作品は、この増大するマスコミの中で消化される。この面からみてもわれわれの作家としての責任はますます重大である。

いまや、グループ活動への期待を過大に評価してもしすぎるということはない。

三、機関誌発行の自主体制について

すでに機関誌は大きな成果をあげたし、それへの期待は大きい。機関誌によつて、ますます協会内部の作家相互の理解を深め、問題意識を刺戟し合うとともに、協会の外の作家、技術者学生、教育者、母親たちと大きく結ばねばならない。

機関誌発行の自主体制の強化は、編集方針の確立とともに、販売組織網の組織的拡大にある。そのためには自分たちの日常活動の一つとして、会員一人一人が、最底一名の固定読者を作るという体制を基本としたい。それに付随する数字並びに諸計画は一ケ月に広告収入として三万円、雑誌一五〇部の売上があり、一万五千円の収入があり、合計四万五千円になる。その中より印刷費として四万円を支払うことが出来る。さらに広告収入及雑誌販売による増収、寄附をさらにふやすことを通じて雑誌発行の基礎を確立して行く方針である。

自主体制を敷くため、組織的には、雑誌発行のために編集部と経営部を置きたい。

四、常任委員会の成文化―規約改正

運営委員会の互選による若干名の委員と委員長、書記長によつて常任委員会を構成し、これに日常の執行権を与え、機動的運営の強化をはかりたい。

従来は便宜的処理として常任性を敷いてきたが、これに正式な権限を与えるため、成文化したい。

五、助監督部会の廃止

助監督の間に、作家として一本立ちとなつた人や、経営所属となつた人たちが出、フリー助監督の人数が減少し、少ないフリー助監督だけで、部会を構成する意義が減つたので、これを廃止し、従つて、会費のノルマ制も廃止する。

但し、助監督間の交流友好、研究のためのグループ活動は積極的にすすめる。

六、会費の調整

従来、一本立ちの作家は五〇〇円、三〇〇円、助監督は部会の内部処理で、三〇〇円、二〇〇円、一五〇円のランクがあつたが、助監督部会のノルマ制の廃止にともない、ランクの再調整を左のように行いたい。

1. 一本立ちの作家は原則として五〇〇円。
2. 助監督は三〇〇円、二〇〇円とし、仕事の斡旋に対する礼金の％を廃止。
3. 賛助会員の会費ランクの再調整。

但し以上はすべて、会員個々との話合いによる。

これらの目的は、機関誌活動を含めたすべての協会活動を一層強化するため、月々の財源を約一万円ほど増収したいためである。

七、国民文化会議への加入

昨年の総会で、助監督部会より加入提案があり、委員会付託となつていたが、日常活動を通じて接触してきた、経験から見て、記録、教育映画の普及、観客組織の一つの力となり得ることを考え、委員会では加入してよいと結論している。

機関誌の編集を省りみて

松本俊夫、岡本昌雄、岩佐氏寿君を中心に、飯田勢一郎、小島義史、谷川義雄、丸山章治、諸岡青人の諸君が委員会の委嘱を受けて編集にあたつた。

当初からあくまで協会の機関誌として、協会運営上からみて、停滞していた研究活動に刺戟を与え、機関誌と研究活動とが相互に刺戟し合い、反映し合いながら、作家活動の前進に役立てるという基本方針をつらぬいて来た。

そのために、まず、協会内部の作家の考え方や課題を積極的にひき出し、相互の理解と、討議の材料と場を作ることに主点をおいた。その際、ドキュメンタリー問題に中心をおいたが、それはPRにしろ、教材、教育映画にしろ、基本となるものは、ドキュメンタリー映画についての考え方にあると考えたからだ。同時に現場通信を重視した。これは理論研究とともに、一方では、作家が日常遭遇している具体的経験を交流し合いたかつたからである。

また、一般読者（観客）との交流の場を拡大する意味で、ワイドスクリーンの欄を設けた。

そうした限りでは、それまで、発表の場を得なかつた会員作家の意見と課題が発表され、作家間の問題意識を刺戟し合えるようになつた。

そして協会運営上にも有力な手がかりを与えたようだ。成功だと考えている。

号を追ううちに、創作問題を中心にして、リヤリズムをめぐつてわれわれと同じような課題にぶつかつている他の芸術部門との交流の必要が感じられ、また読者層の拡大をねらつて、執筆者を外部にも求めることにした。

しかし基本の方針は変らぬとしても、ドキュメント理論にかた

よりすぎてはいないか、教材・教育映画の問題も、一貫してとりあげて行かねばならないのではないか。批評活動をもつと積極的にとらえられねばならぬのではないか、読者層をひろげるにはどうしたらよいか等々、さまざまな問題点につきあたつてきた。すべて方向を一つにした同人による同人雑誌ではなく、さまざまな仕事に携わり、さまざまの場で、さまざまな課題に遭遇している作家の集まりである作家協会の機関誌だというところから来ている悩みである。

しかし、それはそれで、方針はあり得るはずだし、作家の個々の日常活動がもつと強く反映してくれれば、その中で、方針は固まつてくるはずのものだと考える。

機関誌だけの独走はしたくないのである。ともあれそれぞれのジャンル、それぞれの場で、作家が作家としての主体性を確立し、創造をゆたかにし、同時に、創作体験を通じて、読者各層と強く結び合う、そのための力となり得る機関誌にしたいのであつて、具体化のための、会員相互の努力がまたれる。

この点、運営委員会と編集委員会との間の相互批判と検討が不足していたと思われる。

(編集委員会にかわって
運営委員会)

協会のうごき ——事務局報告

◇協会々員数のうごき

協会の会員総数は本年十二月初現在で一六〇名であります。

今年一年入会者は十名で当人の申し出で脱会した方は十一名で会員総数の変動はありませんでした。

現在、一六〇名の会員構成と入会及脱会をお知らせします。

1. フリー会員現在数五一名 入会二名 脱会七名

荒井英郎、赤佐政治、厚木たか、入江一彰、伊勢長之助、岩佐氏寿、岩崎太郎、岩堀喜久男、上野大梧、加藤松三郎、菅谷陳彦、かんけ・まり、京極高英、衣笠十四三、桑野茂、下村健二、竹内信次、丹生正、豊田敬太、中江隆介、西尾善介、西沢豪、樋口源一郎、野田真吉、古川良範、丸山章治、道林一郎、村田達二、八木仁平、八幡省三、矢部正男、柳沢寿男、山岸静馬、吉見泰、水上修行、尾山新吉、岡野薫子、河野哲二、谷川義雄、富沢幸男、永富映次郎、真野義雄、渡辺享、馬場英太郎、松崎与志人、韮沢正、小津淳三、間宮則夫、杉山正美、森田実、杉原せつ、

2. フリー助監督、 現在数二三名 入会三名 脱会二名

前田庸言、小谷田亘、小野寺正寿、頓宮慶蔵、安部成男、松本公雄、坂田邦臣、久保田義久、小森幸雄、牧野守、村上雅英、日高昭、川本博康、片桐直樹、豊富靖、小泉堯、中島日出夫、渡辺正己、岩崎鉄也、小島義史、仲原湧作、塚原孝一、本間賢二

3. 企業会員 現在数三四名入会十名 脱会〇名

島内利男、富岡捷、原本透、草間達夫、西沢周基、徳永瑞夫、岸光男、下坂利春、奥山大六郎、諸岡青人、中村麟子、大久保信哉、八木進、森田純、平田繁治、吉岡宗阿彌、諸橋一、長井泰治、山添哲、苗田康夫、吉田和雄、深江正彦、清水進、高綱則之、松本治助、大峰晴、中村敏郎、羽仁進、羽田澄子、吉田六郎、高村武次、岡本昌雄、樺島清一、大野祐

4. 企業助監督 現在数三四名 入会四名 脱会〇名

山本竹良、泰康夫、田中舜平、坊野貞男、秋山矜一、田中実、時枝俊江、肥田侃、榛葉豊明、各務洋一、神馬玄佐雄、田中平八郎、花松正卜、近藤才司、三浦卓造、山口淳子、西本祥子、高井達人、長野千秋、飯田勢一郎、清家武春、田部純正、三上

章、二瓶直樹、勝田光俊、松本俊夫、藤原智子、西田真佐雄、高島一男、大島正明、川本昌、島谷陽一郎、楠木徳男、黒木一雄

5. 賛助会員　現在数一八名　入会二名　脱会二名

石本統吉、村上喜久男、大鶴日出夫、上野耕三、大方弘男、木村荘十二、桑木道生、小高美秋、石田修、水木荘也、米山彊、松岡新也、田中喜次、川崎健史、稲村喜一、西浦伊一、能登節雄、二宮吉朗

◇協会員の慶弔その他

(1) 近親者の御不幸

竹内信次氏夫人

中島日出夫氏実母

(2) 協会員病気お見舞

菅谷陳彦氏舌癌にて療養中

(3) 協会員の結婚

富沢幸男氏

豊富　靖氏

島谷陽一郎氏

協会年間活動日誌
―事務局報告―

◇一月

二一日　教育映画作家協会機関誌「記録映画研究」三月に創刊を決定、アルス児童文庫刊行会との提携の話し合はじまる。

◇二月

一日協会事務局の室が奥（現在の処）に移転する。

◇三月

○会員住所録を作成

○「記録映画」教育映画作家協会機関誌四月創刊めざし準備中

◇四月

二五日厚木たかさん渡欧歓送会を開く。

◇五月

「記録映画」創刊号発行さる。

◇六月

廿八日小高美秋事務局員辞任す

◇七月

○十五日山之内重己事務局員就任す。

○「記録映画」八月号（オ二号）ベースボールマガジン社の提携で発行さる。

○常任運営委員制をとる。吉見泰、富沢幸男、富岡捷、河野哲二、中村敏郎、五氏を決定

◇八月

○八日后一時映協〃都会の虹〃シリーズ試写研究会開く

○十二日后六時映協厚木たかさん帰国土産話の夕開く

○教育映画綜合協議会に入会決定

○「記録映画」九月号二七日に発行

◇九月

○二十一日～三日間専修大学国民文化会議全国会議にオブザーバーとして出席

○菅家陳彦氏長期療養の病気にて休養の為、事務局長代理に九月より十二月まで河野哲二氏が富沢幸男氏の補佐として決定

七日（日）第三回児童演劇会議学芸大学付属豊島小学校に代表派遣

◇十月

○四日后六時華僑会館記録映画研究会〃忘れられた土地〃フリー助監督部会主催

○八日、二四日映協青少年映画対策上映促進委員会オブザーバーとして出席

○九日、十七日、総合協議会　代表、吉見泰、富沢幸男両氏をきめ出席

○「記録映画」十一月号二七日発行

○十日后六時華僑会館、試写研究会〃鳩ははばたく〃〃カジュラホ〃〃春のカシミール〃他上映
○十八日～二二日山葉ホール教育映画祭
○二三日后六、警職法反対声明書発表、全会員にアンケートを発送
○総会に六分科会研究会方式をとり研究会を開くこととなり担当者をきめた。記録映画＝野田真吉、教材映画＝岡本昌雄　科学映画＝樺島清一、短編劇映画＝道林一郎、アニメーショヌ映画＝吉岡宗阿彌、ＰＲ映画＝加藤松三郎

◇　十一月

○二、三日第六回子供を守る文化会議（長野）に代表を派遣
○二、三日第四回映画観客団体全国会議（名古屋）メッセージおくる。
○六日総合協議会　映協
○十二日総会記録映画分科会第一回会合后六時
○十五日后三時試写研究会映協
教育映画祭入選作社会教育映画上映後研究会を開く。
○十七日、二九日、「戦艦ポチョムキン」上映促進準備会出席、加入決定
○十七日　総会　ＰＲ映画部会第一回会合后六時
○十八日青少年向映画劇場上映、入場税減税の為の会合后一時映協オブザーバーとして出席
○十八日　総会　アニメーション映画分科会第一回后六時
○五日警職法に対しアンケートの再度呼びかけと反対署名をおこす。
○二一日　総会　科学映画部会第一回后六時
○二四日　総会　教材映画部会一回后六時
○二六日　総会　短編劇映画部会第一回后六時
○二七日　総会　第二回科学映画部会后六時
○二九日　総会　第二回記録映画部会后六時

註①　総会　各分科会は十二月もひきつゞいて開かれ総会に分科会の結果が議案書に報告される。
②　これらの活動の外に、毎月山葉ホールで持たれる新作試写会やその他各社よりの試写会に一〇〇名から三〇名近くが出席している。回数として三〇回～四〇回あり。

◇記録映画関係資料

		7月	8月	9月	10月	11月	合計
入金の部	寄附金					6,000	6,000
	売上金	9,037	6,020	8,732	9,126	3,508	36,423
	予約購読料	9,000		3,600	1,600	400	14,600
	計	18,037	6,020	12,332	10,726	9,908	57,023
出金の部	印刷費	10,000	4,872	2,500	18,088	13,832	49,292
	原稿料	3,500					3,500
	計						57,792
	売上部数	139部	95部	133部	139部	54部	560 (平均112)
	予約講読料	15名		6名	10名	2名	33名

△　売上について　売上で1番出ているのが、試写会場（特に朝日文化の会、記録映画を見る会）、劇場、各集会所その他　。5ヶ月の平均は112部になります。

△　予約購読料について、7月は各プロダクションが買つていたが9月号より個人が買うようになつてきており半ケ年分申込が多い。

昭和３３年度会計報告 （自昭和３２年１２月１日 至昭和３３年１１月３０日） 教育映画作家協会

		１２月	１月	２月	３月	４月	５月	６月	７月	８月	９月	１０月	１１月	合計	平均
入金の部	繰越	−53,540	−71,478	−85,182	−97,983	−93,560	−97,270	−53,540	−52,842	51,163	−54,388	−60,024	−41,810	−53,540	
	会費	70,100	27,000	33,650	41,350	40,850	40,450	35,050	25,650	35,560	35,937	51,865	35,240	472,702	39,391
	業活礼金	2,900	2,590	7,600	4,116	1,590	5,758	5,568	1,846	1,428	8,398	2,736	2,338	46,868	3,904
	寄附・事業・収入	16,800	15,000	10,000	100	5,000	41,358	1,000	47,200	900	1,300	6,170	300	145,228	12,102
	借入金						8,124						61,309	69,433	
													10,900	10,900	
	計	36,260	−26,888	−33,932	−52,417	−46,120	−1,580	−11,922	21,854	−13,295	−8,753	747	68,277	691,471	
出金の部	家賃電話料	19,730	19,802	11,719	9,521	8,525	8,782	9,665	9,620	8,280	6,100	6,095	6,395	124,234	10,353
	人件費	50,000	20,000	20,000	20,000	20,000	28,100	20,000	30,500	20,000	20,000	20,000	40,900	309,500	25,800
	交通通信費	8,357	2,922	4,432	5,357	4,725	4,278	3,675	5,977	4,596	4,644	5,821	4,767	59,552	4,962
	印刷費	19,998	5,000	10,000	5,600	9,150	7,680	5,600	3,000	200	6,200		5,600	78,028	6,502
	会合費	2,370	1,305		300	800	1,000		530	720	520	1,000	3,345	10,890	907
	用品文具費	621	2,055	3,650	60	200	300	1,880	740	280		640	335	11,761	898
	寄付金					2,005								2,005	248
	雑費	5,840	390	8,550	305	225	140	100		160	8,138	2,031	1,215	27,094	2,257
	返済金	820	6,820	5,700		5,520	1,680							20,540	
	記録映画編集費								22,650	6,857	5,669	6,970	5,839	47,985	9,599
	計	107,738	58,294	64,051	41,143	51,150	51,960	40,920	73,017	41,093	51,271	42,557	68,277	691,471	

解説

△ 会費について、協会の会費は１１月末日で会員数１６名全額完納されると、１ケ月５０,０００になります。１ケ月の平均が３９,３９１円ですから滞納が１ケ月平均して１０,０００円になります。しかし実際の会費滞納率は６月以前からの滞納もありますので、会費未納総額は１１月末現在で約１２０,０００円近くになつています。

△ 借入金について、昨年よりの繰越しとして５３,５４０円借入金があります。その他に１０,０００円を個人から借用しています。

△ 寄付、事業、収入について、１２月分の１６,８００円は昨年の事務局員のボーナス資金カンパの入金、１月、２月は礼金です。４月５月はいずれも謝礼金です。７月の４７,２００円は〃記録映画の寄附金です。１０月の６,１７０円は　電話料立替収入です。

△ 人件費について、１ケ月山之内１５,０００円、加藤５,０００円です。１２月分は小高３２年６月、１２月分と加藤１２月ボーナス分、７月は小高３３年６月分ボーナス、半ケ月分、加藤６月ボーナス、山之内半ケ月分、１１月は小高、退職金半ケ月分です。

△ 寄付金について、４月２,００５円は第６回世界青年学生平和友好祭寄附金。

会計監査証明書　(写)

昭和三十三年度帳簿監査の結果相違ないことを証明いたします。

昭和三十三年十二月十二日

樋口源一郎　㊞

(註)羽田澄子さんは病気のために監査の方を樋口氏に一任するようお手紙がありました。

助監督部会報告

作家協会には、約六十人に近い助監督がいます。その中の半数以上が、フリーの助監督でありました。フリーの助監督の間では、仕事のあつせんが円滑に行われる事が大変重要なことであります。昨年の後半から今年のはじめにかけては、批較的に短期間の仕事が多くaがつくとbがあく、という風で、気分として、何となく不安定でありました。この様な中からも、生活対策の組織的な運営をという希望が強く出されてきました。フリーだけの組織を作り、協会の会費とは別にフリー助監督独自の会計をもつて、それによつて生活対策の強化を計る案を立てて活動しようとしたのですが、これは、運営委員会の認める所となりませんでした。それは、協会の中に別の組織を作ることになるから、総会でなくては、可非が問えないという由でありました。今年の短編はぐつと製作本数が伸びたようです。フリーの助監督の心配とは別に今年は中ばから仕事のできる助監督で、仕事につけないケースはほとんど解消してしまつたので、この問題もそのままになりました。そればかりか、フリーの助監督を、企業の方で専属、または長期に契約する傾向が目立ち、現在では、純粋にフリーの助監督は、二十一人になつています。(純粋にフリーということばがおかしければ、一本契約の助監督のことです。)

今年の一月から十一月まで、フリーの助監督が協会におさめた金の総額は、

会費　四三、六五〇円

礼金　三三、七七八円

合　計七七、四二八円

未納金一〇、〇〇四円です。

来年度からは、組織の一部改正に併つて、助監督部会という名称は発展的に解消することになると思います。

フリー助監督の数も二十一人おたがいに良く知り合つた仲間同志ですから、互助のグループ的なあつまりを作つて、生活対策をやつてゆける見通しがついています。フリーの助監督の会員が、テストケースとして積み立てている金(一口二百円)と雑収入を合せて、三万六千三十五円の現金のあるべきところ、協会の赤字月越しにまわしたりして、一万五千三百五　十二円が現在あります。

岩波、新理研、日映科学、から各一名、フリーから2名と運営委ノ名で助監督の研究会が運営されています。これは、一般の試写会などではできない作品を取り上げて、試写研究会をやつています。

新人の作品の研究会。　岩波

ナイト・ナール　フリー

ポチョムキン　フリー

エイゼンシュタイン研究　岩崎　昶　日映科学

ゲルニカ(企画中)　新理研

忘れられた土地　フリー

以上が主なレパートリーです。月一回はやろうという約束ですが、中々、忙くて、集まる時間にめぐまれないのが残念です。けれども、会をおつて、企業の中の人と、フリーと、話し合える場に育つてきているように思われます。今後も続けてゆきたいものです。

六分科会報告

記録映画、教材映画、PR映画、アニメーション映画、科学映画、短編映画、短編劇映画、の六分科会ですが、短編劇映画は流会になりましたので報告がありません。各位のかつぱつなる意見を総会に発表下さい。

（事務局）

記録映画分科会報告

(1) この報告は左記の会員たちによつて、分科会において、討議された問題点のあらましです。だからもちろん、全員一致の結論などではありませんし、そんなものをだそうともしませんでした。この報告は提示された問題点を今後各人がどのようにとりくむか、という手がかりのメモといつたものです。

(2) 分科会は十一月十二日、二十九日、十二月五日。の三回ひらきました。その間、仕事などの都合で出席を希望してもできない会員と分科会運営委員との個別会談をもち、この報告の内容をひろげるようにしました。

(3) 分科会に直接参加した会員。西尾善介、長野千秋、渡辺　享間宮則夫、高島一男、松本俊夫、西本祥子、渡辺正己、苗田康夫、近藤才司、野田真吉、河野哲二、京極高英

(4) この報告起草は分科会運営委員によつてなされました。（間宮、高島、野田、渡辺、松本）

＜報　告＞

(1) 今年の記録映画作品の大観をしるために、各人がみたもの、印象にのこつたもの、また問題となるものをあげてみました。

順不同で列記してみますと－

＜長編記録映画＞

「アフリカ横断」「民族の河・メコン」「アンデスを越えて」「神秘の国インド」「十一人の越冬隊」「大自然にはばたく」「若き美と力」「大平洋戦記」「海は生きている」「黒い炎」「地底の凱歌」（黒部渓谷第二部）「新しい大地」「富士山」など

＜短編記録映画＞

「法隆寺」「志賀直哉」「サッポロ物語」「小さな芽ばえ」「荒海に生きる」「大井川」「下水道」「東京の水道」「日本の学校」「古代の美」「子供の四季」「忘れられた土地」「東京一九五八年」「雪国」「悪法」「松川事件」「鳩ははばたく」「伸びゆく力」「井川五郎ダム」「只見川」「山に生きる子ら」「五十万人の電話」「最上川風土記」など。

その他に学校教材用に作られた記録映画的なものがあるが、教材映画分科会の方にまかせることにしました。また、セミ　ドキユメンタリ的な社会教育映画は一応、ここでは問題点としてとりあげるとしても、はずしました。

(2) 以上の今年度の記録映画の状況から、どんなことが考えられるだろうか。

(イ) 長編記録映画が、一昨年、昨年につづいてあいかわらずにぎやかであります。しかも、内容はあいかわらず、紀行的なものがほとんどで、映画館上映をめざしてつくられ、その線で上映されています。だが、同巧異曲といいますか、内容のとらへ方が同一なので、「カラコルム」などのでたころにくらべると魅力がうすれてきています。そうした記録映画について、観客の反響も下火になつているのが現状です。もうこうした素材主義ではほんとうの前進ができないのではないだろうか。

(ロ) 長編記録映画の一応の多作にくらべて、短編の記録映画が非常にすくないのがめだつようです。そしてこゝでも素朴

な記録主義が頭うちにきているのではないでしようか。ただ、二・三の作品が、方法上の実験を試みようとしたことと、大きい社会問題をとりあげたいくつかの作品がつくられたことがすくない作品数のなかでみられます。

(ハ) (ロ)の反面にはセミ・ドキュメンタリー映画的なもの（セミドラマ的といつた方がよいという意見もありました。）として、いわゆる社会教育映画がたくさんつくられていることです。それは、素朴な、記録主義の頭うちと反比例しているのではないでしようか。補強策的な意味で物語性をつけくわえた記録映画の変形ではないでしようか。そうした意味をはつきりさすことは今後の記録映画の問題をあきらかにするでしよう。また、一方そのような形式がいまの社会教育映画のもつている性格（社会政策のもつている性格）と一致するのではないだろうかということも、問題のうらと表として考えなければならないと思います。

(ニ) そこで、短編映画の製作がP・R映画をのぞいて、都道府県、その他の地域の社会教育学校教育のフイルムライブラリーの購入をめあてにつくられていることです。そうしたところに基盤をもとめた製作は当然、いまの文教政策、社会政策のワクにしばられざるをえませんし、内容形式ともに、外的な制約をつよくうけています。同時に作家の主体性が稀薄になつた多くの作品がみられます。（P・R映画においても同様です。）

(ホ) そうしたいろいろな条件は記録映画の製作をすくなくしています。そして、作家たちがこのような現状で記録映画をつくつていくには作家の主体を確立し、たくさんな外的な困難に当面しそれをのりこえねばならないことをしめしています。

(ヘ) 作家としては、八方ふさがりのような記録映画製作の状況をただしくつかみ、たくさんの外的条件の制約の本質をしるとともに、一方、現在のすべての記録映画が、はげしくうつりかわる現実、複雑な、ひとすじ縄では手におえないような現実をとらへていくのにいつたい有効な方法をもつているのでしようか。また作家はそのような現実をしつかりとらへているでしようか。その現実と対決する主体を確立しているでしようか。そうした作家主体に応じて、いままでのような記録映画の方法は、現在の状況をとらえきるでしようか。とらえきれないのなら、どうしなくてはいけないか。いままでの方法の欠陥はどこにあるのであろうかを追求しなければなりません。そして、新しい方法をうちたてねばなりません。そうした問題意識が、今年は一部であるがでてきたことは注目されてよいでしょう。この問題はさらにさらに、みんなの参加のなかで討論され、作品にこころみられていかなければ解決しないでしよう。

(ト) 機関誌『記録映画』の発行はそうした問題点を提出したということを一つの成果としてかぞえられると思います。

(チ) 以上のことから、記録映画作家は内にも外にもたくさんな問題、しかも、困難で苦しい問題を背負つています。現在の社会状勢はさらにこれからも問題の解決を困難にする圧力をますでしよう。それは一人、一人の力では解決しきれないほどの大きな問題です。そこで分科会は今後、恒常的な記録映画研究会として協会のなかに存続さし、みんなの力をあわせて、問題の追求に、その対策に、そして解決への行動の起点となるようはしなければならないという意見の一致をみました。

(3)

以上が、三回にわたる討論の問題点です、個々の作品についての評価批判などの過程をのせたかつたのですが、不充分な点もあり、意見の一致をみない点もあり、しかもみぢかい時間だつたのでただそこで提出された問題点をひろつて、まとめ

ました。
むしろ、この報告はこれから討論をはじめるための一つのメモとしてうけとつていたゞきたいと思います。

以上

（五八年十二月十二日）

教材映画部会 報告並提言

まとめ 岡本昌雄

◎前書

教育映画部会では、教育映画全般にはふれていません。文字通り一般学校教育関係の教材映画に限定して、現状報告と提言をしたいと思います。

(一) 教材映画は、一般の教育映画と、どう違うのでしょう。

（文責 岡本昌雄）

教育映画という概念にも、アイマイな点がありますが、作品の傾向や利用角度から常識的に判断すると、階層的にも、職能的にも甚だ広範囲の対象に向けられています。その教育映画の中でも、割に明確に区別できるのは、社会教育映画と、学校教育映画です。現在の学校教育用映画はほとんどと申してもよい程、教材映画の形式をとつています。これは戦後に進んだ視聴覚教育運動の成果が、ようやく実践に入つた結果ともみられます。視聴覚教材としての映画が学校現場に大きな役割りをもつていることは周知の事実です。教材映画は、児童の学習の中に、生きもののような力で働いています。この点に問題をしぼつてみても、今后私達が考えていかなければならない様々な課題があるように思います。

(二) よい教材映画とは、どんな映画なのでしょう。

教材映画は映画ではない―という言葉をききます。教材映画を作つている映画作家が、ある解釈からそう言うのでしたら、傾聴しましょう。P・R映画を嫌うように、教材映画を一言で映画の枠から追い出してみたところで、教材映画は良くなりもしませんし、消えてなくなるものでもありません。芸術的な、意慾の高い教育映画作家は、とかく教材映画に背を向けていますが、教材映画を作り、よくしていかなければならないのは、やはり映画作家でしよう。周りで遠巻きにしているだけでは、教材映画はよくなりません。もつと優秀な教材映画を一本でも作りだすために、多くの作家が参加してほしいものです。よい教材映画とはどんなものか？ それは映画作家が解答を出すもので、文部省ではない筈です。

(三) 教材映画の製作上に、どんな問題があるでしよう。

日本の教育は貧しい状態です。それでも子供のことを真剣に考えている素晴らしい教師は少なくありません。教育映画の世界も貧しさにおいてはひけをとりません。私たちの周囲を見渡しても、苦しくて、困難な条件が多いのはよく知られています。経営の主体も官庁や大会社の注文映画に依存しているのが実情のようです。教材映画の製作はこんな中で行われているのですから、他の映画からみると良い筈がありません。教材映画を作ることは、普通の映画以上の苦労がつきまといます。一口に言つて条件が悪すぎます。教材映画をおし進めていくには現場の教師も、会社も、プロデユサーも同じ立場から手を結ばなければ、作家の道もふさがれてしまいます。しかし、それにもまして作家同志の交流と協力が必要です。作家の主体性と一口に言つても、教材映画の本質を、今一歩確かめてみる必要があるでしよう。そして、それが日本の教育映画会の中で、大切な仕事として発展することを信じたいものです。

(四) 教材映画の前進に、どんな問題があるでしよう。

小・中学校学習指導要領の改訂案が発表されました。中でも道徳科の時間特設は、いろいろ批判がありながらも強行されるでしよう。他の科目の改訂にも問題はありますが、教材映画と関連して私たちは無関心ではいられません。もうすでに道徳教材映画も製作が進められているようですが、道徳教育は、昔の修身とは違うことを、はつきりさせておく必要があると思います。

かつての修身教育のように、抽象的な徳目をおしえこむためにお説教道徳映画を安易に使われては困るでしよう。

「具体的な生活の中で理解され、価値判断ができなければならないはずの道徳が、極めて形式的に、プロセスぬきの結果を教えこまれます。社会における生き方を理解し、望ましい行動形式をつくりあげていく人間に育つてほしいのです」

薄つぺらな鼻もちならない修身講話のような映画を、私たちは警戒しなければならないと思います。又そんな映画を作りたくないものです。

◎後　書

このほか、社会科、理科などの各科目毎に具体的な事例もありますが、余りに教材技術的になりますから省きます。又、他の部会（科学映画・短編劇映画）でも取上げられると思いますので、その点方法論や作家活動の面では同じことなので、その点も省いてあります。だいぶおかしな報告になりましたが、この辺から問題をひきだして頂いたり、発展させたりして頂けたら幸甚です。

ＰＲ映画部門の報告

◎一次集会（十一月十七日）

諸岡、清家、水木、村田、西浦、加藤の5名、他にユニ通信社の2名が出席となる。

この日は第一回だけに一般論に終始し、その理念の問題を中心として進められ、ついで問題点のありかも検討された。すなわち——

ＰＲ映画とは何ぞや

どんな問題があるか

しかし、あえて結論まではあせらず、むしろ向後の究明にまつことにする。

◎二次集会（十二月十日）

赤佐、大野、加藤の3名。

前と顔ぶれは違つたが、前会の経過にもとづいて、やはり前会からの発展的な討議となる。

この日は専門論に入つて、ＰＲ映画の実際的な方法論や作家態度までも語られた。

これら二回にわたる論議をまとめてみると——

☆　☆　☆

(1)　まずＰＲ映画なる類別は、他の諸部門のそれと違つてジャンルの名称ではなく、その目的による呼称であること。

従つて「ＰＲ映画の形式」などは、むろんありえない。むしろ他のあらゆるジャンル（科学、教材、記録、劇、動画など）にわたるものだ。

ここにこそＰＲ映画の大きな特質と魅力がある。

(2)　次にＰＲと宣伝とは、どうちがうかの問題——

そのちがいが、あらためて検討される。

しかし一般的にはやはり、わずらわしい問題でもあり、今後の当部会ではその対象を、いわゆる『スポンサード・フイルム』に決定することを確認する。

これには製作費の全額出資ばかりかタイアップをも含む。たとえば今年度では産業映画「富士[illegible]から、東京シネマ「ミクロの

世界」まで入ることになる。

(3) ＰＲ映画に対する偏見の問題――

これは案外に多く（意識の有無をとわず）また深刻でもあるようだ。たとえば、なんだチンドン屋ではないか、いや資本家のイヌだどうせ食うための手段さ―等々。これらの偏見やコンプレックスに対しては、できるだけ啓もう説得をつくさねばなるまい。つまり自体のＰＲ活動である。いえばスポンサード・フイルムの解釈にもよるだろうが、いわゆる「ヒモつき」の意味ではなく、その精神にあつてはむしろ反対といえよう。（それは後段でふれる）

(4) 目下の問題点としては――

ＰＲ映画コンクール（産経など）や、海外むけＰＲ映画（ジエトロなど）のあり方はこれでよいのか。対プロデユサーやスポンサーの問題。問題的な作品の検討―等。これらは会をかさねることによつて、究明を期すことになる。

(5) ＰＲ映画の本質論の問題

(A) （順序として）自主作品というものでも作家の百％自由になるものではないと同様に、ＰＲ映画だからといつて何もかもスポンサーの自由になるものではない。これは自明の基本論だろう。

(B) むしろＰＲ映画の場合では、どの程度スポンサーを動かすかによつて、作品の質が決定されることが多い。ＰＲ映画もまた本質的には映画なのである。これは常識論であろう。しかし、これらのことが努力されず、また努力はしても達成されぬ点に問題がある。

(C) ＰＲのないＰＲ映画――

これを求める声は多く、むしろ大部分かもしれない。いやむしろＰＲ（宣伝）性のないものこそ、ほんとうのＰＲ映画ともいわれているようだ。あの英国シエル映画などは、その典型だろう。しかし、これには異論もある。そのような典型作品でも、はたして何を「宣伝」しようとしているのか。さらに本質的には「宣伝のない宣伝映画」というものが成立つものかどうか。要は程度の問題につきるはずだが、大いに論議のあるところである。

(D) さらに一歩を進めると――

従来の映画―殊に自主作品一般などの場合では、たんに映画だけの世界であり、映画人の考えだけで終始されたものであつた。ところが、いわんとするＰＲ映画にあつては、たんに映画人ばかりではなく、進歩的な産業人の協力を得て、すなわち両者の「合作」によつて、ここに新しいジヤンルが生まれることになる。映画人だけの考えには限度があり、また行詰まりなども打開されるだろう。われわれはその可能性にむかつて前進したい。それが可能ならあるいは自主作品などは足もとにもよれぬ新分野といえるではないか。

(E) 産業教材映画（Trainning Film）

これは前の映画人と産業人「合作」の一例といえようが―

ここでは映画はハッキリと手段であり、目的は教育にある。もはや「映画であること」が第一義なのではない。やはり学校教材映画と同じ運命にあり、同様な問題があるだろうが、むろんこれからのものである。

かくて、いわめるPR映画（正しくはスポンサード・フイルム）も大別すると、一つは「映画であること」を立前とするものと、他はそれを手段とするものとの二種が考えられることになる。

☆　☆　☆

以上をもつて二次にわたる分科会の「まとめ」とした（年度的な検討まではいけなかつた）が、われわれも集まつてみてはじめて、みんなの結合で育てていかねばならないものが多いことを痛感した。

たとい二人でも三人でも、やはりつづけて集まりたいものだ。

（担当　加藤）

アニメーション部会報告書

協会員中アニメーション映画を専門にやる者は僅か五名、それも日々の仕事に追われていて話し合うといつたこともなく、一年を過して来た。井戸の中の蛙といつた言葉が現在のアニメーション部門を適切に表現しているとも云えよう。現実に日々の社会に直接身を置く他の作家諸子に種々意見をひとつ聞いてみたいと思つて第一回会合を十一月十八日に開催したが連絡が不備で集らずに流会した。

×　×　×

数日後教材の岡本さんがアニメーション映画社に来られ、岡本、吉岡、長井の三人で今后の方針について話し合つた。その後電話で連絡し合い第二回の会合を十二月十一日夜六時から、協会事務所に於いて開いた。多数の作家諸氏の参加を期待したが、岡本、吉岡、長井、諸橋の四人が集つただけ、しかし仲々有意義な会合で活潑な意見の交換があつた。

問題点を左にかかげると、

一、教育映画に於けるアニメーション乃至アニメーション映画の置かれている位置、その意義は如何なるものか。

二、右に関し他の協会作家諸君がどれほどの理解及び関心を示しているのか、或は全然アニメーションというものを分つていないのだろうか。

三、協会そのものが持つ性格（記録性？）はいつたいアニメーション映画というものをどのように評価しているのだろうか、いわゆるジャンルとしての問題点

四、だとすれば我々アニメーション関係のものはいかにすべきかその具体的な方法論

五、新たに発足するテレビ局をも含めテレビ映画（教育映画）の中でのアニメーション映画の今後の問題となる技術論及び経済的な問題・・・　などであつた。

十二月十三日　吉岡宗阿彌

科学映画部会報告

研究会科学映画部会を開いてみて、参加者が口を揃えていつたことは、何故もつとこういう会を早く持たなかつたかということであつた。

これは何も、それ程の成果が、次々とでてきたということを意味しない。お互いが共通の広場を持つたことである。

「科学映画とは何か」という範らゆうさぐりは、最初から話題にならなかつた。映像がどのように利用されるか、それは作家の力だけでどうなるものでもない。

会の持ち方も、決められた問題を中心に話し合うということではない。その時その時の自然に任せた。しかし振り返つてみると

自ら道らしい道ができている。

それが反省という形になつて、来年度に持ち越された。

作家の興味の所在の深さということ。

しかし興味の内容は、無際限の筈。だから現実の中に方則性をさぐる。その方則性を見出すよろこびが、作家の生きる現実につながる。科学映画をつくるということは、そういうことなのだという考え方もある。

また、ある理屈は常に基調にある筈だが、その上に芽ばえ、もえているのは、作家の欲求でなければならないと前の言葉を布えんする。

しかしその理屈が問題。作家が興味が持てなくとも、カリキュラムにあり、映画を使う立場からの要求があれば、考えざるを得ない。これが教材映画のワクであるとする限定論も、一方にはある。

その人たちは、教材内容という大きなスポンサーに奉仕する技術提供者にすぎなくなつていると考える。

けれどもそのように自分で自分にわくをつけるのは、根本的に間違つている。作家の方向性とか或いは一般大衆より一歩先を歩く所にこそ作家の存在が考えられるのだからと反論する。

だがその結果、その商品が売れないということになつては、問題が残りはしないか。

これは要するに、科学映画に於ける技術的可能性は、戦後急速に広く大きくなつた。けれどもそれに見合う作家側の創作性には大変問題がある。

デザインのみきらびやかになつたが、それを生かす人間という本体が貧弱なのが現状だ。

ここでいうデザインとは、技術のデラックスばかりでなく、材料の陳列ということも含む。

これは、作家が存在の中に入つていくのではなく、存在を作家の方へひつぱつてくるという創作方法とも関連するのではないか。

そして前の立場にたつたものがキヤメラマンであり、後者が演出者である。そしていつも両者から、作品がスタートするととり残されるのが脚本家である。

決定的瞬間を握るキヤメラマンがもつ興味と、それによることが少ない演出者とのずれは、ハサミを握る演出者によつて、最終的には大きくなつたり、小さくなつたりする。

その意味でスタッフの完全なる協同が必要になつてくる。と同時に普段からの経験のつみかさねに部厚い共通性が日程になるだろう。

科学映画が面白くないというのが、今もなお新しい不満になつている。

これに対してその通りである。科学映画は面白く、しかも為にならなければならない。そういう科学映画こそ、見るもの、教育に役立つと主張する。

面白いということゝ為になるということとは、作品をつらぬく二つの概念ではない。結局芸術ということが、この二つのことうらはらなのである。いい映画は、みんな面白く為になる筈である。

だから科学映画作家が面白さの実体に迫つていない所にこそ、問題がある。作家が面白く思わない所に、作られる作品だけが面白くなる筈がない。そこから作家の社会的立場というか、歴史に対する科学性が要求されるのではないかと結ぶ。

科学がなにか文化鍋的概念で考えられていない。科学は難しいものだとか考えられていることに対する抗議に、科学映画作家の創作の一つの立場がある。科学もよりよく生きる人間のためにある筈である。だから医学映画などに見られる安直な結論に対しては、いきどおりを感ずる。科学を別仕立につくりあげることになる。

だからといつて、科学映画には、フイクションは考えられないということにはならない。真実のわい曲という意味でのフイクションではなく、真実を追求する手段としてのフイクションは当然考えられていい筈である。

科学映画もいわば、自然科学を対象とした記録映画である。観察の目新らしさ、珍奇さに科学映画がよりかゝつている限り、そこには作家はいないと見なければならない。

教育映画作家は、今こそもう一度、映画による教育ということの意味を考えねばならない。それは教育家になれということではなく、あくまで芸術家であらねばならないということなのである。

教育というにしきのみ旗にかくれて安住はできない。来年度は作品試写、テキストの使用等による恒常的研究会に発展させたい。

ひとりのすぐれた作家の精進が大きな刺戟になることは確だ。テレビ時代に入つて、今や教育映画は、いや応なしに教育という場と対決しなければならない。

描写の後にかくれていられなくなるという意味で、作家の自覚が要請される一九五八年ではあつたようだ。

以上三回にわたつてもたれた研究会の問題点を、私なりにかいつまんでみました。多分に私見が加わつているようです。その意味で御出席の諸兄の御意見をまげて伝えている向もあるのではないかと心配しています。大方の御批判を待ちます。

（文責担当者　樺島清一）

因に参加者を列記します。（順不同）

吉見　泰、吉田六郎、岡本昌雄、杉山正己、大沼鉄郎、岡野蘸子、渡辺正己、樺島清一

新役員の選挙方法と候補者一欄表

今回の役員選挙は今までと違つて会員全員が候補者を出して全員投票によることになりました。運営委員会としては会の発展にともない、新しい方々に会の運営にあたつていただくことと、会自身がそれだけ責任をもつて進めて行けるだけの力を持つようになるからであります。唯スイセン候補なしの投票では選出が困難であると考へ、運営委員会では候補者を上げてみました。

☆ 投 票 方 法

○ 各候補者を出して総会において全員投票する。

○ 運営委員長及び事務局長は／名単記、運営委員は／５名連記とする。

☆ 運営委員会推薦候補者（アイウエオ順）

運営委員長（４名） 厚木たか、下村健二、樋口源一郎、中村敏郎（日映新社）

事 務 局 長（４名） 河野哲二　富沢幸男、苗田康夫（日映新社）間宮則夫

運 営 委 員（４0名） 荒井英郎、赤佐政治、岩堀喜久男、飯田勢一郎（日映科学）岡本昌雄(日本視覚教材）大久保信也（たくみ工房）奥山大六郎（日映科学）かんけまり，樺島清一（日本視覚教材）川本博康、楠木徳男（日本ドキュメントフイルム）近藤才司、杉原せつ、杉山正美、谷川義雄、高島一男（東京フイルム）高村武次（岩波）、丹生　正、田中舜平（記録映画）高井達人（三井芸術プロ）豊田敬太、富岡　捷（新理研）時枝俊江（岩波）、中村麟子（日映科学）、長野千秋（日映科学）長井泰治（日本アニメーション）、西尾善介、西沢　豪、羽仁　進（岩波）羽田澄子（岩波）、肥田　侃（岩波）、藤原智子（新理研）丸山章治、森田実、諸岡青人（日映科学）、八木仁平、八木　進（モーションタイムズ）矢部正男、柳沢寿男、渡辺正己

会計監査候補（２名）西本祥子、八幡省三

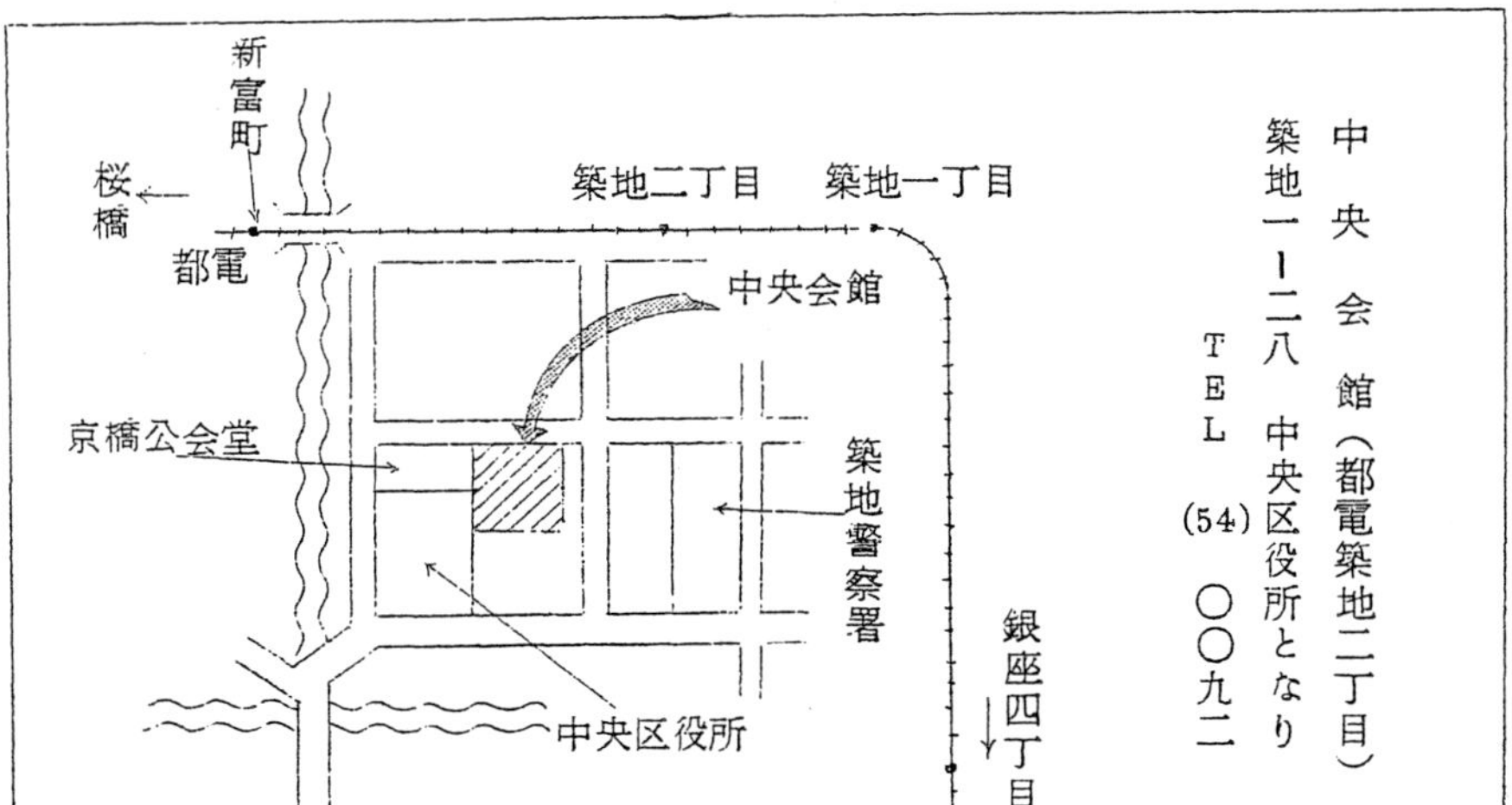

教育映画作家協会

才6回定例総会

議案書

とき　1959.12月27日(日)12～后6

ところ　新聞会館（銀座松屋うら）

才六回定例総会

—式次第—

一、記録映画自主作品上映〃日本の政治〃〃安保条約〃〃失業〃
二、開会の辞
三、議長選出
四、一般年次報告
五、研究会報告
六、雑誌〃記録映画〃報告（経営及編集）
七、事務局及財政報告
八、会計監査報告
九、討議と採択
十、来年度の方針に関する提案
十一、討議と採決
十二、役員改選
十三、閉会の辞

（註）○　議案書は総会当日持参下さい。
○　当日出席出来ない方は委任状をお出し下さい。
○　「記録映画」一月号を総会当日お渡しします。

四、一般年次報告

運営委員会

（一）運営委員長代理を置いたこと

本年七月を以て中村委員長が協会の会員を辞められることになつた。氏が勤務しておられる日映新社において、プロデューサーの職務に就かれることになり、作家とは一応立場を異にすることになつたためである。協会としては、誠に残念なことではあつたが、御本人の意志でもあり、認めない訳には行かなかつた。勿論、同時に運営委員長も辞任されることになつたのである。

その結果、協会では委員長の空席をどうするかという問題に当面することになつた。臨時総会を開いて新委員長を選挙するか、或は便宜的に委員長代理を運営委員会で選出し、今年度後半の運営を進めて行くかについて、会員のアンケートをとつたところ、後者の方法が適当であるという意見が過半数を占めた。

そこで委員会は、矢部を委員長代理とすることにした。又、矢部の委員長代理への転出によつて、運営委員は一名の欠員を生じたが、それは、別に日常の運営に支障がないと思われたので補充しないことにした。ただ、常任委員はどうしても五名は必要と考えたので岩堀を選出して補つた。

このことは、すでに会報で報告済みであるが、一応改めて御諒承を得たいと思う。

（二）作家活動の前進について

作家活動を阻害する現実の諸状況を打開して、真に作家の回復を目指すことがわれわれの緊急最大の課題となつてから既に久しい。そのような状況をもたらした外部的な障壁と、それにも劣らない頑強さで立ちはだかるわれわれの内部的な沈滞とを打ち破るための困難な斗いは、本年度に入つて一層真剣に進められたのである。

ⓐ 理論的探究

その斗いの一つは、機関誌「記録映画」を中軸にして進められた理論的な探究である。過去の記録映画運動の足跡を省みて、その坐折の歴史と、その結果もたらされた現状の分析の中から、われわれ自身の理論を打ち樹てる努力がはじめられるのである。そしてそれは、次才に会員の間に強い問題意識として根を下し拡大して行つた。この事に、われわれは大きな意義を認めていいと思う。

問題提起をめぐつて幾つかの論争がまき起つた。それは必ずしも本質的な次元で行われたとは云い切れないし、又、本質的な次元で起りかけたものが尻つぼみに消えてしまつたものもあつたが、そのために、これらの論争の成果を低く見積ってはならない。それよりも、もつと多くの会員の中に芽ばえ潜んでいるさまざまな反論や主張が、表面に浮び上らずに終つたのではないかという反省が必要であろう。

中には、現実に創作の場が閉されている時、何の理論ぞという声もあつた。われわれにとつて最も重要な、実際の創作活動が依然として困難な事情にある今、それが余りにも絶望的な厚い壁であるために、ともすれば敗北感に陥りがちなのは巳むを得ないが、しかし実は、そういう状況だからこそ、一層強靱な理論の確立が必要なのである。理論と無縁と思われる現実の中で、当然、われわれは大きな矛盾と疎外感に苦しまなければならないが、実はその苦しみこそが、われわれを次の段階へ押しすすめる力となるのである。理論と実践との綜合的な機能は、現在のわれわれの場合このような意味で把握されなければならない。その意味で、現場の苦悩、或は現場からの問題提起が、この一年の機関誌に余り反映されなかつたのはいささか淋しいと云わなければならない。

ⓑ 創作活動

前に述べたように、われわれの創作の場は、厚い壁に閉されてはいるが、しかし、希望が全く無い訳ではない。総評企画の一連の映画は、その有力な一つであると云つていい。

総評では、その労働運動を助ける一手段として、昨年度に「悪法」を製作し、今年度には「日本の政治」「安保条約」「失業」の三本を企画製作した。われわれの協会が、この何れの場合にも協力して来たことは既に知られる通りである。しかしその場合、単なる技術的協力に止まらず、真に作家として自分の思想と方法を主張したかどうかを、われわれは冷厳に反省しなければならない。戦時中の軍協力から戦後の民主々義謳歌へ、そしていつのまにか反動政治と独占資本のお先棒担ぎへと無節操に変転して来たことに深い責任を感じているわれわれが、今また、基本的なテーマへの共感の故にその後の総てを解消してしまう惧れがないとは云い切れない。企画者側の提示した骨子に従つて、ただこれをフイルムの上に形象化することによつて能事終れりとするような態度であつてはならないと考える。この事は、徒に企画者側と対立して作家側の面子を保持しようというようなことでは無論ない。ではなくて、作家が真に作家の名に値する現実把握の眼を持ち、そこにはじめて確立される創作上の方法を主張しなければならないということである。誠に当り前のことなのだが、映画もまた「芸術」であり得た時にはじめて真にプロパガンダの機能を持つことが出来るのであり、その意味でわれわれの提唱は企画者としての総評の、労働運動推進の意図と決して矛盾対立するものではないのである。

このような立脚点から、われわれは総評映画に積極的に参加したのであるが、その成果はかなり上つたと信じている。たとえば、松本俊夫の「安保条約」は、彼自身の創作方法をひつさげて、彼自身の叫びを高らかにあげた作品であると云うことが出来る。このことをわれわれは高く評価しなければならない。この作品をめぐつて、さまざまな論議が渦巻いたのは周知の通りであるが、この事にこそわれわれは大きな意義を認めたい。又、「安保条約」の製作に際しては、会員の羽田澄子、岩堀喜久男、厚木たか、京極高英の諸君から、そして会員ではないけれども、わが協会と記録映画運動に多大の関心と協力を寄せて下さつている大島辰雄さんから、意見書や構成案が提出された。このような貴重なエネルギーが結集されたことは協会として前代未聞のことであつて、その意義は誠に大きいと云わなければならない。たゞそのエネルギーを真に生かし得なかつたことをわれわれは残念に思う。

「安保条約」に次いだ「失業」もまた、京極高英、徳永瑞夫の両君が真に自分の創作方法を打ち出した作品となつた。その中には、久し振りに水を得た魚のような生々とした作者の息吹きを見ることが出来る。こうした作品が続いて作られること、そういう条件を獲得することが、いかにわれわれの運動に必要かが痛感されるのである。

次に、今年度の末に、われわれにとつて大きな積極的な意義を持つた動きがはじまろうとしていることを御報告したいと思う。それは、アジア・アフリカを打つて一丸とした民族の連帯をテーマとした国際映画の製作である。これは、大島辰雄さんの御尽力で、AA会議の常任書記局会議に提案され承認されたものである。十二月号の「記録映画」と同封でお送りした要項でその概要は分つていただけると思うが、われわれとしては大変意義の大きい仕事と考え、日本に於けるアジア・アフリカ連帯委員会事務局と具体的な話合いに入ろうという方針を決定し準備委員を依嘱した。これはむしろ、来年度の仕事となるものである。

© 外部への働きかけ

以上のような理論探究と創作活動の過程の中から、作家活動も、ただわれわれ作家側の努力だけでは大きな成果が上げられないことが明らかになつた。それは、作家と観客大衆、或は進歩的なプロデューサー、上映組織に働く人たち、更には、各大学などの映画研究会や実作のグループ、又、文学、美術、音楽などの他の芸術ジャンルの人たちや民主的な政治組織、労働組合などを含めた、広汎な協力の上に展開される大きな運動とならなければならない。この事は、云わば当然すぎる位当然な認識に過ぎないが、しかしとにかく本年度、そのような意識が次のような実践活動を生み出したのである。

オ一は、国民文化会議への参加である。映画部会のメンバーとなつて例会には事務局が参加していたが、更に、十月の二二〜二四日大会には、世話人として野田真吉君が出席、「マス・コミ部会運営委として報告を行つた。又、同大会には「悪法」「安保条約」などの映画が上映された。

オ二に、各地区の映画サークルと共同して記録映画を観る会を毎月開催した。この活動は、機関誌の販路拡大をも目指して進められたもので、後刻、直接に担当した、機関誌経営委員より詳細な報告がある筈であるが、観客とわれわれの問題意識を統一することに、成果が上りはじめたと云うことが出来る。われわれもその会合に時間の許す限り出席して相互理解に努めた。そののち、これも大島さんの胆入りで、記録映画友の会の結成があり、われわれは、これらの観客組織との連けい共同の中で、一層運動の推進が期待出来ると考えるのである。

又、「安保条約」の完成に際し、製作スタツフを中心にして、巡回映写の担当者との話合いの機会を持つたが、こういう会合の組織化の必要が痛感された。

又、われわれは安保体制反対の立場を明らかにし、安保批判の会に参加したが、これも、われわれの作家活動のための一つの基礎である。

次に、自主上映促進協議会が、「戦艦ポチヨムキン」に次いで、ヨリス・イベンス監督の「世界の河は一つの歌を唱う」の上映運動を開始するに際し、その日本語版作製の仕事に協会として参加した。これも、われわれの運動に積極的な意味を持つものである。

ⓓ 研究会活動

本年度に於ては、記録映画研究会が従来になく活発に行われた。その詳しい状況については、担当者より報告がある筈である。たゞこれ以外の研究会　　、教材映画、PR映画、科学映画、アニメーションなど、昨年度の末に結成され、昨年の総会に於て、その活動の推進を謳われた各分科の研究会は、本年度に於ては実際に何の活動もしなかつた

ⓔ 教育映画祭について

最近の教育映画祭についてのわれわれの見解は、「記録映画」十一月号の時評欄に云われている通りである。しかし、われわれの協会は、実はこの主催団体である日本教育映画協会の一員

なのである。従つてわれわれは、映画祭を批判する前に、当然その官僚化の阻止のために斗う責任があつた筈である。この点深く反省しなければならない。

（三）生活を守るたたかいについて

又、作家活動の前進と並んで、協会運営のもう一つの重要な課題である生活と諸権利の擁護の問題についても、本年度は何ら見るべき動きをしていない。一時、この問題と取り組むために、必要な基礎データを集めるべく活動を起しかけたのであつたが、要するに委員会の持つエネルギーの不足から中断されたまゝに終つてしまつた。この点大変残念であり、又申訳なく考えている。

従来、生活の擁護と云うと、何を仕事の斡旋というような狭意味に解されがちであつて、その点、企業所属の会員とは無縁の問題とされていた。従て、協会がその面に余りエネルギーを使いすぎることは、協会運営の偏心の危険を感じさせるものであつた。しかし実際は、企業所属とフリーとを問わず、創作上の諸問題とも密接な連関をもつた課題としてとらえられなければならないのである。

以上を以て一般報告を終るが、結論的に云うなら、本年度の協会の活動は、作家活動の面で一応大きな前進を見ることが出来たと考える。ただ、生活問題の面では殆んど成果がなかつたことを運営委員会は深く反省している。

—以　上—

五、記録映画研究会
一九五九年度活動報告

記録映画研究会は、昨年度の分科会総括をふまえ、その課題を更に明確にし、前進させるため、次のような目標を立てて五九年度の活動を開始した。

一、「現実を主体的にとらえ表現してゆく」ということはどういうことか。そのような作家意識、あるいは創作方法を具体的に明かにしてゆくという観点から、過去および現在の作品を目的意識的にとりあげ、試写ー討論という研究形式をとりつつ、問題をまさぐり、蓄積し、発展・深化させてゆく。

一、研究会は原則として毎月一回、開き、地道に長続きするような運営を計る。

一、当面の課題としては、まず何よりも戦後の記録映画運動として唯一の貴重な経験であつた記録・教育映画製作協議会の作品を系統的に再検討し、その教訓から、今日の運動のあり方を考え、その上に立つて、その後の研究会のテーマを決めてゆく。

一、研究会活動の過程で生みだされてきた創意にみちた意見や問題意識は、協会機関誌「記録映画」に積極的に反映させてゆき、また「記録映画」誌上に発表された注目すべき意見や問題意識は、研究会の作品分析や討論の中で検討してゆくように心がける。

一、研究会の構成は、原則として協会員をその主体とするが、必ずしも閉鎖的になることなく、協会外で関心をもち、参加を希望する人たちすべてを自由に加えてゆく。

一、研究会は、親睦会的なサロンやアカデミツクなゼミナールに陥いることのないよう、あくまで作家活動の前進と、運動の観点を軸に置いて進める。

以上の諸点を具体的におしすすめる世話人として、大沼、野田、松本の三名が幹事に選ばれ、事務局の援助をうけながら、研究会はこの一年次のような例会を開いて来た。

○一月五日

テーマ＝記録・教育映画製作協議会の作品及び運動の再検討

作　品＝一九五二年メーデー、一九五三年メーデー、米、京浜労働者、月の輪古墳

○一月六日
テーマ＝前に同じ
作　品＝一九五四年メーデー、真実は壁を透して（松川事件）
日本の青春、日本の歌ごえ（一九五四年）

○一月八日
テーマ＝前に同じ
作　品＝一九五五年メーデー、土の歌、永遠なる平和を、朝鮮の子、日鋼室蘭

○二月十九日
テーマ＝記録・教育製作協議会の運動が企業内に反映されて生まれた代表的な作品についての再検討
作　品＝たのしい版画、西の果て、九十九里の子供たち

○三月二十八日
テーマ＝現在地点での形式主義とテーマ主義、あるいは近代主義を自然主義をのりこえるためにはどうすればよいのか。
作　品＝つぐみ（カナダ）、数のリズム（カナダ）、悪法、日本の政治

○四月十七日
テーマ＝朝鮮における映画の現状とその問題点
作　品＝沈清伝（朝鮮）

○五月二十七日（教材映画研究会と合同）
テーマ＝教材映画の中にドキュメンタリーはいかにその表現の積極性をもたらすか。ジャンルと方法の関係。
作　品＝東京の生活、ネンネコおんぶ、鉄道郵便車、春を呼ぶ子ら

○六月十五日（協会、中部映画友の会、官公庁映サ共催の研究会と合同）
テーマ＝モンタージュをめぐる方法の再検討。アヴァンギャルドとドキュメンタリーの関係。
作　品＝不滅の町ワルシャワ（ポーランド）、同じ空の下に（同）、エイゼンシュテイン伝記映画（ソヴエト）

○七月十四日
テーマ＝アヴァンギャルドとドキュメタリーの関係。内部の記録と外部の記録をどう統一させるか。
作　品＝東京1958（シネマ58同人）、釘と靴下の対話（日大映画研究会）、同じ空の下で（ポーランド）

○八月二十五日
テーマ＝社会的政治的主題をもったドキュメンタリー。その方法と機能の問題。
作　品＝ある侵略者の話（アラブ連合）、怒れる焔（ヴエトナム）、警鐘

○九月十四日
テーマ＝プロパガンダ映画。前衛記録映画の可能性の問題、政治と芸術のプログラムについて
作　品＝世界の河は一つの歌をうたう（世界労連）、安保条約

○十月十四日
テーマ＝プロキノ映画の再検討
作　品＝メーデー（第12回）、山宣、共同耕作

○十一月二十六日
テーマ＝新しいドキュメンタリーの方法意識。戦争体験のみつめ方について
作　品＝蝶々はもう飛ばない（チエッコ）、廿四時間の情事（フランス）

○十二月（予定）
テーマ＝デペイズマン・モンタージュの方法、前衛記録映画の可能性と、その中に残された自然主義と形式主義について
作　品＝失業、Nの記録（日大映画研究会）、世界のすべて

の記録（フランス）

以上が五九年度に行われた記録映画研究会の例会記録である。参加人員は、最高が九月例会の約六〇人、最低が八月例会の約一五人を両極として平均約二〇〜三〇人であつた。また、試写後の討論が特に活発に行われたのは、一月例会、五月例会、七月例会九月例会、一一月例会であり、不活発だつたのは四月例会、八月例会、一〇月例会だつた。活発な討論が行われたのは、取りあげられたテーマ及び作品が、今日の作家活動を前進させる上でアクチユアルな魅力ある問題を孕んでいたためであり、不活発であつたのはそれが欠如していたか、会場の条件が悪かつたためであつたと思われる。しかし全体としては、今年度冒頭に立つた前記の目標は、着実に具体化され実践されてきたし、研究会としての共通分母は大きな点から明確にされてきたといえる。なお今年度の活動の中で特徴的なものとしてチエツクすべき点としては次の諸点が考えられる。

一、研究会が運動の実践的な中核ともなつて来たこと。

記録・教育映画製作協議会の果した役割およびそのエネルギーの評価と、その挫折の外的・内的原因の究明を正当にふまえた上で、それに次ぐ運動体として発展させてゆこうとする意識が生れてきていること。また実際的に総評製作のプロパガンダ映画等の具体化のためにも少からず力を入れたこと。

一、過去の運動体験をもつた作家たちと、新しい若い世代の作家たちとが、卒直にそれぞれの考えをぶつけ合い、批判と摂取を交流し合う中から、今日の記録映画作家の共通の課題と問題意識を共有してゆく方向を基本的に作り出してきたこと。特にそれが映画をめざす学生、及び、劇映画部門の若い作家たち、あるいは映画サークル活動家、映画と批評の会の会員たち、また各ジャンルの作家、及び批評家を加えつつ広がりと深まりをみせてきていることは注目される。しかし、その反面、協会会員のＯＢクラスの参加が極めて少く限られており、たまたま試写会には参加しても、研究討論会には参加しないという傾向もあるということ。

われわれはこの二点に特別の関心を払いながら、来年度においては、更にその活動を活発におしすすめ、更に各ジャンルの作家批評家とも交流を深め、観客組織や普及活動家の意識的な部分とも大いに提携しながら、新しい記録映画運動をめざして、作家主体のあり方、創作方法の追求など山積した課題を、着実に一歩一歩つかみとり、実践してゆくことを努力しなければならないと考えている。より多くの会員諸兄の参加を希望してやまない。

記録映画研究会幹事（大沼・野田・松本）

六、雑誌〝記録映画〟報告

経営委員会

(イ) 経営関係

一月号をもつてベースボールマガジン社の発行打切りに直面した経営委員会は、総会に於ける自主的体制確立の決定の線に従い次の様な方針をとつた。

一、自主発行のための予算案（三月号より）の編成し健全財政を確立する事

〈別表（第六）を参照せられたし〉

二、固定読者獲得運動を更に推進する事

以上の二点に重点を置いた。

そして固定読者獲得のための具体案として、前年度大会の決定

○協会員一人一部・読者獲得運動を更に推進し、

○経営、運営の各委員は、十部程度・固定を取る事

○映サ・映研その他地方の各団体に対して販売を委たくする

○固定読者に対しては、試写券を増呈する事などを決定した。

更に、記録映画のつくり手と、受け手の交流拡大のため四月[illegible]

り、記録映画読者招待映画会を、映画サークルの協力を得て毎月一回行う様にし、併わせて、「記録映画」の販売を計つた。〈この具体的な報告別表◇記録映画を見る会活動報告を参照せられたし〉

七月に入り、固定読者及び販売が或る段階に到達〈才五表記録映画読者拡大グラフ参照〉したため、新予算案を作り〈才六表、予算案七月以降参照〉特に事務局員人件費と協会会費増収分を基本財政に繰入れ、財政的基ばんを、広告収入と、販売収入に置いた。

更にベースボールマガジン社の援助による印刷打切りを予測し、財政基ばんの確立を更に拡大しようと努めていた。

しかしながら、十月予想より早く一カ月の予告をもつて、援助打切りの通告があつた。そのため、経営委員会としては、常任委員会と併せて、緊急会議を開き、今までの記録映画予算を独立採算の立場から発行部数千部として検討した結果

◇収入の部

固定読者（二四〇部）	一五、〇〇〇円
売上高	八、〇〇〇円
広告収入	四〇、〇〇〇円
合計	六三、〇〇〇円

◇支出の部

交通費	三、五〇〇円
通信費	三、〇〇〇円
原稿料	三、〇〇〇円
座談会費	一、五〇〇円
文具品	一、〇〇〇円
電話代	二、五〇〇円
印刷費	六〇、〇〇〇円
合計	七四、五〇〇円
差額	一一、五〇〇円

以上となり、印刷費が今まで四万円であつたものが、六万円となり一一、五〇〇円の不足する事がわかつた。そこで検討の結果次のようなプランを立て実行に移つた。

(一) 一五、〇〇〇円程度の毎月取れるスポンサーをさがすこと。
(二) 販売を拡大すること（東販等へよびかける）
(三) 基金募集をする

以上です。

十一月現在の結果、スポンサーは、一万円程度の増収が計れ、今後も努力を続けている。

○ 販売の拡大は特に東販に対して、十二月号より五百部（一部〇掛け）で流す事が決定し、その実行に入つている。

○ 基金の募集については、独立採算になると、三カ月間、印刷屋に対しての先払い（東販にはいる販売収入が三カ月据置きという実情から）から、印刷費一カ月分、六万円の三分の二、四万円程度の資金が手元にないと運転出来ない事から、

△ 一口五〇〇円で一年間借用
△ 一年目に返却　但し無利子

という具体的なプランを建て運営委員会にかけた所

総会に計り決定する事に決まつた。

なお十二月現在（一月号）迄の発行不足金は、協会雑収入による借入金四万五千円を補い、発行されている。〈細部については才四表〉

今後の運営は、更に広告収入の拡大、東販その他を通ずる販路の拡大にかゝつている。

経営委員会としては、総会に対して次の事を要求したい。

一、独立採算発行基金募集の決定
二、本年度の運営の経験により、常任運営委員のなかから経営担当者を決め、運営委員会がそれを推進するという制度の改変を計りたい。

〈なお機関誌記録映画の収支は才二表を参照されたし〉　以上

昭和34年"記録映画"関係会計報告

（自昭和33年12月 1日／至昭和34年11月30日）　（才一表）

教育映画作家協会

		12月	1 月	2 月	3 月	4 月	5 月	6 月	7 月	8 月	9 月	10月	11月	合 計
入金の部	繰越			(20,959)	(2,636)	(38,242)	(35,451)	(28,376)	(41,691)	(29,095)	(31,132)	(28,929)	(79,179)	
	売上	4,086	4,680	5,490	10,211	8,530	7,010	11,540	6,970	8,435	8,875	7,863	12,762	96,452
	予約	3,700	10,940	12,970	14,390	9,000	7,800	20,800	13,130	10,700	17,350	10,710	12,040	143,530
	広告料	42,500	29,500	27,500	27,500	38,000	38,500	37,000	72,000	41,000	44,000	44,000	29,500	471,000
	雑収入			6,000	1,140	4,000	1,000	16,570						28,710
	計	50,286	45,120	51,960	53,241	59,530	54,310	85,910	112,100	60,135	70,225	62,573	54,302	739,692
出金の部	電話料	2,459	3,328	2,862	3,135	2,470	2,569	3,732	3,732	2,489	2,457	2,134	2,632	32,897
	通信・交通費	4,080	3,249	8,641	6,830	8,229	6,167	8,508	6,926	7,479	11,016	3,659	7,401	82,185
	用品文具費	160	165	200		150			105	230	395	430	295	2,130
	印刷費	28,140	9,576	51,480		40,000	43,000	40,000	45,000	40,000	48,000		55,000	400,196
	会合費		100					500			1,560	3,100	4,970	10,230
	雑費	17,500	5,690	7,100	3,930	3,372	9,649	16,855	46,035	7,900			1,065	119,096
	原稿料				3,740	8,100		3,000	4,000		9,000	3,000	3,000	33,840
	繰越		(2,053)											
	次期繰越													59,118
	計	52,339	22,108	70,283	17,635	62,321	61,385	72,595	104,696	58,098	72,428	12,323	74,363	739,692

解　説

△ 雑収入について、協会関係財政よりの返却分、その他

△ 雑費について、協会関係財政へ支出分、その他

△ 今期の末"記録映画"関係は59,118円が繰越される。

△ 3月に印刷費のないのはベースボールとの契約が1月より切れ、自主体制への組替のあらわれ、又10月印刷費の入っていないのは、11月よりの自主体制への為の金ぐりです。

△ 記録映画関係未払金印刷費80,000円（3月、10月分）がある。

昭和34年度
〃記録映画〃読者拡大グラフ

才五表

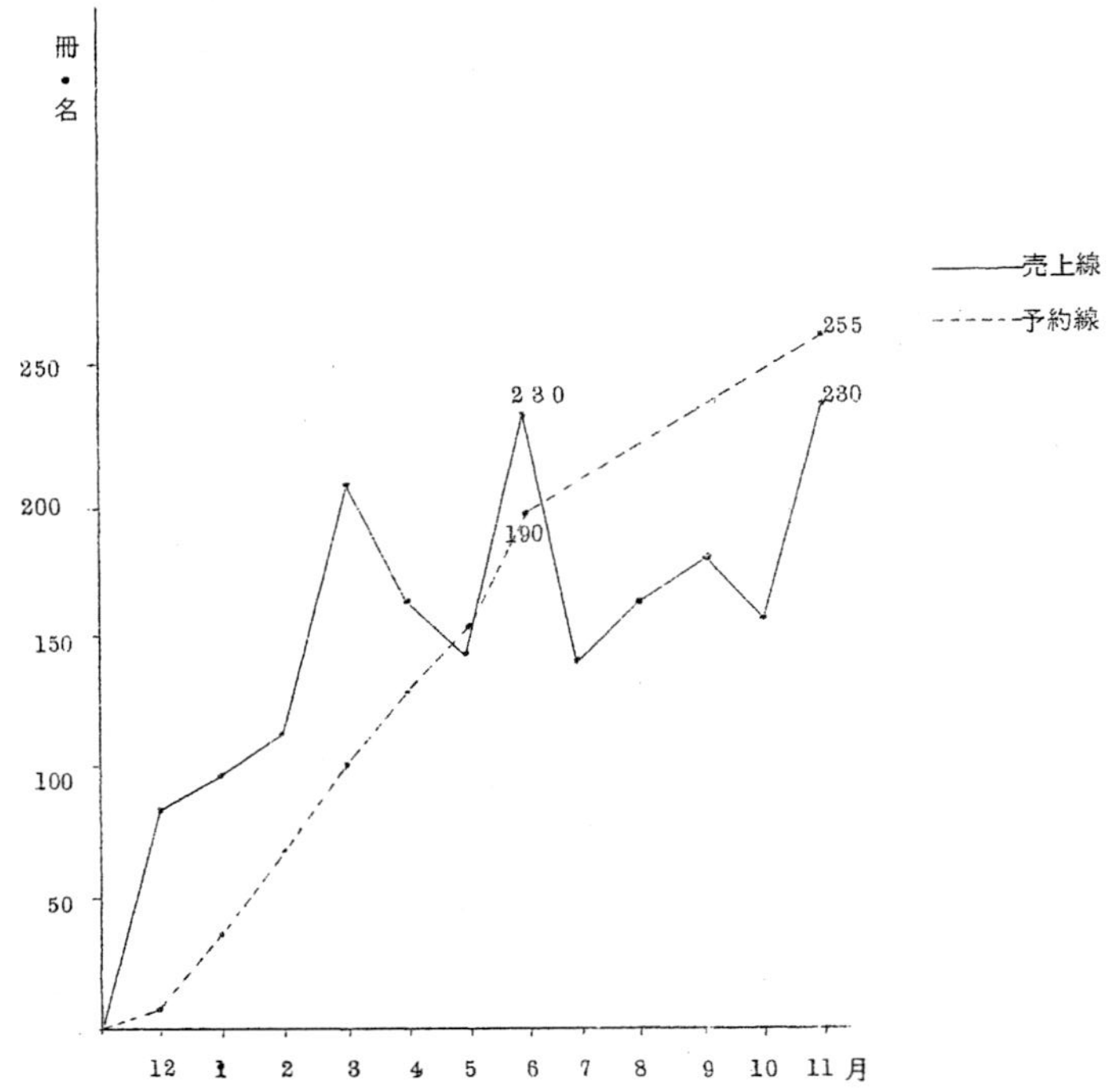

才六表 "記録映画"予算変更表（一カ月）

	項目	初期	7月以降	11月以降
収入の部	広告収入	35,000	40,000	40,000
	寄附	7,000		
	市場販売	6,500	6,500	3,000
	会員増加販売	3,000		
	会費増収分	3,000	協会財政にまわる	
	固定読者	3,000	10,000	15,000
	事業又は協会財政より			11,500
	合計	57,500	56,500	74,500
支出の部	印刷費	40,000	40,000	60,000
	事務費	7,000		
	人件費	6,000	基本財政に繰入れ	
	通信費	1,500	3,000	3,000
	原稿料	3,000	3,000	3,000
	電話料		3,000	2,500
	交通費		3,000	3,500
	会合費		2,500	1,500
	文具料		500	1,000
	雑費		1,000	
	合計	57,500	56,500	74,500

（第四表）

"記録映画"資金ぐり表（昭和３４年１１月より 昭和３５年　1月まで）

	項目	金額	
入金の部	１０月より繰越	66,579	売上は 12.1月は東販をとおしたので３カ年後でないと入らない。予約平均１0,000円とした。不足分を協会財政よりくり入れる。
	売上及予約 11月〜1月	46,000	
	広告収入１１月	29,500	
	〃　　１２月	60,000	
	協会財政より借入	45,482	
	計	247,561	
出金の部	印刷費　１１月	63,000	11月は 19,263円であるが12.1月は平均2万円とした。
	〃　１２月	60,300	
	〃　１月	65,000	
	諸　経　費	59,263	
	計	247,561	

〈経営別表〉

◇記録映画を見る会活動報告

雑誌「記録映画」読者拡大の為に"記録映画を見る会"を計画"記録映画"誌上にのせ、具体的には次の団体と提携して開かれるようになつた。中部映画友の会、機関紙映画クラブ、労映研城北映画サークル協議会、官公庁映画サークル協議会、その他"記録映画"読者有志

まじめはその会場で"記録映画"を売る為に開かれたが、読者の為の場とし、宣伝を中心にして行うようにし、映画サークルの中にも雑誌の性格と共に読者がふえて行くようになつた。又映画会は定期的に月一回開かれるようになり、西武デパートでは毎晩土曜に開かれるようになつた。今までのプランを一覧する。

○　四月二一日后六、日比谷図書館地下ホール、二等兵シユベーク、太陽を独占するもの、東京一九五八、砂漠の果て、三〇〇名参加

○　五月二二日后六、日比谷図書館、ゲルニカ、飛鳥美術、西の果、忘れられた土地、朝鮮の子、三〇〇名

○　五月二三日后一、三、西武デパート、室町美術、飛鳥美術、広重、ゲルニカ、ゴッホ、二〇〇名

○　六月二六日后六、日比谷図書館、富士の見える国、黒潮洗う地方、本州の屋根、東北のまつり、北海道、三二〇名

○　七月十九日后一、三、伊勢丹ホール、尾瀬雪ロ、丹沢、春を呼ぶ子等　二〇〇名

○　八月八、十五、二二、二九日后一、二時、西武デパート"平和をテーマーに各二〇〇名

○　九月五、二六日后一、二時、"エイゼンシユタインの生涯""シユパイデル将軍"各二〇〇名

○　九月二五日后六、京橋公会堂、美しくなるために、あゆの一生、うわさはひろがる、日本刀物語、荒海に生きる、段々畑の人々、一〇〇名

○　十月三、十、十七、二四、三一日、西武デパート"フランス美術映画特集"　各二〇〇名

○　十月二七日后六、国労会館、ガン細胞、ピアノへの招待、どこかで春が　一〇〇名

○　十一月七、十四、二一、二二、二八日、西武デパート、"一九五九年教育映画祭入選作品"各二〇〇名

○　十二月十八日后六時、日比谷図書館、チエツコのスキー映画、われらのスキー、辯人（マクレラン）、安保条約、なかよし学、

以上の中心テーマは社会問題をあつかつた作品が一本でも二本でも入つていて、見る側の人々への呼びかけと、見る側との交流をはかる為に開かれ実行されている。

(ロ) 編集関係

編集委員会の報告

一、「記録映画」創刊号の編集後記には次のように述べられている。

「この雑誌は、記録映画の問題だけを扱うのではなく、教育映画も児童劇映画も人形映画もマンガもP・R映画も—つまり協会員のやつている仕事のどれをも、とりあげて行きたいと考えています。しかし、漫然と、その全部をとりあげていくとアブハチとらずになる—（中略）　しかし、記録映画の方法、ドキユメンタリーの方法は、どのジャンルの映画においても大切なことであるので、つねに一本そうしたスジを通しておかねばなるまいと考えています。」

こうした創刊号以来の方針を本年の当委員会は、発展的に継承し、一九五九年二月号にはこう書いている。

「……どんな困難があろうと、記録映画を守りぬくのは私たち作家だと思います。（中略）　教育映画作家協会は、こういう作家たちの良心の集まりであり、対外的には、同じようなまじめな団体と手を携えて進む中核体と思います」

その後毎号この方針でやつて来たし、現在もこの方針で貫いているつもりである。

二、さらに具体的にいえば、次のようなことになる。

創作方法の問題について、現在顕著なことは、文学・美術・ラジオ・テレビ等他の諸芸術ジャンルにおいて、ドキユメンタリイの方法が、各々の最尖端で、問題になつている。それは、既製の創作方法では、もう、現在のきびしい状況をとらえ切ることができない。その突破口をどこに求めるか—というとき、各ジャンルとも、それをドキユメンタリーの方法に求めたと考えることができる。

ドキユメンタリーの方法は、もともと、記録映画の創作方法として打ち出されたものである。

それにも拘わらず、当のドキユメンタリー映画の作家たちの理論が、果して他の諸ジャンルの芸術理論と、同次元にまで高められているかどうか。

ここに、本誌の追求しなければならぬ課題があつた。従つてわれわれはそれを追求した。

その結果、他のどのジャンルとも、芸術一般の理論として共通の言葉で語り得るようになるところまで来たと確信する。

その証拠に、文学誌・映画理論誌で、しばしば本誌に掲載された論文が、引用されるようになつて言ている。

またそれらの論文が目的であると見られる読者が、少数ではあるが、着実にふえつつある。

さらにまた映画理論家、評論家は勿論、他の芸術部門の評論家、理論家たちも、お話にならない原稿料であるにも拘わらず執筆するようになつて来ている。（例えば、岩崎昶・佐藤忠男・花田清輝・針生一郎・佐々木基一・柾木恭介・関根弘・長谷川童生・武井昭夫・玉井五一氏等）

すなわち本誌を協会の私的な機関誌という狭い性格からぬけ出せ、公器として、日本の現代芸術全体の流れの中へ乗せることができた。いいかえれば、協会の狭いワクの中に閉じこもつていたのが、外部に向つて大きく窓口を開くことができた。

（協会の私的な機関誌としては会報がある）

三、そうした一貫した基本方針を持ちながら、一方、協会内部に対しては、フエアーに、執筆を求めたつもりである。それに対して、多くの方々が執筆に応じて下さつたことは感謝にたえない。

また、執筆したいといわれた方々には、ことごとく執筆して

頂いたことを、この際、はっきりいっておきたい。例外的に二三掲載しなかったものもあるが、その場合は、執筆者にその理由を述べて納得して頂いた。

四、それにも拘わらず、執筆者が、同一傾向の人たちに偏ったような印象を与えたことは否定しない。

それには次のような原因が考えられる。

1. 協会員は、多数であるにも拘わらず、もともと映画作家なのであり、文筆を業とするものではないから、理論の発想が、必ずしも評論家と同一ではない。すなわち、考えを直ちに筆にできる人とそうでない人がいるのは当然である。そこでいきおい、「書く」ことの得意な人たちへ、執筆者が偏って行った。

2. いままで掲載された主な論文は、一貫して、ドキュメンタリーの方法の問題を追求している。こうした問題は、短時日の研究で片附くものではなく、従ってかなり連続して行くのでなければハンパなものとなる。そのため編集委は、途中で、難しいとか、ナマイキだとか、エリイト意識が強いなどという批判があっても、それらの批判は、問題の本質にはかかわりがないので、一応トコトンまで研究して貰う方針をとった。すなわち、執筆者たち（例えば野田や松本）の論文が正しいからのせたというタテマエではない。われわれが今後映画をつくって行く上に、大切な問題を沢山含んでいると考えたからのせたのである。だから当然論争もおこり、反対論文ものせた。中には感情的なものもあったがのせた。そのような経路をとおって、理論は発展するものだからである。

3. もうひとつ、例えば、読み物風のものや、いろいろなエッセエものせたかったが、才一に、なかなか書いて貰えないこと、才二にページ数が少ないので、そこまで手がのびないこと ― そのためアンバランスが生じたことを認めざるを得ない。これも、偏ったと見られる原因の一つである。

すなわち、編集委は、偏ったように見えても、実質的には、特定の人々を支持したわけではなく、それしか人がいなかったのであり、あくまでも中立主義の立場で来たのであることを、強調しておきたい。

五、右のように一貫した方針で理論追求をして来たと同時に、毎号、何らかの特集的な編集をして来た。

六、こうして雑誌を続けて来た結果として、次のような成果をあげることが出来たと思う。

1. 他のジャンルの芸術と、記録映画とが、共通の時点に立つことに一つの役割を果した。いいかえれば、作家協会および会員が、他の芸術諸団体あるいは芸術家と、その先端において同一歩調をとることに、一つの役割を果した。

2. 雑誌を中心に読者を中核とする観客組織が生れはじめた。例えば各地の「記録映画を見る会」の交流に役立つとともに、新たな「見る会」が発足しはじめた。

3. 編集部主催で、毎月西武デパートや日比谷図書館などの試写会を開くことで、一般の人たちに、協会員の仕事を認めさせ、また協会のP・Rに役立って来た。

七、同時にまた次のような欠陥を認めざるを得ない。

1. 本格的な作品研究に欠けるところが多かった。

これは、才一に本格的に研究すべき作品の絶対数が不足していることと、才二に、それがあっても、ページ数が不足しているので、のせきれないことが原因していると考えられる。

2. 現場通信や、ナマの報告が少なかった。

これは、才一に書き手の不足と、こんなことを書いては笑われるのではないかという、無用の遠慮もわざわいしていると思われる。

3. 全体としてカタイ感じである。

これは四に述べたことと、前項のこととの相関関係に基くものと考えられる。

八、将来の課題として、次の事柄について、研究しなければならないと思う。

協会の中で、もつと広い執筆陣を得られないのは何故か。なぜもつと広く人たちが原稿を寄せなかつたのか。ほんとに人がいないのか、それとも、いても書かないのか。

このことについては、

1. 雑誌の方向に欠陥があるのか。
2. 会員の方に欠陥があつたのか。

この二つの方向から考えて行かねばならないだろう。

九、結　語

機関誌は、協会の活動を、直ちに反映するものである。協会の活動が活潑であるときは、機関誌も活潑となり、沈滞しているときは、沈滞する。

逆に、機関誌活動によつて、協会が刺戟され、新たな展開をみることもある。

この関係をはつきりとつかまえておくことが必要である。

そして、機関誌が、映画界及び、芸術一般の世界の公器としての性格をもつて来ている現在、協会内部の意志の疎通や交流は、「会報」の充実に期待し、外に向つて「記録映画」は、協会の意志を代表するものとして、大きく発展しなければならぬだろう。

そして、読者の組織が、また、協会員の作品活動の支えとなるものであり、読者がふえ、観客組織が発展するにつれて、作品活動もまた、さかんになるものであることを、新たに認識することが必要であろう。そのことがまた、作家の生活の擁護ともつながつている。

一月号からは「ジューク・ボツクス」欄を新設するなど、今までよりは、いささかなりともバラエティに富んだものとする計画である。

（文責、岩佐氏寿）

七、事務局報告

(イ) 〃記録映画〃製作運動について

委員長の一般報告で映画製作運動を積極的に進めてきた協会運営委員会の態度についてはふれられているので、その製作にあたつての具体的な問題をここに報告する。

本年度協会は、総評を中心にして他団体との協力のうちに〃日本の政治〃〃安保条約〃〃失業〃の三本を製作した。

一九五五年日鋼室蘭を最後に労組の映画製作は中止されてきたが昨年の警職法反対斗争のなかで生まれた〃悪法〃をけいきに、総評内部でも、映画を教宣活動の重要な一環として考えられるようになつた。

それぞれの労組でも視聴覚手段を活動の中にとり入れようと、映写活動も相当活発になり、又、総評内に映画活動懇談会などが作られ、専門家を交えたなかで今後の方向が考えられるようになつた。しかしこれらの機会も、過去の記録映画製作の批判を受けついだなかで進められず、単に現状を活動家を集め意見を聞くと云う程度を出なかつた。

また一九五九年五月労組映画活動研究会も組織された。ここでは専門映画人を交えたなかで今後の映画運動を進める討議がはじめられた。

私たち作家協会内部でも、過去の運動の挫折の原因の追求が機関誌を通じて行われ、製作運動と創作運動の両面から問題が発展し一九五九年はじめ、選挙斗争に備えて、総評が企画した〃日本の政治〃製作にも協会は積極的な意志を見せた。

1 〃日本の政治〃の製作について

総評が企画し、共同映画社が製作し、作家協会からは谷川義雄氏を脚本演出家として送つた。

この日本の政治製作にあたつては、総評側と作協とで、製作

方法の問題及び創造方法上の問題で意見の不一致を見、作家協会としては、消極的な協力しか出来ぬ結果となつた。

2 〃安保条約〃の製作について

一九五九年七月、作家協会は安保条約改定反対を決議し反対声明を発表した。その時運営委員会の内部より安保改定反対の映画製作を各界に呼びかけようと云う意見が出された。時を同じくして総評からも反対映画を製作したいとの申し入れを受け安保反対映画製作委員会が作られた。労組側は総評一本にしぼり、映画側は、自映画、作協、共同映画、独立プロ協組、国民文化会議、東宝商事、などが集まつた。製作担当は共同映画があたることになり、脚本委員会を作協が受けもつことになり、具体的には、松夫俊夫氏が脚本演出を受けもつた。ここで製作委員会システムでの製作をはじめて行なつたのであるが、運動面に於ても経済的にも一部参加団体にしわよせが集まり、製作委員会と云う本来の意味をもたないという弱さが表われた。

3 〃失業〃の製作について

失業製作にあたつて協会運営委員会は先に安保製作にあたつて、出向した演出家に創造面以外の必要以上の負担がかかつたと云う欠かんを、運営委員の製作委員会へ、積極的に参加すると云うことで解決した。

製作委員会は映画側からは安保製作委員会と同じメンバー、総評側からは、炭労を中心として、国鉄などの各単産が代表者を送つた。

作家協会は脚本に徳永氏、演出、京極氏、他のパートは自映連から選ばれた。

4 製作条件について

製作資金はすべて総評の教宣部費用から出ているので、各作品とも最低の条件で製作している。

○ 悪法 三〇〇〇〇〇（一巻）
○ 日本の政治 五八〇〇〇〇（二巻）
○ 安保条約 八三一、四一四（二巻）
○ 失業 一、一一四〇八二（四巻）

他からの資金を導入したのは失業製作で炭労からカンパをあおいだのみである。

最低製作条件からは、必然的に人件費にしわよせが集まり、協会基準の半分以下でそれぞれ働いており、作品の質の低下も当然の事である。

しかし当初の日本の政治に位べ安保、失業と製作条件も改善され普及上映の面ともかね合せ、一作ごとに向上しこれまでの経験からも版権回収を行い、再生産の新しいプランを打出す必要にせまられている。

5 普及上映について

	普及本数
○ 悪法	七〇本
○ 日本の政治	六五本
○ 安保条約	一四八本
○ 失業	五八本

十一月末現在

悪法、日本の政治の場合は、共同映画社で版権回収を行つた。普及面では財政的にゆとりのある大単産の買取が中心であり、上映活動は不充分であつた。

安保条約の場合からは、地評、地区労、単組などの使用が圧倒的にふえている。悪法当時と位べると上映活動はより意識的になり出している。この作品では総評は、十数万の利益を生み、次回の〃失業〃製作にプラスされている。

悪法から失業までの四作品はいずれも併映されており、組合の上映活動は急速にのびている。総評も今後の映画製作を何とか計画化しようと努力している。しかしこれまでの製作に現われた種々の欠かんは、これからの運動を進めるにあたつて大きな問題を残している。

(ロ)　協会年間活動日誌

◇一月

・五日　フリー助監督新年会

・五、六、八日后一～六時　映教、記録映画研究会、今まで協議会製作になる作品を上映して研究会を開く

・十二日后六　新運営委員会　①規約改正、②国民文化会議加入、③常任運営委員選出、④雑誌〝記録映画〟二月号より自主出版体制発行、新編集委員選出

・十六日后六　常任運営委員会　①グループ活動、②会報の強化、③社会教育法改正案について、④教育映画総会協議会の委員選出

・二八日后六　経営委員会　①原稿料、当面の予算案、②固定読者ふやす方法、試写券おくる、③経営、編集合同会議を開くこと、

・三一日后六　運営委員会　①雑誌〝記録映画〟二月号より会員に一部増におくる、②会費の原則を承認してもらう、滞納者に対しての警告、③総評の映画製作の問題

◇二月

・十四日后六　経営委員会　①固定読者二月で八〇名に、②本屋への販売、広告拡大及映画会の計画について

・十九日后六　記録映画研究会、映教試写会

・二〇日后六　常任運営委員会　①総評映画〝日本の政治〟について、②社会教育法改正案等について解説を出す。

・二七日后六　国民文化会議映画部会、①安保条約研究会報告、②フェスティバル報告　③マス・コミ部会のこと

◇三月

・二四日后六　マス・コミ研究会、国民文化会議映画部会主催、新聞労連

・二五日后六　拡大常任運営委員会　①〝記録映画を見る会〟の計画たてる　②国民文化会議報告　③新映倫解説　④事務局員給与値上、

・二八日后六　記録映画研究会、映教会館

・三〇日后五　経営・編集合同会議　①六月号創刊一周年号に名刺広告を取り財政確立をはかる　②定期的映画会、書店販売について

◇四月

・八日后一　国民文化会議運営委員会、衆議員オ一会議五号室

・十二日　各プロダクションとの野球大会、伝研グラフ

・十四日后六　オ二回マスコミ研究会、国民文化会議映画部会

・十五日后六　運営委員会　①基本財政を確立すること、②研究会活動について

・十七日前九時三〇分　朝鮮映画試写会〝沈清伝〟映教

・十八日后二　戦艦ポチョムキン上映促進会東京総会、映教三階

・二一日后六　〝オ一回記録映画を見る会〟日比谷図書館地下ホール、二等兵シュベーク、太陽を独占するもの、東京一九五八、砂漠の果て、三〇〇名動員

・二四日后一　国民文化会議映画部会

・二五日后六　労組自主製作とマス・コミ研究会　労映研主催

・二八日后六　経営委員会　①雑誌〝記録映画〟固定読者一八〇部になる。②記録映画を見る会（西武デパート、伊勢丹等の計画）

◇五月

・一日　雨のメーデーに参加

・二、三日　戦艦ポチョムキン上映促進全国連絡会議　押上ホテル

・五日　野球大会、駒場グランド

・六日　東和提供短編映画試写会

・七日后六　常任運営委員会　①オ七回世界青年平和友好祭出

品映画について　②ソ連映画人との懇談会計画について
・十四日后六　ソ連映画人との懇談会、産経ホール
・二〇日后六　経営委員会　①〃記録映画〃財政の確立　②記録映画を見る会の計画、③七月以降協会予算組変
・二二日后六　記録映画を見る会、日比谷図書館地下ホール、ゲルニカ、飛鳥美術、西の果、忘れられた土地、朝鮮の子三〇〇名
・二三日后一、三時　記録映画を見る会、西武デパート、室町美術、飛鳥美術、広重、ゲルニカ、ゴッホ、一〇〇名
・二七日后三時　教材映画研究会　映教
・三〇日后六　才三回マス・コミ研究会、国民文化会議映画部会主催、NHK会議室

◇六　月

・八日　才二回労映研、研究会
・十三日后六　経営委員会　①〃記録映画〃雑誌の半ヵ年分の切替の呼びかけ
・十五日后五　国際短編映画試写及映サ活動家懇談会、映教三階
・十七日后六　運営委員会　①中村運営委員長辞任と後任について　②安保条約問題　③長期滞納者に警告
・十九日后六　〃記録映画〃編集部研究会（日大映研と協会員）
・二六日后六　記録映画を見る会、日比谷図書館地下ホール、富士の見える国、黒潮洗う地方、本州の屋根、東北のまつり、北海道、三二〇名
・三十日后六　運営委員会　①安保条約問題について　②後任運営委員長代理問題で全員信任投票を行い才一案臨時総会を開き選ぶ、才二案運営委員会の中で運営委員長代理を選ぶ、で投票総数七三票、才二案六五票、才一案六票、無効二票　以上より半数以上となり、才二案となり選挙で矢部正男氏選ばれた。

◇七　月

・三日后六　経営委員会、映サとの研究会及記録映画を見る会の検討
・八日后六　運営委員会　①常任委員の補充、②安保改定映画製作について声明書発表
・十三日后六　緊急運営委、安保改定映画製作について
・十三日后六　才四回マス・コミ研究会、国民文化会議主催、NHK本部会議室
・十四日后三時　記録映画研究会　教配試写室
・十五日　安保映画製作シナリオ委員会
・十七日后六　経営委員会
・十九日后一、三　記録映画を見る会、伊勢丹ホール、尾瀬、雪国、丹沢、春を呼ぶ子等　二〇〇名
・二〇日后六　常任運営委　①事務局長代理二ヵ月間おく、②安保改定映画製作の宣伝
・二二、二五日　安保映画製作委員会
・二八日　才一回編集・経営常任運営委、〃友の会〃についてその他

◇八　月

・七日后六　運営委員会　①雑誌〃記録映画〃と安保条約映画について　②職員後任の件　③生活権の問題　④〃友の会〃の呼びかけ発表
・八、十五、二二、二九日后一、二　〃記録映画を見る会〃西武デパート、〃平和をテーマ〃各二〇〇名参加
・十日后六　記録映画を見る会才二回研究会新聞労連、日鋼室蘭、おやじ、おやじの日曜日
・二五日　后五　記録映画研究会東電ステーション
・二六日　后六　才二回合同委員会　①友の会　②雑誌〃記録映画〃の内容について

◇九　月

・一日后六　安保条約試写会　国労ホール

◦二日后六　労映研究会　国労会議室

◦五、二六日　〃記録映画を見る会〃　西武デパート、エイゼンシユテインの生涯、シユパイデル将軍、各二〇〇名

◦八日后六　才三回合同委員会　①自主製作運動と雑誌〃記録映画〃の方向について

◦十日　〃生れくる者のために〃試写会　東和

◦十一日后六　記録映画研究会映教、安保条約、世界の河

◦十七日　加藤せつ子さん事務局員に

◦十八日后六　記録映画を見る会打合せ会

◦二三日后六　常任運営委員会　①菅家陳彦さんへお見舞カンパ　②〃安保条約〃完成につゞき〃失業〃製作の問題

◦二五日后六　〃記録映画を見る会〃京橋公会堂、美しくなるために、あゆの一生、うわさはひろがる、日本刀物語、荒海に生きる、段々畑の人々　一〇〇名参加

◦二五日　〃失業〃才一回製作委員会

◇十月

◦五〜九日　一九五九年教育映画祭　山葉ホール

◦三、十、十七、二四、三一日　記録映画を見る会　フランス美術映画作品　西武デパート　各二〇〇名参加

◦十二日后六　安保改定反対講演映画の夕べ、小原会館ホール

◦十四日后六　記録映画研究会、プロキノ時代映画上映

◦十四日后六　緊急常任運営経営委員会　①安保批判の会へ入会　②総会十二月二七日（日）決定　③〃記録映画〃雑誌十一月より独立採算による予算及運動、④〃失業〃映画製作運動について

◦二三、四、五日　国民文化全国集会　大阪

◦二七日后六　記録映画を見る会、国労会館、ガン細胞、ピアノへの招待、どこかで春が　一〇〇名参加

◇十一月

◦七日后六　常任運営委員会　①〃世界の河〃日本語製作　②AA映画製作について　③安保批判の会について　④十一月記録映画研究会について

◦七、十四、二一、二二、二八日十二時四〇分、二時　記録映画を見る会、一九五九年教育映画祭入選作品　西武デパート　各二〇〇名参加

◦九日后五　安保批判の会総会　虎の門霞山会館

◦九日后三　〃火山の驚異〃試写会　東和

◦十、十三日　〃失業〃試写会

◦十二日后五　〃記録映画を見る会〃研究会、東電銀座サービスステーション

◦十三日　后六　自主上映促進会東京委員会　雑誌会館　〃世界の河〃自主上映

◦十八日后六　運営委員会　①AA映画製作について　②安保批判の会カンパ運動について　③総会十二月二七日　新聞会館　式次才きめる。

◦二六日后六時　記録映画研究会〃二十四時間の情事〃岩波映画

以上

(ハ)　協会々員のうごき

協会の会員総数は本年十二月初現在で一六七名であります。今年一年入会者は十八名で脱会した方は十一名で七名会員増加になります。

1.　フリー会員現在数五七名　入会及変更六名　脱会四名

荒井英郎、上野大梧、赤佐政治、岩堀喜久男、岩崎太郎、岩佐氏寿、伊勢長之助、入江一彰、厚木たか、岡野薫子、加藤松三郎、菅家陳彦、かんけ・まり、京極高英、衣笠十四三、桑野茂、河野哲二、下村建二、竹内信次、丹生正、豊田敬太、西沢豪、野田真吉、樋口源一郎、古川良範、丸山章治、道林一郎、八木仁平、矢部正男、柳沢寿男、山岸静馬、吉見泰、水上修行、

谷川義雄、富沢幸男、永富映次郎、馬場英太郎、松崎与志人、八幡省三、韮沢正、杉山正美、小津淳三、間官則夫、伊豆村豊松本俊夫、田中徹、高島一男、山下為男、杉原せつ、徳永瑞夫渥美輝男、吉田六郎、西本祥子、大沼鉄郎、浅野タツオ、村田達二

2. フリー助監督　現在数二一名　入会及変更五名　脱会二名
日高昭、楠木徳男、森田実、片桐直樹、豊富靖、小泉堯、中島日出夫、小島義史、大内田圭弥、小野寺正寿、頓宮慶蔵、安倍成男、松本公雄、久保田義久、塚原孝一、池上史郎、青野春雄斉藤茂夫、山元敏之、村上雅英、岩崎鉄也、西江孝之

3. 企業関係・岩波映画　現在数十三名　入会及変更三名、脱会一名
高村武次、羽仁進、羽田澄子、時枝俊江、各務洋一、黒木知雄肥田侃、榛葉豊明、田中実、秋山衿一、花松正卜、神馬亥佐雄田中平八郎

◦新理研現在数七名　入会及変更一名　脱会二名
富岡捷、島内利男、原本透、岸光男、三上章、田部純正、泉水剛

◦日映科学現在数十二名　入会及変更四名　脱会〇名
奥山大六郎、諸岡青人、中村麟子、下坂利春、飯田勢一郎、清家武春、長野千秋、二瓶直樹、飯田聰、附田博、松尾一郎、松川八州雄

◦日映新社現在数七名　入会及変更一名　脱会〇名
大峰晴、山添哲、苗田康夫、近藤才司、三浦卓造、山口淳子、藤原智子

◦日経映画現在数四名　入会及変更四名　脱会〇名
川本博康、前田庸言、小谷田亘、川本昌

◦アニメーション現在数三名　入会及変更〇名　脱会一名
長井泰治、平田繁治、諸橋一

◦視覚教材現在数二名　入会及変更〇名　脱会〇名
岡本昌雄、樺島清一

◦東京シネマ現在数二名　入会及変更二名　脱会〇名
渡辺正已、大島正明

◦電通映画社現在数二名　大野祐、松本治助

◦記録映画社現在数二名　泰康夫、田中舜平

◦神奈川ニュース現在数二名　深江正彦、吉田和雄

◦CBCテレビ現在数二名　小森幸雄、青木徹

◦三木映画社現在数二名　山本升良、仲原湧作

◦新京宝現在数二名　渡辺大手、井内久

島谷陽一郎（新潮映画社）、大久保信哉（たくみ工房）、本間賢二（春秋映画社）、八木進（モーションタイムズ）、高綱則之（学研映画社）、西田真佐雄（東京フイルム）、藤田幸平（共同映画社九州）、原田勉（農文協）、高井達人（三井芸術）大野孝悦（不明）
現在数七二名　入会及変更二四名　脱会三名

4. 賛助会員　現在数十七名　入会及変更二名　脱会三名
石本統吉、村上喜久男、大鶴日出夫、上野耕三、大方弘男、木村荘十二、小高美秋、石田修、水木荘也、米山彊、松岡新也、田中喜次、川崎健史、稲村喜一、能登節雄、工藤充、中村敏郎

◇ 協会々員の変動

• 新入会員紹介　十八名
二月ー田中徹（フリー）、大内田圭弥（フリー助）、松川八洲雄（企業助・日映科学）、渡辺大年（企業助）、原田勉（企業）藤田幸平（企業）
五月ー飯田総（企業助、日映科学）、附田博（企業助、日映科学）、松尾一郎（企業助、日映科学）
六月ー青木徹（企業所属）、青野春雄（フリー助）、井内久（企業所属）、泉水剛（企業所属）、山下為男（フリー）、山元敏之（フリー助）、斉藤茂夫（フリー助）

八月ー浅野タツオ（フリー）、西江孝之（フリー助）
・変更
二月ー松本俊夫氏　企業よりフリー会員に。
六月ー中村敏郎氏　賛助会員となる。
九月ー前田庸言氏　フリー助より日経映画企業所属。
渡辺正己氏　フリー助より東京シネマ企業所属。
大沼鉄郎氏　企業所属からフリー会員に。
小谷田亘氏　フリー助より日経映画企業所属。
十月ー西本祥子氏　企業所属からフリー会員に。
・脱会者十一名。
六月ー防野貞男氏　プロジュサーとなられ脱会
七月ー会費長期滞納者十名を脱会者として申請しました。氏名は次の方々
真野義雄、桑木道生、西浦伊一、二宮吉朗、坂田邦臣
草間達男、清水　進、西沢周基、尾山新吉、中江隆介

◇協会員の慶弔その他
(1) 近親者の御不幸
岩崎太郎氏　実父
楠木徳男氏　実父
(2) 協会員病気御見舞
菅家陳彦氏　病気見舞

会計監査証明書 ㊟

昭和三十四年度帳簿監査の結果相違ない事を証明いたします。
昭和三十四年十二月十一日

八幡省三㊞
西本祥子㊞

昭和３４年・協会一般会計報告（才三表）

	項目	金額
入金の部	会費	594,951
	売上	96,452
	予約	143,530
	広告料	471,000
	雑収入	260,329
	繰越金	47,664
	計	1,613,926
支出の部	家賃電話料	128,354
	人件費	410,500
	交通通信費	160,460
	印刷費	471,496
	会合費	13,045
	用品文具費	7,905
	雑費	263,588
	原稿料	33,840
	繰越	30,013
	次期繰越	94,725
	計	1,613,926

（注）・才一表と才二表の合計報告を総合したものである。

・次期繰越金の中には年末手当２６,５００円印刷費１２月、１月号分１３０,０００円の支払いがひかえている。

十、来年度の方針案に関する提案

運営委員会

来年度の方針は、当然、本年度の諸活動の検討と反省の中から生れる。

理論の探究は引き続き進められなければならない。そして、もっと多くの主張や問題提起がなされることを期待したい。報告にも述べたように、それらは会員の間に潜在的に醸成されているように思われるからである。作家主体の問題や創作方法についてはもっと多くの意見がある筈である。

そのためにも研究会活動の意義は大きい。

実際の創作活動の面からすれば、来年度もやはり総評企画の映画への参加が、重要な足がかりになるものと考える。その場合、芸術のプログラムと政治のプログラムとをどう統一するかという大きな課題の下に、製作委員会の基本的な性格のあり方を含めて総評はじめ各団体との充分な討議が必要である。その上に立ってわれわれの運動ももう一歩前進出来るのである。

又、アジア、アフリカの合作映画についてもわれわれは積極的に推進の中軸として活動したい。今のところ、具体的な進め方は明らかでないが、予想されるさまざまな困難に打ち勝って、この映画の製作に立ち向うことを、この際全員で確認したいと考える。

現在のところ、以上二つが、来年度予想されるわれわれの創作活動の場であるが、それと平行して、われわれがわれわれ自身の具体的な企画を持ち、それを軸として諸活動を推進するという姿勢をとることを提唱したい。たとえば、総評映画の次回企画は、中小企業の問題をテーマとしたものになる公算が大きいが、われわれの間で、日頃からその問題に深い関心と主張を抱き、具体的な創作プランを用意してあれば、総評企画の映画も一層積極的な意味を持って来るものである。又、たとえ、当面そのような企画の実現が不可能だったとしても、常に自分の主張を作品化し得る形で準備するということは、作家として当然の責務であると思われるし、そのような準備こそが、新しい具体化の契機を生むに違いないのである。

次に、本年度に緒を掴んだ、観客と上映組織とのより深い連けいは、来年度に是非大きく前進させたい。報告に触れたように、より広汎な連けいが当然望ましいが、少くとも、まずわれわれと観客、上映組織の人たちの間に共通の問題意識が強く一貫することが前提であると考える。そのためには、映画会の懇談会になるべく多くの会員が出席して話合うことが、当面のわれわれの指標とならなければならない。そして、同時に、上映にたずさわる人たちとの話合いの場を定期的に持つような対策を樹てることである。

又、本年度に、飛躍的に向上した、各大学の実作グループと密接に連けいすることも来年度の活動方針の一つとしたい。

次に、教育映画祭についても、われわれは無関心であってはならない。最近の教育映画祭の傾向は、現政府が強行しようとする安保体制の強化、そして教育政策に現われた、非民主的動向と表裏一体のものである。このような一連の動きが、作家活動を一層阻害しようとしている現状にあって、たゞ黙って見送ってはなら

ないと思う。たとえば、審査員選定の問題一つを考えてみても、われわれは強い主張を提起する義務があると思う。
来年度には、われわれの生活の問題についても力を傾注しなければならない。今まで述べたような、作家活動を推進させるための諸方策も、現実に会員の間にある生活上の諸条件を無視しては、たゞの空論に終るおそれがあるからである。当面、実態の調査を行うことが必要である。そこに、何んらかの具体的な方策のための足がかりが生まれると思う。各企業の労仂組合との連けいが必要となるであろう。

以上、来年度方針の提案を終る。

教育映画作家協会

昭和３４年協会関係会計報告

（自昭和３３年１２月　１日
至昭和３４年１１月３０日）

（オ　一　表）

		１２月	１月	２月	３月	４月	５月	６月	７月	８月	９月	１０月	１１月	合計
入金の部	繰越		４.５２８			１２.９７５	７.８６６	９.６６５		１２.６３０				４７.６６４
	会費	６６.１００	３９.０７２	４８.６００	４９.０９５	４５.４１９	５６.０４９	４０.０２５	５１.９２８	３５.４７０	４１.８００	７４.３０５	４７.０８８	５９４.９５１
	雑収入	１５.７９４	８.４８０	４.１４８	６.１６０	１１.３１５	１１.３０５	３３.６３５	５３.７９０	６.７００	７.８１２	２２.５５５	４９.９２５	２３１.６１９
	計	８１.８９４	５２.０８０	５２.７４８	５５.２５５	６９.７０９	７６.２２０	８３.３２５	１０５.７１８	５４.８００	４８.６１２	９６.８６０	９７.０１３	８７４.２３４
出金の部	家賃、電話料	８.４８０	８.６７９	８.２５２	８.６０６	７.７２９	７.６２０	８.７３３	７.６２９	７.４８９	７.４７５	７.１３３	７.６３２	９５.４５７
	人件費	４１.０００	２６.０００	２６.０００	２６.０００	３３.０００	３３.０００	３３.０００	５８.５００	３３.５００	３３.５００	３３.５００	３３.５００	４１０.５００
	交通、通信費	６.６１５	７.２３２	４.７９４	６.２２４	５.６７６	７.８３５	５.５７７	５.５７４	４.９１６	９.４３９	８.３５８	６.５３５	７８.２７５
	印刷費	１６.３００	５.０００	９.０００		５.０００	５.０００	８.０００	１３.０００		５.０００		５.０００	７１.３００
	会合費	３７５	７００									１.５５０	１９０	２.８１５
	用品文具費	９１４	４３０	６７５	２８５	９４８	４８５	５５５	３２５	２４８	１７０	４６０	２８５	５.７７５
	雑費	３.６８０	７.３３５	１３.２３５	１.１６５	９.４９０	１３.１１５	２８.７４２	８.０６０	１２.６８０	３.４２４	２６.８７５	６.３００	１４４.４９２
	繰越			３.２９６	９.２０８				１.２８２		４.０２８	１０.３９６	１.８０３	３０.０１３
	次期繰越													３５.６０７
	計	７７.３６４	５５.３７６	６５.２５２	５１.４８８	６１.８４３	６６.５５５	８４.６０７	９４.３７０	５８.８２８	６３.０３６	９８.６６３	６１.２４５	８７４.２８４

解説

△、会費について、昨年の平均が３９.０００円に対し、今年は平均５０.０００円近くとなり、８０％近く納入されていることがわかる。

△、雑収入について、寄附及映画会〃記録映画〃収入よりまわしたものである。

△、人件費について、４月より人件費値上をしました、佐々木８.０００円、加藤（姉）５.７５０円、山之内１７.２５０円それに佐々木の夏期手当を毎月２.０００円づつ先払している。７月よりもう１度調整、佐々木９.０００円、加藤（妹）６.０００円、山之内１７.５００円それに佐々木の年末手当を毎月１.０００円づつ先払している。

△、雑費について、映画会費及〃記録映画〃へ返却分、研究費もふくむその他借用金の返却。

△、１１月の雑収入の多いのは協会員の寄附によります。

△、今期末の協会関係は３５.６０７円を次期へ繰越す。

△、協会関係未払金印刷屋へ１５.０００円がある（したがって繰越金と差引すれば実際の繰越金は２０.６０７円となる）

―新役員の選挙方法と候補者一欄表―

今回の役員選挙は役員全員が候補者を出して全員投票によることになりました。運営委員会では推選候補なしの投票では選出が困難であると考え、候補者を上げました。

☆　候補者を出して総会において全員投票する。

☆　運営委員長及び事務局長は１名単記、運営委員は１５名連記とする。

☆　運営委員会推薦候補者（アイウエオ順）

運営委員長（　４名）厚木たか、岡本昌雄（日本視聴覚教材）京極高英、野田真吉

事務局長（　４名）大沼鉄郎、河野哲二、杉山正美、富沢幸男

運営委員（３７名）荒井英郎、岩堀喜久男、飯田勢一郎、（日映科学）岡野蓮子、かんけまり、楠木徳男、川本博康（日経映画）樺島清一（視覚教材）、黒木和雄（岩波映画）近藤才司、（日映新社）杉原せつ、竹内信次富岡捷（新理研）豊田敬太、丹生正、谷川義雄、高島一男、高井達人（三井芸術）高村武次（岩波映画）長野千秋（日映科学）西尾善介、西沢豪、西本祥子、間宮則夫、道林一郎、諸岡青人（日映科学）羽田澄子（岩波映画）花松正卜（岩波映画）樋口源一郎、藤原智子（日映科学）松本俊夫、松川八洲雄（日映科学）八木仁平、八幡省三、矢部正男、柳沢寿男、渡辺正己（東京シネマ）

会計監査（　２名）菅家陳彦、山口淳子（日映新社）

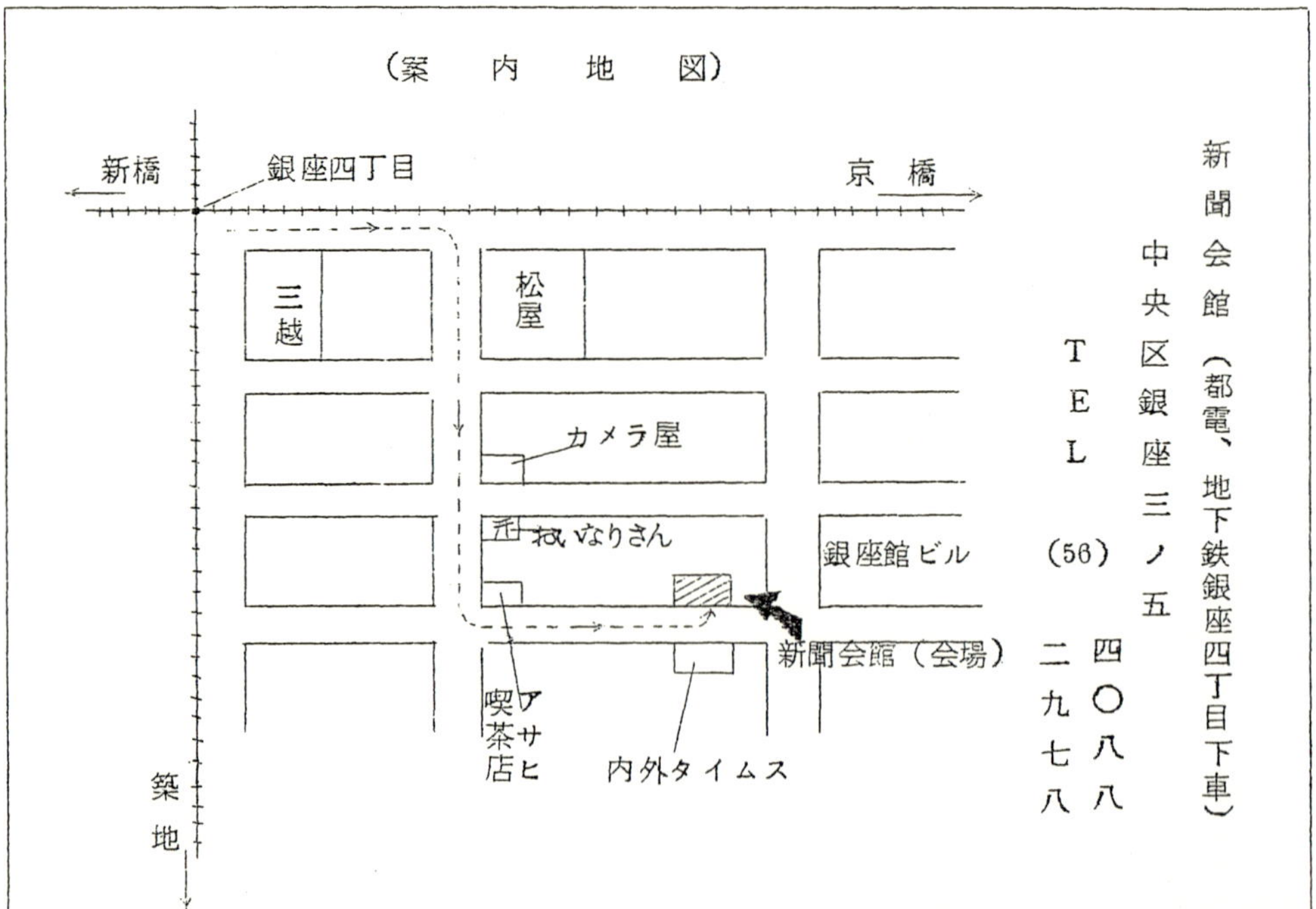

教育映画作家協会
第七回定例総会

議案書

とき　1960年12月28日（水）后1ー后7

ところ　新聞会館（銀座松屋うら）

才七回定例総会

一式次第一

一、開会の辞
二、議長選出
三、一般年次報告
四、研究会報告
五、雑誌「記録映画」報告
六、事務局及財政報告
七、会計監査報告
八、討議と採択
九、来年度の方針に関する提案
十、討議と採決
十一、役員改選
十二、閉会の辞
十三、世界の記録映画上映（二時間）
〃もえあがるアルジェリア〃三巻（アルジェリア）
〃チベット解放〃三巻（中華人民共和国）

（註）(イ)議案書は総会当日持参下さい。
(ロ)総会当日出席出来ない場合委任状を、委任者又は事務局へお送り下さい。
(ハ)雑誌「記録映画」一九六一年一月号を総会お渡します。

今年を省みて（一般年次報告）

運営委員会

一

前回の総会で、とりきめられた今年の方針は、つずめてみれば、こうである。

1. 活潑な理論の深究を、研究活動に結集し、それを機関誌「記録映画」に反映しながら、
2. 機関紙の拡充強化を計り、
3. 一方に、見る会などで、記録映画の普及に努め、懇談会などで観客と手を結び、
4. 他方、総評企画の映画、アジアアフリカ合作映画などを足がかりに、実際の制作運動を前進させる。

そのためにも、

5. いろいろな団体と協力し、
6. 教育映画祭も一つの場として、
7. 内部への周知にも努め、
8. 作家の生活と権利を守ることも忘れない。

そういう方針のもとに、迎えた今年であった。そして迎えた六〇年は、安保の年といわれるほどに、大きな斗いを築いた。頂上を仰ぎながら、ふもとの歩みを省みてみよう。

二

1

今年は、出発にあたって、黄金の六〇年などという声もあった。たしかに、産業の躍進は、今年もめざましかった。工業地帯は拡充され、工場の数も、工業人口も、生産額もふえ、ダム・トンネル、幹線道路、発電所などの建設も去年に劣らず、田んぼは豊作、テレビはブーム、株式市場は高値を続けた。経済成長万才、の声が出るのも、ふしぎではない。

ラジオ・テレビのコマーシャルから、映画も動員されて、今年もまた、たくさんの企業ＰＲや、団体官庁の宣伝映画が、世界的な製作本数をあげている。下手な案内書をよむよりも、映画の方が、具象的に、多採に、産業の姿を伝えている。

しかし、大きなスポンサーは大きなプロに固定化し、中小プロが蹴落されていく傾向は、いよいよはっきりしたようだ。小さいプロは、低コストや、コネ・リベットの戦術で、活路をひらこうとしているが、支えきれずに広告会社の下請工場に落ちていくものもある。中には、全く一大企業の宣伝課として息をついているものさえある。

そして、烈しいセールス戦の中で、大きなプロが、受註コストを切りさげる気配も、見えだしている。

低コストが、まず人件費をギセイにし、製作条件を苛　にするのは、おきまりである。脚本、スノプシス、雑文等々を機械のように書かせられたり、同時に何本も持たせられたり、機材の不備を人力で補ったり、労働はオーバーに、実質賃金は下っていく。それに気付かないではないが、次ぎから、次ぎへと仕事は続き、収入もふえていくので、何か安定した気分もある。

与えられた主題、与えられた素材、与えられたに等しい表現には、なんな創造の喜びもなく、あるとすれば、せいぜい職人の自己満足である。そして、うまく料理したとホクソ笑むとき、手を離れた作品は、国内はもちろん、いわゆる低開発の国にも渡って、独占資本の太鼓を叩く。

産業映画を見る会、あるいは何々の会として、映画を見せる会が、次第に多く、広く、豪華になっていくのも、ＰＲ映画がすっかり資本に抱えられていることを示している。

そのＰＲのいそがしさに、大きなプロは、教育映画などかまってはいられない。ＰＲ合戦には手の出ない小プロが、配給社の庇

護のもとに、教育映画で食おうとするが、ここでも、独自の配給組織を持った大資本が、小プロを圧倒する。

作る割に売れない、販売本数の減少、配給社の動揺、版権料のとどこおり。それは、製作費の切り下げとなりスタッフを圧迫するだけではない。文部省選定への妥協、迎合の企画となる。

大資本のマスプロが、官製ラインの上にのっているのは、いうまでもない。

勤務評定を強行して教員のホネをぬき、社会教育法を改訂して婦人や青年層にも補助金のヒモをつけ、年少テロリストがあらわれれば戦後の教育にケチをつけて教育基本法をさえ改めようとする政治のもとに、教育映画だけが自由な息吹きをもてるであろうか。

いわゆる社会教育映画の一部が、これまでの官庁的ライブラリーのほかに、大企業の利用を開拓しはじめているのも、教育映画が職場教育や道徳教育に傾斜し、企業の支配に奉仕しようとするからである。

教育映画も、丸抱えのＰＲと、全く同じ道を歩いている。

2

そのことを、作家は、もちろん早く見ぬいている。自由な作家活動をしようとすればするほど、厚く壁がとりまき、壁が作家に考えることを教えるからである。

協会の仕事は、いってみれば、問題意識を明確にし、作家の主体を確立し、自由な作家活動の場を作り出すことにある。

壁に挑む日々の斗いで、先頭に立ったのは、今年も、機関誌「記録映画」であった。

すくない紙幅をフルに活かして、毎号問題点の特集を試み、作家の問題意識を深めて主体の恢復を計り、記録映画の精神と方法の普及に努めてきた。（編集部報告参照）

いわゆる短篇の狭い分野にとどまらず、劇映画からラジオ、テレビと視野をひろげ、執筆者の顔ぶれもにぎやかに、多角的にドキュメンタリーの追及を進め、広く共鳴者、支持者を開拓してきたのは、疑いなく今年の発展といえよう。協会の存在を、広く大きく押し出した功績も忘れてはなるまい。

特異な雑誌として「記録映画」は、今や、内部的な機関紙から各分野を貫くドキュメンタリー運動の、有力な旗手として、迎えられつつある。

そして、今では、ＰＲ一辺倒のプロの中でも、ドキュメンタリーが云々されているが、そこにまだ多くの誤解や燃焼不足が見られることは、日々作られるＰＲや教育映画と、ドキュメンタリーとが、どう対決し、どう格斗するのか、具体的な実践に結びつけて、もっと多くの声が上げられる必要はあった。

もう少し触角を伸ばして、かくれた研究や一層鋭い問題の提起を、内部に掘り出す努力が足りなかったと思う。

研究会活動は、今年も行なわれた。記録映画のそれと、社会教育映画のそれと、その二つが、協会の斡旋のもとに、続けられた。

記録映画研究会は、前年の実績の上に、今年も毎月例会をひらき、社会教育映画研究会も、出足のよいスタートをみせた。（それぞれの報告参照）

しかし、記録映画研究会も、前年ほどの発展はみせず、部外からの参加者がふえていく割に、会員の参加が衰える傾向もあった。例会の主題の設定に、鋭い問題意識が薄らぎ、討議が追及されなかったのも事実である。

社会教育映画研究会は、生まれて間もない模索の中に、研究主題も動揺して、基礎が浅く、十分な活動はみられずに終った。

五月、六月の安保斗争で中断されたのはやむをえないが、以後半年、ほとんど眠ったままである。

運営のさまざまな面が活動家に集中して、知りながらも世話のできなかったこともある。その原因を確め、障害を除くことに、委員会も努力が足りなかった。会員の中から開催を促す声もなかったようだ。

いろいろな問題をはらみながら、学校教育については、ついに、研究会は生まれることがなかった。

まず、自主的な動きがなくては、助力の手を伸べることもできない。学校教育の映画は、すでに、グループ活動を築くほどの多くの作家を必要としなくなっているのだろうか。

教育映画祭。

これは、今年は、準備期から参画する構えをとった。会合にはできるだけ出席し、担当者不在のときは代理が出て、糸の切れないように努めた。

しかし、会合はほとんど常に日中おこなわれ、ひまの多い経営者クラスか教育家でないと続けて出席はできない。初めて出たとき、すでに行事や日程の線路は敷かれており、次ぎに出たとき、細目はきまっており、次ぎには、振興会議で製作者連盟と共同提案をすることになっており、提案説明者と話しあったときには、提案内容の草案が印刷ずみ、会議の承認ずみ、となっていた。（報告参照）

教育映画祭は、もともと業者のデモンストレーションであり、振興会議も、集まるものは、製作と配給販売の業者、それにライブラリーや学校関係の役人や教育ボスで占められ、いわば売手と買手にすぎず、現場の使い手や真の観客代表は加っていず、作品の企画や表現、創作方法、芸術と教育との関係などは、話してもわかる雰囲気でない。というのが、その代表提案者の意見でもあった。

事実、今年初めて一日の時間を割いた振興会議も、とどのつまりは、ライブラリーの拡充という業者的線でしぼられ、拡充のための予算獲得を羨望して終った。

お祭りはお祭り。教育映画の活潑な研究活動もなく、教育映画の強力な製作運動もなしに、業者のお祭りにだけ期待するのは、過大な評価ではなかろうか。

間 的な出席で、十分に主張できなかったのは、やはり遺憾である。

記録映画を見る会は、協会主催のもとに、毎月西武文化ホールで行なわれ、八月からは、別の見る会が、映画サークル協議会と共催で持たれるようになった。

事業収入を目ざした「世界の実践映画を見る会」も、予期以上の客を集めることができた。そして、二周年を記念する、機関誌読者とのパーテイも、四〇名ほどが参加、読者と手を結ぶことが試みられた。

しかし、パーテイにしても、安保自然承認の日、という歴史的な動きの中に呑まれ、しっかり組織化されて根を張るには至らなかった。

観客との結びつきは、芽生えただけで育たなかった。

3

製作運動の面では、去年から引きついで、まず、アジア・アフリカ合作映画をとり上げ、構成試案を練った。すでに動議は採択されている合作映画を一歩前進させるための材料として、構成案をふくむ製作計画案が望まれたのである。

アフリカの年、ともいわれる六〇年。合作映画が具体化し、実行への一歩が踏み出されれば、本来の目的のほか、小さい島国の中で視野も行動も狭められがちな日本の作家が、国際的な舞台の上でどう働くか、よい踏みきり台になるだろう。というわけであったが、手をつげてみると、アフリカの事情だけについても、作家の認識や理解は浅かった。期間が短く、製作者も技術者の間に計画を流すひまもなかった。

日本支部全体の準備不足、アフリカ現地の事情、等々のため、コナクリの会議では、ついに提案されなかった。

合作の基盤も、運動の拡がりも、何もない現実の中ではいたしかたもないことであった。

協会の仕事ではないが、中日合作映画には、まだ可能な条件が

あった。

中心スタッフに委員三名の含まれることを知り、いそぎ対策を立てながら、その成果が、国内の記録映画製作運動にもよき刺戟とならんことを願ったが、中国を敵視する外交政策、安保条約の強行、という事情の中に、合作は延期されてしまった。

中国の作家と初めて接触し、機関誌「記録映画」が紹介され、交流のかけ橋のかかったことは、貴重な土産であろう。

二月、伊東でひらかれた労働組合視聴覚研究全国集会には、資料として「戦後の記録映画の歩み」を提供し、自主映画の製作運動を扱う第三分科会には、助言者として参加、斗議に加わった。

会社側のＰＲや、教育映画も動員するＨＲに対して、労働組合が映画をもって斗いつつある現状を知り、製作に助言し協力することは、そのＰＲやＨＲに抗して自主的な作品活動を進める記録映画運動の、重要な一場面であろう。

第一回なので、組合の活動も熟さず、意識が鋭いが作品は幼かったり、活動に企業の穀をつけていたり、まだ初期の段階にあるが、現場にいる強さが組織化されて、連帯の意欲にもえるとき、その力は、大変なものとなろう。

去年の「安保条約」や「失業」を省み、前進の基礎を固める、製作関係者の会合でも、総評から配給社を通す形でなく、総評も、単産も加盟団体となる製作協議会の確立が、一斉に要望されたが、配給関係の勤労者視聴覚事業連合会がまとまらず、いくら呼びかけても、正式の準備会はひらかれなかった。

労使の天目山といわれた三池の斗いも、一配給社のコマーシャルにされ、広い製作運動には発展しなかった。

協議会に近い体制がとられるようになったのは、安保の斗いが進み、統一行動が拡がり、その規模がもはや一社の力では収めきれなくなってからであった。

4 安保の斗い

今年の最大の国民的斗争となった安保の斗いは、協会にとっても、最大の動きであった。

映画「安保条約」の製作に加わった前年の斗いをうけ、今年も、早くからアッピールや情勢を流し、安保批判の会の一員として活動した。

斗いが拡がり、統一行動が大きくなるとともに、カンパや署名を募り、請願やデモにも加わった。

新入監督協会を中心とする「映画人安保問題を語る会」にも参加。

運動の発展に備えて、安保対策の特別委員会を設け、運営委員会を補いながら、外部との連絡を固くした。

そして、六月二一日には、「斗いの新しい段階にあたって」岸内閣の即時退陣、悪流政権の不承認、国会の解散を求める声明を出した。

一方、統一行動の記録を目ざして、製作協議会が持たれると、協会は卒先して参加し、強力なメンバーをスタッフに送った。いそがしい仕事の中をやりくりして、深夜、撤夜の製作に奉仕する会員も少なくなかった。

反対運動の発展とともに、製作期間も延び、参加人員は、技術者も含めて、延三百人に及んだ。しかも、すべて無報酬の奉仕である。

その代りに、プリント販売による利益は、協議会に積み立てられ、次期製作の基金となる。主張された協議会体制の一歩が、安保を機会に、やっと踏み出された形である。

そうした斗いの評価については、いろいろな声がある。しかし、くり返すデモに、絶えず参加者があり、フリー会員から、企業内の有志、年輩の製作者、教育映画協会の人々さえ加わり、六月十

一日の第二メーデーには五〇名近くも集まったのは、そして映画製作に三〇〇人も集まったのは、何がそうさせたのであったろうか。

芸術と政治、教育と政治の直結を、一人一人が明確に意識してであろうか。映画を製作する中で、何を、どう変革しようとしたのであろうか。作家の問題意識はどこにあったか、芸術活動と政治活動をどう統一しようとしたのか、むずかしい問題が、そこには含まれている。そして、それが明確に追及されずに終ったので、活動も停滞したのではなかろうか。

協議会体制を作りながら、配給会社のコマーシャリズムが、作り手と受け手とが一体となる製作運動を理解できず、摩擦を起すことがあった。国民運動や労働運動に役立つことがすべてで、作家の創造活動などはいらない、という誤った見解ものさばっていた。

5.

年頭、運営の出発にあたって、委員会は仕事を区分けし、担当の委員をきめ、責任の分担と処理の能率化を計ってみたが、区分けが機械的で、担当も適任とはいえなかった。機関誌と、事業とが、やっと事務を果した程度である。

今年の発展としては、事業活動が上げられよう。

二回の「実験映画を見る会」で、合計　　　円の収益を上げ、赤字を埋めて、今後の協会財政に明るい見通しをうけてくれた。

新会員の獲得も、しつ拗に続けられ、　名の正会員十二名の賛助会員を迎えた。

しかし、その反面、会費の滞納が相変らず、長期の滞納もふえて、協会運営をおびやかし、毎月のように財政問題が議題となり、そのために委員会は他の仕事を十分にとり上げる余裕を失ったことも少なくない。

危機突破の非常対策として、委員の有志がシナリオのアルバイトをして、カンパをしたことさえもある。

幸い事業収入が見込みを超えて大きかったので、ボロを出さずにすんできたが、事業収入は、本来、予算面の赤字項目を埋めるためで、会費滞納の穴を補うためではない。

会員として加わる以上は、会費を収めるのが義務であろうに、なぜ、こうも多くの滞納があるのだろう?。

協会の運営に不満があるので、払うのがイヤになるのか?

そもそも何を求めて、協会にはいっているのか?

そこまで臆測したくなるほどの滞納ぶりである。

もちろん、会員の一部ではあるが、毎月一五%の納入を見込んで立てられているギリギリの予算は、数名の滞納でも窮屈になり、十数名に及べば土台がゆらぐのである。

壁にあたって憤りながら、仕事に追われて、なんとなく流されていく。安定のムードが、会費は収めなくても、協会はなんとなく動いていく、とでも思わせるのであろうか。

作家の生活と権利については、小委員会のもとに、長期契約の賃金問題を中心に、実態調査を進め、その資料の上に規準ベースの案を立てようとしたが、いそがしいまま流会したり、調査も討議も不十分で、提案するまでには至らなかった。

賃金規準は、長期契約に限られず、現行フリーの規準が、今も妥当か、よく守られているか、深く調べ、さらに企業所属のベースともにらみ合わせねばならず、短期に具体案を作り上げるのは、たいへんむずかしい。

三

こうして、一年を省みると、きめられた方針を貫く努力は、一応試みられている。

しかし、成果らしいものは、機関誌「記録映画」の成長と、方針にはないが、予算が迫られて始めてみた事業活動の成功と、これも、そこまでは予期していなかった安保の斗いの拡がりと、そしてその結昌「安保への怒り」の製作活動と、それぐらいのもの

である。

研究活動も途中で息が切れ、観客との提携や、生活と権利の問題、教育映画祭の革新なども、手を付けてはみたが、実は結ばなかった。

一つには、方針が現実の基礎と深く結びついていなかったからではなかろうか。芽のないところに草は伸びない。観客との提携といっても、間口が広くて、とまどってしまう。二、三年前とは違い、仕事だけはある安定ムードの中では、生活と権利の問題も、主張の糸口を失う。教育映画祭の過大評価も、危険である。その上、安保の斗いが、大きくエネルギーを吸ってしまった。しかもそれが明確な目標として、具体的に掲げられていなかった。

しかし、新しい芽もないわけではない。

協会の研究活動は眠ってしまったが、岩波映画の中では、若い人たちが集まって、自主的にグループを作り、作品を見、理論を鍛え、機関誌さえ発行している。ＰＲ一辺倒のある社でも、作品のアンケートを募り、衆意に問おうとする動きがある。研究活動の新しい芽。

また、岩波の労働組合では原水協と手を結び、カンパでスタッフを出して、新島のミサイル基地反対斗争の作品を作り上げた。

京都では、京都記録映画を見る会を先頭に、記録映画「西陣」を作ろうとしている。

総評スポンサーの政治映画ではない。芸術映画の製作運動も、芽を吹きはじめているのである。

機関誌の後尾にのせる予告を見て、地方の研究サークルから、作品の照会や斡旋を望むことが急速にふえている。サークルも動いている。

実験映画を見る会が成功を収めたこと、類型化したＰＲに飽き、意欲に満ちた新しい作品を渇望している人々が、予想以上に多いことを物語っている。観客も、そして作家も、渇いている。

これらの芽を伸ばし、かくれたエネルギーを組織化し、記録映画の運動をさらに前進させることが、来年の課題であろう。

四のＡ　記録映画研究会報告

本年の記録映画研究会は前年度のように研究テーマをもって会をひらくといった系統的な運営が世話人の方で準備ができず、全体として散漫でした。

だが、「記録映画」誌を通じて、読者や寄稿家の参会がめだったのは本年の特色であると思います。こうした外部の参会者をえながら有効な研究テーマをうちだし組織的な批評研究活動をなしえなかったことは研究会の計画性の欠除であったと思います。たんなる鑑賞会におちいった傾向がつよくなったのもそのためです。来年度においては「記録映画」誌の内容と関係づけの明確な問題意識の上にたった研究テーマの計画的な設定によって、作家、寄稿家、読者をむすぶ会として運営していくべきだと思います。研究会も、時には二、三の企業内外にできている研究サークルとむすび、開催することも考えられます。

また、他の団体「記録芸術の会」「現代詩の会」「文学々校」テレビ関係者などとの共催も研究テーマによっては協力して会をもつこともよいでしょう。

六〇年度、記録映画研究会の行事は以下のようです。

○　一月十六日　岩波映画試写室にて。
「沖縄」　（間宮則夫作品）
「朝日ニュース五九年総集版」

○　二月二十一日　近代美術館にて。
「ドム」　（ポーランド映画）
「タンスと二人の男」（〃）

○　三月二十七日　近代美術館にて

エイゼンステイン「メキシコ万才」（シートン編集）
シートンのエイゼンステイン研究フイルム。
（以上は会報にて報告ずみ）

○四月十九日　共済会館にて。
実験映画をみる会。

○四月二十三日　草月会館にて。
人間みな兄弟（亀井文夫作品）

○五月二十日　中央会館にて。（文学々校との共催）
「アンネのための日記」（東独映画）
「シュパイデル将軍」（〃）

○五月三十一日　岩波映画試写室にて。
「統一への行進」（斉藤茂十作品）
「三池の斗い」（徳永瑞夫作品）
「蝶はここに住まない」（チェコ映画）
「バックンハイの水利工事」（ベトナム人民共和国作品）（会報にて報告済）

○六月十八日　渋谷労政会館にて。
「メトロポリタン」（フランス映画）
「三月十五日」（ポーランド映画）
「マリン・スノー」（野田真吉作品）
この会は「記録映画」創刊二周年紀念パーテイをかえてやられました。
大島辰雄、佐野美津男、木島始、大島渚など諸氏の寄稿家、多数の読者の参分をえてました。雑誌の現方向について基本的に賛同をえ、いくたの欠陥について有益な批判と示唆をいただきました。参会者　四十余名。

○八月六日　共同映画試写室にて。「一九六〇年六月」

○八月十六日　ダイヤモンド社　講堂にて
厚木たか氏訳ローサ「記録映画論」の出版記念会をかねてひらかれ、出版社みすゞ書房と共催
上映フイルムはイギリスの記録映画
「キプロスは一つの島である」
「一世紀前」
「木曜日の子供たち」（アンダースン作品）

○十月四日
第二回実験映画みる会。

○十一月十五日　国立競技場映写室にて。
記録芸術の会との開催。
「ヒコーキ」（東松照明作品）
「白い長い線の記録」（松本俊夫作品）
キューバの記録映画　三本。

以上

（世話人　長野千秋、大沼鉄郎、松本俊夫、野田真吉）

四のＢ　社会教育映画研究会報告

本年の社会教育映画研究会は残念ながら、かっぱつとは云えず、世話人の準備不足又は呼びかけの不充分さからいつも出席者は少なく、ひどい時は世話人だけという時すらありました。然しつづけて進めてきたことは成果といわなくてはなりません。唯、今後の問題としていえる皆がのぞんでいるテーマを取りあげること。本研究会へ他団体、農文協又農村、漁村関係の方々の参加があったことは特記すべきだと思います。

○一月九日社会教育映画研究会、世話人会を開く。

○一月二九日映教三階試写室
おかあさんの生産学級（原田勉外脚本、森田実演出）おばあちゃん学級（厚木たか脚本、柳沢寿男演出）婦人会日記（杉原せつ外脚本）上映出席、九名出席（二名外部の方）

○二月二五日映教三階試写室
おやじ（菅家陳彦演出）、「結婚の条件」（河野哲二演出）「嫁・夫・姑」（豊田敬太演出）十一名出席

○　三月十八日共同映画社試写室
らくがき黒板（新藤兼人演出）、スランプ（中村麟子演出）
お父さんは働いている（西本祥子演出）
今回は特に配給関係から出て戴き、十三名の作協員と五名の外部の人の出席で開かれました。

○　四月二二日共同映画社試写室
「漁夫」日映新社、「漁村」三木映画社、「さよ達の願い」自然科学映画社、等を上映、漁村関係者の出席あり。

○　六月十四日銀座館ビル地下貸室
「グループとリーダー」岩堀喜久男、「若いやつ」菅家陳彦、「生産と学習」森国忠、その他上映、出席者多く上映だけにおわる。

これで十二月まで研究会はとだえています。会報四月号（五四号）に社会教育映画研究会の報告が出ており、その中でのテーマがはっきりしていないということから、一貫した問題が流れており、送定というヒモがあって、しかもどうしても視聴覚ライブラリーに買ってもらわねばならぬという、いわゆる社会教育映画のワクをどう受けとめるか、という問題である。云々……今後の問題として「社会教育映画の歴史をふりかえる」研究会も、是非やってゆきたいが充分な準備がいることを提起しており、研究会が突き当っているのは、もっと強力な世話人グループの確立ということであり、したがって多くの参加をのぞみたい。と以上（世話人　岩堀喜久男、荒井英郎）

五、雑誌“記録映画”報告

編集委員会

今年の編集をふり返って

一、記録映画を中心として、芸術におけるドキュメンタリイの問題を追求して行くという、創刊以来の基本方針は、依然、一貫して発展的に継続されて来ている。それは本質論から運動の現実的な問題へ発展してきている。

去年は、主にいままでのドキュメンタリイ映画の運動の、再検討に、力が注がれてきたが、ことしは、運動の実践の過程の中での、より具体的な、現在私たちが当面している現実的な課題として、問題が出されて来ている。すなわち去年から、さらに一層具体的、積極的に発展してきているということになる。

具体的にいえば、特集を組むに当っては、問題のひとつひとつが深められ、分析的になって行き、その提案が系統的になり、一貫性を持って来ている。そういう形で、問題が具体化されてきているのである。

内容からいえば、去年は、作家主体論や方法論が、本質論一般として問題となっていたのであるが、今年はそれがもっと具体的になってきている。すなわち、作家の表現過程そのものを、現実に対する作家の、主体的な批評行為として、具体的、分析的に追及するという方向を辿ってきた。

二、こういうわけで、創刊以来の編集方針はより深化され、具体化されて来た。

その結果、本誌で論じられた内容は、そのまま私たちの作家活動の、現実的な課題となり、いまでは、協会内部にも広く浸透し、作家意識の支柱となりつつあると見られる。

このことは、他の各芸術ジャンルにおける共通の芸術的課題と一致するので、私たちのひとりよがりを避けるためにも、さらに問題を多角的に掘り下げ、芸術全体の中での私たちの位置を明らかにする必要があった。そのため、さし当って、私たちに近いジャンルーすなわち、劇映画・テレビ・ラジオなど、同じ課題に当面している第一線の活動家の、問題意識を導入し、咬みあわせてきた。

三、このような編集方針は、一般商業ジャーナリズム、とくに映画雑誌には見られないものであるので、新鮮な魅力を誌面に与えて来たようである。その証拠に、今日的な問題とり組んで

いる各文化、芸術ジャンルの作家、批評家、活動家の、積極的な関心を集め、多くの話題をよびおこし、大きな影響力をもつようになってきた。

例えば、協会員だけでなく、文化、美術の評論家、テレビ・ラジオの演出家、批評家などの執筆者がふえて来たし、松竹をはじめ、各劇映画企業内部の若手作家・助監の間では、必読文献だとされているところもある。また一部のテレビ作家には、直接の影響も与えている。さらに、地方の文化活動家にも影響を与えている。

四、また、雑誌を軸にして、研究会がもたれ、外部団体（記録芸術の会、文学々校、地方の文化団体等）との運動的交流もできてきた。

五、右に述べたことは、今年度を通じて、編集委員会が持ち続けてきた基本的方針とその成果であるが、次に個々の具体的な方針についての検討を試みよう。

① 一九六一年一月号で、雑誌は通巻三十号を数えるに至った。これは協会員の、雑誌に対する積極的な支持によるものであることを、第一に認めねばならない。

② 昨年十二月号から、東販を通じた配本ルートにのせることに成功したが、続いて、今年の七月号から、日販の自発的申し入れにより、委託配本を、両社からするようになり、今もそうなっている。

③ 各号毎に、その時点時点での、アクチュアルな課題をとりあげ、それを特集としてきた。これは、限られた誌面を、最も有効に使うために、大きな役割を果した。（特に支持されたと認められる特集には、「想像的創造力」「現代のマスコミ」「現代の疎外と作品」「映画の可能性と実験性」などがある。

④ 「失業」「一九六〇年六月」等の協会としてとり組んだ作品については、積極的に誌面を割き、一般に関心をよび起すようにつとめた。

⑤ 安保斗争を通じて、政治と芸術の問題について、積極的にとりあげ、作家の政治的現実に対するあり方を追求した。

⑥ ドキュメンタリイの歴史や本質を、立体的にとらえるために、プロキノ運動の問題、ドキュメンタリイとは何か等の座談会を企画した。すなわち、わが国のドキュメンタリイの運動は、戦前にまでさかのぼって考えられるべきであり、いまの私たちは歴史的にどういう地点にいるかということをとらえることと、現在のドキュメンタリイの本質を明らかにすることとを組みあわせることで、現在の時点でのドキュメンタリイの問題をはっきりさせようという試みである。

⑦ 劇映画の新人たちの「私の記録映画論」を、ひきつずき掲載してきた。劇映画の新人たちが、今までの劇映画における自然主義的な映画の方法にあきたらず、それを破壊して新しい方法を打ち立てることに専念していることは知られるとおりである。そして、そのためには、ドキュメンタリイの方法に無関心ではあり得ないということは、既にその人たちみずから表明するところであった。それならば、その人たちの抱く記録映画論とは、どのようなものであるかを明らかにしたいという試みである。

⑧ 比較的、記録、教育映画にふれることの少ない一般読者に、協会員の仕事を関心を持ってもらうことと、理解してもらうために「ガイド欄」を新設した。これは単に「ガイド」としての役目を果しただけでなく、特に地方の運動体に大きな刺戟を与えたと見えて、記録映画、教育映画を見る会等の企画が飛躍的にふえ、その企画、実行についてのサゼッションを協会に求めるというふうなことが、今年度後半に至って激増している。

⑨ 二周年記念のテイパーテイを企画、実行した。ここでは熱心な読者、作家、執筆者が集まり、編集方針が基本的に支持

され、また希望が述べられた。

⑩　京極、松本両氏の訪中を機会に、また、北鮮帰還の文化人に託して、本誌を、中国、北朝鮮の映画人に寄贈することによって、国際交流をひろめる道を拓いた。

六、こうした本誌の一年間の歩みは、協会内の作家活動を高揚することに役立っていることが、事実として認められるし、また、対外的には、教育映画作家協会の存在とその活動を、広く認識させることに役立った。

さらに前進するためには、次の諸点を改善する必要があると考える。

一、以上の課題を更に充実、発展させ、同時に内容にバラエティを持たせるために、増頁を計りたい。そのためには写真頁を削減し、その費用で増頁するのが、最も負担の軽い方法である。

二、編集委員会主催による雑誌の研究会を毎月定期的に開催し、問題を深めるとともに、それを編集方針に反映させて行きたい。

三、これを平行して、都内及び地方に読者会を組織する。

四、協会内外に、更に有力な執筆者を発見するよう努力したい。

五、以上によって、内容を豊かにし、そのことでもっとよく売れるようにしたい。

六、誤字、誤植の絶滅と、あわせて　新な体裁を作りあげることに努力したい。

結語

以上、本誌に関する報告であるが、今後ますます本誌を中心に論議を活潑にするとともに、それを積極的に紙面に反映し、確信を以って読者の拡大を計りたいと考える次第である。

六、事務局及財政報告

①協会員のうごき

協会の会員総数は本年十二月初現在で二〇〇名である。

現在員　正会員　一六九名

賛助会員　三一名

本年入会者　四〇名

脱会者は　四名

死　亡　高島一男氏　稲村喜一氏

脱会者については、長期会費未納及長期に連絡がなく、本人と充分な話し合ひをし、幾度かの運営委員会で討議の末、脱会を確認した。

協会々員のうごき

協会の会員総数は本年十二月初現在で二〇〇名であります。今年一年入会社は四〇名、脱会した方は五名、　名会員増加になります。

一、フリー会員現在数六〇名、入会及変更七名、脱会二名。

荒井英郎、赤佐政治、厚木たか、浅野辰雄、岩堀喜久男、岩崎太郎、岩佐氏寿、伊勢長之助、入江一彰、上野大梧、伊豆村豊、岡本昌雄、大内田圭彌、大沼鉄郎、小津淳三、加藤松三郎、菅家陳彦、かんけまり、樺島清一、川本博康、京極高英、岸　光男、衣笠十四三、桑野　茂、熊谷光三、河野哲二、谷川義雄、竹内信次、丹生　正、田中　徹、豊田敬太、富沢幸男、徳永瑞夫、西沢　豪、西尾善介、西本祥子、野田真吉、樋口源一郎、日高　昭、古川良範、丸山章治、間宮則夫、松崎与志人、松本俊夫、道林一郎、八木仁平、矢部正男、柳沢寿男、

山岸静男、山下為男、八幡省三、吉見　泰、
杉山正美、渥美輝男、杉原せつ、吉田六郎、
村田達二、森田　実、長野千秋、本間賢二、

二、フリー助監督会員現在数三二名、入会及変更十二名、脱会二一名。

安倍成男、青野春雄、石田　厳、小野寺正寿、
小川益生、片桐直樹、川田一郎、金田一信幸、
楠木徳男、久保田義久、小泉　堯、斉藤茂夫、
妹尾　厚、泉水　剛、田中　学、谷山浩郎、
塚原孝一、豊富　靖、中島日出夫、仲原源作、
中村久亥、西江孝之、頓宮慶蔵、平野克己、
堀　貞雄、松本公雄、村上雅英、山元繁之、
山本升良、吉田　厳、曾我　孝、二口信一、

三、企業、岩波映画社、現在数十八名、入会五名。

高村武次、羽仁　進、羽田澄子、時枝俊江、
各務洋一、黒木和雄、肥田　侃、榛葉豊明、
田中　実、秋山衿一、花松正卜、神馬亥佐雄、
田中平八郎、遠藤完七、北条美樹、牧野　昭、
泉田昌慶、諏訪　淳、

日映科学、現在数十一名　変更一名。

奥山大六郎、諸岡青人、中村麟子、下坂利春、
飯田勢一郎、清家武春、二瓶直樹、飯田　聡、
松尾一郎、松川八洲雄、田部純正、

日映新社、現在数十名、入会三名。

大峰　晴、山添　哲、苗田康夫、近藤才司、
三浦卓造、山口淳子、藤原智子、高瀬昭治、
飯村隆彦、石井清子、

新理研映画社、現在数十名、入会六名。

富岡　捷、島内利男、原本　透、三上　章、
宮崎明子、大口利夫、持田祐生、宮内　研、
中川すみ子、村松隆一、

日経映画社、現在数三名。

川本　昌、前田雇言、小谷田亘、

日本アニメーション、現在数三名。

長井泰治、平田繁治、諸高　一、

東京シネマ、現在数二名。

渡辺正己、大島正明、

記録映画社、現在数二名。

泰　康夫、田中舜平、

電通映画社、現在数二名。

大野　祐、松本治助、

神奈川ニュース、現在数二名。

深江正彦、吉田和雄、

CBCテレビ映画社、現在数三名。

小森幸雄、青木　徹、安藤　斉、

理研科学　現在数二名。

星合達郎、中村重夫、

新東宝、現在数二名。

渡辺大年、井内　久、

その他、現在数八名。

島谷陽一郎（新潮）　大久保信哉（たくみ工房）　八木進（モーションタイムズ）　西田真佐雄（東京フイルム）　藤田幸平（共同・九洲）　原田勉（農文協）　高井達人（三井芸術）
大野孝悦（新映画実業）

四、賛助会員、現在数三一名、入会一三名。

石本統吉、石田　修、上野耕三、大方弘男、
大鶴日出夫、小口禎三、大島辰雄、川崎健大、
加納龍一、吉中　晃、春日千春、木村荘十二、
工藤　充、小高美秋、小倉太助、小山誠吉、
斉藤　久、榊原六郎、田中喜次、武田つとむ、

多胡　隆、中村敏郎、能登節雄、福田寅次郎、
堀田幸一、松岡新也、水木荘也、村上喜久男、
吉田長治、吉野馨治、米山　彊、

◇協会々員の変動

。新入会員の紹介

一月―高瀬昭治（日映新社）　中村重夫（理研科学）
二月―斉藤　久（賛助会員）　武田つとむ（賛助会員）　小川益生（フリー助）
三月―谷山浩郎（フリー助）
四月―中村久亥（フリー助）　平野克己（フリー助）　安藤　斉（ＣＢＣテレビ映画）
五月―石田　厳（フリー助）　堀　貞雄（フリー助）　吉田長治（賛助会員）　吉田　厳（フリー助）　遠藤完七（岩波映画）　飯村隆彦（日映新社）　吉野　治（賛助会員）
六月―川田一郎（フリー助）　金田一信幸（フリー助）　曾我孝（フリー助）　宮崎明子（新理研）　大口和夫（新理研）　大島辰雄（賛助会員）　吉中　晃（賛助会員）　小口禎三（賛助会員）　加納龍一（賛助会員）
七月―熊谷光之（フリー会員）　妹尾　厚（フリー助）　北条美樹（岩波映画）　牧野　昭（岩波映画）　持田祐生（新理研）　春日千春（賛助会員）　小倉太助（賛助会員）　小山誠治（賛助会員）
九月―泉田昌慶（岩波映画）　諏訪　淳（岩波映画）　石井清子（日映新社）　宮内　研（新理研）　中川すみ子（新理研）
十月―二口信一（フリー助）　村松隆一（新理研）

。協会員の変動

一月―川本博康＝助監督よりフリー演出家に。
二月―仲原源作＝企業所属からフリー助監督。
三月―旧中　学＝岩崎鉄也氏三月より本名に変りました。
四月―長野千秋＝企業所属からフリー演出。
　　泉水　剛＝企業所属からフリー助監督。
　　森田　実＝フリー助からフリー演出。
　　岸　光男＝企業所属からフリー演出。
六月―田部純正＝新理研から日映科学え。
　　大内田圭弥＝フリー助からフリー演出。
七月―日高　昭＝フリー助からフリー演出。
十一月―本間賢二＝企業からフリー演出。

◇協会員脱会者名

フリー会員　水上修行、下村建二、
フリー助監督　池上史郎、小島義史、

②安保斗争

A　その斗い

新安保問題が国民的関心事として、国民の間に危機意識が高まってきたとき、学者、文化人、芸術家たちの有志によって新安保を研究し、その条約のもっている意味と問題点を追求し、新安保によって国民の置かれる位置を正しく把握し、認識しようと云う行動が幾たびか積み重ねられて来た。

また五月二〇日の強行採決という現実の中から新安保のもつ反動性を改めて確認、私たち作家協会も岸内閣退陣を決議して積極的な反対意志を表明、共同の力で強力に反対斗争を押し進めてゆくために一九六〇年五月「安保批判の会」に加入した。

作家協会内部としても運営委員会は、協会も当然この国民的な高まりの中で、作家の今日的な意識を前進させ、発展させていかなければならないし、それが新安保反対斗争において課せられた協会の中心的な課題の一つであることが確認された。「安保対策委員会」を組織し、具体的な行動の核として発足したい。

安保対策委員長　間宮則夫

矢部正男

安保反対斗争は、協会結成以来最大の力をもって斗った。いままでは、ともすれば作家活動と政治活動とは別個なものとして考えられがちであったが、この斗争の中では、これら二つのものを統一的にとらえていく運動が根強くおこなわれた。「記録映画」誌上時評におけるたびたびの主張—一九六〇年六月一九日の時点における協会声明にある基本的態度—長期間しつようにくり返された抗議デモには、多数の会員がそれぞれの場で参加し、「民主々義を寄る映画人の夕」にも加り、また反対斗争の記録「一九六〇年六月」を生んだ。

国民の激しい低抗にもかかわらず、新安保は国会を通過し、国家態勢はそれを既定事実として押し進めようとしている。独占資本の強化、軍備の拡充、三池の企業整備、として大衆行動に対する往暴な暴力の横行、また「日本の夜と霧」の上映中止問題、新東宝再建問題など、作家の日常的作品活動における阻害条件がますます強大となり、尖鋭化してきた今日、安保体制がすべての国家体制のファッショ化につながるものであることを認識しなければならない。

B　安保反対斗争の記録「一九六〇年六月」製作にあたって

五月末から七月まで、安保反対の統一的な意志のもとにかつてない多数の映画人が、自発的にこの映画の製作のために結集した。「安保反対映画製作委員会」のもとに延三〇〇名にあまる「作協」「自映連」無所属の作家技術者、企業内から材料カンパ「勤視連」から財政的バックアップなど総力の結集がこの映画を作り上げた。

総経費は約百六〇万円、その内訳、フイルムロケ費などの直接費は六五万円が勤視連側によって出資され、作家、技術者の人件費は（無報酬なので最低の日当に換算した）約九五万円である。

本年十一月まで「一九六〇年六月」は〇〇本のプリントが販売出来た、一本につき九、五〇〇円の版権回収を行い、それから直接製作費六五万円を差引いた金額が製作委員会基金としてプールされるのである。

作品が完成した後今後の製作委員会の製作運動の方向はまだはっきりとされていない、しかし、当面は作協、自由連、勤視連の三者から代表を旨し、経済問題を正しく処理し、今後の運動のプログラムをはっきりとする必要に迫られている。

運営委員会は、この記録映画の　自主製作運動は、まず反体制の運動の一つであり、今までの積み重ねられた成果を正しく発展させるため速に討議をおこすことを呼びかけた。

③　記録映画を見る会について

作家協会独自の映画会は二回の「実験映画を見る会」である。第一回は四月十九日、第二回は十月四日、両方共虎の門共済会館ホールで六時から一回行われた。内容は各国の実験映画を中心に組み、定員九〇〇名程の会場に、二回共満員で一応の成功といえる。

この映画会は二回共収益を目的として開かれ、したがっていかに多数を動員するか、それによる収入をいかにあげるかという財政的な立場から計画と準備が進められ、二回とも予期以上の収益をあげ成功のうちに終った。

集まった人々も担当の広範囲に及び映画人、他の芸術部門の人たち、学生と、レパートリーに対し担当の関心が強いことを知った。

また一方には協会が他団体との共催及び他団体の映画会を援助する活動があった。

西武デパートとの共催で、本年は三六回の映画を開き約三六〇〇名の人々に見せることが出来た。

東京及各地方の映画サークルとの提携により九回、約一五〇〇名人たちによって映画会を開いた。いずれも新作ＰＲ時画、社会教育映画が中心で、一部外国短篇、古典のものも上映することが

出来た。

また今年度の大きな特徴と思はれることは、「京都記録映画を見る会」「神戸映サ」「高知自主上映促進会」など地方観客団体の活動とつながりが深くなっていったことである。

新しい観客運動を創造しようと起って来たこれら観客団体との関連を強め、この中から新しい芽を発見出来る素地が出来たと云って良い。

最後にこれは「記録映画」編集委員との共催で、二週年記念号発行に当って読者との懇談会を開いた。参会者は四十人程だったが一応の成功と見られる。

「記録映画」の読者による地方での活動も起ってきている時、このように読者又は記録映画に関心を持っ人々と、作家との交流を深めることも意識的に強化していく必要を感じる。

④ 教育映画祭及振興会議について

委員長報告及び振興会議当日出席者八幡常任委員が（記録映画十二月号）報告しているので先づ参照されたい。

一九六〇年教育映画祭の一環として教育映画総合振興会議は七月一日開かれた。教育映画の製作と利用を振興するためにどんな問題があるか、それを打開するために今後の活動の重点をどこに置くかというのが今年のテーマであった。事前に製作関係、利用関係、地方教育委員会、大学研究機関関係、配給関係で問題点を出し合ひ当日討議する方法がとられた。作協は製作者連盟の村治夫氏と協議し連盟案である次の提案を行った。

提案事項

一、学校教材映画は教室の中で学習計画、カリキュラムの中に適確に位置づけて利用してほしい。

二、社会教育では映画を小集団学習にもっと利用してほしい。

三、学視連、全視連が名実共に全国ＡＶＬの中核体となり、教材映画の利用を体系化し、製作者に対する要望を組織的にしてほしい。

四、地域ライブリーの充実強化、フイルム購入予算の増額、特に都市における利用体制の充実。

⑤ 労視研全国集会について

二月九、十日の両日伊東市に於て労視研究会は開かれた。この集会には「戦後の記録映画運動」の資料が提出され、第三分科会に協会を代表して吉見泰、八幡省三氏 が出席、第二分化会には、杉原せつ氏が出席した。第二分科会では視聴覚をどのように活用し運動化しているかと云うテーマで、第三分科会では視聴覚の活用と映画製作の問題が中心テーマとなった。

体制側のマスコミ攻勢にどう対処してゆくか、そして反体制側のマスコミをどう作り出してゆくのか、専問家も交して具体的な映画製作の内部まで立ち入って、いろいろな経験、さまざまな主張が全国から持ち寄られたはじめての集会であるため、いろいろな不備もあるが、来年度は更に成長した姿で第二回集会が開かれるであろう。第二回は来年度初めて開かれる予定である。

⑥ 財政について

－協会財政－

本年度決算を見てもわかる通り協会財政は相変ず苦しみの連続であった。

協会収入は会費以外にはない、したがって会費納入率が大きく基本財政を左右するのである。

12月	135 %
1月	73 %
2月	85 %
3月	90 %
4月	75 %
5月	105 %
6月	75 %
7月	75 %
8月	80 %
9月	95 %
10月	68 %
11月	75 %
平均	81 %

納入率を見てもわかる通平均八一％である。協会予算は一〇〇％の納入がなければ維持出来ない。別表にある九〇％越えた月は運営委員会が財政危機を訴えた時の成績である。また、会発足時の基金が当協会にはないので、直接その納入率がひびいてくるのである。本年度はその赤字を補うために委員会有志によって、シナリオを書き、そのギャラのほとんどを事業活動と称し協会に入れおぎなったのである。

—「記録映画」財政—

「記録映画」誌の決算を見ると表面はうまくいっているように見える、しかし誌は時価七〇円である。しかしその原価は、販売価格を上まわっている。原価を割って売っているのである。販売が伸びなければその状態はつづく、広告料はもはや伸びる予地がない、その補ひは、年二回の事業活動（実験映画を見る会）の収益によって埋められて来た。映画会で収益をあげるのは仲々困難な事業であり、そう度々うまくゆくとは限らない。根本的な解決策が必要であろう。

⑦ 協会年間活動日誌

◇ 一月

○ 九日　社会教育映画研究会世話人会
○ 〃　記録映画を見る会、西武文化ホール
　〃春を待つ子等〃　〃ボタ山の絵日記〃
○ 十一日　〃沈黙のデモ〃安保批判の会後二時、国労会館—土橋まで
○ 十二日　第一回運営委員会、総会決定事項の確認と常任及編集委員を選出、その他
○ 〃　〃記録映画〃運転資金募集お願いします。
○ 十六日　記録映画を見る会、西武文化ホール〃暮しと家具〃
　〃三〇〇トントレーラー〃
○ 十八日　十九日ＡＡ連帯準備打合せ会
○ 十九日　第一回常任運営委員会
　①Ａ・Ａ映画製作について
　②労視研への参加について
○ 二〇日　安保批判の会映画関係打合せ会参加
○ 二三日　記録映画を見る会、西武文化ホール
　〃山とスキー〃
○ 二五日　安保批判の会後二時三〇分出席、アラスカ参加
○ 〃　Ａ・Ａ映画製作準備会
○ 〃　労視研実行委員会後六共同映画社参加
○ 二六日　記録映画研究会後六岩波映画試写室
　㈠オキナワ
　㈡一九五九年集録朝日ニュース
○ 二九日　社会教育映画研究会、映教三階試写会後五時三〇分
　㈠おかあさんの生産学級
　㈡おばあさん学級
　㈢婦人会日記
○ 三十日　記録映画を見る会、西武文化ホール

◇ 二月

○ 一日〜六日　〃世界の河は一つの歌をうたう〃
　自主上映促進運動に協力
○ 五日　Ａ・Ａ映画製作の為の会議後六協会
○ 六日　記録映画を見る会、西武デパート文化ホール
　たくましき母親たち、チーズ物語
○ 八日　常任運営委員会
　①中国地方講師派遣
　②安保批判の会のカンパについて
　③映教の宮森氏との話し合
　④〃記録映画〃運転資金について
　⑤記録映画を見る会及読者グループ
　⑥研究会について

⑦Ａ・Ａ映画製作について
⑧生活と権利を守る会
⑨財政の問題
○九・十日　労視研全国集会、伊東市で開く、作協より代表をおくる。
○十三日　記録映画を見る会、西武文化ホール
ネンネコおんぶ、デザインの勉強
○十六日　総評映画の批判懇談会出席、銀座ホテル
○十七日　Ａ・Ａ映画製作の打合せ会
○〃　生活と権利小委員会
○十九日　運営委員会
①常任運営委報告
②労視研全国集会報告
③総評企画映画批判会の報告
④予算案審議
⑤Ａ・Ａ映画製作についての審議
○二〇日　記録映画を見る会、西武文化ホール
百人の陽気な女房たち、牛乳の神秘
○二一日　記録映画研究会、国立近代美術館にて後三時　ポーランド実験映画を中心に
○二五日　社会教育映画研究会、映教三階試写室
〃おやじ〃〃結婚の条件〃〃嫁・夫・姑〃
○二七日　記録映画を見る会、西武文化ホール
〃親と子の谷間〃〃醤油〃
○二八日　記録映画を見る会、西武文化ホール
〃ウイスキーのふるさと〃〃国際オートレース〃

◇三月

○二日　Ａ・Ａ映画製作の為の会議
○三日　岩佐氏寿氏アフリカへおくる会
○四日　常任運営委員会
①研究会について
②安保批判の会について
③三井、三池の映画製作
④Ａ・Ａ映画製作について
⑤事業活動の為の映画会
⑥生活と権利と守る小委員会
○五日　安保批判の会、後三時参加
○〃　〃記録映画を見る会〃西武文化ホール
〃ファンタジー〃〃釘と靴下の対談〃
○七日　国民文化会議後一時ブルボン参加
○十一日　記録映画を見る会、日比谷図書館地下ホール
〃椅子の話〃〃タンスと二人の男〃〃お父さんは働いている〃〃失業〃（中部映画なの会共催）
○十二日　運営委員会
①Ａ・Ａ連帯会議へ映画製作
②安保批判の会について
③二周年映画会
④雑誌〃記録映画〃財政について
⑤文部省選定映画制度について
○〃　記録映画を見る会、西武文化ホール
〃つぐみ〃〃東京一九五八〃
○十七日　国民文化会議後二時映演総連参加
○十八日　社会教育映画研究会、共同映画社試写室
〃らくがき黒板〃〃スランプ〃〃お父さんは働いている〃
○十九日　記録映画を見る会、西武文化ホール
〃数のリズム〃〃ホゼイ・トレス〃
○二〇日　国民文化会議代表者会議前十紙パ会館代表参加
○二五日　加藤せつ子事務局員退社し武井登美江さんが入社
○二六日　常任運営委員会

①中国地方視聴覚講師派遣
②Ａ・Ａ連帯委の報告
③一九六〇年教育映画祭委員会出席決定
④国民文化会議映画部会報告
⑤新しい予算案編成
⑥中国合作映画について

○二十七日　記録映画研究会後二時国立近代美術館、エイゼンシュテイン研究会

◇四月

○二日　労映研研究会後　六新聞労連参加
○〃　記録映画を見る会、十二時三〇分西武文化ホール
〃サッポロ物語〃〃東北の農村〃
○三日　高島一男（フリー作家）氏が急死
○四日　安保批准反対請願大会、日比谷公会堂にて
「安保批判の会」主催参加
○五日　国民文化会議、マスコミ研究会参加
○六日　中華人民共和国合作映画製作で京極高英氏出発
○八日　〃春香伝〃映画会後六豊島公会堂　城北映サ協共催
○九日　国民文化会議映画部会ブルボン後二時
○〃　記録映画を見る会、西武文化ホール
〃花まつり〃〃日本のまつり〃
○十三日　高島一男追悼の夕、中央会館で開かる
○〃　教育映画祭打合せ会、映教
○十六日　記録映画を見る会、西武文化ホール
新風土記北陸、最上川風土記
○十七日　安保反対集会、日比谷公会堂後一時安保批判の会主催
○十九日　第一画世界の実験映画を見る会
虎の門共済ホール後六時　〃東京一九五八〃〃水玉の幻想〃〃タンスと二人の男〃〃水鏡〃〃時計〃〃隣人〃〃二十四時間の情事〃
○二十一日　運営委員会
①実験映画を見る会の総括報告
②新入会について
③中国合作映画製作について
④メーデー参加について
⑤安保批判の会について
⑥メーデー映画の問題
⑦新予算案について
○二十二日　社会教育映画研究会共同映画社後六時「漁夫」「漁村」「さよ達の願い」等上映
○二十三日　記録映画研究会、〃人間みな兄弟〃草月会館後六時
○〃　記録映画を見る会、西武文化ホール
〃瀬戸内海〃〃花のジプシー〃
○二十四日　記録映画を見る会、西武文化ホール
二等兵シュベーク、小さなボールちゃん
○二十五日　生活と権利を守る少委員会
○〃　「安保反対」の請願と反対署名運動及カンパを行う。
○二十六日　安保統一行動デー
○三〇日　記録映画を見る会、西武文化ホール
〃伸びゆく中部日本〃〃東海道の今昔〃
〃黒潮あらう地方〃

◇五月

○一日　メーデーに参加
○五日　親善野球大会、作家協会、東京シネマに決勝
○六日　緊急運営委員会
①綴方ファイル製作について
②〃記録映画〃二周年記念懇談会
③賛助会員について
④安保批判の会について

⑤実験映画を見る会決算報告
⑥桑野茂氏病気見舞
⑦役員問題について
○七日　稲村喜一郎氏急死す、十四日に告別式あり
○〃　記録映画を見る会、西武文化ホール
〃ひとりの母の記録〃その他
○十三日　国民文化会議映画部会映画研究会、新聞労連参加
○十四日　記録映画を見る会、西武文化ホール
〃うわさ〃〃お父さんは働いている〃
○十七日　「安保条約反対の請願を行う」安保批判の会として
○十八日　記録映画を見る会、京橋公会堂
〃いのちの詩〃〃らくがき黒板〃〃あさかぜ〃
中部映画なの会共催
○〃　中華人民共和国合作映画製作の為、富沢幸男、松本俊夫両氏おくる会
○十九日　〃記録映画〃二周年記念懇談会と友の会打合せ会
○二〇日　記録映画研究会
〃シュパイデル将軍〃〃アンネのための日記〃
中央会館後六
○二一日　記録映画を見る会、西武文化ホール
〃町の政治〃〃月の輪古墳〃
○二二日　記録映画を見る会、西武文化ホール
〃長崎の子〃
○二四日　岸内閣打倒、新安保破棄要求、学者、文化人集会、教育会館講堂後一
○二六日　安保阻止国民会議の統一行動
○二八日　記録映画を見る会、西武文化ホール
〃荒海に生きる〃〃漁村のくらし〃
○三〇日　中華人民共和国へ松本俊夫氏出発
○三一日　記録映画研究会、岩波映画試写室
「労農ニュース」「三池の斗い」「統一への行進」
「バックンハイの水利工事」

◇六月
○一日　安保批判の会、新聞労連後三時参加
○二日　常任運営委員会
①桑野茂氏病気見舞、カンパその他
②A・A会議
③松川事件劇映画への協力
④安保反対統一行動
⑤生活権と著作権の問題
⑥二周年記念懇談会報告
○四日　安保反対のゼネスト及デモに参加「安保批判の会」として
○〃　記録映画を見る会、西武文化ホール
〃雪国〃〃小林一茶〃
○七日　運営委員会、常任運営委員会の報告と審議
○九日　安保批判の会、新聞労連後二時参加
○十一日　第二メーデーとして安保反対のデモに参加
○〃　記録映画を見る会、西武文化ホール
〃砂漠の人々〃他
○十四日　社会教育映画研究会、銀座館ビル地下貸室
〃若いやつ〃〃生産と学習〃〃職場の中の個人〃
〃グループとリーダー〃上映
○十五日　第二回ゼネスト後デモに参加
安保批判の会として新劇人、その他が右翼におそわれ、全学連のデモは警察官におそわれて、樺美智子さんが殺される。
○十七日　北京の京極、松本両氏より「アイク訪日の阻止万才更に岸打倒の戦いに協会奮斗感謝！頑張れ！」の激電がとどく。

○十八日　記録映画を見る会、西武文化ホール
〃忘れられた土地〃〃五四年日本のうたごえ〃
○〃　〃記録映画〃二周年記念懇談会、渋谷労政会館後六時
○〃　安保反対国会デモに安保批判の会として参加
○二一日　運営委員会
①安保反対の声明について
②その他
○二一日　「安保体制反対の斗いの新しい段階にあたって」の声明発表
○二二日　「一九六〇年六月、安保の怒」記録映画を完成
○二四日　樺美智子さんの国民葬日比谷公会堂後一時へ出席
○二五日　記録映画を見る会、西武文化ホール
〃生命の起源〃〃国立図書館〃〃二〇世紀〃
○〃　六、一五真相発表会九段会館へ参加
○二六日　記録映画を見る会、西武文化ホール
〃地底の凱歌〃
○二七日　運営委員会
①生活を守る小委員会について
②安保対策委員会設置と今後
③安保反対映画製作について
④雑誌「記録映画」財政について
○三〇日　安保批判の会会議に参加

◇七月
○一日　安保対策委員会後六
○二日　記録映画を見る会、西武文化ホール
〃魚の愛情〃〃ニホンザルの自然社会〃
〃魚の泳ぎ方〃
○〃　安保批判の会後一時デモ行進へ参加
○四日　教育映画祭実行委員会代表出席
○六日　安保対策委員会後六
○九日　記録映画を見る会、西武文化ホール
〃舟を動す人々〃〃国有林第一部〃
○十四日　安保反対国民大会安保批判の会として参加
○十六日　記録映画を見る会、西武文化ホール
〃誇りたかき船〃〃有峰〃
○〃　安保対策委員会後六
○十七日　民主々義映画人の夕べ打合せ会参加
○二二日　「民主々義を守る映画人の夕べ」銀座ガスホール後六時へ参加
○二三日　記録映画を見る会、西武文化ホール
〃富士山〃〃ヨット〃〃第三回アジア競技大会聖火リレー〃
○二五日　安保対策委員会後六
○二七日　労視研実行委員会へ参加
○二九日　中華人民共和国映画製作で出かけた京極高英、松本俊夫両氏帰国
○三〇日　安保批判の会、新聞労連後一時参加
○〃　安保対策委員会後六
○〃　記録映画を見る会、西武文化ホール
〃浅間山〃〃城ケ島大橋〃

◇八月
○二日　教育映画祭実行委員会へ参加
○六日　「安保の怒り」記録映画研究会共同映画社後六
○七日　記録映画を見る会、西武文化ホール
〃大坂繁盛記〃〃印画紙の話〃〃液体のはたらき〃
○十、十一日　労視研安保反対、総選挙斗争の為の集会鬼怒川で開かる。
○十一日　常任運営委員会
①会費長期滞納者対策

②教育映画祭内容その他
③安保問題について
④実験映画を見る会について
○十二日　生活を守る小委員会
○十四日　記録映画を見る会、西武文化ホール
〃スランプ〃〃醤油〃〃ゴキブリ〃
○十六日　「ドキュメンタリー映画」発行記念映画会（ポール・ローサー著厚木たか訳）ダイヤモンドホール後六
○十八日　運営委員会
①生活を守る小委員会
②教育映画祭の委員会
③安保問題について
④実験映画を見る会について
⑤長期滞納者対策
○〃　教育映画祭実行委員会へ参加
○二〇日　記録映画を見る会、西武文化ホール
〃ガン細胞〃〃北陸トンネル〃
○二五日　二六日国民文化会議常任運営委員会開かる
○二七日　記録映画を見る会、西武文化ホール
○二九日　国民文化会議映画部会ブルドン後一時参加
○三一日　〃安保の怒〃映画製作委員会打合せ

◇九月

○一日　〃安保の怒〃映画製作委員会後一時参加
○三日　記録映画を見る会、西武文化ホール
〃時計〃〃二人の少年の河〃
○〃　労視研実行委員会後十時参加
○七日　労農ニュース映画製作委員会共同映画社後六参加
○八日　記録映画を見る会、都庁ホール後六中部映画友の会主催
○十日　運営委員会
①〃安保の怒り〃映画について
②労農ニュースについて
③財政問題
○〃　記録映画を見る会、西武文化ホール
〃セーヌの流〃〃白い馬〃
○十七日　記録映画を見る会、西武文化ホール
〃羊の放牧〃〃おしゃべりあひる〃
○二〇日　記録映画を見る会、豊島振興会館後六
パンギン坊やとルルとキキ、安保の怒、光を、日本の子供たち、城北映サ協共催
○〃　教育映画祭実行委員会参加
○二四日　記録映画を見る会、西武文化ホール
〃ガラスの雲〃〃運動と時間〃
○二七日　運営委員会

◇十月

○二日　記録映画を見る会、西武文化ホール
〃黙っていてはいけない〃〃たのしい紙工作〃
〃いねの成長〃
○三日　労視研実行委員会郵政サッポロ案参加
○〃〜七日　教育映画祭、山葉ホールにて、又教育映画総合振興会議開く
○四日　第二回実験映画を見る会、虎の門共済ホール、後六時、
①メトロポリタン
②同じ空のもとに
③キネカリグラフ
④線と色の即興詩
⑤白い長い線の記録
⑥珍説宇宙放送局の巻
⑦忘れられた人々
○十五日　浅沼暗殺抗議集会、十二時後六参加

○十六日　記録映画を見る会、西武文化ホール
機械工業、自動車、鉄の加工、機械文明の騎士たち
○二〇日　運営委員会
①長期滞納会員について
②事業活動
③総会（十二月二八日を決定）
④編集委員会の内容と形式
○二一日　記録映画を見る会、豊島振興会館、後六
サルパチ・ヨメマス・コミと私たちの生活、しずむ、
海をわたる友情、城北映サ協共催
○二五日　芸術会議桑沢デザイン後六参加
○二七日　安保批判の会九段会館後六開く
○三〇日　記録映画を見る会、西武文化ホール
刈干切り唄、神経のはたらき

◇十一月

○　四日　運営委員会、日本鉱業会館後四、総会対策の一年の
総括
①安保斗争
②安保映画
③教育映画祭
④記録映画編集方針について
○　六日　記録映画を見る会、西武文化ホール
高速道路、いのちの詩
○　七日　民主々義映画人の会打合せ会参加
○　九日　芸術家会議準備会開く
○十一日　国民文化会議映画部会、文明堂後一参加
○十三日　記録映画を見る会、西武文化ホール
〃現代生活と肝蔵〃〃一号炉の建設記録、シリコー
ン〃
○十五日　記録映画研究会、国立競技場講堂
実験映画ヒコーキ、白い長い線の記録、記録映画キ
ューバ革命、記録芸術の会共催
十七日　安保対策委員会
〃　国民文化会議映画部会ミラー座パーラー後六
〃　記録映画を見る会、生保会館後六
刈干切り唄、海を渡る友情、中部映画友の会共催
十八日　運営委員会
①総会の総括と方針
②選挙方法について
③協会名変更について
二四日　国民文化会議映画部会共同映画社後六
二五日　運営委員会、総会対策、
①運動方針と各委員会報告
②選挙の方法
二九日　常任運営委員会、総会対策
①運動方針審議と文書化
②選挙方法
③予算
三十日　記録映画を見る会
〃手術〃〃大平美術〃〃プレミアムマラソン〃
〃歩みはおそくとも〃〃書くべえ、読むべえ、考え
べえ〃　城北映サ協主催

会計監査証明書

昭和三十五年度帳簿監査の結課相違ないことを証明します。

昭和三十五年十二月二日

菅家陳彦㊞
山口淳子㊞

九、来年度の方針案

運営委員会

(イ) 新しい年に

記録映画の確立・発展を目ざして

一、一人一人が作家としての明確な課題意識をもとう。

情勢を正しく把握しその中で自分の位置を主体的にとらえ、今日的な作家の課題が何であるかを日常の生活と創作の中で不断に追求し、お互に問題をぶつけ合ひ、たしかめ合うよう努力しょう。

一、研究活動を綜合しよう。

目的は、もちろん記録映画の確立と発展のために。ＰＲ映画や教育映画とも一層真険に対決して、一人一人が少くも一つの研究主題をとらえ、グループへ、協会全体へ、そして、さらに広く発展させよう。

一、機関誌を拡充しよう。

量的に、ページをふやして、特集記事に加へて、現場通信や実践記録、研究レポート、作品紹介、批評なども、毎月のせるようにしよう。

記録映画の精神や技術が、ＰＲや教育の中で、どう殺され、どう救われるか、徹底的に追及し誌面に反映させてゆくことが研究活動と同様、機関誌のこの年の主要な課題の一つとなろう。

一、会費を完納しよう。毎月一〇〇％に。

会費は、運営の栄養素である。すべての活動がこれで育つ。毎月一〇〇％完納して、財政を確立し、危機が運営を妨げないように、全員が努力しよう。

一、会員・誌友を拡大しよう。

財政のためにも、運動のためにも、新しい血は刷新する。量が質へ変るのだ。

一、事業活動を発展させよう。

単なる収入策でなく、普及と支持者の組織化をも兼ねて。実験映画や、ドキュメンタリーの古典、新作を見る会から、講座、出版と、あらゆる可能性を引き出して、慎重に、そして大担に、活動しょう。

一、観客と手を結ぼう。

機関誌の読者、見る会の参加者、それも一つの網として、積極的に組織しよう。

中央、地方の映画サークルとも密接に手を握り、組織化を助けよう。

子どもの会、青年の会、婦人の会とも、提携の芽を作ろう。労働組合、農民、漁民の組織とも、協力しよう。

そして、その中から企画を汲み、製作の母胎としよう。そのために、「安保の怒り」で生まれた製作委員会を、大事に育てて、活動の足場としよう。

一、著作権を確立しよう。

複写使用、プリント複製、テレビ上映等々が、作家に無断で無報酬で行なわれるというのも、著作権が確立されていないからだ。

会社が勝手に改編した例さえもある。

　著作権の確立は、作家の地位を向上させ、賃金の是正にも有効であろう。著作権を確立する中で、作家の生活と権利のいろいろが、守られるようにしよう。

(ロ)　提　案

理由　会名については、創立当初から論議があった。

　記録とすべし、という意見
　教育とすべし、という意見
　しかし、その頃の情勢では、教育とする方がやはり無難であったろう。

　その頃は、多くのプロダクションもまだ現実に教育映画を作り、「月の輪古墳」や「ひとりの母の記録」も教育映画として迎えられ、教育映画にも民主的な色が濃かった。記録映画製作協議会とは別の集まりであることを示す上にも、教育とかぶせる方が便利であった。

　けれど情勢は変った。

　教育映画は、「月の輪」に見られた製作方法や「ひとりの母」に見られた精神が消え、多くのプロダクションはPRに移った教育映画の名は、今やPRと同じソロバンに立ち、説教に熱心な姿勢を意味する。

　戦争の疵から恢復して、資本が独占を拡大するのに、PRが奉仕しているのと全く同じ形を、教育映画も見せはじめている。

　そうした情勢の中で、自由な創造的な、作家活動を営もうとするには、教育の名は狭すぎて、誤解をさえ招く。

　創立以来六年、積み重ねてきた経験、そして、特に機関誌を先頭とする理論活動、「日本の政治」以下数回の製作活動を土台に、真に自由な創造は、民主的な記録映画の中にあり、その深究と実践こそ作家の基礎であり、主体であり、念願であることを確認する。

　これまでの製作活動が、ほとんど政治映画に限られたのは、自他の未熟がそうさせたまでである芸術が政治につながるといっても、芸術は、政治の奴隷ではない。真正の記録映画は、政治映画をも含めて、さらに広く、多彩な活躍を見せるであろう。

　作家も、記録映画作家の意識を明確にし、主体を確立して、戦線に立たねばならない。

　劇映画、ラジオ、テレビ、美術、音楽などの人々もそれを待っている。観客も望んでいる。

　今こそ、協会は名実ともに、古いものを捨て、新しい世界へ進むべきである。

昭和35年度協会関係財政報告

試　算　表

昭和３５年１１月３０日現在

資産の部 摘要	金額	負債・資本の部 摘要	金額
現金	79,858.	未払金	5,000.
未収会費	174,480.	未払費用	10,000.
貸付金	5,570.	前受会費	8,000.
		借入金	155,790.
		前期繰越金	7107.
		当期繰越金	74,011.
	259,908.		259,908.

損　益　計　算　書

自　昭和３４年１２月　１日
至　昭和３５年１１月３０日

損失の部 摘要	金額	利益の部 摘要	金額
映画研究会経費	24,720.	会費	847,334.
人件費	497,250.	入会金	8,400.
文具費	16,324.	映画研究会	9,390.
交通費	48,963.	寄附収入	56,130.
通信費	71,825.	雑収入	24,746.
印刷費	118,800.		
家賃	60,000.		
会合費	6,730.		
振替手数料	5,840.		
雑費	21,537.		
当期繰越金	74,011.		
	946,000.		946,000.

内　訳　明　細　書

（協会関係）

未　収　会　費

摘要	金額
34年・35年11月 未収会費分	174,480
計	174,480

未　払　金

摘要	金額
八幡氏寄附謝礼	5,000
計	5,000

前　受　会　費

摘要	金額
会費 12月～14名	8,000
計	8,000

貸　付　金

摘要	金額
映画会会場費	5,570
その他	
計	5,570

借　入　金

摘要	金額
記録映画より	141,990
吉見泰氏より	5,000
富沢幸男氏より	8,800
計	155,790

支　払　費　用

摘要	金額
会報その他印刷	10,000
東和印刷	
計	10,000

教育映画作家協会　**昭和35年度〝記録映画〟関係財政報告**

昭和35年11月30日現在

資産の部		負債・資本の部	
摘要	金額	摘要	金額
現金	11,896	予約金	13,530
売掛金	77,484	借入金	37,000
商品（ファイル）	1,700	未払費用	64,000
貸付金	141,990	前期繰越金	59,118
		当期繰越金	59,422
	213,070		213,070

損益計算書

自　昭和34年12月1日
至　昭和35年11月30日

損失の部		利益の部	
摘要	金額	摘要	金額
映画会経費	56,785	売上	323,246
ファイル製作費	12,140	広告収入	552,500
印刷費	755,075	映画会収入	175,305
通信費	65,056	ファイル売上	13,630
交通費	37,386	雑収入	8,140
文具費	5,882		
原稿料	41,500		
会合費	28,740		
雑費	10,835		
当期繰越金	59,422		
	1,072,821		1072,821

内訳明細

記録映画関係

売掛金

摘要	金額
記録映画誌代未収 1月号～12月号	77,484
計	77,484

貸付金

摘要	金額
記録映画より協会え	141,990
計	141,990

借入金

摘要	金額
運転資金	37,000
計	37,000

商品

摘要	金額
ファイル残20部	1,700
計	1,700

予約金

摘要	金額
記録映画誌代 1月号～収入	13,530
計	13,530

未払費用

摘要	金額
記録映画12月号	51,000
印刷費	51,000
原稿料	3,000
計	54,000

昭和３６年度予算案

〔協会関係予算案〕

収入		支出	
摘要	金額	摘要	金額
会費 85%	768,000	人件費	572,750
寄附金	137,550	用品文具費	16,000
		交通費	49,000
		通信費	72,000
		印刷費	101,000
		家賃	60,000
		会合費	6,800
		振替手数料	6,000
		雑費	22,000
	905,550		905,550

解説

◇ 会費１ヶ月７５、５００円になる。年間９０６、０００円となり、８５％を目標とし７６８、０００円となる。

◇ 寄附金とは協会員の方々が仕事をして寄附してくれたもの。
昭和３５年度は５６、１３０円あったが、昭和３６年度はその倍の１３７、５５０円必要になる。

〔〃記録映画〃関係予算案〕

収入		支出	
摘要	金額	摘要	金額
記録映画１号当り 72,000×12月	864,000	記録映画１号当り 74,000×12月	888,000
映画会 年間 ３回×80,000	240,000	映画会 3×30000	90,000
その他の事業	14,000	経費	150,000
	1,128,000		1,128,000

解説

◇ 映画会は昭和３５年度の収益１１８、５２０円あったことから１回５０、０００円の収益とし３回で１５０、０００円とする。

２５

ー新役員の選挙方法と
会員及推せん者一覧表ー

◇第七回定期総会を迎え会員（賛助会員を除く）全員の中から運営委員長、事務局長、運営委員、会計監査を選ぶこととなりました。ただ運営委員会は来年度方針を進める意味で運営委員長、事務局長、会計監査をそれぞれ左記の通り推せんしました。

(1) 運営委員長及事務局長は一名単記で選んで下さい。運営委員長及事務局長の投票からはずした推せん者の方も運営委員の選挙にふくめて投票下さい。

(2) 会計監査は二名連記で選んで下さい。

(3) 運営委員は会員全員より一五名連記で選んで下さい。一五名以上は無効になります。多数票から順次一五名を当選とする。

(4) 投票が散票の場合は総会会場にて決戦投票をし決定し、運営委員長、事務局長は総会出席数会員の過半数（委任状も含む）をもって当選とします。

(5) 別紙の投票用紙を総会出席欠席にかかわらず、至急事務局内選挙管理委員会あてに封筒を密封しておくり下さい。（郵便がおくれていますから、着き次第早めにお送り下さい）総会当日選挙管理委員会が責任をもって開封します。

(6) 委員長提案に見られる通り協会名を今回変更することが運営委員会で出され、全員投票することとなりました。「教育映画作家協会」改め「記録映画作家協会」です。投票数の過半数賛成できめ、総会で確任を受けます。

(7) 運営委員長及事務局長、会計監査の運営委員会の推せん者名（アイウエオ順）

(イ) 運営委員長 （四名） 京極高英　菅家陳彦　八幡省三　矢部正男

(ロ) 事務局長 （四名） 大沼鉄郎　河野哲二

(ハ) 会計監査 （二名） 富沢幸男　間宮則夫　岩崎太郎　藤原智子

(8) 選挙管理委員会（五名）苗田康夫（管理委員長）楠木徳男、西沢　豪、二瓶直樹、松川八洲男、

◇協会員名簿一覧表（アイウエオ順）

1. フリー会員

荒井英郎	（演出・脚本）	衣笠十四三	（〃　〃）
厚木たか	（〃　脚本）	桑野　茂	（〃　〃）
赤佐政治	（演出・脚本）	熊谷光之	（〃　〃）
浅野辰雄	（〃　〃）	楠木徳男	（〃　〃）
岩堀喜久男	（〃　〃）	河野哲三	（〃　〃）
岩崎太郎	（〃　〃）	谷川義雄	（〃　〃）
岩佐氏寿	（〃　〃）	竹内信次	（〃　〃）
伊勢長之助	（〃　〃）	丹生　正	（〃　〃）
入江一彰	（演出・脚本）	田中　徹	（〃　〃）
上野　大	（〃　〃）	豊田敬太	（〃　〃）
伊豆村　豊	（〃　〃）	富沢幸男	（〃　〃）
岡本昌雄	（製作・演出・脚本）	徳永瑞夫	（〃　〃）
大内田圭彌	（演出・脚本）	西沢　豪	（〃　〃）
大招鉄郎	（〃　〃）	西尾善介	（〃　〃）
小津淳三	（〃　〃）	西本祥子	（〃　〃）
加藤松三郎	（〃　〃）	野田真吉	（〃　〃）
菅家陳彦	（〃　〃）	樋口源一郎	（〃　〃）
かんけ・まり	（〃　〃）	日高　昭	（〃　〃）
樺島清一	（〃　〃）	古川良範	（〃　〃）
川本博康	（〃　〃）	丸山章治	（〃　〃）
京極高英	（〃　〃）	間宮則夫	（〃　〃）
岸　光男	（〃　〃）	松崎与志人	（〃　〃）

松本俊夫（〃〃）杉山正美（演出・脚本）
道林一郎（〃〃）渥美輝男（〃〃）
八木仁平（〃〃）杉原せつ（〃〃）
矢部正男（〃〃）吉田六郎（〃〃）
柳沢寿男（〃〃）村田達二（〃〃）
山岸静男（〃〃）森田実（〃〃）
山下為男（〃〃）長野千秋（〃〃）
八幡省三（〃〃）本間賢二（〃〃）
吉見泰（製作・脚本）

2. フリー助監督会員（三一名）

安部成男　青野春雄　石田厳　小野寺正寿
小川益生　片桐直樹　川田一郎　久保田義久
金田一信幸　小泉堯　斉藤茂夫　妹尾厚
泉水剛　田中学　谷山浩郎　塚原孝一
豊富靖　中島日出夫　仲原湧作　中村久亥
西江孝之　屯宮慶蔵　平野克己　堀貞雄
松本公雄　村上雅英　山元繁之　山本升良
吉田厳　曽我孝　二口信一

3. 企業所属

㋑岩波映画（一八名）

高村武次（製作・脚本・演出）秋山衿一（助監督）
羽仁進（〃〃）花松正卜（〃〃）
羽田澄子（演出・脚本）神馬亥佐雄（〃〃）
時枝俊江（〃〃）田中平八郎（〃〃）
各務洋一（〃〃）遠藤完七（〃〃）
黒木和雄（〃〃）北条美樹（〃〃）
肥田侃（〃〃）牧野昭（〃〃）
榛葉豊明（〃〃）泉田昌慶（〃〃）
田中実（〃〃）[illegible]（〃〃）

㋺日映科学（一一名）

奥山大六郎（演出・脚本）清家武春（助監督）
諸岡青人（〃〃）飯田聡（〃）
中村麟子（〃〃）松尾一郎（演出）
下坂利春（〃〃）松川八洲雄（演出・脚本）
飯田勢一郎（〃〃）田部純正（脚本 助監督）
二瓶直樹（演出）

㋩日映新社（十名）

大峰晴（演出・脚本）山口淳子（演出・編集）
山添哲（〃〃）藤原智子（〃脚本）
苗田康夫（〃〃）高瀬昭治（テレビ演出）
近藤才司（構出）飯村隆彦（助監督）
三浦卓造（助監督）石井清子（演出）

㊁新理研映画社（十名）

富岡捷（演出・脚本）大口和夫（脚本・演出）
島内利男（〃〃）持田裕生（〃〃）
原本透（〃〃）宮内研（助監督）
三上章（助監督）中川すみ子（〃）
宮崎明子（〃）村松隆一（〃）

㋭日経映画社（三名）

川本昌（演出）小谷田亘（助監督）
前田庸言（助監督）

㋬日本アニメーション

長井泰治　平田繁治　諸橋一

㋣東京シネマ

渡辺正己（脚本・演出）大島正明（カ▲督）

㋠記録映画社

泰康夫（助監督）田中舜平（助監督）

㋷電通映画社

[illegible]祐（脚本・演出）松本治助（脚本・演出）

㋦神奈川ニュース

深江正彦（脚本・演出）吉田和雄（脚本・演出）

㋸ CBCテレビ映画社

小森幸雄（演出）安藤斉（演出・脚本）

青木徹（助監督）

㋔ 理研科学

星合達郎（助監督）中村重夫（助監督）

㋻ 新東宝

渡辺大年（助監督）井内久（助監督）

㋕ その他

島谷陽一郎（助監督）新潮

大久保信哉（演出・脚本）たくみ工房

八木進（〃）モーション・タイムス

西田真佐雄（助監督）東京フイルム

原田勉（製作）農文協

高井達人（演出・脚本）三井芸術

大野孝悦（助監督）新映画実業

藤田幸平（〃）共同・九州

教育映画作家協会第七回総会選挙管理委員会

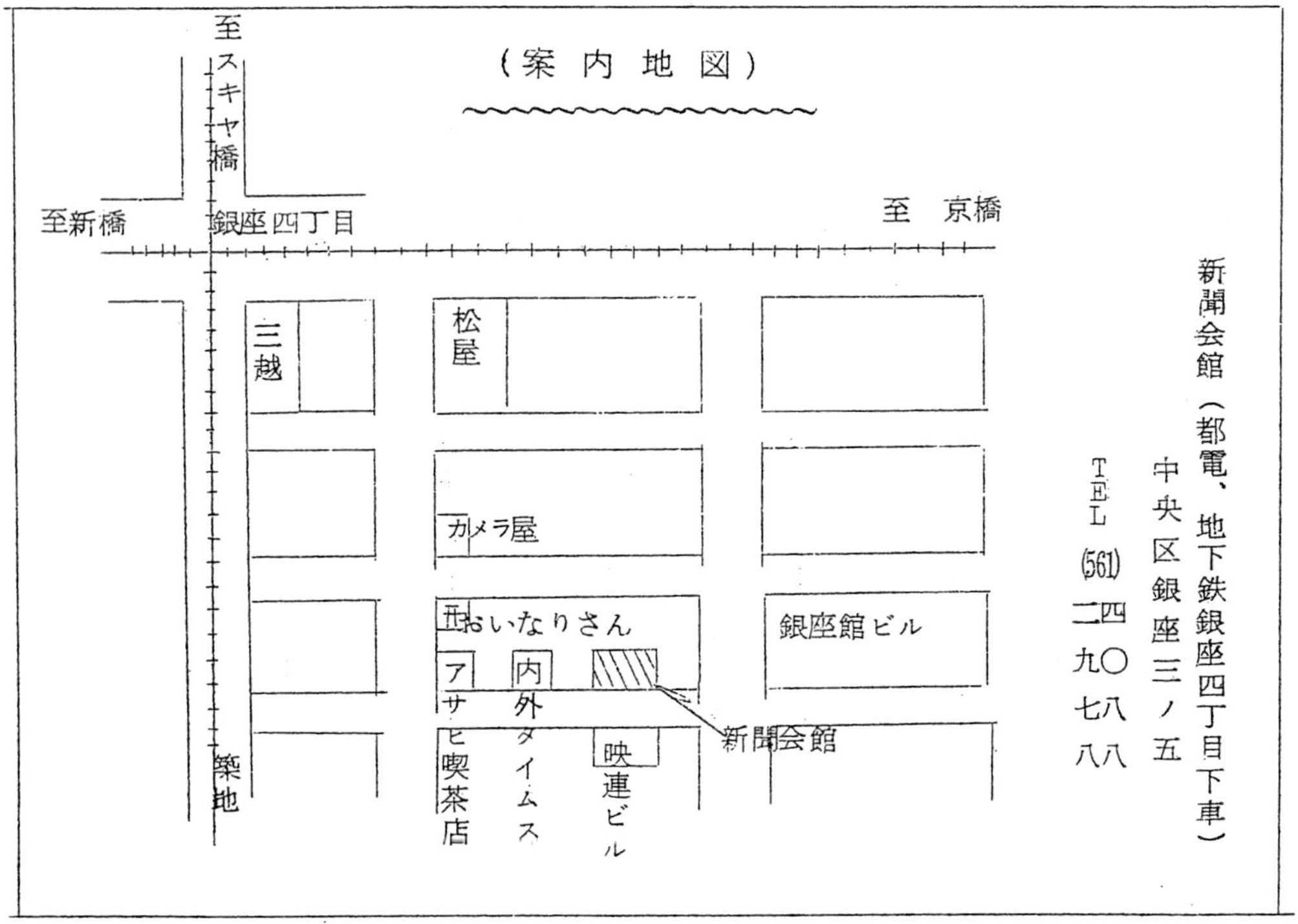

記録映画作家協会
第八回定例総会

議案書

とき　1961年12月27日(水)　后1―后8

ところ　厚生年金会館　(新宿番衆町)

第八回定例総会

目次

(註)(イ)議案書は総会当日持参下さい。
(ロ)総会当日出席出来ない場合委任状を委任者又は事務局員へ手渡すようにして下さい。
(ハ)「記録映画」一九六二年一月号を総会でお渡しゝます。

一、一般年次報告

(1) 協会をとりまく情勢

a 短篇映画界

昨年の総会における報告が、傾向とか気配として指摘した、短篇映画界における情勢は、現実のものとなり、多くの企業が経営悪化におちいってきた。

なかでも、教材映画の製作と配給の企業にこれが目立っている。そして、去年までは数社が分割していた教材映画の市場を、今年はごく限られた大会社が独占しようとしている。

教材映画からしめだされたプロダクションは、当然PR映画に手をのばし、PR映画の市場争奪戦もはげしくなってきた。一般に、教育映画は衰弱し、PR映画に重点が移ってきたといえる。

しかも、今までにPR映画を作りそうなスポンサーはすでに一定のプロダクションと結びついていて、新しいスポンサーの開拓は容易でない。これにわりこんで、スポンサーをとるには、受註額の切り下げ以外になく、ダンピング競争がはげしくなっている。数多い中小プロダクションは、大プロダクションの下うけで生きのびている所も多くなってきた。その下うけ額のダンピング競争さえ行なわれている。

プロダクションの中には、今まで社員であったり、長期契約者であった演出家を放りだすところもでてきた。

プロダクション間の競争による受註額切り下げの傾向に加えて、スポンサー自身の、PR映画への経費切りつめも大きく影響している。全体としてPR映画の作品数は昨年より増加しているが、一本当りの製作費は低下してきている。最近は、作品数も減少の傾向が指摘されてきた。

宣伝媒体としての映画が、テレビに席をゆずりわたし、PRの手段として、大資本は映画よりもテレビをえらびはじめた。昨年あたりまで目立っていた大資本の趣味的なPR映画は次第に姿を消し、速効性のあるむき出しのPR映画が要求されている。

b 劇映画界

劇映画の世界では、六社といわれていたものが、新東宝の落伍で五社になってしまった。しかも東宝が相対的に安定を保っている以外は、みな苦しい経営におちいっている。洋画も自由化にともなって、東宝が独占する気配を示している。日活がやっと東宝につづき大映は依然として危機から完全に脱却できずにおり、松竹は京都撮影所を閉鎖しようとしている。東映は、皮肉にも固定していた観客層を、そっくりテレビにもっていかれ、第二東映による量産システムの変更を余儀なくされた。

ここでも、テレビの影響による映画人口の絶対的減少が大きく作用している。そして映画の作品の質が、観客をつかみ切れなかった弱さが、もう一つの大きな原因だ。

c テレビ資本の進出

劇映画、PR映画が大きくテレビにくわれている中で、短篇プロダクションは、テレビ映画の製作が恒常化してきた。シリーズものとしているのはいい方で、一時的なコマーシャル受註、それも下うけでとるプロダクションが多い。全体として、テレビ資本が映画資本を押しまくっているといえよう。

d 背景にある経済情勢

映画界の背景にある経済の情勢は、池田内閣の所得倍増政策の破綻によって特徴づけられる。本年に入って顕著になってきた物

価値上げ、国際収支の赤字、金融ひきしめ、予算抑制、そういったものが、映画界にきびしく影響してきた。不況の中で、大資本間のPR競争は、かえって激しく行なわれていくが、すでに、長期のPR映画が短期に切りつめられるということもおこっている。宣伝費をおさえ、映画製作費を切り下げることも目に見えている。

e 言論表現の自由に対する圧迫

経済界、映画界における大資本独占の強化と並行して、文化イデオロギーの分野でも、言論表現の自由の圧迫が露骨に行なわれてきた。嶋中事件にあらわれた言論人へのテロ、サド発禁の裁判がおこなわれ、隣国とはいえ、日本政府が友好関係を結んだ韓国では民族日報のジャーナリストが、自由な発言をとがめられて死刑を宣告されている。この一方で、映画作品の中にリバイバルブームがおこり戦争映画が全盛をきわめている。そこにはファシズムへの恐怖とうらはらに、ファシズム期待のムードが醸成されている。そして、これら一連のファシズムへの傾斜は、政暴法案を集中的表現としてわれわれの上に暗いかげをなげかけている。身近に見ても、映画「夜と霧」が税関でカットされ、憲法違反を追求されているし、PR映画などでの作家の思想調査も跡をたっていない。

f 作家は犠牲をおわされている。

映画界の不況は、結局、現場で働く作家、技術者にしわよせされてくる。PR映画でみれば、受註額切り下げがギャラの切り下げになり、製作条件の悪化をまねく、作品内容や方法についての要求も露骨になる。オーバーワークになりながら、しかもいい作品ができないという情況が一般化してきた。教育映画でも、文部省の指導要領に忠実でなければ、作品がうれないということで、官僚統制が滲透してきた。経済的にも芸術的にも、作家は苦しい立場に追いこまれてきた。

g 映画労働組合のうごき

劇映画界の大きな変動の中で、映画の労働組合も再編成に動きだした。企業の壊滅、縮少整理を目の前にして、戦線をととのえはじめている。今までのバラバラな態勢から、映画総連と全映演、更に中立労組を含めた統合が目指されている。

フリーの映画組織にも、この波が及んできた。自由映画人連合会では、新東宝などの企業から流れだしてきた映画労働人口に影響されつゝ、新しい組織方針をねっている。そして、そこで起草された自由映画人労組のプランは、劇映画界ほど激しくなかったとはいえ、やはり不況の変動をうけている短篇映画の組織である作家協会に、大きな刺戟となった。（職能組合という言葉で提起されたこの問題は②のeでとりあげる）

h 民主団体による映画運動

今年は、年頭から日本映画復興会議、映画観客団体全国会議、労働組合視聴覚研究会（労視研）といった会議がひらかれた。映画運動の発展を構想したものであったが、全体としてみるならば成果をあげたということはできない。たとえば労視研は、昨年よりむしろ後退して、その性格を総評教育部の視聴覚活動会議的なものにせばめ、大きな文化運動の構想の中で各分野と広く交流していくという方向をなげすてゝしまっている。当初六本の労農ニュース映画製作のプランを持ちながら、それを二本程度に切りつめている。映画製作上映運動としてみるならば、今年はわずかに「松川事件」「汝多くの戦友たち」「ヤマ」「政暴法」といった作品を数えるだけで、映画運動の展望も、具体的方針もかけていたのではないだろうか。

それはまた、観客運動についてもいえることで、昨年、相当大きな運動をおこした自主上映促進会も頭うちの情況であり、映画サークルの運動も、今までの興業主義からぬけ切れないために、

映画資本のサービス網が完備するにつれて存在理由があらためて問われ、独自の運動方針が再検討されている段階である。ただ、地方における記録映画を見る会が、単に受身の観客組織としてでなく、芸術上の運動として、見たい映画を自分たちで作りだそうとして、「西陣」をうみだしている。

創造活動における意欲的な試み

芸術運動における全体的な停滞の中で、なおかつ、内発的な芸術意欲にさゝえられた、作品創造の試みもあった。短篇の中では、たとえばPR映画のような枠の中でも、その枠の中いっぱいでの仕事をした「潤滑油」「炎」など、また自主製作運動の中での「西陣」。他ジャンルの芸術家と協働することで新しい創造をめざす試みも見られている。

いわゆるアマチュアの分野にも、独得の条件に支えられているとはいえ、意欲的な作品がでている。高林陽一の8ミリの作品群、真鍋、柳原、久里らのアニメーション映画、ほかにも学生映画運動から生れた諸作品等それらが、ある意味で、惰性に流されているわれわれを刺戟している。

劇映画では、大会社が作品の質をどんどん欲悪化する中で、対比的に独立プロの作家たちが、大資本の下うけという条件のもとで、ともかく注目される仕事をしている。「松川事件」「飼育」「充たされた生活」「裸の島」「日本のおばあちゃん」「不良少年」そして特殊なケースではあるが、勅使河原の「おとし穴」などをあげることができよう。

(2) 協会の情勢と活動

a 会員のうごきは次の通りである。

入会	一五名
脱会	七名
フリーから企業会員へ	四名
企業会員からフリーへ	十五名
フリー会員	六八名
フリー助監	三四名
企業会員	七一名
賛助会員	三三名
計	二〇六名

b 運営委員会のうごき

今年中に運営委員会は一二回、常任運営委員会は三回開かれた。今年の協会の運営における弱点は、運営委員会以上にひらかれるべき常任運営委員会が、三回しかなかった点にも現われている。また運営委員長、事務局長の不在が多かったことも、運営のブランクをつくり、不在の場合の対策が不十分だった。こうした有様だったから、昨年度総会で出された、運動方針再検討という決定も実行することができなかった。現実の繁忙な事務問題に流されてしまい、その中にふみとどまって、運営委員会としての方針なり展望なりをもつことができなかった。

ただ、会報は毎月のほかに、号外、資料、アッピールなど随時発行されている。この外、専門部として機関誌部、研究会部、事業部の活動が継続的に行われた。

いずれにしても、組織運営の中心機関である常任運営委員会が正常な機能を果していなかったことは、重大な欠陥となった。

こうしたマイナス面をもちながら、協会は次のような運動をやってきた。

c 文化運動、映画運動への参加

(イ) 他団体との交流

一月　日本映画復興会議準備会

二月　国民文化会議全国会議
　　　日本映画観客団体全国会議
　　　労視研全国集会
　　　日本映画復興会議
三月　右翼テロに抗議する集会
　　　ＡＡ作家会議緊急東京大会
六月　教育映画祭執行委員会
八月　国民文化会議映画関係委員会
一〇月　教育映画祭
一一月　国民文化会議研究会代表者会議

協会はこれらの会議にオブザーバーあるいは代表を派遣した。はじめの頃は正式な代表が出席して、その結果を会報にのせ、会員にしらせることが行なわれた。しかし、次第に、これらの問題はおざなりに扱われ、出席者も協会を代表するものとしての意見をもてず、個人的な参加と個人的な報告討論になった。

(ロ)　共催による観客活動

西武記録映画を見る会は、毎月一回ひらかれ、協会はここにフイルム、レパートリーを提供した。これも主体的にとりくむならば、一定のテーマをもって会の内容を豊かにすることができたであろう。

(ハ)　映画上映製作運動への協力

一月　「松川」上映協力
一月　「西陣」製作協力
二月　「汝多くの戦友たち」上映協力
一一月　「夜と霧」「飼育」上映協力

これらの運動も漠然と、民主的な映画運動ということで協力したにとどまった。

(ニ)　実験映画を見る会

これは、事業収入を考えに入れた催しであったが、何よりも記録映画運動における観客との交流という意味で重要な活動となった。この会が、一般の観客や、特に他の芸術ジャンルの中に、記録映画への関心をつよめたことは大きな成功であった。これをきっかけにして、機関誌「記録映画」の購読者をふやすこともできた。テレビ、アニメーション、劇映画、文学、絵画分野の人々が多勢来てくれ、高い関心を示した割合に、会員の参加が少なかったことは、今后考えるべき問題であろう。

(ホ)　各　種　研　究　会

相当の回数ひらかれた研究会に、協会外からの参加が目立った。ここでも観客や他の芸術分野の人々との交流が相当の成果をおさめ、広い文化運動の中での記録映画の運動をすゝめる手がかりとなっている。

d　言論表現の自由を守るたゝかい

四月　言論表現の自由とテロリズムについて。
　　　運営委員会声明
五月　メーデー参加
六月　会報にて政防法をめぐる情勢報告
七月　政防法案をほうむろう。
　　　運営委員会アッピール
九月　政防法案全文資料配布

前項まで述べた芸術創造、記録映画の運動を圧殺し、民主々義を破壊するものとして、われわれは政防法案に反対してたたかった。だがこのたたかいが低調なものであったことを認めなくてはならない。

政暴法を一つのピークにしてあらわれた一連の言論表現の自由への圧迫に対しても、有効な抵抗を行いえなかった。社会の一般的な低調を反映していたことはいなめないが、それならば、なお、作家としてたたかうことができなかったのは何故なのか、という点に反省をむけなくてはならないであろう。

e 自由映画人労働組合をめぐつて

六月 運営委員会で契約者懇談会の問題を討議
〃 自映連より自映組草案でる。
七月 運営委員会で討議
〃 運営委員会と企業会員代表、フリー、さらに自映連事務局より出席をえて、自映組をめぐる懇談会
八月 運営委で討議
九月 職能組合についてのプランを事務局より提出、運営委員会の討論にかける。
一〇月 以降、運営委員会で討議続行
この間、討論進行の模様を会報に発表。

なお、協会として、仕事のあっせんをしたものが約五〇件ほどあった。その中には不成立のものもあった。この問題は既に昨年の総会でも大きくとりあげられ、今年の運営の一つの課題とされたものであった。昨年後半から動きはじめた、運営委員会内の生活と権利を守る小委員会は、今年もまたその活動を継続するはずだった。だがこれは、委員の多忙に加えて、運営委員会として取りあげる態度にかけていたため、全く不十分な動きしかできなかった。

しかし、今年あたりから特に目立ってきた経済情勢の悪化の中で、作家もこの問題を真けんにとりあげる必要にせまられてきた。これと並んで、製作条件の改善要求、シナリオや演出という仕事の特殊性を無視する会社の態度に対する不満、といった問題が、主に企業の会員から出されている。フリーの方では、長期的に一定のプロダクションで仕事をする傾向が強く、その場合の待遇改善や仕事のやり方について、会社に要求をだし、契約者懇談会の組織を作って交渉をしているところがでてきた。岩波映画の場合これである。また企業会員の中には、企業が小さく社員も少ない上に、労働組合もできていないところが多い。こうしたところでは協会が組織として会員をたすけ、会社にあたってくれるようにという要望がつよい。フリー会員で仕事にめぐまれない部分では、あっせん、紹介といった仕事を協会がしてほしいという当然の要求があり、また未払いギャラのとりたて、ギャラの額についてプロダクションと交渉してほしいという声もきている。

この広い範囲の、しかもそれぞれに相当むずかしいものを含んだ仕事を、生活と権利の小委員会が背負いこむことは、とうていできなかった。そして、この委員会の当初の一目標であったギャラ基準の改定も、データの集中、分析、会員の要求の分析、さらに全体の情勢との関連といった問題をかかえていて、さきにあげた会員の諸々の要求と合わせて、全体的な見透しと方針をもつことが、どうしても必要な段階に来たのである。それらは、協会の現在の力と機構で個々にやりくりしたところでどうにもならない所に来ているといえよう。そして、こうした情況の中で、ともかくも自主的にこの問題にとりくみ、組織的に解決の方向を目指したのが、岩波の契約者労組であり、自映連の自映組をつくろうという提案であった。協会としても、この二つの動きに刺戟されて、短篇の映画作家全体の問題として、組織的な解決の方向をまさぐり始めたのである。

運営委員会で、継続的に行なわれてきたこの問題の討議は、もちろんまだ結論といったものはないが、要約すれば、現在の協会が、機構などを改革してもっと生活と権利の問題をとりあげるべきではないのか。

作家の生活と権利を守るために、それを中心の課題とした労働

組合が必要ではないのか。

この労働組合は、企業フリーを問わず作家を包含した職能組織的なものであるのか、あるいは、フリー組織であるのか。この組織は協会とはどういう関聯があるのか。

その組織は、映画の労働組合の戦線ではどういう位置におかれるのか、
映画の労働戦線というよりも、テレビなどと連帯したマスコミの産別組織が考えられるべきではないのか。

といった問題点にしぼることができるだろう。ただ、協会員の眼前の生活と権利の問題は、解決のために全員で考え行動しなくてはならないが、そのためにも根本的解決の大きい見透しとプログラムを持たねばならないことはたしかだ。そしてこの問題の討論を、運営委員会に限らず、全会員の間でおこし、何か気のきいた組織ができれば、何とかやってくれるだろうという他力本願的な安易な考え方でなく、積極的な運動をすゝめる必要がある。

討論を組織的にひろげていけなかった点について運営委員会として反省するものである。

③ 混迷と停滞の本質は何か。打開の道はどこにあるのか。

a　今年一年をふりかえって云えることは、創作の面でも、理論活動の面でも、また運動の面でも、記録映画作家の活動は沈滞をきわめていたということである。大部分の作家たちが、外部からのさまざまな圧力に対して、ほとんど無抵抗のまま後退を続け、いわみる無気力な日常性の中に埋没していたことは残念ながら否定できない。ほとんど自暴自棄ともいえるニヒルなムードと、およそ思考を放棄したその日暮しの楽天主義が、この一年を濃厚に支配していた。

b　そもそもそのような没作家的な状況を否定することから出発したはずの、「記録映画」誌を中心とした新しい映画運動の中にも、同様の停滞がなかったとは決していえない。主体の確立とか前衛的ドキュメンタリーの方法とかいう言葉をオオムのようにロずさんでいさえすれば、あたかも新しい立場に立ちえたかのように錯覚している安直な傾向が、一種の流行のように広がってきたことは悲しむべき現象であった。不断の自己否定と相互批判の精神が薄れ、問題追求の度合いは鋭さを欠き、いわば頭打ちの状態が長い間続いてきた。

c　そのような停滞は、ひとり記録映画の世界に限った現象ではない。多かれ少かれ他の芸術ジャンルにおいても、創作、理論、運動のすべての面にわたって、一般的にはどうにもならない沈滞が現象しており、芸術の前衛からも、本来そうあるべき現状否定の精神　破壊思想・危険思想が見失われてしまう微温的な空気がただよい始めてきたのも今年の怖惧すべき特徴だった。

d　現象的にみれば、これらの状況は安保斗争以后に、次第に顕

在化してきたといえる。安保斗争に燃焼したわれわれのエネルギーは、明確な未来への展望をもちえないまま空しく解体した。保守反動権力はいちはやく支配体制を再確立して、次々と先制攻撃を加えてきているのに対して、革新陣営はその指導性の欠如と無責任さを暴露して多くの幻滅を与え、そのことが政治的、思想的、組織的に、信頼できる一切の支柱を見失わせて四分五裂の解体状況をもたらしてきた。いわゆるやりきれない絶望感が生まれた現実的な根拠はここにあった。挫折のあとにやってきた池田内閣の所得倍増政策の幻想とレジャー・ブームの中で、人々は無気力な日常性の日だまりに急速に自分を見失っていったといえる。そのような状況をなんとか突きぬけねばならぬと自覚していた部分においてすら、容易には明確な脱出口を見出しえないで、孤独と虚無の中に沈潜せざるをえなかったものが数限りなく続出した。作家活動の停滞と混乱の背景に、このような思想状況があったことはむろん偶然のことではなかった。

㈠

安保斗争とその後の体験は、われわれに一切の権威に対する不信と、徹底した懐疑の精神を植えつけた。そのことは全体として解体意識と絶望ムードを生みだしたが、その反面、何らの外的権威に追随することなく、何事も自分でみつめ、自分で感じ、自分で考え、自分で判断する、きわめて旺盛な自律精神をも目覚めさせることとなった。そのような精神は、それ自体正しく新しい思想であれ、それを新たな公認の思想として没主体的にその権威に追随しようとする一切の安直さを否定して止まない。ここには現在の解体状況をむしろ思想構造の根底からの変革とその再構築の契機としてとらえかえしてゆく可能性が秘められているといえる。政治的にもイデオロギー的にも、いわゆる反体制的動の体質とその変革の論理を抜本的に変えてゆくには、そのような作業を抜きにしてはもはや何も期待できない。安保斗争とその後の状況から、われわれがつかみとった認識はそのようなものであった。芸術の問題についても事情は同じである。ただただ外的状況に押し流されてゆくおよそぬるま温にひたったような非作家的思想を根絶することはもちろん、主体の確立ということを没主体的に口ずさみ、前衛という名を免罪符のようにおしいただく絶望的な自己偽瞞の意識構造を、二度と裏口から忍び込めないように叩き出すことのできる可能性は、そこにしかない。現在映画をも含む芸術諸分野の最も先進的な部分において、なによりもまして深刻な課題になりつつあるのは、それぞれの創造方法や運動を支えている思想の徹底的な自己検証を通して、主体の確立ということをあらたにとらえなおそうとする苦汁にみちた作業にほかならない。

二、研究会報告

(イ) 記録映画研究会

① 一年の計をたてる

a 仕事の多忙さなど考え合せ、幹事を四人選びだした。一人は運営委、一人は雑誌編集の担当者、あと二名はフイルムの借り出しや会場のあっせんを考え企業に所属している人を選ぶ。ふり返る時、この選出方法、人数は成功であったと考える。

b 担当の最初にあたって、一年のバックボーンとなる大きな企画をたてる。討議の結果、雑誌の特集テーマと出来るだけ、研究会のテーマを一致させようではないかということになった。

② 成果

a 今まで十一回の研究会が、必ずしも成功だったとはいえないが、ともかく、毎月、かかさず実行してきたことは、評価されてよいと思う。

b 研究会のフイルム及び会場を、テレビ局に移し、その協力によって広く海外のドキユメンタリーの方向を探ろうと努めた。例えば、東京テレビの試写室を都合してもらい、同局が外国から借用し、門外不出のフイルムを上映、動乱の世界、二つの焦点（ラオス。キユーバー）である。

③ 欠陥と反省

a 十一回の会を通じて、いつも協会員は少く、むしろ読者、学生が多かったことは何故だろうか。上映作品に魅力がなかった……というフイルム選定にも問題があっただろう。相当努力したつもりであるが、新しい作品が少なかった。

b 又、原作者の出席がきまっている時は出席者が多く、討論は比裕的発展した。しかし、多くの会は、やはり印象批評に終ることが多く、雑誌上に発表するところまで深められていかなかったことは会のありかたとして、大いに反省されねばならない。

c 会場の場所によって、出席率が大きく違ってきたことは残念であるが、研究会費、支出のバランスを考えて、今后共、全員の協力をお願いしたい。

d 新入会員の出席が特に少い。我々のＰＲもたりなかったに違いない。しかし、気おくれせず、積極的に出席して、新鋭なる気を吐かれるよう、新入会員も、協会側も、共に努力していく必要が大いにあると考える。

④ 来年度への希望

a 討議のありかたについて、二考、三考の必要があると思う。

b 社会教育映画研究会と、記録映画研究会を二つに分けているところに疑問を感ずる。それは、かつて分野として分けられたものをそのまゝ、機械的に踏習しているに過ぎないのではあるまいか。今日、この二つは、本質的に追求の焦点は同じであると思う。来年度は、ぜひ一本に統一して、力の分散を防ぎ、内容をたかめてゆく必要がある。

c 前にも記したが、新入会員の若人たちが参加できるような積極策をぜひ共、考えてゆかねばならないと思う。

（西　本）

月日	テーマ	作品
2	作家の目	光を、歩みはおそくとも、君たちはどう生きるか。
3	世界のドキュメンタリーの動向	(テレビルポ) アルジエリア血の六年 動乱の世界・二ツの焦点 (キューバ・ラオス)
4	動画映画論	ポーランドアニメーション
5	ニュース映画論	喜びにわくチベット、アカハタニュース 激動の一九六〇年(朝日ニュース
6	エモーション特集	さすらい、 石っころ、 京都 人と鉄、(スエーデン) ランボーの小舟にて
7	実験的前衛ドキュメンタリー	(松本俊夫作品集) 西陣・安保条約
8	方法論について	(羽仁 進作品集) 双生児学級・法隆寺 白い鳩(チエコ)
9	科学映画特集	エレクトロニクス・ガンと闘う・ドイツ科学映画二本 魔法のテープ 他
10	戦后の名作と状況 ―二日間―	稲の一生・太陽と電波・砂川の人々・生きていてよかった・京浜労働者・
11	右と同じ ―二日間―	あげは蝶・富士山頂観測所・日鋼室蘭・教室の子供たち・おふくろのバス旅行・ミクロの世界・松川(フイルムによる証言)
12	ニヒリズム特集	大学映画祭作品研究 椀 (日大) む(京大) ゼロの視点(国学院大)

(ロ) 社会教育映画研究会

つゞけるべきか、或はつぶれるべきか

昨年は六回行われた社会教育映画研究会も、本年は六月に一回、農村問題をテーマとした研究会を開いたゞけの低調に終った。卒直に言って、今この研究会は岐路にたっていると言える。低調の原因は何か。

① 人が集まらない

いや、集まらないのではない。うまく企画し、ゲストも設定し、且個人的な呼びかけを含めた熱心なうったえ方をすれば、集まらないことはない。たゞしまるでお客様のように……

② 研究会の内容が盛り上らない

第一の理由から、第二の理由も生まれてくるだろうが、出席者がその度びに変って、問題の掘り下げと積み重ねが出来て行かないという事もある。それを持続してゆくべき中核が、いつまでたっても固まってこないという事もある。

しかし、これらの原因の他に、もっと肝心な理由があるのだろう。

研究会が、ほんとにみんなの役に立っているだろうか。（世話人をふくめて）

傍観者のような怠惰がありはしないか（之も世話人もふくめて）一体、協会員に勉強しようという意欲があるのだろうか。

こんな状態で、こんな風に、研究会をつゞけるべきか、或は又つぶれるべきか、一つこのへんで充分考えて見たいと思っています。

（荒　井）

三、「記録映画」編集委員会報告

ⓐ ①

編集委員会（以下委員会と略）は才七回総会の決定、運営委員会の方針にそつて、本年度も編集しました。

安保斗争後、混迷と停滞のなかにおちいつている芸術状況にたいして、その解析、その批判、その根源の追求、方向性の把握といつた現在地点にたった問題意識の上で、特集を毎号できるだけ多角的な視点からくんでいきました。

しかも、できるかぎり、巾ひろい発言をもとめ、さかんな論争をおこし、問題点をふかめようとしました。

だが、方向性をもちながらも問題意識のあしぶみがめだち、マンネリズムの傾向におちいきました。と同時に執筆者の方も同様な状況のなかにあるか、問題意識のズレのなかにあって、編集上の目的を達することができませんでした。

このことはわれわれの主体的な問題とともに政治的、芸術的状況の停滞という外部的な問題ときりはなせないのは当然でありますが、とはいえ内容的にいって前年度にくらべて低調だったということができます。

ⓑ 右に関連して、編輯方針上、考えられる諸点をあげることにします。巾広い発言の要求ということ、それ自身は重要なことであり、われわれはつねにその場を拒否したことはありませんでした。だが、単なる低姿勢による無原則的な広汎さは建設的な論争もくまれず、問題の解明、前進もうまれないことが、過去三年間の「記録映画」の歴史をみる時、いいうると思います。とくに本年度の低姿勢的編集はその効果のうすいことをしめしていると思います。

ⓒ つまり、一つの問題にたいして、相反する意見をもつ場合、それらはとことんまで、つきあわされ、集注的に論争され、ふ

かめられ、つみかさねられてこそ、論争は意義をもってきます。「記録映画」はそのように論争を組織する点にいままでも不充分でありました。

そこには論争ということがあまりにも非日常性となっている映画作家の「マアマア」主義、折衷主義、独善主義にあったのではないでしょうか。

フエヤな論争、みずからをきり、他をきる、とことんまでも論議すること、それは芸術創造にとって不可欠なものであります。

われわれはそのような意味の論争を誌上にのせることについて、かって、一部の非難をうけましたが、問題はのせることがいけないのではなく、最後まで深め、発展させえなかったところを批判すべきであると思います。

それはセクト的な印象をあたえた結果をもたらしました。しかし、本年度においてはすくなくともそのような論争さえおこりませんでした。

この点を委員会は(1)(3)との連関で自己批判するものであります。論議を問題点に集注し、ふかめ、つみかさねるように委員会は編輯し、論者の姿勢をささえ、多くの論者の多面的な参加を促進すべきでありましょう。

ⓓ 一般読者からも同様な意見がきかれていることは本誌の今後の編輯方針にとって大切な基本的な問題であると思います。

ⓔ 今年度もまた毎月一号も欠かすことなく雑誌を発刊しつづけることができました。本誌の市販にともなって、かんまんだが読者層がしだいに上昇していることは五十号におよぶ、無休刊の努力とつねにアクチュアルな問題意識をなげかけてきた本誌編集方針の成果であると思います。他映画雑誌の読者減少傾向にたいして、本誌の独自な特色が実をむすびつつあることを意味すると思います。読者層の多くは他芸術ジャンルの仕事をしようとする人々、映画芸術に関心をもつ学生層、各大学のシナリオ研、映研など）また、映画サークルの指導部の人々、最近、とくに劇映画関係の若い作家、技術者たちによまれています。映画芸術創造論誌としての役割がようやくその地位を確立したといえます。

ⓕ 本誌の独自的編集方針にたいして、本年も、各芸術ジャンルの人々の執筆協力はさらにひろまっています。

ⓖ 評論シナリオコンクールは各製作配給社などの協さんを得て新人の発見と新風の作興のために計画しました。現在応募数は三十篇をこえています。

本誌の事業として今年の成果の一つといえます。

ⓗ 本誌と読者をつなぐ場として、ドキュメンタリー理論研究会を毎月もちました。執筆者と読者とによって本誌にのった主要論文を軸として理論的にふかめようとする目的です。

ⓘ 世界の実験映画を見る会を本年も春秋二回開催した。固定の会員もふえ、着実に実施された。だが、財政的な目的はだいたい達しましたが、レパートリの選定に才四回の会は慎重をかいていたことを自己批判しなければなりません。

②

編集委員会は総会後、その構成に若干の変動があったことをまず報告します。熊谷光之氏が仕事の都合で辞めたこと、佐々木守氏があらたに参加したことです。なお、創刊号以来、編集部員として活動した佐々木守氏にかわって高橋秀昌氏、さらに、和田恵美氏、ともに一身上の都合で短日月で辞め、十二月号より渡辺純子氏に担当してもらうことになりました。ここに佐々木、高橋、和田の諸氏の労を感謝します。とくに、佐々木氏の創刊号以来、三年間にわたった尽力は本誌の発展に大きい貢献をもたらしたといって過言でありません。同氏にふかい謝意を表します。

③

「記録映画」の財政報告は協会月報に報告されていますが昨年以来、収支はつぐなっています。　（別紙財政報告

参照）協会員の方に、雑誌経営の内容があきらかにつたえられていない面があるので、とくに報告につけくわえることにします。「記録映画」の全財政は協会財政より、十九万円（各協会員にとっては一部代金に相当）と固定読者、市販、事業活動（映画会）など広告収入をもっていっさいの雑誌編集上の諸費（外部原稿謝礼金、交通費、編集員人件費、電話料、通信費など）はまかなわれています。

委員会はこのような雑誌経営の現状から読者拡大とともに外部への原稿依頼にたいする謝礼金の全面的充当などの方向が今後うちだされると思います。経営の充実強化の材料となると思います。

四、協会年間活動日誌

◇一九六〇年十二月

○十五、二一、二六、二七日、記録映画を見る会、テーマ短編映画芸術祭参加作品（黒潮丸、ドックNo.3　土佐風土記、イソップシリーズ、海っ子山っ子、お母さんの幸福）

○二八日教育映画作家協会第七回定期総会、新聞会館二階会議室。

◇一九六一年一月

○十二日后六　第一回運営委員会①新機構案（企画財政、機関誌、研究会、製作運動、観客運動）と人事について、②実験映画を観る会三月中間決定

○十二日記録映画作家協会名称変更の挨拶状を出す。

○十五、二九日、記録映画を見る会、西武文化ホール（御神輿師、黒島のおどり、伝統に生きる町、露路裏の灯

○十八日后六　記録映画研究会、日本鉱業会館、六階会議室（プープー、一〇五二）

○二〇、二七日、日本映画復興会議準備会（オブザーバーを派遣）

○二一、二二、二三日国民文化会議全国会議、日本青年館、テーマ新安保体制と文化活動（代表を派遣）

○二四日后六　第一回常任運営委員会①総会のまとめ、②財政問題、③マンガ大会について

○三一日后六　実験映画大会実行委員会

○(1)記録映画「西陣」製作に入る、協会協力をきめる。

○(2)新入会者　長浜明（フリー助監督）

◇二月

○六日、実験映画を見る会打合せ会

○八日后六　運営委員会①編集事務員高橋秀昌に変更の件②実験マンガ大会（三月三〇日、四月五日の二日間）決定〃記録映画〃の問題④会費滞納に対する対策、その他

○十一、十二日映画観客団体全国会議（東京）代表派遣

○十三、十四、十五日労視研全国集会（鬼怒川）総評主催代表派遣

○十七、十八日日本映画復興会議（東京）オブザーバー派遣

○五、十九日記録映画を見る会、西武文化ホール、テーマ一六〇年キネマ旬報ベスト・テン受賞作品（君たちはどう生きるか、横山大観、ガンと斗う）

○二二日后六　記録映画研究会

◇三月

○一日后六　常任運営委員会

○四日〃右翼テロに抗議する集会〃虎の門社会事業会館、国民文化会議へオブザーバー派遣

○十日后六　運営委員会①マンガ映画会のこと②新事務局員紹介③「記録映画」と内容について④会費長期滞納について⑤対外的ものについて

○五、十八日記録映画を見る会、西武文化ホール（北白川こども風土記、人間みな兄弟）

○十五日后六　ドキメンタリー理論研究会ミラノ座パーラー、

テーマ俗流リアリズムとモダニズム
○十八、十九、二十日AA作家会議緊急東京大会、オブザーバー派遣
○二十日后六　記録映画研究会、岩波映画（新島、アルジェリア血の六年、動乱の世界二ツの焦点）
○二三日后六　記録映画を見る会、豊島振興会館二階大会議室城北映サ協協催（セミとアリ、ツフツフ、新島、北白川こども風土記）
○二四日后六　常任運営委員会、映画会実行委員会①新事務局員高橋秀昌紹介②事務局体勢を強化③対外的問題、AA作家会議のこと、④「西陣」協力について
○三〇日后六　実験マンガ大会、虎の門共済ホール（太陽を独占するもの、珍説映画百年史、二匹のサンマ、交通発達珍史、のど自慢狂
○(1)「言論、表現の自由とテロリズムについて」声明発表
○(2)新入会員、広木正幹（フリー作家）
佐々木守（フリー助監督）
岩佐寿弥（フリー　〃））

◇四月
○二、三〇日記録映画を見る会、西武文化ホール、テーマ世界のアニメーション（交通今昔物語、夢見童子、汽車ポッポ、国のおいたち、ちびくろさんぼの虎退治、セミとアリ、もぐらちやんのズボン）
○五日后六　実験マンガ大会、虎の門共済ホール（ボンボマニイ、ムル　ルク宇宙へ行く、メロデイ、猿亀合戦、悪魔の発明）
○十五日后六　運営委員会①五月研究会のお知らせ、②実験マンガ映画大会の報告、③三二回メーデー参加について、④日本映画人会議準備会について⑤労農ニュースについて、⑥コッナギの映画化、⑦住所録作成、⑧記録映画三周年記念号について⑨安保一周年映画会の件
○二十日后六　記録映画研究会、岩波映画、テーマポーランドアニメーション特集（人形のサーカス、昔むかし、猫とねずみ、他）

◇五月
○新入会者、黒沢章（フリー助監督）
○一日、オ三二回メーデー参加、神宮外苑絵画館前三〇名近く参加する。
○一日作品歴及住所録作成アッピール発送
○三、二一日記録映画を見る会、西武文化ホール、テーマPR映画の実験特集（滑潤油、電子の技術、カラーインライフ、ルポルタージュ　）
○十三日アカハタニュース試写会（協会主催）
○十五日后六　ドキュメンタリー理論研究会、厚生年金会館テーマ、リアリズムについて
○十九日后六　記録映画研究会日映新社、テーマ「記録映画とリアリズム（喜びにわくチベット、アカハタ、労農ニュース、激動の一九六〇年）
○(1)政防法反対のニュースをながす。
○(2)岩波映画製作契約者懇談会の会則発表。

◇六月
○四、二四日記録映画を見る会、西武文化ホール、テーマアフリカ、アジア篇、（独立国コンゴ、ガーナ、歴史の国アラブ連合、東アフリカ、ケニア、インド、東洋の旅）
○八日一九六一年教育映画祭執行委員会、代表派遣
○十日、記録映画「西陣」製作上映運動をさらに広めよう！アッピールに協力参加
○十日、世界を激動させた記録映画大会后六（安保斗争から一年を迎え）日比谷図書館地下ホール（安保の怒りー一九六〇年六月、喜びにわくチベット、燃えあがるアルジェリア、血のメーデー、キューバ革命、韓国四月革命）

○十三日后六　運営委員会①古川良範氏病気カンパについて②政防法斗争について、③記録映画「西陣」協力について、④記録映画「コッナギ」製作運動、⑤事務局員の夏期手当と一部給与の値上について⑦契約者懇談会について、⑧映画人会議について

○十七日后六　ドキュメンタリー理論研究会、新宿鬼王神社、テーマ芸術に於る今日的課題

○十九日后六、山の映画会、虎の門共済ホール（東京映愛連と共催）

○二〇日后六　社会教育映画研究会、全農映（農村は変る、おとうちゃんがんばる、農村に生きる）

○二四日后六　記録映画研究会、奥商会、テーマ、エモーション特集（8ミリ〃石っころ〃〃さすらい〃16ミリ〃人と鉄〃）

○二七日后六　「西陣」完成試写会虎の門共済ホール（協会協力）（木曜日の子供たち、ロダンの芸術、と共に「西陣」を上映）

○(1)政暴法案をほうむろう声明を発表

○(2)自由映画技術者労仂組合規約（草案）発表

○(3)新入会者　辻本誠吾（企業助監）
城之内元晴（フリー助監）
梶川勝良（フリー助監）

◇七月

○七日后六　運営委員会①雑誌〃記録映画〃値上げ②前衛、実験映画会のこと③職能組合について

○十日后六　「西陣」才二回特別試写会、日比谷図書館ホール（千羽織、西陣）

○十五日后六　ドキュメンタリー理論研究会、厚生年金会館、テーマニュースとドキュメンタリー

○十六、三〇日　記録映画を見る会、西武文化ホール（小児マヒの話、海岸のなりたち、津波、京のたべもの、鹿児島、筆の墨）

○十九日后六、生活と権利を守る懇談会、名企業所属の人々と話し合を行った。

○二〇日后六　記録映画研究会岩波映画、テーマ実　的、前衛的ドキュメンタリー（西陣、安保条約）

◇八月

○九日后六　運営委員会懇談会①職能組合その他の案を事務局より出す。②才三回実　映画を見る会十月二五日決定

○十二日　国民文化会議映画関係委員会、代表派遣、①国民文化会議組織改変と責任者の問題、②映演総連、勤視連、独立プロ、映愛連、③入場税問題　機関紙「国民文化」について

○十五日后六　ドキュメンタリー理論研究会、厚生年金会館、テーマ方法論について

○二〇、二七日　記録映画を見る会、西武文化ホール、テーマ日本の子供たち特集（一年坊主、津波の子）

○二一日后六　記録映画研究会、岩波映画、テーマ方法論（羽任進作品集ー行司、双生児学級、法隆寺、白い鳩（チェコ）等）

○労仂協約（草案）自由映画技術者労仂組合を掲載

◇九月

○十日、職能組合についてのプラン（資料）発表（運営委員だけ）

○十一日后六　新作及国際短編試写会、西部労政会館

○十五日后六　ドキュメンタリー理論研究会、厚生年金会館テーマドキュメンタリー現代的視座

○二〇日后六　記録映画研究会東京シネマ、テーマドキュメンタリーの現代的視座（エレクトロニクス、ガン細胞、魔法のテープ

○三三、二三日　記録映画を見る会、西武文化ホール（テレビ憲法、耳のはたらき、落ちたハーモニカ）

○政暴法案全文を発送する。

◇十月ー

○二～五日　一九六〇年教育映画祭ヤマハホール（入選作及国際短編上映）

○十日后六　運営委員会①実　映画を見る会について②新事務局員和田恵美紹介③国民文化会議会費の値上げについて④記録映画財政について⑤事務局移転の問題⑥職能組合について

○十六日后六　ドキュメンタリー理論研究会、主婦会館、テーマ芸術と思想

○十八、十九日后六　記録映画研究会、西部労政会館　テーマ戦後記録映画代表作上映（原爆の長崎、稲の一生、京浜労仂者砂川の人々、流血の砂川、生きていてよかった）

○二五日后六　才四回実験映画を見る会（世界実験ドキュメンタリー映画会）虎の門共済ホール（トンニャツポ、をかついで、かりいれ、ゲルニカ、ゾロード・ウエイ・バイ・ライト、黒の錯裂、悪いやつ）

○新入会者、西原孝（企業演出）
　加藤敏雄（フリー助監）

◇十一月

○九日后六　才二回短篇新作試写会、厚生年金会館（シネマ・リユミエール、映画百科辞典、水をふたたび）

○十一、十二日　国民文化会議研究会、代表者会議、神楽坂出版クラブ

○十四日后六　ドキュメンタリー理論研究会厚生年金会館、テーマー作家論

○十六日后六　高林陽一作品発表会ブリヂストンホール（石庭幻想、石が呼ぶ、京都、石ころ、をかついで）

○十七日后六　運営委員会①新事務局員渡辺純子紹介（和田さん退職）②実験映画を見る会報告③事務局移転の問題、④滞納者の問題、⑤総会の議案その他十二月二七日に決定

○三、十九日　記録映画を見る会、西武文化ホール、テーマー一九六一年教育映画祭参加作品（巨般ネスサブリン、メダカの卵、北海道のこどもたち、体内のガン細胞）

○十七～二二日（東京）中国映画祭（参加）

○二二、二三、二四日（東京）全日本学生自主上映映画祭（参加）

○二五日后六　運営委員会（大沼宅）①運動方針案審議、②新役員選挙について、③事務局移転の件、次回十二月二日に決定

○二七、二八日后六　記録映画研究会、渋谷労政会館、（あげは蝶、富士山頂観測所、日鋼室蘭、教室の子供たち、おふくろのバス旅行）

○⑴「夜と霧」見る会へ参加

○⑵「鋼育」上映促進の会へ参加

○⑶新入会者　安井　治（フリー助監督）
　鈴木朝雄（賛助会員）

六、来年度の方針案

Ⓐ　基本的な考え方

①　自分をみつめることから始めよう。

今日の作家にとって、われわれをとりまく外的状況の正しい認識なしには、今日的な作家活動などあり得ないことは云うまでもない。その意味ではいわゆる国際情勢や国内情勢の分析はもちろん、マスコミ状況の動向、芸術諸ジャンルの話題など、作家がどん欲に関心を示すべき対象は無限に広い。

そして、記録映画作家の大部分がともすると極めて狭い視野の中に閉　している事実を考えるなら、広く、かつ正しくもの事を認識しようとする努力は、非常に重要な課題となるにちがいない。

しかし、少くなくとも作家である以上、それにもまして重要なのはものごとに対する作家のかかわり方、作家としての反応のしか

たの問題である。無感動に、いかなる内的葛藤もその意味をまさぐる疑視の精神もなしに、もっぱら日常性に埋没して燃えることのない没作家的な状況が大勢を支配しているという深刻な現状については、報告においてもくりかえし指摘したとおりである。あるいはまたある公認の思想がすでにその権威を失墜するや、新たな公認の思想に追随して、先進的であるようにみせかけ、また自らも思い込むという没主体的な風潮があることも同様に指摘した。そして主体の確立ということを没主体的にお題目として唱えればこと足りるとする俗流化のきびしさが現われるに至っては、それをむしろ桎梏として厳しく批判しつくさなければならないということも強調してしすぎることはない。

ともあれ現在の時点で、内的な停滞を打破するためまず取り組まねばならないことは、一人一人が作家としてこの条件を自らに向って苛酌なくつきつけ、自己検証を徹底させてゆくということではないだろうか。

たとえば、自分の作品系列をあらためてみつめなおし、そこにどのような作家としての自己表現が貫かれてきたかを内省してみるのもよい。また何でも作りたいものを作れといわれたら自分には表現したい何があるのかということを考えてみるのもよい。あらゆるもの事にふれ合う中で表現にまでつき進まずにはおれぬほど燃焼しているものがどれだけ不断にあるのか、それを自分の内部に厳しく問いかけてみることの中に、作家の主体ということはあますところなく具体的に明かにされるにちがいない。また常に外的条件の劣悪さにすべてをすりかえてしまう自己欺瞞の思想を否応なくむきだしにされるにちがいない。

そこに何らかの積極的な要素が発見されゝば、それを徹底的に追求し、それがぶつかってくる限界をとことんまで悩むべきであろう。あるいはそこに絶望をみる事なく、それを、ムードにしてしまわないで、これまた徹底的に絶望の意味を思想的に掘り下げて自らを刺す苦痛にたえるべきであろう。いずれにしても、自己認識を貫徹させることを回避することなく、そこに出てくる問題を全作家生命をかけて受けとめ、考え抜くことの中からのみ、その先へつき抜けてゆく手がかりがえられることは既に自明の理といえよう。

② 厳しくぶつかり合い、相互に刺戟し合おう。

自分が考え抜いたこと、止むに止まれず自己表現、自己主張したいことは、全責任をもってぶっつけ合うよう努力したい。それははげしい批判をもってはねかえされるかもしれない。しかし、その辛さを生きぬくことの中に積極的な自己否定の契機や、思索の前進の契機が得られてくることは、論争の常である。むろんそれは論争だけではなく創造と批判の関係においても同じである。たたきつけ、たたきかえされる厳しい作家的ぶつかり合いの中に、思想の生産性は回復され、創造的な気運がダイナミックに生れてくるにちがいない。自分自身と仲間に対する一切のなれ合いを絶ちきって、よい意味での作家的対決を激発し、相互に刺戟し合う土壌のないところに創造の可能性は生れるはずがない。権威に自己解体することなく、自分で考え、自分で燃焼させたものをぶつけ合い、深め合ってゆくことの中に、真に生産的なコミュニケーションが運動として成立してくるであろう。

③ そこに燃え出した火を運動として組織しよう。

相互刺戟の中に燃えだした火は、どんな小さなものでもいいから、自ら組織してゆく努力をしなければならない。それは随所に自発的な研究会を作り、創作グループを作って、今度はそれらの集団と集団の関係において同様の緊張を生み出してゆくようにする。そこでは個人と個人の作家的対決が問題にしたと同じように創造主体の問題、創作方法の問題、運動の問題、政治と芸術の問題等の重要な課題がケンケンガクガクと議論されるだろう。あるいは基本的に常にそうであるように実際の創作においてこそ、最も厳しい対決が行われ、その競争から多くの可能性が生れることも期待できる。そしてそれらの運動は、それぞれの場から、より

大きな運動の観点に立って、協会全体の場にぶつけられ全体に反映されるよう意識的な努力が出されなければならない。「記録映画」への投稿、あるいは意見の提出もそうだし、協会主催の研究会への積極的参加、個展・グループ展の企画提出もそれである。作家協会は、全体的観点から、常に燃え上る自発的な火を組織し、全体の場に反映させ、そのことによって一層ダイナミックな気運を盛り立てていくようあらゆる努力をしなければならない。そして、そのような主体的状況を客観的な状況との関係で常に明確にその意味づけを思想的に掘り下げ、より広い世界の中にそれを相いわたらせてゆくべきである。他ジャンルとの芸術運動とのぶつかり合いや交流、政治運動との関係ずけ、その他なすべきことは山ほどある。なかんずく、独自な映画運動としての自主製作運動と、作り手受け手の生産的なコミュニケーションを作りあげてゆくことは特に大切なことである。

はじめから対立のないところに統一などありはしない。そのようななれ合いの集団は烏合の衆であって、何ら創造的な集団ではない。よい意味での対立から生まれてくる可能性を、それぞれが思想の生産性として積極的にとらえていく一オクターブ高い次元での統一をそれぞれの共通分母にしていく立体的な組織論をもたない運動は、結局排他主義や派閥主義に陥入るだろう。その意味で高次の統一をはかる運動は、徹底的に民主的でなければならない。たゞし、民主主義が積極的な意味をもつのは、個の単位での責任ある能動的な発言と行動であり、ある場合には大多数の反対意見者を相手にまわしての勇気ある態度表明の自由を自ら放棄しない責任をもつことである。

云うまでもなく事態はお膳立て通りきれいごとで進むわけではない。実践的には外的、内的と幾多の障害が眼前をさえぎるであろう。しかし、そのようなヴイションを持ち、あらゆる点でその原則を主体的に貫き通そうとする自覚的な動きが少しずつでも出てくるならば、停滞と混迷を打壊して可能性の糸口は、確実にわれわれのものとなるにちがいない。

Ⓑ 当面の具体的方針

① 記録映画の創造と運動のために

(イ)「一人一本のオリジナルシナリオを作る運動をおこそう。」

作家活動の停滞を打開する方法としてひとりひとりがかならず最低一本のオリジナルシナリオをかくことを提唱する。

協会は送られたそれらのシナリオを遂次機関誌に発表し、或はいくつかのシナリオをまとめてシナリオ特集として発表する。更にそれらのシナリオをめぐって批評活動を活潑にすることは勿論優秀なシナリオは何とか映画化するために努力をする。

この運動をすすめることによって一人一人が、ほんとうにやりたいものが何であるかをたしかめ、芸術創造の意欲をもやし、作品活動に於て常に受身であった態度を克服してゆく契機としなければならない。

このことは、日常的な作品活動であるPR映画や教育映画の製作の場合にも良い影響を与え、作品の質を向上させることになるであろう。

(ロ)「研究会活動を発展させよう。」

作品活動を刺戟し高揚させるために研究会活動は強化しなければならない。

協会の各研究会、機関誌を中心とする理論研究会など、大勢の人々の参加のもとに定期的に開催するように努力しなくてはならない。

研究会の成果は、必ず機関誌又は会報を通じて発表し、参加できなかった会員との「コミュニケーション」を計りたい。

研究会活動を魅力のあるものとし、発展させるためには、歯に衣をきせぬ厳しい批評活動が必要であるし、研究会の運営の仕方中心となって活動する人の問題などを考えていかなければならない。

(ハ)「雑誌「記録映画」を発展させよう。」

オリジナルな創作活動と厳しい批評活動の成果を機関誌に反映してディスカッションを広め、現在会員の間にあるコミュニケーションの欠除をうずめなければならない。

既に、芸術運動の諸分野に於て一定の評価をうけた機関誌を発展させるために会員各自の積極的な発言と討論が必要であるし編集委員会の努力がのぞまれる。

発行部数を大きくすることは、芸術運動上も財政上もたいせつなので会員の協力が必要である。

(ニ)「作品発表の場をひろげ、対外交流をすすめよう。」

今迄の記録映画運動によって、一般の記録映画への関心はたかまっている。こうした気運を活用し、(イ)(ロ)(ハ)の活動の成果を対外的にひろめることによって、芸術運動をすすめ、その交流の中で、一人一人の創造活動を更にたかめなければならない。

そのために、会員の個展、グループ展などの方法による作品のデモンストレーションが考えられる。

一定のファンを獲得した実験映画を見る会、各地の記録映画をみる会などの観客活動、協会もその一員である教育映画振興会議国民文化会議、オブザーバーとしての労視研、映画観客団体などとの協力を通じて、記録映画運動、文化運動を前進させ、協会の地位をたかめたい。又会員の積極的な参加が望まれる。

作品発表の機会として、海外の映画祭への参加もすすめたい。こうした具体的な機会を通じて国際的な交流もなさねばならぬことである。

② 作家の思想と表現の自由をまもるために。

安保条約改定にひきつゞき、政暴法をピークにした政治体制は、作家の思想と表現の自由をおびやかしてきた。この傾向は更に強まるであろう。

所得倍増政策よりもたらされる経済的危機・政暴法と憲法改正をめざす政治の反動化・日韓会談の妥結を通じてのNEATO結成への動きなど、平和と民主々義を圧殺するものといわなければならない。

こうした情勢の中で、作家の思想と表現の自由が失われていくことは、韓国の例をみるまでもなく明らかであろう。われわれは、各分野の民主的勢力と手を組んで斗うことが必要である。会員は、一人の問題として運動への参加が必要である。

③ 作家の生活と権利を守るために

日本経済の危機が深まる中で、映画界もまた深刻な不況に見舞われるであろう。そのしわよせは、ギャランテイの切り下げ、製作条件の悪化、仕事をする場の減少となってわれわれに押しつけられるであろう。

こうした悪条件に対して、生活と権利を守り、作品の質の低下をふせがなくてはならない。

生活と権利を守るたたかいは、われわれ協会だけの問題でなく、全映画労仂者の問題であり、そのためには、劇映画までふくめた企業の労仂者はじめ、フリーの作家や技術者を組織する大きな構想をもたなければならない。

こうした大きな組織化の目標をもちつつも協会個々の会員の日常的な要求をとりくまなくてはならない。

(イ)「フリー会員の仕事のあっせん。」

プロダクションから、あいている人はいないかという問合せが協会にしばしばある。助監督のあっせんは今迄も行われ相当数の成立をみている。シナリオ、演出の場合、プロダクションの希望と本人の希望とが一致することはむずかしいかもしれないが、紹介することは今の事務局の力からいっても可能である。

従って、事務局のあっせん活動を円滑にするために、会員は仕事の情況を協会へ報告することが必要である。

(ロ)「ギャランテイ基準の改定」

諸物価の値上りムードの中で、ギャラ基準のベースアップが必要となった。

基準のベースアップがたゞちにギャラのベースアップにはならないが、基準はギャラ交渉の一つの支えであり、ダンピングを防ぎ、会員相互間の協力をつくる足場となるであろう。

著作権の問題も、今後研究していかなければならない。

④ 協会の組織を守り発展させるために

(イ)「会費の納入を守ろう。」

協会運営の経済的基礎が会費であるのにもかかわらず依然として会費の滞納は多い。会費の未納を一掃するために会員も協会も努力しなければならない。

尚、健康保険の未納者もあるが、保険料の未納は直ちに他の保険加入者の権利停止となり、たいへん迷惑をかけることになるので、保険料未納者は保険組合から脱会してもらうようにしたい。

(ロ)「会報の充実」

会員の仕事の報告、研究会の報告、生活と権利、創作条件についての情報交換と権利、ドキュメンタリー通信、運営委員会の報告とアッピール、事務局の報告などの掲載を通じて、積極的に協会と会員、会員相互間のコミュニケーションをはかりたい。

(ハ)「事業活動を活潑にしよう。」

財政収入をふやして協会財政を確立するために、又、記録映画運動のために、事業活動を活潑につづけたい。

実験映画を見る会をはじめ、個展やグループ展、記録映画の学校なども考えられる。

七、—新役員の選挙方法と会員及推せん者一覧表—

◇ 第七回定期総会を迎えました。総会出席数、会員の過半数（委任状も含む）をもって成立する。

◇ 総会において会員全員より運営委員長一名、事務局長一名、運営委員十五名、会計監査二名を選ぶ。

◇ 運営委員会は来年度方針を進める意味で運営委員長及事務局長候補を選んだ。

◇ 運動方針承認後総会会場にて運営委員長及事務局長一名単記で選ぶ。運営委員長及事務局長の投票からはずした候補者の方も運営委員の候補にふくめて投票すること。

◇ 会計監査は二名連記で選ぶ。

◇ 運営委員は会員全員より十五名連記で選ぶ、十五名以上は無効となる。

多数票から順次十五名を当選とする。

◇ 投票が散票の場合は決戦投票をし決定する。

◇ 委任状について、①委任状は総会当に出席出来ないことがわかっている場合又はあぶないと思われる方はかならず出すこと。②委任状は総会一斉について委任するものですので、かならず委任者名を書き入れて委任者に渡すようにすること。③総会へ委任又は議長委任、運営委員会委任は、総会成立数には入りますが役員投票権はない。③総会を成立させるためにかならず欠席者は委任状を出すようにされたい。④郵便がおくれていますので委任状を出す方は委任状を委任者又は事務局員に直接わたすように努力して下さい。事務局は電話にて連絡あれば取りにうかがう。又、電報も可能。

◇ 運営委員長及事務局長の運営委員会候補者（アイウエオ順）

(1) 運営委員長（四名）

菅原陳彦、西尾善介、樋口源一郎、丸山章治

(2) 事務局長（四名）

大沼鉄郎、楠木徳男、杉山正美、間宮則夫

◇ 協会員名簿一覧表（アイウエオ順）

1, フリー会員（六八名）

荒井英郎、赤佐政治、厚木たか、浅野辰雄、岩崎太郎、岩佐氏寿、岩堀喜久男、伊勢長之助、入江一彰、上野大梧、伊豆村豊、岡本昌雄、大沼鉄郎、大内田圭弥、小津淳三、加藤松

三郎、菅家陳彦、かんけ・まり、樺島清一、川本博康、京極高英、岸　光男、桑野　茂、河野哲二、熊谷光之、楠木徳男谷川義雄、竹内信次、丹生　正、田中　徹、豊田敬太、富沢幸男、徳永端夫、西沢豪、西尾善介、西本祥子、野田真吉、樋口源一郎、日高　昭、古川良範、丸山章治、間宮則夫、松崎与志人、松本俊夫、八木仁平、矢部正男、柳沢寿男、山岸静男、山本升良、八幡省三、吉見　泰、杉山正美、杉原せつ、渥美輝男、吉田六郎、村田達二、長野千秋、広木正幹、大口和夫、松川八州雄、斉藤茂夫、豊富　靖、本間賢二、大野孝悦、島谷陽一郎、西原　孝、松尾一郎、前田庸言、

2, フリー助監督会員（三四名）

安倍成男、青野春雄、石田厳、小野寺正寿、小川益生、片桐直樹、川田一郎、金田一信幸、久保田義久、小泉　堯、妹尾厚、谷山浩郎、塚原孝一、中島日出夫、仲原源作、中村久亥西江孝之、頓宮慶蔵、平野克己、松本公雄、山本敏之、吉田厳、曾我　孝、二口信一、長浜　明、黒沢　章、城之内元晴、梶川勝良、飯村隆彦、村松隆一、加藤敏雄、佐々木守、井内久、渡辺大年。

3, 企業所属

㋑　岩波映画（十九名）

高村武次、羽仁進、羽田澄子、時枝俊江、各務洋一、黒木和雄、肥田　侃、藤葉豊明、田中　実、秋山　一、花松正一、神馬亥佐雄、田中平八郎、遠藤完七、北条美樹、牧野　昭、泉田昌慶、諏訪　淳、岩佐寿弥

㋺　日映科学（九名）

恩山大六郎、諸岡青人、中村鱗子、下坂利春、飯田勢一郎、清家武春、二瓶直樹、飯田　聰、田部純正、

㋩　日映新社（八名）

大峰　晴、山添　哲、苗田康夫、近藤才司、山口淳子、藤原智子、高瀬昭治、石井清子、

㊁　新理研映画（八名）

富岡　捷、島内利男、原本　透、三上　章、宮崎明子、持田裕生、宮内　研、中川すみ子。

㋭　東京シネマ（六名）

大島正明、渡辺正己、泉水　剛、西田真佐雄、森田　実、田中　学。

㋬　日本アニメーション（三名）

長井泰治、平田繁治、諸橋　一、

㋣　記録映画社（二名）

泰康夫、田中舜平

㋠　電通映画社（二名）

大野　祐、松本治助

㋷　日経映画社（二名）

小谷田亘、川本　昌、

㋦　神奈川ニュース（二名）

深江正彦、吉田和雄

㋸　理研科学（二名）

中村重夫、星合達郎

㋔　cBcテレビ映画社（三名）

小森幸雄、青木徹、安藤斉、

㋗　その他（五名）

藤田幸平（共同九州）、原田勉（農文協）高井達人（三井芸術）、辻本誠吾（わがたプロ）大久保信哉（たくみ工房）

記録映画作家協会一九六一年度運営委員会

会計監査証明書（写）

昭和三十六年度張簿監査の結果相違ないことを証明します。

但し、今期の決算報告によると、協会財政が赤字、「記録映画」関係の人件費、事務所費その他諸経費を協会財政が負担しているためにに協会財政が赤字となっているのであるから、両者の貸借対照書をつき合わせた上で両者の財政状態を検討して頂きたい。

又、映画会の収益の全額が「記録映画」財政に入っていることも再検討の余地があると思う。

昭和三十六年十二月八日

岩崎太郎㊞

藤原智子㊞

昭和36年度記録映画財政報告

自　昭和35年12月　1日
至　昭和36年11月30日　　損益計算書

損失の部		利益の部	
摘要	金額	摘要	金額
印刷費	811,459	売上	428,202
映画会経費	112,474	広告収入	576,000
通信費	83,521	映画会収入	264,285
交通費	42,812	雑収入	465
文具費	7,780		
原稿料	18,000		
座談会	15,670		
研究会	6245		
雑費	4,510		
当期繰越金	166,481		
合計	1268,952	合計	1,268,952

昭和36年11月30日現在　貸借対照表

資産の部		負債・資本の部	
摘要	金額	摘要	金額
現金	18,683	予約金	6,840
売掛金	81,564	未払費用	102,730
商品（フアイル）	600	借入金	52300
広告未収入	72,500	前期繰越金	118,540
映画会未収入	2,000	当期越越金	166,481
貸付金	271,544		
合計	446,891	合計	446,891

内訳明細書

（記録関係）

売掛金

摘要	金額
35年記録映画誌代未収	41,564
36年記録映画誌代未収	40,000
計	81,564

広告未収入

摘要	金額
記録映画　9月分	5,000
記録映画11月分	32,500
記録映画12月分	35,000
計	72,500

貸付金

摘要	金額
協会財政え	271,544
計	271,544

未払費用

摘要	金額
記録映画11～12月印刷代	96,730
記録映画4月号12月原稿料	6,000
計	102,730

商品

摘要	金額
フアイル残	600
計	600

映画会未収入

摘要	金額
映画会広告チラシ（オ四回実験映画）	2,000
計	2,000

予約金

摘要	金額
記録映画誌代（37年1月号～）	6,840
計	6,840

借入金

摘要	金額
運転資金より	35,500
大沼氏より	16,800
計	52,300

昭和36年度協会財政報告

（協会関係）

自　昭和35年12月　1日
至　昭和36年11月30日

損益計算書

損失の部		利益の部	
摘要	金額	摘要	金額
人件費	587,950	会費	769,620
印刷費	109,500	入会金	4,200
家賃	60,000	寄附収入	5,483
通信費	70,890	雑収入	15,905
交通費	46,591		
文具費	4,640		
振替手数料	6,405		
研究会	11,724		
会合費	9,450		
加盟費	2,560		
臨時支出	3,000		
雑費	20,020		
		当期赤字	137,522
合計	932,730	合計	932,730

貸借対照表

昭和36年11月30日現在

資産の部		負債・資本の部	
摘要	金額	摘要	金額
現金	4,300	未払費用	32,500
未収会費	244,270	前受会費	1,500
貸付金	570	借入金	271,544
当期赤字	137,522	前期繰越金	81,118
合計	386,662	合計	386,662

内訳明細書

（協会関係）

未収会費

摘要	金額
35年度未収会費	37,070
36年度未収会費	207,200
計	244,270

借入金

摘要	金額
記録映画財政より	271,544
計	271,544

前受会費

摘要	金額
会費 12月～ 3名	1,500
計	1,500

未払費用

摘要	金額
会報その他印刷費	32,500
計	32,500

昭和３７年度予算案

解説　△　協会は会員増と会費調整による。「記録映画」は売上げを増こと、事業活動の活発化による予算案になつている。

△　今予算案により、人件費、家賃を協会、「記録映画」両方に同率で入れ正した。

協会関係予算案

収入		支出	
摘要	金額	摘要	金額
会費８５％	８４６,６００円	人件費	３２７,９００円
雑収入	６,７８０	印刷費	６０,０００
会員　１０５×５００＝５２,５００		家賃	３６,０００
助監　５０×３００＝１５,０００		通信費	８５,０００
２５×２００＝５,０００		交通費	５５,０００
賛助　３５×５００＝１０,５００		文具費	１２,０００
計　２１５　８３,０００		手数料	７,０００
×　１２		研究会	２０,０００
９９６,０００		会議費	１０,０００
８５％		加盟費	３,６００
８４６,６００		協会雑誌支払分	２２１,８８０
		臨時支出	１５,０００
	８５３,３８０		８５３,３８０

解説　△　人件費、家賃を半分とし、協会分として２１５部の雑誌代を支払う。

△　会費収入は会員１０名増と会費の調整によりました（演出家はフリー、企業別なく一斉５００円とする）

△　臨時支出は事務局移転費用です。

〃記録映画〃関係予算案

収入		支出	
摘要	金額	摘要	金額
売上	６８６,５２０円	人件費	３２７,９００円
広告	５５０,０００	印刷費	８５０,０００
映画会	３２０,０００	映画会	１５０,０００
雑収入	９,３８０	通信費	１００,０００
		交通費	５０,０００
		文具費	１０,０００
		原稿料	１２,０００
		座談会	１５,０００
		研究会	１０,０００
		家賃	３６,０００
		雑費	５,０００
	１,５６５,９００		１,５６５,９００

解説　△　売上は予約１１５部、売上２３０部、他１００部、協会２１５部、合計６６０部で予算を立てた。

△　人件費、家賃を半分入れて、「記録映画」財政となる。それによつて原価１部８６円となり、販売関係の売上１部６７円なのでその面でも赤字となる。それが広告、事業活動にかゝつてくる。

△　映画会は年４回の計画になつている。

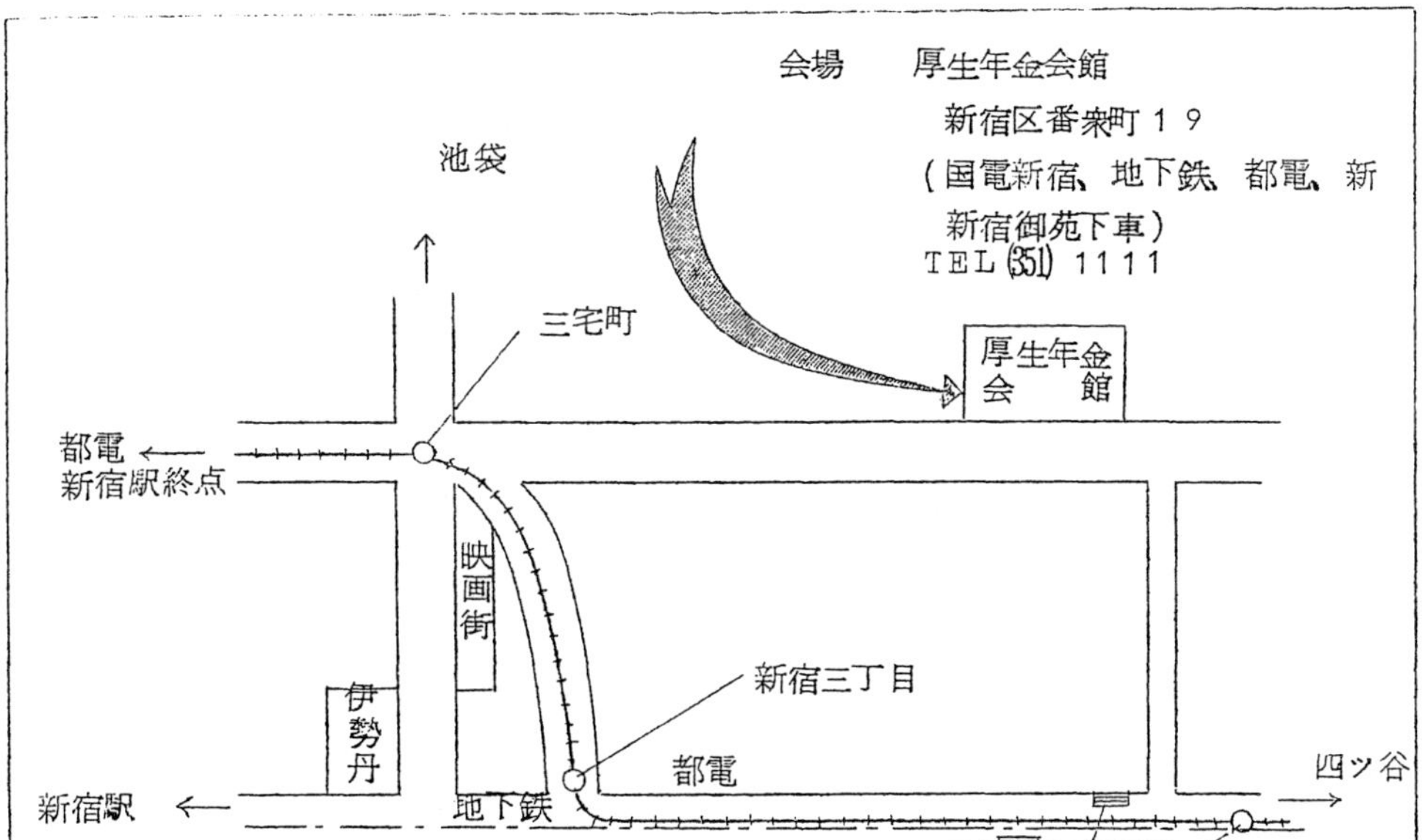
会場　厚生年金会館
新宿区番衆町１９
（国電新宿、地下鉄、都電、新
新宿御苑下車）
TEL (351) 1111
池袋
三宅町
厚生年金
会　館
都電
新宿駅終点
映画街
伊勢丹
新宿三丁目
都電
四ツ谷
新宿駅
地下鉄
京王
東映
新宿三丁目
新宿御苑
千駄ヶ谷

記録映画作家協会
第９回定例総会

議　　案　　書

と　き　1962年12月27日(水)後１—後９
ところ　厚生年金会館　（新宿番衆町）

記録映画作家協会第九回定例総会
議　案　書

目　次

I 一般年次報告

A 記録映画作家のおかれている情況

① マスメディアとして、大衆娯楽としての映画は、依然として退潮をつづけている。テレビがその主人公になった。
劇映画も、記録映画も、この潮にながされている。

映画館の転廃業はあい次ぎ、短篇映画でもプロダクションや配給業者の倒産がおこっている。

② 映画企業の崩壊を、さらに早めているのは、経済不況という大きな状況である。物価上昇・金融引締めが、そもそも相当の資金を必要とする映画製作の企業の経営を苦しいものにしている。

③ プロダクション間の競争は激甚であり、つぶれていく企業の一方に、より小さい規模でのプロダクションが生れたりしている。

④ 記録映画界は、PR映画で覆れているが、PR映画全体の発註額は急激に減少しつつあり、短篇映画の代表的プロダクションでも、昨年の六〇%ではないか……といわれるほどである。
それにもかかわらず、集計によれば、作品数はそれに伴う減少を示していない。

⑤ したがってつくられる作品は、少数のカラーワイド的大型作品か、あるいは、テレビフイルム的規模の、多数の一六ミリ映画へと分極しつつある。

⑥ PR映画は、一般に、企業イメージを高め、スケールを誇示するといった多少なりとも芸術的能力をもった作家を必要とするような作品は後景に退き、商品名や会社名をむき出しに宣伝するような企業間競争を、露骨に反映した作品が前面にでてきている。
こうした作品の中では、芸術家としての作家は不必要で、職人的能力こそが要求される。

⑦ 視聴覚教育運動、教育映画にあっては、事態は一そう深刻であり、殆んど製作がゆきづまってしまった。
一つには、学校教材フイルムは作りつくされ……

二つには、教育予算の削減が大きくひびいている。

製作費の一部をプロダクションの負担とする場合は、民間企業とのタイアップが多い。

⑧ これに変って、各官庁の直接発註するPR映画は増加しつつある。その主な内容は公共的要素と並んで、いわゆる人づくりなど政府の政策とイデオロギーを反映するものであり、また、これとても、民間企業とのタイアップ形式がさかんである。

⑨ 一方、作家の方では、劇映画作家がPR映画をやり、TV映画をつくり、また、記録映画作家がTVをやるなど、今までのジャンル別の枠はゆるみだしている。
資本の側でも、宣伝媒体としての映画を特別視せず、他の宣伝媒体と一律に扱おうとしている。

それは既成の古い枠がとりはらはれ、交流がさかんになることであると同時に、作家たちは分断され、孤立させられ、結集した力を失った。

その個々を、資本がひろいあげてPRに使っていく条件にもなっていく。

⑩ 一般的に、資本による映画支配は徹底化しつつあり、映画界全体が、PR映画へ傾斜してきたといえる。
キネ旬などが、産業映画の欄を拡大し、恒常化したのも一つのあらわれであろう。

⑪ 資本による映画支配は、単に経営的な面ばかりではなく、作品の内容に対する厳重な思想的制約をともなっている。
岩波映画における地理TVにあらわれたような、スポンサーロードは目にみえないところにも拡がっている。

また、それは、一民間企業の利益追求のため……としてのみ見ることはできず、現在の政治体制全体の擁護者の役割りをもつており、短篇映画界をとりまく社会全体のファッショ化と対応している。

⑫本年度は、経済的不況の深刻化とあいまつて、政治文化の面でも、現体制による圧迫は強まつている。

原水禁運動や労仂運動における混乱と右傾化。キューバ問題、日韓会談における平和の危機。大学管理法の問題、沖縄選挙における特定の個人の選挙権剥奪など、政治的民主主義の危機は深まつている。

⑬吾々が立つのは、こうした状況の中である。

そこでは、芸術家であることが常に拒絶され、主体のない、無思想の職人にとつてのみ都合のよい世界である。

したがつて、作家であろうとするものは苦しみを背負つている。具体的問題としても、物価上昇のなかでのギャラ据置き、切下げ、製作費の低下に伴う製作条件の悪化、作品内容への権力的干渉に苦しめられている。

B この情況の中で、どんな映画運動、作家活動があつたか。

①今年は昨年以上に作品活動は停滞している。これは映画作品全般にわたつてもいえるだろうが、記録映画にあつても、作家精神にあふれた作品は依然として数少ない。

しかし、われわれは、これらの中で評価すべきものを評価し、将来への足がかりとする必要がある。

②映画における組織的運動も、やはり発展が見られないが、特に今年の一般的な傾向として言えることは、映画観客組織の後退である。映画サークル、自主上映促進会、映演総連、短篇連合も目立つた運動をみせておらず、昨年あたり活潑な組織活動を行つた各地の記録映画を見る会も低調であつた。これは、作家側から観客への仂きかけの弱さを見逃して考えることはできない。

こうした中で、作家協会員の参加したものとしては「人間裁判」「白鳥事件」等がある。

C 作家協会は何をしてきたか

①協会活動の基本になるものは、前回の総会の結論であり、そこでは当面の具体的方針として次の四項目を示している。

(1) 創造活動と映画運動について。

オリジナルシナリオをかくこと。研究会を発展させる。機関誌記録映画を進める。作品発表の場をひろげ、交流を深める。

(2) 作品の思想と表現の自由を守る闘い。

(3) 作家の生活と権利。

(4) 協会組織の発展。

②これに沿つて活動がすすめられたが、具体的には、

○機関誌におけるオリジナルシナリオ・エツセイコンクール

○西武記録映画を見る会。個展形式に発展（6月）

芸術映画を見る会（7月）

8ミリ講座（10月）

教育映画祭（10月）

○白鳥事件映画製作にスタッフ参加
○映画観客団体（3月）
国民文化会議（4月）
東京労視研（7月）
○生活権利を守る運動として
ギャラ基準、契約書、助監督あつせん
○ＭＯＭ労組、全農映労組へ激励（7月・8月）

③助監督の問題について

現在、助監督のおかれている位置は、演出家のそれよりもきびしい。各企業が助監督を見る目は、将来の演出家としてよりも進行マンとしてであり、それに順応する形で、意識の上でサラリーマン化する危険も大きい。また作家協会のような組織体にあつて若い世代が沈滞していることは、組織全体の活力をいちぢるしくにぶらせ、精神的にも実際的にも発展性を失うことである。個々にすぐれた助監督があつても、それが結集して組織的な運動をおこさない限り、全体としての開花は期待することが難しい。

この視点に立つて運営委員会は、助監督組織の結成をよびかけ、十月には集会の招集も行つたが、ごく一部をのぞいて反応はなかつた。

これについては、現在までの演出家と助監督のコミュニケーションの欠除、演出家の助監督に対する芸術的勉強への援助のなさが反省されなくてはならず、同時に助監督自身の側での、精神的サラリーマン化への傾斜についての反省が必要である。

今后、これらの欠点を克服しながら、助監督と協会の結びつきを強め、デイスコミュニケーションを回復しなくてはならない。このために、組織的な対策が用意されるべきであろう。

④協会組織の維持

殆んどの力はここについやされた。

さきにあげた芸術映画を見る会その他の諸活動も、むしろ重点的には、財政上の事業活動としておこなわれたが、その意味では成功しなかつた。

ここ数年間の赤字の累積の結果からくる財政上の困難は協会そのものの存在を危機におとしいれている。

これに対処するために、運営上のエネルギーが大きくついやされてしまい、運動をすすめるという本質的な任務に十分な力を注げなかつたという様相を示している。

⑤運営委員会、常任委、事務局の活動について

○われわれの組織が、個々に分散したところで仕事をし、しかも時間的に不規則である会員からなり立つていることは、一つの前提である。さまざまな会合における集まりの悪さは、この前提条件とたたかうことによつてのみ克服できる。その意味で、協会の中心的な協議・執行機関である運営委・その他の会合の集まりの悪さは反省されなくてはならない。同時に、出席できない場合の対策のよわさについても反省が必要である。
○これは各専門部の活動についてもいえることで、専門部が主体的に問題を深め、それを運営委・あるいは常任委へ問題提起することが少かつた。
○しかしながら、運営委・常任委は、毎月一回以上開かれ、運営に穴があいてしまうことをふせぐ程度の活動は行なわれ、この点は昨年より改善のあとが見られる。
○事務局活動は、二、三回の事務局会議の成果もあつて、その主要な任務の一つである一般連絡事務に支障をきたさないような配慮した。これも会員の声に刺戟された一つの結果である。

その他、あつせん活動、機関誌広告とりの活動、会報の発行などを行なつた。昨年のような各専門部の活動の過重負担は、

各専門部の活動スタイルの改善によつてさけることができた。しかし、西武の個展、８ミリにあつては、殆んどが事務局の労力におわされ、協会的規模での事業への参加協力はきわめてよわかつた。

なお、十月に事務局員の交替があつた。（山之内重己君退職櫛野義明君になる）

こうした協会中心機関の活動にとつて、更に重要なことは、会員との結びつきの問題である。中心機関が会員一般のやつていること、考えていること、希望していることをどれだけつかんでいたか。具体的に会員一般の意志をつかみ、理解していなかつたことが、欠陥として痛切に感じられる。

⑥ こうした点を改めようということもあつて、また、生対部の直接的な必要もあつて、六月に在京者全員集会が開かれたのであるが、ここでだされた問題は重要であると考えられる。そこでは、生活・権利を守るための具体案が議案の中心として出され、それをめぐつての討議と同時に、協会運営そのものの重点のおきかたが論じられた。また、協会の性格ないし存在理由を、あらためて考える必要にせまられていることが指摘され、職能組合の問題もだされた。全員集会直後の運営委員会では、この総括を次のように行なつている。

⑦ 会員が持つている要求が未分化で重なりあつて多様であることがはつきりしたが、それは協会成立の歴史的な条件にもよることで、当然といえる。しかし、会員のさまざまな要求を並列的に何でもひきうけますという形では、却つてどの要求にもこたえることができないだろう。この要求を整理し、根本的な解決の方向を求めねばならない。

○情況がわるくなつたのは事実であるが、それではその情況に順応して生きていくにはどうすればよいかということでは解決はない。昨年あたりまでのＰＲブームの中ではこれですんできたのが、惰性になつている。今になつて、なおこの姿勢がつづくことは、作家の転向というべき様相が、深刻化するだろう。

○現在まで、協会は芸術運動体の性格と、生活、権利を守る職能団体的性格とをあわせもつてきた。この二つは作家の集団としてはかんたんには切りはなせない問題である。しかし、実際の運営に当つては、この二つが矛盾することに感じられ、その影響が協会運営の困難にえいきようしている。

○しかし、今まで芸術運動ばかりやつてきたから、これからは生活問題だというのは、協会方針の転換でもあり、正しくない。この両者をすすめることが昨年末総会の結論だつたし、それが具体化しないことを反省することが必要である。

○こうした悪条件の中で、協会が、作家の集団としてたたかつていける力は、会員個々の力の集積でしかないし、したがつて協会はまた、会員個々がたたかう力を発揮できるようにその運営を考えていかなければならない。

○同時に、本年末の総会にむかつて、現在の状況と本当に斗うことのできる組織のあり方をさぐり、協会の存在理由を再検討していく作業をはじめるべきであろう。

⑧ ここには、六月の時点に於るまとめがあると同時に、今年一年の問題点がふくまれている。

D 研究会報告

①研究部会は、本年度運営委員会の方針にもとづいて出発した。協会員のオリジナルな意志を極力尊重し、その要求に応じていくつかの研究会が生れることを希んだ。そして、協会・研究部会は、それを補佐し、援助していく役割を果していきたい……と、協会員諸氏の意欲に呼びかけて発足した。

いうまでもなく、研究会は協会内における芸術運動の実践母体である。

研究会が単なる作品批判会に終らぬよう……作家の批評精神と批評精神がきびしくぶっつけられて、会を重ねる毎に問題意識が深められていくよう世話人会では特に申合せを行つた。

②しかし、掛け声だけ勇ましかつたもの……目の前の仕事の多忙さに追はれてくすぶりつゞけたままで終つたもの、あるいは論争の個性の欠如……触発し合うべき場がマンネリズムに陥りがちだつたのは協会全般の情況もそうであつたとはいえ、研究会自体、きびしく自己批判すべきだと考える。

③定期的にもたれた研究会は記録映画研究会（途中より財政の問題があつて科学映画研究会も組込まれる）。

社会教育映画研究会の二つだけであつた。

④記録映画研究会に集る人員は平均三〇～四〇名で昨年を遙に上廻る。だが、そのうち1/3～半数が協会員以外の人で常に占められていたのは何を措いても残念なことであつた。

研究会自体が魅力のない部会だつたからだろうか……。意見が異れば異る程に、相異点を抹殺するのではなくオリジナルな創作意欲と意欲、批評精神と批評精神とが具体的なXという作品を通じて論争を巻き起していく……

本年度は多くの協会員の意欲で、研究会をぜひとも、そうした建設的な場に盛りあげていつてもらいたいと思う。

⑤研究会の運営はすべて独立採算制をとりました。

しかし、理論研究会などと違つて、仕事の合間をぬつてのフィルムの運搬。あるいは映写技師への謝礼。多忙なプロダクションの試写室の間隙をぬつてそれらを組み込まねばならぬことを考える時、是非でも研究会予算は計上されるべきだと考える。（従来はプロダクションの試写室がどうしても借りられぬ場合、安い会場を借り、映写機を借りて、会費で賄えぬ分をわずかでも協会の研究部会費で補う消極的・積極策がとられていた。

⑥本年度は財政難などから、研究会はとかく疎外されがちであつた。新年度にあたり、常に積極的意味をもつた部会であることが非常に重要であることを痛感する。そうしたことの反省もふまえて、マンネリズムからの脱出…来年度の大いなる飛躍を希みます。

Ｅ 製作運動部報告

制作運動部の今年、立てた方針は、

一、戦后行はれた幾つかの記録映画内の運動を検討し、今后の記録映画内部の、運動の一つの方向を打ち出す事

二、観客との提携を作る事

三、自主作品を具体的討議する場をつくる事

この三つの点を取り上げた。

戦后の記録映画運動の検討は、五月、岐阜で行はれた映画観客団体全国連絡会議に運動部として呈出した、私案「戦后の記録映画運動の素描」を中心に、先ず運動部内で討議された。

そのなかで、かつて行はれた、記録映画製作協議会が停滞し、消滅した原因について、それが経済的原因にあるとするものと、創造方法を発展させて行く、芸術運動としての、認識がなかつた事が原因であるという二つの意見が対立したまゝで終つた。

しかしこの対立点ばかりでなく、戦后の映画運動を、検討し、評価する問題は、更に多くの資料と、観点の統一が必要で、それが同時に、今后の記録映画の運動の検討に重要な問題を含むものであると思うので、来年度も更に発展させて貰いたいと考えます。

観客との提携は、外部的には、映画観客団体全国会議、第一回東京地方労視研準備会に対する出席などがある。

これとは別に、協会内部から起された運動として、西武記録映画を観る会を、個展形式にして、作家個人の作品発表に協会が協力するという方法をとつて現在に至つている。

しかしこのレパーリーの組み方、運営が事務局まかせになり、制作運動部としての取りくみが少なかつた事を反省したい。

この西武記録映画を見る会が直ちに観客とのつながりを意味するものではないが、こうした内部からの色々な試みを育て強化して行く事が我々と観客との立ち切られた溝を埋めて行く方法の一つであると思います。

自主作品をつくり出す場については、自主的な作品・アイデア・又はシナリオを持つた人を中心に先ず意見の交換を行う事を考えたが、こうした会合は、結果として一度も開かれなかつた。

この問題の難しさは、あらゆる意味でスポンサー附の映画を作つている現状のなかで、時間的・経済的な制約、に加えて、オリジナルなアイデアを協会に持ちこんだとしても、それが成果を生む事が出来ない点に大きな問題があるのではないだろうか。

この点については、現在作られている作品のなかでオリジナルな試みを行つているものをこうした観点から評価し、互に育てゝ行く事も今后の一つの方法ではないかと思います。

以上の報告の通り、制作運動部は、今年度は、これといつた成果を生み出す事は出来なかつた。

しかし、協会の運動方針を具体化する意味で、重要な役割りは今后にあると思います。

その意味で、協会内部にも観客とも、提携の具体的な場を作る事が、来年度の重要な任務であると思います。

(附) 総評映画についての報告

総評企画の税金についての映画を、協会がプロデュースする事を、十月の運営委で決め、プロデューサーに大口和夫氏、シナリオ演出に熊谷光之氏を立て、シナリオの立案に当りました。運動部としては、今までの映画運動の観点と経済的な観点から　協会がプロデュースする点に疑義を持ち協会が作家的な点で協力する事を、運営委の承認を得て切り変えた。

その后シナリオが第四稿まで進んだ時、総評と、協会の間に立つた人に対する、総評側の疑義と、若干の行き違いのために、協会はこの作品に関しては今回は手を引く事になりました。大口氏と、熊

谷氏が、この問題に対して積極的に約一ヶ月間の努力された事を、運営委員会制作運動部の名に於て深く感謝致したいと思います。

しかしこの努力は、徒労に終つた訳ではなく、今后に生かされる事を、確信しています。

以　上

F　生活・権利対策部報告

①　今年は池田首相の言う高度経済成長が馬脚を現し、各産業界は不況に見舞われ、必要以上に注ぎ込んだ設備投資の回収が出来ず、金融引締めによつて次々と倒産する会社が出て来た。このような日本経済の一頓挫は、短篇映画企業の上にも大きく影響を及ぼし、受註本数の減少、受註額のダンピング、それによる従業員の給料の遅配欠配、果ては奥商会のように解散の止むなきに到る、といつた現象も出て来ている。一方、日常の諸物価はぐんぐん上昇し食料品、フロ代、家賃、国鉄、私鉄、バス、新聞、米、といつたぐあいにあらゆるものが次々と値上げされて来ている。これに対しわれわれの生活は逆にギャラの低下、作品中止による契約の解除といつた苦境に追い込まれている。更にこうした影響は各自の創作面にまで及び、有形無形の圧迫を受けつつある。このような現状から協会内部の中からも生活と権利を守る斗いが強く叫ばれ六月二十四日の在京者全員集会のときにも、これらのことが論議の中心となつた。ギャラ基準の改訂、仕事の斡旋、他団体との交流、作家としての権利を守る斗い、などが各会員の間から要望された。

こうした本年度の社会経済的な動勢の中で、われわれとしてもいろいろな対策を進めて来た。

②　ギャラ基準の改訂

ギャラ基準改訂委員会を作つて種々検討を進め、運営委員会に提出して別記のギャラ基準案を決めた。ここに定めた額は今日、われわれが生活し創作活動をしてゆく上にどうしてもこれだけは必要だ、という額を出した。そして現実に獲得出来、現在でもとられている額を基準にした。日に日に物価が高騰し、創作上の諸費用も嵩む折、それぞれのアタックの材料にもこの基準案が活用されることを望む。

③　契約書の作成

われわれの仕事は大体口約束でする場合が多く、そのため途中で話がこわれたために一円にもならず、あるときはギャラを値切られ、作業中の事故があつても充分な保証が与えられることもなかつた。問題が起きてもはつきりケンカをする証拠がないためにウヤムヤにされて来た。このようなアイマイさを無くし、はつきりした契約条件を相互で確認した上で仕事をするよう、その基本に使える最小公約数的な契約書を作成した。これもギャラ基準と関連性があり、各自が活用しなければ死文化してしまうので大いに利用されたいものである。（別記参照）

④　他団体との交流

教育映画製作者連盟、日本映画撮影者協会、映画照明技術者労仂組合、映演総連、自映連、新人監督協会、日本放送作家協会、などと情報の交換を行い、ギャラ基準改訂の資料を受けたり、各団体の経済的動向の話を聞いたいしている。しかし、まだ、近密な連帯的な交流までには到つていない。

⑤　仕事の斡旋

今年は作品歴を入れた会員名簿を各プロダクションに配布し、協会員一般のPRを進めて来た。しかし、他の職能のように簡単

に誰々が空いているからといつて、すぐでは頼むといつたぐあいには単純に斡旋出来ないので、必ずしもこのことで会員の仕事が増えたとは思えない。だが、この会員名簿をみて直接本人のところへ仕事を頼んだというところがあり、数ケ所のプロダクションから監督、助監督の申込が事務局の方にあつた。そして実際に斡旋した人も数人ある。事務局が各社にセールスに行くまでには現在の態勢では無理だつたが、こうしたプロダクションから連絡のあつた場合の取つぎや斡旋は出来るだけ推進して来た。

⑥ 作家の権利を守る斗い

今年Ｉ映画であつたテレビ映画のスポンサーによる創作内容への干渉の問題を採りあげた。その作品を記録映画研究会でも作家を交えた研究会でとりあげた。六月二十四日の在京者全員集会でもこのことが大きくクローズアップされた。機関誌「記録映画」でも時にふれてこの問題に関する記事を掲載した。（六月号「ＰＲ映画と我々の創造的課題」の中の座談会と記録映画研究会報告で、九月号「表現の自由と製作条件」で）

しかし、この問題を、今日の協会員全体のものになし得ず、悪化せる製作条件の中での作家の斗いを、担当の作家の個人的斗争に終らせたことに対して深く反省している。

⑦ 今、こうして今年の運動をふり反つてみると、生活対策として必ずしも充分な成果をあげるには到らなかつた。このことは組織的にも今後に残された研究課題として、みんなで考えてゆく必要があると思う。

別記①

契　約　書

製作会社　　　を甲とし　　　を乙として左記条項に従い契約を締結する。

記

第一条　乙は甲の製作する映画「　　　」の　　　を担当し契約期間は昭和　年　月　日までとする。

第二条　甲は乙に契約金を左の方法によつて支払うものとする。

イ　月額　金　　　円也
　支払日毎月　日

ロ　総額　金　　　円也
　第一回　月　日金　　円也
　第二回　月　日金　　円也
　第三回　月　日金　　円也
　第四回　月　日金　　円也
　第五回　月　日金　　円也

但し作品が乙の責任にあらざる理由により契約期間を経過して完成された場合甲は乙に契約超過料を支払うものとす。
（その額は最低、契約基準額に準じその支払方法は契約期間の末日に甲乙協議の上決定するものとする。）

第三条　乙が契約期間中作業上の事故で負傷した場合甲はその治療費及第二条に規定する契約金を支払うものとする。

第四条　甲は契約期間中乙が病気その他の理由で契約の履行が困難となつた場合協議の上契約の諸条件を更改又は解除することができる。

第五条　社会情勢又は特別の理由によりこの契約の内容に著しい矛盾を生じた場合甲乙双方は協議の上契約の一部もしくは全部を変更又は解除することができる。

第六条　本契約に規定する以外の事項に関しては甲乙協議の上相互
　に誠意をもつて問題の解決に当るものとする。

右契約締結の証として本書弐通を作成し甲乙各壱通を保持する。

　昭和　　年　　月　　日

　甲（製作会社）
　所在地
　社名
　代表者名

　乙（協会員）
　住所
　氏名

（本契約書の解説）

第一条は契約する仕事の内容と期間。長期と一本とにかかわらずどんな作品の何（演出、脚本、編集、助監督）をやるかはつきりしておく。

第二条は長期契約の場合の月額と一本契約の場合の総額とその支払方法。

オーバーギヤラに関しては最低でも契約基準額（長期で一ケ月延長の場合は定まつた月額、更に日割にされる場合はそれを三十分の一に割つた日割にオーバーの日数を掛ける。一本契約の場合、期間が一ケ月延長された場合は契約総額を期間の月数で割つた月額を、日数計算の場合は期間日数で割つた日額にオーバ日数を掛けたものという意味）に準じ、話し合いでそれ以上の場合も含めて契約満期のときに遅くとも決めておくということである。

第三条は撮影又はロケハンの最中、その他の契約上の仕事をしていた場合の事故に関しての責任の所在を明確にしたもので、その場合のプロダクションの法的に当然負うべき負担について規定したものである。顕ビ鏡撮影中に病菌が体に感染したような場合も作業中の事故に含まれ、原因が明らかな場合はそれが外傷でなくてもこの中に含まれる。

第四条はプロダクション側からの契約者への責任の問題で、これは契約書である以上相互的な条件がなければならないものである。

第五条は現在のような目まぐるしい社会状勢の変化に即応させようとするもので契約条項に柔軟性をもたせようとしたものである。

第六条はこれら以外のあらゆる問題に関しての協議の原則を規定したものである。

別記②

ギヤラ基準案（何れも税込額）

演出料
　二巻の基準（契約拘束四十五日を基準として）
　　二十五萬以上
　　（二巻以上巻当り十萬以上）
　長期契約の場合
　　一ケ月　十萬以上
　オーバーギヤラは最低、右基準額に準ずる。

助監督料
　二巻の基準（契約拘束四十五日を基準として）
　　十三萬以上
　　（二巻以上巻当り五萬以上）
　長期契約の場合
　　一ケ月　五萬以上
　日当契約の場合
　　一日　五千円以上
　オーバーギヤラは最低、右基準額に準ずる。
　但し、この基準は本人の経験により前後することがある。

脚本料
　二巻の基準

十二萬以上
（二巻以上巻当り六萬以上）
シノプシス料
　二巻の基準を八萬以上とす。
構成編集料
　巻当り　六萬以上

以上

Ⅱ「記録映画」編集委員会の総括と報告

A　編集の面より

①「記録映画」はすでに六年目をむかえ、九月号で、通巻五十号となつた。
　編集委員会は本年度において、それまでに本誌がはたした成果をもとにして、今日の映画芸術上におけるアクチュアルな課題を、掘り下げようと努力した。またしつように創作上・運動上の原則的目的を明らかにしつつ、さらにこれを地についた日常的現実的な課題とむすびあわせて、混迷し、停滞している今日の映画状況を具体的に突破していく媒介的なプログラムをまさぐり、明確にしようと努力した。その結果、本誌に展開されてきた理論的な成果を反映した作品が、本年度は多くみられるようになつた。また作品の評価や鑑賞の面でも同じような成果をふんまえた視点をもつた批評がうまれてきた。

②だが、「記録映画」の本年度の編集を全般的にふりかえつてみる時、当初の目的は充分に果されたといいがたいと思う。さきにふれたような原則的な目的についてはいまなお、その提起の必要があり、くりかえし、状況に則してのべられねばならない現状にあり、編集委員会はその点の努力をおしまなかつたし、その成果もあつたと思う。芸術運動の展開はラセン的な試行錯誤的前進を必然的に要求するものであり、長期的な視野にたつてその成果は考えるべきであると思う。しかし、その一面すでにいく度かだされた原則的な問題を発展的にふかめるのでなく、教条主義的にくりかえし、その周辺を低迷した、主観的・観念的な論文が空転する結果となることが多かつた。こうした足ぶみ状態は六〇年以降の思想的政治的芸術的諸状況が混乱し、ますます困難な条件を抱え、反体制的な諸運動がそつくり体制側にのみこまれるような危機に直面している大状況と対応していることは明かである。しかし、作家主体がそのような状況の流れの中にあつて、自らの創造行為と運動というその一点において、この流れを逆流させてゆく何ものかを何一つ明確につかみとれなかつたことこそ、より大きな問題があることも事実であつた。むしろ多くの作家は、一方ではそのような流れの中にただひたすら押し流され、また一方では具体的な状況突破のイメージとその手がかりをつかみえないまま、抽象的、観念的になつていた。それはそのまま誌面へ反映していた。

③そのような状況のなかで、新しい芽をつかむべく、編集委員会が行つた本年度に特有な活動は次のようなものであつた。
(イ)　昨年度より募集していたシナリオ・エッセイコンクールの審査発表を三月号に行つたが、応募数、シナリオ　　篇、エッセイ　　篇で、入選作をみることができなかつた。なお、毎月読者からの課題エッセイを募集したが、集まり具合も、論文自体も低調であつた。新しい執筆者の発見のために、協会員はもちろん、他芸術ジャンルや読者の中に働きかけたが、その成果はとぼしく、結果としては数名の新人を登場させたのみだ

った。実際上、なかなか新人が登場して新しい問題を投げかけにくい全体的な停滞の時期であったとはいえ、なおかつ、これをみいだし、作りあげてゆく編集委員会の努力が不足していたことも否定できない。

(ロ) 本年度は協会の方針にそって、シナリオをのせるようにつとめた。八月号はシナリオ特集にし、他の号に数篇のオリジナル・シナリオをのせた。だが②と(イ)にのべたような理由によって充分な成果はつみとれなかった。

(ハ) 扉に「現代詩の会」とていけいして、同会員の詩をかざった。表紙は東松照明氏と粟津潔氏の手をわずらわし、その独自なデザインは註目をひいた。これらは本誌の方向に対する各界の支援、協力の成果としてとりあげたい。

(ニ) 十一月号と十二月号は映画芸術運動の状況分析と展望を特集し、来年の一月号は今後のヴィジョン：：遠距離目標との関連で現在地点での作家活動の枠とその乗り越え作業がどのような意味をもち、またこれをどう評価していくか、ということを問題にしてみようと計画している。

B 財政的な面より

① 全般的な経済不況と関係して、協会財政の危機は当然、「記録映画」の発行にも影響した。

雑誌発行の財政的基盤であった広告収入の減少、それとともに印刷費紙代の値上りは財政上の大きい障害となった。

われわれは事務局・財政部委員と協議して、表紙の製版を月毎に更新することを止めたほか、座談会費、原稿料のきりつめ、発行部数の削減など百円の現行定価をすえおくなかで、そのような経費軽減の措置をとった。

② だが、それにもかかわらず、協会財政の窮迫とあいまって、雑誌財政の赤字は累積していくばかりであった。印刷屋に支払いをすませないと次の号の印刷をしてもらえないといった事情も重なって雑誌の発行日はしだいにおくれることにもなった。たとえばその月の号がその月の上旬に発行されていたのが中旬になり下旬になるという始末であり、その悪循環は九月号にいたってその極に達した。

③ このような事態を切りぬけるため、編集委員会は財政上の軽減と発行日の正常化（配給ルートにのせるには絶対的必要条件）を期するために、運営委員会の承認を得て、十月号と十一月号を合併号として十月下旬に発行するという緊急処置をとらなければならなかった。しかし、その処置後印刷屋との間に印刷費の未払、発行日の不定期化などを理由とするいくつかの極めて手痛い障害が生じて十一月号は他の印刷屋の手で、経費的にもこれまで以上かかり、しかも発行日も十一月中旬になるという最悪な状態で、辛うじて発行されることになった。したがって結果としては正常化の意図は達成されず、今後印刷屋との間に、緊急に解決と取きめを要する。発行日の定期化、印刷費の件など新らしいいくつかの問題を顕在化させることとなった。

④ 雑誌財政のこまかい数字は別途、財政部報告を参照されたい。

⑤ たゞ一つ、固定読者数は一定しており、市販ルートによる読者数は市販部数の減少にかかわらず、わずかながらのびていることが統計的に明かになっておりしばしば入手難をうったえられている状態でもある。これは今後の計画にとってみのがせない現象であると思う。

C 今後の方針について

① 本年の総括をA・Bにおいてこうなってきたなかで、委員会は今後の基本的な本誌の方向が微力にして、本年達成しなかったプログラムをより具体的かつ強力に実現していかなければならないことを確認するものである。その場合本誌はそもそも協会の機関誌であるが、その発足からの性格として、狭義の意味での機関誌的側面をもつとともにそれ以上に読者の大半以上が協会員ではな

い一般の読者であることからいわゆる一般誌ないし運動誌である側面をつよくもつていることを考慮しなければならない。経済的理由からもその点を無視できないとともに編集の上でも、その性格をできるだけ有効にうちださねばならないのである。

したがつて、われわれの活動がしばしば遠距離目標のみを抽象的に論ずる欠陥をもつていたことを克服しようとする際にも、ただ単にその裏返しとして、作家協会員の具体的な仕事や悩みに、いわばストレートにべつたりへばりついたという具合になつてはならないと考える。

それはむろん協会員外の読者の関心の対象になりたいということだけではなく、協会員の作家は課題としても、それでは本当に具体的なプログラムをもつたことにはならないからである。

われわれの創作が、そのあらゆるプロセスにおいて社会的メカニズムにがんじがらめに条件づけられていることは、短篇映画の世界のことだけではなく、その本質はどのジャンルにも共通した問題である。条件づけられておればこそ、一方で我々は何よりも「あらねばならぬ」目標について論じることを中心においてきた。その意味においてまた、その課題を中心に据えることをしないで、ただ協会員の仕事の事情に即せという意見にはにわかに賛成しなかつたのである。しかし、今われわれは、われわれの遠距離目標や未来的課題を一層具体的に明かにするためにも、その遠距離目標と現在の条件との間の媒介的なプログラムを明確にし、そこに実践的な通路をみいだしてゆかなければならなくなつている。そのことは言い換えれば、作家主体の基本的なあり方や、方法や運動の原則的課題を、まさに現実の具体的条件な中に、その枠の乗り越え作業ー変革の問題としてそれを理論化しなければならないことを意味している。そういう視点で、現実の具体的な作家活動を扱つてこそ、それは協会員にとつてのアクチュアルな課題となるばかりでなく、一般読者にとつての、共通した関心の対象となるにちがいない。

すなわち、本誌がより映画・芸術運動誌としての性格をつよめることによつてのみ、一般誌の側面と、機関誌の側面が、有効に統一されるものと考え、そのような方向に向うべきであると思う。

② 次に今後の事務運営上の問題について若干の提案をしたい。

(イ) 本年の編集委員会は、各委員の仕事が多忙であつたせいもあつて、全体として委員会の出席がわるく、各月号の編集担当委員が一部の委員にしわよせされ、くわえるに財政的危機とからんで一部委員に過大の労力をかける結果となつた。委員会はそのような運営のしかたを自己批判しなければならない。

財政的困難は今後もつきまとうであろう点から、その意味で本誌の財政面を担当する若干名の経営委員会をつくり、編集委員会と協力して本誌の発行を恒常化することをのぞみたい。

(ロ) 本誌の財政を確立する当面の対策として

(a) 固定読者の倍加

(b) 可能なれば部数をふやし、市販数をふやす。

(c) 広告収入の増大化(これは協会員全体の協力が特に必要となつてきている。)

(d) 寄贈者への郵送料カンパの訴えをおこす。

また、基金カンパをひろく訴える。

以上

Ⅲ 今年をふりかえつて
問題点は何か

①

一般報告、各専門部報告を通して共通するのは、運動の停滞と混迷である。全体としての情況は昨年末の総括と変るところがない。そして、その総括でいわれた、「何事も自分でみつめ、自分で感じ、自分で考え、自分で判断する」という自立精神の強調は、現在もまだ依然として正当かつ必要であるといえる。同時に、今年度の方針の基本的な考え方としていわれた「作家として自分をみつめることからはじめ、相互にぶつかりあい刺戟しあい、そこにもえ出した火を組織化しよう」という三点も、決してその正しさを失なつてはいない。

○あらためてふり返つてみれば……

われわれは作家であり、作家であろうとするものである。芸術創造がわれわれの生きがいであり、この創造活動、自己表現活動をより高く完全なものにしようと志す。この自己表現を妨げる、自分の内部の壁に対しては、自己自身の努力と共に、作家同志の刺戟、批評活動が必要であり、外部の壁に対しては、作家たちの集団としての統一的戦線が必要なのである。このためにこそ、作家協会が存在理由を持つのではないだろうか。

そして、現実の作家協会が、これに応えているかどうかが問題となろう。

②

昨年の基本的な考え方を最も端的に表現した具体案は、「一人一本のオリジナルシナリオを作る運動をおこそう」というものであつた。だが結果としては一本のシナリオしか集まらなかつた。この点にまず問題がひそんでいるのではないだろうか。オリジナルな仕事をするということは、作家の出発点であり、そこからしか作家の問題ははじまらない。しかし現在の情況はそれすら現実化されていないのである。この現実をきびしくみつめることからわれわれの出発がなされなければならない。自分はこういう作品を作りたい、こういう作家になりたいという遠い目標をもちながら、それに至る近距離目標ないしプログラムが見出せないまま、ついには理想像のかげさえ見失い、急速に現実の波におし流されてしまつているというのが、現在のわれわれの姿ではないのか。

③

その上で、なおわれわれは作家の生活と権利の問題の重要性を見失つてはならず、作家活動にとつての必須の物質的の前提条件としこの問題にとりくむ必要がある。この困難な課題に対する追求をやめることは、目前の困難にうちまかされて理想像を自らなげすててしまうことである。諸外国の映画作家が、二年に一本あるいは一年に一本の作品活動で生活の保障をえていることを考えるならば、われわれ日本の作家の芸術家としての物質的条件の苛酷さは明瞭であろう。われわれは芸術上・思想上の課題と、生活・権利を守る課題を、構造的に把握することが必要であり、並列の別個の目標を考えることはできない。われわれの芸術的課題の追求をはばみ、頽廃と後退においこむ物質的条件を克服し、芸術活動を創造的に発展させるために、生活と権利を高める目標をさらに高くかかげてたたかう必要があろう。

④

作家の集団と組織としての作家協会は、このような諸問題のあいまいさをはつきりさせながら、創造活動の開花にむかつて前進すべきであるし、そのための組織的な活動を充実させていく必要がある。「そこにもえだした火を運動として組織しよう」という今年度の基本的な考え方に示された組織的課題の追求も、やはり不充分であつたことを指摘しなければならない。オリジナルなものがないから、組織も活動もうまくいかないのだとかたづけることなく、現在に至る日常的な創造活動の中からオリジナルな芽を

たとえ小さなものでもみつけだして、はげましのばしていくことこそが必要ではないか。このような着実な評価と批判によつてこの芽を本格的なオリジナルな創造活動に発展させ相互に刺戟しあい高めあつていくというような運営が欠けていたのではないだろうか。

Ⅳ 来年度の方針案

われわれは、さきの報告全体の結論でのべた基本的な考え方を確認しながら、次のことを当面の具体的な方針とする。

① 協会を軸にした作家活動の交流

作家の集団である以上、われわれの交流は広い意味での批評活動を基礎としている。

このような交流の場を作らなくてはならない。そのために

(1) 協会主催の試写会を月例で行う。これは協会員の作品を中心にし、協会員中心の集会とする。

この試写会は、研究会活動、機関誌、会報に反映される。今まで見すごされた作品に評価をあたえ、批評活動を活潑にする。

(2) これを補い、また並行する形で、各企業で、その企業の作品を中心とした試写会をひらく。もちろん他の会員も参加する中で、交流と批評活動をおこす。

(3) 研究会活動をこれらの試写会活動と組み合わせつつ、強力にすすめる。そのための組織的な対策は十分になされるべきである。

(4) 作品活動における会員の動きが、協会に集約的につかまれていなくてはならない。シナリオを協会に集めて、誰でも読むことができるようにする。

② 協会外の映画運動との交流

(1) 対外的な交流を目指す映画会をもつ。これには、協会員の作品の、外に向つての紹介と、他ジャンルの作品を協会員に紹介する二面があり、相互の交流と批評をおこす。

(2) 協会外の映画運動に参加し、特に今まで十分でなかつた、その成果の協会内での報告討議を強める。

③ 言論表現の自由を守るために

(1) ファッショ的傾向の深刻化に伴つて、言論界・マスコミ関係での言論表現の自由は圧殺されつつある。このような政策、傾向とたたかう。

(2) これは、会員個々の作品活動の中にも見られ、このたたかいを会員全体の経験とし、作家のたたかいを援助する。

④ 生活と権利を守るために

(1) すでに具体化したギャラ基準、契約書を活用しながら、会員個々のダンピング精神を排し、組織的な生活権利を守る運動をすすめる。

(2) 仕事のあつせんを進める。

(3) このためにも、会員の動静が協会につかまれていなくてはならない。協会は、会員に連絡を要請し、会員は動静を協会に集中しよう。

(4) 企業会員の生活、権利を守る運動と、フリーのそれとは深く関連する。この間の溝をうめて、協会としての統一的な対策を作りあげていく。

(5) 他ジャンルの映画、テレビその他の組織の生活・権利を守る運動と交流する。

⑤ 協会の組織を強化するために

(1) 助監督部会を設け、助監督同志の交流をはかる。この中から芸術上の、また生活権利上の活動をうながす。協会は、また。こうしたエネルギーを汲みとつていく。

(2) 企業会員相互の交流を基礎にしながら、今までの見すごされてきた、企業会員の要求を顕在化させ、協会全体の運動にくみこんでいく。

(3) 運営委員会は、運営の責任を明確にし、その一人一人は、担当の仕事について、いつそう責任を持つ。

(4) 会費の納入を守ろう。
会費はあくまで協会運営の物質的基礎である。また会費と健康保険料の納入を並行させ、小人数の滞納によつて会員多数の迷わくをさけなくてはならない。

(5) 協会の財政的な支えとして、事業活動を綿密な計画によつて行う。

V 新役員の選出方法と会員一覧表

☆第九回定期総会は、定例通り、総会出席数、会員の過半数（委任状も含む）をもつて成立す。

☆総会において、会員全員より、運営委員長一名、事務局長一名、運営委員十五名、会計監査二名を選出する。

☆運営委員会は、来年度方針を進める意味で運営委員長及事務局長候補を選んだ。
これ以外の候補を会員が推せんすることもできる。

☆運動方針承認後、総会会場にて運営委員長及事務局長を一名単記で選ぶ。運営委員長及事務局長に当選しなかつた候補者は運営委員の候補に含めて投票できる。会計監査は二名連記

☆運営委員は会員全員より十五名連記で選ぶ。ただし、所定の投票用紙に従つて、フリー九名、企業三名、フリー助監督三名を連記する。十五名以上の記入は無効票とする。当選は多数票から順次九・三・三名とする。

☆投票が散票の場合は決戦投票により決定する。

☆委任状について

① 委任状は総会当日出席が不可能な場合及び出席があやぶまれる場合に必ず提出すること。

② 委任状は総会の議事一さいについて委任するものであるから必ず委任者名を記入して委任者に渡すこと。

③ 総会への委任、又は議長委任・運営委員長委任は、総会成立数には入るが役員投票権はない。

④ 委任状は、投票を左右するだけでなく、総会の成否を決定するので、必ず提出されたい。

⑤ 郵便の遅配のおりから、委任状は委任者又は事務局に直接渡されたい。電話連絡によれば事務局が直接に取りにうかがう。また、電報による委任も可。

☆運営委員長・事務局長・会計監査の運営委員会選出候補者。

(1) 運営委員長（四名）
丸山章治、菅家陳彦、岩佐氏寿、厚木たか

(2) 事務局長（五名）
楠木徳男、河野哲二、八幡省三、長野千秋、黒木和雄

(3) 会計監査
樺島清一、佐藤みち子

☆協会員名簿一覧表

1. フリー会員（六十七名）
荒井英郎、赤佐政治、厚木たか、岩堀喜久男、岩佐氏寿、岩崎太郎、伊勢長之助、伊豆村豊、入江一彰、上野大梧、大内田圭弥

大口和夫、大野孝悦、大沼鉄郎、加藤松三郎、菅家陳彦、かんけ・まり、樺島清一、川本博康、岸　光男、京極高英、黒木和雄、熊谷光之、楠木徳男、河野哲二、杉山正美、杉原せつ、谷川義雄、竹内信次、豊田敬太、豊富　靖、富沢幸男、徳永瑞夫、長野千秋、西尾善介、西沢　豪、西本祥子、西原　孝、野田真吉、樋口源一郎、日高　昭、広木正幹、丸山章治、間宮則夫、松本俊夫、松川八州雄、山本升良、八幡省三、柳沢寿男、吉田六郎、村田達治、松尾一郎、松崎与志人、森田　実、矢部正男、山岸静馬、斉藤茂夫、本間賢二、三本木哲夫、渥美輝男、江原哲人、大平　隆、康　浩郎、西江孝之、西田真佐雄、前田庸言島谷陽一郎

2.　フリー助監督会員（三十五名）

安倍成男、青野春雄、石田　厳、飯村隆彦、小野寺正寿、小川益生、久保田義久、黒沢　章、河野秋礼、小泉　堯、加本悠利代、妹尾　厚、田中　学、塚原孝一、中島日出夫、辻本篤視、辻　功、仲原湧作、中村久亥、東　陽一、横山弘夫、頓宮慶蔵、平野克己、二口信一、松本公雄、田中舜平、山元敏之、吉田敞、安井　治、村松隆一、城之内元晴、梶川勝良、中村　敏、加藤敏雄、佐々木守、

3.　企業所属会員（七十六名）

㋑　岩波映画製作所（十九名）

高村武次、羽仁　進、羽田澄子、時枝俊江、各務洋一、肥田侃、榛葉豊明、田中　実、秋山衿一、花松正卜、西村康世、神馬亥佐雄、出中平八郎、北条美樹、牧野　昭、泉田昌慶、諏訪　淳、岩佐寿弥、遠藤完七

㋺　新理研映画ＫＫ（八名）

富岡　捷、原本　透、三上　章、持田裕生、宮崎明子、宮内研、中川すみ子、都　憲雄

㋩　日映科学映画製作所（九名）

奥山大六郎、諸岡青一、中村麟子、下坂利春、飯田勢一郎、清家武春、二瓶直樹、飯田　聡、田部純正

㋥　日映新社（九名）

苗田康夫、山添　哲、近藤才司、高瀬昭治、藤原智子、安藤令三、山口淳子、石井清子、池田元嘉

㋭　東京シネマ（四名）

吉見　泰、渡辺正巳、大島正明、泉水剛

㋬　日本アニメーション映画社（三名）

半田繁治、長井泰治、諸橋　一、

㋣　電通映画社（二名）

大野　祐、松本治助

㋠　三井プロダクション（二名）

高井達人、曽我　孝、

㋷　日経映画社（一名）

川本　昌

㋦　神奈川ニュース映画協会（二名）

深江正彦、吉田和雄

㋸　ＣＢＣテレビ（三名）

安東　斉、小森幸雄、青木　徹、

㋻　記録映画社（二名）

泰　康夫、小泉修吉

㋻　理研科学映画（九名）

中村重夫、星合達郎、藤田幸平、原田　勉、井内　久、渡辺大年、大久保信哉、辻本誠吾、金高伸夫、

㋕　藤プロ（一名）　佐藤みち子

㋵　東京記録映画社（一名）

小谷田　亘

㋟　東洋映画社（一名）

光井義昭

記録映画作家協会一九六二年度運営委員会

VI 活動の記録

自六二年一月
至六二年一一月

◎常任委員会（六回）1・20 2・19 3・26（拡大）5・11 9
・10 11・9
◎運営委員会（一三回）1・11 2・28 4・12 4・19 5・30
6・18 7・2 7・21 8・15 9・25 10・16 10・31 11
・15
◎財政部会 1・29 3・14拡大）3・26（拡大）7・9 11・14
（拡大）
（各委員会の内容は、重要点について会報にのせてあります。参
照下さい）
◎編集委員会 2・1 2・26 3・27 4・5 4・24 5・22
6・16 6・21 7・10 8・1 9・18 10・30 11・12 11
・14（拡大）11・28
◎製作運動部会 2・11 2・14 3・22 6・15 7・18 11・
15
◎生活部会 2・8 5・21 6・16
◎ギャラ基準委員会 7・12 9 27 11・14
◎ドキュメンタリー理論研究会
1・16 2・16 3・16 4・14 5・17 6・22 7・23 8・
23 10・6
◎記録映画研究会 1・22 3・20（スラム風土病）4・20（鹿児
島郡馬）5・19（ガソリン、血液）7・27（わが愛、北海道）
9・28（テレビ映画）
◎西武記録映画を見る会
1・15（石川、滋賀）1・28（佐賀、千葉）2・4 3・3 3
・18 4・15（風土病、ダニ）4・29（ガソリン、放射能）5・
6 5・20 6・3 6・24 7・21 8・11（大口和夫）8・
19 9・22（菅家陳彦）10・27（広木正幹）11・24（松川八州雄）
12・1（苗田康夫）
◎8ミリ映画講座7・28（世話人会）8・13（実行委）9・17（丸
山章治）9・24（高村武次）10・1（松本俊夫）10・8（厚木た
か）10・15（竹内信次）10・22（菅家陳彦）10・27（高林陽一）
11・5（吉田六郎）11・12（大島渚）11・19（京極高英）11・26
（杉山正美・大野松郎）11・29（幹事会）12・3（野田真吉
長井泰治）
◎61・12・23事務局移転
61・12・27総会
◎62・2・3 エッセイ・シナリオ・コンクール
2・27実験映画を見る会
6・10野球大会
6・19芸術映画を見る会
6・24在京者全員集会
10・13助監督部会
10・20〜21新事務局員テスト・採用
11・1記録映画を観る会
「わが愛・北海道」「日本のぬりもの」「神奈川」「わたしは
ナイロン」「血液」
11・23総会議案草案の検討
12・2 決算委員会
12・27総会
◎総評映画製作打合せ9・26 10・13 10・15 10・17
「西陣」ベニス記録映画祭入賞7・6 祝賀パーティ 7・30
国民文化会議
映画部会 1・19 1・30 2・8 3・26 9・1 サーク
ル部会4・5 全国集会 4・21〜23
全国会議 5・6〜9
映画観客団体全国会議 3・4〜5

教育映画祭
　実行委員会　7・6　8・13
　教育映画祭　7・19　10・2〜5
中国映画代表観迎・懇談　4・26〜27
労視研
　東京労視研　4・19
　労視研準備会　6・7
　労視研東京集会　7・7〜8
　社会教育映画研究会　10・10
◎試写会
1・6　充たされた生活
1・27　未来につながる子ら
1・29　おとし穴
1・31　新春映画会（日比谷図書館）
2・22　乳房を抱く娘たち
5・18　中国映画祭
7・17　怒りの葡萄
7・18　世界の一日
8・3　太陽はひとりぼっち
8・6　手をつなぐ子ら
8・14　フランス古典映画祭
9・11　切腹
10・13　人間
11・2　熊谷光元個展
11・27　忍びの者

VII　財政部報告

一、協会活動と財政について

運営委員会は、オ八回定期総会の決議に従い、作家活動の積極的な推進と、作家生活の維持及び向上を強力に押しすすめるために、記録映画編集部、映画運動部、生活対策部、財政部を設け、それぞれの担当の運営委員によつて、各専門部の活動を深く掘り下げていくように、運営の拡充を図つてきた。その活動の具体的な分析は、一般報告にゆずるとして、こゝでは財政的立場から協会の活動をふりかえり問題を提出してみよう。

この一年、運営委員は、「他組織との積極的な交流、連携」「自主映画製作運動及び観客団体との積極的な結びつき」「作家相互の批評活動及び創作活動の活発化」「生活対策の強化」等々、多彩な活動をつづけて、より多くの「実り」を得るべく努力を重ねた。協会のこれらの活動が、より広く、より深く為されれば、為される程各専門部の活動経費は増大していく。その他、これに日常諸経費の値上り、ベースアップが加わる。しかし一方、協会財政は会員の納入する会費を基盤としており、その収入には、当然限度がある。しかも月平均七五％という納入率をもつてしては、運動の拡大に伴つて増大するこれらの支出を補うことができず、収支のバランスは常に赤字が計上された。そしてその赤字は主として会員個人よりの借入金で補てんされ、急場をしのいできた。当然協会は、こうした一部個人の負担によつて運営されるべきではなく、運営委員会としても、この赤字を早く解消し、積極財政を組むべく、種々の事業活動を計画し、実行してきた。だが、そうした事業活動も、経験不足、状況分析のあいまいさ等からなかなか当初の目算通りには運ばず、収支とんとんか、若干の赤字を生み出す破目に落ちいり本来の事業活動の役割りを果たさぬ結果となつた。

協会財政はこうした結果を反映して、協会の日常活動は困難なうち

に運営されなければならなかつた。

例えば研究会活動（ドキュメンタリー理論研究会、社会教育映画研究会、記録映画研究会）についてみても、出席した作家個人の経済的負担によつて研究会の大半を維持してきたこと、又作家の創造活動と密接な関係にある労視研大会、観客団体との交流の場である。映サ全国大会に出席する場合など、殆んど運営委員個人の負担の中で活動されているような状況であり、こうした状況は協会活動を積極化させていく源であり、今後研究会活動やその他協会活動を消化していく上でも、又協会本来のあり方にとつても。大いに考えなければならないことではなかろうか。もちろん協会の運動面の不活発さを予算面にのみ帰することはまちがいであるが、しつかりとした財政基盤の上にのつた予算措置がとられなかつたということが、その大きな原因をなしているということを、しつかりと確認してかからなければならないのではなかろうか。

二、会費について

協会財政は基本的には、協会員の納入する会費でまかなわれなければならないものであり、それが健全な協会のあり方であることは、誰れしもが認めるところであろう。即ち、会費の百％納入をもつて、はじめて協会の健全な運営が実現されるわけである。

では現状での会費納入状況はどうであろうか。毎月七〇％という納入率を示しており、（十二月ー十一月までの平均）これに対して、毎月支出は超過をきたし、赤字の累積をみてきた。（決算書参照）

又、今年度は事務所移転に伴う臨時支出などがあり、それに創立以来の累積赤字が、会費全納の場合でも約三十万円となつていた。これについては映画製作による事業活動の収入で補いえたが、この赤字傾向は依然として残つている。

このまゝの状態では、こうした状況が当然今后に続き、赤字は雪だるま式に増大していくものと考えられる。

ただこのところ、集計上の会費の納入率が、八五％と今までを上まわる納入率を示している、これは未収会費の納入を含めて、その現象のもたらす意味は何なのか。年末にむかつての一時的現象なのか、それとも一五％上昇をそのまゝ協会への積極的参加への姿勢とストレートに考えてよいものだろうか。運営委員会はそれを正確に分析する資料を集めることができなかつたが、今こゝで早急に判断を下すことが重要なことではなく、如何にしたら八五％という納入率をコンスタントに維持していくことができるかを考えるべきだと判断したからである。

また特につけ加えることは、協会創立以来、昨年度まで約二五万の未納会費があつたが、本年一ケ年で一四万六千五百円の滞納分の納入があつた。

これは前年度までは見られなかつた協会員の積極的な意志のあらわれの一つと見ることができる。

現行会費についてもう一つの問題点ー会費は安ければ安いほどよいに決まつている。だが必要経費は如何にきりつめても、その最低線を割ることはできない。しかも今後、協会が、より積極的な活動をすすめていくためには、もつと合理的な豊かな協会財政を確立しなければならない。そのためには現行会費のアンバランスを公平に是正する必要がある。例えば助監督で入会し、その後演出家になつても入会当時の会費のまゝであること。企業によつて会費の額に若干の差があることなどである。これらの会費のアンバランスについては来年度は調整の必要に迫られており、また来年予算には調整による収入増を見込んでいるものである。これも全協会員の積極的な協力なくしては実現し得ないものである。

三、雑誌「記録映画」財政について

Ⓐ雑誌売上げ収入について

本年度雑誌の売上げは、わずかではあるが向上している。しかし販売部数は現在をピークとして、固定化の傾向にあり、今後販売部数の急増は望み得ないと判断せざるを得ない。

若し、今後販売部数がのび、売上げ収入の増大を見込むことができるとしたら、それは全協会員の力によつて予約購読関係の販売部数

の増加運動を強力におしすすめる以外に道はない。従つて現行のまゝでは、この面での収入の飛躍的増大は望み得ないものとおもわれる。

Ⓑ広告入について

今まで広告は、主として、運営委員のプロダクションとの個人的つながりのなかで、獲得活動がおこなわれており、それなりの成果をあげてきた。だが経済不況は、この面にも強く影響して、そのしわよせは広告面の減収となつて、「記録映画」の発行を苦しくしてきている。

こゝに本年度の広告依頼先と件数を月別に記してみよう。

月別	広告種類	件数	金額
1月	普通広告（名刺広告を含む）	25	64,500
2月	普通広告	7	30,000
3月	普通広告	8	36.500
4月	普通広告	7	27,000
5月	普通広告	7	31,500
6月	普通広告（名刺広告を含む）	17	52,000
7月	普通広告	8	29,000
8月	普通広告	9	29,600
9月	普通広告	5	22,000
10・11月	普通広告	6	26,000

別紙記録映画決算書を参照してみても明らかな如く現在の販売収入と広告収入を合計しても、なお支出がうわまわる現状であり、これに広告収入の減少をみ、なおかつ、印刷費、交通費などの諸物価値上りを考慮したとき、現行のままでは、ますます「記録映画」の発行は困難なものとなつてくる。こうした状況の中で運営委員会は、作家活動のバックボーンであり、パイロットとなつている「記録映画」をなんとか存続させるべく、種々の事業活動収入で月々生ずる赤字を補てんしてきた。

Ⓒ「記録映画」財政について二つの提案

(イ)「記録映画」を発行することは、協会の附帯的事業としてあるのではなく、あくまでも作家活動の中心におかれるべきものであり、協会＝「記録映画」という等式の上に成り立つ一体的な存在である。だが財政的には、今まで「記録映画」財政と協会一般財政は別このものとして決算をしてきた。それ故に「記録映画」」の赤字は大きくクローズアップされやすく、（赤字を冷静にみつめることは勿論必要なことであり、それに眼をつぶるということではなく）危介な荷物として協会員にうつるという矛盾が、なかにはあつたのではないだろうか。そこで運営委員は、「記録映画」が持つている意義から考えて、従来の二本立て財政を協会財政に一本化すべきではないかと考えている。

(ロ)「記録映画」運転資金一口五〇〇円の借入期間延長について

四、事業活動について

本年度は「芸術映画を観る会」「八ミリ映画講座」「協会名簿製作」などの事業活動をおこなつた。このうち映画製作を除いた映画会、八ミリ映画講座、名簿作成などは、情勢分析のあまさ、目的のあいまいさ、印刷費の値上りという社会情勢の把握の不適確さなどが重なつて、企画当初の成果をあげ得なかつたことを深く反省しなければならない。

映画製作は、ジエトロ作品を某プロダクションより下受け、事務局、財政部が責任製作をおこなつたもので、その内容はさてお

き、経済的には、担当スタッフのギャラを一応支払い、なおかつ三〇万円を協会財政へ納入することができた。

以上の状況から今後の事業活動の方向をさぐつてみるとき、それはあくまでも財政的立場から立案、実行されなければならないのではないかということがいえるのではないだろうか。

協会３８年事予算表

収入		支出	
摘要	金額	摘要	金額
会費85%	923,100	協会運営費	566,300
記録映画売上	585,000	記録映画編集出版費	1,465,100
広告	432,000	返済金	200,000
事業収入	291,300		
計	2,231,400	計	2,231,400

収入		支出		収入		支出	
摘要	金額	摘要	金額	摘要	金額	摘要	金額
会費85%	923,100	人件費	309,900	記録映画売上	585,000	人件費	309,900
フリー演出（68名）		家賃	30,000	(定価120として) 570部		家賃	30,000
408,000		印刷費	24,000			印刷費	840,000
フリー助監督（36名）		通信費	60,000	広告	360,000	封筒	39,000
129,600		交通費	50,400	年2回特別広告	72,000	原稿料	60,000
企業演出（43名）		文具費	6,000	協会	356,800	通信費	60,000
258,000		会合費	6,000	事業収入	91,300	交通費	72,000
企業助監督（29名）		手数料	10,800			文具費	6,000
104,400		光熱費	7,200			座談会	9,000
賛助会費（33名）		研究会	12,000			光熱費	7,200
186,000		生活対策部費	6,000			雑費	12,000
計　1,086,000		映画運動部費	12,000			予備費	20,000
（209名）		雑費	12,000				
1,086,000		予備費	2,000				
85% 923,100		記録映画	356,800				
計	923,100	計	923,100	計	1,465,100	計	1,465,100

昭和３７年度協会財政報告

自　昭和３６年１２月　１日
至　昭和３７年１１月３０日

損益計算書

損失の部		利益の部	
摘要	金額	摘要	金額
人件費	616,950	会費	872,150
印刷費	855,048	入会	4,500
通信費	140,728	売上	506,999
交通費	91,835	広告	362,600
文具費	15,299	寄附	20,248
手数料	10,615	事業収入	210,270
加盟費	4,200	雑収入	7,848
会合費	5,270	名簿	13,420
原稿料	30,500	映画会	72,810
座談会	9,040	コンクール	39,000
臨時支出	137,424	理論研究会	6,650
光熱費	4,291	記録研究会	6,000
生活対策部費	900	礼金	22,000
映画運動部費	5,110	家賃	55,000
雑費	33,446		
映画会	75,750		
名簿	18,500		
家賃	120,000		
コンクール	19,083		
理論研究会	6,000		
記録研究会	6,515		
雑誌会費損失金	91,124		
当期繰越	1,767		
計	2,299,495	計	2,299,495

昭和３７年１１月３０日現在

貸借対照表

資産の部		負債・資本の部	
摘要	金額	摘要	金額
現金	48,214	前受会費	12,300
未収会費	382,300	予約金	9,500
未収広告	26,000	借入	174,470
売掛金	39,100	未払	68,960
		前期繰越	228,617
		当期繰越	1,767
計	495,614	計	495,614

内　訳　明　細　書

未　収　会　費

摘　要	金　額
３６年度未収会費	７５,０００
３７年度未収会費	３０７,３００
計	３８２,３００

前　受　会　費

摘　要	金　額
３８年度会費１９名	１２,３００
計	１２,３００

未　収　広　告

摘　要	金　額
記録映画１１月号 広告未納金	２６,０００
計	２６,０００

借　入

摘　要	金　額
安保製作委員会	１３０,８７０
運転資金	３５,５００
大沼鉄郎	８,１００
計	１７４,４７０

売　掛　金

摘　要	金　額
記録映画１月号〜１１月号 予約者未納金	３９,１００
計	３９,１００

未　払

摘　要	金　額
映画会印刷代	１０,６００
名簿印刷代	１８,５００
会報その他	３３,３６０
計	６８,９６０

予　約　金

摘　要	金　額
記録映画３８年１月号〜 予約者より納入金	９,５００
計	９,５００

記録映画作家協会

第十回定例総会

議　案　書

とき　1963年12月27日(月)後1－後9

ところ　国鉄労働会館　五階　大会議室
TEL(231)4816

記録映画作家協会才十回定例総会

議　案　書

目次

一、一般年次報告

1　われわれをとりまく諸情勢

今年の社会的諸病症は内攻的に進化した。表面的には太平ムードのうちに高度経済成長が謳歌されながら、その蔭には倒産する会社が売出し、企業合理化と諸物価の高騰によつて民衆の生活は日に日に苦しくなつてきている。

ひしめく車の洪水のうえにそびえたつ新築の高層ビル。オリンピックのアドバルーンのもとに路上は堀り返され、高速道路が民家をおしひしいでいる。

偽政者の大鼓持ちどもが小暴力追放や小さな親切運動にことよせて、政府の本質的政治大暴力や、陰で牙を磨いて体制側の魔手から眼を外らさせようとする。

国中に、三井三池の四百数十名の働く人々の尊い命を奪つた非合理化炭ジンが充満し、横須賀線で百数十名の生命を犠牲にした民衆をあざむくダイヤが、網の目のようにはりめぐらされている。

四年間ひき続いた物価の値上りに対し、労働者の平均賃金は九%賃上げされたに過ぎない。一九六二年の一年間に物価は六、八%もあがつたのに対し、賃金の上昇率は民間、官公労を通じて大体五%から六、六%までである。更に昨年の九月に比べ、今年の物価は全体で九%もの値上りを示している。このデーターを見ても、如何に物価の値上りによつて実質生活が低下したかがうなずかれる。まして、斜陽産業だと云われ、年々景気後退を余儀なくされている映画労働者の生活は、一般産業の労働者より更に悪化して来ているのである。

一方政治情勢は、中ソ論争、平和運動の分裂が微妙に影響し、反対制運動は、その内部に戦線の乱れが起り、斗争のエネルギーが拡散されており、いま再編成の必要に迫られている。

芸術運動も全般的な今大きな壁にぶつかつており、各ジャンルにおいて混迷と停滞を打ち破るさまざまな模索が行われてきている。文学において奥野健男の発言をきつかけに起つている「政治と文学論争」などもその一例である。芸術と政治との関係のあり方について、その自立性と有効性をめぐつて従来の芸術論に、今新しいライトがあてられようとしている。当協会の機関紙「記録映画」の九月号に、「日本の夜明け」をめぐつて、全く対立した二つの評価があらわれていることなども、今日の映画芸術のあり方に一石を投じたものであろう。

2　映画産業の情況

既に一千万台を突破したテレビの全国的普及は、かつての映画の粗製濫造の時代、作りさえすれば客が来ていた昭和三十年から三十五年ごろとは異なつた様相をもたらし、最近は入場者が年々急減している。かつて、上半期だけで五億数千人の観客を動員していたのが、今年はその五分の一の一億四千二百五十四万人に過ぎない。当然この映画人口の減少は各上映館や製作会社に大きな影響を与え、昨年だけで五〇〇の映画館がつぶれ、今年は既に一〇〇〇近くの上映館が閉鎖されてしまつたということである。各社の製作本数も全盛時代は年間五百数十本、上半期だけで三百本近く製作されていたのが、昨年は二百十五本、今年は更にそれより二十二本少く百九十三本しか作られていない。

この不況による経営不振と減産による企業合理化は、第一番に映

画労働者にシワ寄せされ、技術パートの契約者への切替え、首切り、残留者の労働強化という形で各社の従業員の上に襲いかかつて来ている。松竹、大映の京都撮影所は近く閉鎖され、貸スタジオ化されようとしており、一部技術スタッフは既にテレビ部門やPR映画に転出しているということである。日本監督協会では昨年から失業監督の救済を目的に、PR映画を作る態勢をたて、何本かの作品を手がけたとも聞いている。又、劇映画会社自身でPR映画を製作する動きが活発になり、東映は前から東映商事を通じ、日活、松竹、大映なども直接撮影所で受註するようになつてきた。今一つの動きは、各社とも遊休資材と設備を使つてテレビ劇映画を積極的に作りはじめたことである。しかし、ここでも、僅少な製作費で短期日に完成させるため、スタッフ、キャストの激しい労働強化が行なわれている。

3 短篇映画界の情況

昨年は各産業界にわたる金融引締めと操短のあおりをうけて、PR映画の発註が一時ストップし、当協会員の中からも生活を守る対策が強く叫ばれたが、その後若干経済政策の手直しがあり、ダンピング受註によつて各プロダクシヨンとも辛うじて持ちこたえることになつた。その受註額はかつての三分の二以下になり、三五ミリ版より十六ミリ版の製作が多くなつて来た。製作本数だけから見れば年々増加し、昨年は上半期だけで五五四本、年間千百本の短篇が作られている。今年は未調査も若干あるが、上半期でやはり五四四本製作されている。しかし、その内容は昨年よりずつと小規模になり、十六ミリによるパンフレット映画が多くなつて来ている。最近、これに拍車をかけて来ているのが八ミリ化である。光学、磁気両用トーキーが可能になり、学校教材用としては勿論、これを各スポンサーの宣伝媒体として大いに活用しようという動きが出て来ている。あるメーカーではこの八ミリ映写機を大量に購入し、各出張所や営業部員に持たせ、今までのPR映画を八ミリプリントにしてそれの利用に力を入れている。こうしたスポンサーが漸次増え、今までの三五ミリ版から十六ミリ版にしていたのが、今度は十六ミリ版から八ミリ版にしてゆくケースが多くなつて来る。昨年こうした目的で作られた八ミリ映画が二七〇本、今年の上半期だけで一五七本完成している。あるところでは、八ミリでPR映画を作つているところもある。

こうした情況の中で、われわれの記録短篇映画の分野でも、作品の質的低下と、製作条件の悪化、スタッフの労働強化が起きて来ている。

ある企業の作家は一人で何本もの作品をかけもちさせられ、ただ機械的にスケジュールに従つてあつちへ、こつちへと、物を動かすように扱われている。あるところでは助監督も撮影助手もつけられず、カメラマンと二人つきりで何もかも全部背負わされている作家がいる。

情況は作家をマスプロ化の歯車の中に繰り入れ、没個性的にひとつのビスとして利用し、人間としてより、機械の一部としてしか扱わないような極限状態にまで追い込んでいる。生活の手段のためにその日常性のベルトコンベアーの上に乗り、自らをオートメ製品の部品化していつているわれわれの状況自体を、意識することさえ忘れている者が多くなつている今日である。

われわれは、今こそ、この各人が立たされている情況と立場をよく自己認識し、これに向かつてゆく共同の作家的斗いの姿勢を正すべき時期に来ている。

二、本年度協会の運動報告

1　生活と権利を守る斗いについて

ⓐ　今年は昨年に比し、協会員の中にも割合仕事にあぶれる者が少く、一部の自ら仕事を選ぶ者、病気にて休んだ者を除いては、比較的各プロダクションで継続的に作業をしていた。
幹旋事業としては助監督の申込が多く、一時期は、協会員の演出家から、又、各プロダクションから、相当数連絡があつたが応じ切れず、幾度か断つたことがあつた。演出家やシナリオライターの依頼もあり、数回事務局を通じて斡旋したり紹介したりしたことがあつた。

ⓑ　新しい試みとして、今年は二月二十三日に協会事務所で所得税の申告相談日を設けた。賛助会員で公認経理士の吉田長活氏を招き、生活権利対策部の運営委員が立会つて午後の半日をその受付にあてた。しかし、その結果は、一人も相談に来た者はいなかつた。

ⓒ　教育映画製作者連盟を度々訪れ、協会の新ギャラ基準を伝えて協力を要請し、短篇映画界の諸情勢について情報を交換し、著作権問題なども語り合つた。

ⓓ　企業会員とのつながりを深め、今年は日映労組のストには支援態勢をとり、激励文を送り、一部会員がピケに参加した。
短篇連合の春斗にも共同歩調をとり、助監督のギャラ基準獲得についても会報を通じて一般会員に協力を呼びかけた。
短篇労組との話し合いも、時たまその機会をもつて昨年より交流を進めて来たが、その成果はまだ充分に実るまでには至らなかつた。

2　会員の作品批評と研究の会

ⓐ　西武記録映画をみる会

一月　間宮則夫作品「シリコーン」「長さのスタンダード」上映
二月　河野哲二作品「妊娠中毒症」「描きつづけた三才の生涯」上映
三月　楠木徳夫作品「樹冠」「巨船ネス・サブリン」上映
四月　岩佐氏寿作品「いけばな」「火の国」「津浪っ子」上映
七月　大沼鉄郎作品「光の技術」「火の海ヨット」上映
八月　吉見泰作品「ミクロの世界」「パルスの世界」　会場火災のため上映中止

昨年より継続してこの会員の個展形式の映画を開いて一般の人々からもファンを得ていたが、八月当会場が西武百貨店の火災の際焼失し、以後会場難で中止のやむなきに至つた。そのため、九月に予定した吉田六郎作品も中止せざるを得なかつた。
この会への協会員の参加は極めて少ない。また観客との結びつきの場としてこのような形が有効かどうかも検討してみる必要がある。

ⓑ　研究会活動

㋑　ドキュメンタリー理論研究会
雑誌が遅れたために、期日が延期され、不正常な会が数回あつた。しだいに集まりが悪くなり、ついに協会員よりも読者の出席数の方が多くなるという始末で、ほとんど会を持つ意味を失なつてしまつた。ここにも運動の停滞を端的に見ることができる。

㈲　記録映画研究会

会場がなかなか見つからず、一度だけしか開けなかつたが、作品という具体的なものがあるせいか、ドキュメンタリー理論研究会よりも集まりはよかつた。しかし、どの会合も同じ顔ぶれであり、二百人をかかえた組織の研究会が、このような状態でよいはずはない。

研究会活動は、来年度の運動の主軸として展開されるべきものであり、現在の停滞の原因を根本的なところから究明し頽勢を克服すく方途を、全力をあげてきりひらかなければならない。

3　「記録映画」を通じての芸術運動と理論活動

協会内部には雑誌の内容についていろいろと批判があつたが、一方一般購読者には好評をもつて迎えられ、書店売りの分も、直接購読の分も着実に伸びている。すでに直接購読の来年分予約額は二万円近くになつている。一部にはもつと作品の紹介を多くのせるべきだ、とか、高度の理論は現在の会員の創作活動と無縁である。とかいう声もあつたが、作品を紹介するためにもその質と内容が問題だし、無原則的にただ紹介するだけでは意味がないので、批評活動とからませて掲載することにした。また高度の理論は無縁であるといわれるが、作家がたとえ小さな作品を製作するにしても、そこには創作的かかわりあいがなければならず、そのためにはそれぞれ固有の方法論と作家主体がなければならない。それは記録映画であろうと、劇映画であろうと、テレビ映画であろうと同じことである。この芸術上の共通課題をいろんな角度から、協会員だけでなく他ジャンルの執筆者をも交えて展開して来た。むろん、その中にも現実的に協会員の立場に問題点をおき、ＰＲ映画の分野の創造活動についても幾度かふれて来た。このことが広義の意味で協会員の芸術課題の追求にプラスしたと考えられるし、また同時に外部に対しても大きな役割を果させてきたと思われる。

しかし、読者および他ジャンルの期待には、ある程度応えているとはいえ、かんじんの主体となるべき協会員の自らの雑誌にかけるエネルギーについては、量的にも質的にも退行しているといわざるを得ない。自己と運動との関係について、あらためて厳しく自らに問い直すなかで、研究、批評活動の意味、機関誌の意義を、実感的にも痛切なものとしてとらえかえしたいものである。

4　事業活動

十一月、運動部と事業会計部と共同で小委員会を作り、そこで検討したレパートリイに従つて記録映画をみる会を開いた。これは、単に協会財政の危機を救う目的のみからでなく、日ごろ記録映画に接しない一般観客に出来るだけこの機会にわれわれの作品にもふれて貰おうという意味と、会員は勿論、広く各芸術ジャンルの人々にもこれらの作品をみる機会を提供しようということからはじめた。そのため一方では通産省の映画サークルと共催したり、東京労映の協賛を得たりし、他方では、研究会的な意味を含めてバラエティのある番組を組んだ。

さいわい、この映画会はほぼ会場いつぱいの観客を集めて成功裡に終り、後日たびたびこのような会を開いてほしいという声が出たり、ある小プロダクションでは全員が参加して翌日上映作品についての合評研究会を開いたというような成果も得られた。

とくに、映画運動の再編成という観点から、この会の成果は充分に検討される必要がある。

5 対外活動

安保反対国民会議や米原子力潜水艦寄港反対文化人の会に参加し、Ｆ105水爆搭載爆撃機配置や米原子力潜水艦の寄港に反対する声明を出し、協会員にも集会やデモに加わるよう会報を通じて呼びかけた。又、これと機を同じくして、国会に提出されようとした新暴力法にも反対する声明を出した。

更に在日朝鮮人の訴えに応じ、北朝鮮との自由往来に関する運動を支持し、声明を出した。また、国民文化会議のマス・コミ研究会に参加し、マス・コミ支配、文化攻勢に対して注意を払つた。

しかし、このような諸活動を組織的な運動と成立させえたとは言い難い。

三、今までの組織的内的矛盾の激化にともなう協会の危機について

ここ一年、協会は今までのあらゆる組織的に内包された内部矛盾をかかえて、重病患者のようにあえぎながら運営を続けて来た。かんじんの運営委員会を開いても常に集まりは悪く、芸術運動全般の停滞のなかで、当協会もついに衰弱症状から回復しえないまま今日にいたつている。それぞれの強烈な運動論と方法論がないため、ともすれば対立点が対立点にならないまま、何時しか安易な妥協主義で事を運んで来たのが運営委員会としての偽らざる反省である。

しかし、このことは運営委員会の自己批判だけにゆだねられるべきではなく、現組織が持つている、もつと根深い、全協会的な情況としてとらえる必要がある。

毎年繰り返し論争されて来た、生活が先か、芸術が先かのおうむ返しは、今年もやはり依然として意見の統一をみることなく、再び問題提起として出されることになつた。

協会が発足した当時はその員数も少人数だつたし、一つの政治的目標をもつて組織され、そのころはＰＲ映画もなかつた時代だから、会員が同一ビジョンをもつて現実にたち向うことが出来た。生活的には今よりずつと苦しい中で記録映画製作協議会を結成して、労働組合の斗争記録や、「月の輪古墳」のような民衆の文化運動の記録や、メーデーの自主映画をも製作したりした。そこには同志的結合があり、生活問題にも共同の問題として取り組まれ、芸術運動についても社会変革への熱情が内在されていた。しかし、その後ＰＲ映画がわれわれの生活を支配しはじめ、かつてのはげしい作家的パトスとエネルギーをもつていた者も次第に日常性のなかに埋没し安住していつた。生活の手段としてやるはずだつたＰＲ映画は、やがてそれらの作家の体質を変えてゆき、その主体をも喪失させていつた。そうした中で、一方では日常的身の廻り主義の運動に偏し、他方ではそうした作家不在に警鐘を鳴らす運動が起つて来た。雑誌「記録映画」は、まさにそうした記録映画作家内部の堕落を食い止め、その内部の変革を志向して誕生したものである。この中から新しい作家が生れ、ＰＲ映画の中からかつての初期とは全く異つた新鮮な映像と思想を追求する芸術運動がはじまつた。ここに協会そのものの歴史における芸術運動のあり方の変遷の意味があり、曲り角にある協会の実態が内蔵する問題点があるのである。つまり、自主映画だけが芸術であるという古い観念からは抜け出さなければならないとともに、新しい今日的な芸術運動論と方法論、組織論を要求されるときが来たのである。

今一つ、こうした芸術運動の新しい動きとは別に、映画労働者の統一労組を結成すべきだという動きがあることを見逃せない。照明

技術者が職能別労働組合を結成したのをきつかけに、映画産業の小企業所属作家やフリー作家も含めた労組を作り、映画労働者の共通の権利を守ろうとする動きである。将来、そうした映画労働者の労働組合が生れ、使用者側に対して共同の経済斗争、労働条件の改善、その他の斗いが行われるようになることが望ましい。

しかし、このような組織の結成をみるまでには今後のかなりの期間を要するであろう。

いまわれわれは、それらの動きとは自主して作家の集団としてのわれわれの運動の方向を見出すことを緊急の課題とし、今後の過程で、労組結成の問題をも検討していきたい。

こうした中で、協会が今迎えている内在的危機は大別して次の二つがある。

① 財政的危機

本年五月ごろ協会は大きな財政的ピンチに追い込まれた。その原因は⒜会費滞納の漫性状態 ⒝各プロダクションの不況による雑誌広告収入の激減 ⒞物価の値上り、等による赤字累積にあり、これらによつて運営停止寸前にまで追い込まれた。一時は、協会解散も止むを得ないのではないかという声も出される程苦境にたたされた。だが、一般カンパや運営委員の滞納会費徴収への必死の努力がカンフル的効果を与え、辛うじて維持してゆくことが出来た。しかし、今また再びその危機が協会財政の上に迫つて来た。抜本的打開策が絶対に必要である。

② 運動停滞による内部的危機

新しい運動体の核が定まらず、一方では日常的要求を満たす職能団体であるべきだといい、一方では芸術運動を主軸とした広義の芸術団体であるという。また一つの意見としては現状維持で進むべきだという主張もある。ここにこれまでのすべての問題を抱え込み、そしてそれを並列的に解決してゆこうとしてきた活動の限界が明らかになつたわけである。生活的課題と芸術的課題を統一に把握し解決してゆくという前回総会の方針が、一年間の実践による検証を経て、いま再検討をせまられている。

四、協会をどうするべきか 各人は何をなすべきか

今のままでは協会は存続することが出来ない。第一に財政的に破綻を来し、数ケ月を経ずして自滅する。一般支持者や編集委員の必死の努力で発行して来た「記録映画」も休刊せざるを得ない。

運動的にも会員の多様な要求のすべてを直接的にかかえこんで解決してゆくという方向を継続してゆくことが、実践的にはほゞ無意味な成果しかもたらさないことが明らかになり、理論的にも誤りではないかとされてきた。

協会は何のためにあるのか、われわれにとつて如何なる理由で必要なのか。その存在の根本問題を解明し納得のいく再編成が行われる必要がある。

そのためには、映画芸術とは何か、作家とは何か、作家主体が現実にかかわつて何をいかになすべきか、こうした運動論と方法論が、すべての作家のなかできびしく主体的に問い直されなければならない。

作家協会はただ単なる雨よけのための集団であつてはならない。各人が雨の中に飛び出し、それぞれに土のうを作り、みんなで崩れんとする堤防を固め、あふれようとしている洪水を食い止め、次第に水かさの増える濁水の流れを変えてゆかなければならない。

雨に打たれることをためらつてはならない。刻々と激しくなる雨を軒下で眺めていたり、崩れゆく堤防を懐平傍観していてはならぬ。ちよつとばかりいい家に住んでいるからとて自らが土のうを作るこ

とを放棄したり、自分の家の補強工事をしているだけでは、その人はやがて洪水の波にまき込まれ、自らも濁流の中に身を没するはめになるのである。

土のう作りを一人や二人の作家だけにまかすべきではない。われわれは、各人の持場持場で、その崩れる堤防を防ぐ土のうを作り、雨の中に飛び出して、それを積んでゆく作業をみんなでそれぞれの行動で示すときなのだ。

各企業会員や、労働組合と協会が接点を持つとすれば、先ず、この土のう作りからはじめなければならない。

映画産業の労働組合として存在している各企業労組は、経済斗争も必要だが、それと合わせて各社の個々の作品を質的に検証してゆく運動を起す必要がある。当然そこから製作条件たり労働条件なりの変革が迫られるのであろうし、作品の質が問われて作家への厳しい創作上の批判も起つてくるであろう。こうした斗いが併行して各企業で行われるとき、はじめてフリーであると企業所属であるとにかかわらず、その作家の芸術運動と組合運動との結合が出来るのである。

経済斗争一辺倒に走り、量産と質的低下に力を借し、ただ賃上げだけを獲得すればよいという経済主義を打破し、組合自身も作家としての創作活動を前進させるための具体的プログラムを組むべきである。このときにおいてはじめて映画労働者の集団としての労働組合と、よりよい映画を作ろうとする作家的運動との正しい関係が成立し、組織としての共同の斗いのスクラムが組まれるのである。

この土のうを作り、現実を変革してゆこうとして変革のエネルギーを燃やす作家たちが、その作家的パストをぶつけ合い触発し合つて、真に創造と批判とを高めてゆくことのできる倉庫に、作家協会を変革しなければならない。

五、協会の生きる道

ー来年度運動方針案ー

作家協会は広義の意味の芸術運動を発展的に推進させてゆく。

1, 協会の運動は、会員各自の芸術的課題の追求を、第一義的任務とする。

われわれは、状況に埋没した機械的、没個性的作業を否定し、現実変革と自由なる表現を求めて、作家的生活に自らを賭ける。スポンサード映画であつても、創作的斗いを決して放棄することなく、現実にきびしくかかわる主体的作品として創造する。そしてこのような創造と批評を相互にはげしく対決させ、発展的契機を集団的にとらえ、ダイナミックな運動を展開するベースとして作家協会の実体を変革してゆく。

2, エコール・グループ、あるいは企業ごとの研究批評活動を活発にし、その核を集約的に組織して、大きく協会全体の芸術運動としてもり上げる。

「記録映画」に、これらの運動およびその成果を誌上に反映させ、相互の刺激と触発のための有効な討論の場として発展させる。

3, 創作活動を推進する必須の諸条件をかちとるために、表現の自由を守る斗い、著作権を守る斗い、生活と権利を守る斗い等に取組む。その他職能的属性から派生する共通要求や、政治的な共通要求にも取組む。ただし、これらは、芸術課題を追求する独自的活動に対して、二義的な活動として位置づけられる。

4, 新たに運動を維持・推進させる財政的基礎を確立するために、

賛助会員・演出家・シナリオライター・編集者・アニメーターの会費は、フリーと企業所属とにかかわらず、一率に六百円とし、助監督の会費は四百円とする。

(別記会計報告書参照)

5. 事業報告を、全会員の力で活発にする。映画会開催、記録映画シナリオ特集発行など。財政的および運動的利益を統一した協会独自の事業活動を、計画的に行なう。

6. 助監督グループの研究会、PR映画研究会、ドキュメンタリー研究会、現代映画批判の会、テレビ映画研究会など、ジャンルその他の多様性に応じて研究会を企画し批評、研究の気運高まる。

7. 雑誌の読者・学生・映画サークル・観客団体・アマチュア創作者などとの交流を深め、運動の基盤を拡大強化する。

8. 他ジャンルの芸術家、芸術団体とも積極的に連携を強め、現代芸術の共通課題を追求し、固有の課題の前進をはかる。

六、新役員の選出方法と
会員一覧表

☆ 第十回定例総会は、定例通り、総会出席数、会員の過半数(委任状も含む)をもつて成立する。

☆ 総会において、会員全員より、運営委員長一名、事務局長一名運営委員十五名、会計監査二名を選出する。

☆ 運動方針承認後、総会会場にて運営委員長及び事務局長を一名単記で選ぶ。運営委員長及び事務局長に当選しなかつた候補者は運営委員の候補に含めて投票できる。会計監査は二名連記。

☆ 運営委員は会員全員より十五名連記で選ぶ。ただし所定の投票用紙に従つて、フリー九名、企業三名、フリー助監督三名を連記する。十五名以上の記入は無効票とする。当選は多数票から順次、九・三・三名とする。

☆ 投票が散票の場合は決戦投票により決定する。

☆ 委任状について

① 委任状は総会当日出席が不可能な場合及び出席があやぶまれる場合に必ず提出すること。

② 委任状は総会の議事一さいについて委任するものであるから必ず委任者名を記入して委任者に渡すこと。

③ 総会への委任、又は議長委任、運営委員長委任は、総会成立数には入るが役員投票権はない。

④ 委任状は、投票を左右するだけでなく、総会の成否を決定するので、必ず提出されたい。

⑤ 郵便の遅配のおりから、委任状は委員者又は事務局に直接渡されたい。電話連絡によれば事務局が直接に取りにうかがう。
また、電報による委任も可。

☆ 協会員名簿一覧表(一八九名)(賛助会員を除く)

1. フリー会員(七十九名)
赤佐政治、厚木たか、荒井英郎、伊勢長之助、伊豆村豊、入江一彰、岩佐氏寿、岩堀喜久男、上野大梧、江原哲人、大内田圭弥、大口和夫、大野孝悦、大沼鉄郎、加藤松三郎、樺島清一、川本博康、菅家陳彦、かんけまり、岸 光男、京極高英、楠木徳夫、熊谷光之、黒木和雄、康 浩郎、河野秋礼、河野哲二、越田委寿美、斉藤茂夫、斉藤益広、島谷陽一郎、杉原せつ、杉山正美、竹内信次、田部純正、徳永瑞夫、富沢幸男、豊田敬太、豊富 靖、苗田康夫、長野千秋、波田慎一、西江孝之、西尾善介、西沢 豪、西原 孝、西本祥子、野田真吉、頓宮慶蔵、樋口源一郎、肥田 侃、日高 昭、広木正幹、藤原智子、古川良範、星合達郎、本間賢二、前田庸言、牧野 昭、松尾一郎、松川八洲雄、松崎与志人、松本公雄、松本俊夫、間宮則夫、丸山

章治、村田達治、柳沢寿男、八幡省三、瀬川　晃、林　直宏、山岸静馬、山本升良、吉田六郎、藁谷　勲、高瀬昭治、山添哲、深江正彦、永岡秀子

2　フリー助監督（四十六名）

青野春雄、安倍成男、飯村隆彦、池田元嘉、石井清司、泉田昌慶、内田昌克、梅田克巳、大林義敬、大平　隆、岡本英雄、小川益生、小野寺正寿、梶川勝良、加藤敏雄、加本悠利代、唐木武久、久保田義久、黒沢　章、小泉　堯、佐々木守、城之内元晴、妹尾　厚、高橋克巳、田中　学、田中舜平、塚原孝一、辻功、辻本篤視、仲原湧作、中村久亥、中村　敏、西田真佐雄、東　陽一、平野克巳、二口信一、光井義昭、村松隆一、持田裕生、安井　治、山元敏之、吉川　協、吉田　厳、横山弘夫、金高伸夫、塩沢朝子

3.　企業所属会員（六十五名）

㋑　岩波映画製作所（十四名）
秋山衿一、各務洋一、榛葉豊明、高村武次、田中　実、時枝俊江、羽仁　進、羽田澄子、（以上演出）
岩佐寿弥、神馬亥佐雄、諏訪　淳、田中平八郎、花松正卜、北条美樹（以上助監督）

㋺　日映科学映画製作所（七名）
飯田勢一郎、奥山大六郎、下坂利春、清家武春、中村麟子、二瓶直樹、諸岡青人（以上演出）

㋩　日本映画新社（五名）
安藤令三、星山　圭、山川　治、山口淳子、阿部博久（以上助監督）

㋥　新理研映画株式会社（六名）
富岡　捷、原本　透、三上　章、宮内　研（以上演出）
都　憲雄、宮崎明子（以上助監督）

㋭　東京シマネ（五名）
泉水　剛、森田　実、吉見　泰、渡辺正巳（以上演出）
大島正明（助監督）

㋭　神奈川ニュース映画協会（三名）
金子安成、矢倉赫雄、吉田和雄（以上演出）

㋬　日本アニメーション映画社（三名）
長井泰治、平田繁治、諸橋　一（以上演出）

㋣　CBCテレビ映画社（三名）
安東　斉、小森幸雄（以上演出）
青木　徹（助監督）

㋠　三井プロダクション（二名）
高井達人（演出）　曾我　孝（助監督）

㋷　記録映画社（二名）
泰　康夫（演出）　小泉修吉（助監督）

㋦　フジテレビ（二名）
井内　久、渡辺大年（以上演出）

㋸　日経映画社（二名）
川本　昌（演出）　中川すみ子（助監督）

㋾　わがた・ぷろ（一名）
辻本誠吾（助監督）

㋻　全国農村映画協会（一名）
中島日出夫（演出）

㋕　生産性本部（一名
三本木哲夫（演出）

㋵　フクニチ映画製作部（一名）
藤田幸平（演出）

㋟　たくみ工房（一名）
大久保信哉（演出）

㋹　電通映画社（一名）
松本治助（製作）

㋞　東京記録映画社（一名）
小谷田亘（演出）

㋡ 理研科学映画（一名）
中村重夫（演出）
㋤ 農山漁村文化協会（一名）
原田 勉（演出）
㋠ 藤プロダクション（一名）
佐藤みち子（演出）
㋶ 読売映画社（一名）
橘 逸夫

昭和38年度協会財政報告

自昭和37年12月 1日
至昭和38年11月30日

損益計算書

損失の部		利益の部	
摘要	金額	摘要	金額
人件費	668,900	入会金	6,300
事務所費	179,850	会費	750,750
印刷費	650,656	賛助会費	44,800
通信費	91,019	売上	521,576
交通費	101,360	広告	327,950
文具費	18,602	寄附	62,871
電話料	62,200	西陣手数料	6,200
振替手数料	10,705	八ミリ講座	22,630
原稿料	35,500	研究会	2,550
座談会費	8,500	名簿	20,100
会議費	5,900	映画会	30,300
部会費	1,720	ファイル	9,583
研究会	6,416	雑収入	4,044
名簿	10,030	事務所費	102,000
映画会	11,345		
ファイル	15,000		
水道光熱費	13,470		
雑費	23,025		
会費未納者損失金	150,000		
雑費未納者損失金	25,000	当期赤字	177,544
計	2,089,198	計	2,089,198

昭和38年11月30日現在

貸借対照表

資産の部		負債・資本の部	
摘要	金額	摘要	金額
現金	,40	前受会費	13,500
未収会費	328,100	予約金	18,050
売掛金	29,200	借入金	240,370
未収広告	44,000	未払	76,580
当期赤字	177,544	前期繰越	230,384
計	578,884	計	578,884

内　訳　明　細　書

未収会費

摘　　要	金　　額
36年度未納会費	11,200
37年度未納会費	80,800
38年度未納会費	236,100
計	328,100

売掛金

摘　　要	金　　額
37年記録映画未納	5,700
38年記録映画未納	23,500
計	29,200

未収広告

摘　　要	金　　額
記録映画10月号	16,000
記録映画11月号	28,000
計	44,000

前受会費

摘　　要	金　　額
39年度会費(25名)	13,500
計	13,500

予約金

摘　　要	金　　額
記録映画予約者(38名)	18,050
計	18,050

未払

摘　　要	金　　額
記録映画12月号残(富)	18,380
記録映画原稿料	13,500
会報封筒その他(東)	23,400
37年未払残	21,300
計	76,580

借入金

摘　　要	金　　額
安保製作委員会	130,870
運転資金	34,500
健康保険	30,000
西陣	15,000
丸山章治	20,000
大沼鉄郎	10,000
計	240,370

昭和39年度予算表

収	入	支	出
摘要	金額	摘要	金額
協会費	1,689,600	協会運営費	724,000
雑誌売上	660,000	雑誌編集出版費	1,684,000
〃 広告	240,000	返済金	260,000
事業収入	118,400	予備費	40,000
計	2708,000	計	2,708,000

（注）

協会運営費は明細書の人件費・家賃・その他の印刷費・通信費・交通費・雑費の半額と部会費の全額を加えた金額。

雑誌編集出版費は、〃　〃　〃　〃　〃　〃　と雑誌印刷費、原稿料の全額を加えた金額。

雑誌編集出版費に事務運営費の半額を繰り入れたのは、雑誌の原価計算をあきらめにするためです。

協会費は一律会費700円（但し、助監督は500円）で計算してあります。

39年度予算明細書

収入の部			支出の部		
摘要	金額	備考	摘要	金額	備考
協会費	1,689,600	会員220名・納入100% 月 140,800	人件費	770,000	月 55,000 ボーナス二月分
		フリー演出 700×75＝52,500	家賃	96,000	月 8,000
		フリー助監督 500×45＝22,500	雑誌印刷費	960,000	月 80,000
		企業演出 700×48＝33,600	その他の印刷費	60,000	会報・封筒など 月 5,000
		企業助監督 500×21＝10,500	雑誌原稿料	60,000	月 5,000
		賛助会員 700×31＝21,700	通信費	180,000	郵便料・電話料 手数料月 15,000
		入会金 500	交通費	120,000	定期代・行動費 月 10,000
		昭36.37.38.年度の未収会費の徴収	雑費	102,000	文具・光熱・食費など会議費 月8500
雑誌売上	660,000	約 570部 月 55,000	部会費	60,000	各専門部費用 月 5,000
〃 広告	240,000	毎月と年二回の名刺広告	返済金	260,000	借入金・未払金の一部返済
事業収入	118,400	映画会、小口の事業雑収入など	予備費	40,000	協会運営と雑誌出版の予備費
計	2,708,000	月 225,666	計	2708,000	月 225,666

記録映画作家協会
第十一回定例総会

討議資料

第十一回定例総会次才

一、開会の挨拶
二、議長団選出
三、基調報告
(一)私たちはいまどんな現状のなかにいるか。
(二)協会はこの一年どんな歩みをしてきたか、
(三)本年度の運動方針
四、討議
五、新運動方針の採択
六、新役員の選出
七、閉会

一、私たちはいまどんな現状の中にいるか

(一)

ごく身近なところで、私たちをとりまいていた、一九六四年、つまり昨年の主な特徴は、PR映画の受注作品が遂に事実上一〇〇〇本を突破し、これに自主的な記録、教育映画を加えると、実に一一六〇本以上の作品が製作されたにも拘らず、プロダクション側の製作条件は低下し、私たち作家側の生活は愈々窮迫しているという、この奇妙な矛盾である。

この調査によって受注作品の傾向を考えるならばそこには明らかに作品の小型化をみてとることが出来る。三八年度には二八五本であった三五ミリ受注作品が三九年度には二三八本に減り、反対に六〇一本であった一六ミリ作品が七五四本に増えている。こうした作品の小型化、受注額の低下に加えて、統計には表われない問題として、製作の長期化による実質的製作費の削減が私たちの製作条件を一層困難なものにした。高速道路、地下鉄、新幹線、ビルの建設、そうした各種の工事記録とそれに伴う建設機材の関係が、受注作品のなかで大きな巾を占めたことからも、私たちは容易にそれを推測することが出来る。

そしてさらに、PR映画は一層あらわな企業宣伝商品宣伝の道具となって、PR映画が本来もってい

		自主作品				受注作品			
		39年度		38年度		39年度		38年度	
		本	巻	本	巻	本	巻	本	巻
35ミリ	黒白	27	97	17	101	25	68	52	139
	パートカラー	2	12			2	6	2	4
	カラー	10	19	5	14	160	405	162	426
	カラーワイド			4	19	52	166	69	189
	小計	39	128	26	134	238	644	285	758
16ミリ	黒白	63	152	131	280	219	485	184	394
	パートカラー	8	22	8	15	9	23	10	24
	カラー	56	124	21	37	513	1170	404	903
	カラーワイド					3	9	3	5
	小計	127	298	160	332	754	1689	601	1326
合計		166	426	186	466	992	2331	886	2086

※この表は1965.2.10現在：工二通信調査によるもので、CBCその他一、二のプロダクションの数字が未だ加えられておりません。尚、調査の対象は189社で、地方公共団体や労組等の自主製作作品、テレビ、映画は含まれておりません。

る社会性、普遍性は失われ、私たちの創造活動も著るしく限定される結果となった。こうした情況のなかで、私たちのなかにも、プロダクション相互の過当競争にまき込まれ、創造活動の本質を正しく見つめようとはせずに、問題を日常生活のなかに糊塗してしまおうとする、所謂サラリーマン化の残念な傾向が始まっている。

(二)

自主作品（主として社会教育、学校教材）についてみれば、三八年度に一八六本製作されたものが、三九年度には一六六本に減っている。僅かではあるが全国的に視聴覚の予算が向上しつつあるときに、提供すべき作品の数が減少しているのは何故だろう。勿論そこには社会教育、学校教材映画を製作するに耐え得ぬプロダクションの貧困さ（昨年度は一八二社中、社会・学校用教育映画を提供したのは僅かに九社のみである）もあろう。然し私たちのなかにも教育映画の製作普及運動をすゝんで理解しようとする積極的な姿勢が、PR映画の製作のなかに埋没していなかったとは言い切れないのである。

一九六四年一二月の視聴覚教育振興会議では、教育映画のテレビに求められない教育効果として、「映画は主題を集約的に構成している。……また多数の個人、子供はむろんのこと、職業年令、あるいは能力の違う人びとを同じ場所で、同じ雰囲気にとかし込んでいく力、情緒や心情にまで喰い入ってゆさぶる力――納得のゆくまで反覆映写したり、部分映写ができる特色」（斉藤伊都夫氏の発言）があげられ、テレビによる教育放送のさかんな今日でもなお教育映画の高い必要性が強調されている。そして地方のライブラリーでは、新作教育映画のみに頼らず曽っての旧作品のなかからも作品を選び、また古くなったプリントを新しいものに買い換えているというのが現状なのである。

私たちは、八ミリ・トーキーの出現によって、さらに立体的な活動に踏み切ろうとする全国八四三のフィルム・ライブラリーの運動、また四〇年度から新らたに実施される高等学校のための視聴覚教材設備費補助（例えば一六ミリ映写機に例をとった場合現在高校で設備をもっているところは僅かに二七・三％にすぎない）等、教育映画全体の運動についても作家としての独自な立場から、正しく結合してこの分野を発展させてゆかなければならない。

（三）

前掲の調査表によって、私たちは作品本数の上ではは確かに受注、自主の両作品を含めて七%以上（前年比）の伸びを見ることができる。併し乍らその内容とするところは、およそ以上の通りである。そしてそのしわよせが、私たちの生活そのものに及ぼす影響も決して見逃すわけにはゆかない。本年初頭、協会がランダムに行ったフリー契約者の昨年度に於ける実態調査の結果は、凡そ次の通りである。

○ギャランティの個人差及び最高最低の差が大きく開いている。

○脚本の平均的ギャランティは、
二巻もので一〇・一八万、
三〜四巻もので一九・〇〇万、
演出料については、
二巻もので一八・五万、
三〜四巻もので四三・〇〇万、
（三〜四巻ものが比較的高い数字を示しているのは調査対象に一部長期のものを含んでいるためと思われる）
また長期契約者については月額八万〜九万と推定される。

なお、シノップシス、テレビ関係、演出助手のギランティについては、調査の対象（又はアンケートの回収）が少く、平均的数字を推定することが出来なかった。

以上が昨年、吾々会員が所得した一本当りの実績である。それは一昨年、つまり一九六二年に協会が提示したギャラ基準を遥かに下廻っており、一九六四年に日本を蔽ったオリンピックムードも私たちには所詮無縁であり、止るところを知らない物価騰貴のなかで生きて来た私たちの苦しさを物語っている。

（四）

こうした息苦しさのなかで、しかし私たちは昨年度をふりかえって幾つかの明るい特徴的な動きをあげることができる。

その一つは記録映画「チョンリマ」などにみられる観客動員の成果である。「チョンリマ」は昨年八月、読売ホールで二週間にわたって公開、その期間中に七万八千人の観客がこれを観賞した。そして今日もなお、この作品は地方の座館で引続き毎日数千人の観客に観られている。

八ミリ映画の普及も昨年度に於ける注目すべき動きの一つである。私たちは記録映画運動の普及向上と、八ミリ映画の活発化を、早急に結びつけて論ずることは出来ないが、少くとも「八ミリ映画運動は記録映画の土作り」、そう考えてその発展に協力してきた。

また各種のコンクールでも会員の作品が巾広く受賞（附表参照）、東京シネマは朝日文化賞を得て記録映画、科学映画の社会的評価を高めた。これらの業績によってジャーナリズムのキャンペーンや世論が、これら作品の一般公開を求める方向に動いているのも私たちをめぐる新しい傾向である。

以上が一九六四年、私たちの身辺をめぐる主な特徴であった。併しそれは同時に、新旧二つの勢力、人間が人間を搾取する勢力と、それを変革しようとする勢力の激しい対立のなかで進行し、世界的には独立と解放を求めるアジア、アフリカ人民の貫い斗い、国内的には平和と民主主義をまもる原潜寄港阻止、憲法改悪反対などの巾広い国民的な要求のなかですゝんでいたことを想うとき、私たちは記録映画の作家として思わず姿勢を正さずにはおられない。何故なら、記録映画はその発生に於いて、すでに自然、社会の真実や法則性の発見に根ざし、その追求の上に発展してきた芸術であるからである。

二、協会はこの一年、どんな歩みをしてきたか

(一)

昨年二月一日の臨時総会は、昨年度の運動方針を、

「作家協会は会員の諸要求にもとずき、作家活動を発展させ、創造活動を阻害するあらゆる障害を克服するために運動する」

と決めている。このことは協会の規約、運動方針に照らしても正しく、前述のような現状のなかでは一層その重要性が強調されねばならない。特に「会員の諸要求にもとずき」とあるのは、協会の運営はあくまで会員の動静、要求と密着しなければならないこと、言いかえれば協会は会員一人々々の積極的な発言によって運営される民主的な組織であることを明らかにしたものである。そしてさらに、それまで一時的にせよ協会の運営を芸術オ一主義に置き、協

会を一種の芸術運動体とみなしていた運営上の誤りを是正したものとして注目されるのである。会報九一号はこの問題をさらに発展させて、

「（製作の）場から抽象された（芸術）主体というものは、観念的、主観的にはあり得ても客観的、具体的にはあり得ません。

製作の場の確保、発展を目指す具体的な斗いを抜きにしては、主体の確立は斗いとれないと考えます」

と述べている。

（二）

こうした協会運営の方針をただす一方、昨年度はまた、財政上の莫大な赤字、

借　入　金　二十万五千三百七十円
未　払　金　二十一万一千八百八十円
健保未払金　十万八千七百円
（計……　五十二万五千九百五十五円）
（他に前事務局員退職金　十一万九千円）

をもって発足するという困難な条件があった（詳細は別紙附表参照）。これに対して、運営委員会は未納会費の納入を訴え続けてきたが、新しい運動方針を不満とする一部会員の意識的な滞納その他によって俄かには成果があがらず、三名の事務局員を一名に整理し、事業活動その他による臨時収入を以って負債、借入金の返済にあて、昨年十二月までに辛うじてそれらの大部分を返済又は長期借入金に切り換えるなどの整理を終えた。

併し乍ら財政は組織の基礎であり、今日もなおその困難は続いている。オ十一回総会を契期に、その回復を望むこと切なるものがある。

（三）

組織上の問題からみても、一九六四年は協会にとって大きな試練の年であった。これらの経緯については「会報」「作家の権利をめぐるシンポジュウムの総括」「年頭に当って会員の皆さんへ」等を以って会員の諸氏にも逐一報告してきた通りである。協会は一九五五年二月、会員数七〇名をもって発足以来、この一〇年間に飛躍的に拡大し、昨年は一八〇余名を数える会員を擁するに至った。

ところが前述のように、昨年二月の臨時総会に於いて、「作家の独自活動は創作活動である。従って作家が集って作っている協会は芸術運動体でなけれ

ばならぬ」と主張するそれまでの方針と、「教育、記録映画をもっと広い視野でとらえ、作家の社会的地位の向上と製作の場の拡大等を主な任務として活動すべきだ」という現運営委員会の方針とが鋭く対立し、選挙の結果、現運営委員が選ばれた。その后も芸術運動体を主張する人々の多くは、意識的に会費の未納を宣言し、読書新聞、新日本文学などの紙上で現運営委員会を「生活派」「政治的集団」と決めつけ、芸術創造を圧殺するものだと宣伝してきた。

これらの運動が最も端的にあらわれたのが所謂「あるマラソンランナーの記録」をめぐる問題であった。その詳細な経過は既に「シンポジュウム開催についての呼びかけ」で明らかにしてあるので重複は避けるが、昨年三月に起ったこの問題は、現運営委員会の精力の大半を文字通りこの解決に傾注させることとなった。運営委員会は、スポンサーからキャンセルされた此の作品の再ダビングを、先ず再び演出者黒木和雄君の手で行うための接渉を始めとして、プロダクションに調査団を派遣して事情を調べ、黒木君の要求をとりあげて一歩々々問題の具体的な解決をつみあげてきた。その間、十数回に及ぶ運営委員会が重ねられた。しかし一方では現運営委員会に反対する人々が「問題の解決とは何を指向しているのか」「問題に取組む現運営委員会の姿勢には作家としての発想がない」「現運営委員会は作家の権利をどう考えているのか」などの非難をプロダクションと現運営委員会に集中し、そのような運動のなかで「記録芸術の会（現在、映像芸術の会）」に結集した。そしてこの間、運営委員会は協会運営の正常化を目指して二つの集会、「作家の権利をめぐるシンポジュウム」（九月十二日）、「臨時総会」（十二月二十六日）を開いたが、シンポジュウムは運営委員会に反対する一部会員と、会員外の傍聴者の発言によって混乱し、作家の権利をまもる主題の討論には入れなかったし、臨時総会は流会の止むなきに至ったのである（詳細は「シンポジュウムの総括」「年頭に当って会員の皆さんへ」参照）。そして十二月二十七日には四十六名の連名による脱会が行われた。

運営委員会としても、この問題の処理に当ってはすべてが適切であったとは考えていない。併し終始誠意をもって解決に努力し、許される精一杯の範囲

でプロダクション側とも接渉を重ねてきたつもりである。また四十六名の脱会は組織上、寔に残念ではあるが、芸術運動体を標榜して結集したそれらの人々に協会が何らかの干渉をする意志は毛頭ない。何故なら協会はその規約が示す通り、日本の記録映画、教育映画を向上発展させるために、またそれに従事する作家の社会的地位の向上を目指すために、一人々々がそれぞれの要求にもとずいて結集した組織であり、一つの芸術的旗印のもとに集った芸術運動体ではないからである。そして私たちは今迄も、それらの芸術運動体に所属している人々でも、作家としての社会的地位の向上をめぐって、生活上、創造上の当面する具体的な諸問題については、共通の解決点を見出し、呼びかけてゆく方針である。

（四）

一九六四年をふりかえって、協会の歩んだ道はおよそ以上の通りであった。併しこれを年頭の運動方針に照らしてみるとき、私たちは多くの運営上の不充分さ、渋滞、欠陥を指摘されねばならない。そしてそれらの問題を、協会の内外に起った組織上、財政上の困難のみに帰してはならないことを痛感し、

去る十二月の「臨時総会議案書」では卒直にその事実を自己批判した。

「運営上の基本は、会員諸氏の日常要求に基づかねばならなかったにも拘らず、委員会は充分にその責務を果さなかったのであります。それは何故でしょう。

協会創立以来十年の間の狎れと惰性が委員会の中に潜入していたことも事実です。しかしなによりも重大な誤りは、委員会を構成する主要部分の委員が、生活上のプチブル的目先の安定に甘んじ、なにもまして才一義的に会員間の連体の思想を高くかざし、その実践にとり組むことに欠けていた点にあります。したがって運営は会員から浮きあがり、会員諸氏の諸要求に忠実であろうとするよりは、当面する協会内部の対立問題に精力の大部分を費やし、会員全体の利益のための努力はほとんど前進をみない結果に終りました。

もちろん、協会内部の対立の克服は重要な課題であります。しかしそのとり組み方が、多くの会員諸氏から、あたかも二つの派閥の争いとして受けとられ、それが何ら自分とは関係のないこととし

て受けとられる結果に陥ったということは、運営上の右の基本的欠陥をあますところなく露呈したものにほかなりません」

その結果、運営上の基本的欠陥は、会報の内容の貧困、機関紙の中絶、そして協会活動の基盤として考えられた支部組織も、東京シネマ、電通映画社、日本技術映画、市ヶ谷ブロックなどを除いては殆んど発展せず、それらの活動も亦、決して充分なものとは云えなかった。

また、フリーや助監督の組織にも殆んど手がつかず、それらの人々の日常要求を協会の運営に反映することが出来なかった。

(五)

併し一方では、この一年間の業績として、協会は次のような報告をすることができる。

○事務局を都心(現住所)に移し、活動の便をはかることができたこと。

○健康保険費の滞納分を一掃し、前委員会から引継いだ財政上の借入金、負債等を返済又は長期の借入金に切り換えて、一応協会財政を軌道にのせたこと。

○製作者連盟などとの交流のなかで、ヤマハホールの新作紹介試写の通知を会員に直送することができるようになったこと。

○近代美術館等に切きかけて、エイゼンシュテイン「メキシコ万才」イギリス古典ドキュメンタリ「流網船」その他の試写会を開き、又、企画を実現させることができたこと。

○月例会を毎月最終土曜日の夜を定例として、シネサロンで催すことができたこと。

この会は試写研究のみが目的ではなく、必ず運営委員が出席して協会運営に関する会員の要求、意見などを直接聞き、また会員相互の交流にも役立てるために開かれている。

月例会で今までに上映された作品は次の通りである。

(六月) 安倍成男作品「素晴らしきバネ」
荒井英郎作品「子供の叫び」

(七月) 大内田圭弥作品「農村に生きる」
秋山衿一作品「法政大学」

（八月）　黒木和雄作品「あるマラソンランナーの記録」
（九月）　作家協会製作担当、菅家陳彦編集「ギャチュン・カン――ヒマラヤ勝利の記録」
徳永瑞夫編集「続・ヨーロッパの旅」
（十月）　上野耕三作品「首都東京」
（十一月）　渡辺正巳作品「電子と結晶」
（一月）　山添哲作品「美しい国土」

○また国際交流には始めて吉見委員長を第三回アジア・アフリカ映画祭（ジャカルタ）に送り出すことができたこと。

○事業活動としては、「善光寺」の脚本作成、「ギャチュン・カン――ヒマラヤ勝利の記録」の編集によって協会財政をカバーすることができたこと。

○組織的な足場として、前記のような支部組織が活動を始めたこと。

○会員の所得税問題について大蔵省、東京国税局と接渉し、記録映画作家の特殊事情を説明し、来年度からは必要経費の控除率について、記録映画作家に独自の算定基準を設けて貰うよう、略々話し合いがついたこと。

○そして現在、作家の創造上、生活上の諸権利をまもるために、映画復興会議、映画テレビ産業単一労組の結成に協力していること。

○八ミリ映画講座（東京をはじめ、長野県視聴覚教育連盟、九州地区労、土浦市教育委員会）にも講師を送ってその普及に協力した。

これらの成果を綜合し、さらに本年度に於ける会員諸氏の要求に基ずいて打出さるべき運動方針とは何か。次に運営委員会の草案を述べて本総会の討論を仰ぐ次第である。

三、本年度の運動方針

(一)協会を会員相互の広場とするために。

日常的に隔絶された場で仕事をしている私たちにとって、協会はそれぞれの要求を持ちよって検討し発展させる広場でなくてはならない。そのために、

(A)職場、地域など、それぞれの実情にそって支部組織をすゝめる。

職場に結集できないフリー会員については、その特有の要求をまとめてフリー部会をつくる。助監督は、そのフリー、企業の別を問わず、出来るだけ横の連帯を深めて助監督部会としての交流を深める。

協会全体の運営は、可能な限りそれらの支部、部会の自主的な活動を援助し、その活動の上に立って行う。

(B) 月例会(シネサロン)は毎月最終土曜日が定例なので、今后もこれを継続発展させる。上映する作品の希望は毎月十日までに事務局に連絡する。尚、この月例会は自由な会員交流の場であるから、会員の持込み作品　ラッシュの検討など、あらゆる形で利用して載きたい。

(C) 機関紙発行の体勢が出来るまでは、会報の充実をはかり、創造上の理論、会員の意見、動静、また記録映画全体の動き等を敏感に反応させる。このため製本の手数のいらない新聞形式(タブロイド版)等、あらゆる可能な創意によって数多く会員に接し得る方法を考慮する。

(二) 創造活動を発展させるために。

(A) 月例会のみに依存せず、研究会担当の専門委員を設けて、日常的な試写研究会を組織する。

(B) 日常的な試写研究会の成果は、必ず全会員的な規模によるシンポジュウムに発展させる。

(C) 創造上の方法論を深めるために、多様なグループ・エコールの活動を認め、協会規約の範囲内でその活動と提携する。

(三) 記録映画作家の社会的地位を向上させるために。

作家の社会的地位、それは作家の諸権利と生活をまもるたゝかいによって裏付けられる。そのために、

(A) 適切なギャラ基準を設け(附表参照)、製作者連盟傘下の各プロダクションには説明会その他の方法をもって協力を求める。

(B) 作家相互の不当なダンピングを防ぐ。

(C) 会員はその動静を必ず事務局に連絡し、協会は可能な限り仕事のあっせんに努力する。

(D) 税金、著作権等の問題については引続き昨年度の交渉を押し進め、関係団体(シナリオ作家協会、放送作家協会等)と提携協力する。

(E) 映画テレビ産業単一労組の呼びかけには出来る

だけ協力してフリー会員の加入をすゝめる。この労組は映画、テレビに働く人々が、その職能を超えて個人加入する単一労組のかたちをとっており、協会員であって、なおこの労組にも加入することが出来る。協会は当面この労組とは、短篇企業の各労組と同じように共斗態勢を保持してゆくのが望ましいと考えている。

(四) 製作の場を拡大するために。

(A) 連盟傘下の各プロダクションとは、協会として交流を深め、製作条件の向上、製作の場の拡大を中心に話し合いを深める。

(B) 会員の自主的な企画、脚本等を出来るだけ製作にのせるよう、各プロダクションへの持ち込みを活発にする。

(C) 社会教育、学校教材等の作品に就いては、その運動の趣旨によって、最低保証による版権歩合制など、あらゆる弾力のある参加の仕方を考えてその発展に寄与する。

(D) 協会内の賛助会員（プロデューサー）とは特に定期的に密接な連絡をとり、斯界の動静を知ると共に、会員の仕事には積極的な協力を仰ぐ。

(E) 労組、民主団体等の自主製作を助け、その運動を拡大する。

(五) 各種の友誼団体と交流し、協会の社会的役割りを高める。

(A) 協会は当面、以上の運動を推進するために、製作連盟、映画教育協会、教材映画製作協同組合など、直接関連のある諸団体と交流を深め、日本の民主的な記録、教育映画の向上に資すべきことは、協会の規約がさし示す通りである。

(B) またシナリオ作家協会、放送作家協会及び前掲の映画テレビ産業単一労組、映画技術関係諸団体との日常的な交流も、私たちの運動を発展させるための大切な要素である。

(C) 言論や表現の自由をまもる斗い。これも亦、私たちにとっては不可欠な重要な問題であり、協会は従来通り、国民文化会議、映画復興会議などの運動と密接な連携を保ってゆかなければならない。

(D) 観客組織との連帯。私たちは記録映画を観ようという要求をもつあらゆる人々と固く結合し、製作者・作家、観客を三位一体として記録映画

の復興をかちとらねばならない。公民館を軸として社会教育映画の普及に当っている活動家、座館やホールを記録映画のために解放しようとする動き、労組やサークルを中心とする労映や自主上映の運動、それらのすべてに私たちは作家としての立場から積極的な関心を示すべきときである。

(三) 昨年度はまた、私たちの仲間の作品が海外で数多く受賞し、記録映画の国際交流に貢献した。本年度もこのような成果をさらに拡大し、また文献その他によって海外の事情を会員諸氏に紹介する努力を高めたいと思う。

(六) 協会創立十周年記念事業として。

(A) 戦前戦后を通じて、記録映画の所在を確め、そのリストを整理して資料保存、会員の研究活動に資する。

(B) 内外の記録映画の古典シナリオを年代別に整理し、その出版等を通じて会員の研究活動に資する。

(C) 会員の協力を得て、記録映画に関する文献の所在を整理し、研究活動の資料とする。

以上は、現運営委員会が才十一回定例総会に提案する本年度の運動方針である。会員諸氏の討議によって、更に、よりすぐれた具体的なものに練りあげて載きたい。

(四) 新役員の選出方法と

会員一覧表

(一) 定例総会は規約によって会員の過半数（委任状を含む）の出席を得て成立する。

(二) 委任状は総会の成立にのみ有効で、決議、投票の権利はない。議事は出席者の過半数によって決める。従って新役員の投票も出席者の実数によって行われる。

(三) 役員は、

○運営委員長　一名
○事務局長　一名
○運営委員　十四名
（内訳
フリー会員より　六名
企業所属より　六名
助監督より　二名）

会計監査　二名

を全会員から選出する。

(四)投票は運動方針の討議の后に行い、運営委員長、事務局長各一名を単記で投票し、当選した両名を除く全会員のなかから運営委員十四名、会計監査二名を連記で投票する。

(五)委員長、事務局長の候補者は、自せん、他せんを問わず当日会場で掲示する。たゞし投票はこの候補者に拘束されない。

会員一覧表

(順不同)※各会員の所属は正確ではありませんので漸次訂正してゆきたいと思います。

フリー演出

荒井英郎
赤佐政治
厚木たか
岩堀喜久男
伊勢長之助
入江一彰

上野大悟
江原哲人
大内田圭弥
大口和夫
大野孝悦
加藤松三郎
菅家陳彦

かんけまり
樺島清一
川本博康
岸光男
京極高英
河野哲二
斉藤茂夫

島谷陽一郎
竹内信次
徳永瑞夫
豊田敬太
西沢豪
西尾善介
樋口源一郎
日高昭
本間賢二
松崎与志人
村田達治
柳沢寿男
星合達郎
山岸静馬
吉田六郎
斉藤益広
古川良範
藁谷勲
浅野辰雄
豊臣靖
山本竹良

牧野守
深江正彦
山添哲
丹生有紀
長光太
井内久
大野芳樹
頓宮慶蔵

フリー助監督

小川益生
加藤敏雄
小泉堯
妹尾厚
辻本篤視
塚原孝一
仲原湧作
村松隆一
山元敏之
川本昌
横山弘夫

田中舜平
唐木武久
吉川協
塩沢朝子
田中愼之助
鈴木文夫
秋元勝利
青山泰三
牧野昭
諏訪淳

企業所属

高村武次
羽仁進
羽田澄子
時枝俊江
各務洋一
榛葉豊秋
田中実
秋山衿一
花松正卜

神馬亥佐雄
田中三十八郎
北條美樹
（以上岩波）
奥山大六郎
中村麟子
下坂利春
飯田勢一郎
清家武春
（以上日映科学）
富岡捷
原本透
宮崎明子
宮内研
（以上新理研）
吉見泰
森田実
渡辺正己
大島正明
山崎博紹
（以上東京シネマ）

吉中晃
中島日出夫
青野春雄
小野寺正寿
（以上全農映）
八幡省三
松本治助
安倍成男
岡本昌雄
伊豆村豊
大平隆
中村敏
西田真佐雄
林直広
瀬川晃
（以上電通）
長井泰治
平田繁治
諸橋一
（以上アニメ）
秦康夫

星山圭
（以上日本技術）
高井達人
曽我孝
（以上三井）
橘逸夫
吉田和雄
大久保信哉
辻本誠吾
原田勉
岡本英雄
矢倉赫雄
金子安成
（以上その他）

賛助会員

石本統吉
石田修
上野耕三
大方弘男
大鶴日出夫

小口禎三
川崎健一
加納竜一
工藤亮
能登節雄
小倉友助
榊原六郎
斉藤久

武田つとむ
中村敏郎
福田寅次郎
堀田幸一
松岡新也
水木荘也
村上喜久男
桑木道生

多胡隆
鈴木朝雄
安藤五郎
渡辺義弘
岩佐氏寿
高橋克雄

附表

(A) 会計報告
(B) ギャラ基準案
(C) 一九六四年度受賞作品

（附表A）

1964年度 収支報告書

（自 1964．2月 至 1965．1月）

収入の部 摘要	金額	支出の部 摘要	金額
(1) 会費	417,200	(1) 人件費	467,200
(2) 「記録映画」売上回収分	117,476	(2) 家賃	44,000
(3) 広告収入	64,500	(3) 敷金	30,000
(4) 雑収入	20,045	(4) 通信費	58,935
(5) 事業収益	100,000	(5) 印刷費（会報資料）	78,640
(6) 借入金及び負債	352,900	(6) 電話料	54,808
(7) 一月よりの繰越	6,281	(7) 事務局行動費	56,015
		(8) 事務局諸費用	44,993
		(9) 月例会・研究会費	48,017
		(10) 会場費	8,011
		(11) 友誼団体加入費	5,000
		(12) 未払金返済分	179,500
		(13) 二月への繰越	3,283
計	1,078,402	計	1,078,402

収入の内訳

（自 1964．2 至 1965．1）

(4) 雑収入

前事務所立退き，敷金返却分	16,000
「8ミリ講座」売上金	1,430
「名簿」売上金	1,000
雑収入（A-A映画祭入場券）	1,615
（計）	¥20,045

(5) 事業収益

「ギャチュン・カン」製作利益金	100,000
（計）	¥100,000

(6) 借入金

共同映画社「善光寺」製作準備引当金	100,000
菅家事務局長 立替金	142,900
事務局員 人件費未払分（1月分）	25,000
〃 賞与未払分（8月，12月分）	50,000
家賃未払分（9～1月分）	35,000
（計）	352,900

支出の内訳　（自 1964.2 至 1965.1）

(1) 人件費

前事務局員　2～4月	148,200
前事務局員　退職金	119,000
現事務局員　5～12月	200,000
（計）	467,200

(2) 家賃

前事務所費　@8000×2	16,000
現　〃　(5〜8月)@7000×4	28,000
（計）	44,000

(8) 事務局諸費用

振替手数料	4,950
手形割引料	6,210
事務用品	8,541
光熱水道料	8,552
事務局員通勤費	15,740
コニ通信購読料	1,000
（計）	44,993

(9) 月例会・研究会費

月例会	30,990
近代美術館	1,000
会場費	6,180
ヤマハ試写会	9,847
（計）	48,017

(10) 会場費

シンポジュウム（国鉄会館）	1,800
臨時総会（私学会館）	2,300
運営委員会会場費	3,911
（計）	8,011

(11) 友誼団体加盟費

国民文化会議	3,000
映画復興会議	1,000
アジア アフリカ 映画祭	1,000
(計)	5,000

(12) 未払金返済分

西 陣	15,000
大沼 哲郎	10,000
丸山 章治	10,000
「記録映画」印刷費	90,000
「 〃 」原稿料	1,500
「 〃 」封筒印刷費	7,000
健保借入金	30,000
会報印刷費	16,000
(計)	179,500

1965年度予算案

(自 1965.2 至 1966.1)

収入の部		支出の部	
摘要	金額	摘要	金額
会費 (脚本・演出500円 80名, 助監督300円 40名, 賛助会員500円 30名として 納入率 85%)	598,400	人件費	42,000
		家賃	84,000
		通信費	50,000
		電話料	50,000
広告収入	250,000	会報・資料印刷費	240,000
事業収益	300,000	事務局諸費用	96,000
新入会費納入分(5名)	24,000	月例会・研究会	75,000
未納会費回収分	42,600	借入金及び負債返済引当金	200,000
計	1,215,000	計	1,215,000

附表（B）

ギャラ基準案（何れも税込）

○演出料

二巻の作品契約基準を二十二万円以上とし、二巻以上は巻当り十万円とする。

長期契約の場合は　一ヶ月　十万円以上。

○助監督料

二巻の作品契約基準を十二万円（但し契約拘束二ヶ月以内）とし、二巻以上は巻当り五万円とする。

長期契約の場合は一ヶ月五万円以上。

日当契約の場合は一日　五千円以上。

契約期間を超えた分のオーバーギャラは右の作品契約の基準によって算定する。

但し、助監督は本人の経験によって前后することがある。

○脚本料

二巻の基準を十二万円以上とし、二巻を超える分については巻当り六万円以上とする。

○シノップシス料

二巻の基準を税込み六万円以上とする。

○構成編集料

巻当り八万円以上とする。

附表（C）

一九六四年度受賞作品

※脚は脚本
演は演出

(1) 国内の受賞作品

☆第十二回東京都教育映画コンクール　二月

第一部門　学校教材映画

金賞　植物の生殖　脚演　畑正憲　学研

銀賞　配色　脚　佐藤雅子　演　米内義人　東映

第二部門　児童生徒向き映画

銀賞　しあわせ一家　脚　片岡薫　演　酒井修　東映

奨励賞　海に生きる　脚　松崎敬次　島崎嘉樹
演　島崎嘉樹　松崎プロ

第三部門　社会教育映画

金賞　土と愛　脚　千葉茂樹　演　堀内甲　春秋映画

銀 賞 空にのびる街 脚．羽田澄子
演．藤久真彦、安藤徹 岩波映画

オ四部門 産業教育映画

銀 賞 海と太陽 脚．演．松本公雄 産業映画センター

オ五部門 一般教養映画

金 賞 生命誕生 脚．吉見泰 演．渡辺正己 東京シネマ

銀 賞 挑戦 脚．演．渋谷昶子 電通

☆第十三回東京都教育映画コンクール

オ一部門 学校教材映画

銀 賞 かいこ 脚．演．土居祥吾 科学映画研究所

〃 風化作用 脚．演．高橋成知 共立映画

オ二部門 児童向き映画

金 賞 この一本道 脚．内藤保彦
演．大島善助 東映

銀 賞 泣いた赤おに 脚．演．神保まつえ 学研

オ三部門 社会教育映画

金 賞 アメリカの家庭生活 脚．演．村山英治 桜映画社

銀 賞 わかもの 脚．黒川義博
演．豊田敬太 東映

オ四部門 産業教育映画

金 賞 地熱 脚．演．斉藤正之 東映

銀 賞 素晴しきバネ 脚．八幡省三
演．安倍成男 電通

オ五部門 一般教養映画

金 賞 あるマラソンランナーの記録
脚．演．黒木和雄 東京シネマ

銀 賞 ダニム 脚．演．平松嵬郎 電通

☆オ五回科学技術映画祭

＜生産技術に関する映画の部門＞

○一般対象

地熱に挑む 脚．演．近藤才司 日映新社

十二時間作戦 脚．中西直登
演．樺島清一 岩波映画

海岸線を拓く 脚．秋浜悟史
演．各務誠一 岩波映画

○特定対象

油圧の世界 脚．渥美輝男
演．竜 光雄 日本シネセル

ダクタイル管 演．矢部正男、花松正卜 岩波映画

季節のない野菜 脚演 二瓶直樹 日映科学

＜自然科学に関する映画の部門＞

○一般対象

生命誕生 脚 吉見泰 演 渡辺正己 東京シネマ

○特定対象

オトシブミの観察 脚演 米内義人 東映

植物の生殖 〃 畑正憲 学研

極微にいどむ 〃 吉田六郎 日本音映科学映画研

第十二回産業映画コンクール 五月

＜日本産業映画大賞＞

近代化をいそぐ日本の農業 脚演 西江孝之 東京フィルム

＜日本産業映画賞＞

○企業技術紹介映画部門

味の王様 脚演 松川八洲雄 産業映画センター

○教養記録映画部門

或る出版社の五十年 構 羽仁進 高村武次 岩波映画

○販売促進映画部門

世界の漁網 脚 吉見泰 演 竹内信次 東洋シネマ

○企業内訓練映画部門

銀行に生きる 脚演 田中実 岩波映画

○学術研究映画部門

極微にいどむ 脚演 吉田六郎 日本音映科学映研

＜日本産業映画奨励賞＞

○金属

未来をつくる製鉄所 脚演 伊勢長之助 岩波映画

新しい鋼板 宝塚映画

シーサイドファイヤー 脚演 高村武次 岩波映画

○機械

マイウォッチ 脚 林直広 演 岡本昌雄 電通

メタルフォームの使い方 脚演 榛葉豊明 岩波映画

○輸送用機器

新しい日本の翼－YS－11 脚演 川本博康 日映新社

○電気機器

斗魂の記録 脚 吉見泰 演 西尾善介 山添哲 東京シネマ

○繊維

総合の美をつくる　東邦シネプロ

○化学工業

地熱　脚.演　斉藤正之　東映

○金融

東京　脚.演　荒井英郎　英映画

ゼロの発見　脚.大沼鉄郎　演.杉原せつ　富沢幸男　アジア映画

○建設

大成十字バイブロ　脚.演　越田季寿美　日映新社

海岸線を拓く　脚.秋浜悟史　演.各務誠一　岩波映画

○公共企業

ある機関助士　脚.演　土本典昭　岩波映画

確かですJASマーク　日活

○官公庁

日本の母子衛生　脚.演　菅家陳彦　英映画

○薬品、食料品

ビールをつくる人々　脚.演　的場晴　岩波映画

美しい素肌づくり　〃　中村麟子　日映科学

酵母　脚.八幡省三　演.大沼鉄郎　産業映画センター

第六四年教育映画祭優秀作品選賞

○学校教育部門

理科教材　水の圧力　脚.演　榛葉豊明　岩波映画

社会科　山おくのくらし　脚.演　高橋成知　共立映画

美術科　配色　脚.佐藤桂子　演.米内義人　東映

児童劇　白さぎと少年　脚.演　酒井修　東映

○社会教育部門

教材　わかもの　脚.黒川義博　演.豊田敬太　東映

一般教養　アメリカの家庭生活　脚.演　村山英治　桜映画

学術科学　結晶と電子　脚.吉見泰　演.渡辺正己　東京シネマ

○産業教育部門

職能教育　メタルフォームの使い方　脚.演.榛葉豊明　岩波映画

産業　海岸線を拓く　脚.秋浜悟史　演.各務誠一　岩波映画

＜特別賞＞

○学校教育部門

理科教材　かいこ　脚演　土屋祥吾　科学映研

動　画　泣いた赤おに　脚演　神保まつえ　学研

○社会教育部門

一般教養　土と愛　脚　千葉茂樹　演　堀内甲　春秋映画

学術科学　極微にいどむ　脚演　吉田六郎　科学映研

○産業教育部門

産　業　ダニム　脚演　平松幸郎　電通

＜技能賞＞

伊勢長之助――「或る出版社の五十年」の編集

田畑正一他東京シネマ撮影および造型スタッフ――「美しい国土」の撮影ならびに造型

片田計一――「高血圧性脳出血の手術」の製作企画

＜特別企画賞＞

貯蓄増強中央委員会――「アメリカの家庭生活」「土と愛」の企画

☆キネマ旬報ベストテン☆　四〇年一月

一、アメリカの家庭生活　脚演　村山英治　桜映画

二、美しい国土　脚　吉見泰　演　山添哲　東京シネマ

三、挑戦　脚演　渋谷昶子　電通

四、結晶と電子　脚　吉見泰　演　渡辺正己　東京シネマ

五、あるマラソンランナーの記録　脚演　黒木和雄　東京シネマ

六、路上　脚　楠木徳男　演　土本典昭　東洋シネマ

七、白さぎと少年　脚演　酒井修　東映

八、首都東京　脚　上野耕三　古川良範　演　上野耕三　泉京介　記録映画社

九、チョンリマ　脚演　宮島義勇　千里馬製作委

九、水の圧力　脚演　榛葉豊明　岩波映画

☆日本紹介映画コンクール　十一月

第一部門（外国語版）

金賞　日本の味　脚演　村山英治　桜映画

今日の日本の農業　脚演　渥美輝男　岩波映画

銀賞　東北の旅　脚演　小林千種　シュータグチ

極微にいどむ　脚演　吉田六郎　日本音映　科学映研

結晶と電子　脚　吉見泰　演　渡辺正己　東京シネマ

オ二部門（日本語版）

金賞　日本のさけます　脚．渥美輝男　演．稲葉直　日本シネセル

銀賞　かいこ　科学映研

石川の四季　脚演　赤佐政治　日本シネセル

☆国土開発映画コンクール

最優秀賞

銀座の地下を掘る　脚演　苗田康夫　日映新社

☆芸術祭賞

美しい国土　脚．吉見泰．演．山添哲　東京シネマ

奨励賞

挑戦　脚．演　渋谷昶子　電通

路上　脚．楠木徳男　演．土本典昭　東洋シネマ

アメリカの家庭生活　脚演　村山英治　桜映画

☆日本映画記者会賞　四〇年一月

東京シネマ――「美しい国土」などの文化映画の製作活動に対して

☆ブルーリボン賞（十五回）　三十九年一月

教育文化映画賞

ある機関助士　脚．演　土本典昭　岩波映画

☆ブルーリボン賞（十六回）・四〇年一月

教育文化映画賞

日本のさけます　脚．渥美輝男　演．稲葉直　日本シネセル

☆オ十九回毎日映画コンクール　四〇年二月

＜教育文化賞＞

結晶と電子　脚吉見泰　演渡辺正己　東京シネマ

白さぎと少年　脚演　酒井修　東映

美しい国土――その生いたち

脚．吉見泰　演．山添哲　東京シネマ

日本のさけます　脚．渥美輝男　演．稲葉直　日本シネセル

＜企画賞＞

「アメリカの家庭生活」「北海に生きる」「父と母とその子たち」の貯蓄増強中央委員会に。

(2)　海外での受賞作品

○六四年　青春コンテスト（ミュンヘン）（三八年一〇月九日放送）　六月十二日

TVノンフィクション劇場「アイヌの少女」

教育番組部門オ一位　脚．演　西尾善介
○メルボルン映画祭（五月二九日～六月一五日）
「メダカの卵」（製．岩波映画）　特別賞
脚．演　渥美輝男
○イスラエル映画祭「空にのびる街」（製．岩波映画）
オ三位．脚．羽田澄子　演．藤久直彦．安藤巌
○オ十四回ベルリン国際映画祭「彼女と彼」（製．岩波映画）
特別賞（国際カトリック映画局賞）　七月
演．羽仁進
○オ十八回エジンバラ映画祭（九月二日）
「路上」（東洋シネマ作品）　脚．楠木徳男
演　土本典昭
○オ七回ベルガモ大賞国際芸術美術映画コンクール
（九月）「日本の庭園」（古賀プロ作品）
造形美術大賞　脚．演　古賀聖式
○国際科学映画祭（アテネ）「美しき国土」
名誉賞　九日．　脚．吉見泰．演．山添哲　東京シネマ作品
○オ四回国際技術フイルムコンクール（ミラノ）十月十二、十三日
「フランスの美術」（製．日映新社）演．山添哲
特殊撮影部分に対して「推奨」

○ベネチヤ国際科学・教育映画祭（パドア）十一月
「結晶と電子～エレクトロニクスと生体～」
大賞を獲得．脚．吉見泰．演．渡辺正己　東京シネマ作品
○オ三回アジアアフリカ映画祭（四月一九～二九日）
「チョンリマ」ルムンバ賞並びにカラー撮影賞
脚．演　宮島義勇
○オ二十回国際スポーツ映画祭（二月下旬）
（イタリヤ・コルチナダンペッツオで開催）
「斗魂の記録」（C 34分　製．東京シネマ）
○オ十七回　カンヌ国際映画祭
三位銀賞　脚．吉見泰　演．西尾善介．山添哲
「挑戦」（カラー四巻・製作電通　企画．日紡）
脚．演　渋谷昶子
○青少年向け国際映画祭（カンヌ市主催）
（十二月末～一月四日）
芸術部門優秀賞「現代日本の美術工芸」
（C 30分　桜映画社）入賞
脚．演　村山英治